Marc Elsberg
Blackout. Morgen ist es zu spät

Marc Elsberg

BLACKOUT

Morgen ist es zu spät

Roman

blanvalet

Dieses Buch erhebt keinen Faktizitätsanspruch, obwohl reale Unternehmen erwähnt und realistische Abläufe thematisiert werden, die es so oder so ähnlich geben könnte. Die beschriebenen Personen, Begebenheiten, Gedanken und Dialoge sind fiktiv.

Sollte diese Publikation Links auf Webseiten enthalten, so übernehmen wir für deren Inhalte keine Haftung, da wir uns diese nicht zu eigen machen, sondern lediglich auf deren Stand zum Zeitpunkt der Erstveröffentlichung verweisen.

Verlagsgruppe Random House FSC® N001967

32. Auflage
Taschenbuchausgabe Juli 2013 bei Blanvalet, einem Unternehmen
der Verlagsgruppe Random House GmbH,
Neumarkter Straße 28, 81673 München
© 2012 by Marc Elsberg, vertreten durch Literarische Agentur
Michael Gaeb
© der deutschen Originalausgabe 2012
by Blanvalet Verlag, München, in der Verlagsgruppe
Random House GmbH
ED Herstellung: sam
Redaktion: Kerstin v. Dobschütz
Satz: Uhl + Massopust, Aalen
Druck und Einband: GGP Media GmbH, Pößneck
Printed in Germany
ISBN: 978-3-442-38029-9

www.blanvalet.de

Für Ursula

Tag 0 – Freitag

Mailand

Wie ein Verrückter riss Piero Manzano das Lenkrad herum, während die Kühlerhaube seines Alfa unbeirrt auf den blassgrünen Wagen vor ihm zuglitt. Er stemmte beide Arme gegen das Lenkrad, glaubte das hässliche Geräusch schon zu hören, mit dem sich zwei Karosserien ineinander verkeilen. Bremse, schlitternde Reifen, im Rückspiegel die Lichter der Autos hinter ihm, gleich der Aufprall.

Der Moment dehnte sich, Manzano dachte irrsinnigerweise an Schokolade, die Dusche, die er eigentlich in zwanzig Minuten zu Hause nehmen wollte, das Glas Wein danach auf dem Sofa und eine Verabredung mit Carla oder Paula am bevorstehenden Wochenende.

Mit einem Ruck kam der Alfa zum Stehen. Millimeter von der Stoßstange des anderen entfernt. Manzano wurde in den Sitz zurückgeworfen. Die Straße war stockfinster, Ampeln, eben noch grün, waren verschwunden, hinterließen nur ein schemenhaftes Nachleuchten auf Manzanos Netzhaut. Infernalisches Gebrüll aus Hupen und kreischendem Metall umfing ihn. Von links rasten die Scheinwerfer eines Lkws heran. Wo eben noch der blassgrüne Kleinwagen gestanden hatte, sauste eine blaue Wand durch einen Funkenregen. Ein heftiger Stoß schleuderte Manzanos Kopf gegen die Seitenscheibe, sein Wagen wurde herumgewirbelt wie ein Karussell, bevor ein weiterer Aufprall ihn stoppte.

Benommen sah Manzano auf und versuchte sich zu orientieren. Eins seiner Abblendlichter beleuchtete tanzende Schneeflocken über dem schwarzen, nassen Asphalt. Von seiner Kühlerhaube fehlte ein Stück. Ein paar Meter weiter vorne die Rücklichter des Lastwagens.

Manzano musste nicht lange nachdenken. Mit fliegenden Fingern öffnete er den Sicherheitsgurt, tastete nach seinem Mobiltelefon und sprang aus dem Wagen. Erste-Hilfe-Koffer und Pannendreieck fand er im Kofferraum. Er hatte zwar keine Ahnung von Erster Hilfe – seit der Führerscheinprüfung vor fünfundzwanzig Jahren beschränkten sich seine medizinischen Einsätze darauf, ein Pflaster zu kleben oder einen Kater zu bekämpfen –, trotzdem riss er Koffer und Dreieck an sich und rannte los. Im Vorbeilaufen sah er seinen Wagen. Von der linken Vorderseite und dem Kühlergrill hatte der Lkw nicht viel übrig gelassen, das linke Vorderrad tief in den Blechsalat gedrückt. Der Wagen war Schrott.

Die Fahrertür des Lkws stand offen. Manzano lief um das Führerhaus und erstarrte.

Die Lichter der Autos auf der Gegenfahrbahn schufen eine gespenstische Stimmung. Auch hier war es vereinzelt zu Zusammenstößen gekommen, der Verkehr stand. Der blassgrüne Kleinwagen war zusammengequetscht auf die Breite des Fahrersitzes und klemmte schräg unter der Stoßstange des Lastkraftwagens. Aus seiner Kühlerhaube, oder dem, was davon übrig war, stieg Dampf und hüllte die Szenerie ein. An der völlig verzogenen Fahrertür rüttelte ein stämmiger, kleiner Mann in einer gefütterten, ärmellosen Jacke. Der Lastwagenfahrer, vermutete Manzano. Er konnte sehen, dass der Mann schrie, doch das allgemeine Hupkonzert übertönte ihn. Weitere Menschen eilten zu der Unfallstelle. Manzano stürzte zum Wagen. Was er sah, ließ ihn wanken.

Der Aufprall hatte den Fahrersitz aus seiner Verankerung gerissen und der Beifahrerin buchstäblich auf den Schoß gesetzt. Der

Fahrer hing leblos im Sicherheitsgurt, den Kopf seltsam verdreht, vor sich den schlaffen Airbag. Von der Beifahrerin waren nur ein Arm und der Kopf zu sehen. Das Gesicht war blutverschmiert, die geschlossenen Lider flatterten. Ihre Lippen bewegten sich fast unmerklich.

Die Bemühungen des Lastwagenfahrers blieben vergeblich.

»*Ambulanza!*«, schrie Manzano dem Lastwagenfahrer zu. »Rufen Sie einen Krankenwagen!«

Die verletzte Beifahrerin flüsterte noch immer, Manzano verstand nichts. Verzweifelt suchte er nach einem Lebenszeichen im Gesicht des Fahrers. Durch das zerbrochene Fenster griff er an dessen Hals. Puls fühlt man nicht am Handgelenk, so viel hatte Manzano sich gemerkt. Er fand nichts. Er tastete den Hals weiter ab, als der Kopf noch ein undenkbares Stück weiter nach vorne fiel. Entsetzt fuhr Manzano zurück, kämpfte gegen den Brechreiz an.

»Kein Netz!«, rief der Lastwagenfahrer.

Die Lippen der Beifahrerin bewegten sich nicht mehr. Nur kleine blutige Bläschen im Mundwinkel, die sich bei jedem Atemzug neu bildeten, zeugten davon, dass sie noch lebte.

»Der Krankenwagen! Hat jemand einen gerufen?«

»Schon geschehen!«, antwortete ein Mann in einem Anzug, auf dessen Schultern sich Schneeflocken sammelten.

Manzano wusste nicht, ob die Nässe in seinem Gesicht nur vom Schnee herrührte oder von Tränen.

Mittlerweile hatten sich so viele Schaulustige eingefunden, dass die Lichter der Autos nur noch als schmale Streifen an die Unfallstelle drangen. Sie standen im Schneegestöber und gafften.

Manzano schrie, sie sollten verschwinden, doch keiner rührte sich von der Stelle, schien ihn überhaupt zu hören. Erst jetzt bemerkte er, was er vor dem Unfall nur unbewusst wahrgenommen hatte. Die Straßenbeleuchtung war ausgefallen. Deshalb war es so dunkel. Überhaupt wirkte die Nacht finsterer als sonst. Da begriff er, dass auch aus kaum einem Gebäude auf der Piazza Napoli und den einmündenden Straßen Fenster oder Leuchtreklamen strahlten. Nur in zwei entfernten Häusern entdeckte er Lichter.

»Himmel, wie sehen Sie denn aus?«, fragte ihn ein Mann im Anorak. »Waren Sie in dem Wagen?«

Manzano schüttelte den Kopf. »Weshalb?«

Er zeigte auf Manzanos linke Schläfe. »Sie brauchen einen Arzt. Setzen Sie sich.«

Nun spürte auch Manzano die pochende Stelle an seinem Kopf, aus der es warm seinen Hals hinabsickerte. Seine Hände waren voller Blut, er wusste nicht, ob von den Unfallopfern oder von ihm selbst. Ihm wurde schwindelig.

Das Hupkonzert hatte sich abgeschwächt. Am lautesten klang das nicht enden wollende Hupen aus den Überresten des blassgrünen Autos neben ihm. Während Manzano gegen die Karosserie taumelte und sich vergeblich gegen das Schwinden seiner Sinne wehrte, gellte der Ton wie ein letzter, lang gezogener Hilfeschrei in die Nacht.

Rom

Das Signal piepte ohne Unterbrechung, dazu blinkte eine ganze Batterie von Lichtern auf den Monitoren vor Valentina Condotto.

»Keine Ahnung, was da los ist!«, rief sie und hieb hektisch auf die Tasten ein. »Auf einmal springt die Frequenz schlagartig hoch, und dann erfolgt die automatische Abschaltung. Ganz Norditalien ist weg! Einfach so, ohne Vorwarnung!«

Vor drei Jahren war Condotto als System Operator zum Team des Kontrollzentrums von Terna am Rande Roms gestoßen. Seitdem steuerte sie acht Stunden täglich den Stromfluss in Italiens Übertragungsnetzen, dazu den Stromaustausch mit den Netzen der Nachbarländer.

Als sie den Raum mit seinen Mediawänden und vielen Bildschirmen zum ersten Mal betreten hatte, hatte sie das Gefühl, in die Kulissen eines James-Bond-Films geraten zu sein. Auf der sechs mal zwei Meter großen Projektionswand vor ihr leuchteten bunte Linien und Kästchen auf schwarzem Grund. Das italienische Stromnetz. Links und rechts davon Monitore mit den aktuellen Daten aus den Netzen. Auf Condottos Schreibtisch vier kleinere Bildschirme mit noch mehr Zahlenreihen, Kurven, Diagrammen.

»Das restliche Land hat auf Gelb gestellt«, rief ihr Kollege, Grid Operator Giuseppe Santrelli, zurück. »Ich habe Mailand in der Leitung. Sie wollen wieder hochfahren, bekommen aber keine stabile Frequenz von Enel. Sie fragen, ob wir was tun können.«

Condotto verfluchte die Grippewelle. Eigentlich sollte sie längst zu Hause sein. Aber ihr Kollege von der nächsten Schicht hatte sich krankgemeldet, und der vorgesehene Ersatz lag bereits seit Tagen im Bett. Blieb nur sie, trotz ihrer Müdigkeit.

»Sizilien ist jetzt auch rot!«

Ampelsystem: Bei Grün war mit dem Netz alles in Ordnung. Gelb bedeutete Schwierigkeiten. Rot – Blackout. Dank des europaweiten Warnsystems wusste jeder System Operator zu jeder Zeit, wenn irgendwo im Stromnetz die Gefahr einer Krise drohte. In Zeiten völliger internationaler Vernetzung, auch des Stromnetzes, eine absolute Notwendigkeit.

Die umliegenden Länder sahen gut aus.

»Ich sehe zu, dass ich was zu den Franzosen, Schweizern, Österreichern und Slowenen rüberleite.«

Das sensible Gleichgewicht der Netze litt ohnehin schon unter dem kalten Februar. Wie jeden Winter führten die Flüsse Tiefstände. Die Produktion der Wasserkraftwerke hatte sich fast halbiert. Die allwinterliche russische Drosselung der Gaslieferungen dauerte schon drei Wochen an und führte zu ernsthaften Engpässen vor allem in Mitteleuropa. Besonders zu den Spitzenlastzeiten mittags und abends mussten sie Kraftwerkskapazitäten zuschalten und Strom importieren. Den Großteil dieser Prozesse steuerten Computer. In Millisekunden regulierten sie den Stromfluss, den Operatoren in den Leitstellen war die Letztüberwachung vorbehalten. Dabei durften sie die Netzfrequenz von fünfzig Hertz nur geringfügig schwanken lassen, sonst drohten schwere Schäden an den Generatoren. Bei größeren Schwankungen schalteten die Rechner automatisch Teile des Netzes ab.

Ein rot leuchtendes Areal auf der großen Projektionswand zeigte Condotto, dass die Computer fast alle Gebiete nördlich von Latium und den Abruzzen vom Netz genommen hatten. Sizilien war ebenfalls betroffen. Nur die untere Hälfte des Stiefels wurde noch mit Strom versorgt. Über dreißig Millionen Menschen saßen im Dunklen.

Auf einen Schlag drängte mehr Strom ins restliche Netz, löste gefährliche Frequenzschwankungen aus und führte zu weiteren automatischen Abschaltungen.

»Wupp! Und weg sind sie«, bemerkte Santrelli lakonisch. »Kalabrien, Basilikata, Teile Apuliens und Kampaniens auf Rot. Restliche Betriebsregionen auf Gelb. Und sieh mal! Die Franzosen und Österreicher haben ebenfalls Probleme!«

»Unseretwegen?«, fragte Condotto nervös.

»Keine Ahnung. Ich sehe nur, dass die Schweizer einige Gebiete im Süden jetzt auch auf Gelb haben. Und seltsamerweise auch Schweden.«

Condotto fluchte. Wie konnte Santrelli nur so gelassen bleiben? Die Frequenzkurve stieg erneut an. Rasend schnell jagte die überschüssige Energie durch das weitverzweigte Geflecht, suchte Abnehmer ihrer unbändigen Kraft. Irgendwo musste sich diese menschengemachte Gewalt entladen. Fieberhaft suchte Condotto nach einem Ausgang, an dem der gefangene Blitz keinen Schaden anrichten konnte. Und wie es schien, war sie mit diesem Problem nicht allein.

Ybbs-Persenbeug

Herwig Oberstätter sah von dem Schaltkasten auf, hörte noch einmal hin. Weit über ihm spannte sich die Decke der Kraftwerkshalle, hoch wie ein gotischer Dom, aus Stahl und Beton gebaut, und warf das Dröhnen der Generatoren unter ihm zurück in den Raum.

Von dem schmalen Metallsteg, der die Halle des Südkraftwerks in halber Höhe umlief, blickte er auf die drei roten Generatoren. Ihre Gehäuse standen wie haushohe Zylinder hintereinandergereiht und bildeten doch nur die Spitze der Maschinenkonstruktion. Von außen glichen sie massiven, unverrückbaren Giganten, dennoch spürte er die Energie, die in ihrem Inneren tobte. Angetrieben von baumdicken Stahlwellen, die sie mit den darunterliegenden Kaplan-Turbinen verbanden, wirbelten in jedem einzelnen tonnenschwere Magneten, Kilometer gewickelten Drahts, mehrere hundert Umdrehungen pro Minute. Ein umlaufendes Magnetfeld entstand und induzierte in den Leitern des Stators elektrische Spannung. So wurde aus Bewegungsenergie elektrische Energie. Trotz seines Maschinenbaustudiums hatte Oberstätter dieses Wunder nie völlig verstanden. Von hier aus floss die Kraft, die das moderne Leben antrieb. Über Hochspannungsleitungen, Umspannwerke und Leitungen mit geringerer Spannung bis in die entlegenste Hütte des Landes. In dem Augenblick, in dem diese Kraft versiegte, erstarrte die Welt da draußen.

Dutzende Meter unter ihm strömte die Donau mit mehr als eintausend Kubikmeter pro Sekunde durch die lastwagengroßen Turbinenschaufeln, und auch wenn der Fluss zu dieser Jahreszeit seinen Tiefstand erreicht hatte, lieferten sie immer noch die Hälfte der möglichen Höchstleistung.

Schon als Schulkind hatte Oberstätter gelernt, dass das Kraftwerk Ybbs-Persenbeug aus den Fünfzigerjahren des zwanzigsten Jahrhunderts eines der ersten und größten Donaukraftwerke Österreichs war. Zwischen Ybbs und Persenbeug in Niederösterreich staute die vierhundertsechzig Meter lange Staumauer den Fluss auf einer Länge von rund vierunddreißig Kilometer bis zu elf Meter hoch, aber das hatte er erst erfahren, als er vor neun Jahren hier zu arbeiten begonnen hatte. Seither kontrollierte und wartete er die roten Riesen, als wären es seine eigenen Kinder.

Er hörte noch einmal hin. In neun Jahren lernte man seine Maschinen kennen. Da war etwas, das er noch nicht genau einordnen konnte.

Es war Freitagabend, die Menschen kamen von der Arbeit nach Hause, brauchten Wärme und Licht und sorgten damit für den höchsten Stromverbrauch im Lauf des Tages. Österreichs Kraftwerke liefen auf Hochtouren, trotzdem war es um diese Zeit notwendig, Strom zu importieren. Da elektrische Energie kaum gespeichert werden kann, mussten Menschen wie er in Kraftwerken auf der ganzen Welt immer genau so viel erzeugen, wie gerade gebraucht wurde. Dabei provozierte der ständige Wechsel im Verhalten der Stromverbraucher laufend Frequenzänderungen. Verantwortlich für die gleichmäßige Frequenz in den Netzen waren unter anderem die Generatoren mit ihrer Drehgeschwindigkeit.

Mit einem Mal war ihm klar, was er hörte. Er griff zu seinem Funkgerät und rief die Kollegen im Schaltraum an.

»Hier stimmt was nicht!«

Durch das statische Rauschen und Knacken des Lautsprechers hörte er die Stimme seines Kollegen.

»Sehen wir auch! Wir haben einen plötzlichen Frequenzabfall im Netz!«

Das Dröhnen in der Halle wurde lauter, durchsetzt von einem unregelmäßigen Stampfen. Oberstätter beobachtete nervös die großen Zylinder und rief in das Mikrofon: »Das klingt aber eher nach Überfrequenz! Die gehen durch! Tut etwas!«

Was faselten die da von Frequenzabfall? Diese Generatoren waren unter-, nicht überbelastet. Wer sollte auf einmal so viel Strom verbrauchen? Die Generatoren verhielten sich genau umgekehrt. Als ob da draußen gerade eine Menge Verbraucher weggefallen waren. Wenn die Frequenz im Stromnetz so instabil war, dass sie sogar ihre Generatoren erreichte, gab es da draußen gröbere Probleme. War irgendwo großflächig der Strom ausgefallen? Dann saßen jetzt Zehntausende Österreicher im Dunklen.

Entsetzt verfolgte Oberstätter, wie die roten Riesen erst zu vibrieren, dann zu springen begannen. Wurde die Drehzahl zu hoch, zerstörte ihre eigene Fliehkraft die Maschinen. Zeit für eine automatische Notabschaltung.

»Abdrehen!«, brüllte Oberstätter ins Funkgerät, »oder uns fliegt hier alles um die Ohren!«

Fasziniert erstarrte Oberstätter angesichts dieser kaum mehr gebändigten Kraft, deren Lärm nun alles übertönte. Die drei Megamaschinen hoben und senkten sich unregelmäßig, und er wartete nur darauf, dass sie wie das Ventil eines Druckkessels nach oben durch die Hallendecke schossen.

Dann wurde es schlagartig leiser.

Oberstätter spürte, wie die Vibrationen nachließen. Die Erschütterungen konnten nur Sekunden angedauert haben. Ihm waren sie wie eine Ewigkeit vorgekommen.

Die plötzliche Stille war gespenstisch. Erst jetzt realisierte er, dass der Raum nicht mehr von den Neonröhren beleuchtet wurde. Nur die Bildschirme und die Notlichter glommen noch.

Die Maschinen waren gestoppt. Vermutlich war es soeben in halb Niederösterreich dunkel geworden. Erst jetzt fühlte er den Schweiß auf seiner Stirn.

»Okay, ist noch einmal alles gut gegangen!«, sagte er etwas ruhiger in sein Funkgerät. »Was war denn da oben los? Wieso habt ihr nicht früher abgeschaltet?«

»Wieso abschalten? Wir hatten einen Frequenzabfall und mussten mehr Wasser durchschicken.«

»Das klang hier anders. Wir müssen so schnell wie möglich wieder hochfahren und synchronisieren.«

»Ich weiß nicht, ob das so einfach wird«, antwortete die knackende Stimme aus dem Hörer. »Komm mal her und sieh dir das an. Wir sind hier nicht die Einzigen, denen es so geht.«

Brauweiler

»Schweden, Norwegen und Finnland im Norden, Italien und die Schweiz im Süden sind weg«, erklärte der Operator, dem Jochen Pewalski gerade über die Schulter sah. »Ebenso Teile der Nachbarstaaten Dänemark, Frankreich, Österreich, aber auch von Slowenien, Kroatien und Serbien. E.ON meldet ein paar Ausfälle, Vattenfall und EnBW stehen komplett auf Gelb. Die Franzosen, Polen, Tschechen und Ungarn auch. Und Flecken auf den Britischen Inseln.«

Jochen Pewalski, Leiter der Systemführung Netze der Amprion GmbH, arbeitete seit über dreißig Jahren in dem Komplex nahe Köln, der 1928 als Schaltzentrale für das Übertragungsnetz des damaligen Rheinischen Westfälischen Elektrizitätswerks RWE entstand und lange als »Hauptschaltleitung Brauweiler« bekannt gewesen war. Die riesige Tafel, sechzehn mal vier Meter groß, mit den roten, gelben und grünen Linien sowie die zahlreichen Bildschirme an den Arbeitsplätzen der Operatoren erinnerten ihn jeden Tag an die Verantwortung, die er und seine Mannschaft in diesem Raum trugen.

In Brauweiler überwachten, steuerten und führten sie das gesamte Übertragungsnetz von Amprion, einem der vier großen deutschen und damit auch einem der größten europäischen Netze, für die Spannungsebenen 380 kV und 220 kV.

Dazu koordinierten sie den Verbundverkehr der vier großen Übertragungsnetzbetreiber für ganz Deutschland. Außerdem oblag ihnen die Koordination und Systembilanzierung für den gesamten nördlichen Teil des europäischen Übertragungsnetzes. Dazu gehörten Belgien, Bulgarien, Deutschland, Niederlande, Österreich, Polen, Rumänien, Slowakei, Tschechien und Ungarn.

Seit der Liberalisierung der Strommärkte vor einigen Jahren waren diese Aufgaben immer wichtiger und gleichzeitig immer komplexer geworden. Strom schoss heute mehr denn je quer durch ganz Europa, von dort, wo er erzeugt wurde, dahin, wo gerade Bedarf herrschte. Konnten etwa die Österreicher mit ihren Wasserkraftwerken während der Spitzenlastzeiten am Abend nicht genug Elektrizität erzeugen, floss einfach die Energie slowakischer Atomkraftwerke in die Haushalte der Alpenrepublik. Ein paar Stunden später halfen kalorische Kraftwerke aus Spanien den Franzosen aus der abendlichen Belastung. Ein ständiges Geben und Nehmen. So verteilte sich die Elektrizität laufend gleichmäßig in ganz Europa, über die Hochspannungsnetze bis in die regionalen Verteilernetze, und wahrte das sensible Gleichgewicht zwischen Stromerzeugern und Konsumenten.

Doch genau dieses Gleichgewicht war in einigen Teilen Europas aus den Fugen geraten, befürchtete Pewalski.

»Das ist schlimmer als 2006«, stöhnte ein zweiter Operator.

Pewalski erinnerte sich, dass der Mann dabei gewesen war, als E.ON am Abend des 4. November 2006 ohne Vorwarnung der Nachbarnetze eine Höchstspannungsleitung ausgeschaltet hatte. Ein Kreuzfahrtschiff aus der Binnenwerft Papenburg sollte gefahrlos durch die Kanäle an die Küste überführt werden. Sofort wurde die Verbindungsleitung Landsbergen-Wehrendorf überlastet und automatisch abgeschaltet. Daraufhin fielen Leitungen in ganz Europa aus. Obwohl sie fieberhaft dagegen angekämpft hatten, mussten Pewalski und seine Kollegen schließlich zusehen, wie rund fünfzehn Millionen Menschen europaweit ihre Stromversorgung verloren. Erst nach über eineinhalb Stunden hatten sie und die internationalen Kollegen den Betrieb wiederhergestellt. Den Komplettzusammenbruch des gesamten europäischen Netzes hatten sie um Haaresbreite verhindert.

Die aktuelle Situation war weit dramatischer.

»Tschechien ist jetzt auch komplett auf Rot«, meldete der Junge.

2006 war Europa von West nach Ost in drei Spannungsblöcke mit unterschiedlicher Frequenz zerfallen. Unter Stromausfällen hatte nur der mittlere gelitten. Eigentlich hatten die Experten bis dahin in so einem Fall mit dem Riss zwischen dem produktionsstarken Norden und dem verbrauchsintensiven Süden gerechnet. Dieses Mal lag der Fall wieder anders. Vor zwanzig Minuten hatten die Italiener erste Probleme gemeldet. Die Ursache war noch unklar, aber sie hatten die Ausfälle nicht in den Griff bekommen. Bereits während des Zusammenbruchs im Süden hatten auch die Schweden massive Schwierigkeiten bekommen, dann ganz Skandinavien. Offenbar forderte das schlechte Winterwetter zum ungünstigsten Zeitpunkt in verschiedensten Teilen Europas Opfer.

»Wir müssen das deutsche Netz um jeden Preis halten, um die

West-Ost-Verbindungen nicht auch noch zu unterbrechen«, erklärte Pewalski bestimmt.

In seiner Zentrale ging es drunter und drüber. Seine Operatoren leiteten Strom auf noch freie Leitungen um, schalteten Kraftwerke ab, fuhren andere hoch, sendeten überschüssige Energie in Speicherkraftwerke, solange diese aufnahmefähig waren. Oder warfen bei Bedarf Last ab. Und schickten damit ein paar Fabriken in die Zwangspause oder Tausende Menschen in die Dunkelheit.

Pewalski beobachtete, wie weitere Linien auf der Tafel plötzlich rot aufleuchteten.

»Weitere Ausfälle bei E.ON und Vattenfall.«

Einige wenige blinkten kurz gelb auf.

»Westösterreich will hochfahren.«

Dann wieder rot.

»Hat nicht geklappt.«

Äußerlich versuchte Pewalski ruhig zu bleiben, doch seine Gedanken überschlugen sich. Solange in weiten Teilen Europas genug Strom erzeugt und verbraucht wurde, konnten sie auch die ausgefallenen Netze relativ schnell wieder aktivieren. Bei einem Totalausfall war das anders. Einen Atommeiler oder ein Kohlekraftwerk fährt man nicht binnen Minuten wieder hoch wie ein Gasturbinen- oder Pumpspeicherkraftwerk. Schon gar nicht ohne Energie von außen als Starthilfe. Wenn erst einmal alle französischen AKWs abgeschaltet waren, musste *La Grande Nation* für Stunden, wenn nicht für Tage auf ein Gutteil ihrer Energieproduktion verzichten. Mit ein bisschen Pech in den benachbarten Netzen bekamen sie das französische so schnell überhaupt nicht stabilisiert. Dasselbe galt aus dem einen oder anderen Grund für jedes Land.

»Spanien auf Gelb.«

»Okay, es reicht«, erklärte Pewalski entschieden. »Riegeln wir

Deutschland ab.« Und fügte leiser hinzu: »Wenn das noch gelingt.«

Ein paar Kilometer vor Lindau

»Hoffentlich langt das Benzin«, sagte Chloé Terbanten.

Sonja Angström lenkte ihre Aufmerksamkeit von der verschneiten Landschaft neben der Autobahn auf die Armatur. Sie saß mit Lara Bondoni auf der Rückbank, Terbanten fuhr den Wagen, auf dem Beifahrersitz klopfte Fleur van Kaalden im Takt zur Radiomusik auf ihre Schenkel.

»Vielleicht tanken wir sicherheitshalber noch einmal in Deutschland«, schlug van Kaalden vor.

Sie mussten kurz vor der österreichischen Grenze sein, vielleicht noch eine Stunde bis zu der Skihütte, die sie für die kommende Woche gebucht hatten. Links und rechts von ihnen zeigten sich bereits die Ausläufer der Alpen im Mondlicht, das ab und zu zwischen den Wolken hervorlugte. Vereinzelt konnte Angström die Konturen von Bauernhöfen ausmachen, in denen die Menschen wohl sehr früh zu Bett gingen, so dunkel, wie sie dalagen.

»Dieses Mal ohne Männer!«, hatte Terbanten beim Losfahren ausgerufen und sofort lautstarken Widerspruch geerntet.

»Ich meine ja nur, dass wir keine mitnehmen«, hatte sie lachend präzisiert.

Sie reisten mit Terbantens Citroën, den Kofferraum voll mit viel zu großen Koffern, Sporttaschen, Skiern und Snowboards. Unterwegs hatten sie schon einmal getankt, einen Kaffee getrunken und mit ein paar jungen Schweden geflirtet, die zum Snowboarden in die Schweiz fuhren.

»Nächste Tankstelle ein Kilometer.« Van Kaalden zeigte auf das

Schild am Fahrbahnrand, an dem Terbanten mit gut hundertachtzig Sachen vorbeischoss.

Angström hielt Ausschau nach den Lichtern der Raststelle, sah aber nur die mondbeschienene Landschaft.

Terbanten nahm die Ausfahrt, eine lang gezogene Kurve.

»Liegt wohl auf der anderen Autobahnseite«, meinte Bondoni, als sich vor ihnen eine weite Fläche mit einem Gewirr aus Lichtstrahlen öffnete.

Terbanten bremste ab.

»Was ist denn hier los?«

Nur die Schweinwerfer der Autos, die in langen Schlangen an den Zapfsäulen warteten, warfen helle Flecken auf die Fassade der Tankstelle, die ansonsten im Dunklen lag. Ein paar Lichtsäulen schwenkten durch die Nacht, Taschenlampen wahrscheinlich.

Terbanten lenkte den Citroën ans Ende einer Warteschlange. Neben einigen Wagen standen Menschen, aus deren Mündern kleine weiße Wolken stiegen. An den Zapfsäulen hantierte nervöses Personal in Overalls herum. Terbanten ließ die Scheinwerfer an, und sie stiegen aus.

Sofort spürte Angström die Kälte durch ihre Jeans und den Pullover kriechen. Das Auto vor ihnen trug ein deutsches Kennzeichen. Angström beherrschte die Sprache leidlich, deshalb ging sie vor und fragte nach.

»Stromausfall«, erklärte der Fahrer durch die halb offene Scheibe.

Dieselbe Antwort erhielt sie von dem Mann im Overall an einer der Zapfsäulen.

»Und dann kann man nicht mehr tanken?«, wollte sie wissen.

»Die Pumpen der Zapfsäulen funktionieren mit normalem Strom. Ohne den bekommen wir den Sprit nicht aus den darunterliegenden Tanks hoch.«

»Haben Sie keinen Notstrom?«

»Nö.« Er zuckte bedauernd mit den Schultern. »Wird aber sicher gleich wieder«, beteuerte er.

»Wie lange dauert das denn schon?«, fragte Angström mit einem Blick auf die Warteschlangen und den übervollen Parkplatz des ebenfalls im Dunklen liegenden Restaurants. Reisefreitag vor einer Winterferienwoche.

»Fünfzehn Minuten vielleicht.«

Vielleicht, dachte Angström auf dem Rückweg zu den anderen. Sie erzählte ihren Freundinnen, was sie herausgefunden hatte.

Terbanten schlug mit der Hand auf das Wagendach und rief: »Einsteigen! Dann nehmen wir eben die nächste Tankstelle!«

Bonn

»Nichts geht mehr«, erklärte Helge Brockhorst. »Das war Brandenburg. Damit ist auch die Bundesrepublik komplett aus.«

Er ließ sich in seinen Stuhl zurückfallen und starrte auf die Mediawand. Zwölf Cubes mit 50-Zoll-Bildschirmen, 2006 eingebaut. Nur eines der vielen Details, die das Gemeinsame Melde- und Lagezentrum von Bund und Ländern – kurz GMLZ – zur zentralen Schaltstelle bei Krisen in Deutschland machte.

»Fernsehen läuft noch«, meinte einer seiner Kollegen, der Vertreter des Technischen Hilfswerks im GMLZ. »Aber die Menschen können es nicht mehr empfangen.«

Auf den etwas kleineren Plasmabildschirmen liefen die TV-Kanäle, die noch senden konnten. Wenigstens auf einem hätte Brockhorst ein Tickerband erwartet, das über den Stromausfall berichtete. Stattdessen Vorabendserien, Daily Soaps, Realityshows. Vermutlich kämpften sie in den Sendeanstalten momentan selbst mit den Umständen. Alles war zu schnell gegangen. Innerhalb einer Dreiviertelstunde war fast das gesamte europäische Stromnetz zusammengebrochen. Wenn ihre Informationen stimmten, waren nur noch die Iberische Halbinsel und Teile Großbritanniens versorgt. Beim letzten großflächigen Ausfall waren sie an einem solchen Szenario näher vorbeigeschrammt, als die Öffentlichkeit erfahren hatte. Damals hatten sie nach zwei Stunden das Schlimmste überstanden. Brockhorst zweifelte, dass es dieses Mal ebenfalls so schnell gehen würde.

»Ich habe Brauweiler dran«, rief ihm eine Kollegin zu, an jedem Ohr ein Telefon. »Sie sagen, dass wir wenigstens mit vier bis fünf Stunden rechnen müssen.«

Brockhorst kannte Jochen Pewalski, mit dem sie gerade telefonierte, von gemeinsamen Übungen, vom großen Ausfall 2006. Guter Mann. Bekam seinen Part sicher wieder in den Griff.

Mittlerweile waren fast alle Mitarbeiter hier versammelt, hauptsächlich Vertreter der einzelnen Länder und verschiedener Hilfsorganisationen. Sie redeten hektisch durcheinander und telefonierten, manche mit ihren Familien, um sie zu informieren, dass der Stromausfall länger andauern würde. Brockhorst dachte an seine Frau und die drei Kinder in ihrem Einfamilienhaus am Rande Bonns. Um sie musste er sich keine Sorgen machen. Er arbeitete nicht in einer Krisenzentrale, ohne daheim gerüstet zu sein. Schon vor Jahren hatten sie einen Notstromgenerator im Keller einbauen lassen. Im Tank daneben lagerte Diesel für eine Woche. Wie das Gerät in Betrieb zu nehmen war, wusste seine Frau. Er würde ihr nur irgendwann Bescheid geben müssen, dass er heute Nacht wohl nicht nach Hause kommen würde.

»Dann schließen wir uns einmal mit dem Lagezentrum des Innenministeriums kurz.«

»Passend formuliert«, bemerkte seine Kollegin.

Brockhorst verzog keine Miene. »Kennen die in Brauweiler eigentlich die Ursache?«

Berlin

»Was soll das heißen, Sie wissen es nicht?«

Der Innenminister stand im Smoking vor dem Bildschirm, ein großer Mann mit rotem Gesicht und wenigen Haaren, und wirkte verärgert. Frauke Michelsen konnte sich nicht erinnern, ihn schon einmal im Lagezentrum des Innenministeriums gesehen zu haben. Was vielleicht daran lag, dass sie selbst selten dort vorbeikam.

Jetzt war der Raum voll. Mitarbeiter der Abteilungen Öffentlicher Dienst, Informationstechnologie, Bundespolizei, Öffentliche Sicherheit sowie Krisenmanagement und Bevölkerungsschutz, Michelsen kannte alle mehr oder weniger. Wer fehlte, war ihr Vorgesetzter, Leiter der Abteilung Krisenmanagement und Bevölkerungsschutz im Innenministerium. Er saß bei einem Seminar ein paar Häuser weiter und hatte ihr bislang die Arbeit überlassen. Über das Eintreffen des Innenministers hatte sie ihn nicht informiert. Die kleinen Spielchen eben.

In zwanzig Jahren diplomatischen Dienstes und Verwaltungsarbeit hatte Michelsen es bloß bis zur stellvertretenden Abteilungsleiterin geschafft. »Für höchste Weihen bist du zu brillant und siehst zu gut aus«, hatte ihr einer ihrer Vorgesetzten vor mehr als einem Jahrzehnt erklärt. Damals hatte Michelsen beschlossen, ihn Lügen zu strafen. Bislang war sie damit nicht besonders erfolgreich gewesen, wie sie sich gelegentlich eingestehen musste. Ihrer Karriere wenig förderlich war sicher auch ihre Freude an einem guten Tropfen, der sie manchmal ausgelassener und ehrlicher sein ließ, als es der Situation angemessen war.

Dem Minister konnte sie seinen Unwillen nicht einmal übel nehmen. Er hatte wohl ein Galadiner überstürzt verlassen müssen, wie seine Kleidung verriet.

Helge Brockhorst vom Gemeinsamen Melde- und Lagezentrum des Bundes und der Länder in Bonn war auf dem Bildschirm zu sehen, und er antwortete lakonisch: »Das ist alles nicht so einfach.«

Falsche Antwort, dachte Michelsen. Das Bild flackerte, wie bei statischen Störungen. Was man sich dabei gedacht hatte, das Lagezentrum in Bonn statt im Ministerium in Berlin zu installieren, fragte sie sich jedes Mal aufs Neue. Immerhin war man gerade dabei, das zu ändern.

»Wenn Sie erlauben, Herr Minister«, mischte sich Staatssekretär Holger Rhess ein. »Herr Bädersdorf hier kann Ihnen das vielleicht kurz erläutern.«

Ausgerechnet Bädersdorf, dachte Michelsen. Er hatte jahrelang für den Bundesverband der Energie- und Wasserwirtschaft gearbeitet, bevor die Lobbygesellschaft ihn direkt im Ministerium installieren konnte.

»Stellen Sie sich das Stromnetz wie den Blutkreislauf eines Menschen vor«, erklärte Bädersdorf. »Vielleicht mit dem Unterschied, dass es nicht ein, sondern mehrere Herzen gibt. Das sind die Kraftwerke. Von den Kraftwerken wird der Strom im ganzen Land verteilt, wie das Blut im Körper. Dabei gibt es verschiedene Leitungen, so wie es verschiedene Blutgefäße gibt. Hochspannungsleitungen sind vergleichbar mit den Hauptschlagadern, in denen große Mengen über weite Strecken transportiert werden können, dann gibt es Leitungen mit mittlerer Spannung, welche die Energie weitertransportieren, bis die regionalen Netze sie an die einzelnen Endabnehmer verteilen, wie die Kapillaren das Blut in jede Zelle bringen.«

Routiniert tappte er sich dabei zur Untermalung seiner Erklärungen an unterschiedliche Stellen seines Körpers. Er hielt diesen Vortrag nicht zum ersten Mal, und Michelsen musste neidlos anerkennen, dass er eine anschauliche Analogie benutzte.

Michelsen war keine Technikerin, aber als sie ihre Stelle vor drei Jahren antrat, hatte sie sich, wie es ihre Art war, intensiv mit den Materien des Ressorts vertraut gemacht, darunter das Thema kritische Infrastruktur.

»Entscheidend dabei sind zwei Aspekte. Erstens: Um das Netz stabil zu halten, muss darin eine konstante Frequenz herrschen. Vergleichen wir das mit dem Blutdruck beim Menschen. Wenn der zu hoch oder zu niedrig wird, kippt unsereins um. Das ist leider mit dem Stromnetz passiert. Und zweitens: Strom kann man kaum speichern. Deshalb muss er beständig fließen, wie Blut. Das heißt, er muss dann erzeugt werden, wenn er verbraucht wird. Das sind über den Tag verteilt sehr unterschiedliche Mengen. So wie das Herz schneller schlagen muss, wenn ein Mensch plötzlich lossprintet, so müssen Kraftwerke zu Spitzenlastzeiten mehr Energie liefern. Oder es müssen zusätzliche Kraftwerke eingeschaltet werden. So weit verständlich?«

Er blickte in die Runde, erntete mehrfaches Nicken, nur der Innenminister runzelte die Stirn.

»Aber wie kann das in ganz Europa geschehen? Ich dachte, das deutsche Stromnetz ist sicher?«

»Ist es im Wesentlichen auch«, antwortete der Verbandsvertreter, wie Michelsen ihn insgeheim nannte. »Das zeigt sich schon daran, dass Deutschland als eines der letzten Länder die Versorgung verlor und als eines der ersten einzelnen Gebiete gerade wieder hochfährt. Aber das deutsche Netz ist keine Insel in Europa.«

Er tippte ein paar Tasten eines Computers, und auf der großen Projektionswand erschien eine Europakarte, die von einem dichten Netz verschieden gefärbter Linien überzogen wurde.

»Das hier ist eine Übersichtskarte der Stromnetze in Europa. Wie man unschwer erkennen kann, sind sie eng miteinander verbunden.«

»Es gibt also eigentlich kein deutsches Netz mehr«, konnte sich Michelsen den Einwand nicht verkneifen.

»Das würde ich so nicht sagen …«

Sie registrierte den unfreundlichen Blick des Staatssekretärs, ließ sich davon jedoch nicht beirren. »Wie würden Sie es dann nennen, wenn eines der größten Übertragungsnetze mittlerweile einem niederländischen Unternehmen gehört?«

»Ich darf an dieser Stelle darauf hinweisen, dass Deutschland bei den EU-Verhandlungen über die Entflechtung von Erzeugern und Überträgern bis zum Schluss gegen eine vollständige Trennung war und gemeinsam mit anderen Staaten Alternativen erreicht hat«, bemerkte Bädersdorf. »Wir haben immer angeführt, dass diese Struktur des europäischen Strommarkts das Management in Krisensituationen nicht gerade vereinfacht.«

Womit er leider recht hat, dachte Michelsen und ließ ihn erst einmal fortfahren.

Das Bild an der Wand wechselte zu einer blauen Grafik, auf der ein Netz von Linien Symbole von Kraftwerken, Umspannwerken, Fabriken und Wohnhäusern verband.

»Früher gab es nationale Energieversorger, die den Strom sowohl erzeugten als auch verteilten. Das Management der Gesamtversorgung lag in einer Hand. Durch die Liberalisierung des Strommarkts hat sich diese Struktur aber grundlegend verändert. Heute gibt es einerseits Stromerzeuger.«

Das Kraftwerk in der Grafik wechselte seine Farbe von Blau zu Rot.

»Andererseits gibt es Netzbetreiber.«

Die Verbindungslinien der Grafik färbten sich grün.

»Sozusagen dazwischengeschaltet sind nun außerdem« – in dem Netzwerk erschien ein weiteres Gebäudesymbol mit einem Eurozeichen – »Strombörsen. Dort handeln Stromerzeuger und Stromhändler die Preise aus. Die Stromversorgung besteht heute also aus vielen verschiedenen Akteuren, die sich in einem Fall wie dem vorliegenden erst einmal koordinieren müssen.«

Michelsen war hin- und hergerissen zwischen dem Ärger über das kaum verhohlene Plädoyer des Lobbyisten für eine Aufrechterhaltung der versteckten, nach wie vor existierenden Monopole und der Tatsache, dass einige seiner Argumente durchaus berechtigt waren. Trotzdem fühlte sie sich verpflichtet, seine Ausführungen zu ergänzen: »Und deren oberste Aufgabe ist nicht die optimale Versorgung von Bevölkerung und Industrie mit Energie, sondern das Erwirtschaften von Profit. Da gilt es viele verschiedene Interessen unter einen Hut zu bringen. Und zwar im Krisenfall binnen Minuten.«

»Wir kennen die Ursache des Ausfalls noch nicht. Aber Sie können sicher sein, dass alle an einem Strang ziehen. Schließlich ist mit dieser Situation niemandem gedient.«

»Wieso kennen Sie die Ursache des Ausfalls nicht?«, fragte ein Kollege aus der Abteilung Öffentliche Sicherheit nach.

»Die Systeme sind längst viel zu komplex, um das sofort zu klären. Nach den Ausfällen der vergangenen Jahre hat es oft Monate gedauert, den genauen Grund zu finden. Und es waren immer verschiedene. Das Wetter, menschliches Versagen, veraltete Anlagen, sogar ein Sonnensturm war schon dabei.«

»Wie lange müssen wir mit der Wiederherstellung der Versorgung rechnen?«, fragte der Staatssekretär.

»Unseren Informationen nach sollten bis morgen früh die meisten Gebiete wieder Strom geliefert bekommen.«

»Ich will nicht permanent nur nörgeln«, warf Michelsen ein. »Aber wir reden hier von fast ganz Europa. Die Unternehmen haben keinerlei Erfahrung mit einer Krise solchen Ausmaßes.« Sie bemühte sich um einen beherrschten Ton. »Ich bin hier verantwortlich für Krisenmanagement und Bevölkerungsschutz. Wenn morgen früh öffentliche Verkehrsmittel nicht fahren, Bahnhöfe und Flughäfen lahmliegen, Behörden und Schulen nicht geheizt werden können, die Wasserversorgung für weite Teile der Bevölkerung ebenso wenig gewährleistet ist wie Telekommunikation und Information, bekommen wir ein Riesenproblem. Jetzt können wir uns noch notdürftig darauf vorbereiten.«

»Wie wird die Versorgung denn wiederhergestellt?«, fragte der Innenminister.

Bädersdorf kam ihr zuvor: »Im Allgemeinen baut man rund um die Kraftwerke nach und nach kleine Netze auf, sorgt dafür, dass sie eine stabile Frequenz behalten, und vergrößert sie dann sukzessive. Dann beginnt man diese Teilnetze zusammenzuschließen und zu synchronisieren.«

»Wie lange dauern diese einzelnen Schritte?«

»Je nachdem, zwischen wenigen Sekunden bis zu ein paar Stunden für den Wiederaufbau. Die Synchronisation geht dann relativ schnell.«

»Ist aber eine heikle Angelegenheit, durch die es noch einmal zu Ausfällen kommen kann, oder?«, warf Michelsen ein.

»Das kommt nur sehr selten vor«, widersprach Bädersdorf. »Aber zugegeben, vielleicht dauert es dieses Mal etwas länger.«

»Gebiete in ganz Europa sind betroffen?«, fragte der Minister. »Stehen wir mit den anderen Ländern in Kontakt?«

»Wird derzeit hergestellt«, bestätigte Rhess.

»Gut, richten Sie einen Krisenstab ein und halten Sie mich auf dem Laufenden.« Der Minister wandte sich zum Gehen. »Schönen Abend noch, die Damen und Herren.«

Der hat gut reden, dachte Michelsen. Von wegen schöner Abend. Es würde eine lange Nacht werden.

Schiphol

Delayed.
Delayed.
Delayed.

Alle Fluggesellschaften hatten in der letzten Stunde Verspätungen angekündigt.

»Dauert das noch lange?«, fragte Bernadette, ihre Lieblingspuppe an die Brust gepresst.

»Lies doch«, forderte ihr Bruder sie wichtigtuerisch auf. »Da oben steht, dass unser Flug Verspätung hat.«

»Aber ich kann noch nicht lesen. Das weißt du doch.«

»Baby«, spottete Georges.

»Selber!«

»Baby! Baby!«

Bernadette fing zu greinen an. »*Maman!*«

»Schluss jetzt«, befahl François Bollard seinen Kindern. »Georges, hör auf, deine Schwester zu ärgern.«

»So sind wir erst um Mitternacht in Paris«, stöhnte Bollards Frau Marie. Sie sah müde aus.

Sie standen in einer großen Traube von Menschen vor den Anzeigetafeln. Ihr Flug nach Paris hätte vor einer Stunde abheben sollen. Die neue Startzeit war auf 22:00 Uhr festgelegt. Jetzt spürte auch Bollard die Erschöpfung nach der langen Arbeitswoche. Eigentlich wollte er nur noch in seinem weichen, warmen Bett liegen und schlafen. Stattdessen standen sie sich auf einem der größten Flughäfen Europas die Füße in den Bauch. Die Kinder waren aufgekratzt. Sie freuten sich auf ihre Freunde und Großeltern in Paris. Je länger sie warten mussten, desto unleidlicher wurden sie. Bollard fragte sich, was sie machen sollten, wenn der Abflug noch einmal verschoben wurde.

Die langen Sitzreihen in den Wartezonen waren überfüllt. Dazwischen saßen die Menschen auf ihren Koffern. An den Theken der Fast-Food-Restaurants stauten sich die Schlangen. Bollard sah sich um, ob er irgendwo ein ruhiges Plätzchen für sie fand, doch das Gedränge war dafür mittlerweile viel zu groß.

»Was steht da jetzt?«, fragte Bernadette.

»Wieso?«

»Na toll«, hörte Bollard seine Frau sagen und richtete seinen Blick auf die Anzeige.

Cancelled.

Cancelled.

Cancelled.

Paris

Lauren Shannon hielt mit der Kamera auf die Männer vor ihr. James Turner, Korrespondent von CNN in Frankreich, streckte seinem Gesprächspartner das Mikrofon unter die Nase.

»Ich stehe hier vor der Zentrale der Pariser Feuerwehr an der Place Jules Renard«, sagte Turner. »Bei mir ist jetzt François Liscasse, Général de division, Leiter der Brigade de sapeurs-pompiers de Paris, wie die Feuerwehr in der französischen Hauptstadt heißt.«

Im Licht des Scheinwerfers leuchteten die Schneeflocken wie Glühwürmchen.

Turner wandte sich an Liscasse.

»Général Liscasse, seit über fünf Stunden ist Paris ohne Strom. Gibt es schon Informationen, wie lange dieser Zustand noch anhalten wird?«

Liscasse trug trotz des Wetters nur eine blaue Uniform. Seine

Kappe ließ Shannon an de Gaulle denken und erinnerte sie daran, dass die Pariser Feuerwehr eine militärische Einheit war, die dem Innenministerium unterstand.

»Darüber kann ich im Moment keine Informationen geben. In ganz Paris und Umgebung sind alle verfügbaren Männer unterwegs, mehrere Tausend. Immerhin besitzen wir nach New York die größte Feuerwehreinheit der Welt. Die Pariser Bevölkerung kann sich deshalb selbst unter diesen Umständen sicher fühlen. Zurzeit sind wir damit beschäftigt, Menschen aus U-Bahnen und Fahrstühlen zu befreien. Außerdem kam es zu vielen Verkehrsunfällen und vereinzelt zu Bränden.«

»Général Liscasse, wissen Sie, wie viele Menschen etwa noch festsitzen?«

»Wir haben bereits Tausende befreit. Wie viele noch ausharren müssen, ist schlecht einzuschätzen. Erschwerend kommt hinzu, dass uns viele Menschen in Fahrstühlen wegen der überlasteten Mobilfunknetze nicht erreichen und uns über ihre Notlage informieren können. Deshalb müssen sich unsere Mannschaften von Haus zu Haus durcharbeiten.«

»Das heißt, manche müssen bis morgen früh auf ihre Rettung warten?«

»Wir gehen davon aus, dass der Strom bald wieder zurückkehrt. Aber wir werden jeden Einzelnen befreien, dafür verbürge ich mich.«

»Général ...«

»Danke. Entschuldigen Sie bitte, ich muss jetzt weiterarbeiten.«

Turner überspielte die Abfuhr routiniert mit einem Blick in die Kamera. »James Turner, in der ›Nacht ohne Strom‹ aus Paris.«

Turner gab Shannon das Zeichen zum Cut und verabschiedete sich von dem Rücken, der ihm ohne ein weiteres Wort zugewandt worden war. Er zog den Fellkragen seiner Jacke höher und sagte zu Shannon: »Ich will endlich etwas von diesen Typen aus dem Innenministerium wissen. Los, da fahren wir jetzt hin.«

Als Turners Kamerafrau und Chauffeurin hatte Shannon gelernt, sich geschickt durch den Pariser Stadtverkehr zu schlängeln. Das Verkehrschaos vor wenigen Stunden hatte sich zwar beruhigt, trotzdem benötigten sie für die kurze Strecke über zwanzig Minuten.

»Schon wieder kein Netz!«, fluchte Turner und schleuderte das Handy vor seine Füße.

Shannon fuhr ungerührt weiter. Nur gelegentlich passierten sie beleuchtete Häuser, die übrige Stadt lag im Dunklen. Schon lange vor dem Ministerium war die Rue de Miromesnil gesperrt. Shannon parkte das Auto kurzerhand in einer Ausfahrt.

Seit zwei Jahren lebte Shannon in Paris. Auf einer Weltreise nach dem College war sie hier hängen geblieben. Anfangs wollte sie noch Journalismus studieren, doch dann bekam sie den Job als Kamerafrau für Turner, der zu viel Zeit fraß. Turner war zwar ein arroganter Mistkerl, der sich für Bob Woodward hielt, aber Shannon war viel herumgekommen und hatte eine Menge gelernt. Längst war sie die bessere Rechercheurin, fand die besseren Geschichten und wusste, wie man sie erzählen musste. Doch vor die Kamera würde Turner sie nicht lassen. In ihrer mageren Freizeit gestaltete sie deshalb eigene Beiträge und stellte sie auf YouTube ins Netz.

Zu Fuß eilten sie auf die Absperrung zu, die von Polizisten bewacht wurde.

»Presse«, erklärte Turner und zeigte seinen Ausweis.

»Tut mir leid«, meinte der Uniformierte nur.

Turner versuchte es mit den üblichen Argumenten, doch der Mann und seine Kollegen wollten ihn ebenso wenig durchlassen wie drei andere Journalistenteams, die mittlerweile eingetroffen waren.

»Auf die Seite, bitte«, forderte ihn der Polizist auf.

Shannon sah die Scheinwerfer mehrerer Autos auf sie zukommen.

Ohne zu bremsen, fuhren die Wagen an ihnen vorbei durch die schmale Lücke, die von den Polizisten schnell freigeräumt worden war. Shannon hielt mit der Kamera drauf, schwenkte mit, konnte hinter den abgedunkelten Scheiben aber nichts erkennen.

»Und?«, fragte Turner.

»Ich bin froh, dass ich den Schwenk geschafft habe«, erwiderte Shannon. »Fürs Hingucken warst du zuständig. Wer war es denn?«

»Keine Ahnung, zu dunkel.«

Shannon klappte das kleine Display auf und ließ die Szene durchlaufen.

»Da ist ein Gesicht«, stellte sie fest. »Aber der Bildschirm ist zu klein. Müssen wir im Studio näher ranholen. Vielleicht sehen wir dann mehr.«

Saint-Laurent-Nouan

»Verdammter Mist«, schimpfte seine Frau Isabelle, während sich Yves Marpeaux die dicke Jacke über den warmen Wollpullover zog. »Mein Mann arbeitet in einem Kraftwerk, und wir sitzen hier nur fünfzehn Kilometer davon entfernt ohne Licht und Strom.«

Mit den vielen Schichten von Pullovern und Jacken wirkte sie im Licht der Kerze noch unförmiger als sonst.

»Was soll ich denn machen?«, brummte er und zuckte mit den Schultern. Er war froh, endlich hinauszukommen. Seit Stunden lag sie ihm damit in den Ohren.

»Bei den Kindern ist es genauso«, wiederholte sie wie unzählige Male zuvor.

Zum Glück hatten sie sich nie ein neumodisches Telefon angeschafft, das auf Strom aus der Steckdose angewiesen war. Erreicht hatte sie ihr Sohn eineinhalb Stunden nach dem Stromausfall schließlich allerdings am Handy, ein paar Minuten später die Tochter. Sein Sohn lebte mit seiner Familie in der Nähe von Orléans, die Tochter bei Paris. »Ich versuche seit einer Ewigkeit, durchzukommen«, hatte sie erklärt. »Aber die Mobilfunknetze …«

Marpeaux hatte ihnen auch nicht mehr sagen können, außer, dass sie ebenfalls keinen Strom hatten.

»Du kannst dir vorstellen, wie deine Mutter jammert.«

Er schloss die Tür hinter sich und ließ seine Frau im kalten, finsteren Haus zurück. Draußen stieg sein Atem als weiße Wolke hoch. Der Himmel war sternenklar.

Der Renault startete problemlos. Unterwegs suchte Marpeaux im Radio nach neuen Nachrichten. Viele Sender waren verstummt, einige wenige brachten Musik oder dieselben Meldungen, die Marpeaux schon im Internet gelesen hatte, solange es noch funktioniert hatte. Schließlich gab er auf.

Die dunkle Winterlandschaft mit ihren kahlen Feldern und entlaubten Bäumen ließ kaum erahnen, dass er durch eines der beliebtesten Urlaubsgebiete Frankreichs fuhr. Ab dem Frühjahr würden wieder Millionen von Touristen aus dem In- und Ausland die Region überschwemmen, um in den Hügeln entlang der Loire auf den Spuren vergangener Adelsgeschlechter die berühmten Schlösser zu besuchen, Wein zu kaufen und hier, im Herzen Frankreichs, einen Hauch *Savoir-vivre* zu schnuppern. Marpeaux war vor fünfundzwanzig Jahren in die Region gekommen, nicht wegen ihrer Schönheit, sondern weil er als Ingenieur im Atomkraftwerk Saint-Laurent eine gut bezahlte Stelle angeboten bekommen hatte.

Nach zwanzig Minuten Fahrt tauchte vor ihm die Silhouette des Städtchens Saint-Laurent-Nouan auf, ungewohnt dunkel in dieser Nacht, ohne Lichter in den Fenstern oder Straßenbeleuchtung. Wie zum Hohn – wenn auch geisterhaft schwach – beleuchtet erhoben sich dahinter die mächtigen Kühltürme des Kraftwerks. Seltsam eigentlich, dachte er beim Anblick der Kolosse wieder einmal, dass wir die Grundidee dieser Technik seit zweihundert Jahren nicht weiterentwickelt oder durch modernere abgelöst haben. War ein Atomkraftwerk im Prinzip doch nichts anderes als eine gigantische Dampfmaschine, wie man sie seit dem frühen achtzehnten Jahrhundert einsetzte. Nur verwendeten sie heute statt Holz als Brennstoff spaltbares Uran oder Plutonium und trieben damit die Generatoren an.

Mit etwas weniger als einer Leistung von eintausend Megawatt gehörte die Anlage zu den kleineren des Landes. Die zwei Druckwasserreaktoren lagen direkt an der Loire, aus der sie ihre Kühlflüssigkeit bezogen. Als Marpeaux Ende der Achtzigerjahre in dem Komplex zu arbeiten begonnen hatte, waren noch die beiden älteren UNGG-Reaktoren auf dem Gelände in Betrieb gewesen. Der schwere Zwischenfall, bei dem ein Brennelement geschmolzen war, das Gebäude kontaminiert und das Kraftwerk für zweieinhalb Jahre lahmgelegt hatte, lag damals bereits sieben Jahre zurück. Anfang der Neunzigerjahre hatte Electricité de France die beiden älteren Blöcke stillgelegt.

Marpeaux passierte die Sicherheitskontrolle am Eingang und parkte den Wagen an demselben Platz, an dem er vor fünfzehn Stunden eingestiegen war, nachdem er die Leitung der Nachtschicht an den Kollegen von der Vormittagsschicht übergeben hatte.

Frankreich bezog achtzig Prozent seines Stroms aus Atomkraftwerken. Wenn die Nachrichten der vergangenen Stunden stimmten und das Netz fast vollständig zusammengebrochen war, waren die meisten Reaktoren notabgeschaltet worden, überlegte Marpeaux. Der Automatismus würde die Steuerelemente zwischen die Brennstäbe senken und damit die nukleare Kettenreaktion weitestgehend stoppen. Dank seiner Tätigkeit wusste er seit Jahrzehnten, was vielen Menschen nicht, oder wenigstens bis zur Katastrophe in Fukushima nicht, bewusst gewesen war, dass ein abgeschalteter Reaktor weiterhin Hitze produzierte und gekühlt werden musste. Auch wenn es nur etwa zehn Prozent der Temperatur des Normalbetriebs waren, so genügten sie doch, um einen ungekühlten Reaktorkern zum Schmelzen zu bringen und zu einem GAU zu führen. Normalerweise stammte die Energie für die Sicherheits- und Kühlsysteme aus dem öffentlichen Stromnetz. Fiel dieses aus, sprangen die Notsysteme ein. Davon besaß die Anlage in Saint-Laurent pro Block drei voneinander unabhängige, die jeweils von Dieselmotoren gespeist wurden. Deren Vorräte waren auf mindestens eine Woche Betrieb angelegt.

Als er die Tür zum Leitstand öffnete, hörte er das aufgeregte Piepen und Heulen verschiedener Warntöne. Seit fast zwanzig Jahren war Marpeaux Reaktorfahrer, seit bald acht Jahren leitete er eine der drei Schichten pro Tag. Solche Situationen beschleunigten seinen Puls schon lange nicht mehr. Als er den Raum mit Hunderten Lichtern und Anzeigen betrat, saß und stand ein Dutzend Reaktorfahrer ruhig und konzentriert an ihren Plätzen. Einige kontrollierten die Zahlen, Zeiger und Leuchten vor sich, andere schlugen in ziegeldicken Schwarten nach, was die Signale im Detail bedeuteten und wovon sie ausgelöst worden waren. Lauter erfahrene Männer, die mindestens zwei Wochen pro Jahr in Übungsleitständen jeden nur denkbaren Ernstfall trainieren mussten. Der momentane Schichtleiter begrüßte ihn mit einem Handschlag.

»Was ist los?«

»Ein Diesel von Block 2 ist ausgefallen. Gleich zu Beginn.«

»Die anderen laufen?«

»Problemlos.«

Marpeaux konnte nicht anders, als an schwere Zwischenfälle mit der Notstromversorgung zu denken. 2006 im schwedischen Kraftwerk Forsmark etwa, als die Mannschaft über zwanzig Minuten lang nicht gewusst hatte, was vor sich ging. Die darauf folgenden Untersuchungen waren zu sehr unterschiedlichen Schlüssen gekommen. Während der Betreiber ebenso wie die schwedische und die finnische Strahlenschutzbehörde darauf beharrten, dass zu keinem Zeitpunkt Gefahr bestanden habe, meinten andere Analysten und Beobachter, darunter ein ehemaliger Konstruktionsleiter des Kraftwerks, dass die Anlage unmittelbar vor einem GAU gestanden habe.

Andererseits hatten sie selbst bei Zwischenfällen schon bis zu einer Stunde lang im Dunklen getappt, und danach hatte sich alles als so harmlos herausgestellt, dass sie die Ereignisse nicht einmal an die Behörden oder die Internationale Atomenergie-Organisation in Wien gemeldet hatten. Trotzdem bereitete Marpeaux die Ahnungslosigkeit der Kollegen Unbehagen.

»Hat es was mit dem Test zu tun?«

Vor drei Tagen hatten sie zwei der Notstromsysteme überprüft.

Der Schichtleiter zuckte mit den Schultern.

»Du weißt ja, wie das ist. Das wissen wir vielleicht in zwei Monaten, wenn wir alles untersucht und rekonstruiert haben.«

Nach und nach trudelten die Männer aus der Schicht von Marpeaux ein und tauschten sich mit ihren Vorgängern aus. Angeregte Diskussionen entstanden, führten aber zu keinen Ergebnissen. Einige der Anzeigen beendeten ihre Warnungen, dafür sprangen andere an.

Marpeaux wies zwei seiner Männer an, die Dieselpanne genauer zu untersuchen, dann konzentrierte er sich auf die Instrumente.

»Tief ein- und ausatmen«, verlangte die Ärztin.

Kalt drückte das Stethoskop auf Manzanos Rücken.

»Ich sage Ihnen doch, es geht mir gut«, beteuerte er.

Die Ärztin, eine junge Frau, die gut in eine TV-Serie gepasst hätte, stellte sich vor ihn und leuchtete mit einer kleinen Stablampe in Manzanos Auge.

»Kopfschmerzen? Schwindel? Benommenheit?«

»Nein, nichts.«

Manzano saß mit nacktem Oberkörper auf einer Liege in einem winzigen Raum der Ambulanz des Ospedale Maggiore di Milano. Obwohl er nach einer Sekundenbewusstlosigkeit noch am Unfallort wieder aufgewacht war, hatten die Rettungssanitäter darauf bestanden, ihn mitzunehmen. Sein Wagen war ohnehin Schrott, um den würde sich erst einmal die Feuerwehr kümmern. Aber er musste daran denken, sich für nächste Woche einen Leihwagen zu besorgen, damit er seine Kundenbesuche machen konnte, schließlich konnten deren Computerprobleme nicht warten.

Auf der Fahrt mit Blaulicht hatte Manzano versucht, etwas über das Schicksal der zwei anderen Unfallopfer herauszufinden. Die Sanitäter wussten nichts oder wollten es nicht sagen. Sie hatten ihn an der Aufnahme der Klinik abgeliefert, wo er fast eine Stunde warten musste, bis er aufgerufen wurde.

»Mund auf.«

Manzano gehorchte, und die Ärztin inspizierte seinen Rachen. Was das bei einer kleinen Platzwunde am Kopf bringen sollte, blieb ihm ein Rätsel.

»Flicken Sie das da oben zusammen und lassen Sie mich nach Hause«, forderte er sie auf.

»Ist dort jemand, der sich um Sie kümmert?«

»War das ein Angebot?«

»War es nicht.«

»Schade eigentlich.«

»Stehen Sie auf.«

Manzano sprang von der Liege.

»Gehen Sie auf dieser Fuge im Boden einmal durch den Raum und zurück.«

Wieder so eine unsinnige Übung. Er war nicht betrunken. Außerdem brauchte er in dem Kämmerlein gerade einmal vier Schritte bis zur Wand. Er kehrte zu der Ärztin zurück, die zufrieden nickte und ihn bat, sich wieder zu setzen.

»Sind Sie sicher, dass Sie nicht dableiben wollen?«

»Wenn wir gemeinsam ein gutes Glas Wein trinken, bleibe ich natürlich gern. Andernfalls …«

»Das klingt sehr verlockend«, erwiderte sie mit einem kühlen Lächeln, »aber Alkohol benutzen wir hier nur zum Desinfizieren.«

»Unter diesen Umständen ziehe ich einen anständigen Barolo bei mir daheim vor. Röntgen können wir uns hoffentlich sparen.«

»Können wir«, erklärte sie und zog eine Spritze auf.

Als Manzano die Nadel sah, wurde ihm schlecht. Er bildete sich ein, kein ängstlicher Mensch zu sein, aber wenn es um medizinische Behandlungen ging, konnte er panisch werden wie ein Kind.

»Geröntgt wird momentan nur bei absoluten Notfällen«, erklärte sie. »Während des Stromausfalls laufen wir auf Notgeneratoren, da müssen wir sparsam mit unseren Kapazitäten umgehen. Ich gebe Ihnen eine lokale Betäubung, nähe die Wunde und lasse Sie gehen. Achtung, das piekst jetzt etwas.«

»Muss das sein?«, fragte er.

»Soll ich die Wunde ohne Betäubung nähen?«

Manzano klammerte sich an der Liege fest. »Hier ist auch der Strom ausgefallen?«, fragte er zur Ablenkung und richtete seinen Blick zu Boden, um der Ärztin nicht zusehen zu müssen. Er spürte, wie ihm der Schweiß ausbrach.

»In der ganzen Stadt, wie es scheint. Seit einer Stunde bekomme ich lauter Typen wie Sie rein, draußen warten noch mehr. Autounfälle, weil plötzlich Ampeln nicht mehr funktionieren, Menschen, die hingefallen sind, als die U-Bahnen abrupt stehen blieben. So, das war's. Eine kleine Narbe wird wohl zurückbleiben, nichts Schlimmes. Macht einen Mann interessanter.«

Manzano entspannte sich wieder. »So interessant wie Frankensteins Monster.«

Diesmal huschte ein echtes Lächeln über ihr Gesicht. Manzano zog sein Hemd mit dem blutverschmierten Kragen wieder an, dann den Mantel, der an den Ärmeln ebenfalls etwas abbekommen hatte, bedankte sich bei der Ärztin und sah zu, dass er rauskam.

Vor dem Krankenhaus suchte er vergeblich nach einem Taxi. Er fragte den Mann hinter dem Informationsschalter, der bedauernd mit den Schultern zuckte.

»Wenn ich überhaupt durchkomme, kann ich Ihnen zwar eines bestellen, aber die Wartezeit beträgt im Moment mindestens eine Stunde. Die öffentlichen Verkehrsmittel sind ausgefallen. Da haben die Taxis Hochbetrieb. Ist wie beim großen Ausfall 2003.«

Ganz Italien vierundzwanzig Stunden ohne Strom. Jeder Italiener erinnerte sich daran. Hoffentlich ging das hier schneller vorbei.

Manzano ließ sich von dem Mann den Standort des Krankenhauses auf einer Karte zeigen. Via Francesco Sforza. Das war in Gehweite zum Dom. In der Stunde, die er warten müsste, schaffte er es auch zu Fuß bis nach Hause in die Via della Francesca. Fit genug fühlte er sich. Vielleicht konnte er unterwegs eine U-Bahn oder Tram nehmen, der Strom kam sicher jeden Augenblick wieder. Er bedankte sich bei dem Mann, schlug den Mantelkragen hoch und stapfte los.

In den Straßen verschwammen die Lichter der Autos zu einem Strom, der sich träge durch dunkle Häuserschluchten schob. Die Leute schienen sich anders zu bewegen als sonst, fand Manzano, hektischer, eckiger. Der eisige Wind fuhr durch seinen Mantel.

Er lief durch die Gassen Richtung Dom, im Hintergrund begleitet von einem ununterbrochenen Hupkonzert. Er passierte die Kathedrale und schlug den Weg über die Via Dante zum Parco Sempione ein. Das Hupen wurde lauter. Die Straßenbahnen waren stehen geblieben und blockierten den Verkehr. Er wanderte weiter durch verstopfte Straßen, manchmal fand er in den schmalen Gassen kaum Platz zwischen den Fassaden und den Autos. Er spazierte zum Foro Buonaparte, hier ebenfalls Chaos. Immer wieder Einsatzhörner von irgendwoher. Er entdeckte ein beleuchtetes Bürohaus. Hier hatte wohl jemand einen Notstromgenerator. Zum ersten Mal dachte Manzano an seine Wohnung. In ihrem Haus gab es keine Einrichtungen für derartige Fälle. In seinem Kopf drängten sich Bilder des Unfalls. Manzano versuchte, sie zu verscheuchen, und überlegte, ob er die Feuerwehr wegen seines Wagens anrufen sollte. Doch das hatte Zeit bis morgen. Morgen, morgen Abend würde er mit Carla ausgehen. Danach zu ihr. Oder doch Julia? Mal sehen, ob die Ärztin recht hatte mit der Narbe.

Die meisten Läden, an denen er vorbeikam, hatten bereits geschlossen, auch wenn die Schilder mit den Öffnungszeiten etwas anderes sagten.

Fasziniert stellte er fest, dass er plötzlich Dinge entdeckte, die ihm verborgen geblieben waren, solange sie beleuchtet gewesen waren. Skurrile Schriftzüge über Läden etwa oder Gebäude, an deren hellen Fenstern er vorbeigegangen wäre, nun aber zum ersten Mal einen Blick auf die Fassade warf. In einem winzigen

Alimentari kramte bei Kerzenlicht eine gebeugte Gestalt umher. In der Glastür hing ein Schild mit der Aufschrift »*Chiuso*«, Manzano klopfte trotzdem.

Ein älterer Mann mit weißem Kittel kam an die Tür und beäugte ihn kritisch. Dann öffnete er. Über dem Eingang klingelte ein Glöckchen.

»Was wollen Sie?«

»Kann ich noch etwas einkaufen?«

»Nur wenn Sie Bargeld haben. Elektronische Bezahlung funktioniert nicht.«

Dass es derlei in diesem Geschäft überhaupt geben sollte, überraschte Manzano. In seine Nase stieg der Duft von Schinken und Käse, Antipasti und Brot. Er fingerte das Portemonnaie heraus und zählte nach.

»Vierzig habe ich noch.«

Der Mann musterte ihn von oben bis unten.

»Frau? Kinder?«

Verkaufte der nur an Familienväter?

»Nein.«

»Für Sie müsste das genügen. Sie sehen nicht aus wie ein starker Esser. Was ist mit Ihrem Kopf passiert?«

Er ließ die Tür offen und verschwand hinter dem Tresen.

»Kleiner Unfall wegen des Stromausfalls.«

Im Laden war es warm. Manzanos Wangen begannen zu brennen.

»Machen Sie sich einen gemütlichen Abend mit ein paar leckeren Sachen, bei Kerzenlicht, ohne Fernsehen. Vielleicht ein gutes Buch«, meinte der Alte.

Manzano wählte Bresaola, Salami finocchietta, Taleggio, Ziegenkäse, eingelegte Pilze und Artischocken, dazu ein halbes Weißbrot. Der Mann packte alles in eine Tüte mit dem schlichten Schriftzug »Alimentari Pisano«.

»Eine Flasche Rotwein dazu?«

»Danke, bin versorgt.«

Danach blieben ihm noch vierundzwanzig Euro. Er verabschiedete sich und verließ mit einem weiteren Bimmeln das Geschäft.

Seit drei Jahren wohnte Manzano im dritten Stock des Altbaus in der Via Piero della Francesca. Kein Licht am Eingang, im Treppenhaus sah er kaum die Hand vor Augen. Aus der Dunkelheit hörte er Stimmen schimpfen, flehen, beruhigen.

Den altersschwachen Fahrstuhl hätte er auch bei Beleuchtung nicht aufgesucht. Er tastete sich langsam voran, eine Hand an der Wand.

Von oben schimmerte Licht. Die Treppe wand sich wie eine Spirale hoch, in deren Mitte der Liftschacht saß. Zwischen erster und zweiter Etage hatte sich die halbe Hausgemeinschaft mit Taschenlampen und Kerzen um die Kabine versammelt, diskutierte wild durcheinander und redete den Eingeschlossenen gut zu.

»Ist Hilfe unterwegs?«, erkundigte sich Manzano.

»Wir erreichen weder den Notdienst noch die Feuerwehr«, antwortete Notar Carufio aus dem vierten Stock. »Beide Leitungen sind dauernd besetzt. Wie sehen Sie denn aus?«

»Ist halb so schlimm.« Manzano versuchte über sein Handy die Notrufnummer. »Mein Netz ist überlastet«, stellte er fest. »Wer steckt denn fest?«

»Meine Cousine und ihre Tochter«, jammerte Carufio und sprach wieder beruhigend auf die Eingesperrten ein. »Die Arme hat wirklich Pech! Dasselbe hat sie schon einmal durchgemacht. Beim großen Ausfall 2003.«

»Brauchen Sie mich? Sonst gehe ich jetzt nach oben. Ich hatte einen Unfall. Auch wegen des Stromausfalls.«

»Ist schon in Ordnung«, entgegnete Carufio. »Wir müssen ja nicht alle hier herumstehen. Danke für Ihre Hilfe.«

Einmal in seiner Wohnung gaben ihm die ungewohnten Umstände Anlass zum Staunen. Wie selbstverständlich man sich in vertrauter Umgebung bewegte, die Hand genau in die richtige Höhe hob, um das Schlüsselloch zu treffen, den Kleiderhaken, ohne hinzusehen, mit einem Griff erwischte, Computertasche und Einkauf abstellte, die Tür zum Bad blind fand.

Nach dem Spülen verendete der Wasserkasten mit einem Röcheln. Manzano vermisste das leise Rauschen, mit dem das Wasser den Tank üblicherweise füllte. Er drehte die altmodischen Wasserhähne am Waschbecken auf, sie antworteten mit einem ähnlichen Geräusch wie das Klo und spuckten ein paar Tropfen aus, bevor sie hustend verstummten. Noch einmal testete Manzano die Toilettenspülung. Der Knopf bot keinen Widerstand, das Wasser blieb aus.

»Na toll.«

Das ging langsam zu weit, fand er. Ohne Strom kam er eine Weile aus. Aber ohne Wasser? Noch dazu so verdreckt, wie er war.

Als es an der Tür klopfte, schrak Manzano zusammen.

»Huh, ein Gespenst«, hörte er von draußen die Stimme seines Nachbarn Carlo Bondoni.

Mit einer Kerze in der Hand, die nur sein faltiges Gesicht und den wirren, weißen Haarkranz beleuchtete, sah er aus wie ein alter Mann auf einem Gemälde von Caravaggio. Als er Manzano erblickte, rief er erschrocken: »Du lieber Gott, was ist denn mit dir passiert?«

»Ein Unfall.«

»In der ganzen Stadt gibt es kein Licht«, erklärte Bondoni. »Haben sie im Radio gebracht.«

»Ich weiß«, antwortete Manzano. »Die Ampeln sind ausgefallen. Mein Alfa ist Schrott.«

»War er vorher schon.«

»Du verstehst es, jemanden zu trösten.«

»Hier, zünd eine Kerze für ihn an«, sagte Bondoni und streckte ihm eine entgegen. »Dann musst du außerdem nicht im Dunklen sitzen.«

Manzano entzündete sie an Bondonis Flamme.

»Danke. Irgendwo muss ich auch welche haben. Aber so fällt mir die Suche leichter.«

»Du bist doch Ingenieur und IT-Spezialist. Kannst du etwas gegen diesen Schlamassel tun? Fernsehen geht nicht, Internet auch nicht, man weiß nicht einmal, woran man ist. Daran sind sicher diese neumodischen Stromzähler schuld.«

Manzano hatte Hunger. Er kannte Bondoni lange genug, um zu wissen, worauf das Gerede des Rentners hinauslief. Ohne Fernseher war ihm langweilig, er suchte Unterhaltung. Sei's drum, er selbst hatte nichts Besonderes vor.

»Komm doch rein. Ist ja kalt hier draußen. Hast du schon etwas gegessen?«

»Du hast da sicher eine hinreißende Brünette ...«

»Heute nicht. Schon gar nicht in meinem Zustand.«

»Junge, das ist doch nur eine Schramme. Macht dich interessant.«

»Das habe ich heute schon einmal gehört. Und jung bin ich schon längst nicht mehr.«

»Himmel! Ich wollte, ich wäre dreiundvierzig!«

»Willst du jetzt hereinkommen oder nicht?«

»Wenn du schon so nett fragst ...«

Bondoni schloss die Tür hinter sich und folgte Manzano in die Küche. Manzano wusch sich die Hände mit Wasser aus einer Flasche. Er fand eine Packung langer Kerzen und eine halb volle mit Teelichtern. Er zündete ein paar an und verteilte sie im Raum. Währenddessen quasselte Bondoni, schimpfte über die Stromversorger, die Wasserwerke, die Fernsehgesellschaften und natürlich über die Politiker, die an allem schuld waren. Manzano öffnete den Kühlschrank, um die Lebensmittel darin zu verstauen.

»Auch für den kommt der Strom aus der Steckdose«, verkündete Bondoni lakonisch, als er Manzanos Blick in die dunkle Kiste sah. »Stell das Zeug auf den Balkon. Obwohl, ohne Heizung wird es hier drinnen auch bald kalt genug sein.« Er kicherte.

»Wieso ohne Heizung?«

»Ist ebenfalls ausgefallen. Aber beklag dich nicht. Nach dem Krieg...«

»...warst du ein Baby und hast so gut wie nichts mitbekommen.«

»Na, hör mal...« Bondoni spielte den Beleidigten.

Manzano stellte Verderbliches hinaus auf den löchrigen Schneeteppich, der die alten Fliesen bedeckte. Hinter anderen Fenstern erkannte er den schwachen Schein von Kerzen.

Er durchwühlte die Schublade mit dem Krimskrams. »Irgendwo habe ich noch eine Taschenlampe. Deck doch schon einmal den Tisch.«

Mit ein paar Wasserflaschen und einer Kerze ging er ins Bad und reinigte sich, so gut es ging. Er zog ein frisches Hemd und Jeans an, danach durchsuchte er den Abstellraum und sein Arbeitszimmer. Ein Dutzend alter und neuer Computer, zahllose weitere Hardware, ein altes Kofferradio, und in einem bis dahin nie ausgepackten Umzugskarton fand er endlich die Taschenlampe, die sogar funktionierte. Lampe und Radio brachte er in die Küche. Bondoni hatte mittlerweile das Abendessen vorbereitet. Er streckte ihm zwei Weinflaschen entgegen. Natürlich zwei von Manzanos besseren. »Den oder den?«

»Den Barolo.« Er ließ ihn an den Sommer denken, den Geruch von Pinien in der Sonne.

»Ich sehe noch schnell nach dem Sicherungskasten.«

»Ich komme mit!«

Jahrzehntelang war unterhalb der Sicherungen der große schwarze Kasten gehangen, wie in allen italienischen Haushalten, mit der typischen Zählerscheibe und den Ablesefeldern, in denen mechanische Ziffern langsamer oder schneller vorrückten und den Stromverbrauch anzeigten. An seiner Stelle fand sich seit einigen Jahren die flache, weiße Box des sogenannten Smart Meters, dem intelligenten Stromzähler.

»In der Küche könnte man das Gerät für eine moderne Eieruhr halten«, meckerte Bondoni. »Im Schlafzimmer für einen Digitalwecker, im Bad für einen Blutdruckmesser. Sieht doch alles gleich aus. Da drin stecken bestimmt diese Platindinger.«

»Du meinst Platinen.«

»Wie auch immer. Seelenlose Chips, die man verkleiden kann, wie man will. Ich fand ja schon ›Form follows function‹ furchtbar, aber das... wie nennt man das? ›Form follows Einfallslosigkeit‹?« Sein knorriger Finger zeigte auf das graue Display. »Und anzeigen tut es auch nichts. Toller Stromzähler!«

»Wenn kein Strom fließt, muss er auch keinen zählen.«

Sie kehrten zurück in die Küche. Manzano schenkte ihnen Wein ein.

»Du hast wohl auf alles eine Antwort«, maulte Bondoni.

»Ich mag bloß kein Gemeckere über neue Techniken, wenn es von Menschen kommt, die sehr gern Brillen, Telefone und Herzschrittmacher verwenden. Das waren auch einmal neue Erfindungen, und über die beschwert sich keiner.«

»Oho! Ein Fortschrittsgläubiger. Na denn, auf deine schöne neue Welt. Salute!«

»Und auf deinen Stillstand. Salute!«

Nahe Bregenz

»Hier geht auch nichts mehr! Keine einzige Tankstelle, bei der man Sprit bekommt!«, rief Terbanten. »Das ist doch nicht zu fassen!«

Angström lehnte sich zwischen die beiden Vordersitze und betrachtete das Chaos. Heftiger Schneefall hatte eingesetzt. Wie schon auf den Tankstellen davor: massenhaft Autos, wild durcheinandergeparkt, manche auf der Suche nach einem Weg raus aus dem Chaos. Sie schielte auf die Tankanzeige von Terbantens Citroën. Ein gelbes Licht signalisierte, dass sie bereits auf Reserve waren.

»Mit dem Rest Benzin kommen wir nicht mehr bis zur Hütte«, stellte sie fest. »Bleiben zwei Möglichkeiten: Wir warten hier, bis die Zapfsäulen wieder funktionieren ...«

»Was die ganze Nacht dauern kann«, bemerkte Terbanten.

»Oder wir fahren von der Autobahn ab und suchen für die Nacht ein Quartier«, schlug van Kaalden vor.

»Lange dürfen wir aber nicht suchen«, wandte Terbanten ein. »Denn sehr weit kommen wir nicht mehr. Dann sitzen wir auf einer namenlosen österreichischen Landstraße fest. Hier frieren wir wenigstens in Nähe des Nachschubs.«

Angström konsultierte ihr Smartphone. »Zu blöd, dass die Internetverbindung noch immer nicht funktioniert. Sonst könnten wir schnell und einfach eine Unterkunft in der Umgebung finden.«

Die Uhr zeigte 22:47.

»Eigentlich wollte ich längst mit einem Becher Punsch vor einem gemütlichen Kamin sitzen«, seufzte sie. »Also: Wer ist für Hotel suchen, wer ist für hier warten? Und los!«

Ein Chor aus vier Stimmen: »Warten.«

»Ich habe Hunger«, fügte Bondoni hinzu.

»Shop und Restaurant sehen geschlossen aus«, bemerkte Terbanten.

»Ich gehe nachsehen. Auf die Toilette muss ich auch. Wer kommt mit?«

»Ich«, antwortete van Kaalden.

Angström schloss sich den beiden an, Terbanten blieb im Wagen.

In ihre Anoraks verpackt stapften sie zwischen den anderen Autos Richtung Shop. Viele Wagen waren leer. Bei einigen lief der Motor. In anderen hatten sich die Passagiere in warme Kleidung gewickelt, manche schliefen hinter Scheiben mit Eisblumen. Aus einem winkte ihnen ein Kind zu.

»Unheimlich«, meinte Bondoni.

Die Tankstelle war tatsächlich zugesperrt. Sie umrundeten das Gebäude und fanden die Toiletten auf der Rückseite. Kaum hatten sie die Tür geöffnet, schlug ihnen Gestank entgegen. Angström konnte gerade noch das Waschbecken erkennen. Weiter drinnen war es zu dunkel, um irgendetwas zu sehen.

»Hier gehe ich auf keine Toilette«, erklärte sie.

Sie wanderten weiter zur Raststätte. Hinter den Fenstern entdeckte Angström einen kaum wahrnehmbaren Schein flackern. Die Tür stand offen. Von drinnen erklangen Stimmen.

»Da ist wer«, stellte Bondoni fest.

Schwaches Licht schien durch das geriffelte Glas einer großen Doppeltür. Als sie den Gastraum betraten, erfasste Angström ein Gefühl von Abenteuer, kein gefährliches Abenteuer, mehr so eines von der Sorte, wie früher bei einem Gewittersturm im Ferienlager. Alle Tische waren besetzt. Auf einigen flackerten Kerzen. Die Gäste unterhielten sich, aßen, schwiegen, schliefen. Hier war es deutlich wärmer als draußen. In ihre Nase kroch ein muffiger Geruch. Ein Mann mit Daunenjacke kam ihnen entgegen, um den Hals eine schwarze Fliege.

»Wir sind voll«, erklärte er. »Aber wenn Sie noch ein Plätzchen finden, können Sie gern bleiben.«

»Haben Sie etwas zu essen?«, fragte Angström.

»Vieles ist aus. Am besten gehen Sie in die Küche. Die geben Ihnen von dem, was noch da und genießbar ist. Bezahlen müssen Sie in bar. Den regulären Restaurantbetrieb mussten wir vorübergehend aufgeben. Licht, Wasser, sanitäre Anlagen, Herde, Kühlschränke, Heizung, Buchungs- und Zahlungssysteme – nichts davon funktioniert. Ich habe eigentlich seit drei Stunden Feierabend. Aber wir können die Leute ja nicht einfach aussperren.«

»Also keine Toiletten.«

»Nein, tut mir leid.«

»Wohin gehen die Leute hier dann, wenn sie müssen?«

Ybbs-Persenbeug

Regungslos starrten die neun Männer auf die Monitore des Leitstands.

»Und los!«

Oberstätter drückte die Taste. Drei Stunden lang hatten sie telefoniert, diskutiert, simuliert. Sie wussten noch immer nicht, was den Stromausfall ausgelöst hatte.

Sie wussten nur eins: Fast ganz Europa war ohne Energie. Laufkraftwerke wie Ybbs-Persenbeug an der Donau zählten zu den wichtigsten, um die Versorgung wieder aufzubauen, da sie ohne Hilfe jederzeit neu starten konnten. Sie wussten auch, wie es zur Notabschaltung ihres Kraftwerks gekommen war. Durch den großflächigen Ausfall war es in den Netzen zu einem schlagartigen Frequenzanstieg gekommen, der nicht mehr korrigiert werden konnte. Daraufhin hatte die Software zahlreicher Kraftwerke diese in Sekundenschnelle automatisch deaktiviert, um die Generatoren vor der Zerstörung zu schützen. Oberstätter hatte mit seinem Eindruck der stampfenden Generatoren recht gehabt. Noch immer verstand er nicht, warum die Kollegen auf den Anzeigen im Leitstand das Gegenteil gesehen haben wollten. Er hoffte, dass die Anlage nicht beschädigt worden war.

Nun versuchten sie, das Kraftwerk neu zu starten. Im Gegensatz zu einer Kaffeemaschine konnte man dazu nicht einfach nur einen Knopf drücken. Schritt für Schritt mussten sie das Wasser durch die Turbinen leiten, die Generatoren zuschalten, Druckventile und viele andere Komponenten wollten berücksichtigt werden, um schließlich Strom ins Netz zu speisen.

»Und stopp«, erklärte einer seiner Kollegen. Er zeigte mit dem Finger auf einen Bildschirm. »Hier, Kurzschlussgefahr bei XCL 1362. Gleich zu Beginn. Großartig. Armin, Emil, ihr geht hinunter, überprüfen.«

»Das bedeutet wieder mindestens eine Stunde Verzögerung«, stöhnte einer der Angesprochenen.

»Wir haben keine andere Wahl«, antwortete Oberstätter. »Solange nicht alles in Ordnung ist, können wir nicht wieder hochfahren.«

Er griff zum Telefon und wählte die Nummer des Krisenmanagements in der Zentrale.

Berlin

Michelsen brachte ihre Stimme unter Kontrolle, bevor sie in den Hörer sprach: »Wenden Sie sich bitte an unsere Presseabteilung. Außerdem gibt es in wenigen Minuten eine Pressekonferenz und eine Sendung des Ministeriums.«

Sie warf den Hörer zurück. »Woher hat der Mistkerl diese Nummer? Journalisten!«

Wie die anderen auch hatte sich Michelsen während der vergangenen Stunden im Lagezentrum des Innenministeriums eingerichtet. Hatten sie anfangs noch auf eine schnelle Entspannung der Lage gehofft, verkündeten die jüngsten Nachrichten nichts Gutes. Sie raffte ihre Unterlagen zusammen und eilte zu einem der Operatoren vor den großen Bildschirmen. Auf dem Monitor wieder einmal Helge Brockhorst aus dem Lagezentrum von Bund und Ländern in Bonn.

»... genauso im vierten Regelbereich. Ein paar Stadtwerke können zeitweise die Grundversorgung herstellen, brechen aber immer wieder ein. Einige Bundesländer überlegen die Ausrufung des Katastrophenfalls.«

Nichts Neues also. Seit Jahren wusste man, dass eine solche Situation eintreten konnte. Vorbereitet hatten sie sich immerhin teilweise. In Deutschland war die Krisenbewältigung Sache der Länder. Bei nationalen Bedrohungen übernahm der Bund deren Koordination. Deshalb fand alle zwei Jahre eine Übung mit dem kunstvollen Namen Länderübergreifende Krisenmanagementübung/Exercise, kurz LÜKEX, statt. Dabei wurde die Zusammenarbeit der Ressorts des Bundes mit den Krisenstäben der Länder, Hilfsdiensten und privater Betreiber kritischer Infrastrukturen geübt. Beim letzten Mal hatten sieben Bundesministerien teilgenommen, das Bundeskanzleramt, das Bundespresseamt, diverse Sicherheitsbehörden des Bundes, Behörden für Bevölkerungsschutz von Bund und mehreren Ländern, Hilfsorganisationen wie das Rote Kreuz sowie zahlreiche Wirtschaftsunternehmen aus den Bereichen Versorgung, Gesundheitswesen, Verkehr und Telekommunikation, die ihre Notfallpläne testeten. Michelsen betete, dass die damaligen Teilnehmer heute noch auf ihren Posten und gerüstet waren. Wie umfangreich und komplex allein die Übungen waren, zeigte schon deren Vorbereitungszeit, die zwei Jahre in Anspruch genommen hatte. Und der Ernstfall barg, wie sie aus Erfahrung in kleineren Maßstäben wusste, trotz allem Überraschungen. An die sie jetzt noch gar nicht denken wollte. Von jetzt auf gleich waren Notabläufe für alle Bereiche des Lebens zu organisieren. Das begann beim dringendsten Bevölkerungsschutz durch Hilfsdienste wie die Feuerwehr, Rotes Kreuz, das Technische Hilfswerk und andere, die Menschen aus stecken gebliebenen Fahrstühlen und U-Bahnen befreiten, setzte sich fort bei der Aufrechterhaltung der öffentlichen Sicherheit durch die Polizei, der Information der Bevölkerung über die Lage und die Maßnahmen, die jede und jeder Einzelne ergreifen konnte. Die medizinische Versorgung musste sichergestellt werden, ebenso wie jene mit Wasser und Lebensmitteln. Michelsen wusste, dass wichtige Einheiten wie Krankenhäuser oder bestimmte Behörden mit Notstromgeneratoren ausgerüstet waren. Auch viele große Industrieanlagen und landwirtschaftliche Betriebe konnten sich ein paar Stunden oder Tage selbst versorgen. Schlechter sah es schon beim öffentlichen Verkehr, der Versorgung mit Lebensmitteln und Wasser aus. Die Liste reichte bis in alle Bereiche des Alltags von achtzig Millionen Menschen in Deutschland. Und, wenn man den Berichten Glauben schenken durfte, was sie wohl musste, mehreren hundert Millionen in ganz Europa. Was die Lage verschärfte. Bei den regionalen Ausfällen und Katastrophen der vergangenen Jahre hatte man immer Hilfe von außerhalb anfordern können, aus anderen Bundesländern, zur Not aus dem Ausland. Doch »außerhalb« war jetzt sehr weit weg. Selbst aus Russland kamen Meldungen über Schwankungen im Netz, auch wenn es dort zu keinen Ausfällen gekommen war. Längst standen sie in Verbindung mit dem Monitoring and Information Centre der Europäischen Kommission in Brüssel. Das EUMIC übernahm europaweit, was das Lagezentrum des Innenministeriums für Deutschland leistete: Koordination, Organisation, Information.

Michelsen hastete zum Ausgang, vorbei am Besprechungsraum, in dem der Innenminister per Videokonferenz noch immer mit seinen europäischen Kollegen die Situation besprach. Auf dem Flur erwarteten sie sieben Kollegen aus verschiedensten Abteilungen, und gemeinsam strebten sie dem Presseraum zu, vornweg der Sprecher des Innenministers.

Zwischen ihm und seinem Tross flogen Fragen und Antworten hin und her.

»Kennt man schon die Ursache?«

»Nein. Keinerlei Anhaltspunkte. Für die Presse: Das Wichtigste im Moment ist die Wiederherstellung der Versorgung. Ursachenforschung wird man betreiben, sobald die Menschen wieder heizen, einkaufen und zur Arbeit gehen können.«

»Voraussichtliches Ende des Ausfalls?«

»Schwer zu sagen. Bislang waren die Versorger optimistisch. Doch jetzt versuchen sie seit sechs Stunden vergeblich, die Netze wieder hochzufahren. Für die Medien: Die Versorger arbeiten mit Hochdruck an der Wiederherstellung der Versorgung.«

»Wie kann es in ganz Europa dazu kommen? Das ist doch nicht normal.«

»Kann es in modernen, miteinander verbundenen Stromnetzen leider schon. Deshalb widmet ja der Minister der Modernisierung der Stromnetze und des Stromsystems seit geraumer Zeit höchste Aufmerksamkeit, auch und gerade auf europäischer Ebene.«

»Hilfsdienste?«

»Sind im Dauereinsatz. Die Feuerwehr hat in den vergangenen Stunden Tausende Menschen aus Fahrstühlen und U-Bahnen befreit. Rotes Kreuz und andere kümmern sich um Kranke, Alte und Reisende, die auf den Straßen stecken geblieben sind.«

»Wieso das?«

»Ohne Strom kann man nicht tanken.«

»Ist nicht Ihr Ernst!«

»Leider.«

»Und das am ersten Tag, an dem in einigen Bundesländern die Winterferien beginnen.«

»Technisches Hilfswerk ist alarmiert und voll im Einsatz.«

»Militär?«

»Steht bereit, um die Hilfskräfte bei Bedarf zu unterstützen.«

»Was empfehlen wir den Menschen, die morgen immer noch keinen Strom haben?«

Mailand

»... in den betroffenen Gebieten bleiben Schulen und Behörden geschlossen.«

Bondoni beugte sich noch tiefer über Manzanos altes Kofferradio, aus dem die Stimme des Nachrichtensprechers schepperte. »Und woher weiß ich, welche Gebiete morgen noch betroffen sind?«

»Das merkst du dann schon«, erwiderte Manzano und gab ihm ein Zeichen, dass er zuhören wollte.

»... da es zu Behinderungen bei den öffentlichen Verkehrsmitteln kommen kann, bitten die Behörden, Fahrgemeinschaften zu bilden. Aber unnötige Wege mit dem Auto sollten vermieden werden.«

Er konnte nicht einmal notwendige Wege mit dem Auto zurücklegen und fragte sich, wie viel die Versicherung für die alte Mühle bezahlen würde.

»... Urlauber und Wochenendausflügler sollten bedenken, dass sie an Tankstellen in betroffenen Gebieten keinen Treibstoff erhalten. Bahnreisende müssen mit großen Verspätungen und zahlreichen Stornierungen rechnen. Der Flugverkehr ist bis auf Weiteres völlig eingestellt. Das betrifft natürlich auch Reisende im restlichen Europa.«

»Europa?«, krächzte Bondoni. »Kann ja nicht sein! Die übertreiben sicher wieder einmal maßlos!«

Manzano musste an Signore Carufios Cousine und deren Tochter im Fahrstuhl denken. Erst vor einer Stunde hatte die Feuerwehr sie endlich aus ihrer misslichen Lage befreit.

»Die Energieunternehmen arbeiten zurzeit mit Hochdruck an der Wiederherstellung der Versorgung.«

»Das hoffe ich doch«, brummte Bondoni und schenkte Wein nach. Die zweite Flasche. Von der ersten schon nachsichtig gestimmt hatte Manzano ihn den Serralungo öffnen lassen. So ließ sich ein Stromausfall gut aushalten. Eigentlich sollten sie dazu keine schaurigen Nachrichten hören. Manzano schaltete das Radio ab. Schweigend tranken sie ihren Wein. Sie hatten den ganzen Abend geredet. Über alles und nichts, Manzano hatte den Großteil schon wieder vergessen. Er spürte den Alkohol ein wenig hinter seiner Stirn, die Wunde pochte.

Manzano hatte das Gefühl, dass die Zeit langsamer wurde, seit der Strom ausgefallen war. Bewusst lauschte er der Stille. Wie auf dem Heimweg nahm er mit einem Mal wahr, was ihm sonst nicht auffiel. Was fehlte. Das leise Brummen des Kühlschranks. Das Gurgeln in einer Wasserleitung. Zu laut gestellte Fernseher oder Stereoanlagen von Nachbarn. Blieb nur Bondonis manchmal schwerer Atem, sein Schlucken, das Schaben seines Hemdes an seinem Pullover, als er das Glas auf den Tisch stellte.

»Zeit fürs Bett«, erklärte der Alte und erhob sich ächzend. Tatsächlich zeigte Manzanos Uhr über der Küchentür kurz nach eins. Manzano begleitete ihn hinaus. Sofort überfiel ihn ein eigenartiges Gefühl. Er schob es beiseite und wollte Bondoni schon zum

Abschied auf die Schulter klopfen, als er begriff, was anders war. Durch die Tür zu seinem Arbeitszimmer, die offen stand, fiel ein schwacher Lichtschein.

»Warte kurz«, forderte er Bondoni auf und ging in das Arbeitszimmer, das zwei Fenster zur Straße besaß.

»Die Straßenbeleuchtung geht wieder!«

Bondoni stand bereits neben ihm. Manzano drückte den Lichtschalter. An, aus. An, aus. Im Arbeitszimmer blieb es dunkel.

»Seltsam. Warum gibt es da draußen Licht und bei uns nicht?«

Manzano kehrte zurück in den Flur und öffnete den Sicherungsschrank. Alle Hebelchen waren in der korrekten Position, auch der Hauptschalter. Das Display des Zählers zeigte »KL 956739«.

»Da ist wieder Strom«, murmelte er, mehr zu sich selbst, und zu Bondoni: »Probier bitte einmal den Lichtschalter neben der Tür.«

Klick, klack. Nichts.

»Das sehen wir uns doch einmal genauer an.«

»Was?«

Doch Manzano war bereits wieder in sein Arbeitszimmer entschwunden und kehrte mit einem Laptop zurück.

»Was machst du da?«, fragte Bondoni.

Während sein Gerät startete, überlegte Manzano, wie er seinem dreiundsechzig Jahre alten Nachbarn, der seinen Computer zwar zum Schreiben von E-Mails und Surfen im Internet verwendete, sonst aber nicht viel davon verstand, erklären sollte, was er vorhatte.

»Als die modernen Stromzähler eingebaut wurden, habe ich mir diese kleinen Kästchen damals gleich genauer angesehen, neugierig, wie ich bin.«

Er tippte etwas ein, während er weitererzählte.

»Diese Stromzähler sind im Prinzip kleine Computer.« Er ersparte Bondoni die Details, denn sie waren in diesem Moment nicht wichtig, etwa, dass die Zähler zwar Chips, aber aus Kostengründen keine eigenen Festplatten besaßen.

»Deshalb nennt man sie auch Smart Meter, heißt intelligente Stromzähler. Dank ihnen kann die Stromgesellschaft nicht nur deine Stromverbrauchsdaten auslesen, sondern den Zähler auch fernsteuern.« Was sie per Power Line Communication, kurz PLC, bewerkstelligte. Bei dieser Technik wurden über das Stromkabel Daten versandt. Was gerade ebenfalls nicht von Belang war.

»Ich weiß, die können mir auch den Strom abstellen«, sagte Bondoni.

»Das haben sie früher auch schon gemacht, wenn du nicht gezahlt hast.«

»Ich habe immer bezahlt!«

»Bis jetzt hat dir auch niemand den Strom abgedreht. Oder gedrosselt. Meines Wissens dürfen sie dir nämlich nur deinen Verbrauch beschränken, aber nicht ganz abdrehen. Dazu, und für anderes, verwendet die Energiefirma verschiedene Codes.«

»Solche, wie da jetzt einer steht?«

»Genau.«

»Und was für unsereins genauso interessant ist: Zu diesem kleinen Kästchen können wir auch Kontakt aufnehmen, wenn wir uns ein bisschen Mühe geben.«

Bondoni grinste. »Was wahrscheinlich nicht ganz legal ist.«

Manzano zuckte mit den Schultern.

»Und wie nimmt man diesen Kontakt auf?«, fragte Bondoni.

»Ganz einfach per Infrarot-Schnittstelle. Das kann heute fast jeder Computer. Oder auch dein Handy. Das habe ich damals gemacht. Um mir einmal anzusehen, was dieses Teil kann – und wie es das tut.«

Dazu hatte er seinen damaligen Computer ein wenig modifiziert. Mithilfe einer entsprechenden Zusatzkarte und passender

Software hatte er ihn zu einem Software-defined-Radio umgerüstet. Als solches konnte sein Computer wie ein Funkgerät Hochfrequenzwellen empfangen, verstehen und erzeugen. Also auch jene Signale der Power Line Communication, mit denen die Stromgesellschaft den Zähler steuerte.

»Und das geht so einfach?«, wollte Bondoni wissen.

»Für Leute wie mich schon«, erwiderte Manzano ungerührt.

»Braucht man da keine Passwörter? Sind solche Daten nicht verschlüsselt?«

»Natürlich sind sie das. Aber solche Verschlüsselungen sind meist schnell zu knacken. Und was die Passwörter betrifft, würdest du dich wundern, was man im Internet alles findet, wenn man weiß, wo man suchen muss.«

»Das ist aber ganz sicher nicht legal.«

Jetzt war es Manzano, der grinste.

»Man möchte doch wissen, von wem man abhängig ist, oder nicht?«

Auf seinem Bildschirm leuchtete mittlerweile die Datei, die er gesucht hatte.

»Ich konnte damals die Steuercodes auslesen. Hier siehst du die Liste. Mit diesem etwa gibt der Stromversorger den Befehl, den aktuellen Verbrauch mitzuteilen. Oder der da. Mit ihm drosselt der Versorger den Verbrauch auf zweihundert Watt. Dann gibt es den, mit dem der volle Netzzugang wiederhergestellt wird. Einen zum Restart des Zählers, einen zum Neuladen des Programmspeichers über die Leitung und so weiter.«

Bondoni studierte die Liste. Sah wieder hoch zum Zähler.

»Der auf dem Display steht auch auf deiner Liste. Allerdings in Rot.«

»Und genau da beginnt es interessant zu werden. Die Zähler werden von einem amerikanischen Unternehmen hergestellt, auch für den US-Markt. Dort verwendet man zum Teil andere

Codes. Auch für Funktionen, die in Italien gar nicht eingesetzt werden. Zum Beispiel ein Befehl zur totalen Abkoppelung vom Netz, der Disconnect-Befehl. Siehst du, hier?«

Langsam las Bondoni die Buchstaben- und Ziffernfolge ab: »KL 956739. Hol mich der Teufel!« Sein Gesicht, überzogen vom blauen Schein des Laptopmonitors, erinnerte Manzano an ein Gespenst. »Soll das heißen, die Amerikaner haben dich vom Netz genommen?«

»Nein. Ich weiß nur, dass der Disconnect-Befehl zwar nicht im italienischen Handbuch verzeichnet ist, aber trotzdem funktioniert. Das habe ich seinerzeit ausprobiert. Jetzt aber kommt der Clou: Weil die Funktion in Italien nicht vorgesehen ist, sendet der Zähler keine Informationen an den Stromversorger, wenn der Disconnect-Befehl aktiviert wird.«

»Moment, Moment! Für alte Männer wie mich: Soll das heißen, dieser Abschaltbefehl wird aktiviert, und die bei der Stromgesellschaft wissen das gar nicht?«

»Für einen alten Mann mit einer Flasche Wein intus schaltest du verdammt schnell.«

»Aber wie kann dieser Befehl überhaupt plötzlich aktiv werden?«

»Das ist die Frage. Ein Fehler im System vielleicht. Aber du bringst mich auf eine Idee. Komm.« Er schob Bondoni zur Tür. »Lass uns mal nachsehen, was dein Zähler macht.«

Ungeduldig wartete Manzano, bis Bondonis Finger, von Alter und Wein ganz ungelenk, den Schlüssel endlich ins Schloss schoben.

Bondonis Apparat zeigte denselben Zeichenkauderwelsch. Manzano stand mit offenem Mund vor dem Kästchen. »Da hol mich doch gleich … wenn das Zufall sein soll.«

»Das gefällt mir nicht«, flüsterte Manzano. »Das gefällt mir gar nicht.« Schon auf dem Weg zurück über den Hausflur rief er: »Lass uns etwas versuchen.« Er hob den Laptop vom Boden vor dem Schalterkasten, wo er ihn abgestellt hatte. »Holst du bitte einen Stuhl aus der Küche? Oder zwei, wenn du auch einen brauchst.«

»Himmel, was wirst du denn plötzlich so umtriebig mitten in der Nacht?«

»Zuerst soll dich der Teufel holen, jetzt ist der Himmel dran …«

»Man muss sich schließlich mit allen gut stellen.« Er verschwand in der Küche.

Während Bondoni polternd zwei Stühle aus der Küche schleifte, verband Manzano den Laptop per Infrarot mit dem Zähler. Er setzte sich auf einen der Stühle und wartete, bis die Verbindung stand.

Bondoni ließ sich neben ihm nieder und starrte neugierig auf den Computer.

»Und jetzt?«

»Jetzt spielen wir Stromgesellschaft. Über den Laptop kann ich mit dem Zähler kommunizieren. Ich gebe einfach den Befehl, uns wieder ans Stromnetz anzuschließen. Mal sehen, was geschieht.«

Er tippte den Code ein.

Aus der Küche war ein kurzes Rumpeln zu hören, das in leises Brummen überging.

»Jetzt versuch noch einmal den Lichtschalter.«

Bondoni gehorchte. Im Flur sprangen die zwei Deckenfluter an.

»Madonna! Kannst du das bei mir auch machen?«

»Nur wenn du aufhörst, alle Heiligen und Teufel anzurufen. Probier mal in der Küche. Und sieh nach, ob der Kühlschrank funktioniert.«

Bondoni verschwand abermals in die Küche, gleich darauf sah

Manzano das Licht dort strahlen. Er hörte, wie die Kühlschranktür unter dem leisen Schmatzen der Gummiisolierung geöffnet wurde.

»Läuft«, rief Bondoni.

»Dann gehen wir jetzt zu dir.«

Binnen Minuten hatte er Bondonis Zähler umprogrammiert, und der Alte hatte ebenfalls wieder Strom in seiner Wohnung. Bondoni ging sofort auf die Toilette. Manzano betrachtete die Bilder an der Wand. Urlaubsfotos von Bondoni, mit seiner verstorbenen Frau, mit seiner Tochter. Er hörte den Strahl des alten Mannes ins Wasser plätschern. Dann das Röcheln der Spülung.

»Wasser gibt es noch immer keines«, erklärte Bondoni.

»Mist! Eine Dusche kann ich also vergessen.« Manzano zeigte auf die Bilder. »Wie geht es deiner Tochter?« Er wusste, dass sie bei der Europäischen Kommission in Brüssel arbeitete. Er merkte sich nie, in welcher Abteilung.

»Fabelhaft! Stell dir vor, erst neulich ist sie wieder befördert worden. Du glaubst nicht, was sie dort jetzt schon verdient. Und das alles von meinen Steuergeldern.«

»Dann bleibt das Geld ja in der Familie.«

»Aber die Mieten in Brüssel sind horrend! Heute ist sie los zum Skifahren. Nach Österreich. Als ob man nicht auch in Italien wunderbar Winterurlaub machen könnte!«

Manzano spürte jetzt auch den Druck in seiner Blase. Kein Wunder, nach einer Flasche Wein. Er wünschte Bondoni eine gute Nacht, der sich für Wein und Licht bedankte und die Tür hinter ihm absperrte.

Zurück in seinem Appartement erschrak Manzano fast über die Helligkeit. Für einen Augenblick trauerte er den Stunden der Stille und Langsamkeit nach. Auch wenn Bondonis Geplapper in Wirklichkeit nicht viel davon übrig gelassen hatte. Er löschte das Licht im Flur und schloss den Sicherungskasten. Im Wohnzimmer steckte er den Laptop an eine Steckdose an, um ihn aufzuladen, stellte sich ans Fenster und sah hinunter auf die Straße. Außer den Straßenlampen kein Licht. Nicht ungewöhnlich für diese Nachtzeit.

Der Gedanke an den fremden Code in seinem Zähler ließ ihm keine Ruhe. Er loggte sich ins Internet ein, sein Provider arbeitete offensichtlich mit Notstrom. Er suchte nach Neuigkeiten über den Stromausfall, schaltete den Fernseher an, zappte durch die Kanäle. Einige waren ausgefallen. Auf den verbliebenen lief das übliche Nachtprogramm. Keine Rede vom Stromausfall. Nur RAI und Nachrichtensender ließen einen Ticker laufen: »Stromausfall in weiten Teilen Europas. Berichterstattung folgt.«

Auch auf den etablierten Nachrichtenseiten, zu denen er eine Verbindung herstellen konnte, fanden sich nur wenige Artikel. Und die waren schon ein paar Stunden alt. Bei Twitter entdeckte er unzählige Tweets, doch die meisten meldeten aufgeregt, dass der Strom weg war, oder fragten, ob er woanders noch da sei und was es mit den Meldungen auf sich hatte, dass auch andere Teile Europas betroffen waren. Der Großteil war mehrere Stunden alt. Bald stieß er auf spanische, englische, französische, deutsche und niederländische Tweets, die er sinngemäß so weit verstand, dass es auch in diesen Ländern Ausfälle gab. Sollte er jetzt noch in seine Spezialforen einsteigen? Er gähnte und rieb sich die Augen. Offensichtlich reichte den etablierten Medien der Nachrichtenwert nicht einmal für ein paar schnell gestrickte Beiträge. So schlimm konnte es demnach nicht sein. Die Journalisten krochen in so einer kalten Nacht wohl auch lieber unter eine warme Decke und hofften, dass am Morgen alles vorbei war, dachte Manzano. Das sollte ich auch, überlegte er. Aber vorher muss ich noch herausbekommen, ob sonst jemand den Code gefunden hat. Und selbst wenn nicht, sollte er eine Nachricht in den Foren hinterlassen. Oder sollte er bei der Energiegesellschaft anrufen? Er musste nur seine Augen ausruhen, für einen Moment schließen, ganz kurz.

Berlin

Um zwei Uhr morgens ließ sich Michelsen ein Taxi rufen. Die Fahrt durch die finsteren Straßen der Stadt bedrückten sie. Der Taxifahrer wollte über die außergewöhnliche Situation diskutieren, doch Michelsen antwortete nur einsilbig, bis auch er schwieg. Das Radio spielte Mitternachtsjazz. Auch die Medien schliefen um diese Zeit. Durch Michelsens Kopf rasten die Überlegungen, was sie alles zu tun hatte, wenn sie in wenigen Stunden ins Ministerium zurückkehrte und der Strom immer noch ausblieb.

Sie hätte sich auf eine Dusche gefreut, denn der Tag hatte sie ins Schwitzen gebracht. In der Wohnung war es kalt. Wasser floss weder in der Toilette noch aus den Armaturen. Beides hatte sie erwartet. Trotzdem spürte sie, wie sich die Enttäuschung schwer auf ihre Müdigkeit senkte.

Auch deshalb, weil sie beschämt feststellen musste, dass sie nicht vorbereitet war.

Dabei bot das Innenministerium seine Broschüre *Für den Notfall vorgesorgt* in acht verschiedenen Sprachen und alle Informationen daraus auf der Homepage des Innenministeriums an. Michelsen hatte sie vor Längerem wieder einmal überflogen. Theoretisch wusste sie alles. Aber wie die meisten Menschen nahm sie Warnungen nicht ernst, solange die Zeiten gut waren. Klassischer Fall von: Der Schuster hat die schlechtesten Schuhe. Als stellvertretende Leiterin der Abteilung für Krisenmanagement und Bevölkerungsschutz besaß sie weder die empfohlenen Vorräte für zwei Wochen an Wasser und lagerungsfähigen Lebensmitteln noch ein batteriebetriebenes Radio. Zur Not kann ich ja das Autoradio benutzen, hatte sie überlegt. Außerdem bin ich in so einer Situation ohnehin nur im Büro, wozu also die Vorsorge zu Hause?

Mit letzter Energie und ein paar Frischetüchern reinigte sie sich notdürftig. Über den Pyjama zog sie einen dicken Wollpullover. Dazu warme Socken. Der elektrische Radiowecker zeigte natürlich nichts an. Sie stellte den Wecker ihres Mobiltelefons auf halb vier. Dachte jetzt schon mit Schaudern an den Morgen und schlief mit dem stummen Gebet ein, dass beim Aufwachen alles gut sein möge.

Kommandozentrale

Gern hätte er Europa jetzt aus der internationalen Weltraumstation ISS gesehen. Wo sonst die feinen Adern und leuchtenden Knoten des Lichtsystems bis ins All strahlten, musste über weiten Flächen Dunkelheit liegen. Ersten Berichten und ihren Messungen nach waren mindestens zwei Drittel des Kontinents ohne Strom. Noch mehr Gebiete würden folgen. Er stellte sich die Verantwortlichen vor, wie sie hilf- und ratlos nach den Ursachen suchten, das Wetter verdächtigten, technische Probleme oder menschliches Versagen, doch in Wirklichkeit keine Ahnung von dem Moloch besaßen, den zu beherrschen sie bis vor wenigen Stunden geglaubt hatten. Es noch immer dachten. Die den Ausfall für ein vorübergehendes Ereignis hielten wie bei den vorangegangenen, nach ein paar Stunden vorbei, danach gut für ein paar amüsante Anekdoten oder wohlig-harmlose Schauergeschichten. Nun, Geschichten würden sie erzählen können. Aber keine frivolen von sprunghaft gestiegenen Geburtszahlen nach neun Monaten oder nostalgische von Übernachtungen im Schlafsack und Waschen im Fluss wie seinerzeit – waren wir jung! – im Jugendlager. Nach ein paar Tagen würden sie begreifen, dass ihre späteren Geschichten eher jenen ähneln würden, die sie bislang nur von den Reportagen aus den Kriegs- und Katastrophengebieten in fernen Ländern und Kontinenten kannten. Nach wenigen Wochen würde ihnen klar, dass ihre Erzählungen einst klingen würden wie die fast vergessenen Schilderungen der Großeltern und Urgroßeltern aus der Zeit nach dem großen Krieg, der Europa und die Welt verwüstet hatte und die man nie ernst genommen hatte, weil sie so lange her und von solch kalter Schwermut vorgetragen worden waren. Und dann, langsam, ganz langsam würde zuerst einer, und dann immer mehr, erkennen, dass die Zeit der Geschichten zu Ende war, weil die Geschichte selbst neu geschrieben wurde.

Tankstelle nahe Bregenz

Angström erwachte von Gemurmel. Als sie den Kopf hob, schmerzte ihr Genick. Offensichtlich war sie in einer unbequemen Haltung eingeschlafen, und dann fiel es ihr wieder ein: Sie befand sich in einer Autobahnraststätte ohne Strom, in der sie mit Hunderten anderen Reisenden gestrandet waren. Sie öffnete die Augen. Noch vom Schlaf benommen erkannte Angström nach und nach, dass Menschen sich erhoben und flüsternd dem Ausgang zustrebten. An ihrer Schulter spürte sie van Kaaldens Kopf lehnen. Vorsichtig richtete sie sich auf und lauschte dem anschwellenden Gewisper. Immer mehr Personen schienen aufzuwachen, sahen sich verschlafen um, beobachteten neugierig das einsetzende Treiben.

Wohin wollten die Leute? Angström stand auf und durchquerte den Raum, ein Hindernislauf um und über jene, die nur auf dem Boden einen Schlafplatz gefunden hatten. Dabei tastete sie ihre Anoraktaschen nach ihrem Portemonnaie ab. In ihrer Hosentasche spürte sie ihr Mobiltelefon. Sie roch feuchte Kleidung, Schweiß, geschmolzenen Schnee, kalte Suppe. Im Gesicht und an ihren Händen spürte sie, dass es im Raum kühler geworden war. Sie hatte den Ausgang noch nicht erreicht, als jemand laut sagte: »Die Tankstelle funktioniert wieder.«

Sofort wurde das Raunen lauter. Als Angström endlich an der Tür war, drängten von hinten bereits Leute nach und schoben sie ins Freie.

Draußen empfing sie beißende Kälte. Die Nacht war sternenlos. Auf dem dunklen Parkplatz vor ihr leuchtete der Tankstellenshop, in dem sich gestikulierende Menschen drängten.

Angström ging hinüber, richtete notdürftig ihre Haare und betrat den Laden. Mit einem Blick fiel ihr auf, dass viele Regale und Kühlvitrinen halb leer waren. Die Stimmen um sie herum klangen zunehmend verärgert oder enttäuscht. Und endlich begriff sie, dass die Zapfsäulen nach wie vor nicht funktionierten. So hatte sie sich ihren Skiurlaub nicht vorgestellt. Mit einem Mal fühlte sie sich müde, schmutzig und hungrig.

Sie gab sich einen Ruck, dann langte sie in den Regalen nach Brot, Sandwiches, Keksen sowie Getränken und stellte sich in die Schlange an der Kasse.

»Nur Bargeld«, sagte der Mann hinter dem Tresen in einem Dialekt, den sie kaum verstand. Angström zahlte meistens mit Karten, deshalb hatte sie auch für diese Reise kaum Bares mitgenommen. Sie kramte ihre Brieftasche hervor, fischte einen der wenigen Scheine heraus, kassierte das Wechselgeld und verließ den Laden.

Aus der Raststätte sah Angström Menschenmassen strömen, die wie sie dem Gerücht folgten. Ihr war kalt, und sie beschloss, die anderen zu suchen.

Gegen den Strom drängte sie sich in das Gebäude. Drinnen herrschte der große Aufbruch. Die Luft war stickig. Alles an ihr selbst kam Angström klebrig vor. Sie musste auf die Toilette und hatte Hunger.

Der Platz, wo sie mit den anderen übernachtet hatte, war leer, und Angström konnte ihre Freundinnen nirgends entdecken. Kurz entschlossen ging sie ins Untergeschoss zu den Toiletten. Und kehrte gleich wieder um. Es war stockdunkel, und der Gestank biss ihr bereits auf den Treppen unerträglich in der Nase. In der Nacht hatten sie sich in ihrer Not einfach am Rand des Parkplatzes hinter ein paar Büsche gehockt, und diesen Ort würde sie auch jetzt vorziehen. Da sie zuvor gern noch die Lebensmittel im Wagen verstaut hätte, machte sie sich auf den Weg zum Citroën. Dort erwarteten sie bereits die anderen.

»Unser Frühstück«, erklärte sie und hob die Päckchen hoch.

»Gut«, erwiderte van Kaalden erfreut und zeigte zum Tankstellenshop. »Da drinnen hätten wir nämlich nicht mehr viel bekommen.«

»Aber Benzin gibt es noch immer keines«, ergänzte Angström.

»Haben wir schon gehört«, sagte Bondoni.

»Und jetzt?«, fragte van Kaalden.

»Muss ich erst einmal wohin«, erklärte Angström und drückte ihnen die Einkäufe in die Hand.

Im ersten Licht der Morgendämmerung lief sie zu der Hecke, die den Parkplatz von den Wiesen und dem Wald neben der Raststätte trennte. Trotz der Kälte roch sie schon vor den Büschen, dass die Fläche dahinter sich mittlerweile in eine kollektive Großlatrine verwandelt hatte. Sie ging die Hecke entlang, in der Hoffnung, dass es weiter hinten weniger schlimm wäre. Hundert Meter von der Autobahnstation entfernt, am Ende des Parkplatzes, wagte sie sich schließlich ins Gebüsch. Der Boden war von weißen, nassen Fetzen übersät. Angström schaute lieber nicht allzu genau hin. Kaum zwei Meter weiter sah sie eine Gestalt hocken. Sie murmelte etwas Unverständliches, das wie eine Entschuldigung klingen sollte, und hastete weiter, immer darauf achtend, wohin sie trat. Da kauerte noch jemand. Dort stand eine Frau und hielt ihr kleines Kind, damit es sich erleichtern konnte. Angström fluchte innerlich. Endlich fand sie eine Stelle, an der sie sich unbeobachtet glaubte. Von der Nacht hatte sie noch Taschen- und feuchte Erfrischungstücher bei sich. So schnell wie möglich brachte sie die Sache hinter sich und verließ eilig das Gebüsch.

Im Auto knabberten Bondoni und Terbanten an ihren Broten. Angström setzte sich zu ihnen auf den Rücksitz. Es war klamm und so kalt, dass sie ihren Atem sehen konnte. Aus dem Radio hörte sie die Stimme eines Nachrichtensprechers. Er redete gerade davon, dass man die Bevölkerung bat, unnötige Reisen zu vermeiden.

»Sehr witzig«, sagte Angström.

»Die behaupten, der Strom sei vergangene Nacht in halb Europa ausgefallen«, berichtete Bondoni. »Und dass es in einigen Gebieten noch eine Weile dauern kann, bis er wieder da ist.«

»Halb Europa?« Angström wickelte ein Sandwich aus. »Wie soll das denn gehen? Haben sie auch etwas über hier gesagt?«

»Nein. Während du weg warst, habe ich versucht, mehr herauszufinden. Aber hier weiß niemand etwas. Die Angestellten sind mit der Situation völlig überfordert.«

»Und was machen wir jetzt?«, fragte Terbanten. »Wir können hier doch nicht weiter in der Kälte sitzen bleiben. Oder in diesem spontanen Auffanglager da drüben mit all seinen hygienischen Annehmlichkeiten.«

»Vielleicht sollten wir ein Taxi rufen«, schlug Angström vor. »Oder zusehen, dass wir irgendwo öffentliche Verkehrsmittel finden, mit denen wir den restlichen Weg zurücklegen können. Bis zum nächsten Bahnhof oder einer Busstation müsste der Sprit noch reichen. Den Wagen und das übrige Gepäck holen wir dann später.«

»Und wenn es in unserem Quartier auch keinen Strom gibt?«

»Muss ich meine Toilette wenigstens nicht mit Hunderten Fremden teilen, habe ein Bad und einen Kamin.«

Van Kaalden stieg zu. »Brrr, ist das widerlich«, schimpfte sie und rieb die Hände, um sie aufzuwärmen. »Hier bleibe ich keine Sekunde länger.«

»Diskutieren wir gerade.« Angström wiederholte ihre Vorschläge.

»Taxi wird teuer«, wandte van Kaalden ein. »Andererseits, geteilt durch vier ...«

»Da müssen wir erst einmal eines bekommen«, bemerkte Terbanten.

Angström verrenkte sich, um ihr Mobiltelefon aus der Hosentasche zu ziehen.

»Kein Netz«, stellte sie enttäuscht fest. »Auch das noch.«

Auf dem Parkplatz hatte jemand zu hupen begonnen. Als ob das helfen würde. Trotzdem fielen weitere ein. Weder van Kaalden noch Terbanten oder Bondoni konnten eine Verbindung aufbauen.

»Kein Strom, kein Telefon, kein Sprit, was kommt als Nächstes?« Terbanten musste schreien, damit die anderen sie noch verstanden. Draußen schien mittlerweile jeder seinen Unmut auszutoben.

»Spinnen die?«, schimpfte Angström.

»Ich hätte gut und gerne Lust mitzumachen«, rief van Kaalden.

»Bringt doch nichts«, meinte Angström.

»Dampf ablassen«, widersprach van Kaalden. »Manchmal braucht man das.«

So muss eine Büffelstampede klingen, dachte Angström. Zum Glück konnte die Autoherde nicht besinnungslos in irgendeine Richtung stürmen und alles auf ihrem Weg verwüsten. Sie schwieg und lauschte beunruhigt dem anschwellenden Getöse.

Mailand

Manzano schreckte hoch. Er lag auf der Couch, den Laptop auf dem Schoß. Ihn fröstelte. Wie spät war es? Noch dunkel. Die Straßenbeleuchtung war erloschen. Er klappte den Computer auf, den er zuvor nicht ausgeschaltet hatte. Die Uhr zeigte kurz vor sieben. Das Zeichen daneben irritierte ihn jedoch viel mehr. Um den Akku des Laptops aufzuladen, hatte er ihn mit einer Steckdose verbunden. Doch das Symbol zeigte, dass das Gerät nicht aufgeladen war. Erst jetzt fiel ihm ein, dass er vor dem Einschlafen auch den Fernseher angeschaltet hatte. Die Mattscheibe war schwarz. Und die Stehlampe neben dem Sofa ebenfalls lichtlos. Er stellte den Laptop ab und tastete sich zu den Lichtschaltern. Nichts. Aus der Küche holte er die Taschenlampe und ging zum Sicherungskasten. Das Display des Stromzählers war wieder blind. Ohne große Hoffnungen testete er den Lichtschalter des Flurs. Die Deckenlampe reagierte nicht. Der Strom war abermals fort. Manzano kehrte zurück ins Wohnzimmer und blickte hinaus auf die Straße. Nirgends Licht.

Sein Laptop hatte zwar noch genug Energie, aber keine Verbindung zum Internet. Fluchend wollte er den Computer schon wieder zuklappen, als ihm einfiel, dass der WLAN-Router am Stromnetz hing und deshalb nicht funken konnte. Demnach bekam auch das DSL-Modem keine Energie. Er dachte kurz nach, dann holte er einen älteren Laptop und ein Modemkabel aus dem Arbeitszimmer, steckte den Laptop direkt in die Telefonbuchse und setzte sich daneben an die Wand. Dieses Gerät besaß noch ein eingebautes Telefonmodem, die Kennwörter für die Einwahl ins Internet hatte er zum Glück in einem Dokument abgelegt. Im Kopf überschlug er, wie viel Akkureserve er hatte. Drei Stunden im neueren Gerät, rund fünfzehn weitere in zwei anderen Laptops und ein paar Reserveakkus in seinem Arbeitszimmer. Die Internetverbindung klappte, wenn auch langsam und mit Unterbrechungen.

Er loggte sich in eines seiner Technikforen ein und überflog die Beiträge der vergangenen Stunden. Keine Erwähnung des eigenartigen Codes, den er in der Nacht gefunden und deaktiviert hatte.

Manzano schrieb eine kurze Meldung, in der er den Code und seinen Hintergrund beschrieb. Mal sehen, ob jemand darauf reagierte. Dann suchte er die Telefonnummer von Enel, dem Stromversorger. Sein Mobiltelefon steckte noch immer in seiner Hosentasche. Erst als er die Nummer der Energiegesellschaft wählte, bemerkte er, dass er kein Netz hatte.

Er versuchte es über das Telefonprogramm auf seinem Computer. Niemand nahm sein Gespräch an. Welche Möglichkeiten hatte er jetzt noch? Er kehrte zurück zur Homepage von Enel und notierte die Adresse der Zentrale in Mailand. Er machte sich keine Hoffnung, tatsächlich eingelassen zu werden. Deshalb suchte er noch die Anschrift der nächsten Polizeistation heraus.

Tag 1 – Samstag

Berlin

»Weiterhin kein Strom in rund siebzig Prozent des Bundesge-
bicts«, berichtete Brockhorst vom GMLZ auf dem Bildschirm.

Michelsen fühlte sich, als wäre sie gegen eine Wand gelaufen.
Der Telefonwecker hatte sie aus einem Zustand geholt, der mehr
einer Bewusstlosigkeit glich als Schlaf. Ihre Wohnung lag offensichtlich nicht in einem der wenigen versorgten Gebiete. Kurz
hatte sie überlegt, ob sie ihre Notdurft bis ins Büro aufschieben
konnte. Sie konnte nicht. Das bedeutete einen frühmorgendli-
chen Toilettengang, nach dem sie nicht spülen konnte. Angeekelt
und verzweifelt hatte sie mehrmals den Spülknopf betätigt, in der
unsinnigen Hoffnung, dass doch ein Rinnsal ihre Ausscheidungen
in die Kanalisation befördern würde. Umsonst. Ihre Morgenhy-
giene hatte statt der üblichen heißen Dusche in einem weiteren
Wischdurchgang mit Erfrischungstüchern bestanden. Ein Dutzend hatte sie vielleicht noch. Neue würde sie vorerst kaum bekommen, das war ihr bewusst. Solange der Strom wegblieb, würden kaum Super- oder Drogeriemärkte ihre Tore öffnen.

»Und keine Besserung in Sicht«, bemerkte ein Kollege.

»Womit wir dem Katastrophenfall einen großen Schritt näher
kommen«, sagte Michelsen.

Im Lagezentrum des Innenministeriums herrschte unverändert hektisches Treiben. Immerhin war es warm. Und die Toiletten funktionierten. Und das Licht in den Sanitäranlagen, wo sie

sich ordentlich schminken und frisieren und irgendwann auch duschen konnte. Wahrscheinlich war deshalb auch der Staatssekretär schon wieder da.

»Was machen diese Schwachköpfe in den Energieunternehmen?«, schimpfte eine Kollegin aus der Abteilung Öffentliche Sicherheit. »Warum bekommen die das nicht hin?«

»Den Katastrophenfall werden die Ministerpräsidenten nicht so schnell ausrufen«, belehrte sie Staatssekretär Rhess.

Den Katastrophenfall auszurufen war in Deutschland Ländersache. Zuständig war ein Hauptverwaltungsbeamter, üblicherweise der Landrat. In der Praxis hatte natürlich der jeweilige Ministerpräsident das letzte Wort.

»Die Herren Ministerpräsidenten sollten mal versuchen, in meiner Wohnung auf die Toilette zu gehen«, sagte Michelsen. »Oder in dreißig Millionen anderen deutschen Haushalten. Stellt euch nur einmal vor, was passiert, wenn dort einen weiteren Tag nicht gespült werden kann. Vielleicht bei einer vierköpfigen Familie.«

»Das stinkt buchstäblich zum Himmel«, flachste die Kollegin.

»Und wird sehr schnell ein hygienisches Risiko. Spätestens ab morgen früh müssten wir beginnen, Hochhäuser ohne Wasserversorgung wegen Seuchengefahr zu evakuieren und Millionen von Menschen in Notquartieren unterzubringen. Die bis dahin bereitstehen müssen. Und das ist nur eine von vielen gewaltigen Maßnahmen, die wir in kürzester Zeit stemmen müssten. Wie sollen wir das ohne Katastrophenfall denn organisieren? Wir brauchen die Staatspolizei und vor allem das Militär zur Unterstützung. Die Hilfsdienste rotieren doch jetzt schon. Denen können wir nicht noch mehr aufbürden. Außerdem«, sie musste Luft holen, um sich zu beruhigen, »haben wir noch ein ganz anderes Problem. Sowohl in unseren Übungen als auch in vergangenen Ernstfällen waren nur einzelne Regionen des Bundesgebiets betroffen. Denken wir an die Oderflut oder, um beim Strom zu bleiben, an den Ausfall im Münsterland. In allen Fällen konnten ausreichend Hilfskräfte und Material aus anderen Teilen Deutschlands herbeigeschafft werden. Ich weiß nicht, ob allen hier klar ist, dass das in der herrschenden Situation nicht möglich sein wird. Das hier ist eine bundesweite Notsituation! Berlin wird keine Hilfe aus Brandenburg bekommen, Baden-Württemberg nicht aus Bayern. Natürlich haben wir das EUMIC schon informiert, wenn auch noch keinen Hilferuf ausgesandt. Aber selbst wenn wir das tun, gehe ich jede Wette ein, dass die bald in Ansuchen aus ganz Europa ertrinken, wenn die Lage anhält. Fürs Protokoll: Ich plädiere dafür, dass vonseiten des Herrn Ministers den Ländern die Ausrufung des Katastrophenfalls nahegelegt wird. Und zwar schnell.«

Staatssekretär Rhess sah sie an, als hätte sie ihm ein Glas Rotwein über das frische Hemd geschüttet.

»Ich habe vor ein paar Minuten mit einigen Verantwortlichen unserer größten Energiedienstleister telefoniert«, erklärte er mit maliziösem Lächeln. »Sie sind zuversichtlich, im Lauf des Vormittags weitestgehend wieder normale Zustände hergestellt zu haben.«

Michelsens Kopf dröhnte, als hätte er ihr Ohrfeigen verpasst. Warum sagte er das nicht, bevor sie ihre Tirade losließ? Die Art provozierte sie.

»Und wer sagt, dass wir uns darauf verlassen können? Dergleichen hören wir jetzt seit zwölf Stunden. Ohne nennenswerte Ergebnisse zu sehen. Ist Ihnen bewusst, dass viele Krankenhäuser in diesem Land Notstromsysteme für vierundzwanzig bis zweiundsiebzig Stunden haben? Dass für einige also bereits die Hälfte der Zeit abgelaufen ist? Schon währenddessen werden viele der üblichen Leistungen zurückgefahren. Was meinen Sie, ist erst in ein paar Stunden auf den Frühgeborenen- oder Intensivstationen los?«

Sie klatschte mit den Händen. »Zack! Aus. Erzählen Sie das Ihren Verantwortlichen auch.«

Sie musste sich beruhigen. Ihre Aufregung rief nur Widerstand hervor. Der Staatssekretär hasste Gefühlsausbrüche.

»Haben Sie auch so etwas gehört, Brockhorst?«, fragte sie in Richtung des Computers, von wo der Mann aus dem GMLZ die Diskussion verfolgt hatte.

»Äh…«

Michelsen wurde sich bewusst, dass sie ihn mit ihrer Frage in eine unangenehme Lage gebracht hatte. Besonders, wenn er die Angaben des Staatssekretärs nicht bestätigen konnte.

»Vergessen Sie es.« Sie schloss für einen Moment die Augen, ließ alle Gedanken davonziehen wie Wolken. Gelassener wandte sie sich an den Staatssekretär: »Ich hoffe, die Verantwortlichen halten Wort.«

Paris

»Wir haben tonnenweise Material«, verkündete Turner, als er die Tür zur Redaktion aufriss, verstummte jedoch, als er in der Dunkelheit nur ein paar Bildschirme und Kerzen leuchten sah. »Was ist denn hier los?«

»Weshalb waren wir denn die ganze Nacht unterwegs?«, fragte ihn Shannon spöttisch. »Stromausfall. Wie es aussieht, haben wir hier kein Notstromsystem.«

»Stimmt«, erklärte Eric Laplante. Sein Gesicht leuchtete blau im Licht eines Laptopmonitors. »Nur die tragbaren Computer, deren Akkus voll genug waren, funktionieren noch. Ich kümmere mich gerade um Ersatz.«

»Na toll«, stellte Turner fest. »Wir haben Stunden von Material und können es nicht verwenden?«

»Schneiden können wir auf den Laptops«, wandte Shannon

ein. »Einige haben die passende Software. Das größere Problem wird wahrscheinlich die Datenübertragung, oder, Eric?«

»Das Internet funktioniert zwar«, erwiderte Laplante, »aber wir mussten auf Satellitenverbindung umsteigen, da unsere Server und Router natürlich auch ohne Strom nicht laufen. Dadurch haben wir nur eine relativ dünne Leitung.«

»Aber wir können immerhin einen Beitrag online stellen«, sagte Shannon.

»Was habt ihr denn?«, fragte Laplante.

»Befreiung aus dem Lift durch die Feuerwehr, Menschen, die in der U-Bahn festsaßen, Szenen am Gare du Nord, wo alle Anzeigen, die Ticketschalter, der Strom in den Shops und die meisten Züge ausfielen, ein paar Autounfälle, den Oberkommandierenden der Feuerwehr, Chaos in und vor Supermärkten und Einkaufszentren.«

Shannon steckte die Kamera an einen Computer, um die Daten zu übertragen.

»Wir durften sogar zu Leuten in die Wohnungen, bei denen weder Licht noch Heizung oder Toiletten funktionieren. Aber wir haben auch positive Szenen: ein Krankenhaus, dessen Notstromversorgung problemlos läuft, Menschen, die sich gegenseitig helfen, die anderen Lebensmittel oder Wasser leihen oder alten Leuten den Einkauf die Treppen hochtragen, weil der Fahrstuhl außer Betrieb ist.«

Turner ließ die ersten Aufnahmen bereits über den Bildschirm laufen.

»Die da brauchen wir«, erklärte er bei einer U-Bahn-Szene.

Nur weil du die ganze Zeit im Bild bist, dachte Shannon. Sie spulte zu den Aufnahmen beim Innenministerium vor. Als der Wagen vorbeifuhr, hielt sie an. Hinter den abgedunkelten Scheiben war schemenhaft ein Gesicht zu erkennen. Sie aktivierte ein paar Filter, die Konturen wurden schärfer, die Kontraste härter.

»Das Gesicht kenne ich doch ...«, murmelte Turner.

Kennst aber den Namen dazu nicht, dachte Shannon.

»Das ist Louis Oiseau, Chef der Électricité de France, persönlich«, erklärte sie.

»Weiß ich doch«, blaffte Turner sie an.

»Das ist eine wunderbare Introszene«, bemerkte Shannon. »Stromboss auf geheimer Mission unterwegs ins Innenministerium.«

Turner verschwand in der Szene hinter einem Wirbel aus Schneeflocken.

»Nee«, meinte er. »Das interessiert doch keinen.«

»Das würde ich nicht sagen«, warf Laplante ein. »Immerhin liegt das halbe Land im Dunklen. Und andere Staaten dürften auch betroffen sein. Noch ist die Nachrichtenlage unklar.«

»Genau!«, rief Shannon. »Und dann steigen wir mit der Ministeriumsszene aus. Zuerst die menschlichen Dramen und am Schluss die Frage: Kommt alles noch schlimmer?«

»Lauren, bitte«, stöhnte Turner. »Du bist hier die Kamerafrau. Wir sind die Journalisten und Redakteure.«

Ohne mich wärst du verloren, dachte Shannon. Sie biss die Zähne zusammen und sagte nichts.

Mailand

»Was genau wollen Sie denn nun anzeigen?« Der Uniformierte hinter seinem kugelsicheren Glas hatte dicke Ringe unter den Augen. Im Empfangsraum der Polizeistation stank es nach kaltem Kohl und Urin. Hinter ihm warteten bereits zwei andere Personen. Durch die kleinen Löcher in der Scheibe erklärte Manzano ihm noch einmal die Geschichte mit dem Code. Auf der Ablage vor sich hatte er seinen Laptop abgestellt.

»Und wen wollen Sie anzeigen?«

»Unbekannt. Das ist jetzt nicht so wichtig, viel wichtiger ist vorerst, dass Sie einen der Energieversorger informieren. Sie kommen da sicher leichter durch als ich.«

»Ein Verdacht also.« Der Mann sah ihn an, als würde er ihn am liebsten mit einem Tritt hinausbefördern. »Und deshalb soll ich bei Enel anrufen?« Er brüllte los: »Herrschaften, haben Sie nichts Besseres zu tun? Ist Ihnen klar, was da draußen los ist? Die Kollegen schieben alle Überstunden, versuchen, das Verkehrschaos zu entwirren, Einbrecher davon abzuhalten, die Situation auszunutzen, Ordnung auf Bahnhöfen zu schaffen. Wir frieren hier selber, und ich soll einer Verschwörungstheorie nachgehen? Wissen Sie, wie viele Verrückte ich in der vergangenen Nacht hier hatte, die alle wussten, warum der Strom ausgefallen ist? Einer macht Außerirdische dafür verantwortlich, andere die Chinesen, Russen, Amerikaner, Terroristen, Freimaurer, sogar die Regierung, ungewöhnliche Planetenkonstellationen oder überhaupt das nahende Ende! Warum also sollte ich Ihren Quatsch glauben?«

Als der Mann zu schreien begonnen hatte, war Manzano zuerst erschrocken, doch inzwischen wuchs in ihm der Zorn. Mit vernünftigen Argumenten kam er bei dem Kerl nicht weiter. Als der Polizist Luft holte, antwortete er sehr laut und bestimmt: »Aus einem einfachen Grund. Weil ich meine Anzeige jetzt noch einmal vortragen werde und diesmal mitfilme. Damit es einen Verantwortlichen dafür gibt, wenn später gefragt wird, warum die Polizei nichts unternommen hat, obwohl sie informiert war.«

Er zückte sein Mobiltelefon, drückte auf Filmaufnahme und erklärte abermals in wenigen Sätzen, was er entdeckt hatte, nannte Datum, Uhrzeit und Ort. Dann schwenkte er das Gerät auf den Beamten und fragte: »Ihr Name, bitte?«

Der Polizist starrte ihn entgeistert an. Endlich presste er einen Namen hervor.

»Danke.« Manzano schaltete das Gerät ab. »Können wir jetzt weitermachen?«

Hinter sich hörte er Murren. Er ignorierte es. Da bellte eine Männerstimme: »Haben Sie wirklich nichts Wichtigeres zu tun? Mein Wagen ist gestohlen worden!«

Manzano wandte sich dem Krakeeler zu. Ein großer Mann in braunem Mantel, über dessen Kragen fettige Haare hingen.

»Darum soll sich die Polizei kümmern!«, erklärte er mit rauchiger Stimme. »Verschonen Sie den Carabiniere mit Ihrem Unsinn!«

Manzano ließ sich nicht einschüchtern, obwohl der andere sicher doppelt so schwer war wie er.

»Sie wollen also auch dafür verantwortlich sein, wenn die Ursache des Stromausfalls nicht möglichst schnell behoben wird.«

Bevor sein Gegenüber eine Antwort gab, spürte Manzano, wie ihn jemand an den Armen packte und sein Handy aus der Hand riss.

»Dann wollen wir doch einmal sehen«, hörte er hinter sich die Stimme des Polizisten aus der Empfangskabine sagen. Manzano wehrte sich, wollte sich umdrehen, doch ein zweiter Beamter hielt ihn fest. Die beiden mussten aus der Kabine herausgetreten sein, als er von dem Wartenden im braunen Mantel abgelenkt worden war.

»Lassen Sie mich los!«

»Vorsicht! Sonst nehme ich Sie wegen Widerstands gegen die Staatsgewalt fest.«

Manzano brachte seine Wut unter Kontrolle. Hilflos musste er zusehen, wie der Carabiniere auf seinem Telefon herumtippte.

»So«, erklärte dieser schließlich zufrieden. »Da haben Sie Ihr Telefon wieder. Womöglich sind ein paar Daten verloren gegangen, aber besser nur die als das ganze Telefon, nicht wahr? Alfredo, ich glaube, wir können den Herrn jetzt gehen lassen.«

Manzano dachte kurz über eine angemessene Reaktion nach,

besann sich eines Besseren, nahm das Handy entgegen, klemmte seinen Laptop unter den Arm und verließ ohne ein weiteres Wort die Polizeistation.

Auf der Straße hatte der Morgenverkehr eingesetzt. Noch immer zitternd vor Empörung stürmte Manzano den Bürgersteig entlang auf der Suche nach einem Taxi. Zwei Straßen weiter konnte er schließlich eines herbeiwinken.

Kaum war Manzano eingestiegen und hatte ihm die Adresse von Enel genannt, schimpfte der Mann los. Weil die öffentlichen Verkehrsmittel stillstanden, waren alle Straßen in der Stadt verstopft.

»Ist doch gut für Sie«, erwiderte Manzano. »Heute braucht jeder ohne Auto ein Taxi.«

»Aber sehen Sie sich den Verkehr an! Ich komme ja kaum weiter. Mehr Fahrten als sonst mache ich da auch nicht. Und den Preis erhöhen darf ich nicht. Obwohl ich schon von Kollegen gehört habe, die unsere Situation skrupellos ausnutzen und doppelte Tarife verlangen. Enel«, besann er sich auf Manzanos Wunsch. »Arbeiten Sie dort?«

»Nein.«

»Schade. Ich hatte schon gehofft, Sie könnten mir erklären, was los ist.«

»Kann ich vielleicht auch. Die Frage ist, ob Sie es hören wollen«, antwortete Manzano mehr zu sich selbst.

»Halb Europa, das muss man sich mal vorstellen. Sie bringen es überall in den Nachrichten.« Er stellte den Mini-Fernseher lauter, den er an der Armatur montiert hatte. Ein aufgeregter Journalist brachte die neuesten Meldungen. Er erzählte vom Chaos auf Flughäfen und Bahnhöfen. Dazu Bilder überfüllter Wartesäle. Auf dem ganzen Kontinent waren Hunderttausende Reisende gestrandet. Behörden, Schulen, Banken und viele Geschäfte blieben geschlossen. Schulkinder freuten sich, gewannen der Sache auch positive Seiten ab.

»Wahnsinn, nicht?«, meinte der Fahrer. »Wie 2003.« Er lachte. »Wenigstens kennen wir das schon, wie das ist, und wissen uns zu helfen.«

Hoffentlich tun wir das, dachte Manzano und verdrängte die Erinnerung an den Vorfall auf der Polizeiwache.

Draußen zogen die Fassaden an Manzano vorbei wie Kulissen. Düstere Auslagen. Dunkle Hauseingänge. Matte Fenster. Das Leben schien aus ihnen gewichen. Trotz der Menschen wirkte Mailand wie eine Geisterstadt.

Manzano hatte den Radiosprecher fast ausgeblendet, als er eine Bemerkung aufschnappte, die seine volle Aufmerksamkeit zurückgewann.

»Stellen Sie lauter«, bat er den Fahrer.

»...so nahm der Ausfall Europa praktisch von Norden und Süden in die Zange...«

Auf dem kleinen Bildschirm war eine Europakarte zu sehen, Italien und Schweden dunkel eingefärbt, dann, nach und nach, die übrigen Länder.

»Hat der eben erklärt, dass die Ausfälle in Italien und Schweden begonnen haben?«, fragte Manzano den Fahrer.

»Ja. Weshalb?«

Manzano lief ein Schauer den Rücken hinab. Er versuchte, die auf ihn einstürzenden Gedanken abzublocken.

»Weil Schweden und Italien als einzige Länder in Europa bereits mehr oder minder flächendeckend die sogenannten intelligenten Stromzähler einsetzen.«

Dort hatten die Blackouts ihren Ausgang genommen. Die Gänsehaut auf seinem Rücken schmerzte geradezu. Manzano spürte eine Panik aufsteigen, die er nicht kontrollieren konnte.

»Ja und?«, fragte der Fahrer.

Manzanos Verdacht, der ihn sofort beim Entdecken des Codes befallen hatte, wurde ihm zur Gewissheit. Jemand hatte das italienische und schwedische Energienetz übernommen und womöglich weite Teile des europäischen. In einer beispiellosen Aktion hatte dieser Jemand den Kontinent buchstäblich ausgeschaltet. Immer wieder hatten Fachleute solche Szenarien diskutiert, wenn auch nie in diesem Ausmaß. Schon die kurzfristigen Schäden gingen in die Milliarden. Auf keinen Fall durfte dieser Zustand länger andauern. Bereits nach wenigen Tagen würde Chaos herrschen und binnen einer weiteren Woche in blanke Anarchie übergehen. Kaum jemand hatte gedacht, dass es möglich wäre. Sie hatten sich getäuscht. Zum Glück wusste ich bei der Polizei noch nichts davon, dachte er. Die Idioten hätten mich gleich für verrückt erklärt und eingewiesen. Dasselbe würde der Taxifahrer denken, wenn ich ihm erzähle, was ich glaube. Er versuchte, einen klaren Gedanken zu fassen. Ich fantasiere, dachte er. Es ist nur ein Stromausfall. Hat man schon erlebt. Geht vorbei. In ein paar Stunden lachen wir darüber.

Auf einmal kam er sich lächerlich vor. Was glaubte er, einem der größten Energieversorger Europas erzählen zu können? In diesem Moment hielt das Taxi vor dem Glaspalast von Enel.

Als er bezahlte, bemerkte Manzano, dass er sein letztes Bargeld ausgab.

Die Eingangstüren waren verschlossen, davor hielt eine Kette von Sicherheitsleuten Journalisten, Schaulustige und aufgebrachte Kunden zurück. Manzano zählte mindestens sieben Kcamerateams, ein Dutzend Fotografen und viele Menschen, die er nicht zuordnen konnte.

Manzano zwängte sich durch die Menge hindurch und erklärte einem der schwarz gekleideten Sicherheitsmänner, dass er hineinmüsste. Hinter ihm, in der Empfangshalle, strahlten nur ein paar Spots über dem Tresen, an dem zwei Frauen telefonierten und ein Mann auf einen Bildschirm starrte.

»Heute wird niemand eingelassen.«

Geduldig trug Manzano erneut seine Entdeckung vor und bat, mit einem Verantwortlichen sprechen zu dürfen. Von hinten drängten Journalisten heran, interessierten sich allerdings nicht für Manzano. Der Mann wandte sich ab und flüsterte in sein Headset.

Manzano holte tief Luft und ging einfach an ihm vorbei. Bevor er die Tür erreicht hatte, stand bereits ein anderer Sicherheitsmann vor ihm, der erste zischte Befehle in sein Mikrofon. Manzano ließ sich nicht beirren. Immerhin hatte er jetzt nicht mehr die Reporter im Rücken.

»Hören Sie«, schnauzte er sein Gegenüber an. »Ich weiß, was diesen ganzen Schlamassel hier ausgelöst hat. Und das muss ich den Herrschaften da drinnen mitteilen. Wie wollen Sie Ihren Vorgesetzten später erklären, dass Sie mich daran gehindert haben? Und glauben Sie mir, Sie werden es erklären müssen!«

Der Sicherheitsmann tauschte unschlüssige Blicke mit seinem Kollegen, dann redete er in sein Mikro, ohne Manzano aus den Augen zu verlieren. Manzano musterte ihn mit ernstem Gesicht.

Endlich: »Kommen Sie mit.«

Manzano folgte dem Mann zu dem lang geschwungenen Empfangstresen, hinter dem die drei Angestellten ziemlich verloren wirkten. Eine der Damen begrüßte sie mit verkniffenem Gesicht.

»Warten Sie bitte hier. Es kommt gleich jemand.«

Manzano hatte Verständnis für die Sicherheitsvorkehrungen des Unternehmens, aber keinerlei Geduld mehr. Würden diese Menschen ahnen, was er vermutete und was sie in den nächsten Tagen womöglich erwartete, sie hätten ihn im Eiltempo vorgelassen. Er setzte sich in einen der Designersessel, aber je länger er in der Halle wartete, desto kleiner kam er sich mit seiner Idee vor.

Zwanzig Minuten später wollte er schon wieder gehen, da erschien ein Nachwuchsmanager wie aus dem Bilderbuch: jung, groß, smart, tadellos frisiert, auch heute in Schlips und Anzug.

Nur die Ringe unter den Augen verrieten, dass er in der vergangenen Nacht noch weniger Schlaf als gewöhnlich gefunden hatte. Er stellte sich als Mario Curazzo vor. Übergangslos erklärte er: »Woher weiß ich, dass Sie kein Journalist sind?«

»Weil ich weder Kamera noch Aufnahmegerät bei mir habe. Und im Übrigen will ich von Ihnen auch gar nichts wissen, sondern Ihnen etwas mitteilen.«

»Letzteres klingt durchaus wie ein Journalist. Wenn Sie mir meine Zeit stehlen, werfe ich Sie eigenhändig raus.«

Dass er dazu in der Lage war, glaubte Manzano sofort. Curazzo war noch einen Kopf größer als er und wirkte sehr gut trainiert.

»Sagt Ihnen KL 956739 etwas?«, fragte Manzano.

Curazzo starrte ihn ausdruckslos an. Dann antwortete er: »Ein Code für die Stromzähler, der bei uns nicht zum Einsatz kommt.«

Jetzt war es an Manzano, überrascht zu sein. Entweder war das Thema Curazzos Spezialgebiet, oder der Mann war richtig gut. Oder sie wussten bereits Bescheid.

»Warum stand er dann heute Nacht auf meinem Zähler?«

Wieder der nichtssagende, durchdringende Blick. Manzano überlegte, ob er auch erzählen sollte, dass er das Smart Meter gehackt und den Code deaktiviert hatte. Immerhin hatte er sich damit vermutlich strafbar gemacht. Doch sein Programmiererstolz war stärker. Er schilderte die Ereignisse der vergangenen Nacht in kurzen Worten.

Curazzo hörte mit versteinerter Miene zu, sagte jedoch schließlich: »Kommen Sie mit.«

Er führte ihn durch menschenleere Glasflure.

»Haben Sie noch keine Meldungen darüber erhalten?«, fragte Manzano.

»Das können uns die Zuständigen sagen«, erwiderte Curazzo kurz angebunden.

Sie erreichten einen riesigen Raum, dessen eine Wand von

gigantischen Bildschirmen bedeckt war. Davor saßen an kreisförmig angeordneten Tischen Dutzende Menschen vor zahllosen Computermonitoren. Manzano fühlte sich an die Brücke eines Raumschiffs in Fernsehserien erinnert. Die meisten Anwesenden hatten nicht viel geschlafen, wie er an den roten Augen, unrasierten Gesichtern und zerzausten Frisuren erkennen konnte. Im Gegensatz zu seinem Begleiter hatten sie ihre Jacketts abgelegt und saßen mit aufgerollten Hemdsärmeln da. Die Luft roch ranzig. Eine Geräuschkulisse aus zahlreichen Gesprächen erfüllte den Raum.

»Die Leitstelle«, erklärte Curazzo.

Er führte ihn zu einer Gruppe, die über einen Tisch gebeugt dastand. Als Manzano vorgestellt wurde, sah er in ausgelaugte Gesichter. Curazzo erläuterte, warum er ihn hergebracht hatte. Die Runde schien nicht sonderlich beeindruckt. Ein weiteres Mal wiederholte Manzano seine Geschichte.

Ein älterer Mann mit offenem obersten Hemdknopf und loser Krawatte fragte: »Und als Sie aufwachten, war der Strom wieder weg. Sind Sie sicher, dass Sie das alles nicht nur geträumt haben?«

Ein Namensschild an seiner Brust wies ihn als L. Troppano aus.

Manzano spürte, wie er rot anlief.

»Hundertprozentig sicher. Haben Sie bislang keine derartigen Meldungen bekommen?«

Der Mann schüttelte den Kopf.

»Kann der Code versehentlich aktiviert worden sein?«

»Nein.«

»In den Nachrichten habe ich gehört, dass die Ausfälle in Italien und Schweden begonnen haben. Stimmt das?«

»Sie gehörten zu den ersten, ja.«

»Jene beiden Länder, die praktisch schon vollständig mit Smart Metern ausgestattet sind. Ein seltsamer Zufall, finden Sie nicht?«

»Sie glauben, die Zähler wurden manipuliert?«, fragte einer mit

Schnurrbart und Fönfrisur. Auf dem Schild an seiner Brust las Manzano den Namen U. Parigi.

»Ich konnte es. Warum sollte jemand anders es nicht können?«

»Dutzende Millionen in ganz Italien?«

Über einen Hack des Stromsystems hatte sich Manzano noch nie ernsthaft den Kopf zerbrochen. Aber wenn er in einen Zähler kam, gelangte man wahrscheinlich auch in die anderen. Mit einem Virus oder einem Wurm.

»Das Problem sind doch nicht die Zähler«, erklärte Troppano. Dabei wandte er sich an die anderen, wie um sie an etwas zu erinnern, das bereits diskutiert worden war. »Wir haben Netzinstabilitäten, die wir einfach wieder in den Griff bekommen müssen.« Zu Manzano sagte er: »Danke, dass Sie sich zu uns bemüht haben. Herr Curazzo begleitet Sie hinaus.«

Manzano setzte zu einer Antwort an, als Curazzo ihn dezent am Ellenbogen fasste.

Auf dem Weg zum Ausgang redete Manzano auf Curazzo ein, die Zähler zu überprüfen und ihre Erkenntnisse mit anderen Unternehmen zu teilen. Er konnte nur hoffen, ein Korn des Zweifels gesät zu haben, das in den nächsten Stunden aufgehen würde. Viel Hoffnung machte er sich nicht. Am Empfang bat er, ein Taxi rufen zu lassen, das er mit Kredit- oder Bankkarte zahlen konnte.

»Bekommen Sie momentan keines«, erklärte die Empfangsdame.

Manzano, müde nach der kurzen Nacht und verärgert über seine erfolglosen Überzeugungsversuche, überschlug im Geist, wie lange er zu Fuß nach Hause brauchen würde. Doch er war zu stolz, Curazzo um Fahrgeld anzupumpen.

Von draußen hörte er leise das Rufen der Journalisten. Das brachte ihn auf eine Idee. Er schüttelte Curazzo die Hand und schlenderte zum Ausgang.

So musste sich also ein Filmstar auf dem roten Teppich fühlen, dachte Manzano, als er auf die Kameras zuspazierte. Na ja, bei einem Independent-Festival vielleicht, gemessen an der überschaubaren Zahl der Reporter. Auch gab es kein Blitzlichtgewitter. Aber einige riefen ihm doch etwas zu.

»Was ist los?«

»Wann bekommen wir wieder Strom?«

»Wann gibt der Vorstand eine Erklärung ab?«

»Arbeiten Sie hier?«

Die letzte Frage kam von einer jungen Frau, von der er nicht sehr viel mehr sah als den unförmigen Steppmantel, dessen fellbesetzte Kapuze und eine große Brille.

Manzano hatte keinerlei Erfahrung im Umgang mit den Medien. Er war nicht scheu, suchte aber auch nicht den Trubel großer Menschenansammlungen. Doch wenn er seine Botschaft loswerden wollte, musste er sich an möglichst viele wenden. »Wie vielen von Ihnen ist heute Nacht aufgefallen, dass der Strom kurzfristig wieder zurückkehrte?« Ohne eine Antwort abzuwarten, fuhr er fort und begann, inzwischen bereits routiniert, seine Entdeckung am Stromzähler in seiner Wohnung zu erzählen. Er hatte kaum drei Sätze gesagt, als die Kameras und Gesichter sich von ihm abwandten. Verwirrt hielt er inne und sah sich um. Hinter ihm war Mario Curazzo aus dem Gebäude getreten und winkte die Medienvertreter näher.

»Sehr geehrte Damen und Herren«, verkündete er. »Der Vorstand wird in einer Stunde eine Pressekonferenz geben. Wenn Sie sich bis dahin schon einmal bei einem Kaffee aufwärmen wollen…«

Bevor Manzano Luft geholt hatte, folgte rasch die Herde, begleitet von den Sicherheitsleuten, Curazzo in das Gebäude. Beim Hineingehen warf er ihm einen spöttischen Blick zu.

Der Wind erschien Manzano plötzlich noch eisiger. Und er wusste gar nicht genau, wo er sich befand, hatte sich auf dem

Herweg gänzlich auf den Taxifahrer verlassen. Außerdem musste er auf die Toilette. Weit und breit gab es keine Bar, die geöffnet war. In welche Richtung musste er jetzt gehen, wenn er nach Hause wollte?

Bondoni starrte aus dem Wohnzimmerfenster auf die Straße. In der Wohnung war es ungewöhnlich still. Er trug einen dicken Wollpullover, darüber seinen Wintermantel. Trotzdem fror er. Er würde sich noch eine Lungenentzündung holen! Mit seinem Handy probierte er die Mobilnummer seiner Tochter. Kein Netz. Sie hatte ihm die Adresse des Quartiers in Tirol gegeben, in das sie mit Freundinnen gefahren war.

Bondoni machte sich keine ernsthaften Sorgen. Seine Tochter war eine patente Person. Das hatte sie von ihrer Mutter.

Bondonis Frau war vor drei Jahren gestorben. Er dachte nicht gern daran. Und seit einiger Zeit zum Glück auch nicht mehr ganz so oft wie früher.

Gerade wollte er sein Festnetztelefon probieren, als er ein eigenartiges Geräusch hörte. Der Kühlschrank und die Therme in der Küche waren angesprungen. Gleichzeitig wurde die Stehlampe neben seinem Fernsehsessel aktiv, die auch automatisch aufleuchtete, wenn man sie einsteckte. Aus dem Haus hörte er gedämpft Rufe des Erstaunens, der Freude. Bondoni seufzte erleichtert auf. Er lehnte sich an einen Heizkörper und wartete, dass er warm wurde. Unsinnig. Das dauerte eine Weile. Er schaltete den Fernseher ein und zappte durch die Kanäle. Überall liefen Nachrichten über den Stromausfall. Reporter standen frierend vor dem Parlament, vor Rathäusern, Kraftwerken und Glastürmen von Energieunternehmen und berichteten mit dampfendem Atem und aufgeregter Stimme von den neuesten Entwicklungen. Grafiken wurden eingeblendet und erklärten, warum dieses oder jenes nicht funktionierte.

Bilder eines Funkmasts.

Mobilfunkstationen etwa wurden durch das Stromnetz versorgt. Fiel dieses aus, sprang eine Batterie ein. Die betrieb den Mast, je nach Unternehmen und Land, noch ein paar Stunden. Deshalb konnte mittlerweile kaum noch jemand mobil telefonieren. Außer der Strom kehrte zurück, so wie bei uns gerade, dachte Bondoni. Vielleicht habe ich deshalb meine Tochter nicht auf ihrem Handy erreicht, schloss er.

Altmodische Festnetztelefone erhielten ihre Energie direkt über die Telefonleitung, erklärte der Sprecher weiter, unterstützt von entsprechenden Bildern. Deshalb konnte man nach wie vor leidlich über das Festnetz kommunizieren, wenn man ein altes Gerät besaß und die Vermittlungsknoten stromversorgt waren. Interessant, dachte Bondoni, deshalb funktionierte das bei mir zeitweise. Aber jetzt, da der Strom zurück war, hoffentlich nicht mehr wichtig zu wissen.

Auf einem anderen Kanal erklärte eine Frau mit Pelzkragen in ihr Mikrofon, dass der europaweite Ausfall inzwischen auch bei den zuständigen EU-Stellen Aktivitäten auslöste. Bondoni musste erneut an seine Tochter denken. Vielleicht sollte er jetzt noch einmal versuchen, sie anzurufen.

»Diese Nummer ist vorübergehend nicht erreichbar.«

Ihm fiel seine Toilette ein. Er ging hinaus, holte tief Luft, bevor er die Tür öffnete und hoffte, dass die Wasserversorgung ebenfalls wieder eingesetzt hatte. In der Klomuschel schwammen noch seine morgendlichen Ausscheidungen und verbreiteten nicht gerade Rosenduft, wenn auch ein wenig gemildert durch die Kälte. Er betätigte die Spülung. Ein kurzes Röcheln, das Wasser schoss durch. Gleich darauf setzte im Spülkasten das beruhigende Geräusch nachfließenden Wassers ein.

Zufrieden drehte er sich um, als sein Blick auf den Sicherungskasten im Flur fiel. Neugierig inspizierte er ihn. Auf der Anzeige des Zählers waren Zahlen zu sehen, wie üblich. Bondoni hatte die Kästchentür schon fast geschlossen, als die Anzeige umsprang: KL 956739.

Bondoni erkannte den Code sofort wieder. Was hatte das zu bedeuten? Kurz darauf verschwand die Buchstaben- und Zahlenfolge von dem kleinen Schirm, und dieser blieb grau. Gleichzeitig wurde die Wohnung still. Die Kästchentür noch immer in der Hand, lauschte Bondoni auf das Summen der Therme, das Brummen des Kühlschranks, das Plappern des Fernsehers. Wie Phantomschmerz klangen sie in der Stille nach, obwohl er sie nicht mehr hörte. Er lief zu den Lichtschaltern, probierte, ohne Erfolg. Hoffnungsfroh wartete er darauf, dass das Leben gleich wieder in die Geräte zurückkehren würde. Als könnte er ihnen dabei helfen, ging er die ganze Wohnung ab, versuchte jeden Schalter, jeden Knopf, am Fernseher, der Kaffeemaschine. Vergeblich.

Hatte sein Nachbar, der Computercrack, das mitbekommen? Bondoni ging hinüber und drückte den Klingelknopf. Wartete. Begriff, dass die Klingel nicht funktionieren konnte. Er klopfte. Klopfte noch einmal. Konnte es sein, dass Manzano nicht daheim war? Wo wollte er hin, bei dem Wetter, ohne Auto?

Bauernhof nahe Dornbirn

Angström klopfte noch einmal an die dunkelbraune, rustikale Tür. Ihr Wagen stand zehn Meter weiter oben auf der Straße, am Ende des Zugangs zu dem Bauernhof. Terbanten und van Kaalden warteten dort. Bondoni, die ebenfalls ein wenig Deutsch beherrschte, stand neben ihr. Sie hörten Kühe muhen.

Sie hatten die Tankstelle direkt über die Personalzufahrt verlassen und beim ersten Gebäude gehalten, um nach dem Weg zum nächsten Bahnhof zu fragen.

Niemand öffnete. Wegen der Tiere waren sie sich sicher, dass der Hof bewirtschaftet sein musste. Also umrundeten sie das Haus, um im Stall nach jemandem zu suchen. Die Tür war angelehnt. Das Rufen der Kühe war jetzt so laut, dass Angström nur pro forma klopfte, bevor sie öffnete. Der Stallgeruch erfüllte sie mit einem wohligen, warmen Gefühl. Vor ihr und Bondoni erstreckte sich eine lange Stallgasse, auf deren beiden Seiten die Kühe standen. Menschen sahen sie keine.

»Hallo?«, rief Angström vorsichtig, begriff jedoch sofort, dass sie lauter werden musste, wollte sie die Tiere übertönen.

»Hallo?!«

Niemand antwortete.

Langsam gingen sie die Stallgasse entlang, um nach den Bauersleuten Ausschau zu halten.

»Warum brüllen die so?«, rief Bondoni. »Ist das normal?«

»Keine Ahnung«, erwiderte Angström ebenso laut.

Endlich entdeckten sie eine gebeugte Person, die fast unter einem Kuhbauch verschwand und auf einem Schemel saß.

»Hallo! Entschuldigen Sie!«, rief Angström noch einmal.

Aus einem Männergesicht, dem man die viele Arbeit an der frischen Luft ansah, begegnete ihr ein misstrauischer Blick. Ohne aufzustehen oder seine Hände unter der Kuh hervorzuholen, sagte der Mann etwas, das Angström nicht verstand.

So gut es ihr Deutsch zuließ, stellte sie sich vor und erklärte, was sie wollte.

Das Gesicht des Mannes wurde nicht freundlicher, aber immerhin stand er jetzt auf und wischte sich die Hände an einer Art Schürze ab. Er trug Gummistiefel und einen löchrigen, oft geflickten Pullover. Hinter ihm erkannte sie einen Eimer mit Milch unter dem Kuheuter.

Wieder verstand Angström kaum, was er sagte. Mit einem Lächeln streckte sie ihm ihre Straßenkarte entgegen. Der Bauer musterte sie, dann fuhr sein Finger über den Plan. Dazu erklärte er, jetzt in verständlicherer Sprache, wie sie zum nächsten Bahnhof kamen.

»Aber ob da Züge fahren, weiß ich nicht«, fügte er hinzu. »Da fallen wohl auch viele aus.«

Angström bedankte sich, Bondoni ebenfalls. Sie wollten schon gehen, als Angström den Bauer noch fragte: »Warum brüllen die Tiere so laut?«

»Denen tun die Euter weh«, erklärte er grimmig, »ohne Strom funktioniert die Melkanlage nicht. Deswegen müssen meine Frau, ich und zwei Nachbarn alles von Hand machen. Das dauert. Wir haben über hundert Tiere. Bei vielen sind die Euter schon übervoll. Deshalb – Sie entschuldigen –, aber ich muss weitermachen.«

Angström begegnete Bondonis Blick und sah, dass ihr derselbe Gedanke durch den Kopf schoss wie ihr.

»Ist das schwierig?«

»Was?«

»Melken. Ich meine, ist es schwierig, es zu lernen?«

Der Mann schien sie abzuschätzen.

»Sie haben uns geholfen«, sagte Angström. »Vielleicht können wir auch Ihnen helfen. Draußen sind noch zwei von uns.«

»Eigentlich ist es nicht schwer«, grummelte er. Noch einmal musterte er sie von oben bis unten. Dann lachte er. »Wenn Sie es versuchen wollen ...«

Mailand

Völlig durchgefroren erreichte Manzano die Via Piero della Francesca. Drei Stunden war er durch die Stadt marschiert. Er fantasierte von einer heißen Dusche. Stattdessen herrschten in seiner Wohnung vielleicht noch zehn Grad. Wenigstens vermissen meine Lebensmittel bald den Kühlschrank nicht mehr, dachte er. Den Mantel behielt er an. Missmutig stellte er fest, dass er sich nicht einmal einen Espresso zubereiten konnte. Heißer Tee blieb natürlich auch ein Wunschtraum. Er überprüfte den Sicherungskasten. Das Display des Zählers war blind. Kein Strom im Netz und daher keine Hoffnung auf eine Umprogrammierung seinerseits. Manzano fühlte sich wie ein eingesperrter Löwe, der rastlos hinter den Gitterstäben auf- und ablief, ohne etwas unternehmen zu können. Polizei, Strombetreiber und Medien glaubten ihm nicht, nahmen ihn nicht ernst oder hörten ihm gar nicht zu. Seine Kunden konnte er weder anrufen noch besuchen. Er beschloss, noch ein wenig zu recherchieren, und warf sich samt Laptop und warmer Decke aufs Sofa.

Die Internetverbindung funktionierte nicht mehr.

Er klappte den Computer zu, als es an seiner Tür klopfte.

»Und du bist dir ganz sicher?«

Manzano stand vor seinem Sicherungskasten und inspizierte die blinde Anzeige des Zählers, neben ihm Bondoni.

»Ich bin zwar alt, aber weder blöd noch blind.«

Manzano spürte wieder diesen Schauer, der ihn an diesem Tag bereits öfter überfallen hatte und der nicht von der Kälte ausgelöst wurde.

»Diese Schwachköpfe«, zischte Manzano.

»Wer?«

Manzano erzählte, wo er seit dem Morgen überall gewesen war und wer ihm alles nicht zugehört oder ihn nicht ernst genommen hatte.

»Und wieso?«

»Wieso was?«

»Wieso sollten sie dir zuhören oder dich ernst nehmen?«

»Ich bin mir sicher, dass jemand das Stromnetz manipuliert. Ich kenne mich zwar nicht so genau aus, aber für mich sieht es so aus: Jemand deaktiviert auf einen Schlag alle Zähler. Daraufhin kommt es zu einem abrupten Frequenzanstieg im Stromnetz. Eine Kettenreaktion ist die Folge, bis gar nichts mehr geht. Dann versuchen die Stromgesellschaften, die Netze wieder einzuschalten. Das gelingt ihnen auch. Doch kaum fließt der Strom, beginnt unser unbekannter Saboteur von Neuem. Und die Stromgesellschaften wissen nicht einmal, warum der Saft wieder weg ist.«

»Weil sie nicht auf dich hören wollen.«

»Genau.«

»Weil deine Theorie natürlich verdammt hirnverbrannt klingt.« Bevor Manzano etwas erwidern konnte, hob Bondoni abwehrend die Hände. »Ich glaube dir ja! Aber du musst zugeben...«

»Weiß ich doch. Aber was soll ich machen? An wen soll ich mich jetzt noch wenden?«

»Tja, wenn dir in Italien niemand zuhören will, musst du es woanders versuchen.«

»Fabelhafte Idee«, höhnte Manzano. »Und wer schwebt dir da so vor? Der amerikanische Präsident?«

»Die Europäische Union.«

»Wunderbar! Klingt richtig Erfolg versprechend.«

»Jetzt hör mir doch mal zu, statt dich über mich lustig zu machen! Denk nach! Wer arbeitet bei dem Verein?«

Langsam dämmerte es Manzano, worauf Bondoni hinauswollte.

»Deine Tochter. Und worauf warten wir dann noch?«

Bondoni machte ein gequältes Gesicht.

»Lara ist zum Skifahren in Österreich.«

»Hast du erzählt. Dann rufen wir sie dort an.«

»Habe ich schon versucht.«

»Und sie nicht erreicht. Toll! Sind wir also genauso weit wie vorher.«

»Ich probiere es gleich noch einmal«, erklärte Bondoni.

Manzano erinnerte sich, dass sein Nachbar noch einen altmodischen Festnetztelefonanschluss besaß. Oft genug hatte er ihn dafür belächelt, jetzt nicht mehr.

Gemeinsam gingen sie hinüber. Bondoni erreichte seine Tochter nicht, die Leitung blieb tot. Ausdruckslos starrte er Manzano an.

»Vielleicht ist sie auf der Piste«, sagte Manzano.

»Oder noch unterwegs.«

»Oder gar nicht losgefahren. Hat sie in Brüssel einen Festnetzanschluss?«

»Schon versucht. Auch im Büro. Dort ist sie nicht.«

»Wohin, sagtest du, wollte sie?«

»Tirol. Ischgl. Sie hat mir die Adresse durchgegeben. Für alle Fälle.«

»Da war ich schon einmal.« Er dachte nach. »Hast du noch ein paar dieser Reservekanister, die du immer auffüllst, wenn der Benzinpreis niedrig ist?«, fragte er.

Zwischen Bondonis Augenbrauen senkte sich eine Furche. »Wieso?«

»Ja oder nein?«

»Ja.«

»Und der Tank von deinem Fiat ist einigermaßen voll?«

»Ich denke. Aber...« Bondoni begriff. Aufgeregt begann er mit dem Finger zu wackeln, als würde er einem kleinen Kind einen bösen Streich verbieten. »Nein. Nein. Sicher nicht. Du spinnst!«

»Hast du eine bessere Idee?« Er grinste Bondoni an. »Oder etwas Besseres zu tun? Wir brauchen vier, fünf Stunden. Und«, er zupfte an Bondonis Mantelkragen, »das Auto kannst du heizen.«

Bauernhof nahe Dornbirn

»Ah, ist das herrlich!« Terbanten presste sich gegen den Kachelofen in der Bauernstube. Angström saß mit den anderen an dem großen, alten Tisch und aß, was die Bäuerin auf den Tisch gestellt hatte. Schwarzbrot, Butter, Käse, Speck. Dazu ein Glas frischer Milch. Alle griffen tüchtig zu, nur van Kaalden ließ die noch kuhwarme Milch stehen, fiel Angström auf. Sie selbst hatte Mühe, das Glas zu halten. Ihre Unterarme fühlten sich so steinhart an wie früher, wenn sie zu lange ohne Trapez auf dem Windsurfbrett unterwegs gewesen war. Sie unterhielten sich mit den Bewohnern des Hauses und deren Helfern, amüsierten sich mit ihnen über ihre Ungeschicklichkeit beim Melken, die der Bauer mit seinen klobigen Fingern nachahmte, wobei er Tränen lachte, und überlegten, wie sie weiterkommen sollten. Als der Nachbar des Bauern verstand, dass sie nicht mehr genug Benzin hatten, um ihr Ziel zu erreichen, fragte er: »Wie weit ist es denn noch?«

»Vielleicht eine Stunde, etwa sechzig Kilometer.«

Er musste etwas älter sein als der Hausherr, Gesicht und Hände wiesen ihn ebenfalls eindeutig als Bauern aus.

»Zehn Liter müssten bei eurem Auto genügen« – er hatte sie von Anfang an geduzt –, »mein Tank ist voll. Da kann ich euch etwas abgeben.«

Angström übersetzte für die anderen und nickte ihm gleich darauf freudig zu.

»Sehr gern! Wir bezahlen natürlich.«

»Davon bin ich ausgegangen«, erklärte der Mann, ohne eine Miene zu verziehen. »Vier Euro pro Liter.«

Angström schluckte. Das war mehr als doppelt so viel wie üblich. Sie tauschte einen Blick mit Bondoni. Sie dachten dasselbe. Jetzt nicht aufregen. Nachfrage und Angebot haben nichts mit Gerechtigkeit oder Fairness zu tun. Hauptsache, sie bekamen Benzin.

Sie beendeten ihr Essen, bedankten sich noch einmal beim Bauer. Dieser drängte ihnen eine Wegzehrung auf, bestehend aus vier noch lauwarmen Flaschen selbst gemolkener Milch, einem Laib Brot, Butter und einem ordentlichen Stück Hausspeck.

Der Nachbar stand bereits mit seinem Lieferwagen hinter dem Citroën. Über einen Schlauch im Tankstutzen zapfte er Treibstoff in einen Kanister. Damit füllte er den Tank ihres Fahrzeugs. Angström zahlte, dankte ihm noch einmal. Zehn Minuten später waren sie wieder auf der Autobahn.

»Ein Bad! Ein Königreich für ein Bad!«, rief van Kaalden und schnupperte an ihren Armen, als könnte sie so den Stallgeruch wegsaugen.

Ybbs-Persenbeug

Ruhig und unaufhaltsam bahnte sich die Donau ihren Weg durch die Landschaft. Weiß ruhten die Felder zu beiden Seiten, darauf standen Höfe und blattlose Baumgerippe unter einem farblosen Himmel. Die Staumauer des Kraftwerks ist nur eine Illusion menschlicher Macht, dachte Oberstätter. Wir können den Fluss bremsen, stauen, aber nicht stoppen. Auch nicht wirklich kontrollieren, wie die Hochwasser der vergangenen Jahre gezeigt hatten.

Es hatte aufgehört zu schneien. Oberstätters Blick folgte den Verwirbelungen des Wassers, während er noch einen Zug von seiner Zigarette nahm und an die letzten vierundzwanzig Stunden dachte. Er war nicht mehr nach Hause zurückgekehrt, obwohl irgendwann das Team der Nachtschicht gekommen war. Zwischendurch hatten sie kurz auf Notpritschen geschlafen. Laufend hatten sie versucht, das Kraftwerk erneut zu starten. Immer wieder hatten Fehlermeldungen die Inbetriebnahme verhindert. Jedes Mal musste ein Trupp ausrücken, um das beanstandete Element zu kontrollieren. Nie hatten sie ein Problem gefunden. Die Technik schien in Ordnung. Aber was hieß das schon? Wenn die Software einen Fehler anzeigte, mussten sie kontrollieren.

Versuche zur automatischen Steuerung von Kraftwerken gab es bereits seit den Zwanzigerjahren des vergangenen Jahrhunderts. Der Durchbruch gelang jedoch erst mit dem Fortschritt der Computertechnik in den Sechzigerjahren. Seither hatten die Rechner mehr und mehr Aufgaben übertragen bekommen. Ohne sie wäre modernes Kraftwerksmanagement ebenso wenig möglich wie die Organisation der komplexen Stromnetze. Oberstätter musste in diesem Zusammenhang an sein Auto denken. Sein erster Wagen, ein VW Käfer, war noch eine Maschine gewesen. Seine aktuelle Kutsche war ein Computer auf Rädern. Um einen Fehler zu finden, kroch der Mechaniker nicht mehr unter die Bodenplatte oder tauchte in den Motor ab. Er steckte einfach einen kleinen Computer an das Steuerungselement im Motorblock und las die Fehlermeldung.

Oberstätter erinnerte sich daran, wie er vor einem Jahr ein Vermögen für die Reparatur des Wagens seiner Frau ausgegeben hatte. Das System hatte einen Fehler bei der Bremsflüssigkeit gemeldet. Die Werkstatt musste sämtliche Schläuche austauschen. Doch der Bordcomputer meldete weiterhin Probleme. »Vielleicht sind es die Bremsen selbst«, hatte der Mechaniker gemeint und diese ebenfalls erneuert. Die Fehleranzeige blieb. Bis der Mechaniker erklärte, dass sie wohl das Elektronenhirn wechseln mussten. Der neue Computer zeigte den Fehler dann nicht mehr an.

Oberstätter drückte seine Zigarette aus, entsorgte sie im dafür vorgesehenen Aschenbecher und ging in den Leitstand.

»Es muss die Software sein«, wandte er sich an den Schichtleiter.

»Ich habe mir schon Ähnliches gedacht«, erwiderte dieser. »Die Frage ist, wo wir anfangen.«

In einem Kraftwerk kamen verschiedenste Programme zum Einsatz. Die kompliziertesten waren sogenannte Supervisory Control and Data Acquisition Systems, kurz SCADA-Systeme. Sie dienten zur Steuerung der Anlage und bestanden aus den unterschiedlichsten Komponenten, von sehr spezieller Hardware wie den speicherprogrammierbaren Steuerungen bis zu ganz normalen Windows-Rechnern. SCADA-Systeme organisierten die immer komplexeren Abläufe der modernen Welt. Seien es Fertigungsprozesse in der Industrie, die Organisation von Infrastrukturen oder das Management von Häfen, Flugplätzen, Bahnhöfen, Konzernzentralen, Einkaufszentren oder Raumstationen. Sie machten es möglich, dass eine Handvoll Menschen einen gigantischen Öltanker über die Meere steuerte, wenige Dutzend eine Autofabrikationshalle bedienen oder auf Flughäfen Millionen Passagiere täglich abfliegen und ankommen konnte.

»Keine Ahnung. Die SCADA-Systeme wurden im Vorfeld ausführlich getestet. Außerdem kommen wir an die selbst gar nicht dran. Als Erstes würde ich bei den Windows-Rechnern beginnen. Ich war schon 2004 dagegen, Windows für den Betriebsstand einzusetzen, weil es viel zu unsicher ist. Selbst Microsoft graut es, wenn jemand Win2K ohne irgendwelche Sicherheits-Patches einsetzt, aber das verbietet uns ja der Softwarehersteller.«

Der Schichtleiter starrte durch die riesigen Scheiben in die Maschinenhalle. Oberstätter wusste, was in seinem Kopf vorging. Entschloss er sich, die Startversuche abzubrechen, bis sie die Software geprüft hatten, konnten Tage vergehen, bevor das Kraftwerk wieder Energie lieferte. Treffen musste die Entscheidung letztlich der Betreiber.

»Hoffentlich hat uns nicht jemand etwas wie Stuxnet reingesetzt«, sagte Oberstätter.

»Über so was macht man keine Witze.«

»War kein Witz.«

Die Schadsoftware hatte im Herbst 2010 für Aufsehen gesorgt, nachdem sie eine iranische Atomanlage angegriffen hatte. Eine chinesische Nachrichtenagentur hatte berichtet, dass auch Hunderte Anlagesteuerungen im Reich der Mitte von dem Wurm infiziert seien. Später war man in vielen anderen Anlagen ebenfalls fündig geworden. Mehr als die Hälfte aller deutschen Kraftwerke etwa waren infiziert gewesen, aber aufgrund der besonderen Konstruktion des Virus für einen ganz bestimmten Zweck nicht beeinträchtig worden. Fachleute vermuteten als Urheber den israelischen und den US-amerikanischen Geheimdienst, als Ziel die iranische Atomanlage, doch beides blieben Spekulationen. Die wahren Urheber und das tatsächliche Ziel von Stuxnet würden wohl noch länger im Dunkeln bleiben. Man ging davon aus, dass die Entwicklung einen siebenstelligen Dollarbetrag gefressen und dass ein ganzes Team von Spezialisten aus verschiedenen Gebieten daran mitgearbeitet hatte. Außerdem besaßen die Verfasser von Stuxnet detailliertes Wissen über die Abläufe in den angegriffenen Anlagen, die sie bei den Herstellerfirmen gestohlen haben mussten. Auf jeden Fall war Stuxnet nicht das Ergebnis von Spielereien eines Jugendlichen an seinem Homecomputer.

»So weiterzumachen ist auf jeden Fall sinnlos«, sagte Oberstätters Vorgesetzter schließlich. »Wir stoppen die Wiederbelebungsversuche. Ich informiere die Zentrale.«

Ratingen

Auf dem weitläufigen Parkplatz standen nur vereinzelt Autos, aber doch mehr als sonst an einem Samstag im Februar. Große Flächen bedeckte eine hauchdünne Schneeschicht. Windböen fegten darüber hinweg, wirbelten weiße Wolken hoch, hinterließen grauen Asphalt. In dieser kahlen Winterlandschaft wirkte der lang gestreckte, zehnstöckige Kubus aus Glas und Beton fast ein wenig verloren. Über dem Gebäude ragte der große Schriftzug aus blauen Buchstaben in den grauen Himmel: »Talaefer AG«. In einigen Fenstern brannte Licht.

James Wickley parkte den SLS Roadster auf dem Platz mit dem Kennzeichen der Limousine, die er während der Woche als Dienstwagen fuhr. Aber heute war Samstag, und da erlaubte er sich den Besuch des Hauptquartiers in dem Sportwagen, der das mehrfache Jahresgehalt eines durchschnittlichen Angestellten der Talaefer AG gekostet hatte.

Als Vorsitzenden des Vorstands traf man ihn samstags häufig im Büro an. Wer viel arbeitete und dem Unternehmen eine Menge Geld brachte, durfte auch einmal mit dem entsprechenden Auto unterwegs sein, fand er. Natürlich wäre er mit dem Wagen nie bei Kunden vorgefahren. Für den Alltag existierte ein Mercedes der S-Klasse, den er je nach Lust und Bedarf selbst steuerte oder von einem Chauffeur lenken ließ.

Er sprang aus dem Wagen, schlug den Mantel für die wenigen Schritte bis zum Eingang nur vorn zusammen. In der Glastür betrachtete er sein Spiegelbild, die schlaksige Figur, der scharfe Scheitel, dem auch die heftigste Windböe wenig anhaben konnte.

Zum Glück befanden sich im Keller des Gebäudes dieselgetriebene Notstromaggregate, die ihn auch jetzt den Fahrstuhl benutzen ließen und sein Büro im obersten Stock heizten.

Er warf den Mantel über einen Stuhl und startete seinen Computer. Während dieser hochfuhr, sah er auf das gerahmte Foto an der gegenüberliegenden Wand. Die Schwarz-Weiß-Aufnahme zeigte einen jungen Mann in der Mode der Siebzigerjahre vor einem altmodischen Rechner.

Sein erstes Steuerungssystem hatte Bruno Talaefer im Jahr 1973 entworfen. In der nordrhein-westfälischen Provinz machte er das Unternehmen binnen weniger Jahre zu einem weltweit agierenden Unternehmen. Mitte der Achtzigerjahre verwandelte er es zu einer börsennotierten Aktiengesellschaft, in deren Aufsichtsrat er sich zurückzog. Von Beginn an hatten sie Kontroll- und Steuerungssysteme für die wachsende Industrie und Transportlogistik entwickelt, bald waren Lösungen für Stromversorger gefolgt. Den großen Strukturwandel der Branche seit Beginn der Achtzigerjahre hatten sie als Partner der großen Anlagenbauer geschickt begleitet. Mittlerweile stammten über zwanzig Prozent ihres Umsatzes und Gewinns aus diesem Geschäftsfeld.

James Wickley, geboren in Bath, als Kind eines Diplomaten in London, Singapur und Washington aufgewachsen, ausgebildet in Cambridge und Harvard, seit vier Jahren Vorstandsvorsitzender der Talaefer AG, erwartete einen Boom für die kommenden Jahre. Nach der Deregulierung der europäischen Märkte in den letzten Jahrzehnten stand nun die nächste Umwälzung vor der Tür. Die Einführung der sogenannten Smart Grids entfachte Bonanza-Fantasien in Unternehmen weltweit. Der Grundgedanke war einfach. Bislang hatten große, zentrale Energieproduzenten Strom hergestellt und verteilten ihn über die mittlerweile international zusammengewachsenen Netze an die Endverbraucher. Noch funktionierte dieses System einigermaßen. Der Strombedarf war bekannt. Wasserkraftwerke, Kohlekraftwerke oder Atomkraftwerke lieferten beständig Strom, für den flexibleren Einsatz zu Spitzenzeiten dienten bestimmte kalorische Kraftwerke, vor allem gasbefeuerte.

In Zukunft würden wesentlich mehr und auch kleinere Einheiten Strom erzeugen. Zudem würden die Quellen ihrer Produktion so unzuverlässige Lieferanten wie Sonne oder Wind sein. Vorläufigen Höhepunkt würde in wenigen Jahren der noch junge Industriezweig des Energy-Harvesting bringen. Dabei wurde Energie etwa beim Gehen aus Mikrokraftwerken in Schuhsohlen gewonnen.

Mit unzähligen kleinen, unabhängigen und unberechenbaren Stromlieferanten konnten die klassischen Netze nicht umgehen. Schon heute stellte die wachsende Anzahl von Windkraft- und Solaranlagen eine zunehmende Bedrohung der Netzstabilität dar. Gänzlich unkontrollierbar würden die Zustände, wenn künftig jeder Haushalt, gar jeder Mensch ein eigenes Minikraftwerk würde und immer dann Strom ablieferte, wenn er einen Überschuss produzierte.

Eine weitere tragende Rolle spielte die politische Entscheidung, die europäischen Staaten binnen weniger Jahrzehnte von fossilen Brennstoffen wie Öl oder Kohle und sogar von der Kernkraft unabhängig zu machen. Deutschland etwa wählte dazu den massiven Ausbau der Windkraft. Gigantische Windparks in der Nordsee sollten die Strom fressenden Industrieanlagen im Süden mit Energie versorgen. Umweltschützer gerieten in einen Zwiespalt. Jahrzehntelang hatten sie für den Ausbau alternativer Energiequellen gefochten, um nun feststellen zu müssen, dass Windräder, Hochspannungstrassen und Speicherbecken das ganze Land verunstalten würden. Die Bauindustrie freute sich, Anlieger weniger. An diesem Punkt der Entwicklung kamen auch die Smart Grids ins Spiel. Diese intelligenten Stromnetze sollten sich letztendlich selbst steuern und organisieren. Unzählige Hochgeschwindigkeitssensoren an allen möglichen Stellen im Netz sollten in Echtzeit Stromqualität und Spannung messen. Die zahlreichen verschiedenen Kleinkraftwerke sollten über dieses schlaue Netz zu virtuellen Kraftwerken zusammengeschlossen werden. Die Verbraucher sollten Smart Meter bekommen. Laut einer Vorgabe der Europäischen Union sollten bis 2020 große Teile Europas umgerüstet sein. Manche Staaten wie die Niederlande hatten die Projekte aber vorläufig gebremst oder gestoppt, entweder aus Kostengründen oder wegen Sicherheitsbedenken.

Jeder namhafte Konzern, der nur die entfernteste Verbindung zu seinen angestammten Geschäftsfeldern sah, sprang auf den Zug. Angefangen von den klassischen Elektronik- und Technikunternehmen über Kommunikationsgiganten, die auf ihre Vernetzungs- und Kommunikationskompetenzen bauten, bis zu Autoherstellern, die ihre Motoren nun auch in Arztpraxen oder Verwaltungsgebäuden installieren wollten.

Zuerst allerdings mussten sie das bestehende System wieder zum Laufen bringen. Sein Computer zeigte ihm, dass er derzeit nicht einmal ins Internet kam.

Er wechselte in den großen Besprechungsraum, in dem bereits jene Führungskräfte warteten, die er noch gestern Abend herbestellt hatte für den nun eingetretenen Fall, dass der Stromausfall anhalten sollte.

»Von den Betreibern, Anlagebauern oder auch einzelnen Kraftwerken haben wir bislang kein Feedback«, erklärte der Vertriebsvorstand. »Ich habe ein Callcenter im Haus eingerichtet, falls Kunden Unterstützung brauchen.«

»Gut«, sagte Wickley. »Sind ausreichend Techniker im Haus?«

»Vorläufig ja«, erwiderte der Personalvorstand. »Wir informieren gerade zusätzliche – soweit möglich. Wobei wir mit einem baldigen Ende der Störung rechnen beziehungsweise mit keiner großen Anfrageflut, schon gar nicht vor Montagmorgen, nicht zuletzt wegen der kaum funktionsfähigen Telefonnetze. Bis dahin wird der Bedarf stark zurückgegangen oder überhaupt nicht mehr vorhanden sein, und gleichzeitig sind unsere Leute alle wieder da.«

»Davon gehe ich auch aus«, entgegnete Wickley. »Kommunikation?«

Die Frage galt dem Chef der Unternehmenskommunikation, einem kantigen Mann mit früh ergrauten Haaren.

»Bislang keine Medienanfragen«, antwortete dieser. »Allerdings habe ich vor, so bald wie möglich mit ausgesuchten Journalisten Hintergrundgespräche zu führen, in denen ich die Zuverlässigkeit unserer Produkte sowie die hohe Kompetenz unserer Softwareentwickler und Ingenieure in den Vordergrund stellen werde, vor allem auch in Hinblick auf unsere Entwicklungsprojekte.«

»Ausgezeichnet! Der Mann denkt mit. Damit komme ich zum wichtigsten Punkt unserer Besprechung.«

Er lehnte sich nach vorne, ließ seinen Blick einmal durch die Runde der knapp zwanzig Männer schweifen.

»Dieser Stromausfall ist eine Riesenchance! In ein paar Stunden wird er vorbei sein, aber nicht vergessen. Dafür werden wir sorgen.«

Er sprang auf.

»Jetzt müssen wir den Personen an den entscheidenden Stellen begreiflich machen, dass die Konzepte der Mitbewerber zu kurz greifen oder illusorisch sind und radikale Neuerungen unabdingbar.«

Die der Talaefer AG nach seinen Plänen im kommenden Jahrzehnt jährlich zweistellige Wachstumsraten bescheren sollten.

»Ich möchte«, forderte er mit einem Blick auf den Vertriebsvorstand, »dass wir ab Montagmorgen mit allen Personen, die darüber zu entscheiden haben, Termine vereinbaren.«

Jetzt würden sie deren Interesse nicht mehr durch luxuriöse Studienreisen in fremde Länder fördern müssen, sondern durch einfache Präsentationen der Fakten und der Talaefer-Produkte. Er stützte sich mit beiden Händen auf den langen Tisch auf, musterte seine Mitarbeiter durchdringend.

»Bis Montagabend möchte ich die wichtigsten Präsentationen, mit dem Stromausfall als Einstieg und als durchgängigem roten Faden, vorgestellt bekommen.«

In den Gesichtern konnte er erkennen, dass die Anwesenden damit nicht gerechnet hatten. Vermutlich saßen die Familien der meisten zu Hause ohne Heizung, Wasser und Kommunikationsmittel und erwarteten den Vater so bald wie möglich zurück. Nun, sie würden ohne die Männer zurechtkommen müssen.

»Auf, meine Herren! Zeigen wir der Welt, was Energie ist.«

Paris

Als Shannon von der Musik geweckt wurde, verfluchte sie ihren Mitbewohner Émile. Die Mieten waren in Paris fast unbezahlbar, für ihr Zimmer in der Wohngemeinschaft in Montparnasse ging ihr halbes Monatseinkommen drauf, da hatte sie nicht wählerisch sein dürfen. Erst als sie das Kissen um den Kopf wickelte, damit sie weiterschlafen konnte, fragte sie sich, woher die Musik stammte. Von der Straße vor ihrem Fenster hörte sie den Verkehr. Sie setzte sich auf, versuchte, wach zu werden.

Wie sie war, in T-Shirt und Shorts, schlurfte sie auf den Flur, ins Bad, drehte die Wasserhähne auf, ganz altmodische, einer warm, der andere kalt, spritzte sich Wasser ins Gesicht, spülte den schlechten Geschmack aus dem Mund. Verschlafen sah sie in den Spiegel, die wirren braunen Haare fielen ihr ins Gesicht.

Das Wasser lief. Sie hörte Musik. Sie ging auf die Toilette. Die Spülung funktionierte.

Sie zog ihren Bademantel über und ging in die Küche. Dort saßen Marielle und Karl bei einem späten Frühstück, im Radio spielte französischer Hip-Hop. Shannon mochte ihn noch weniger als den englischsprachigen, schon gar nicht nach dem Aufwachen, aber heute war sie froh, ihn zu hören.

»Morgen«, begrüßte sie die anderen. »Strom wieder da?«

»Zum Glück«, sagte Karl. Der untersetzte Deutsche mit den schwarzen Locken war einer ihrer vier Wohngenossen. Marielle stammte aus der Nähe von Toulouse, Émile aus der Bretagne, dann war da noch Dajan aus einem Dorf in Ostpolen.

Shannon schenkte sich Kaffee und Milch in eine Bol-Tasse. War der Chef der Électricité de France doch umsonst ins Innenministerium gebraust, dachte sie. Oder sein Auftauchen – was sollte er dort sonst gesucht haben? – hatte genau den erwünschten Erfolg gehabt, nämlich die Stromversorgung schleunigst wiederherzustellen.

»Aber nicht überall«, erzählte Karl mit vollem Mund und deutschem Akzent. Gegen den sie nicht lästern durfte, ihr amerikanischer war nicht minder heftig. »In vielen Teilen des Landes frieren sie noch. Meine Eltern zu Hause wohl auch.«

»Hast du mit ihnen gesprochen?«, fragte Shannon.

»Nein. War kein Durchkommen. Aber in den Nachrichten hieß es, dass es auch in anderen Ländern Ausfälle gab. Überlastung wegen des Winters, sagen sie.«

Shannon schmierte sich ein Honigbrot.

»Die meisten öffentlichen Verkehrsmittel in Paris fahren wieder«, bemerkte Marielle.

»Gut«, sagte Karl. »Ich muss gleich zur Uni.«

»Am Samstag?«

Er zuckte mit den Achseln, räumte sein Geschirr in die Spüle und verschwand. Shannon erzählte von ihrer Nacht, fragte Marielle, wie es in der Wohnung gewesen war.

»Ging so«, antwortete diese. »Ich habe mir einen Pullover angezogen, eine Extradecke über das Bett geworfen und das Ganze verschlafen.«

»Die beste Methode.«

Shannon nahm eine heiße Dusche, dann setzte sie sich vor ihren Laptop und lud Material von der letzten Nacht hoch. Sie war freie Mitarbeiterin Turners, ihre nicht benutzten Aufnahmen konnte sie also auch für sich verwenden. Währenddessen surfte sie über ein paar Nachrichtenseiten und checkte ihre Accounts bei den sozialen Netzwerken. Als Nächstes schnitt sie einen kleinen Beitrag aus Bildern zusammen und stellte ihn auf YouTube.

Danach zog sie sich warm an und ging einkaufen. Der kleine Supermarkt zwei Straßen weiter war geöffnet. Unterwegs hielt Shannon nach Folgen der vergangenen Nacht Ausschau, doch die Pariserinnen und Pariser waren schon wieder zur Tagesordnung übergegangen.

Auf dem Rückweg traf sie vor dem Eingang ihre Nachbarin. Annette Doreuil, Mitte sechzig, immer sehr gepflegt, trug ebenfalls Einkäufe nach Hause.

»Shannon!«, rief sie ihr entgegen. »Das war ein Abend gestern, was?«

»Ja, ich war die ganze Nacht unterwegs«, antwortete Shannon, während sie gemeinsam zum Fahrstuhl gingen. »Der Strom kam erst gegen sechs Uhr morgens nach und nach wieder.«

»Unsere Tochter und ihre Familie wollten aus Amsterdam kommen, aber die Flüge wurden abgesagt.«

»Schade, ich weiß, Sie hatten sich so auf Ihre Enkel gefreut.«

Die Kabine ruckelte, hielt zwischen zwei Stockwerken, Shannons Magen krampfte sich zusammen, doch da fuhr der Fahrstuhl schon weiter.

»Das hätte jetzt gerade noch gefehlt«, lachte Doreuil nervös. Sie schwiegen und sahen durch die Glasscheiben der Kabinentür die Etagen vorbeiziehen, bis sie auf der vierten hielten. Shannon war froh, den Lift zu verlassen.

Vielleicht würde sie nun doch öfter die Treppen nehmen.

»Schöne Grüße an Ihren Mann. Hoffentlich kommen Ihre Enkel bald.«

»Das hoffe ich auch.«

Bei Bellinzona

Auf der Autobahn schien weniger los zu sein als sonst. Bondoni hatte ihm das Steuer übergeben. Seit sie Mailand verlassen hatten, presste Manzanos Gasfuß den Autobianchi 112 von 1970 an sein Limit bei hundertvierzig Stundenkilometer. Bondoni hatte den Wagen, der fast so alt war wie Manzano, über die Jahre in einem tadellosen Zustand bewahrt. Aber er war so laut, dass sie sich nur brüllend unterhalten konnten, was die Konversation bald zum Erliegen gebracht hatte. Bondoni hatte das Radio eingeschaltet, gemeinsam verfolgten sie die Nachrichten- und Sondersendungen, die auf den meisten Kanälen gebracht wurden.

Leider war der Tank nicht so voll gewesen, wie Manzano gehofft hatte. Bondoni besaß jedoch genug Reservekanister in der Garage, dass sie die knapp vierhundert Kilometer getrost in Angriff nehmen konnten. Im winzigen Kofferraum lagerten vier Kanister mit je zwanzig Litern, damit sollten sie sogar wieder nach Hause zurückkehren können, ohne eine Tankstelle aufsuchen zu müssen. Was nicht notwendig sein sollte, hoffte Manzano. Doch das Radio teilte nichts Gutes mit. Europa war noch immer weitgehend ohne Strom.

Sie waren bereits in der Schweiz, hatten Lugano hinter sich gelassen und steuerten Richtung Bellinzona, als der Tankzeiger in den roten Bereich wanderte.

»Wir müssen Benzin nachfüllen«, sagte Manzano, als er das Hinweisschild für einen Parkplatz sah.

Vier Lkws hintereinander belegten die gesamte linke Hälfte, rechts standen drei Pkws. Neben einem der Personenwagen schlenderte ein Mann auf und ab und rauchte. Manzano und Bondoni stiegen aus, vertraten sich die Beine. Manzano öffnete die Heckklappe, hob einen Kanister heraus, begann den Tank zu füllen.

Er lauschte dem leisen Gluckern des Treibstoffs, während im Hintergrund ab und zu ein Auto auf der Autobahn vorbeirauschte. Er versuchte sich zu erinnern, wann er zuletzt ein Auto aus einem Kanister betankt hatte. Fragte sich, ob er es überhaupt schon einmal getan hatte. Tankstellen waren so selbstverständlich, überall.

»Hey! Sie sind ja ein Minitanklaster«, rief eine Stimme neben ihm und lachte kehlig über ihren eigenen Witz. Der Raucher, jetzt ohne Zigarette, äugte neugierig in den Kofferraum des Autobianchi.

Manzano hatte ihn nicht kommen gehört. Das mochte er nicht. Und den Mann auch nicht. Wie er ungeniert in ihren Wagen starrte, den Klang seiner Stimme.

»Wir haben auch noch einen weiten Weg vor uns.«

»Wohin wollen Sie denn mit dieser Fracht?«

Was ging das den an?

»Nach Hamburg«, schwindelte Manzano.

»Wow! Ein weiter Weg mit so einer Handtasche auf Rädern.«

Manzano hatte den Kanister geleert, verschloss ihn, stellte ihn zurück. Dabei sah er über das Wagendach und bemerkte, dass vom Auto des Rauchers her zwei weitere Männer auf sie zukamen. Sie gefielen Manzano genauso wenig wie ihr Kumpan. Er schlug die Kofferraumtür zu.

»Na, hören Sie mal«, eiferte sich Bondoni. »Das ist ein Oldtimer!«

»So sieht er auch aus«, lachte der Mann wieder. »Mit dem kommen Sie nie nach Hamburg. Wollen Sie uns nicht lieber einen Kanister verkaufen? Oder zwei?«

Manzano hatte den Griff der Fahrertür in der Hand, bereit zum Einsteigen.

»Tut mir leid. Aber ich sagte Ihnen ja, wie weit wir müssen. Da brauchen wir jeden Tropfen selbst.«

Die Begleiter des Rauchers hatten sie mittlerweile erreicht. Einer baute sich vor der Kühlerhaube auf, der andere steuerte auf Bondoni zu, der gerade auf der Beifahrerseite einsteigen wollte.

In diesem Moment packte der Raucher Manzanos Arm. »Wollen Sie es sich nicht doch überlegen?«

Manzano blickte ihn ohne Angst an, dann auf die Hand an seinem Arm. Als der Mann nicht losließ, wollte er ihn abschütteln, doch der andere hielt ihn fest.

»Lassen Sie mich los«, sagte Manzano ruhig. Innerlich spürte er jedoch, wie sich alle seine Muskeln anspannten und ihm die Hitze in die Glieder schoss.

»Wir brauchen Sprit«, erklärte der Kerl. »Bis jetzt habe ich Sie freundlich gefragt.«

Das war deutlich. Manzano zögerte nicht. Mit einer heftigen Bewegung trat er dem Mann zwischen die Beine. Der andere hatte nicht damit gerechnet, knickte ein und ließ Manzano los. Manzano stieß ihn von sich, der Mann stolperte rückwärts und fiel auf den Asphalt. Manzano sprang in den Wagen. Bondoni nutzte den Überraschungsmoment und warf sich förmlich auf den Beifahrersitz.

Manzano drosch seine Tür zu, verriegelte sie und drehte gleichzeitig mit der anderen Hand den Zündschlüssel um. Draußen rappelte sich sein Angreifer wieder hoch. Der Typ vor dem Kühler stützte sich darauf, als ob er das Auto so aufhalten könnte. Bondoni versuchte seine Tür zu schließen, doch der dritte Kerl hatte seine Arme bereits im Wagen und zerrte an dem alten Mann. Manzano kuppelte, stieg aufs Gaspedal, der Motor heulte auf. Der Raucher rüttelte mittlerweile an Manzanos Türgriff. Der Mann vor der Kühlerhaube wich nicht zur Seite. Für einen Augenblick trafen sich ihre Blicke, dann ließ Manzano die Kupplung los. Der Autobianchi machte einen Sprung nach vorne, der Mann wurde über die Kühlerhaube gegen die Frontscheibe geschleudert, kullerte seitlich hinunter, riss den Raucher mit sich. Der dritte lief neben ihnen her, versuchte, den lauthals fluchenden Bondoni aus dem Wagen zu ziehen. Manzano beschleunigte. Sah im Rückspiegel den Raucher hinter ihnen herlaufen. Der Angefahrene lag auf dem Boden. Mit einem letzten Tritt verabschiedete Bondoni den dritten und schlug die Tür zu. Manzano schaltete hoch und schoss aus der Ausfahrt, während Bondoni, der halb verkehrt auf seinem Sitz lag, sich mühselig in eine sitzende Haltung brachte.

»Was war denn das?«, fragte er atemlos.

»Moderne Wegelagerer«, antwortete Manzano, dessen Puls raste. Im Rückspiegel beobachtete er, ob die Angreifer ihnen folgten. Er fragte sich, ob er den einen schwer verletzt hatte. Musste sich aber eingestehen, dass er kein Mitleid verspürte, eher Wut über die unverschämte Attacke. Leider hatte er sich das Kennzeichen nicht gemerkt. Eigentlich sollte er sie anzeigen. Oder hatte er sich strafbar gemacht, als er einfach losgefahren war, obwohl der Mann im Weg gestanden hatte?

»Diese Bastarde«, schimpfte Bondoni. »Mein schöner Wagen. Wehe, der Idiot hat da vorn eine Delle hineingehauen!«

Hoffentlich ist dieser Stromausfall bald vorbei, dachte Manzano. Wie soll das denn weitergehen, wenn die Leute jetzt schon verrücktspielten, fragte er sich, den Rückspiegel ständig im Blick.

Berlin

Hinter den Fenstern des Baus, der das Ministerium von der Straße Alt-Moabit trennte, beobachtete Michelsen die Ankunft der schwarzen Limousinen. Der Innenminister hatte die Vorstandsvorsitzenden der wichtigsten Stromerzeuger und -verteiler in Deutschland zu einem Termin geladen. Krisensitzung hatte Michelsen es in den Telefonaten genannt. Ein Donnerwetter für die Strombosse würde es werden. Was diese auch wussten. Doch sie hatten keine Wahl. Wer nicht erschien, hatte in Zukunft mit zu großen Hindernissen aus der Politik zu rechnen. Alle kamen.

In dem kleinen Besprechungsraum hinter ihr wartete die Runde aus Ministerialbeamten, die den Kern des operativen Krisenstabs bildeten. Sie unterhielten sich oder blätterten in Unterlagen. Einige trugen dicke Jacken oder Pullover unter den Sakkos. Der Minister selbst saß in einem der Büros nebenan und telefonierte dort mit einem mobilen Satellitentelefon.

Michelsen hatte sich eine Überraschung ausgedacht. Der Minister hatte sie gutgeheißen. Statt eines Besprechungszimmers im Ministerium hatten sie kurzfristig einen Raum im Gebäude davor angemietet. Die Anwaltskanzlei hatte wegen des Stromausfalls geschlossen. Die Temperatur in den Räumen war mittlerweile auf zwölf Grad gefallen. Unter der Jacke ihres Hosenanzugs trug Michelsen lange Funktionsunterwäsche, die nicht auftrug. Selbst von ihrem Standort im dritten Stock erkannte sie die Verwirrung der Konzernleiter, als sie aus dem Auto stiegen und die Adresse suchten. Jeder von ihnen war schon öfters im Ministerium gewesen und musste denken, dass es sich bei dieser Adresse um einen Irrtum handelte. Weder Klingeln noch automatische Türöffner funktionierten. Unten empfing sie ein Beamter, der ihnen die Tür öffnen und den Weg in den dritten Stock weisen würde.

Ohne Fahrstuhl, leider. Michelsen blieb am Fenster stehen, bis der Letzte im Haus verschwunden war. Mit einem leisen Lächeln schlenderte sie Richtung Tür und wartete auf das erste Klopfen.

Es dauerte ein paar Minuten. Michelsen ließ sich den Spaß nicht nehmen und öffnete persönlich die Tür. Vor ihr standen zwei Herren im besten Alter. Unter den weißen und grauen Haaren glühten rote Köpfe. Sie hatten ihre teuren Wintermäntel geöffnet. Darunter kamen ebenso teure Anzüge zum Vorschein. Aus dem Treppenhaus hörte Michelsen Schritte. Sie bat die beiden herein und wartete auf die anderen. Nach und nach erklommen die Männer die dritte Etage. Alle in dunklen Mänteln und Anzügen, Krawatten in gedeckten Farben. Der eine oder andere rang nach Atem.

»Immer herein. Sie sind richtig hier. Der Herr Minister ist schon da.«

Im Besprechungszimmer Händeschütteln. Die Ankömmlinge legten ihre Mäntel ab. Vom Aufstieg standen einigen noch Schweißperlen auf der Stirn. Nach wenigen Minuten saßen alle.

Einer der Konzernbosse, Michelsen erkannte ihn als den Vorstandvorsitzenden von E.ON, der eher fit aussah, begann seine Hände zu reiben, als wolle er sie aufwärmen. Ihn hatte der Aufstieg nicht ins Schwitzen gebracht, jetzt spürte er als Erster die Kälte.

Als der Innenminister eintrat, erhoben sich alle.

»Meine Herren«, begrüßte er die Gäste, »setzen Sie sich bitte.«

Sie folgten der Aufforderung, nur ein Assistent des Staatssekretärs blieb an einem Flipchart in der Ecke stehen.

»Wir haben heute einen etwas ungewöhnlichen Besprechungsort ausgewählt. Mangels Strom kann ich Ihnen leider keinen Kaffee oder Tee anbieten. Den Gebrauch der Toilette bitte ich Sie auf einen späteren Zeitpunkt und an einen Ort zu verschieben, wo Sie funktionierende Wasserver- und -entsorgung vorfinden.«

Nun setzte sich der Minister ebenfalls.

»Ich möchte, dass wir während dieser Besprechung permanent daran erinnert werden, was rund sechzig Millionen deutsche Bürgerinnen und Bürger seit vierundzwanzig Stunden durchmachen.«

Verstohlen beobachtete Michelsen die Reaktionen der Honoratioren. Die meisten behielten unverbindlich interessierte Gesichter. Nur bei einem verzogen sich die Mundwinkel für einen Moment zu einem spöttischen Grinsen.

»Während wir im Ministerium und Sie in Ihren Vorstandsbüros, von Notstromgeneratoren versorgt in behaglicher Wärme sitzen, kämpfen die Menschen da draußen mit Kälte, Dunkelheit, ausgefallener Wasserversorgung, fehlendem Zugang zu Lebensmitteln, Medikamenten und Geld. Sie kennen die gegenwärtige Lage.«

Er gab dem Assistenten ein unauffälliges Zeichen. Dieser schlug das erste Blatt am Flipchart nach hinten.

Aus irgendeinem Grund berührte der Moment Michelsen. Wo seit Jahren Hightech-Multimediaanlagen Ton und Bild an eine Leinwand geworfen hätten, bedienten sie sich nun wieder des guten alten Papiers, das eine Person auch noch händisch weiterblättern musste. Mit einem Mal erinnerte sie sich an Zeiten ohne Mobiltelefon, an Autos, die keine fahrenden Computer waren und deren verbeulte Kotflügel man mit einem Ersatzteil vom Schrottplatz reparieren konnte, an das Schreiben von Briefen und Postkarten statt E-Mails, SMS und Statusmeldungen in sozialen Netzwerken. Doch der nostalgische Augenblick ging schnell vorüber. Ihr war bewusst, dass die Organisation der modernen Welt längst auf die präzise elektronische Verwaltung im Hintergrund angewiesen war. Wie der Boden, auf dem wir jeden Tag gehen, die Luft, die wir atmen, umgibt uns allgegenwärtig ein Netz unsichtbarer Helfer, dachte sie. Ihre abschweifenden Gedanken kehrten zu dem Flipchart zurück.

Eine Landkarte Deutschlands wurde aufgeschlagen. Sie war überwiegend rot, mit wenigen grünen Flecken.

»Auf den Straßen, Bahnhöfen und Flughäfen herrscht Chaos. Die Wirtschaft leidet bereits unter Verlusten in dreistelliger Millionenhöhe.«

Zeichen. Nächstes Blatt. Eine große rote Zahl: –200 000 000 EUR.

»Seit fast vierundzwanzig Stunden höre ich aus Ihren Firmen, dass bald alles wieder in Ordnung ist. Stattdessen haben die ersten Länder den Katastrophenfall erklärt.«

Neues Blatt. Wieder eine Landkarte. Nordrhein-Westfalen, Rheinland-Pfalz, Hessen, Hamburg, Baden-Württemberg, Bayern, Brandenburg, Sachsen rot.

»Ich dachte, unsere Stromnetze seien sicher. Die Einsatzkräfte arbeiten am Rand ihrer Kapazitäten. Aus dem Ausland können wir keine Hilfe anfordern, weil es denen genauso ergeht wie uns. Dafür sind Sie verantwortlich. Ich habe die Ausreden satt.«

Er sah jeden der Männer eindringlich an, bevor er fortfuhr: »Sagen Sie endlich, was los ist. Die Karten müssen auf den Tisch. Müssen wir bundesweit den Katastrophenfall erklären?«

Michelsen musterte die Gesichter. Hatten sich die Vorstände abgesprochen? Vermutlich. Dann hatten sie auch eine Strategie. Oder waren sie uneins gewesen? In diesem Fall wartete jetzt jeder, dass jemand als Erster aus der Deckung kam. Blicke wurden getauscht. Ein entschlossen aussehender Mittfünfziger mit vollen silbernen Haaren, links gescheitelt, straffte sich fast unmerklich. Curd Heffgen stand einem der großen Übertragungsnetzbetreiber vor, wusste Michelsen. Außerdem war er Präsident des Bundesverbandes der Energie- und Wasserwirtschaft, der Lobbyvereinigung der deutschen Energieindustrie. Um diese Aufgabe beneidete ihn Michelsen nicht. Der Verband war sicher einer der schwierigsten in Deutschland. Warf man der Branche doch seit Jahren Preistreiberei und Konsumentenabzocke vor. Gleichzeitig hatte sie jedoch politische Vorgaben zu erfüllen. Zudem musste kaum ein anderer Verband derart unterschiedliche Interessen bündeln und vertreten. Hatten die großen Strombetreiber eine Verlängerung der Laufzeit für Atomkraftwerke gefordert, sahen das die kleineren Betreiber wie Stadtwerke als Wettbewerbsnachteil. Alternative Energie wurde gefördert, was die Netzbetreiber zunehmend in Schwierigkeiten brachte. Waren diese doch gesetzlich verpflichtet, den stark schwankenden Energiezufluss aus immer mehr Windparks und Solaranlagen abzunehmen, was die Stabilität der Netzfrequenz gefährdete. Keine leichte Aufgabe, alle unter einen Hut zu bringen. Und jetzt für alle sprechen zu müssen.

»Ich gebe zu«, begann Heffgen, »dass es uns bis jetzt nicht gelungen ist, größere Netzbereiche wieder zu synchronisieren.«

Respekt, dachte Michelsen. Streckt nicht nur den Helm auf einem Stecken hoch, sondern direkt den Kopf. Mal sehen, wo die Geschosse blieben.

»Was unter anderem daran liegt«, fuhr er fort, »dass es praktisch keine größeren Netzbereiche gibt. Aber auch auf regionalerer Ebene war es uns nicht möglich. Die Frequenz in den wenigen hochgefahrenen Gebieten ist zu instabil.«

Von wegen Respekt, begriff Michelsen. Der gute Mann hatte das »Wir sind nicht schuld« nur elegant eingeleitet und ihm damit die Spitze genommen.

»Vielleicht kann ein Kollege von den Stromproduzenten das erläutern.«

Gab den Stab also weiter. Allerdings einen glühenden. Wer wollte da zugreifen? Heffgen lehnte sich zurück und verschränkte die Arme vor der Brust als Signal, dass er genug gesagt hatte.

»Herr von Balsdorff vielleicht?«, regte der Minister an.

Der Angesprochene, etwas übergewichtig und mit großporiger Raucherhaut, benetzte mit der Zunge nervös die Lippen.

»Ähm. Es gibt mehr Probleme mit den Kraftwerken, als selbst für so einen Fall erwartet«, erklärte er. »Keiner von uns war bisher mit einer derartigen Situation konfrontiert. In den Übungen waren Ausfallraten von bis zu dreißig Prozent angenommen worden. Tatsächlich sind es mehr als doppelt so viel. Wir forschen noch ...«

»Wollen Sie damit sagen«, unterbrach ihn der Innenminister gefährlich leise, »dass Sie nach wie vor für die kommenden Stunden keine Wiederherstellung der Grundversorgung garantieren können?«

Von Balsdorff sah den Minister gequält an.

»Bei uns arbeiten alle verfügbaren Kräfte. Aber garantieren können wir es für unseren Teil nicht.« Er biss sich auf die Lippen.

»Und Sie, meine Herren?«, fragte der Minister in die Runde.

Betretenes Kopfschütteln.

In Michelsen breitete sich ein Gefühl aus, das sie zuletzt vor ein paar Jahren gespürt hatte, als zwei Polizisten bei ihr geklopft und gefragt hatten, ob sie die Tochter von Thorsten und Elvira Michelsen sei. In den Gesichtern der anderen erkannte sie, dass auch sie langsam begriffen. Trotz der Raumtemperatur brach ihr der Schweiß aus, und ihr Herz begann gegen ihre Kehle zu schlagen.

Ischgl

Erleichtert und ungeduldig betrachtete Angström die tief verschneiten Berge, die rundum in den Himmel wuchsen. So kurz vor ihrem Ziel waren alle aufgekratzt und schwärmten von einem Bad, einer ordentlichen Toilette, heißem Wasser, sauberen, warmen Betten, einem Abend vor dem Kamin.

»Täusche ich mich, oder stehen die Skilifte?«, fragte van Kaalden, als sie die ersten Pisten entdeckten.

»Sieht so aus.«

»Haben auch keinen Strom.«

»Seid ihr schon einmal Touren gegangen?«, fragte Angström.

»Bloß nicht!«, rief Terbanten, »ich bin zur Erholung da.«

»Das kann wunderschön sein. Oder wir leihen uns Langlaufskier. Dafür brauchen wir auch keine Lifte.«

»Heute kommen wir ohnehin nicht mehr auf die Piste«, meinte Bondoni. »Und morgen ist der Spuk dann hoffentlich vorbei.«

Die Straße wand sich einen Berg hoch, Angström hielt Ausschau nach dem Hüttendorf, in dem sie ihr Quartier gebucht hatten. Zehn Minuten später hatten sie es erreicht. An einem steilen Hang stand ein Dutzend gemütlicher Holzhäuschen eng aneinander. Aus einigen Schornsteinen stieg Rauch. Sie stellten den Wagen auf dem kleinen Parkplatz ab, der fast voll war. An der ersten Hütte hing ein Schild mit der Aufschrift »Empfang«.

Drinnen begrüßte sie eine junge Frau in Tracht hinter dem Empfangstresen. Angström sog den Geruch von Holz in sich auf, der den Raum erfüllte. Sie erklärte, warum sie zu spät gekommen waren. Die Empfangsdame lächelte und äußerte ihre Freude, dass sie es überhaupt geschafft hatten.

»Einige unserer Gäste sind noch immer nicht da.« Sie nahm die Namen und Daten auf. »Ich zeige Ihnen Ihre Hütte.«

Sie führte sie über schmale, gestreute Pfade zwischen den Häuschen zum unteren Rand der Gebäudegruppe. Angström bewunderte den Blick über das Tal und auf die gegenüberliegenden Berge.

»Leider sind auch wir durch den Stromausfall beeinträchtigt«, erläuterte die Frau. »In den Hütten gibt es kein elektrisches Licht, Heizung und Wasserversorgung funktionieren nicht.« Angström tauschte einen Blick mit den anderen und sah die Enttäuschung in ihren Augen.

»Aber«, beeilte sich die Empfangsdame hinzuzufügen, »wir tun alles, um Ihnen Ihren Aufenthalt trotzdem so angenehm wie möglich zu gestalten. Außerdem haben wir durch die Planung der Anlage Glück im Unglück.«

Sie sperrte das Haus auf und ließ sie eintreten. Von einem winzigen Flur gelangten sie in eine kleine, aber gemütliche Stube mit rustikaler Sitzecke und Kachelofen. An den Wänden hingen mit Sinnsprüchen bestickte Tücher.

»Wie Sie sehen, sind die Hütten mit einem Kachelofen ausgerüstet, der das ganze Gebäude gut heizt. Sie brauchen also nicht zu frieren. Holz ist ausreichend vorhanden.«

Sie führte sie weiter in eine winzige Küche. Angström fand, dass die Räume auf den Fotos im Internet größer ausgesehen hatten. Aber es war warm, roch gut und fühlte sich kuschelig an. Sie war zufrieden.

»Auch der Herd in der Küche kann mit Holz befeuert werden. Ich weiß nicht, ob Sie selbst kochen wollten, auf jeden Fall können Sie hier aber vorläufig auch hervorragend Schnee schmelzen und Wasser für ein Bad erhitzen.« Sie lachte. »Und davon gibt es draußen ja genug. Das ist wie früher! Urig, nicht?«

Sie wurde wieder ernst und zeigte ihnen die beiden kleinen Schlafzimmer, zu denen sie über eine schmale, steile Stiege ins Obergeschoss gelangten. In jedem standen zwei Einzelbetten, links und rechts des Fensters an der Wand. Ein Schrank ergänzte die Einrichtung. Angström fragte sich, wie zwei Personen darin ihre Kleidung und Skiausrüstung für eine Woche unterbringen sollten.

»Hier ist das Bad. Sehen Sie. Wir haben schon Kübel bereitgestellt, damit man Schnee in die Badewanne füllen kann und mit erhitztem Wasser auffüllen.« Als sie die skeptischen Blicke ihrer Gäste sah, fügte sie hinzu: »Selbstverständlich bekommen Sie für diese Unannehmlichkeiten eine Ermäßigung. Ich denke, wir alle müssen die Sache von der positiven Seite sehen. Sie können heizen, sogar ein heißes Bad nehmen, wenn auch etwas umständlicher als sonst, aber das ist mehr, als vielen anderen momentan vergönnt ist. Auch die Toilette können Sie benutzen. Sie müssen nur immer einen vollen Eimer mit Wasser bereitstehen haben. Zwei haben wir vorsorglich schon einmal hingestellt.«

Die Selbstverständlichkeit, mit der ihre Gastgeberin die Pannen und provisorischen Lösungen präsentierte, ließen Angström schwanken, ob sie lachen oder sich ärgern sollte. Sie beschloss, die Empfehlung der Frau anzunehmen und die positiven Seiten zu sehen.

»Trotz der Widrigkeiten können Sie sogar die Saunahütte benutzen, die ich Ihnen gleich noch zeigen werde, und die Restauranthütte, weil beide ebenfalls mit Holzfeuer betrieben werden können.« Sie standen wieder in der Stube. Die Frau sah sie zufrieden an. »Und ich hoffe natürlich, dass Sie morgen wieder ganz normal den vollen Komfort Ihres Quartiers genießen können. Am Empfang steht übrigens ein funktionierendes Telefon, falls Ihre Mobilgeräte kein Netz haben.«

Sie zeigte ihnen noch Sauna und Restaurant. Danach holten sie ihr Gepäck und richteten sich ein.

»Wer darf als Erste ein Bad nehmen?«

Sie warfen eine Münze. Van Kaalden war die Glückliche.

»Zuerst Kühe melken, dann Schneeeimer schleppen«, maulte Terbanten.

»So haben bis vor hundert Jahren die meisten Menschen gelebt«, meinte Angström, während sie die Kübelöffnung durch den Schnee schob. »Und im Gegensatz zu uns ohne die Aussicht, dass es am nächsten Tag viel besser würde.« Sie merkte, dass die Bewegung sie richtig ins Schwitzen brachte.

»Zum Glück lebe ich heute«, sagte Bondoni.

»Sehen wir es einfach als lustiges Abenteuer an«, erwiderte Angström und trug zwei Schneeladungen ins Haus.

Saint-Laurent-Nouan

Den ausgefallenen Diesel hatte die Schicht von Marpeaux in der vergangenen Nacht zwar nicht mehr in Betrieb nehmen können, aber die anderen dafür vorgesehenen Systeme arbeiteten einwandfrei. Entspannt war Marpeaux frühmorgens nach Hause gefahren und hatte ein paar Stunden geschlafen. Danach war er in sein Auto gestiegen und hatte das Radio eingeschaltet. Die Nachrichtensprecher verkündeten gute Neuigkeiten. Während weite Teile Europas noch immer stromlos waren, hatten die französischen Betreiber wenigstens in ein paar Regionen das Netz unter Kontrolle gebracht. Bis zum Abend erwarteten sie in den meisten Landesteilen wieder eine Grundversorgung liefern zu können.

Marpeaux versuchte, seine Kinder zu erreichen, doch die Telefonnetze waren nach wie vor ausgefallen oder überlastet. Angesichts der öffentlichen Versprechen hatte auch seine Frau ihre Klagen eingestellt und bibberte dem baldigen Wiederanspringen der Heizung entgegen.

Als er am Abend seine Schicht antrat, begrüßte ihn sein Vorgänger mit guten Nachrichten.

»Vor ein paar Minuten kam die Anweisung, den Reaktor auf das Hochfahren vorzubereiten.«

Eine Situation, die Marpeaux im Lauf seines Arbeitslebens bereits Dutzende Male begleitet und geleitet und noch öfter geübt hatte. Der heikle Teil bestand darin, die Abstimmung mit den Netzbetreibern so zu koordinieren, dass die eingespeiste Energie keine Spannungsschwankungen verursachte. Marpeaux wusste, was er zu tun hatte.

»Sind wir schon am Netz?«

»Seit drei Stunden bekommen wir wieder regulären Strom.«

Damit hing die Notkühlung nicht mehr von den Dieselaggregaten ab.

»Was ist mit dem defekten Diesel?«

»Ist repariert.«

»Getestet auch?«

»Einsatzbereit. Viel Erfolg beim Hochfahren. Gute Nacht.«

Mailand

»Und was, wenn er recht hat?«, fragte Curazzo Trappano. »Eine Erklärung für die plötzlichen, großflächigen Ausfälle wäre es immerhin.«

»Hören Sie mir bloß damit auf! Wir haben schon so genug Schwierigkeiten.«

»Nur einmal angenommen«, ließ Curazzo nicht locker. »Sehen Sie hier die Zeitschiene.« Er holte ein Diagramm vom Nebentisch. »Gestern Abend begann der Ausfall. Plötzlich, ohne ersichtlichen Grund, in großen Regionen. Daraufhin die Kettenreaktion. Während der Nacht haben wir versucht, das Netz wieder hochzufahren. In vielen Gebieten gelang das. Für Mailand deckt sich das mit der Uhrzeit, die der Typ genannt hat. Hier. Aber kaum eine Stunde später fiel der Strom wieder großflächig aus. Als ob jemand nur darauf gewartet hätte, dass wir hochfahren, um die Haushalte erneut vom Netz zu nehmen und damit unkontrollierbare Frequenzschwankungen auszulösen, die abermals zum Zusammenbruch führten.«

Trappano fixierte Curazzo. »Niemand nimmt einfach so Millionen Haushalte vom Netz. Ich will nichts mehr davon hören, solange wir nicht alle sinnvollen Möglichkeiten durchgespielt haben.«

Ischgl

Manzano bedankte sich bei dem Mann, der ihnen im Licht der Taschenlampe den Weg erklärt hatte. Von dem Alpendorf ringsum war nicht viel zu erkennen. Die Straßen lagen im Dunklen. Hinter vielen Fenstern erkannte Manzano das schwache Licht von Kerzen. Er war froh, unter diesen Bedingungen überhaupt jemanden auf der Straße angetroffen zu haben. Er gab die Straßenkarte Bondoni zurück.

»Hoffentlich brauchen wir keine Schneeketten«, meinte er. In radebrechendem Englisch hatte der Mann erklärt, dass sie noch eine kurvige Bergstraße zu erklimmen hatten, um das Ferienquartier von Bondonis Tochter zu erreichen.

»Hoffentlich ist Lara überhaupt da«, erwiderte Bondoni. »Eine Schnapsidee, diese Fahrt.«

In den Kurven beleuchteten die Lichtkegel der Scheinwerfer die Schneewände zu beiden Seiten der Straße. Nach einer halben Stunde Fahrt durch tiefste Dunkelheit entdeckten sie unterhalb der Straße endlich ein paar Lichter.

»Das muss es sein.«

Sie fanden die Zufahrt in der Schneewand und parkten auf einem freigeschaufelten Flecken, wo noch andere Autos standen. Manzano leuchtete die Wagen mit der Taschenlampe ab.

»Da ist ein belgisches Kennzeichen. Weißt du, mit was für einem Auto sie unterwegs sind?«

»Keine Ahnung.«

Auf der ersten Holzhütte stand »Empfang«. Sie traten ein. Hinter einem Tresen begrüßte sie eine junge Frau in Tracht. Daneben stand eine Sitzgruppe um einen offenen Kamin, in dem ein gemütliches Feuer knisterte.

Manzano erklärte der jungen Frau, wer sie waren und wen sie

suchten. Die Dame beäugte sie skeptisch, gab aber schließlich zu, dass Lara Bondoni und drei weitere Gäste vor etwa drei Stunden angekommen waren.

»Zum Glück!«, rief Bondoni. »Aber wieso erst jetzt?«

Die Empfangsdame brachte sie zu der Hütte.

»Papa! Was machst du denn hier? Und du, Piero?«

Manzano kannte Lara von den Besuchen bei ihrem Vater, wenn auch nur flüchtig. Er konnte sie gut leiden. Sie war eine kleine, quirlige Person mit einem Kopf, der hauptsächlich aus einer braunen Haarmähne bestand.

»Kommt rein! Was hast du mit deiner Stirn gemacht?«, fragte sie und zeigte auf Manzanos genähte Verletzung.

»Kleiner Unfall«, sagte er, und wieder stiegen die Bilder der eingeklemmten Opfer hoch.

Hinter Lara Bondoni erschien eine zweite Frau. Manzano schätzte sie auch auf Mitte, Ende dreißig. Sie war größer, schlank, mit langen, glatten, dunklen Haaren, die in einem interessanten Gegensatz zu ihren blauen Augen standen. Lara Bondoni stellte sie als Chloé Terbanten vor.

Die Hütte wirkte klein, aber fein. In der Stube knisterte ein behagliches Feuer in einem offenen Kamin. Auf der Bank, die den Raum an zwei Wänden umlief, saß, die Füße hochgelegt, eine dritte Frau. Als Manzano und Bondoni eintraten, stand sie auf. Sie war etwa so groß wie Terbanten. Auch unter ihrem dicken Skipullover mit dem Norwegermuster erahnte Manzano ihre weiblichen Formen. In ihrem Gesicht saß eine freundliche Stupsnase mit ein paar Sommersprossen, die blonden Haare waren kinnlang geschnitten. Ihre blauen Augen schienen zu leuchten. Sie schielten kurz auf seine Stirn, doch ihre Besitzerin fragte nicht. Hier könnte es mir gefallen, dachte Manzano, umringt von den drei Frauen.

»Sonja Angström«, erklärte Lara Bondoni. »Der schwedische Teil unseres Quartetts. Die vierte, unsere Niederländerin, liegt noch oben in der Badewanne.«

»Ihr habt heißes Wasser?«, rief Bondoni aus. »Und eine Badewanne?«

Seine Tochter lachte auf. »Aber nur, wenn wir hart dafür arbeiten. Sag nicht, dass ihr für ein heißes Bad von Mailand hierhergekommen seid.«

Berlin

Michelsen missbilligte die Entscheidung der Regierung, nicht allen Ländern die sofortige Ausrufung des Katastrophenfalls zu empfehlen. Aber ihre Meinung behielt sie besser für sich.

Zufrieden war sie dagegen mit der Einrichtung eines erweiterten Krisenstabs. Für den nächsten Tag waren eine Sondersitzung der Regierung und ein Sondertreffen des Kabinetts mit den Regierungschefs der Länder anberaumt, sollte sich die Lage bis dahin nicht dramatisch verbessert haben.

Noch intensiver würde man zudem die europäischen Institutionen in das Prozedere einbeziehen, auch wenn die Regierung keine Hilfe anfordern wollte. Angesichts der vorhandenen Informationen hätten die aber ohnehin nur wenige Länder leisten können. Norwegen, Frankreich und einige andere hatten ihre Netze teilweise wieder aufbauen können. Doch auch sie hatten vorerst noch genug mit der Situation in ihrem eigenen Land zu tun.

Nach den Terroranschlägen des 11. September 2001 hatte in der gesamten westlichen Welt ein Umdenken des Bevölkerungsschutzes begonnen, auch in Deutschland. Zu sehr hatte man bis dahin auf regionale Organisationen gesetzt, sei es durch Länder oder

Staaten. Im neuen Jahrtausend hatte man begriffen, dass Bevölkerungsschutz und Notfallvorsorge so viele Bereiche der Gesellschaft betrafen, dass sie eine gesamtstaatliche Aufgabe waren. Nicht minder galt das für das zusammenwachsende Europa. Deshalb mussten Systeme entwickelt werden, die alle staatlichen, öffentlichen und privaten Akteure mit einbezogen.

Sowohl auf nationaler wie auf internationaler Ebene waren in den folgenden Jahren Strukturen geschaffen – oder zumindest angeregt – worden, die im Ernstfall Kommunikation und Hilfe großräumig besser organisieren sollten. Mit der Einrichtung des Bundesamts für Bevölkerungsschutz und Katastrophenhilfe im Innenministerium war in Deutschland sogar eine eigene Behörde dafür geschaffen worden.

Bislang hatten dem Krisenstab nur Beamte des Innenministeriums angehört. Nun wurde eine interministerielle Koordinierungsgruppe von Bund und Ländern eingerichtet. Die Führung übernahm das Innenministerium, konkret Staatssekretär Rhess. Michelsens direkter Vorgesetzter, der Leiter der Abteilung Krisenmanagement und Bevölkerungsschutz, war nach wie vor nicht aufgetaucht, und sie hatten nichts von ihm gehört. Hoffentlich war ihm nichts zugestoßen.

Sie belegten ein paar Räume rund um den bisherigen Lagevortrags- und Besprechungsraum. Ein weiteres Konferenzzimmer wurde eingerichtet, außerdem ein großer Arbeitsraum für das Verbindungspersonal des Krisenstabs und der IntMinKoGr, wie die nicht merkbare Abkürzung der Interministeriellen Koordinierungsgruppe lautete. Dort saßen alle jene Beamten, die aus anderen Ministerien stammten. Hier waren sie permanent mit dem Gemeinsamen Melde- und Lagezentrum verbunden, hielten Kontakt zu den Krisenstäben, die in ihren jeweiligen Häusern eingerichtet wurden, und zu den Krisenstäben der einzelnen Länder. Ein Büro wurde für den Vorsitzenden der IntMinKoGr bereitgestellt, ein weiteres als dessen Besprechungs- und Arbeitsraum. Der gesamte Bereich war nur von autorisierten Personen mit Zugangscodes an den elektronisch verriegelten Türen zu betreten. Notstromaggregate mit Reserven für mehrere Wochen sorgten für das Funktionieren der Technik.

Der Stromausfall betraf zahlreiche Bereiche des Lebens, vom Verkehr über die Lebensmittelversorgung bis zu Sicherheitsfragen. Aus entsprechend vielen Ministerien zählte Michelsen Repräsentanten. Insgesamt waren sechs Ressorts vertreten: neben dem federführenden BMI das Bundesministerium für Ernährung, Landwirtschaft und Verbraucherschutz, jenes für Gesundheit, das BM für Verkehr, Bau und Stadtentwicklung, das Ministerium für Umweltschutz, Naturschutz und Reaktorsicherheit und das Auswärtige Amt.

In den Räumen herrschte geschäftiges Treiben. Die Beamten prüften ihre Computer und Telefone, verstauten Unterlagen auf ihren Tischen und in den Rollcontainern darunter. Alle stellten sich auf eine weitere lange Nacht ein. Michelsen hatte bereits bei ihrem letzten Besuch in ihrer finsterkalten Wohnung Kleidung und Hygieneartikel für drei Tage mitgenommen. Sie wollte hier auf alles vorbereitet sein. Nachdem sie es schon zu Hause nicht gewesen war. Gerade wollte sie einen Vertreter des Technischen Hilfswerks anrufen, als die Beamtin des Ministeriums für Umweltschutz, Naturschutz und Reaktorsicherheit zu ihr eilte. In ihrem Windschatten folgte ein Mitarbeiter des Auswärtigen Amts.

»Wir haben eben eine Meldung aus Tschechien erhalten«, sagte die Frau.

Michelsen schielte auf ihr Namensschild: Petra Majewska.

»Im Kraftwerk Temelín gibt es einen Zwischenfall.«

Michelsen spürte eine kalte Hand ihren Rücken hinabgleiten. Das AKW wurde seit Jahren wegen seiner zweifelhaften Sicherheitsstandards kritisiert. Und es lag nur sechzig Kilometer von der deutschen Grenze entfernt.

»Die tschechischen Behörden sind nicht für ihre Auskunftsfreude bei Zwischenfällen in ihren Reaktoren bekannt«, bemerkte Michelsen, und die kalte Hand kroch auf ihrem Rücken wieder hoch. »Womit müssen wir rechnen, wenn sie freiwillig etwas sagen?«

»Offiziell«, antwortete Majewska, »sind zwei von drei Dieselgeneratoren für die Notstromversorgung eines Blocks ausgefallen. Die Tschechen betonen, dass die dritte Maschine den Reaktor trotzdem in einem sicheren Zustand halten kann und die Situation vollständig unter Kontrolle sei.«

Lieber Gott, dachte Michelsen, lass das die Wahrheit sein. Temelín lag zwar östlich der Bundesrepublik und damit in der überwiegend vorherrschenden Windrichtung. Doch das Wetter konnte drehen. Auch Tschernobyl, noch viel weiter östlich, hatte seinen verheerenden Fallout über ganz Europa verteilt. Bis heute, über ein Vierteljahrhundert später, konnten Teile der bayerischen Pilzernte und Wildschweinjagd wegen zu hoher radioaktiver Belastung nicht zum Verzehr freigegeben werden. Michelsen mochte in der gegenwärtigen Situation nicht daran denken, auch noch eine großräumige Evakuierung von Hunderttausenden Menschen vornehmen zu müssen.

»Was sagt die Internationale Atomenergie-Organisation in Wien dazu? Haben die auch eine Meldung bekommen?«

Hoffentlich, dachte Michelsen, Wien lag kaum zweihundertzwanzig Kilometer von Temelín entfernt.

»Dieselben Informationen«, bestätigte Majewska.

»Immerhin«, seufzte Michelsen. Schon öfter war es vorgekommen, dass nationale und internationale Behörden verschiedene Nachrichten erhalten hatten. Hieß es gegenüber der IAEO etwa Störfall der INES-Stufe 0 oder 1, wurde dieser gegenüber den Ös-

terreichern und Deutschen schon einmal zur »Übung« verharm-
lost. Wobei die Vertuschung oder Verharmlosung von Zwischenfällen durchaus gern geübte Praxis der Verantwortlichen bei vielen
Betreibern auch in anderen Ländern war.

»Bleibt dran. Fragt nach. Schaltet bei Bedarf die Ministerebene
ein«, erklärte Michelsen. »Wir müssen sofort erfahren, was wirklich los ist. Oder wenn sich die Situation verschlechtern sollte.«

Sie selbst brauchte gerade keine Notkühlung. Die kalte Hand
hatte sie fest im Nacken gepackt.

Ischgl

»Ist Ihnen klar, was es bedeutet, wenn Sie recht haben?« Angström hatte hauptsächlich Lachfalten um die Augen, war Manzano
aufgefallen. Natürlich würde er einer Vierzigjährigen keine Kom-
plimente wegen ihrer Falten machen, auch wenn sie ihm gefielen.

Im Raum war es sehr ruhig geworden, nachdem Manzano den
Grund ihrer Reise erklärt hatte. Nur das Knacken des brennenden
Holzes war zu hören. Inzwischen saß auch van Kaalden bei ihnen,
die nassen Haare in ein Handtuch gewickelt.

»Es ist keine Frage mehr, ob ich recht habe«, erwiderte Manzano ruhig. »Da bin ich mir sicher. Entscheidend ist längst, was
wir tun können. Tun müssen.«

Er sah in die Runde.

»Überlegen Sie selbst. Der Ausfall dauert schon über vierundzwanzig Stunden. In ganz Europa. Trotz der Beteuerungen, die
man im Radio hört, ist keine Besserung in Sicht. Hat das schon
einmal jemand von uns erlebt?«

»Selbst 2003 war bei uns nach einem Tag alles vorbei«, erinnerte
Lara Bondoni. »Aber was schlägst du vor?«

»Du arbeitest bei der EU. Gibt es dort jemanden, dem wir unsere Beobachtungen mitteilen können?«

»Nicht nur ich«, antwortete Lara Bondoni. »Sonja auch.«

»Und nach allem, was Sie erzählt haben«, sagte Angström, »fürchte ich langsam um meinen Urlaub.«

»Nachdem dir die Italiener schon nicht zuhören wollten, denkst du, jemand bei der Europäischen Union tut das?«, fragte ihn Bondoni.

»Für einen dummen Scherz fahre ich nicht vierhundert Kilometer. Glaubt mir, diese Sache ist ernst. Sehr, sehr ernst.«

»Was meinst du, Sonja, betrifft dich das?«

Angström nickte nachdenklich. »Nicht direkt. Noch. Aber ich weiß, wer dafür zuständig ist.«

Brüssel

Terry Bilback war an seinem Arbeitsplatz zufrieden wie seit Langem nicht. Sein Büro war warm, die Toilette spülte, es gab heißes Wasser. Licht, Computer, Internet und sogar die Kaffeemaschine funktionierten. Im Gegensatz zu seiner überteuerten Zweizimmerwohnung in einem Brüsseler Vorort. Von der er heute nur mit dem Auto in die Avenue Beaulieu gelangt war. Die öffentlichen Verkehrsmittel standen still.

Die Zufriedenheit währte jedoch nicht lange. Wie seine Kolleginnen und Kollegen im Monitoring and Information Centre der Europäischen Union EUMIC, kurz MIC, hatte er mit einem baldigen Ende des Stromausfalls gerechnet.

Doch nichts dergleichen geschah. Im Gegenteil. Im Lauf des Vormittags trafen die ersten Meldungen und Bittgesuche aus den Mitgliedsländern ein.

Das MIC war rund um die Uhr mit etwa dreißig Beamten aus verschiedensten Nationen besetzt und übernahm drei Aufgabenfelder. Zum einen bildete es ein kontinentales Kommunikationszentrum. Im MIC liefen im Fall einer Katastrophe Bittgesuche und Assistenzangebote aus allen Mitgliedsstaaten zusammen. Neben den Mitgliedern der Europäischen Union zählten Norwegen und Island zu dem Verbund. Jedes Mitgliedsland besaß eine Kontaktstelle, die mit dem MIC in beiden Richtungen zusammenarbeitete. In Deutschland war das zum Beispiel das Gemeinsame Melde- und Lagezentrum von Bund und Ländern.

Die zweite Aufgabe des MIC bestand in der Information aller Mitglieder, aber auch der breiten Öffentlichkeit, über aktuelle Aktivitäten und Interventionen. Im *MIC Daily* warnte es außerdem täglich vor möglichen Naturkatastrophen wie Überschwemmungen oder Waldbränden.

Drittens unterstützte das MIC die Koordination der Hilfsmaßnahmen auf zwei Ebenen. In der Zentrale wurden Hilfsangebote und Bedürfnisse verglichen, Defizite identifiziert und Lösungen dafür gesucht. In die betroffenen Gebiete entsandte das MIC bei Bedarf Experten.

Allen Fällen gemein war immer ein Umstand: Das Hilfsgesuch kam aus einem Land. Die Hilfsangebote kamen aus Dutzenden anderen.

Doch bereits seit diesem Nachmittag war das anders. Eine Vorwarnung nach der anderen traf ein, dass ein Staat Hilfe brauchen könnte, darunter Italien, Spanien, Liechtenstein, Dänemark, Tschechien, Ungarn, die Slowakei, Slowenien und Griechenland.

Dagegen kamen aus keinem einzigen Land Hilfsangebote. Wer noch keinen Antrag gestellt hatte, kämpfte damit, die eigene Situation zu klären. Bilback rechnete mit den ersten konkreten Gesuchen im Lauf der nächsten Nacht, wenn sich die Versorgungssituation nicht schnell dramatisch verbesserte.

Die große Frage war: Woher sollte Hilfe kommen?

Er überlegte, ob sie ihre Schicht heute würden verlängern müssen. Sollte sich die Lage nicht entspannen, würden sie womöglich alle verfügbaren Mitarbeiterinnen und Mitarbeiter benötigen. In seine kalte, wasserlose Wohnung zog es ihn ohnehin nicht. Ging es nach ihm, blieb er gern über Nacht. Zur Not gab es sogar ein paar Duschen im Gebäude.

Sein Telefon läutete. Das tat es schon den ganzen Tag. Die Nummer kannte er nicht. Eine österreichische Vorwahl.

»Hallo, Terry! Hier spricht Sonja Angström.«

»Sonja, bist du gut angekommen?«

Angström lachte. »Mit Hindernissen. Die Tankstellen können kein Benzin mehr pumpen.«

»Was habt Ihr gemacht?«

»Kühe gemolken.«

»Wie bitte?«

»Erzähle ich dir ein anderes Mal. Hör zu. Du bist sicher im Stress. Hast du trotzdem kurz Zeit?«

»Gibt es Strom, da wo du bist? Österreich, wenn ich die Vorwahl richtig gelesen habe.«

»Ja, Österreich. Nein, was den Strom betrifft. Bei euch?«

»Wer Notstrom hat, dem geht es gut. Also uns im Büro. Dafür geht es hier drunter und drüber, wie du dir vorstellen kannst.«

»Habt ihr schon Hilfsgesuche?«

»Noch nicht. Aber bald, wenn es so weitergeht.«

»Könnte gut sein. Deshalb rufe ich an. Ich habe da eine seltsame Geschichte erfahren. Wir sind nicht der korrekte Ansprechpartner dafür. Ich schätze, das wäre eigentlich Europol. Aber ich habe keine der Nummern mit.«

»Worum geht es denn?«

»Das erklärt dir am besten der Bekannte einer Freundin, mit der ich hier Urlaub mache. Er heißt Piero Manzano, ist ein italienischer Programmierer und hat etwas Beunruhigendes entdeckt.«

Ischgl

Nachdem Manzano seine Erklärungen in fast fließendem Englisch beendet hatte, sah Angström, wie sich zwei tiefe Falten zwischen seine Augenbrauen gruben.

»Was heißt, Sie sind nicht zuständig?«, rief der Italiener in den Telefonhörer. Sie gab ihm ein Zeichen, ihr den Hörer zu geben.

»Typisch Behörde«, schimpfte er, während er ihr den Hörer reichte.

»Terry, was ist los?«

»Ich wollte ihm gerade sagen, wie wir am besten vorgehen, da hat er schon losgeblafft …«

»Er hat schlechte Erfahrungen mit Verantwortlichen in Italien gemacht.«

»Verstehe. Klingt auch ziemlich nach Verschwörungstheorie, was er da von sich gibt. Was für ein Typ ist der denn?«

»Wirkt vernünftig.«

»Wenn er recht hat, lässt das eigentlich nur drei Schlüsse zu: ein technisches Gebrechen. Wäre aber schon ein dummer Zufall. Die Alternativen sind eine kriminelle oder sogar terroristische Aktion. Ich will gar nicht daran denken. Bei der EU dafür zuständig wären das Büro des Anti-Terrorbeauftragten oder Europol.«

»Die keine gewöhnliche Notrufnummer haben, und die erreichbaren Nummern habe ich natürlich nicht bei mir.«

»Ich kann sie dir geben.«

»Besser, jemand ruft von einem internen Anschluss an.«

»Du meinst, ich …« Er holte kurz Luft. »Woher weiß ich, dass ich mich nicht komplett lächerlich mache, wenn ich dort mit einer solchen Geschichte aufschlage?«

»Gar nicht. Aber vielleicht wirst du der Held, der als Erster die Nachricht überbracht hat.«

»Du weißt, was den Überbringern schlechter Nachrichten geschieht.«

»Falls an der Story etwas dran ist, überbringst du eine gute Nachricht: nämlich, dass man die Ursache der Ausfälle kennt. Und damit beheben kann.«

Schweigen am anderen Ende. Dann: »Wie hieß der Typ noch mal? Gib mir ein paar Infos. Name, Geburtsdatum, Adresse.«

Angström fragte Manzano.

»Wozu will er das wissen?«, erkundigte sich der Italiener.

»Weil er lieber weiß, von wem er Informationen weitergeben soll.«

»Piero Manzano, geboren am 3. Juni 1968, wohnhaft Via Piero della Francesca, Mailand.«

Sie gab die Informationen an Bilback weiter. Durch das Telefon hörte sie das Klappern seiner Tastatur. Dann sagte er: »Gib mir ein paar Minuten. Wo kann ich dich erreichen? Unter der Nummer, die ich auf dem Display sehe?«

»Hoffentlich.«

Angström legt auf. Sie fasste den Anwesenden das Gespräch zusammen.

»Das Büro des Anti-Terrorbeauftragten oder Europol«, schimpfte der alte Bondoni. »Wer denn nun? Arbeitet in dem Laden und weiß nicht, wen er anrufen soll?«

»Das wird so sein wie bei uns im Konzern«, seufzte Terbanten. »Bei manchen Themen weiß ich nicht, ob ich damit zur Marketingabteilung gehen muss oder zur Werbung, zum Vertrieb oder zu Investor Relations.«

»Und wohin gehst du dann?«, fragte Lara Bondoni.

»Zu allen.«

»Das macht Terry jetzt auch«, sagte Angström.

»Glaube ich erst, wenn er zurückruft«, murmelte Manzano.

Den Haag

François Bollard stand am Wohnzimmerfenster und schaute hinaus in den Regen. Langsam wurde es dunkel. Auf der Wiese des kleinen Gartens standen alle Gefäße, die sie im Haus gefunden hatten, Eimer, Schüsseln, Töpfe, Trinkgläser, Becher, Plastikgefäße, Suppenteller. Die Regentropfen ließen die Wasserflächen darin tanzen. Hinter seinem Rücken spielten die Kinder. Seine Frau Marie saß auf dem Sofa und las. Kerzen spendeten Licht. Im offenen Kamin brannte ein Feuer. Der Raum war als einziger im Haus angenehm warm.

Bollard hatte die Idee gefallen, in einer Stadt zu arbeiten, die ihm wie ein Sinnbild Europas und seiner Verwaltung erschien. Prunkvolle Bürgerhäuser erzählten von Den Haags reicher Vergangenheit, und der Regierung und der Königin gefiel es in der beschaulichen Stadt besser als in Amsterdam. Die eine hatte hier ihren Sitz, die andere ihre Residenz. Mit seiner Frau und den beiden Kindern bewohnte er ein hübsches Häuschen aus dem neunzehnten Jahrhundert, fünfzehn Gehminuten vom Meer entfernt, mit steilen Treppen und viel Holz. Die Kinder besuchten die internationale Schule, seine Frau arbeitete als Übersetzerin.

Als er das Angebot vor einem Jahr bekommen hatte, war wenig Zeit zum Überlegen geblieben. Doch der Zeitpunkt war günstig gewesen. Bernadette stand vor dem Schuleintritt und Georges vor dem Wechsel aufs Gymnasium. Beides hatten sie zwar in Paris bereits mit Mühen gefunden, doch die internationalen Schulen in

Den Haag hatten genug Plätze frei. Wenn man dafür bezahlte. Als französischer Beamter bei Europol konnte er sich beides leisten. Nach den Jahren im Ministerium hoffte Bollard zudem in dem internationalen Umfeld auf neue Herausforderungen. Und die weiteren Aussichten nach der Rückkehr von einem zweijährigen Auslandsaufenthalt waren sehr positiv. Vorausgesetzt, er pflegte in dieser Zeit seine Kontakte. Doch darin war er immer gut gewesen. Warum also nicht von Den Haag aus? Paris war gerade einmal fünfhundert Kilometer entfernt. Mit dem Flugzeug dauerte es eine Stunde bis dorthin. Wenn der Flug nicht abgesagt wurde. So wie gestern Abend.

Sie hatten sich nicht in die lange Schlange derjenigen gestellt, die Auskunft wollten oder brauchten. Zu ihrem Glück war Schiphol weder Zwischenstation gewesen, noch lag es Hunderte Kilometer von ihrem Zuhause entfernt. Sie hatten sich ins Auto gesetzt und trafen eine Stunde später wieder in Den Haag ein. Es war eine eigenartige Fahrt gewesen. Die sonst beleuchtete Autobahn war dunkel, der Verkehr dicht.

Bollard ging in den Flur zur Gartentür und zog Gummistiefel sowie Regenjacke an. Im Garten füllte er sieben fast volle Gefäße in einen großen Eimer um und stellte sie wieder auf. Den Eimer brachte er in das Badezimmer im ersten Stock und leerte ihn in die viertelvolle Badewanne. Dann stellte er ihn wieder in den Garten und kehrte ins Wohnzimmer zurück.

»Kannst du nicht doch irgendwo ein Notstromgerät für uns auftreiben?«, fragte Marie.

»Europol hat keine, wenigstens nicht für private Zwecke ihrer Mitarbeiter.«

Seine Frau seufzte. »Das ist einfach nicht normal. Der Strom müsste längst wieder da sein.«

»Sollte man glauben«, meinte Bollard.

»Du hast doch auch mit kritischen Infrastrukturen zu tun.«

»Erst wenn die Situation etwas mit Terrorismus zu tun hat. Und dafür gibt es keine Anhaltspunkte oder Hinweise.«

»Was kein Wunder ist«, erwiderte Marie. »Die Schwachköpfe in den einzelnen Staaten backen lieber ihre eigenen kleinen Brötchen, als das große Ganze zu sehen.«

Die kleine Spitze gegen ihn ärgerte ihn. Er war kein großer Freund Europas, der Job ausgerechnet bei einer europäischen Institution für ihn nur eine Stufe zu einer besseren Position in Frankreich. Marie zog ihn gern mit diesem Widerspruch auf. Trotzdem fühlte er sich zur Verteidigung der Institution gezwungen.

»Oder es gibt schlicht und ergreifend nichts zu berichten.«

»Dein Wort in Gottes Ohr.«

In diesem Moment läutete das Telefon. Er eilte in den Flur, wo es auf einem kleinen Tischchen stand, und hob ab. Der Anrufer stellte sich als ein Däne vom Journaldienst heraus, der einen britischen Kollegen verbinden wollte, der aus Österreich einen Anruf von einem Italiener erhalten hatte. Bollard verdaute noch die Informationen, als es in der Leitung bereits klickte.

Der Brite, ein gewisser Terry Bilback, arbeitete im Monitoring and Information Centre der EU in Brüssel und erzählte eine eigenartige Geschichte von Codes in italienischen Stromzählern. Bollard hörte aufmerksam zu, fragte nach. Als Antwort gab ihm der Brite einen Namen, ein paar Daten dazu und eine Telefonnummer. Dort würde er den Italiener erreichen und mehr erfahren.

Bollard legte auf. Er dachte über das Gehörte nach. Dann wählte er die österreichische Nummer.

Manzano legte auf.

»Und?«, fragte ihn Angström, als er sich zu den anderen gesellte, die es sich vor dem Kamin in der Empfangshütte gemütlich gemacht hatten. Alle sahen ihn gespannt an.

»Das war jemand von Europol«, erklärte er. »Angeblich will er die italienischen und schwedischen Behörden informieren.«

»Hoffentlich nicht auf dem Amtsweg«, warf van Kaalden ein. »Sonst sitzen wir hier noch lange an unserem Höhlenfeuer.«

Hoffen wir, dass dieser Vergleich nicht realer wird als in diesem Augenblick, dachte Manzano. Nur kurz und leise hatte er mit dem Franzosen von Europol die möglichen Konsequenzen seiner Entdeckung besprochen. Er schob den beängstigenden Gedanken beiseite.

»Gibt es für mich auch etwas zu trinken?«, fragte er mit gespielter Fröhlichkeit.

Lara Bondoni reichte ihm einen Becher mit einer dampfenden, duftenden Flüssigkeit. »Um ein Quartier für euch haben wir uns schon gekümmert. Wegen der Verhältnisse konnten nicht alle Gäste anreisen. Ein paar Hütten sind frei. In einer könnt ihr heute übernachten. Das ist sicher gemütlicher als in euren kalten Wohnungen«, lachte sie und prostete ihm zu.

Manzano trank und hoffte, dass der Alkohol seine düsteren Ahnungen vertrieb.

»Jetzt erzählen Sie mir einmal genauer, wo Sie eigentlich arbeiten«, forderte er Angström auf. »Sie scheinen ja ganz gute Verbindungen zu haben.«

Den Haag

Bollard ging ins Wohnzimmer.

»Ich muss kurz ins Büro.«

Marie sah auf.

»Jetzt? Am Samstagabend?« Sie musterte ihn, versuchte in seinem Gesicht zu lesen. Sie wusste, was es bedeutete, wenn er ernsthaft gebraucht wurde.

»Muss ich mir Sorgen machen?«

»Nein«, log er.

Mit dem Auto fuhr er nur zehn Minuten durch die finsteren Straßen. In der Europol-Zentrale im Statenkwartier brannten ein paar Lichter. Der Bau war nach den modernsten Erkenntnissen zum Umweltschutz erbaut. Zum Glück hatte man auch Sicherheitsfaktoren ausreichend berücksichtigt. Die Notstromaggregate funktionierten. Erst 2011 hatten sie die neue Zentrale bezogen. Neben Europol beherbergte der Komplex unter anderem die Organisation zum Verbot chemischer Waffen, OCPW, den internationalen Gerichtshof für das ehemalige Jugoslawien, ICTY, und das World Forum Convention Centre. Dazu gab es Konferenz-, Presse- und Trainingsräumlichkeiten, Restaurants und andere Einrichtungen.

Bollard suchte Dag Arnsby auf, der ihm den Anruf vermittelt hatte.

»Du hattest Glück, mich zu erreichen. Eigentlich sollte ich in Paris sein.«

»Weiß ich«, antwortete der füllige Mann mit den dunklen Locken. »Aber offensichtlich war es richtig.«

»Weiß ich noch nicht. Auf jeden Fall trifft es sich, dass du da bist. Lass uns einmal in die Datenbank sehen.«

Er zog einen Stuhl heran und setzte sich neben Arnsby.

»Sieh mal nach, ob wir zufällig etwas über einen gewissen Piero Manzano haben.«

Seit 2005 führte Europol ein automatisiertes Informationssystem. In dieses pflegten die Mitgliedsstaaten Daten über Verurteilte und Verdächtige ein. In einer weiteren Analysedatenbank fanden sich zudem Informationen über Zeugen und Opfer von Straftaten, Kontakt-, Begleit- und Auskunftspersonen. Auf sie hatten nur Analysten wie Arnsby Zugriff. Bollard dachte an die gelegentlich aufflammenden Diskussionen über Datenschutz. Nicht jeder fand die Kontrollmechanismen so ordentlich wie er.

Arnsby gab den Namen des Italieners ein.

»Ist er das?«, fragte Arnsby.

Das Bild auf dem Monitor zeigte einen Mann mittleren Alters. Kantige Züge, markantes Kinn, schmale Nase, kurze, schwarze Locken, braune Augen, blasser Teint.

»Piero Manzano«, las Bollard laut. »Eins siebenundachtzig, achtundsiebzig Kilo, dreiundvierzig Jahre alt, Programmierer. Gehörte jahrelang zu einem Verein italienischer Hacker, die in Computernetze von Unternehmen und staatlichen Behörden eindrangen, um Sicherheitsmängel aufzudecken. Wurde deshalb Ende der Neunzigerjahre sogar einmal verurteilt. Allerdings nur bedingt. Außerdem taucht er auch auf Demonstrationen im Rahmen der ›Mani pulite‹ auf. 2001 bei den G-8-Protesten in Genua kurzfristig verhaftet.«

Bollard erinnerte sich. Genua war ein Debakel für das Image der italienischen Polizei gewesen. Bei den schweren Ausschreitungen rund um das Gipfeltreffen der acht einflussreichsten Regierungschefs der Welt war ein Demonstrant erschossen worden, Hunderte zum Teil schwer verletzt, weil Teile der italienischen Polizei mit äußerster Brutalität vorgegangen waren. Einige Beamte waren dafür später sogar von Gerichten verurteilt worden. Andere waren wegen Verjährung davongekommen.

»Aus dieser Ecke kommt der also«, bemerkte Bollard, mehr zu sich selbst. Seit frühester Kindheit eingebettet in das Beziehungssystem jener oberen Mittelschicht Frankreichs, die sich der Oberschicht zugehörig fühlte, betrachtete er Aktivisten, besonders die des linken Spektrums, skeptisch. Auch wenn er die Aktionen der italienischen Kollegen von Beginn an verurteilt hatte, wäre er nie in die Verlegenheit geraten, ihnen bei einer Demonstration gegenüberzustehen. Aber er konnte schon verstehen, dass man nicht immer nur vernünftig reagierte, wenn man mit Steinen beworfen wurde.

»Arbeitet offiziell als selbstständiger IT-Berater. Wird jedoch verdächtigt, weiterhin aktiv zu sein. Es konnte ihm aber nie mehr nachgewiesen werden. Der weiß also, wovon er redet, wenn ihm Codes in seinem Stromzähler nicht gefallen«, meinte Arnsby.

»Das fürchte ich auch. Er gab mir sogar noch Tipps. Die italienische Stromgesellschaft sollte als Erste die Logs der Router prüfen. Was immer das ist.«

»Wenn er die Wahrheit sagt, bedeutet es das, was sich mein uninformiertes Hirn zusammenreimt?«

Bollard hatte während der kurzen Fahrt ins Büro an nichts anderes gedacht. Alle Möglichkeiten und Szenarien flüchtig durchgespielt.

»Ich will keine unnötige Panik verbreiten. Aber gut wäre es nicht. Ganz und gar nicht gut.«

»Du meinst, wenn jemand in Italien das Stromnetz infiltrieren, manipulieren und lahmlegen kann, gelingt ihm das auch woanders.«

Bollard zuckte nur mit den Augenbrauen und schob den Unterkiefer vor.

»Auf jeden Fall können wir es nicht ganz ausschließen.«

»Was tut man in so einem Fall?«

»Man informiert den Leiter des Operations Department. Der

leitet das an den Direktor und alle betroffenen Abteilungen im Haus weiter. Dann berät man sich.«

»Bis dahin ist der Strom längst wieder da«, wandte Arnsby ein. »Heute ist Samstag. Abend.«

»Mich hast du auch erreicht. Im Ernstfall würde man dann die Verbindungsbüros der entsprechenden Mitgliedsstaaten kontaktieren, also Italien und Schweden.«

»Was meinst du, als Leiter der Abteilung Counter Terrorism? Ist das ein Ernstfall? Und warum Schweden?«

»Dieser Herr hier«, Bollard zeigte auf den Bildschirm, »vermutet in Schweden dieselbe Geschichte, weil dort auch schon alle mit intelligenten Stromzählern ausgestattet sind. Ich habe ihm gesagt, dass dadurch nicht ganz Europa ausfällt.«

»Was hat er gemeint?«

»Dasselbe, wie du vermutest. Dass der angenommene Unbekannte woanders auch noch seine Finger im Spiel haben müsste.«

»Aber wo?«

»Weiß man nicht. Das wäre das Problem.«

»Kann das einer allein?«

»Natürlich nicht. Und das wäre das nächste Problem.«

»Ein richtig großes.«

»Jetzt malen wir nicht den Teufel an die Wand.«

»Du müsstest alle Kontaktbüros informieren.«

»Das wäre übertrieben. Wir reden hier völlig hypothetisch. Wenn überhaupt, sollten die Italiener und Schweden nachsehen. Müssten sich eben beeilen, damit wir möglichst bald etwas wissen.«

»Und was, wenn der Typ sich einfach nur wichtig machen will?«

Bollard verzog den Mund. »Dann mache ich mich vor allen Kollegen lächerlich. Und Europol wird zum Gespött der internationalen Kontaktleute. Und der Medien.«

»Eine schöne Wahl. Was wirst du tun?«

Mailand

Von den vergangenen sechsunddreißig Stunden hatte Curazzo eine geschlafen. Als Assistent des Technikvorstands stand er an vorderster Front. Nicht viel anders erging es der restlichen Mannschaft im Krisenzentrum. Die Luft war stickig, die Leute gereizt. Längst war die formale Disziplin verschwunden. Hemdkragen standen offen, Sakkos hingen irgendwo, aufgerissene und zerknüllte Lebensmittelverpackungen lagen auf und unter den Tischen. Die Versorgung mit Essen und Trinken würde bald zum Problem werden. Die Reserven der Kantine waren fast verbraucht. Supermärkte und Läden hatten geschlossen. So wie die Restaurants. Die Verantwortlichen waren bereits beauftragt worden, für Nachschub zu sorgen.

In welches Gesicht Curazzo auch sah, er erblickte nur Müdigkeit und Enttäuschung.

»Ich verstehe es nicht«, sagte Franco Solarenti, Leiter des technischen Krisenmanagements. »Wir haben eine ganze Menge Kraftwerke verloren. Achtzig Prozent haben Probleme beim Hochfahren. Immer wieder kommt es zu Fehlermeldungen. Einige Trafos sind auch hinüber.«

»Dass ein paar wenige Kraftwerke durch die Spannungsschwankungen in Mitleidenschaft gezogen wurden, ist schon möglich«, bemerkte ein leitender Ingenieur. »Aber so viele …«

»Puh, bei den Sparmaßnahmen der vergangenen Jahre …«, meinte Solarenti. »Ich habe davor immer gewarnt.«

»Meine Herren, das hilft uns nicht weiter.« Franco Tedesci, Technikvorstand. »Wir brauchen eine Lösung. Und wir brauchen sie schnell.«

Curazzo nickte abwesend. Sein Walkie-Talkie läutete in seiner Hosentasche. Der Empfang meldete Besuch für den Vorstand.

»Wer soll das sein?«

»Polizei.«

»Ich komme.«

Ohne ein weiteres Wort verließ er die Runde und ging in die Empfangshalle.

Die beiden Männer sahen nicht aus wie Polizisten. Einer stellte sich als Dottore Ugo Livasco vor, der andere als Ingegnere Emilio Dani.

»Was kann ich für Sie tun?«

»Wir haben einen Ermittlungsauftrag von Europol«, erklärte der Ingegnere. »Sie haben Hinweise erhalten, dass italienische Stromzähler manipuliert wurden und dies der Auslöser für den Stromausfall sein könnte.«

Curazzo schoss das Blut in den Kopf. Der Kerl vom Morgen fiel ihm ein. Nachdem Curazzos zweiter Versuch, das Thema auf den Tisch zu bringen, vom Vorstand abgeschmettert worden war, hatte niemand mehr daran gedacht. Schnell bekam er sich wieder in den Griff.

»Das halte ich für unmöglich«, vertrat er die Vorstandslinie. »Unsere Systeme sind getestet und sicher.«

Dani zuckte mit den Schultern. »Glauben Sie mir, ich hätte auch bessere Ideen, mir die Samstagnacht um die Ohren zu schlagen. Zumal ich zu Hause für solche Fälle einen Dieselgenerator stehen habe«, bemerkte er zufrieden. »Wir würden uns freuen, wenn wir in der Sache zusammenarbeiten können. Dann haben wir diesen Verdacht in ein paar Stunden aus der Welt.«

Nach bald zwei Tagen und Nächten auf den Beinen war jedes Gesicht in der Enel-Zentrale bleich. Doch in diesem Moment wurden alle kalkweiß. Sie hatten nicht lange suchen müssen. Die IT-Forensiker der Polizei hatten vorgeschlagen, als Erstes die Logs der Router zu prüfen.

»Warum gerade die?«

»Wir haben einen Tipp bekommen.«

Binnen weniger Minuten waren sie fündig geworden.

Im Prinzip waren die intelligenten Stromzähler in den italienischen Haushalten und Unternehmen über verteilende Router untereinander verbunden wie jedes andere Computernetz. Aus diesen ließen sich Log-Daten auslesen, die alle an die Zähler gesandten Signale dokumentierten.

»Da drinnen findet sich tatsächlich der Befehl, die Verbindung zum Stromnetz zu unterbrechen.«

Vier Dutzend Menschen hatten sich vor dem großen Bildschirm versammelt, auf dem der Leiter des Krisenmanagements, Solarenti, die zugehörigen Dateien und Grafiken zeigte. Meistens waren es für Nicht-Programmierer unverständliche Buchstaben- und Zahlenkolonnen. Mit einer Gänsehaut am ganzen Körper folgte Curazzo den Ausführungen.

»Diese Befehle kommen aber nicht von uns«, fuhr Solarenti fort. »Sondern von außerhalb. Jemand hat sie in einen Zähler eingespielt. Von dort wurden sie nach und nach an alle Zähler im Land verbreitet. Dazu braucht es nicht einmal einen Virus. Der Befehl wird wohl per Funk weitergeleitet.«

Er ließ seine Worte wirken. Curazzo hörte nicht einen Atemzug in Raum. Nur das leise Summen der Maschinen.

»Mein Gott«, sagte jemand in die Stille.

»Wie kann denn das passieren?«, rief eine andere Stimme. »Was ist mit unseren Sicherheitssystemen?«

»Das versuchen wir gerade herauszufinden.«

»Das heißt, jemand hat uns tatsächlich das Licht ausgeknipst«, bemerkte ein anderer. »Dem ganzen Land.«

»Nicht nur aus«, erwiderte Solarenti. »Und das macht die Sache noch schlimmer. Zuerst hat dieser Jemand Haushalte und Unternehmen vom Stromnetz genommen. Darauf brachen die Netze zusammen. Als wir endlich wieder einigermaßen stabile Netze in einigen Gebieten hatten, schaltete ein weiterer Fremdbefehl die Zähler wieder ein. Dadurch gingen zu viele Haushalte und Unternehmen mit einem Schlag zurück ans Netz. Das führte erneut zu Spannungsschwankungen im Netz, und es brach abermals zusammen.«

»Da spielt also jemand Katz und Maus mit uns!«

»Das ist die schlechte Nachricht. Wir haben aber auch eine gute. Jetzt, da wir die Ursache kennen, können wir diesen Befehl zur Stromabschaltung blockieren. Wir arbeiten bereits daran. In zwei Stunden sollte der Spuk ein Ende haben.«

Wo in Filmen an dieser Stelle Applaus und Jubel aufbrandeten, blieb es in der Krisenzentrale sehr still. Die Kollegen flüsterten miteinander. Langsam sickerte die Bedeutung des Gesagten in ihr Bewusstsein. Das italienische Stromnetz war Opfer eines Angriffs geworden. Noch wussten sie nicht, von wem. Oder warum. Sie hatten keine erpresserischen Forderungen erhalten. Oder Drohungen.

»Das ist ein Desaster«, stöhnte Tedesci. »Meine Herren«, wandte er sich an die beiden Kriminalisten, die neben ihm standen. »Wir sollten den Ball in dieser Sache flach halten.«

Die beiden sahen ihn abwartend an.

»Auf keinen Fall darf die Öffentlichkeit davon erfahren«, fuhr er leise und hektisch fort. »Und eigentlich müssen wir die Sache auch nicht an Europol berichten. Sie haben es ja gehört: In zwei Stunden ist alles vorbei!«

Ingegnere Emilio Dani wiegte nachdenklich den Kopf. Dottore Ugo Livasco musterte den Vorstand mit versteinerter Miene.

»Meine Herren«, wiederholte der Vorstand mit ungeduldigem Blick, »wir haben von 2001 bis 2005 drei Milliarden Euro in dieses System investiert, dreißig Millionen Zähler in ganz Italien installiert! Ist Ihnen bewusst, was die Nachricht auslösen würde?«

Der Ingegnere nickte. Curazzo gewann den Eindruck, dass er damit nur sein Verstehen ausdrückte, nicht aber sein Verständnis für das Anliegen des Vorstands.

Dottore Livasco mischte sich ein: »Ich verstehe Ihre Sorge. Aber könnte es nicht sein, dass, wer immer diese Manipulationen vorgenommen hat, Ähnliches in anderen Ländern getan hat? Wir sind verpflichtet, die anderen zu warnen.«

»Ein vergleichbares System gibt es bislang sonst nur in Schweden. Sollen die doch melden, wenn sie etwas finden.«

»Ob die Nachricht der Öffentlichkeit mitgeteilt wird, entscheidet jemand anderes. Wir haben Ermittlungen zu unterstützen.«

»Aber diese Sesselfurzer in Brüssel ...«

»Europol sitzt in Den Haag«, korrigierte Livasco.

»Egal! Die haben doch nichts Besseres zu tun, als alles hinauszuposaunen, um sich zu profilieren!« Tedesci redete sich in Rage. »Ich werde jetzt meinen Freund, den Ministerpräsidenten, anrufen. Der soll entscheiden, was zu tun ist. Das ist eine Angelegenheit der nationalen Sicherheit!«

Livascos Miene verhärtete sich. Auf seinen Lippen erschien ein schmales Lächeln. »Ich fürchte, das liegt nicht in seiner Befugnis. Aber rufen Sie Ihren Freund gern an. Ich kontaktiere derweil Europol.«

»Sie unterstehen doch dem Innenminister?«, fragte Tedesci.

»Allerdings. Er wird natürlich ebenfalls informiert. Und wird dann sicher den Herrn Ministerpräsidenten unterrichten.«

»Ich glaube, Sie verstehen mich nicht«, zischte Tedesci. »Wollen Sie Ihre Karriere bei der Polizei fortsetzen?«

Livascos Lächeln kippte ins Sarkastische. Er fixierte den Vorstand. »Wessen Karriere hier weitergeht, wird sich noch zeigen.«

Curazzo beobachtete, wie ein Mitarbeiter Solarentis ihm etwas ins Ohr flüsterte. Solarenti kam zu ihnen. Technikvorstand Tedesci erwartete ihn mit starrer Miene.

»Ich habe noch eine gute Nachricht«, erklärte Solarenti mit einem Blick zu den Ermittlungsbeamten und deutete auf eine grüne Computergrafik des Stromnetzes.

»Die Codes müssen über Zähler ins System eingebracht worden sein. Von diesen Zählern haben sie sich nach und nach über das ganze Land verbreitet.«

Von drei Punkten aus breiteten sich rote Felder über das Netz aus, die sich miteinander verbanden, bis alle Linien umgefärbt waren.

»Aufgrund der Zeitstempel der Logs konnten wir diese Verbreitung nachvollziehen. Und die Ursprungszähler identifizieren.«

Die Rotfärbung entwickelte sich zurück, bis wieder nur noch die drei roten Punkte im ganzen Land übrig blieben.

»Soll das heißen«, fragte der Dottore von der Polizei, »dass wir den genauen Standort kennen, an denen die Angreifer die Signale eingeschleust haben?«

Solarenti nickte. »Jede einzelne Adresse. Es sind drei Stück.«

Tag 2 – Sonntag

Turin

»Wir sind da«, sagte Valerio Binardi. Vor ihm eine Wohnungstür mit Eichenfurnier. Daneben eine Klingel ohne Namensschild. Neben der Tür stand sein Kollege Tomaso Delli. Unter dem Helm war es Binardi trotz der Winterkälte warm. Im Kinnteil war das Mikrofon integriert, über das er seinen Leuten Befehle geben konnte.

Hinter sich wusste er sechs Männer des Nucleo Operativo Centrale di Sicurezza, kurz NOCS, der Anti-Terroreinheit der Polizia di Stato. Kugelsichere Weste, Maschinenpistole im Anschlag, Rammbock bereit.

Sechs weitere warteten an den offenen Fenstern der Wohnung oberhalb, bereit, auf Kommando an Seilen durch die Fenster an der Vorderseite in die Wohnung einzudringen. Auf und in den gegenüberliegenden Gebäuden lagen sechs Scharfschützen mit Nachtsichtgeräten. Am Hauseingang und um den gesamten Häuserblock waren Trupps positioniert. Der Technikwagen und die Einsatzfahrzeuge parkten um die Ecke.

Die ungewohnte Stille in Folge des Stromausfalls hatte die Annäherung erschwert. Wenn auch nicht wirklich, für eine Einheit mit dem Motto »*Sicut Nox Silentes*« – »Leise wie die Nacht«.

Sie wussten nicht, ob sich jemand in der Wohnung befand. Der Einsatzbefehl hatte sie vor weniger als zwei Stunden erreicht. Hubschrauber hatten sie in die Nähe des Einsatzortes am Rande

Turins gebracht. Für längere Observierung war keine Zeit, hatte es geheißen.

In der kurzen Vorbesprechung war die Aktion präzise zeitlich abgestimmt worden. An zwei weiteren Orten in Italien würden in diesem Moment eine andere Einheit der NOCS und eine Truppe der Gruppo di Intervento Speciale, der Anti-Terroreinheit der Carabinieri, zuschlagen.

Binardi wusste nicht, wen sie jagten. Doch so viel war klar: Wenn beide italienischen Anti-Terroreinheiten zu einem gemeinsamen Blitzeinsatz antraten, war die Lage ernst. Er warf einen letzten Blick auf die Armbanduhr. Sechs Uhr morgens. Noch war es draußen dunkel.

Über Funk kam das Zeichen zum Einsatz.

Der Rammbock schlug die Tür aus den Angeln. Gleich darauf explodierten Blendgranaten im Flur. Sie stürmten hinein. In der Wohnung war es dunkel. Binardi rannte zur ersten Tür, riss sie auf. Toilette. Leer. Zweite. Bad. Leer. Die Tür zum Wohnzimmer stand offen. Dort sprangen gerade die Kollegen durch einen Splitterregen von draußen in den Raum. Hinter sich hörte er das Trampeln der Stiefel. Ein paar schnelle Blicke durch das Wohnzimmer. Hier war niemand. Außer einem alten Sofa nur ein paar Regale. Noch zwei geschlossene Türen. Das zweite Team drüben, Binardi mit seinem hier. Ein Zimmer mit einem Stockbett. Aus dem oberen starrten aufgerissene Kinderaugen Binardi an. Instinktiv brachte er die Waffe in Anschlag. Das Kleine begann zu schreien. Dann ein zweites im unteren Bett. Schnell sah sich Binardi um, deckte seinen Kollegen, der bereits zu den Betten vorgestoßen war, darunter nachsah, die Decken weghob. Niemand sonst im Zimmer. Sie behielten die Waffen im Anschlag. Die Kinder drückten sich kreischend in die hintersten Ecken ihrer Betten.

Zwanzig Sekunden später hörte Binardi in seinem Helmkopfhörer die kurzen Statements der Kollegen. »Zwei Erwachsene in einem Schlafzimmer, offenbar haben wir sie aufgeweckt. Sonst niemand.«

»Gesichert«, gab Binardi durch. Er spürte den Adrenalinstrom in seinem Körper verebben. Sah so aus, als hätten sie an der Türklingel läuten können.

Den Haag

Bollard schaltete den Beamer ab. Seit vergangener Nacht war klar, dass sie jeden Tropfen Diesel ihrer Notstromgeneratoren würden sparen müssen.

Nach seinem Telefonat mit den italienischen und schwedischen Kollegen war er zurück nach Hause gefahren, nicht ohne seine Nummer zu hinterlassen. Mit der Hoffnung, im Lauf des nächsten Tages Entwarnung zu bekommen, war er in seinem kalten Schlafzimmer zu Bett gegangen. Das Läuten des Telefons hatte ihn um vier Uhr morgens aus einem traumlosen Schlaf geweckt. Die Schweden meldeten sich als Erstes, kaum eine halbe Stunde später die Italiener. In beiden Ländern waren Manipulationen der Signale in den Stromzählern festgestellt worden.

Erst seit Kurzem wurden die Gefahren der modernen Stromnetze kontrovers diskutiert. Die meisten Experten gingen davon aus, dass die Systeme zu komplex und gut genug gesichert waren, um sie längerfristig und großräumig kaltzustellen. Im Allgemeinen wurden die europäischen Stromnetze professionell nach dem n-1-Kriterium betrieben. Demnach durfte jederzeit ein elektrisches Betriebsmittel – ein Transformator, eine Leitung oder ein Kraftwerk – ausfallen, ohne dass dadurch andere überlastet wurden. Schon gar nicht durfte durch so ein Einzelvorkommnis der Strom wegbleiben. Durch größere Defekte oder ungünstige Wettersituationen konnten jedoch mehrere derartige Ereignisse zusammenfallen. Trotz aller Vorschriften und Vorsichtsmaßnahmen führte auch menschliches Versagen immer wieder zu einer Verletzung des Kriteriums. Und in der Folge zu Stromausfällen. Nur sehr vereinzelt hatten in Europa bislang gezielte Anschläge auf die Stromversorgung überregionale Folgen gezeigt. Urheber waren im Allgemeinen nationale Extremisten, etwa in der sogenannten Südtiroler Feuernacht 1961. Was vorkam, ohne dass die Öffentlichkeit bislang davon wusste, waren Netzsabotagen auf einzelne Ortschaften und kleine Städte durch kriminelle Gruppen, die auf diese Weise Straßenbeleuchtungen, Alarmanlagen, teilweise Telefonanlagen und andere Infrastruktur außer Gefecht setzten, so Hilfskräfte und Polizei überlasteten und Bedingungen schufen, in denen sie ungestört auf systematische Einbruchszüge gehen konnten. Doch das hier war anders.

Dreißig Minuten später saß Bollard an seinem Arbeitsplatz im Statenkwartier. Er alarmierte jeden, den er erreichen konnte. Währenddessen schickten die Kontaktbüros aus Italien und Schweden eine Zusammenfassung der ersten Erkenntnisse. Um sieben Uhr morgens hatte sich ein Großteil der Mannschaft versammelt. In dem Konferenzraum saßen insgesamt achtzehn Personen, und zum wiederholten Mal fiel ihm auf, wie wenige Frauen darunter waren. Von den Führungsorganen fehlte eigentlich nur der Europol-Direktor Carlos Ruiz. Der Spanier war am Donnerstag zu einer Interpol-Tagung nach Washington geflogen. Über eine Standleitung nahm er an der Sitzung teil.

»Wir müssen von einer koordinierten Aktion ausgehen«, stellte Bollard fest. »Die Kollegen in Italien und Schweden haben jeweils drei Einspeisepunkte identifiziert. Die Spezialeinheiten vor Ort konnten die betroffenen Wohnungen binnen zwei Stunden überprüfen. Ermittlungen zu den Bewohnern oder früheren Bewohnern laufen auf Hochtouren. Nicht mehr auszuschließen ist, dass die Ausfälle im restlichen Europa ebenfalls aktiv herbeigeführt wurden. Dort kann es allerdings nicht über die Stromzähler geschehen sein, da noch vorwiegend analoge Produkte im Einsatz sind. Ich habe ein erstes Dossier für die Verbindungsoffiziere aller Mitgliedsstaaten zusammengestellt. Darin werden sie über die Erkenntnisse aus Italien und Schweden informiert. Verbunden damit ergeht eine Ermittlungsaufforderung. Alle relevanten Systeme der Stromversorgung müssen überprüft werden. Das reicht von den Kraftwerken bis zu den Netzbetreibern. Nach dieser Sitzung unterrichten wir natürlich umgehend offiziell die Europäische Kommission, Interpol und die anderen Behörden, die das Prozedere vorsieht.«

Bollard machte eine Pause. »Ich glaube, wir alle sind uns des Ernstes der Lage bewusst. Dieser Einsatz könnte zum wichtigsten seit Bestehen unserer Behörde werden.«

Aus dem Lautsprecher des Computers, auf dessen Bildschirm das Gesicht von Direktor Ruiz in Washington zu sehen war, hörten sie ihn sagen: »Ab sofort herrscht Urlaubssperre. Alle verfügbaren Mitarbeiter sollen so schnell wie möglich auf ihren Posten erscheinen. Frau Teneeren«, fuhr er fort und wandte sich dabei an die Leiterin der Abteilung Corporate Communications, »welche Kommunikationsstrategie gegenüber der Öffentlichkeit ist für diesen Fall vorgesehen?«

Die Britin, eine attraktive Endvierzigerin, strich ihre Jacke glatt. »Angesichts der Menge von Behörden und Unternehmen, die demnächst in den Prozess involviert sein werden, müssen wir davon ausgehen, dass irgendwann Informationen durchsickern. Alle Anfragen an uns werden an mich weitergeleitet und ausschließlich von mir beantwortet. Die Sprachregelung wird sein, dass Europol im Verbund mit nationalen Behörden die Möglichkeit einer Manipulation untersucht. Aber noch werden wir nichts bestätigen.«

»Stimmt es«, fragte der Direktor, »dass die auslösende Information von einem italienischen Programmierer stammt, der vierhundert Kilometer fuhr, um mit uns in Kontakt zu treten, nachdem ihn weder die Behörden noch ein Stromversorger seines Landes ernst genommen hatten?«

»Der Mann taucht in unserer Analysedatei auf«, antwortete Bollard.

»In welchem Zusammenhang?«

»Eindringen in IT-Netzwerke von Firmen und Behörden, um auf mangelnde Sicherheitsstandards aufmerksam zu machen. Ein Hacker. Wie es scheint, ein ziemlich guter – im Sinn von: Der kommt rein, wo er hineinwill. Ist allerdings ein paar Jahre her.«

»White Hat oder Black Hat?«, fragte Ruiz.

»Schwer zu sagen«, antwortete Bollard überrascht. Er hätte nicht gedacht, dass der Direktor auch nur oberflächlich mit der Materie vertraut war. Für Bollard waren alle Hacker Kriminelle. Auch wenn die White Hats angeblich nur in fremde Netzwerke einbrachen, um Sicherheitslücken aufzudecken, blieben sie doch Einbrecher. Black Hats stahlen und vandalisierten dann noch dazu.

»Außerdem demonstrierte er in den Neunzigerjahren für ›Mani pulite‹. Bei den Ausschreitungen gegen das Anti-G-8-Treffen in Genua wurde er sogar verhaftet.«

»Könnte er mit der Sache zu tun haben?«

Bollard musste sich eingestehen, dass er daran noch nicht gedacht hatte.

»Sie meinen, dass er ein schlechtes Gewissen bekam, als er die Auswirkungen erkannte?«

»Wir sollten die Möglichkeit in Betracht ziehen«, sagte Ruiz. »Falls es so wäre, könnte er uns vielleicht zu den Drahtziehern beziehungsweise seinen Komplizen führen.«

»Aber er kann genauso gut nichts damit zu tun haben.«

»Wenn er sauber ist und so gut, wie Sie sagen, kann er uns vielleicht helfen. Er hat es schon einmal getan. Wir werden in dieser Sache jeden guten Mann brauchen, auch freie Mitarbeiter. Und falls er an der Sabotage beteiligt ist, hätten wir ihn in unserer Nähe und können ihn perfekt überwachen.«

»Holen uns damit aber den Feind womöglich ins Haus«, wandte Bollard ein. Der Gedanke, mit einem Linksrevoluzzer wie diesem Italiener zusammenarbeiten zu müssen, gefiel ihm gar nicht.

»Da ist er gut aufgehoben«, sagte Ruiz. »Kümmern Sie sich darum.«

Kommandozentrale

Die Antwort des Europol-Direktors überraschte ihn. Das scharfkantige Gesicht des Mannes mit den kurzen, grauen Haaren auf dem Bildschirm zeigte dabei keine außergewöhnliche Regung. Ähnlich unbeteiligt blieben die Gesichter des Teams, das sich in dem Besprechungsraum vor der Kamera versammelt hatte, um mit dem Direktor zu konferieren.

Dass ausgerechnet der Bürokratenladen Europol so aufgeschlossen war. Sie wollen sich beweisen, dachte er, deshalb griffen sie nach jedem Strohhalm. Er war gespannt, wann Berlin, Paris und die anderen wie aufgeschreckte Hühner auf dem Bildschirm zu sehen sein würden.

Sollten sie den Italiener doch holen. Auch wenn er ihren Zeitplan ein wenig durcheinandergebracht hatte, er würde Europol nicht helfen können. Das würden sie schon noch merken. Sie ahnten nach wie vor nicht, was auf sie zukam. Dabei hatten sie damit rechnen müssen. Sie konnten doch nicht erwarten, dass man sie ewig so weitermachen ließ. Die Zeichen standen seit Jahren an der Wand. Alle hatten gedacht, sie nicht ernst nehmen zu müssen. Jetzt würden sie erfahren, was Hilflosigkeit bedeutete. Das war erst der Anfang.

Ischgl

Angström hatte das Gefühl, aus einem gigantischen Kopf zu bestehen, an dem ihr Körper wie ein Wurmfortsatz hing. Ein Wunder, dass das Kissen über ihn passte. Im anderen Bett hörte sie Fleur atmen. Vorsichtig öffnete sie die Augen millimeterweit und linste unter dem Kissen hervor. Durch die rot-weiß karierten Vorhänge fiel gedämpftes orangefarbenes Licht in ihre Schlafstube, das in Angströms Augen wie eine Leuchtreklame glühte. Sie schloss die Lider wieder und verfluchte den Punsch. Behutsam setzte sie sich auf und stellte die Füße auf den Boden. Er war kalt. Sie tappte auf die Toilette. Erschrak über die eisige Klobrille. Spülte. Nichts. Dann erinnerte sie sich wieder. Also noch immer kein Strom. Sie schüttete Wasser aus dem Eimer nach, den sie in der Toilette aufgestellt hatten. Ging ins Bad. Hielt sich nicht lange mit einem Blick in den Spiegel auf. Eine heiße Dusche wäre jetzt fein, dachte sie. Stattdessen wusch sie sich das Gesicht mit Schneewasser. Immerhin machte sie das wach. In ihrem Kulturbeutel fand sie eine Kopfschmerztablette. Sie richtete an ihrem Gesicht notdürftig, was zu retten war, frisierte sich, ging zurück ins Schlafzimmer und zog sich leise an. Fleur schlief unbeeindruckt weiter. In bequemen Jeans und Norwegerpulli stieg Angström hinunter in die Stube. Sie war die Erste. Im Kachelofen lagen nur noch ein paar verkohlte Holzreste. Als sie hineinblies, glommen sie auf. Angström legte zwei Holzscheite nach, ließ die Tür offen für den Luftzug.

Das Arrangement des Hüttchens sah Frühstückslieferung an die Tür vor. Angström war neugierig, ob es auch unter den gegebenen Umständen eingehalten würde.

Draußen schien die Sonne. Sie war gerade über den gegenüberliegenden Gipfel gestiegen, das Tal unten lag noch im Schatten. Der weiße Schnee blendete Angström zwar, aber sie genoss die warmen Strahlen auf der Haut. Auf der Fußmatte vor der Tür stand ein Picknickkorb. Sie bückte sich, fand dunkles Brot, Butter, Schinken, Käse, Hartwurst, Marmelade. Sogar zwei Thermoskannen mit Tee und Kaffee. Sie trug den Korb in die Küche, schenkte sich eine Tasse Tee ein und setzte sich damit auf die Bank vor der Hütte in die Sonne.

Es wirkt so friedlich, dachte sie. Kaum zu glauben, dass es da draußen solche Probleme geben soll. Aber vielleicht war ja alles längst wieder in Ordnung, und nur hier oben war der Strom noch nicht eingeschaltet.

Angström schloss die Augen und ließ sich von den Sonnenstrahlen streicheln. Zwischen den Händen spürte sie die heiße Tasse.

»Ich trinke nie wieder Punsch.«

Sie öffnete die Augen. Vor ihr stand Manzano, ohne ihr das Sonnenlicht zu stehlen. Sie lachte. »Das habe ich mir beim Aufstehen auch geschworen.«

Er atmete tief durch, drehte sich um, mit einer Geste in Richtung der Berge. »Herrlich, nicht? Man kann sich kaum vorstellen, dass nicht alles eitel Sonnenschein ist.«

»Nein«, erwiderte sie. »Wo ist Laras Vater?«

»Schläft noch. Die letzten sechsunddreißig Stunden waren anstrengend für ihn. Er ist ja nicht mehr der Jüngste.«

»Für dich auch, nach allem, was du erzählt hast.«

Jetzt lachte er. »Für uns alle. Ich musste keine Kühe melken.«

Angström konnte sich nicht mehr genau erinnern, was sie

gestern alles erzählt hatten. Aber sie spürte immer noch den Muskelkater in ihren Unterarmen.

»Willst du einen Tee oder Kaffee?«

»Ich will euch nichts wegtrinken.«

»Wir können sicher nachbestellen.«

»Dann gern. Kaffee.«

Angström holte eine Tasse und die Thermoskannen aus der Küche. Oben hörte sie jemanden im Bad rumoren. Langsam wurde die Hütte wach. Sie ging wieder hinaus. Manzano setzte sich neben sie auf die Bank und umklammerte den dampfenden Becher mit beiden Händen. Er lehnte den Kopf nach hinten gegen die Hütte und schloss die Augen.

»Das war ein netter Abend gestern«, sagte er. »Trotz allem.«

»Ja«, stimmte sie zu und tat dasselbe.

Manzano hatte sich sehr interessiert an ihrer Arbeit im EUMIC gezeigt, und bald hatten sie über Gott und die Welt geplaudert. Die bunte Runde der Gäste hatte bis drei Uhr morgens um den Kamin in der Empfangshütte ausgehalten. Angström hatte das Gefühl gehabt, dass der Italiener van Kaalden gefiel. Sie hatte bei seinen Bemerkungen besonders laut gelacht und am meisten Punsch getrunken. In ihrem Kopf wollte Angström heute nicht stecken.

»Na, ihr zwei Turteltauben?« Terbanten stand mit einer Tasse in der Tür. »Ist bei euch noch ein Plätzchen frei?«

Angström fand die Anwesenheit von Chloé in diesem Moment etwas unnötig. Sie hatte sich gerade so wohl gefühlt.

»Hier«, sagte Manzano, ohne die Augen zu öffnen, und klopfte mit seiner Hand auf die freie Seite der Bank.

Mit der Ruhe war es vorbei. Terbanten plapperte los, Manzano gab gelegentlich Kommentare dazu ab. Angström wollte gerade aufstehen, als sie Schritte im Schnee knirschen hörte.

Eines der Mädchen vom Empfang kam den Pfad zwischen den Hütten entlang.

»Herr Manzano, da hat ein Herr Bollard für Sie angerufen. Er ruft in zehn Minuten noch einmal an. Er meint, es sei dringend.«

Manzano stand am Empfangstisch der Eingangshütte, den Telefonhörer am Ohr. Sein Kopf war jetzt sehr klar. Angström befand sich neben ihm.

»Nicht gut«, sagte er auf Englisch ins Telefon. »Mir wäre lieber gewesen, ich hätte mich geirrt.«

»Uns auch«, erwiderte Bollard am anderen Ende.

»Wurde etwas anderes auch schon gefunden?«

»Wo?«

»Ich weiß nicht. In anderen Ländern. Bei den Verteilernetzen. In Kraftwerken. Sie haben selbst gesagt, dass ein Blackout in Italien und Schweden nicht ganz Europa lahmlegen kann.«

»Wir haben die einzelnen Staaten zu Ermittlungen aufgefordert.«

»Zu Ermittlungen aufgefordert?«

»Mehr kann Europol nicht tun. Wir hätten auch nicht das Personal dafür. Womit wir schon beim zweiten Grund meines Anrufes wären. Ich will gar nicht lange herumreden. Ich kenne Ihre Geschichte. Sie dürften gut in Ihrem Job sein. Unser Direktor möchte Sie als Berater in der Sache. Hier in Den Haag.«

Manzano verstummte einen Augenblick. Immer wieder arbeiteten Unternehmen und Behörden mit Hackern zusammen, die kurz davor noch in ihre Systeme eingedrungen waren.

Manche Hacker legten es bei ihren Aktionen nur auf die lukrativen Folgeaufträge an. Gerüchte behaupteten zudem, dass ein Viertel aller amerikanischen Hacker mit dem FBI kooperierte, das die teils im Verborgenen agierende Szene überwachen wollte.

»Sie wissen, dass ich verurteilt wurde?«

»Weil Sie gut genug waren, in scheinbar hoch gesicherte Konzern- und Behördennetzwerke einzudringen.«

»Nein. Weil ich so dumm war, mich erwischen zu lassen.«

»Ist Ihnen seither nicht mehr passiert.«

»Wer sagt, dass ich es wieder versucht habe?«

»Niemand. Aber vielleicht sind Sie auch nur schlauer geworden. Also, wollen Sie? Unser Leiter persönlich wollte Sie. Am Geld soll es nicht scheitern«, fügte der Anrufer hinzu.

Manzanos Blick schweifte zum Fenster. Über den weißen Schnee, der in der Sonne glänzte. Mit allem hatte er gerechnet. Aber nicht damit, dass die Polizei ihn um Zusammenarbeit bitten würde. Die Polizei hatte ihn noch nie freundlich behandelt. Verhaftet, lächerlich gemacht, nicht ernst genommen. Warum sollte er sich mit diesen Leuten zusammentun? Erinnerungen an das Uniformgesindel in Genua tauchten wieder auf. Skrupellos hatten sie einen Demonstranten erschossen. Manzano hatte ihnen gegenübergestanden, den geschlossenen Reihen mit ihren Visierhelmen, Schildern und Knüppeln. Diese hatte er sogar zu spüren bekommen, obwohl er nichts anderes getan hatte, als friedlich in Sprechchören zu rufen. Wahllos hatten die Typen auf ihn und die anderen eingeprügelt.

»Ich glaube nicht, dass ich das will«, sagte er schließlich. Er hatte die Behörden informiert. Jetzt sollten die ihre Arbeit erledigen.

»Überlegen Sie es sich noch mal«, erwiderte Bollard und gab ihm eine Nummer.

»Auf eines muss ich Sie natürlich aufmerksam machen: Falls Sie sich dazu entschließen, unterliegen Sie strengster Geheimhaltung über alles, was Sie im Rahmen dieser Tätigkeit erfahren.«

Geheimnistuerei, klar, das gehörte auch dazu. Bloß keine Offenheit. Der Hinweis bestärkte Manzanos Meinung.

»Ich glaube nicht, dass ich der Richtige für Sie bin«, sagte er.

»Denken Sie darüber nach. Ich rufe Sie in einer Stunde noch einmal an.«

Mit zunehmender Beklemmung hatte Angström Manzanos Telefonat verfolgt. Aus seinen Antworten hatte sie ihre Schlüsse gezogen. Draußen bestätigte er ihre Befürchtungen. Am Vorabend hatten sie nur kurz über die Folgen eines längeren Stromausfalls diskutiert. Die Aussichten waren zu beängstigend gewesen für den lustigen Abend. Durch ihre Tätigkeit im Monitoring and Information Centre war sie vermutlich von allen am besten darüber informiert. Bei anderen Gelegenheiten hatten sie mit vergleichbaren Situationen zu tun gehabt, das Erdbeben in Haiti etwa. Sie erinnerte sich an die Fernsehbilder und Berichte ein paar Tage nach dem Unglück. Millionen von Menschen in unvorstellbaren hygienischen Verhältnissen, ohne Wasser, Nahrung und medizinischer Versorgung, marodierende Plünderer in den Straßen, verzweifelte Szenen an den wenigen Hilfsstellen, völliger Zusammenbruch jeglicher Ordnung. Sie schob die Gedanken fort. In Europa besitzen wir eine funktionierende Verwaltung und intakte Hilfssysteme, erinnerte sie sich. Aber wie lange waren sie unter diesen Umständen tatsächlich einsatzfähig?

Während sie zur Hütte zurückgingen, fragte Angström: »Weshalb willst du nicht fahren?«

Manzano zuckte mit den Schultern. »Ich habe keine guten Erfahrungen mit der Polizei gemacht, wie du weißt. Außerdem frage ich mich, ob ich dort wirklich helfen kann.«

»Du hast es schon einmal getan. Warum also nicht wieder?«

»Ich bin kein Fachmann auf diesem Gebiet. Das sind sehr spezielle Systeme.«

»Aber es ist IT.«

»Das ist, als müsstest du auf einmal keine Katastrophenhilfe mehr organisieren, sondern eine Skiflug-Weltmeisterschaft. Und zwar morgen für übermorgen.«

»Wäre mal etwas anderes. Aber ich verstehe deinen Punkt.«

Als sie die Hütte erreichten, hatten die anderen den Frühstückstisch bereits gedeckt. Auch der alte Bondoni war aus den Federn gekrochen. Manzano berichtete über die Neuigkeiten.

»Natürlich fährst du!«, empörte sich Bondoni als Erster. »Oder willst du unsere Rettung diesen Typen überlassen?«

»Sei nicht so melodramatisch«, bat Manzano. »Die haben Profis da.«

»So professionell, dass ein bescheidener italienischer Hacker sie erst auf diese Codes aufmerksam machen musste?«

»Früher oder später hätten sie die auch entdeckt.«

»Eher später, wie es scheint. Nein, mein Lieber, so einfach kannst du dich nicht aus deiner Verantwortung stehlen. Du bist doch kein Jugendlicher mehr, der die Welt trotzig in Schwarz und Weiß einteilt.«

»Habe ich nie. Wenn schon, dann in Bits und Bytes.«

»Warum bist du dann damals gegen die Polizeikordons angerannt? Um die Welt zu retten. Jetzt hast du die Gelegenheit dazu.«

Um nicht antworten zu müssen, biss Manzano ein extragroßes Stück von seinem Brötchen ab.

»Lass ihn doch«, sagte Bondonis Tochter zu ihrem Vater. »Es ist Pieros Entscheidung.«

Bondoni seufzte. »Wie auch immer. Muss er wissen. Das heißt, bis auf Weiteres gibt es kein Wasser, keine Heizung und bald nichts mehr zu essen? Da geht es mir ja hier besser als zu Hause.« Er bestrich ein Brötchen mit Butter und Marmelade.

»Das ist nicht gesagt«, widersprach Manzano. »Nachdem die Stromversorger in Italien und Schweden von den Codes wissen, müssten sie diese deaktivieren können. Danach sollte alles wieder funktionieren.«

»Aber du vermutest doch, dass, wer immer dafür verantwortlich ist, womöglich noch woanders Schaden angerichtet hat«, bemerkte Angström.

»Das ist nur eine Annahme, nachdem mir dieser Europol-

Mensch erklärte, dass Ausfälle in Italien und Schweden nicht die Stromnetze in ganz Europa zusammenbrechen lassen können.«

»Heißt das, bei uns daheim funktioniert dann noch immer nichts?«, fragte van Kaalden.

»Vorläufig sowieso nicht«, antwortete Angström.

»Dann bleibe ich erst einmal hier.«

»Wolltest du doch ohnehin«, bemerkte Terbanten. »Heute ist der erste Tag unserer Urlaubswoche, schon vergessen? Den sollten wir uns nicht vermiesen lassen.«

Dein Urlaub war vorbei, bevor er begonnen hat, nur willst du das noch nicht wahrhaben, dachte Angström. Sie stellte fest, dass alle ihre erste Schockstarre überwunden hatten. Als ob Manzano von irgendeinem Unglück, vielleicht einem Flugzeugabsturz, erzählt hätte, der zwar kurz betroffen machte, aber schnell vergessen wurde. Angström spürte keinen Appetit mehr. Sie fragte sich, ob sie die mögliche Tragweite der Nachricht begriffen. Vielleicht war es besser, wenn sie es nicht taten.

»Wenn ich richtig verstanden habe, was du da in Brüssel machst«, sagte Manzano zu ihr, »werden deine Kollegen in den nächsten Tagen viel zu tun bekommen.«

Angström nickte.

»Daran habe ich auch schon gedacht. Falls du dich doch entschließt, nach Den Haag zu fliegen, frag diesen Bollard, ob er auch für zwei Personen einen Flug organisieren kann.«

Manzano blickte sie irritiert an.

»Von Den Haag sind es nur zwei Autostunden bis Brüssel«, erklärte sie. »Sonst muss ich zusehen, wie ich hinkomme. Dort wird jetzt jeder gebraucht.«

Berlin

Das Kasernengelände am Treptower Park spiegelte für Jürgen Hartlandt, Kriminalbeamter beim Referat ST 35 des Bundeskriminalamts, wie kein anderer Ort in Berlin die wechselhafte Geschichte der internationalen Konflikte im zwanzigsten und angehenden einundzwanzigsten Jahrhundert wider. Einst waren von hier die Bataillone des Kaisers in die Schlacht gezogen, später schwärmten von dem Gelände Teile der Polizei aus, um in der Hauptstadt der jungen Republik für Recht und Ordnung zu sorgen. Nachdem diese unter die Gewalt der nationalsozialistischen Diktatur gefallen war, bildete die Wehrmacht in der damaligen Heereswaffenmeisterschule Hilfskräfte des künftigen Vernichtungskrieges aus. Nach dem Ende des Zweiten Weltkrieges von der Roten Armee besetzt zog 1949 die Organisation mit dem zynischen Namen Volkspolizei ein. Nachdem die Diktatoren der sogenannten Deutschen Demokratischen Republik die Bevölkerung ihres Landes hinter der Berliner Mauer endgültig eingesperrt hatten, übernahmen von hier die Grenztruppen ihre Aufgabe im folgenden Kalten Krieg. Mit dem Fall des Eisernen Vorhangs 1989 verloren sie ihre Aufgabe, die Bundeswehr übernahm das Gelände. Doch bald schon folgten ihr mit Asylbewerbern als Quartiernehmer die Opfer und Vorboten eines neuen globalen Konflikts, dessen Folgen letztlich zur aktuellen Bestimmung des Geländes führten. Seit der Generalsanierung Ende des Jahrtausends kämpften nach den Anschlägen in den USA 2001 am Berliner Standort des Bundeskriminalamts die Abteilungen des Polizeilichen Staatsschutzes gegen den internationalen Terrorismus, und seit 2004 hatte sich das neu geschaffene Gemeinsame Terrorismusabwehrzentrum GTAZ zu ihnen gesellt.

Seit fünf Jahren arbeitete Hartlandt in dem Komplex. Zu seinen ersten Ermittlungen hatte die Aushebung der Sauerland-Gruppe gehört, jener radikal-islamistischen Terrorvereinigung, deren Mitglieder für die Planung von Sprengstoffanschlägen zu langjährigen Haftstrafen verurteilt worden waren. In diesen Jahren hatte er öfters Momente erlebt, in denen ihn ein schlechtes Gefühl befallen hatte, doch noch nie war es so überwältigend gewesen wie an diesem Sonntagvormittag. Sein Büro brauchte er gar nicht erst aufzusuchen, er begab sich direkt in den vorgesehenen Besprechungsraum. Dort warteten bereits einige Kollegen mit angespannten Gesichtern.

Hartlandt nahm Platz, tauschte Vermutungen aus. Nach einer Viertelstunde erschien schließlich der Leiter des GTAZ persönlich und begrüßte sie knapp.

»Heute Morgen bestätigten die schwedischen und italienischen Behörden Manipulationen ihrer Stromnetze, die zu den Ausfällen geführt haben.«

Unter aufgeregtem Raunen fuhr er fort: »Das Ausmaß der Situation europaweit lässt befürchten, dass wir mit weiteren derartigen Meldungen rechnen müssen.«

Er gab eine Übersicht der Lage, die weitaus schlimmer war, als Hartlandt es bislang im Radio gehört hatte. Die Verantwortlichen rechneten damit, dass der Strom mehrere Tage ausbleiben könnte, womöglich wurden Notevakuierungen und andere Hilfsmaßnahmen für Dutzende Millionen Menschen notwendig.

Auf die Frage nach den Verursachern antwortete er nur: »Unbekannt. Zurzeit können wir weder einen politisch oder religiös motivierten Terroranschlag ausschließen, noch einen kriminellen oder einen kriegerischen Akt.«

Die letzte Bemerkung sorgte erneut für Gemurmel im Raum.

»Meine Damen und Herren«, erklärte er abschließend, »in zwei Stunden erwarte ich einen ersten Bericht darüber, warum wir keinerlei Kenntnis von einem möglicherweise bevorstehenden derartigen Ereignis hatten – sowie über alle Fakten und Informationen, die unter den gegebenen Umständen neu bewertet werden müssen. Hartlandt, Sie koordinieren die Ermittlungen.«

Den Haag

Marie Bollard schleppte die Koffer ins Auto. Sie musste zweimal gehen, um alles zu verstauen. Die Kinder trugen beide einen kleinen Rucksack mit ihren Lieblingsspielsachen.

»Wir fahren in den Urlaub«, freute sich Bernadette.

»Ich will aber nicht weg«, jammerte Georges.

»Bitte, Georges, hör auf. Du wärest doch am Freitag auch gern zu Oma und Opa nach Paris geflogen.«

»Sind wir aber nicht.«

Sie wusste, dass in der vergangenen Nacht etwas geschehen war. Ihr Mann war lange im Büro geblieben. Bei seiner Rückkehr war er so angespannt gewesen, wie sie ihn noch nie erlebt hatte, nicht einmal vor der Geburt ihres ersten Kindes, obwohl er sich alle Mühe gab, es zu verbergen. Er konnte und wollte ihr jedoch nichts sagen. Stattdessen hatte er vorgeschlagen, dass sie für ein paar Tage woanders hinzögen. An einen Ort, wo es Strom, Lebensmittel und heißes Wasser gab. Paris war aus einem einfachen Grund ausgeschieden: Sie hatten nicht genug Benzin im Tank, um es bis zu ihren Eltern zu schaffen.

»Los jetzt, wir fahren.«

»Kommt Papa auch?«

»Papa muss arbeiten. Er kommt am Abend nach.«

Marie Bollard sperrte die Haustür ab. Auf der schmalen Straße mit den hübschen, alten Bürgerhäusern wirkte alles wie üblich. Der Himmel war wolkenverhangen.

Sie kontrollierte die Sicherheitsgurte der Kinder, dann fuhren sie los. Der Verkehr war dichter als sonst. Kein Wunder, alle waren aufs Auto umgestiegen. Sie schaltete das Radio an. Das Programm brachte Berichte über den Stromausfall. Passanten gaben Kommentare ab. Einer beschwerte sich über die unfähigen Energieunternehmen. Ein Mann meinte, man könne die Situation ohnehin nur mit Gelassenheit vorübergehen lassen. Er hoffe nur, seine Toilette funktioniere bald wieder, sagte er lachend. Marie Bollard fragte sich, woher die Radiogesellschaften den Strom zum Senden nahmen.

»Wohin fahren wir?«, fragte Georges.

»Nicht weit. In einer Viertelstunde sind wir da.«

»Und dafür brauchen wir so viel Gepäck?«

»Wir bleiben ein paar Tage.«

Hinter Zoetermeer führte das Navigationsgerät sie von der Autobahn ab. Marie Bollard folgte den Anweisungen der Sprecherin bis zu einem stattlichen Gutshof.

Die Fachwerkfassade des großen Hauses wurde von einem tief gezogenen Reetdach gekrönt. Auf dem gekiesten Hof davor standen ein Geländewagen, zwei Limousinen und ein Traktor. Sie parkte den Wagen daneben.

»Aussteigen, Kinder!«

Sie drückte die Messingklingel neben der kunstvoll verzierten Holztür, und eine Frau in ihrem Alter öffnete. Sie trug Cordhosen, ein kariertes Hemd, einen Wollpulli und hatte ein freundliches Gesicht und blonde Haare.

Bollard stellte sich und die Kinder vor. »Mein Mann hat mit Ihnen gesprochen«, sagte sie.

»Maren Haarleven«, erklärte die Hausherrin mit einem Lächeln. »Willkommen. Möchten Sie eine Kleinigkeit zum Trinken oder zuerst Ihr Zimmer sehen?«

»Gern das Zimmer, bitte.«

Im Haus war es warm. Es war ein gepflegtes Gebäude, in dem die Jahrhunderte wenig gerade Wände oder Kanten übrig gelassen hatten. Die Einrichtung war mit Geschmack im Stil eines Landhauses ausgesucht. Über eine schmale, steile Treppe führte Haarleven sie in den ersten Stock. Von einem langen Flur gingen einige Türen ab. Haarleven öffnete eine davon.

Das Zimmer war geräumig und gemütlich. Weiche Sofas und Sessel mit großem Blumenmuster, ländliche Antiquitäten, viel Weiß.

»Das ist eine unserer Suiten«, erläuterte Haarleven. »Hier ist das Wohnzimmer. Daneben finden Sie eine Küche mit Esstisch, ein Bad und zwei Schlafzimmer.«

»Ein Bad!«

Sie probierte die Armaturen. Das Wasser lief. Bollard unterdrückte ein glückliches Seufzen. Sie dachte an die Dusche, die sie so bald wie möglich nehmen würde.

»Das ist ja fabelhaft.«

»Ja«, lachte Haarleven. »Der Stromausfall macht uns nichts. Wäre auch schlimm. Kommen Sie mit, ich zeige Ihnen etwas. Dann können wir gleich auch Ihre Sachen hochbringen lassen.«

Unten ging Haarleven auf der Rückseite aus dem Haus. Links und rechts standen zwei große Wirtschaftsgebäude. Haarleven wandte sich dem linken zu und öffnete ein großes Tor. Dahinter sah Bollard eine riesige Halle, auf deren Boden es vor Küken wimmelte. Von der Decke hingen Lampen, die warmes Licht verbreiteten.

»Das ist unsere Geflügelzucht.«

Georges und Bernadette quietschten entzückt.

»Stellen Sie sich vor, wir könnten hier nicht mehr heizen. Nach ein paar Stunden wären alle erfroren.«

Sie schloss das Tor wieder, ging weiter ans Ende des Gebäudes zu einem modernen Anbau mit einer Metalltür. Der Raum dahinter war düster. Bollard konnte nur einen großen, grünen Kasten, von dem verschiedene Rohre und Leitungen abgingen, ausmachen.

»Wir haben unser eigenes Blockkraftwerk«, erklärte Haarleven. »Heizbar mit Holz und Pellets. Damit sind wir vom öffentlichen Stromnetz weitestgehend unabhängig. Und nachdem wir auch unseren eigenen Brunnen haben, merken wir von dem Blackout bislang nichts.« Sie schloss die Tür. »Außer, dass wir plötzlich auch im Winter Gäste haben. Seit heute Morgen sind wir ausgebucht. Binnen einer halben Stunde. Einige Kollegen Ihres Mannes, schien mir. Keine Ahnung, was los ist.«

Das werden wir alle noch früh genug erfahren, dachte Marie Bollard, und ihre dunkle Ahnung verdüsterte sich zusehends.

Paris

»Meine Damen und Herren«, erklärte Guy Blanchard in die Kameras. Er schob noch einmal den kleinen Ohrlautsprecher mit dem Finger zurecht. »Heute ist eine gute Gelegenheit darauf hinzuweisen, dass die Französinnen, die Franzosen, aber auch Europa und der Rest der Welt unter der Abkürzung CNES nicht nur das Centre National d'Études Spatiales, die französische Raumfahrtagentur, kennen sollten, sondern vor allem auch das Centre National d'Exploitation Système, die Zentrale der französischen Elektrizitätsnetze. Zu dessen Leitern darf ich mich in aller Bescheidenheit zählen. Ohne das Centre Système hätte die Raumfahrtagentur nicht einmal Strom zum Kaffeekochen.«

Zufrieden blickte er auf die Journalistenhorde, die sich im Pressezentrum drängte. Er war Kameras und Blitzlichter gewohnt.

»Zugegeben, der gesamteuropäische Ausfall vorgestern Abend hat auch das französische Netz nicht verschont. Wir möchten uns dafür entschuldigen, dass die Bevölkerung ohne Licht und Heizung auskommen muss. Doch wie viele inzwischen feststellen konnten, ist es uns gelungen, die Versorgung in vielen Regionen innerhalb einer Nacht zumindest teilweise wiederherzustellen, im Gegensatz zu unseren Nachbarn und den meisten anderen europäischen Ländern. In einigen Gebieten bitten wir noch um Geduld, auch hier kann es sich nur noch um Stunden handeln. Damit haben wir eindrucksvoll die Leistungsfähigkeit der französischen Energieversorgung bewiesen. Ich darf Ihnen die Ereignisse kurz darlegen. Die Filme, Bilder und Charts meiner Präsentation finden Sie auf der DVD in Ihrer Pressemappe und in den Pressebereichen der Internetseiten der Réseau de Transport d'Electricité und von Electricité de France.«

Auf dem großen Bildschirm hinter ihm wurde von einem Assistenten die Show gestartet.

»Der Komplettausfall stellte alle Beteiligten vor große Herausforderungen. Nur ein Beispiel: Frankreich bezieht, wie Sie alle wissen, den Großteil seiner Energie aus Atomkraft. Die Meiler in so kurzer Zeit herunter- und dann wieder hochzufahren stellte keine einfache Aufgabe für die Verantwortlichen dar, wurde aber lehrbuchmäßig gelöst.«

Blanchard erlaubte sich einen kurzen Blick auf den Schirm, um zu überprüfen, ob die Bildbegleitung im Takt zu seinem Vortrag blieb.

»Das befähigte uns, bereits nach wenigen Stunden rund um die Kraftwerke Strominseln aufzubauen, die dann sukzessive erweitert wurden.«

Auf der Landkarte hinter ihm wuchsen kleine Punkte zu größeren Feldern.

»Im Lauf der folgenden Stunden konnten wir diese regionalen Einzelnetze nach und nach synchronisieren und so für fünfzig Prozent der Bevölkerung die Grundversorgung wieder sichern.«

»Monsieur Blanchard.« Aus dem kleinen Knopf im Ohr drang die Stimme seiner Assistentin. Ohne sich irritieren zu lassen, setzte er seinen Vortrag fort.

»Damit sind wir eines von ganz wenigen Ländern in Europa, denen das gelungen ist.«

»Monsieur Blanchard. Es ist sehr wichtig.« Die Stimme in seinem Ohr nervte ihn.

»Von den stabilen französischen Netzen aus werden wir auch die restlichen Staaten Europas wieder aufbauen können.«

»Beenden Sie die Pressekonferenz.«

Was hatte der Knopf im Ohr gesagt?

»Beenden Sie die Pressekonferenz. Es ist ein Notfall.«

Was für ein Notfall?, fragte er sich und sagte zum Publikum: »So viel fürs Erste. Ich danke für Ihr Kommen.«

Fragen brandeten ihm entgegen. Ohne weiter darauf zu achten, verließ er das Pult und eilte in den Nebenraum.

Seine Assistentin empfing ihn mit aufgerissenen Augen.

Blanchard fuhr sie an: »Wenn jetzt nicht mindestens der Präsident im Haus ist, können Sie gleich Ihre Sachen packen!«

»Es ist viel schlimmer«, erwiderte sie. »Sie müssen sofort nach oben in den zentralen Kontrollraum.«

»Was ist denn los? Jetzt sagen Sie schon!«

»Die wissen es nicht. Das ist das Problem.«

Blanchard nahm den Fahrstuhl.

In dem Saal mit den Monitoren und Arbeitsplätzen voller Bildschirme diskutierten die Operatoren aufgeregt. Einige stützen sich vor den Computern auf die Tische und starrten in die Bildschirme. Andere telefonierten hektisch. Die große Übersichtswand zeigte das Bild der letzten Stunden. Einige grüne, einige rote Regionen. Die Bildschirme an den Arbeitsplätzen waren alle blau.

Sein Magen sackte in die Kniekehlen. Er stürmte zum erstbesten Operator. Auf dem farbigen Bildschirm las er nur eine Fehlermeldung:

```
DRIVER_IRQL_NOT_LESS_OR_EQUAL
   stop: 0x00000001 (0x000003E8, 0x00000002, 0x00000001,
   0x903A7FC4)
   RT86WIN7.sys-adress 9003A7FC4BASE at 90397000,
   datestamp 49a65b16
```

»Was, zum Teufel, ist geschehen?«

Der Mann, ein erfahrener Mitarbeiter, schüttelte ratlos den Kopf.

»Alles weg. Blue Screens. Sämtliche Computer. Sieht aus wie ein Totalausfall.«

»Wie? Wann?«

»Vor etwa zehn Minuten. Zuerst gab es auf einigen Workstations schon Schwierigkeiten. Nach und nach gab alles den Geist auf.«

»Verdammt! Okay... okay.« Blanchard überlegte fieberhaft. Sie hatten zwar keinen Überblick mehr, aber davon brachen die Netze noch nicht zusammen. Zumindest nicht kurzfristig. Es war, als wären sie in der Nacht mit einem Schiff auf dem Meer unterwegs, Lichter und Instrumente ausgefallen, aber der Motor lief. Das wurde solange kein Problem, solange keine Klippen, Eisberge, Untiefen oder schweren Wellen auftauchten. Erst wenn Fehler auftraten, die Operatoren manuell korrigieren müssten, kamen sie in Schwierigkeiten.

Einer der Operatoren schwenkte einen Telefonhörer über seinem Kopf.

»Ich habe da das Operation Centre dran«, rief er.

Dort kontrollierten Operatoren nicht den Zustand des Netzes, sondern jene Server, die das Netz steuerten. Bei dem Schiff, das ohne Instrumente durch die Nacht fuhr, begann der Motor zu spucken.

»Das OC meldet Serverausfälle.«

»M…! Schicken Sie Albert Proctet hin! Sagen Sie, dass ich unterwegs bin! Wenn was ist, ich bin dort erreichbar!«

Hastig verließ Blanchard den Raum.

Ratlos stierte Turner auf das leere Podium, von dem der Sprecher des Centre National d'Exploitation Système so plötzlich verschwunden war, ohne Fragen zu beantworten.

»Was war das jetzt?«, fragte er Shannon.

Die anderen anwesenden Journalisten sahen sich nicht minder verwirrt an. Ein Summen von Fragen und Vermutungen erfüllte den Raum. Vereinzelte Stimmen riefen noch immer laut nach Antworten, nach Verantwortlichen. Das Podium blieb leer. Nach ein paar Minuten begannen die Anwesenden, ihre Sachen zu packen. Shannon und Turner schlossen sich ihnen an. Beim Hinausgehen lästerten die meisten über die unprofessionelle Medienarbeit. Shannon schwieg. Sie hätte nicht sagen können, warum, aber sie hatte das Gefühl, dass hinter dem abrupten Ende des Selbstlobs von diesem Blanchard mehr steckte. Jemand wie er liebte die Kameras und die Aufmerksamkeit. Ohne einen triftigen Grund würde er nicht so schnell darauf verzichten. Sie hatten den Ausgang des Gebäudes noch nicht erreicht, als sich Shannons Ahnung verstärkte. Von der Straße hörte sie Autos hupen, durch die Glastür des Entrees sah sie Menschen auf den Bürgersteigen, die durcheinanderliefen oder wild gestikulierend diskutierten, manche tippten nervös auf ihren Mobiltelefonen.

Draußen herrschte ein grauer Tag, es pfiff ein unangenehm kalter Wind. Shannon musste nicht lange suchen, um den Grund für die Aufregung zu entdecken. Alle Schaufenster in der Straße waren unbeleuchtet, die Verkehrsampeln auf den Kreuzungen dunkel. Die Autos stauten sich bereits.

»Nicht schon wieder«, stöhnte Turner. »Hat der Typ da eben nicht erklärt, dass alles vorbei ist?«

»Okay, wir gehen noch einmal hinein«, schlug Shannon vor. »Die sind uns eine Erklärung schuldig.«

Sie wandte sich zum Gebäude um und sah, wie Sicherheitspersonal die Türen von innen verriegelte.

Im Operation Centre erwartete Blanchard ein ähnliches Durcheinander wie im Kontrollraum. Ein Blick auf die Monitore zeigte ihm das Problem.

Der IT-Chef vom Dienst, Albert Proctet, ein jüngerer Mann mit Dreitagebart und buntem Hemd, erwartete ihn mit gerunzelter Stirn. Er zeigte auf die Bildschirme, auf denen neben vielen grünen Kontrollfeldern einige orangefarben und eines rot leuchteten.

Jede Lampe symbolisierte einen der Server, die das Netz kontrollierten und steuerten. Dass der eine oder andere ab und zu ausfiel, war nicht ungewöhnlich. Die Systeme waren redundant abgesichert, für einen ausgefallenen Server übernahm ein anderer.

»Die Ersatzsysteme übernahmen, doch dann fiel auch das erste von ihnen aus.«

Das hieß, eine Schaltstation des Stromnetzes konnte nicht mehr gesteuert werden und wurde deaktiviert. Unter normalen Umständen kein Problem, dafür sorgte die Redundanz im Stromsystem, dann wurde der Strom in das entsprechende Gebiet über andere Schaltstellen und Leitungen geschickt. Doch jetzt kämpften sie schon mit einem Netz, das mehr und mehr einem Fleckenteppich ähnelte, und die einzelnen Flecken hielten sich nur mühsam in einem labilen Gleichgewicht. Jede ausgefallene Umschaltstelle konnte eine ganze Region erneut vom Strom trennen.

Einer der Männer im Raum rief Blanchard zu einem Telefon.

»Der Kontrollraum!«

Er presste den Hörer ans Ohr.

»Was ist?«

»Wir haben gerade Region sechs verloren«, erklärte die Stimme am anderen Ende.

Blanchard stellte sich die große Übersichtswand im Kontrollraum vor, auf der ein Netz grüner Linien gerade rot geworden war.

Auf den Monitoren vor ihm sprangen währenddessen drei orangefarbene Lichter gleichfalls auf Rot. Die Steuerungen dreier weiterer Schaltstellen hatten sich eben verabschiedet.

»Region zwei wechselt zu Gelb«, erklärte sein Gesprächspartner aus dem Kontrollraum.

»Region zwei und fünf auf Rot, vier auf Gelb, jetzt Rot. Was ist da los? Wir verlieren wieder das ganze Netz!«

Dem instrumentenlosen Schiff in der Nacht war auch der Antrieb abhandengekommen. Hilflos trieb es, wohin auch immer.

Den Haag

»Wie stellen Sie sich das vor?«, fragte Manzano. Er hatte sich zurückgemeldet, bevor Bollard wieder in Ischgl anrufen musste. »Was soll ich tun? Und wo?«

»Hier in Den Haag«, antwortete Bollard und überlegte, was den Sinneswandel des Mannes ausgelöst haben mochte. »Bei uns laufen eine Menge Informationen zusammen. Sie können uns bei der Analyse helfen.«

»Ich habe Kleidung für drei Tage mit. Die Hälfte davon ist bereits getragen. Waschmaschinen gehen zurzeit nicht. Läden haben zu.«

»Dafür finden wir eine Lösung.«

»Wo soll ich wohnen?«

»Im Hotel. Einige haben Notstromversorgung.«

»Sind da noch Zimmer frei? Wer es sich leisten kann, hat sich diesen Luxus wohl schon gesichert.«

Gute Einwände, die Bollard nur zu gern bestätigt hätte, um den Mann zu lassen, wo er war. Doch Direktor Ruiz hatte andere Wünsche.

»Die EU hat genug Kontingente in den Hotels von Den Haag.«

»Den Haag. Wie komme ich da hin?«

»Ich organisiere einen Flug.«

Ich kann nicht glauben, dass ich das tue, dachte Bollard. Das sind die Typen, gegen die ich eigentlich vorgehen muss. Und jetzt muss ich ihm ein Flugzeug schicken.

»Wie? Ich dachte, der Flugverkehr sei eingestellt.«

»Das lassen Sie meine Sorge sein.«

»Eine Mitarbeiterin des EUMIC möchte mitkommen«, erklärte Manzano. »Sie sagt, dass sie in Brüssel gebraucht wird.«

»Dann soll sie das. Im Flieger ist genug Platz.«

Saint-Laurent-Nouan

Marpeaux wusste nicht gleich, was ihn aufgeweckt hatte. Bis seine Frau fluchte. Er blieb liegen und versuchte weiterzuschlafen. Er drehte sich um, da hörte er seine Frau abermals schimpfen, dann trampelten ihre Schritte durch das Haus. Er rieb sich die Augen, stand auf, ging auf die Toilette und spülte – kein Wasser. Er versuchte es noch einmal, ohne Erfolg. Auch der Wasserhahn röchelte – und lieferte nichts. Marpeaux stöhnte auf, betätigte den Lichtschalter. Nicht schon wieder!

»Schon wieder kein Strom«, erklärte seine Frau von der Badezimmertür, die Arme in die Hüften gestemmt.

Marpeaux zuckte mit den Schultern. »Was soll ich machen?«

Sie schüttelte den Kopf. »Ich sag's ja nur ...«

Auf eine warme Dusche durfte er demnach nicht hoffen. Er zog sich an, dann wählte er die Nummer des Kraftwerks. Beim dritten Läuten hob jemand ab.

»Ich bin es, Yves«, erklärte er dem Schichtleiter. »Alles in Ordnung?« Im Hintergrund hörte er Warnsignale.

»Weiß ich noch nicht«, antwortete dieser hektisch. »Wir haben gerade erneut eine Schnellabschaltung hinter uns.«

Weshalb wusste er dann nicht, ob alles in Ordnung war?, fragte sich Marpeaux.

»Was sind das für Signale, die ich da höre.«

»Wieder etwas mit dem Notstrom. Ich kann gerade nicht reden. Bis später.«

Ein paar Sekunden lauschte Marpeaux dem Freizeichen, dann legte er auf. Sein Kollege war seit elf Jahren dabei, seit drei Jahren Schichtleiter. So gestresst hatte Marpeaux ihn noch nie erlebt.

Er eilte in den Flur, warf sich seine Jacke über und sagte zu seiner verwirrt dreinblickenden Frau: »Ich muss ins Kraftwerk.«

Ischgl

Nach dem Frühstück hatten sie sich auf die Bank vor der Hütte gesetzt. Wer keinen Platz fand, stellte sich einen Liegestuhl dazu. Angström empfand ihre Lage als surreal. Aber wie sollten sie anders mit der Situation umgehen? Heulen und Zähneklappern half niemandem. Die Stimmung war überdreht. Sie hatten ihre Schwüre vom Morgen schnell über Bord geworfen und eine

Flasche Prosecco bestellt. Nur sie und Manzano tranken nichts. Für den Nachmittag planten van Kaalden und Terbanten eine Langlaufrunde. Angström bezweifelte, dass sie dazu kommen würden, nachdem sie die dritte Flasche öffneten.

Gegen zwölf kamen zwei Männer in Uniformen zwischen den Hütten auf sie zu: »Piero Manzano und Sonja Angström?«, fragte der kleinere der beiden.

Angström richtete sich auf. Manzano meldete sich.

»Wir sind von der Polizei. Wir kommen, um Sie abzuholen. Im Tal steht ein Hubschrauber bereit.«

Das Geplapper der anderen verstummte. Die beiden holten ihre gepackten Taschen aus der Hütte. Angström verabschiedete sich mit einer Umarmung von ihren Freundinnen.

»Eine schöne Woche noch«, wünschte sie ihnen.

»Komm gut nach Hause.«

In ihren Gesichtern las sie die Besorgnis und Angst, die sie bisher weggetrunken hatten. Der Abschied spülte alles wieder hoch. Sie beobachtete, wie Manzano den alten Bondoni umarmte. Die Geste hätte sie den beiden Männern nicht zugetraut. Aber vielleicht waren sie sich der Bedeutung des Moments bewusst.

»Und ich darf dich wirklich hier allein lassen?«, fragte Manzano Laras Vater.

»Ich bin ja nicht allein, sondern in charmanter Gesellschaft.«

Manzano wandte sich an Lara. »Ist es in Ordnung, dass er hierbleibt? Euren Urlaub habt ihr euch sicher anders vorgestellt.«

Lara Bondoni legte einen Arm um die Schultern ihres Vaters. »Ich sehe ihn ohnehin zu selten. Schade nur, dass ihr fortmüsst.«

Sie löste sich von ihrem Vater und umarmte Manzano.

»Viel Glück!«

Mit einem Geländewagen brachten die Polizisten sie ins Tal. Während der Fahrt sprachen sie nicht viel. Nach zwanzig Minuten hielten sie auf einem schneebedeckten Feld neben einem Hubschrauber. Als sie ausstiegen, begannen seine Rotorblätter sich behäbig zu drehen und immer mehr Tempo aufzunehmen.

»Ich bin noch nie in so einem Ding geflogen«, rief Angström Manzano über den Motorlärm zu, als sie gebückt auf das Fluggerät zuliefen.

»Ich auch nicht! Und ich hasse Fliegen!«

Ratingen

Im Poolraum herrschte trotz des Vormittags Dämmerlicht. Das Wasser im Becken war noch nicht zu kalt. Die dreißig Minuten Schwimmen hatten Wickley gut aufgewärmt. Er stieg in die kühle Luft hinaus. Er fröstelte, rubbelte schnell seine Haare, trocknete sich ab und schlüpfte in seinen Bademantel. Seine Frau betrat den Raum, eine Decke über den Schultern.

»Meinst du wirklich, dass die Einladung unter diesen Umständen stattfindet?«, fragte sie.

»Wir haben keine Absage bekommen«, antwortete Wickley. »Und frisch gemacht habe ich mich eben.«

»Eine heiße Dusche wäre mir lieber«, seufzte sie. »Außerdem, wer sagt dir, dass die Absage uns nicht erreicht hat? Wir sind weder über Festnetz noch mobil erreichbar. Und die Balsdorffs wahrscheinlich ebenso wenig. Wie also sollten sie uns informieren?«

»Siegmund von Balsdorff ist Vorstand eines der größten Energiekonzerne des Landes. Höchstwahrscheinlich hat er erstens eine Notstromanlage im Haus ...«

»Im Gegensatz zu uns ...«

»... denkt deshalb zweitens gar nicht daran, dass es bei seinen Gästen anders sein könnte ...«

»So kann man sich täuschen …«

»… und diese daher davon ausgehen, dass eben auch er eine hat …«

»Warum haben wir eigentlich keine?«

»… und ganz abgesehen davon, sollte er tatsächlich absagen wollen, würde er einen Weg finden, und sei es, einen berittenen Boten zu senden.«

»Die Aussicht auf ein geheiztes Haus hat natürlich durchaus ihren Reiz.«

»Nun hör schon auf«, sagte Wickley und nahm sie in den Arm. »Du hast bis eben gemütlich vor dem Feuer am offenen Kamin gesessen und sicher nicht gefroren.«

»Aber mangels funktionierender Dusche und Badewanne müsste ich auch noch in dieses Eisbecken, um mich frisch zu machen«, klagte sie.

Wickley strich sich die Haare zurück.

»Wenn du keine Lust hast, fiele mir natürlich auch etwas anderes ein, um uns aufzuwärmen.«

Er fuhr mit seiner kalten Hand unter ihre Bluse.

Sie schrie auf und sprang zur Seite.

»Überredet!«, rief sie. »Wir fahren zu den Balsdorffs.«

Saint-Laurent-Nouan

Marpeaux hielt sich im Hintergrund. Bei ihm standen mittlerweile die Pressesprecherin und der Kraftwerksleiter persönlich. Die Leitstelle blinkte wie ein Weihnachtsbaum. Fast alle Kraftwerksfahrer standen mit dicken Büchern vor den Armaturen und suchten nach den Erklärungen für die Meldungen. Der Schichtleiter lief zwischen ihnen hin und her, diskutierte da, gab dort eine Anweisung. Dann telefonierte er. Schließlich kam er zu Marpeaux und dem Direktor.

»Druck im Reaktor und Temperatur im Primärkühlsystem steigen weiter«, berichtete er. Auf seiner Stirn entdeckte Marpeaux einen dünnen Schweißfilm.

Sämtliche in Frankreich aktiven Kernkraftwerke betrieben Druckwasserreaktoren. Im Unterschied zu Siedewasserreaktoren, wie etwa in der Katastrophenanlage Fukushima-Daiichi, besaßen sie zwei gesonderte Kühlkreisläufe, einen primären und einen sekundären. In Druckwasserreaktoren beschränkte sich hohe Radioaktivität auf den Primärkreislauf. Dieser lief durch den Druckbehälter des Reaktors, wo das Wasser bei einem Druck von etwa 150 bar auf 320 Grad Celsius erhitzt wurde. Nach dem Prinzip eines Wärmetauschers lief dieses heiße Wasser nun durch Rohre, die ihrerseits von Wasser des Sekundärkreislaufs umgeben waren, das sie erhitzten. Dank der Rohre blieb die Radioaktivität weitestgehend im Primärkreislauf gefangen. Während das wieder abgekühlte Wasser danach erneut durch den Reaktor geschickt wurde, erzeugte der nun erhitzte Sekundärkreislauf jenen radioaktivitätsarmen Dampf, der die Turbinen antrieb. So gesehen war der Druckwasserreaktor relativ sicher. Nicht jedoch ihrer in diesem Augenblick.

Fieberhaft überflog Marpeaux die zahllosen möglichen Gründe für die Anomalie – von einem Ausfall der Dieselaggregate über fehlerhaft geöffnete oder geschlossene Ventile bis zu elektronischen Pannen bei der Steuerung des Systems oder Defekten, die bis jetzt noch niemand kannte. So viel hatten die weltweiten Zwischenfälle in den vergangenen Jahrzehnten gezeigt: Viele Störfälle hatten die Experten vorher für unmöglich gehalten – bis sie eingetreten waren.

»Die Dieselmotoren?«, fragte Marpeaux.

»Zwei sprangen nicht an und der, der beim letzten Mal defekt war, laut Instrumenten schon. Drei Teams sind vor Ort und untersuchen die Geräte gerade.«

Sie mussten dringend die Temperatur im Primärkreislauf unter Kontrolle bekommen, ebenso wie den Druck im Reaktorgefäß. Noch hatten sie dazu ausreichend Möglichkeiten, bevor sie drastischere Maßnahmen ergreifen mussten, etwa hoch radioaktiven Dampf aus dem Primärkreislauf abzulassen, um den Druck im Reaktorbehälter zu verringern.

Unweigerlich schossen Marpeaux die zwei partiellen Kernschmelzen durch den Kopf, die Saint Laurent bereits erlebt hatte. Sowohl jene 1969 als auch die von 1980 hatten in den längst stillgelegten Magnoxreaktoren einer veralteten Bauart der Blöcke A1 und A2 stattgefunden. Mit Stufe 4 auf der siebenstelligen Skala für die Internationale Bewertung Nuklearer Ereignisse INES hatte sie die französische Atomaufsichtsbehörde als die schwersten Unfälle kategorisiert, die sich jemals in Frankreich ereignet hatten. Danach waren die Blöcke für Jahre unbrauchbar gewesen, Dekontaminierung und Wiederinbetriebnahme hatten Vermögen verschlungen. Ein paar Jahre später waren sie stillgelegt worden.

»Paris wird sich nicht freuen«, bemerkte der Direktor.

Marpeaux fragte sich, ob er damit die Électricité de France oder die Behörden oder beide meinte. Ein Störfall käme zur Unzeit. Per Fernsehen oder Rundfunk würden Informationen und Warnungen in der momentanen Situation die Bevölkerung kaum erreichen. Was vielleicht sogar besser war, solange die Notwendigkeit nicht bestand. Wesentlich mehr beunruhigte Marpeaux die Tatsache, dass sie in Wahrheit keine Ahnung hatten, was im Reaktor vor sich ging. Seit einer Stunde waren sie praktisch im Blindflug unterwegs.

Den Haag

Der Hubschrauber hatte sie zu einem Militärflughafen bei Innsbruck gebracht. Von dort flog sie ein kleiner Düsenjet nach Den Haag. Mit an Bord war ein österreichischer Kontaktoffizier der Europol. Er berichtete seinen Kenntnisstand, oder das, was er dafür ausgab, und das war nicht viel. Weiterhin waren mehr als drei Viertel Europas ohne Strom. Kleinere Regionen und einige Städte hatten eine Grundversorgung hergestellt. Manzano versuchte vorsichtig herauszufinden, ob er überhaupt schon von den Codes in den italienischen und schwedischen Zählern wusste. Falls ja, ließ er es nicht durchblicken.

Als sie den Flieger in den Niederlanden verließen, empfingen sie kalter Wind und einzelne Regentropfen. Am Fuß der Flugzeugtreppe erwartete sie ein Mann in einem dunklen Wintermantel. Er hatte kurze, braunrote Haare, die sich zu lichten begannen. Manzano fiel sein aufmerksamer Blick auf. Er stellte sich als François Bollard vor.

»Was ist mit Ihrem Kopf passiert?«

Manzano musste wohl damit rechnen, noch öfter danach gefragt zu werden. Vielleicht sollte er sich eine witzige Antwort zurechtlegen, aber zu Scherzen war er nicht aufgelegt.

»Eine Ampel ist ausgefallen«, erwiderte er.

»Nicht nur eine. Jetzt bringen wir Sie erst einmal in Ihr Hotel, Herr Manzano. Es liegt in Gehweite zu meinem Büro. In zwei Stunden gibt es eine erste Besprechung, an der Sie teilnehmen sollen. Für die Weiterreise von Frau Angström nach Brüssel haben wir einen Wagen organisiert. Er steht bereits vor dem Hotel.«

»Danke. Hoffentlich hat er genug Benzin«, sagte Angström.

»Die Behörden haben ausreichend Treibstoffreserven, um ihren Betrieb aufrechtzuerhalten«, erklärte Bollard.

Manzano spürte leises Bedauern, dass er Angströms Gesellschaft verlieren sollte. Er hatte ihre zupackende und direkte Art schätzen gelernt. Außerdem war sie eine gute Zuhörerin und besaß Humor.

»Wenn Sie mit uns zusammenarbeiten, wollen Sie vermutlich Ihren Computer benutzen«, sagte Bollard. »Außerdem brauchen wir unsere eigenen selbst. Natürlich müssen wir Ihren kurz auf Malware überprüfen. Wäre das in Ordnung?«

Manzano zögerte.

»Wenn ich dabei bin«, stimmte er schließlich zu.

Sie fuhren durch Straßen mit schönen alten Häusern, die einen Eindruck vom einstigen Reichtum der Händlerstadt vermittelten. Manzano war zum ersten Mal in den Niederlanden. Ausgerechnet vor einem gesichtslosen Neubau hielten sie. Über dem Eingang stand »Hotel Gloria«.

»Ich habe eine etwas unverschämte Frage«, begann Angström. »Darf ich noch in dein Zimmer mitkommen, um mich zu duschen? In meiner Wohnung in Brüssel kann ich das ja vermutlich bis auf Weiteres nicht.«

»Selbstverständlich«, antwortete Manzano und freute sich über den hinausgezögerten Abschied.

Bollard drückte Manzano einen kleinen Stadtplan in die Hand und zeigte ihm darauf den Weg zur Europol-Zentrale.

»Melden Sie sich beim Empfang an. Sie werden dann abgeholt.«

Das Hotel Gloria war ein schmuckloser Zweckbau. Die Empfangshalle zierten Kopien moderner Designmöbel. Wie Manzano erfuhr, bot das Hotel keine gewöhnlichen Zimmer, sondern Appartements mit Service. Seines bestand aus einem kleinen Flur mit Kochnische, Toilette, Bad und einem großen Schlafraum mit Sitzecke und Schreibtisch. Praktisch und modern eingerichtet. Manzano fragte sich, was er in der kleinen Küche kochen sollte.

Im Moment würde er keine offenen Läden finden, die ihm Lebensmittel verkauften.

»Mahlzeiten bekommen Sie im Hotelrestaurant«, erklärte der Hotelangestellte. »Das Menü ist allerdings reduziert.«

Während Manzano sein spärliches Gepäck verstaute, verschwand Angström im Bad. Er studierte die Hotelunterlagen und hörte das Rauschen der Dusche. Er ließ kurz seine Fantasie spielen, dann probierte er das Telefon aus. Er wählte die Nummer des Feriendorfs in Ischgl. Bei der freundlichen Dame am Empfang hinterließ er die Nachricht für Bondoni und Angströms Freundinnen, dass sie wohlbehalten in Den Haag angekommen waren. Er legte auf, warf sich auf das Sofa und schaltete den Fernseher ein. Auf einigen Kanälen blieb der Bildschirm schwarz oder verschneit. Er fand eine Nachrichtensendung auf Englisch.

Eine Reporterin in flauschigem Mantel stand vor einer großen Halle. Hinter ihr arbeiteten Männer in weißen Overalls.

»… beginnen zu verderben. Mir ist hier draußen kalt, schließlich sind es nur neun Grad. Aber nach über vierundzwanzig Stunden ohne Strom ist es auch in dieser Kühlhalle hinter mir nicht viel kälter.«

Die Kamera schwenkte an ihr vorbei auf ein großes, offenes Schiebetor, durch das man in die Halle sehen konnte. Auf hohen Regalen stapelten sich palettenweise Verpackungskartons.

»Diese Halle gehört einem der größten Lebensmittelkonzerne der Welt. Hier lagern etwa zweitausend Tonnen Lebensmittel im Wert von vielen Millionen Euro. Eine ganze Großstadt könnte davon einen Tag ernährt werden.«

Die Kamera fing eine Szene ein, wie einer der Arbeiter einen Karton aufschnitt und eine kleinere Verpackung herauszog. Manzano konnte nicht genau erkennen, was es war. Der Mann schnitt sie auf, steckte seine Hand hinein und hielt ein Stück Fleisch in die Kamera. Es schillerte grünlich.

»Die Waren in diesem Lager sind nicht mehr zu gebrauchen. Und das ist nur eines von vielen überall in Europa. Vielleicht beklagen sich in den Ländern weiter im Norden und in Mitteleuropa die Menschen jetzt darüber, dass es bei ihnen noch viel kälter ist als hier in Großbritannien. Das Positive daran ist, dass ihre Lebensmittel auch ohne Strom noch gut gekühlt und genießbar bleiben. Mary Jameson, Dover.«

Leider können viele dieser Menschen in den kalten Ländern ihre gut gekühlten, vielleicht sogar tiefgefrorenen und genießbaren Lebensmittel ohne Strom aber nicht auftauen und zubereiten, dachte Manzano.

Angström kam aus dem Bad, in ihren Jeans und einem Wollpullover, rubbelte ihre Haare trocken.

»Ah, war das herrlich! Was gibt es Neues?«

»Nichts, was wir nicht schon wüssten.«

»Ich trockne noch meine Haare, dann bin ich weg.«

Sie verschwand erneut ins Bad. Manzano hörte den Fön und verfolgte abermals die Berichterstattung im Fernsehen. Der Moderator im Studio kündigte einen weiteren Bericht an.

»Nun, ein Beispiel aus Dänemark zeigt, dass die Menschen über die Kälte nicht überall so froh sind, wie Mary das empfiehlt.«

Auf dem Bildschirm erschien eine Straßenszene. Menschen liefen dick vermummt über den Bürgersteig, ihr Atem dampfte in der Kälte.

»Die Temperatur beträgt hier im dänischen Aarhus null Grad. Seit der Strom ausfiel, können die meisten Menschen ihre Wohnung nicht mehr heizen«, erklärte die Stimme eines Sprechers. »In den ersten Stunden behalfen sie sich noch mit warmer Kleidung. Doch letzte Nacht versuchte es ein Mann in diesem Haus« – Foto eines mehrstöckigen Fachwerkhauses – »mit einem anderen Mittel.«

Zwei Hände zündeten ein Streichholz an.

»Er wollte in seiner Wohnung ein Feuer entfachen, um sich zu wärmen.«

Der Fernseher wurde kurz schwarz. Manzano dachte schon, er wäre ausgefallen. Dann blendete ein grelles Licht auf, wechselte in orangefarbenes Flackern. Verwackelte Bilder fingen Flammen ein, die aus zwei Fenstern schlugen. Zoomten zurück, nun erkannte Manzano, dass ein ganzes Haus brannte. Davor blinkten die Blaulichter von Feuerwehrwagen. Feuerwehrmänner mit Löschschläuchen auf Leitern.

»Die Folgen waren verheerend. Das Feuer geriet außer Kontrolle, das dreihundert Jahre alte Haus brannte völlig ab. Nachbarhäuser wurden schwer beschädigt.«

Männer mit einer Trage, auf der etwas Zugedecktes lag. Manzano ahnte, dass es ein menschlicher Körper sein musste.

»Der Mann starb ebenso wie eine Achtzigjährige aus der Wohnung darüber.«

Menschen in Nachthemden, verrußt, hustend, mit tränenverschmierten Gesichtern.

»Zwölf weitere erlitten schwere Verletzungen. Über achtzig Leute mussten evakuiert und in provisorischen Quartieren untergebracht werden.«

Dann kehrte der Moderator im Studio zurück. Manzano bewunderte seine professionell erschütterte Miene.

»Das waren zwei Beispiele, welche Folgen ...«

Angström stand mit ihrer Reisetasche in der Tür.

»Ich bin so weit.«

Manzano drehte den Fernseher ab. Er begleitete sie in die Lobby.

Sie sah ihn ernst an. »Viel Glück«, sagte sie, dann umarmte sie ihn.

»Dir auch«, gab er zurück und drückte sie ebenfalls. Vielleicht ein bisschen länger als bei einer Verabschiedung unter Kurzzeit-bekannten üblich.

»Wenn das alles vorbei ist, trinken wir ein Gläschen zusammen, ja?«, schlug sie vor, als sie sich schließlich voneinander lösten. Er bemerkte, dass sie sich zu ihrem Lächeln zwingen musste.

Sie reichte ihm eine Visitenkarte. Auf der Rückseite hatte sie ihre Privatadresse und Telefonnummer aufgeschrieben.

»Ruf an, wenn du gut angekommen bist«, bat er.

»Wenn die Telefone noch funktionieren ...«

Sie stieg in den Wagen und winkte ihm zum Abschied. Manzano sah dem blonden Schopf hinter der Heckscheibe nach. Bevor das Auto um die Ecke bog, drehte sie sich noch einmal kurz um. Manzano fühlte einen Kloß im Hals. Dann war die Straße leer.

Der Regen wurde stärker.

Paris

»Gut, was haben wir?«

Blanchard wischte sich den Schweiß von der Stirn. In der Rechnerzentrale des CNES hatte er die Softwarespezialisten versammelt. Rund ein Dutzend Männer scharten sich um ihre Laptops, die an einem Schlangennest von Kabeln hingen.

»Wir haben eine dicke Infektion im System«, erklärte Albert Proctet.

»Eine Infektion?«, brüllte Blanchard. »Was heißt: eine Infektion?« Er bemerkte seine Lautstärke und drosselte seine Stimme. »Wir haben eines der besten Sicherheitssysteme in Frankreich. Müssen es haben. Und Sie erklären mir, jemand hat es infiziert?«

Proctet zuckte mit den Schultern. »Anders lassen sich die

Abstürze nicht erklären. Wir scannen die Systeme bereits mit Antivirensoftware. Bislang ohne Erfolg. Das wird auch noch eine ganze Weile dauern.«

»Wird es nicht!«, Blanchard wurde wieder laut. »Vor wenigen Stunden habe ich da draußen gestanden und die Zuverlässigkeit der französischen Netze gepriesen! Wir blamieren uns vor der ganzen Welt! Wozu geben wir Abermillionen für diese Systeme aus, wenn dann jeder hereinspazieren und sie abstellen kann? Was ist mit den Back-ups?«

Wie die meisten großen Netzbetreiber hatte auch CNES eine Kopie seiner Zentrale inklusive aller Systeme, die im Notfall einfach die Steuerung übernahm.

»Dasselbe«, erklärte Proctet. »Hier hat jemand ordentlich gearbeitet.«

»Hier hat jemand verdammten Mist gebaut!«, explodierte Blanchard. »Das wird Köpfe kosten, darauf können Sie Gift nehmen.«

»Momentan brauchen wir alle Köpfe«, erinnerte Proctet ihn ungerührt.

Blanchard kochte innerlich über die Frechheit des jungen Mannes. Leider hatte er nur allzu recht.

»Wie sieht der Fahrplan aus?«, fragte Blanchard, jetzt deutlich beherrschter.

»Wir setzen gerade einen Rechner auf Basis der Standard-Installationsroutinen auf«, erklärte Proctet. »Den lassen wir dann erst einmal laufen und testen. Das wird ein paar Stunden dauern. Das Problem ist, dass heutzutage viele Softwarepakete, die wir für unsere Recherchen brauchen werden, nur über das Internet verfügbar sind. Mit dem gibt es auch Schwierigkeiten, er ist völlig überlastet und durch den Stromausfall teilweise außer Gefecht gesetzt.«

Blanchard stöhnte. »Das darf alles nicht wahr sein! Wieso haben wir diese Dinge nicht hier auf DVDs oder Servern?«

Proctet grinste ihn an.

»DVDs haben wir leider nicht, und die Server sind infiziert.«

»Was ist denn das für eine Sicherheitsarchitektur?«, brauste Blanchard erneut auf, riss sich aber sofort wieder zusammen. »Okay. Und dann?«

»Wenn wir so weit sind, überprüfen wir die Systeme. Ein paar Spezialisten haben wir außerdem angefordert. Sie sind unterwegs.«

Düsseldorf

»Eine Zumutung«, schimpfte Siegmund von Balsdorff. »Setzt uns in ein eiskaltes Besprechungszimmer und kanzelt uns ab wie Schuljungen.«

In Wickleys Runde standen neben dem Vorstandsvorsitzenden des größten deutschen Energiekonzerns Führungskräfte aus verschiedenen Branchen und ein bekannter TV-Schauspieler. Die meisten kannte Wickley flüchtig von anderen Gelegenheiten, manche beruflich etwas besser.

»Wirkungsvolle Inszenierung«, bemerkte Medienmanager Kostein und erntete dafür einen befremdeten Blick von Balsdorff. Der Konzern, in dem Kostein tätig war, gehörte zu den bevorzugten Ansprechpartnern Balsdorffs, wenn es um Öffentlichkeitsarbeit ging.

»Aus kommunikationstechnischer Sicht«, fügte Kostein eilig hinzu. »Wenn auch vielleicht etwas überdramatisiert. Zwei Tage lang nur mit Kamin und Waschwasser aus dem Pool ist ja ganz witzig, man fühlt sich ein wenig wie zu Pfadfinderzeiten. Wir haben über dem Feuer sogar schon Würstchen gegrillt«, lachte er. Die anderen fielen ein.

»Das kommt davon, wenn man die Atomkraftwerke abdreht«, erklärte Unternehmensberaterin van Kolck, »ohne sich ausreichend Gedanken über den Umbau der Energiesysteme gemacht zu haben.«

Wie alle anderen namhaften Unternehmensberatungsfirmen hatte auch jene, der van Kolck vorstand, in den vergangenen Jahren eigene Teams auf das Thema Energie angesetzt, Studien erstellt und veröffentlicht, Symposien abgehalten, Unternehmensleiter, Politiker und führende Beamte zu luxuriösen Studienreisen eingeladen, was so dazu gehörte, um Kompetenz in einem Gebiet aufzubauen oder zumindest welche vorzugeben und die notwendigen Kontakte zu vertiefen. Den Beratungsbedarf von Industrie und Behörden bezifferten die Berater mit Milliarden. Und sie setzten alles daran, diese zu verdienen. Längst war es üblich geworden, dass Gesetze zwar von den Abgeordneten des Bundestags beschlossen, zuvor aber von den Industrievertretern mit den besten Kontakten und bestechendsten Argumenten jeder Art geschrieben wurden, ob es sich um den Finanz-, Medizin- oder eben den Energiebereich handelte.

»Da machen sich die Leute sehr unterschiedliche Gedanken«, sagte Uwe-Hans Debberlein, Gründer von einem der größten deutschen Windkraftwerksproduzenten und -betreiber.

»Selbstverständlich«, erwiderte van Kolck. »Sie sind natürlich für den Ausbau der Windenergie. Macht Sie zu einem reichen Mann.«

»Auch Solarenergie kann man für Deutschland ausgezeichnet nutzen«, wandte Achim Breden, Technikvorstand eines großen Anlagenbauers, ein.

Debberlein lachte.

»Das würde ich auch behaupten, wenn mein Unternehmen Milliarden in Desertec investiert hätte.«

»Großartiges Projekt!«, polterte Noot. Der Schauspieler hatte, obwohl es kaum zwei Uhr war, schon ordentlich dem Glühwein zugesprochen, den ein frierender Kellner auf der Terrasse aus großen Töpfen schöpfte. »Wir machen uns zwar vom Öl unabhängig, aber nicht von den Launen arabischer Diktatoren. Statt mit Öl erpressen sie uns dann mit Sonne. Wirklich, eine fabelhafte Alternative!«

»Die Verhältnisse in diesen Ländern ändern sich«, erinnerte Breden. »Die Demokratiebewegungen ...«

Noot schlug sich an die Stirn. »Ah, jetzt verstehe ich, woher diese sogenannten Demokratiebewegungen kommen! Zugegeben, das ist subtiler, als es Bush im Irak gemacht hat.«

»Ich muss das fragen«, mischte sich Jutta Dorein, Direktorin einer Privatklinik, ein. »Herr von Balsdorff, wie kommt es, dass bei Ihnen Licht und Strom funktionieren?«

Von Balsdorff lächelte sie verschwörerisch an, nickte mit dem Kopf. »Kommen Sie mit, dann zeige ich es Ihnen.«

Die Gruppe folgte ihm durch die Eingangshalle, unterwegs schlossen sich noch einige an, die im Vorbeigehen über die Tour informiert worden waren. Schließlich stieg eine Gesellschaft von rund zwanzig Personen in den Keller hinab.

Wickley kannte die Geräte, wenn auch nicht die aus von Balsdorffs Keller.

Der Hausbesitzer erklärte zuerst in kurzen Worten das Brennstoffzellengerät. Lange Jahre war die Technik als zu teuer vernachlässigt worden. Neue Werkstoffe und Techniken hatten sie zunehmend interessant gemacht. Im Unterschied zu Motoren, die Energieträger wie Öl verbrannten, verwandelten Brennstoffzellen die Energie etwa aus Gas oder Wasserstoff auf chemischem Weg zu Strom.

»Hier haben wir schon einen modernen intelligenten Stromzähler«, erläuterte von Balsdorff. »Eigentlich ist er viel mehr als ein Stromzähler, er ist das Energiemanagementsystem des Hauses, macht das Heim zum Smart House.« Er zog sein Mobiltelefon hervor. »Den kann ich sogar mit dem hier steuern.«

»Oh, Sie haben hier Netz?«, fragte eine Frau erfreut.

»Nein. Aber auf kurze Distanz funktioniert das auch über Bluetooth.«

»Worüber?«, hörte Wickley die Dame ihren Nachbarn leise fragen.

Im nächsten Raum präsentierte von Balsdorff eine Mikro-Kraft-Wärme-Kopplungsanlage. »Auch sie produziert zeitweise mehr Strom, als ein Durchschnittshaushalt benötigt, und kann diesen ins Stromnetz einspeisen. Diese Modelle bieten unsere Partner bereits am Markt an.«

Schließlich klatschte von Balsdorff in die Hände, als wollte er eine Schar Gänse durch den Hof treiben. »So, Kinders, jetzt ist aber genug! Wir sind doch nicht zum Arbeiten hier!«

Die Gäste zogen wieder nach oben ab. Aus dem Augenwinkel entdeckte Wickley, wie in der Halle neue Gäste eintrafen. Ein Mann des Personals, der sie empfing, nickte kurz, nachdem sie mit ihm gesprochen hatten, ging zu von Balsdorff, der als Letzter aus dem Keller gekommen war. Er flüsterte dem Hausherrn etwas vertraulich zu, dieser folgte ihm zu den Neuankömmlingen. Dann schickte er den Bediensteten mit einer Handbewegung fort, die besagen sollte, dass er auch die übrigen Gäste wieder ins Wohnzimmer führen sollte. Irgendetwas an den Männern wirkte auf Wickley seltsam. Sie sahen nicht wie Gäste aus. Er hielt sich abseits und beobachtete die Szene von der anderen Seite der Eingangshalle. Die zwei Männer hatten ihre Mäntel nicht ausgezogen. Eindringlich redeten sie auf von Balsdorff ein. Dieser hörte zu, nickte mehrmals. Sie verließen das Haus, um gleich darauf mit zwei schweren Koffern zurückzukehren. Von Balsdorff führte sie zu einer Tür neben der Treppe. Zum ersten Mal seit Beginn des Gesprächs konnte Wickley sein Gesicht sehen. Dessen Farbe unterschied sich nicht von den weißen Wänden der Villa. Der vor wenigen Minuten noch gesund gebräunte Vorstand wirkte um zehn Jahre gealtert.

Ein paar Minuten blieb er hinter der Tür, dann trat er allein wieder heraus und kehrte zu seinen Gästen ins Wohnzimmer zurück. Wickley folgte ihm.

»Arbeit auch am Wochenende?«, fragte er scherzhaft.

»Wie? Ach ...« Von Balsdorff winkte ab. »Sie wissen ja, wie das ist.«

Von Balsdorff mischte sich unter die Gesellschaft, Wickley sah ihn wieder verbindlich lächeln, interessiert zuhören, scherzen. Nur seine Gesichtsfarbe blieb, als hätte er gerade vom Tod seiner Kinder erfahren.

Den Haag

Mithilfe von Bollards Stadtplan brauchte Manzano tatsächlich nur zehn Minuten zur Europol-Zentrale. Im Hotel hatte man ihm einen Regenschirm geliehen. Auf dem Weg dachte er noch einmal über die seltsame Entwicklung der Dinge nach. Am meisten beschäftigte ihn die Frage, warum Europol ihn geholt hatte. Sein alter Ruf als Hacker schien ihm dafür zu wenig. Von seinen Aktivitäten seit der Verurteilung sollten sie wenig bis nichts wissen. Natürlich mutmaßte Bollard richtig, wenn er annahm, dass Manzano seither nicht untätig gewesen war. Ziemlich erfolgreich sogar. Nur hatte er sich eben vorsichtiger verhalten. Auch die Entdeckung des Codes hielt er für kein ausreichendes Motiv. Seine Überlegungen führten zu keinem Ziel, und seine Gedanken schweiften ab. Er dachte an Sonja Angström. Ob sie gut nach Brüssel gelangen würde?

In dem Gebäudekomplex bemerkte er nichts vom Stromausfall. Aus einigen Fenstern strahlte Licht in den grauen Tag. Geschäftige Menschen liefen über Höfe und durch die Hallen. Manzano meldete sich am Empfang. Bollard holte ihn persönlich ab.

Während sie mit dem Fahrstuhl in den vierten Stock fuhren, fragte Bollard ihn – wie immer auf Englisch: »Haben Sie etwas gegessen?«

»Ja, im Hotel gab es Fisch mit Kartoffeln.«

»Und wie ist das Quartier?«

»Fließend Warmwasser, Heizung, sogar Fernsehen. Ich kann mich nicht beklagen. Nur die Kleiderfrage muss ich noch lösen.«

»Sagen Sie mir Ihre Konfektionsgröße und was Sie ungefähr wollen. Ich kümmere mich darum.«

Manzano war kein Fashion-Addict, doch der Gedanke, dass ein Fremder Kleidung für ihn aussuchte, gefiel ihm nur bedingt. Vielleicht aber nur, weil es ihn an Kindheitstage erinnerte, als seine Mutter das für ihn getan hatte.

Bollard führte ihn in ein nagelneues Büro. Manzano roch noch die Ausdünstung der Kunststoffmöbel. An einem kleinen Besprechungstisch wartete ein weiterer Mann, klein, dick, vor sich einen Laptop. Bollard nannte einen französisch klingenden Namen und erklärte: »Er wird Ihren Rechner scannen.«

Zögerlich übergab ihm Manzano seinen Computer. Während der Mann ihn startete, reichte Bollard Manzano ein Papier.

»Eine Geheimhaltungsverpflichtung.«

Manzano überflog den Text, behielt dabei jedoch ebenfalls den Bildschirm seines Laptops im Auge.

Standardformulierungen, wie er sie auch von vielen seiner privaten Auftraggeber kannte. Er rechnete nicht damit, großartige Geheimnisse zu erfahren oder bewahren zu müssen. Die ganze Sache betraf viel zu viele Organisationen und Menschen, als dass man Wichtiges auf Dauer würde geheim halten können. Irgendwer würde früher oder später etwas an die Öffentlichkeit durchsickern lassen, sei es aus Eitelkeit, politischem Taktieren, Neid oder anderen Gründen. Er kritzelte seinen Namen auf das Formular und gab es Bollard zurück. Dann wandte er sich wieder dem IT-Techniker zu, der aber weder versuchte, seine Daten abzugreifen, noch etwas zu installieren.

»Wollen Sie einen Tee?«, fragte Bollard. »Oder Kaffee?«

»Kaffee, bitte.«

Bollard bestellte über das Telefon zwei Tassen Kaffee. Dann trat er erneut zu Manzano.

»Wir werden gleich unsere erste Lagebesprechung halten. Die anderen Anwesenden sind alle Mitarbeiter von Europol oder Experten, mit denen wir schon lange zusammenarbeiten. Sie werden die Leute mit der Zeit kennenlernen. Nicht alle sind ganz einfach, aber immer ausgezeichnet auf ihrem Gebiet.«

Es klopfte. Eine junge Frau brachte den Kaffee.

»Womit, glauben Sie, haben wir es zu tun?«, fragte Manzano.

»Das werden wir in der Lagebesprechung analysieren.«

Sie tranken ihren Kaffee.

»Sie kommen aus Frankreich, nicht wahr?«, fragte Manzano. »Wie lange sind Sie schon in Den Haag?«

»Seit einem Jahr.«

»Auf dem Weg hierher habe ich gesehen, dass in normalen Haushalten kein Strom fließt. Darf ich fragen, wie das bei Ihnen ist?«

Bollard antwortete offen: »In unserem Haus geht nichts. Ich habe meine Familie vorübergehend in einem Quartier untergebracht, das unabhängig versorgt wird.«

Das Telefon klingelte. Bollard meldete sich. Manzano konnte die Stimme des anderen durch die Leitung hören, verstand aber nicht, was er sagte.

»Aha«, sagte Bollard. Und: »Okay. Verstehe. Nicht gut.«

Er legte auf, ging zu seinem Schreibtisch und sah etwas im Computer nach.

»Nicht gut«, wiederholte er. Mit Schwung hieb er auf eine Taste. Der Drucker neben dem Schreibtisch ratterte los. Bollard zog die Papiere heraus und schwenkte sie durch die Luft.

»Interessante Neuigkeiten.«

Er sah auf die Uhr.

»Mist! Entschuldigen Sie. Eigentlich beginnt unser Termin gleich. Ich muss noch zwei Telefonate führen.«

»Telefonieren können Sie noch?«

»Wir haben hier Notstromanlagen, die auch die Telefonanlagen speisen. Bei Fernverbindungen kommt man gelegentlich noch durch. Lokal so gut wie nicht mehr.«

Bollard wählte, wartete, dann sprach er auf Französisch.

»Hallo, *Maman.*« Seine Mutter. Manzano hatte in der Schule vier Jahre lang Französisch gelernt und war ganz gut darin gewesen. Die Erinnerung daran und die Verwandtschaft mit seiner Muttersprache ließen ihn Bollards Gespräch im Wesentlichen mitverfolgen.

Bollard warnte seine Mutter.

»Nein, ich kann jetzt nicht mehr sagen. Spätestens morgen oder übermorgen erfahrt ihr sicher mehr. Hör mir jetzt genau zu: Nehmt das alte Radio aus der Garage wieder in Betrieb. Seht zu, dass ihr noch Batterien dafür bekommt, falls ihr keine habt. Schaltet es auf einen Nachrichtenkanal. Geht sorgfältig mit euren Lebensmittelvorräten um. Seht zu, dass der Brunnen intakt bleibt. Ich werde außerdem versuchen, die Doreuils aus Paris zu euch zu schicken. Bitte seid nett zu ihnen. Gib mir Papa.«

Er schwieg, behielt den Hörer am Ohr.

Vor Manzano klappte der kleine Dicke seinen Laptop zu und sagte: »Alles in Ordnung. Danke.«

»Internet funktioniert noch?«, fragte Manzano ihn.

»Für die breite Bevölkerung kaum mehr. Hier haben wir eine direkte Verbindung zum Backbone.« Also zu den richtig dicken Leitungen, deren Schaltstationen mit ausreichend Notstrom versorgt werden konnten. »Das bleibt bislang stabil.«

Er gab dem telefonierenden Bollard ein Daumen-hoch-Zeichen und verließ das Zimmer.

Manzano packte seinen Computer ein, während Bollard sein Gespräch fortsetzte.

»Hallo, Papa. Ich habe *Maman* schon einiges erklärt. Wahrscheinlich kommen euch die Doreuils besuchen. Was ich dir jetzt sage, behandle bitte sehr vertraulich. Geht morgen früh so bald wie möglich zur Bank und hebt so viel Bargeld ab, wie ihr bekommen könnt. Ich möchte den Teufel nicht an die Wand malen, aber sieh zu, dass du deine Flinten feuerbereit und ausreichend Munition hast.«

Manzano traute seinen Ohren nicht. Bollards Gesprächspartner offensichtlich auch nicht. Der Franzose hielt inne, als sein Vater am anderen Ende der Leitung etwas sagte.

»Ich sage nur, dass du vorbereitet sein sollst. Aber erzähl *Maman* und den Doreuils nichts davon. Hoffen wir, dass meine Sorgen unberechtigt sind. Ich liebe euch, salut.«

Manzano betrachtete Bollard voller Sorge. Für ihn sah der Mann nicht wie jemand aus, der zu seinen Eltern ohne Weiteres »Ich liebe euch« sagte. Er fragte sich, was für Nachrichten Bollard erhalten haben mochte. Dieser wählte inzwischen eine neue Nummer. Wieder redete er auf Französisch. Nach ein paar Sätzen begriff Manzano, dass er mit seinem Schwiegervater sprach. Die Unterhaltung verlief nicht ganz so flüssig. Manzano reimte sich aus Bollards Bemerkungen seinen Teil zusammen.

»Fahrt zu meinen Eltern nach Nanteuil. Sie erwarten euch.«

»Stellt jetzt keine Fragen, bitte. Tut es einfach. Sobald wie möglich.«

»Diesmal kommt auch bei euch der Strom nicht so schnell wieder.«

»Packt genug warme Kleidung ein. Es könnte ein paar Tage dauern. Vielleicht länger.«

Ungeduldig: »Ja! Vielleicht sogar eine Woche oder mehr.«

»Meine Eltern können mit Holz heizen, haben einen eigenen Brunnen und ein paar Hühner.«

»Seht zu, dass ihr bei einem Bankautomaten noch möglichst viel Bargeld bekommt, falls ihr einen findet, der funktioniert.«

»Ja! Und wenn ihr keinen findet, geht sofort morgen früh zur nächsten Bank bei meinen Eltern und hebt dort ab, was ihr kriegt.«

»Das kann ich dir jetzt nicht sagen. Vertrau mir. Aber sag es nicht weiter. Und seht zu, dass ihr aus Paris wegkommt, bevor andere das auch wollen.«

»Ihr und den Kindern geht es gut, keine Sorge. Ich umarme euch.«

Er legte auf. Sein Gesicht wirkte bleicher und zerfurchter als zuvor. Mit verlegener Miene sah er Manzano an.

»Zeit für unseren Termin. Gehen wir.«

Den Besprechungsraum beherrschte ein langer ovaler Tisch. An einer Wand hingen sechs Großbildschirme. Die meisten Anwesenden waren Männer, Manzano entdeckte nur drei Frauen. Bollard zeigte ihm seinen Platz und ging weiter an einen anderen, direkt unter den Monitoren.

Manzanos linker Nachbar war ein untersetzter Mann Anfang fünfzig. Auf seiner runden Nase trug er eine große Brille mit Goldrand, darunter einen buschigen Schnurrbart. Auf Englisch stellte er sich als Jan Lenneding vor, tätig bei Europol.

Zu seiner Rechten saß ein etwas Jüngerer mit scharfen Gesichtszügen. Triathlon, dachte Manzano, oder Ironman. Er arbeitete ebenfalls für die Behörde.

Manzano erklärte, er sei als Berater engagiert, wofür er überraschte Blicke erntete.

»Guten Tag, meine Damen und Herren.«

Bollard war aufgestanden, sprach Englisch.

»Wenn man einen solchen Tag gut nennen kann.«

Er hielt eine kleine Fernsteuerung in der Hand. Auf dem Großbildschirm über ihm erschien eine Europakarte. Der Großteil des Kontinents war rot eingefärbt. Norwegen, Frankreich, Italien, Ungarn, Rumänien, Slowenien, Griechenland und zahlreiche kleine Regionen in anderen Ländern trugen eine rot-grüne Schraffur.

»Dieser Raum ist bis auf Weiteres unsere Einsatzzentrale. Wofür, das werde ich Ihnen gleich erklären: Seit bald achtundvierzig Stunden sind weite Teile Europas ohne Strom, wenn auch manche Gebiete eine zeitweise Grundversorgung zurückerlangten. Sie sind auf der Karte schraffiert eingezeichnet. Spätestens seit heute Vormittag wissen wir, dass es sich dabei nicht um einen Zufall handelt. In der Nacht bereits erhärtete sich der Verdacht, dass in Italien und Schweden ein Code in die Smart Meter der Privathaushalte eingeschleust wurde.«

Manzanos schnurrbärtiger Nachbar beugte sich zu ihm und

flüsterte: »Sind wohl doch nicht so intelligent, diese smarten Stromzähler.«

»Nun erklären Manipulationen in den Netzen zweier Länder noch nicht den Zusammenbruch auf weiten Teilen des Kontinents. Bei früheren Krisen wurden instabile Systeme abgetrennt, und der Rest konnte innerhalb weniger Stunden stabilisiert werden. Das ist diesmal nicht gelungen, was Anlass zur Besorgnis gibt.«

Auf der Leinwand hinter ihm erschienen Kreis- und Balkengrafiken in verschiedenen Farben.

»In Übungsszenarien für großflächige Stromausfälle wird angenommen, dass es in einigen Kraftwerken durch die Frequenzschwankungen zu Schäden kommen kann. Die Schätzungen reichen von zehn bis dreißig Prozent.«

In den Grafiken im Hintergrund änderten sich die Größe verschiedener Tortenspalten und Balken.

»In den meisten europäischen Ländern scheint die Rate aktuell deutlich höher zu liegen. Aus manchen heißt es, bis zu achtzig Prozent könnten betroffen sein.«

Ein Raunen ging durch den Raum.

»Deutlich mehr Kraftwerke als vermutet haben Schwierigkeiten, den Betrieb wieder aufzunehmen.«

Eine Männerstimme rief dazwischen: »Schäden durch Frequenzspannungen müssten durch die automatischen Notabschaltungen nahezu ausgeschlossen sein. Sind denn die Generatoren zerstört worden oder Trafos?«

»Das wäre eine Katastrophe«, bemerkte ein anderer.

»Dazu haben wir noch zu wenige verlässliche Daten. Erste Meldungen berichten eher von undefinierten Problemen beim Versuch des Hochfahrens.«

»Stuxnet?«, fragte ein anderer. »Oder was Ähnliches?«

»Wird bereits geprüft. Kann natürlich dauern, bis man etwas findet.«

»Undefinierte Probleme«, meinte einer. »Das klingt nicht unbedingt nach Generatorschäden.«

»Nein«, bestätigte Bollard. »Die Betreiber suchen noch nach Ursachen. Der dritte Puzzlestein«, fuhr er fort, »tauchte heute Morgen auf.«

Wieder erschien hinter ihm die Landkarte des unterschiedlich gefärbten und gestreiften Europas.

»Seit zehn Uhr setzten Computerabstürze die Zentralen zahlreicher Netzbetreiber außer Gefecht. Betroffen waren Norwegen, Deutschland, Großbritannien, Frankreich, Polen, Rumänien, Italien, Spanien, Serbien, Ungarn, Slowenien und Griechenland.«

Noch schraffierte Länder auf der Karte färbten sich rot. Von den Zuhörern kamen Rufe des Erschreckens und Begreifens.

»In der Folge brachen viele der notdürftig wieder errichteten Netze erneut zusammen. Was in jeder der einzelnen Zentralen ursprünglich noch wie ein unglücklicher Zufall aussah, offenbarte sich natürlich bald in diesem Gesamtbild. Meine Damen und Herren, jemand greift Europa an.«

Schweigen breitete sich im Raum aus.

»Wissen wir, wer?«, fragte schließlich ein Mann am anderen Ende des Tisches.

»Nein«, antwortete Bollard. »Die Betreiber konnten die Zähler, über die die Schadcodes eingespeist wurden, ausforschen. Insgesamt waren es in jedem Land drei. Vier der dazugehörigen Häuser und Appartements sind bewohnt.«

Bollard zeigte Bilder, die wahrscheinlich von den Behörden in Italien und Schweden stammten. Manzano erkannte typische Details italienischer Einrichtungen auf einigen Fotos.

»Die Bewohner gaben unisono an, vor dem Ausfall von Servicemitarbeitern der jeweiligen Elektrizitätsgesellschaft besucht worden zu sein. Nach anfänglichen Zweifeln wirkten sie jedoch glaubwürdig. Mit ihrer Hilfe werden zurzeit Phantombilder dieser angeblichen Servicearbeiter angefertigt. Die nationalen Behörden hatten zunächst Schwierigkeiten, die Daten der Mieter aus den leeren Wohnungen zu erheben, weil die Stromversorgung der notwendigen Datenbanken teilweise ausgefallen war und erst Notstromgeneratoren besorgt werden mussten. Die ersten Überprüfungen ergaben keinerlei kriminelle oder sonst wie auffällige Vergangenheit der Betroffenen. Auf jeden Fall werden die Ermittlungen mit jedem Tag, den der Strom ausbleibt, schwieriger.«

»Wird nach diesen Erkenntnissen der Verteidigungsfall ausgerufen werden?«

»Diese Entscheidung obliegt den einzelnen Staaten beziehungsweise der NATO. Das Problem ist, dass wir die Angreifer nicht kennen. Ist es eine außereuropäische Macht? Sind es Terroristen? Oder simple Kriminelle? Im ersten Fall liegt der Verteidigungsfall nahe. Die Bekämpfung von Terroranschlägen und organisierter Kriminalität dagegen ist Polizeiaufgabe. Damit kommt unserer Behörde eine eminent wichtige Aufgabe zu. Vor allem die Verbindungsbeamten in den einzelnen Staaten bitte ich um enge Kooperation. Nationale Alleingänge sind bei dieser gesamteuropäischen Bedrohung sinnlos. Dossiers über die italienischen und schwedischen Erkenntnisse finden Sie bereits in Ihren E-Mails und auf dem Server mit dem Namen ›Blackout‹. Sie sollten schnellstmöglich an alle nationalen Behörden weitergegeben werden. Auf der anderen Seite brauchen wir alle Erkenntnisse über mögliche Manipulationen aus den einzelnen Staaten. Seien es die Probleme mit den Kraftwerken oder der Ausfall der Leitstellen in Frankreich und den anderen Ländern.«

Bollard blickte noch einmal in die Runde: »Sorgen Sie bitte dafür, dass wir alle neuen Informationen zeitnah erhalten. Wir bündeln sie dann in unserem Analyseteam und verteilen sie wieder an die anderen nationalen Behörden.«

»Wenn das die Öffentlichkeit erfährt«, stöhnte ein Mann links von Manzano.

»Das wird sie vorläufig nicht«, sagte Bollard mit Bestimmtheit.

Vor dem Besprechungsraum wartete Manzano auf Bollard.

»Meinen Sie das ernst?«, fragte er ihn.

»Was?«

»Dass die Menschen nicht darüber aufgeklärt werden, worauf sie sich einstellen müssen.«

»Die Bevölkerung wird erfahren, dass der Ausfall noch ein paar Stunden oder in einigen Gebieten wenige Tage anhalten kann. Informationen über einen Angriff könnten eine Panik auslösen.«

»Aber es werden nicht wenige Tage in ein paar Gebieten sein!«

»Die Behörden in ganz Europa sind bereits dabei, Vorkehrungen zu treffen. Solche Situationen wurden trainiert. Denken Sie daran, dass alles, was wir hier besprechen, absoluter Geheimhaltung unterliegt.«

»Natürlich«, antwortete Manzano, ohne seine Missbilligung zu verbergen.

Bollard musterte ihn eindringlich, dann schlug er die Richtung zu seinem Büro ein.

Manzano folgte ihm. Er musste einen Gedanken noch loswerden.

»Die Software für Betrieb und Steuerung von Stromnetzen und Kraftwerken ist erstens sehr komplex und zweitens ausgesprochen spezialisiert. Weltweit gibt es nur wenige Unternehmen, die solche Systeme überhaupt liefern können. Stuxnet wurde bereits angesprochen. Wäre es ein Problem, eine Liste aller Kraftwerke, Netzbetreiber und anderer Energieunternehmen mit Problemen und deren jeweiligen Softwarelieferanten aufzustellen?«

Unaufgefordert folgte er Bollard in dessen Büro.

»Einfach wird es sicher nicht. Und vermutlich auch nicht so übersichtlich, wie Sie sich das erhoffen. Worauf wollen Sie hinaus?«

»Das weiß ich noch nicht.«

Bollard betrachtete ihn mit einem skeptischen Blick.

»Mein Verdacht ist sehr vage«, erklärte Manzano. »Wenn ich wenigstens aus ein paar Ländern einige Daten bekommen könnte, wäre mir schon sehr geholfen.«

Bollard nickte. »Ich werde sehen, was ich tun kann.«

Paris

Natürlich funktionierte der Fahrstuhl in Shannons Haus ebenso wenig wie die öffentlichen Verkehrsmittel. Erschöpft stieg sie die Treppen zu ihrer Wohnung hoch. Wenigstens wurde ihr dabei wieder warm.

Zwei Stunden war sie zu Fuß von der Redaktion bis hierher unterwegs gewesen. Ein paar Aufnahmen mit der kleinen Handycam hatte sie gemacht, bis der Akku fast leer war.

Oben angekommen sah sie Koffer und Taschen vor der Tür ihrer Nachbarn. Bertrand Doreuil stellte gerade noch ein Gepäckstück dazu. Vor seiner Rente war der große, magere Mann mit dem schütteren grauen Haar führender Beamter in einem Ministerium gewesen, das wusste Shannon. Sie kannte ihn als amüsanten Gesprächspartner und hilfsbereiten Nachbarn.

»Guten Abend, Monsieur Doreuil. Flüchten Sie?«, fragte sie lachend. »Kann ich verstehen.«

Doreuil sah sie irritiert an.

»Äh, nein. Wir besuchen für ein paar Tage die Schwiegereltern meiner Tochter.«

»Ihre Frau hat nichts davon erzählt.«

»Äh, sie haben uns spontan eingeladen.«

Shannon beäugte das Gepäck. Für sie sah das nicht nach ein paar Tagen, sondern mindestens nach einer Weltreise aus.

»Da haben Sie aber eine Menge Gastgeschenke mit«, meinte sie. »Hoffentlich gibt es an Ihrem Ziel Strom.«

Hinter ihm erschien seine Frau.

»Hach, die Bollards heizen mit Holz, wenn es sein muss. Und wenn wir was essen wollen, schlachten sie einfach ein Huhn aus dem Stall«, scherzte sie.

Ihr Mann lächelte säuerlich.

»Ich komme gerade von einer Pressekonferenz, in der ein Verantwortlicher erklärte, dass bald alles wieder läuft.«

»Wird es sicher auch«, flötete Madame Doreuil.

»Das behauptete der Mann allerdings vor dem neuerlichen Ausfall. Wollte nicht Ihre Tochter mit ihrer Familie zu Besuch kommen?«

»Ach ja, sie mussten die Reise wegen der Stromausfälle verschieben. Und mein Schwiegersohn kann Den Haag zurzeit nicht verlassen.«

Ihr Mann warf ihr einen strengen Blick zu. Annette Doreuil lächelte ihn unsicher an und wandte sich dann wieder an Shannon: »Ah, könnten Sie so lieb sein und nach unserer Post sehen?«

Langsam waren das zu viele Ähs und Ahs. Das Getue passte nicht zu den sonst so souveränen Doreuils.

»Aber selbstverständlich«, erwiderte Shannon so unbefangen wie möglich, während in ihrem Kopf die Gedanken heißliefen. Sie hatte Doreuils Schwiegersohn einige Male getroffen. Er besetzte eine führende Position bei Europol, wenn sie sich recht erinnerte, war er für Terrorbekämpfung zuständig. Warum konnte dieser Mann wegen eines Stromausfalls seinen Arbeitsplatz nicht verlassen? Und weshalb hatte Doreuil seine Frau so mahnend angesehen, als sie ihr davon erzählte. Shannons Journalisteninstinkt war geweckt.

»Geht es Ihrer Tochter gut?«, fragte sie.

»Bei ihnen gibt es zwar auch keine Elektrizität, aber es geht ihr gut. Wir haben heute erst mit unserem Schwiegersohn telefoniert...«, antwortete Madame Doreuil.

»Schatz«, unterbrach sie ihr Mann, »ich glaube, wir haben dann alles. Wir sollten los, damit wir nicht zu spät ankommen. Du weißt, die Bollards gehen zeitig schlafen.«

»Soll ich Ihnen beim Tragen helfen?«, fragte Shannon. »Sie haben ja jede Menge Zeug, und der Fahrstuhl geht nicht.«

»Das wäre...«, setzte Madame Doreuil an.

»...nicht notwendig«, führte ihr Mann den Satz zu Ende. »Aber danke für das Angebot.«

Shannon schickte ein stilles Dankgebet gen Himmel dafür, dass weder ihre Vermieterin noch ihre Mitbewohner je in ein Luxustelefon investiert hatten. Mit dem altmodischen Festnetzgerät erreichte sie nach ein paar Versuchen die Redaktion. Dort hatten sie nach den Erfahrungen der letzten Tage ein altes Telefon aus einem Archiv ausgegraben und einen Anschluss damit ausgestattet.

»Da steckt was dahinter«, versicherte sie Laplante eindringlich. Turner war nicht erreichbar. »Informier die Korrespondentin in Brüssel.«

»Die erreiche ich nicht.«

»Dann fahre ich selbst nach Den Haag. Mit dem Auto bin ich in fünf Stunden dort.«

»Ich dachte, du hast keinen Wagen.«

»Das ist das Problem dabei. Ich dachte, vielleicht könntest du mir...«

»Und wie komme ich dann nach Hause und ins Büro? Wenn die Öffentlichen nicht fahren?«

»Der Sender könnte mir einen Leihwagen …«

»Für so eine vage Idee? Sicher nicht.«

»Eric, da ist was im Busch. Ein leitender Terrorismusbekämpfer bei Europol darf Den Haag in dieser Situation nicht für ein paar Tage Urlaub zu seiner Familie verlassen. Warum wohl?«

»Allgemeine Bereitschaft?«

»Komm mir nicht so! Ihr seid also nicht daran interessiert?«

»Ich kann ja weiterhin versuchen, unsere Korrespondenten für die Beneluxländer zu erreichen.«

»Bis dahin ist das keine Story mehr.«

Sie legte auf. Sie startete ihren Laptop und rief über das alte Telefonmodem in ihrem Computer das Internet auf.

Einige Webseiten erreichte sie nicht. Andere langsam und mit Unterbrechungen. Immerhin. In internationalen Verzeichnissen suchte sie nach Kontaktdaten für Europol und François Bollard in Den Haag. Die europäische Polizeibehörde fand sie. Dagegen tauchte Bollards private Telefonnummer nirgends auf. Aber sie stieß auf eine Adresse.

Und wie kam sie nach Den Haag? Die Bahn würde ohne Strom nicht mehr fahren. Vielleicht existierte eine Buslinie. Die Suchmaschine spuckte ein paar Ergebnisse aus. Tatsächlich fuhr normalerweise ein Übernachtbus. Am Morgen wäre sie dort. Shannon sah auf die Uhr. Der Bus startete in fünf Stunden. Wenn er fuhr. Sie überprüfte die Bargeldbestände in ihrem Portemonnaie. Siebzig Euro. Das würde nicht genügen. Sie durchwühlte alle Taschen, Hosen, Schubladen in ihrem Zimmer. Schließlich hatte sie hundertvierzig Euro zusammen. Immer noch zu wenig.

Sie lief auf die Straße hinunter zur nächsten Filiale ihrer Bank. Im Radio hatten sie gesagt, dass viele Bankautomaten weiterhin funktionierten und auch die Banken morgen öffnen würden. Sie schob ihre Karte in den dafür vorgesehenen Schlitz neben der Tür. Die öffnete sich tatsächlich und gewährte ihr Zutritt zum Vorraum mit dem Geldautomaten. Dessen Display zeigten dieselben Angaben wie immer.

Shannon prüfte ihren Kontostand.

2 167,- Euro.

Die mageren Ersparnisse jahrelanger Kameraschlepperei.

Shannon hob eintausendfünfhundert ab.

Sie stopfte das Geld in eine Hosentasche und eilte zurück in die Wohnung.

Sie packte einen Seesack voll warmer Kleidung. Dazu ihre beiden Digitalkameras, alle Batterien und Akkus, die sie finden konnte, schließlich noch ihren Laptop. Zu Fuß wäre sie mindestens eineinhalb Stunden bis zur Busstation unterwegs. Sie rief die Nummer eines Taxiservice an und landete in der Warteschleife. Nach zehn Minuten legte sie auf. Vielleicht konnte sie auf der Straße eines herbeiwinken. Sie zog ihre Daunenjacke und dicke Stiefel an, schulterte den Seesack, sah sich noch einmal um und verließ die Wohnung. Im Treppenhaus war es stockfinster.

Den Haag

Den Kopf voller Gedanken hastete Manzano durch den Regen in sein Hotelzimmer zurück. Er überlegte, ob er Sonja Angström anrufen sollte. Ihre Nummer im MIC hatte sie ihm gegeben. Er wählte sie. Nach einigen Freizeichen meldete sich eine fremde Stimme. Er fragte nach Angström.

»Die ist im Urlaub«, lautete die Antwort. Manzano fühlte sich nicht bemüßigt, die Person am anderen Ende aufzuklären, dass Angström demnächst an ihrem Arbeitsplatz auftauchen würde. Er legte auf. Sie wird wohl noch in ihrer Wohnung sein, dachte er, Kleidung wechseln, nach dem Rechten sehen. Auch diese Nummer hatte sie ihm gegeben. Er wählte sie, doch die Leitung blieb tot.

Manzano warf sich auf das Bett und loggte sich in das Europol-Netz ein. Der kleine Dicke hatte ein Network Access Control eingerichtet. Sobald sich Manzano in das Netzwerk der Behörde einklinken wollte, würde der Laptop zuerst mit einem Quarantänenetz verbunden und dort geprüft. Bei dieser Gelegenheit konnte Europol auch alle Aktivitäten Manzanos auf dem Gerät nachvollziehen. Sobald er als »sauber« galt, wurde er zum eigentlichen Netz zugelassen. Selbstverständlich musste jemand wie Europol derartige Sicherheitsmaßnahmen einsetzen. Erst recht, wenn sie Behördenfremde wie ihn zuzogen.

Bollard hatte ihm empfohlen, sich erst einmal über ein paar Grundlagen zu informieren. Ein Ordner fasste für alle Beteiligten wichtige Informationen zusammen. Den klickte Manzano an.

»Und was treibt er?«

Bollard hatte nur kurz geklopft und war in das Hotelzimmer getreten, ohne die Aufforderung zum Eintreten abzuwarten. Der Raum unterschied sich von den anderen Unterkünften durch Stapel von elektronischem Equipment, die sich auf und neben dem Schreibtisch türmten. Drei kleine Bildschirme zeigten schwarzweiße Ansichten eines anderen Hotelzimmers. Auf dem mittleren erkannte Bollard Manzano, der auf seinem Bett saß, den Laptop im Schoß. Er schien konzentriert zu lesen. Nur gelegentlich tippte ein Finger kurz auf die Tastatur.

Es hatte ihn nicht viel Überzeugungskraft gekostet, die niederländischen Behörden zur Beschattung und Abhörung Manzanos zu bewegen. Während der Italiener sich noch im Flugzeug hierher befunden hatte, hatten sie sein Zimmer mit Kameras und Mikrofonen präpariert. In einem Hotelzimmer zwei Stockwerke über Manzanos überwachten rund um die Uhr Beamte den Mann.

Wenn er das Hotel verließ, waren zwei Teams an ihm dran. Bollard glaubte zwar nicht, dass sie mit Manzano einen der Täter mitten unter sich hatten. Aber er wollte kein Risiko eingehen.

»Nicht viel«, antwortete Manzanos Beschatter, ein mürrischer Mittdreißiger in Jeansjacke. »Hat dreimal telefoniert.«

»Welche Nummern?«

»Einmal das MIC in Brüssel. Hat nach Angström gefragt. Dann Angströms private Nummer. Hat sie aber weder da noch dort erreicht. Die dritte Nummer war in Österreich. Das Feriendorf bei Ischgl. Hat eine Nachricht und seine Telefonnummer für einen gewissen Bondoni hinterlassen, gefragt, wie es ihm und den Frauen geht, und gesagt, dass er wieder anruft. Seitdem sitzt er auf dem Bett und liest in seinem Computer.«

»Hat er nur gelesen?«

»Soweit ich das verfolgen konnte, ja.«

»Okay, dann bin ich wieder weg. Sie informieren mich, wenn er etwas Auffälliges unternimmt.«

Bollard überlegte kurz, ob er nach Hause fahren sollte. Dusche hatte er im Büro, zum Schlafen brauchte er kein geheiztes Haus, von dort aus war er schnell an seinem Arbeitsplatz und verbrauchte weniger Benzin. Aber er wollte Marie und die Kinder an ihrem ersten Abend in dem fremden Quartier nicht allein lassen.

Auf den Straßen waren mehr Autos als gewöhnlich unterwegs. Noch hatten die Leute genug Treibstoff in den Tanks. In den kommenden Tagen wird sich das ändern, dachte Bollard. Seine eigene Tankanzeige stand etwa auf halber Höhe. Nach den Ereignissen der vergangenen Stunden hatte die Zentrale allen unverzichtbaren Mitarbeitern in Aussicht gestellt, Zugang zu den Treibstoffnotreserven zu erhalten, die für Hilfsdienste und Behörden vorgesehen waren.

Vor dem Gutshof parkte ein Dutzend Wagen. Bollard stellte seinen dazu, klingelte und wurde von einer blonden Frau in kariertem Hemd eingelassen, die sich als die Hausherrin Maren Haarleven vorstellte.

»Kommen Sie herein«, forderte sie ihn auf. »Ihre Familie sitzt gerade beim Abendessen.«

Bollard folgte ihr in eine geräumige Stube mit ein paar großen Tischen, die alle besetzt waren. Er erkannte ein paar Gesichter. Nachdem er den Platz für seine Familie gesichert hatte, hatte er die Adresse an einige Kollegen weitergegeben.

Die Kinder begrüßten ihn mit aufgeregtem Geplapper über den Bauernhof und seine Tiere. Während des Essens sprachen sie nicht über den Stromausfall. Erst als die Kinder schliefen, fragte Marie ihn leise: »Sagst du mir, was los ist?«

»Ihr werdet ein paar Tage hierbleiben müssen. Den Kindern scheint es ja zu gefallen.«

»In den Nachrichten brachten sie, dass der Strom daheim wieder weg ist.«

Mit daheim meinte sie Frankreich, begriff Bollard. Er nickte.

»Ich habe mit meinen Eltern telefoniert. Und mit deinen.«

»Wie geht es ihnen?«

»Gut«, log er. »Ich habe deine Eltern gebeten, meine zu besuchen.«

Sie runzelte ihre Stirn. »Weshalb?«

»Falls der Ausfall länger andauert.«

»Warum sollte er das?«

»Man weiß ja nie.«

»Und warum zu deinen Eltern? Weil die Landschaft so nett ist? Um die Loire-Schlösser wieder einmal zu besichtigen?«

»Weil sie einen eigenen Brunnen besitzen, einen mit Holz beheizbaren Kamin und einige Hühner.«

Die kommerzielle Landwirtschaft hatten die Bollards vor Jahrzehnten zugunsten eines Bed-and-Breakfasts aufgegeben, die Felder verpachtet. Die Grundstückspreise waren seit damals so exorbitant gestiegen, dass ein paar kleine Verkäufe seine Eltern zu noch wohlhabenderen Leuten gemacht hatten. Nur für den Eigenbedarf hielten sie noch ein paar Hühner, Schweine und Kühe.

Seine Frau musterte ihn besorgt, drang aber nicht weiter in ihn. Sie wusste, dass er ihr nicht immer alles über seinen Beruf erzählen konnte.

»Na ja«, bemerkte sie mit einem Schulterzucken. »Hoffentlich vertragen sie sich.«

Berlin

Im Bundeskanzleramt war Michelsen bislang nur zu öffentlichen Anlässen gewesen. Und wenn es nach ihr gegangen wäre, hätte sie zu einem wie diesem nie hingehen wollen. Sie war nicht allein. In ihrer Gesellschaft fanden sich Mitarbeiter aus allen Bereichen des Krisenstabs. Binnen weniger Stunden hatten sie unter Hochdruck eine Präsentation erarbeitet. Wenn man das eine Präsentation nennen konnte. Michelsen erinnerte das Szenario an die Höllenbilder von Hieronymus Bosch. Seit der Nachricht vom Vormittag waren sie in ein neues Stadium getreten. Überall herrschte höchste Nervosität. Nachdem sie am Eingang von Sicherheitsleuten kontrolliert worden war, brachte sie ein junger Mann mit den anderen in einen großen Konferenzraum im zweiten Stock. Zwei weitere Männer halfen ihr dabei, dort ihre Laptops anzuschließen. Niemand sprach viel. Alle beschränkten sich auf den Austausch der notwendigsten Informationen. Der Schock saß zu tief. Rationales, professionelles Handeln oder wenigstens das Vorgeben desselben schien die einzige Strategie, der eigenen Gefühle Herr zu werden. Michelsen selbst wunderte sich über ihre Ruhe. Sie wusste aber auch, dass diese nur ein vorübergehender Zustand war. Irgendwann würde alles hervorbrechen. Hoffentlich nicht zum falschen Zeitpunkt.

Schweigend warteten sie auf ihr Publikum. Michelsen fiel auf, dass alle vermieden, die anderen anzusehen. Niemand wollte die Angst in seinen Augen preisgeben. An einer Wand des Raumes hingen zehn Bildschirme in zwei Reihen übereinander. Auf einigen waren Gesichter älterer Männer zu sehen. Manche waren schon gestern Nachmittag bei dem Treffen der Energiebosse mit dem Bundeskanzler dabei gewesen, Michelsen erkannte Heffgen und von Balsdorff. Sie nestelten an ihren Jacketts oder richteten noch Unterlagen neben dem Computer, vor dessen Kamera sie offensichtlich saßen. Die Minuten verrannen. Der Berliner Himmel war so finster wie ihre Gedanken. Sie dachte daran, wie privilegiert sie war, noch immer in geheizten Räumen sitzen zu dürfen. Laute Schritte rissen sie aus ihren Gedanken.

Der Bundeskanzler trat als Erster ein. Bestimmt, flott, ernst. Er schüttelte allen die Hände. Er war ein schlanker Mann mit der leichten Beugung des Rückens von groß gewachsenen Menschen, die sich kleiner machen wollen. Seine scharfen Gesichtszüge erinnerten Michelsen und viele andere Deutsche an jenes Regierungsoberhaupt, das im kollektiven Gedächtnis des Landes noch immer als das eindrucksvollste und erfolgreichste galt, Konrad Adenauer. Eine Ähnlichkeit, die sicher zu seinem Wahlerfolg beigetragen hatte. Allerdings war er dreißig Jahre jünger, als der Alte bei seiner Wahl gewesen war, und stammte aus dem anderen politischen Lager. Die Folgen der Wirtschaftskrise hatten soziale Ideen wieder gesellschaftsfähig gemacht. Umso kurioser, dass ausgerechnet ein Quereinsteiger aus der Wirtschaft die Sympathien der sozialdemokratischen Funktionäre und der Wählerschaft gefunden hatte. Michelsen hatte ihn nicht gewählt. Sie hielt ihn für einen gesinnungslosen Opportunisten. Aber wenn sie es sich recht überlegte, dachte sie das von den meisten Politikern in führenden Positionen. Vielleicht lag das auch nur daran, dass sie in einer Zeit aufgewachsen war, als es in der Politik noch um Ideen zu gehen schien. Immerhin musste man ihm anrechnen, dass er das Land bislang besser durch die wirtschaftliche Krise steuerte als die meisten seiner westlichen Kollegen. Auch jetzt verbreitete er eine Stimmung von Entschlossenheit und Tatkraft. Ihm folgten das gesamte Kabinett und alle Regierungschefs der Länder bis auf den von Schleswig-Holstein, der aus Gesundheitsgründen seine Stellvertreterin gesandt hatte. Das Händeschütteln dauerte einige Minuten, dann nahmen alle Platz.

»Ich danke den Anwesenden für ihr Kommen und begrüße auch die Damen und Herren, die per Satellit zugeschaltet sind«, eröffnete der Bundeskanzler seine Ansprache.

Von jedem der zehn Bildschirme an der gegenüberliegenden Wand blickte jetzt dasselbe Gesicht.

»Die Entwicklung der letzten Stunden geben diesem Termin eine ganz andere Bedeutung als bei seiner Einberufung gestern. Die heutigen Erkenntnisse aus Italien und Schweden sowie die jüngsten Vorkommnisse in Frankreich und anderen Ländern lassen die gegenwärtige Situation kaum mehr auf eine Verkettung unglücklicher Umstände zurückführen. Die europäischen Sicherheitsbehörden gehen inzwischen von einem breit angelegten Angriff auf die europäischen Energiesysteme aus. Um uns allen ein Bild zu vermitteln, was das für Deutschland bedeutet, habe ich die Ministerien um ein Lagebild gebeten sowie ein Szenario dessen, was uns erwartet.« Er machte eine kurze Pause, trank einen Schluck Wasser.

Michelsen erwartete einen Appell oder dramatischen Aufruf zur Aufmerksamkeit. Stattdessen sagte er nur in ihre Richtung: »Bitte, meine Damen und Herren.«

Michelsen fing den unauffälligen Blickwechsel zwischen dem Innenminister und dem Staatssekretär Rhess auf, den der Minister mit einem Nicken ergänzte.

Rhess erhob sich und begann: »Seit bald achtundvierzig Stunden sind weite Teile Deutschlands ohne Strom. Sie alle kennen natürlich den Bericht *Gefährdung und Verletzbarkeit moderner Gesellschaften – am Beispiel eines großräumigen und lang andauernden Ausfalls der Stromversorgung –*, den der Ausschuss für Bildung, Forschung und Technikfolgenabschätzung im Frühjahr 2011 präsentierte.«

Hatte sicher kaum einer gelesen, dachte Michelsen.

»Hier ein erster Eindruck, welche Konsequenzen die Ereignisse für die Bevölkerung haben.«

Sie hatten einige der TV-Berichte aus den letzten Tagen zusammenschneiden lassen. Auf einem großen Bildschirm an der Breitseite des Raums erschienen Fotos eines menschenleeren, dunklen Supermarkts.

»Beginnen wir mit der Nahrungsmittelversorgung. Der überwiegende Teil Deutschlands bezieht seine Lebensmittel heutzutage aus Super- und Großmärkten. Diese Quelle ist vorerst weitestgehend versiegt. Kollegin Michelsen, stellvertretende Leiterin der Abteilung Bevölkerungsschutz und Katastrophenmanagement im Innenministerium, erklärt kurz, warum.«

Michelsen erhob sich und übernahm. Sie rief Bilder von Häfen auf. Zwischen einem Containermeer hievten gigantische Kräne die großen Metallboxen von Schiffen auf. Aufnahmen von Güterzügen folgten, Kamerafahrten durch lange, hohe Reihen in Lager- und Kühlhäusern schlossen sich an.

»Mehr oder minder die komplette Produktions- und Lieferkette von Lebensmitteln steht still«, eröffnete sie. »Denn sämtliche modernen Systeme arbeiten elektronisch.«

Hallen mit Kühen, eine neben der anderen in engen Metallpferchen.

»Nehmen wir eines unserer Grundnahrungsmittel, Milch. Normalerweise leiden wir in Europa an einem Überschuss, der uns zwingt, die Milchseen wegzuschütten oder zu Dumpingpreisen in die Dritte Welt zu verkaufen. Diese stammen aus industriellen Milchfabriken mit Tausenden Rindern, die nur durch den Einsatz zahlloser automatischer Fütterungs-, Heiz- und Melkmaschinen funktionieren. Die großen Unternehmen haben Notstromsysteme, die ein paar Tage halten. Wenige besitzen sogar eine autarke Versorgung. Letztere hilft ihnen allerdings nicht viel. Denn die Molkereien, die für Abholung und Verarbeitung zuständig sind, können ihrer Aufgabe nicht mehr nachkommen. Die Tanks ihrer Lkws sind leer. Neues Benzin bekommen sie nicht, da die Tankstellen ohne Strom den Treibstoff nicht aus den unterirdischen Tanks in die Zapfsäulen pumpen können.«

Autoschlangen an einer Tankstelle.

»Selbst wenn sie die Milch abholen und in die Verarbeitungsbetriebe transportieren könnten, dort stehen die Maschinen still.«

Bilder ausgestorbener Molkereihallen, glänzende Metallrohre, ruhende Lieferbänder.

»Gehen wir weiter. Jene Produkte, die bereits fertig waren, lagern in riesigen Kühlhallen. Diese – Sie erraten es schon – kühlen ohne Strom nicht mehr. Oder nicht mehr lange, je nach Ausstattung.«

Sie rief die entsprechenden Bilder dazu auf.

»Und selbst wenn die Waren nicht verderben würden, wiederholt sich nun das Transportproblem. Ohne Treibstoff kann niemand die Waren von den Lagern in die Läden transportieren. In den Supermärkten selbst sieht es nicht besser aus. Sie sind komplett von der Elektronik abhängig. Das gesamte Bestell- und Lagerwesen läuft über Computer, aber nur mit Strom. Schon nach wenigen Stunden wissen die Angestellten nicht mehr, welche Waren noch vorhanden sind und welche nicht. Die Misere setzt sich fort bei so simplen Dingen wie den Türen, die sich automatisch öffnen und schließen, beziehungsweise nun nicht mehr, und endet bei den Kassen, an denen niemand mehr bezahlen kann. Teile des Personals erreichen ihre Arbeitsplätze nicht, weil die öffentlichen Verkehrsmittel ausgefallen sind und sie keinen Treibstoff mehr für das Auto haben. Türen lassen sich natürlich auch manuell öffnen. Die Preise eines Einkaufs kann man auf einem Papier addieren. Aber Sie können sich vorstellen, dass unter diesen Umständen viele Supermärkte nicht öffnen werden. Und jene, die es tun, werden nicht nachbeliefert, sind also bald ausverkauft. Das war das Beispiel Milch. Doch so sieht es natürlich bei allen anderen Lebensmitteln aus. Damit ist die Geschichte leider nicht zu Ende«, fuhr sie fort und aktivierte Bilder von riesigen Rinderställen.

»Kehren wir noch einmal zum Anfang zurück. Gerade bei der Milchproduktion stehen wir in den kommenden Tagen vor einer wahren Katastrophe, die wir nur bedingt aufhalten können. Wer von Ihnen auf dem Land aufgewachsen ist oder einmal mit seinen Kindern Urlaub auf dem Bauernhof gemacht hat, kennt vielleicht das Muhen der Kühe am Morgen, wenn ihre Euter voll sind und sie gemolken werden wollen. Genau das tun sie in all jenen Ställen mittlerweile, die nicht mehr mit Energie versorgt werden. Diese Kühe sind zum Milchproduzieren gezüchtet, sie geben bis zu vierzig Liter am Tag. Stellen Sie sich die Euter dazu vor. Und vergegenwärtigen Sie sich als Nächstes, dass diese Euter seit zwei Tagen nicht gemolken wurden. Die Landwirte können nur einen kleinen Bruchteil von ihnen mit Händen erleichtern. Alle anderen leiden unter den übervollen Drüsen. Selbst wenn wir die betroffenen Unternehmen in den kommenden Stunden mit Notstromgeneratoren ausrüsten, wird die Hilfe für viele zu spät kommen. Millionen werden an ihren geschwollenen Eutern unter ohrenbetäubendem Brüllen qualvoll sterben. Denn für Notschlachtungen in diesem Ausmaß fehlen uns Mittel und Personal.«

Der Gedanke daran trieb ihr die Tränen in die Augen. Auf dem Monitor brannten haushohe Berge undefinierbarer, aufgedunsener Kadaver. Die Aufnahmen stammten aus der BSE-Krise in den Neunzigerjahren, als in England Millionen von Rindern notgeschlachtet und verbrannt worden waren.

»Auf solche Bilder müssen wir uns in den nächsten Tagen einstellen. Wenn wir überhaupt so weit kommen. Denn dazu braucht man massenhaft Gabelstapler und Bagger, für die wiederum der Treibstoff fehlt. Ähnliches gilt bei allen anderen Großbetrieben der Landwirtschaft. Denken Sie an Hühnerzuchtfarmen mit Zehntausenden Küken in einer geheizten Halle unter künstlichem Licht. Europaweit werden Millionen von ihnen erfrieren und verhungern. Schweine sind nicht ganz so empfindlich, aber nach ein paar Tagen ergeht es ihnen ähnlich.«

Michelsen musste kurz Luft holen.

»Dasselbe Problem betrifft die industrialisierte Gemüse- und Obstzucht. Bewässerung, Heizung und Beleuchtung funktionieren nicht, spätestens nach wenigen Tagen auch nicht mehr bei den Betrieben, die Notsysteme besitzen. Malen Sie sich die Auswirkungen auf die Unternehmen aus. Sie gehen alle pleite. Das bedeutet auch mittelfristig eine kritische Situation für die Lebensmittelversorgung, selbst wenn wir die gegenwärtige Situation in den nächsten Tagen in den Griff bekommen, die laufende Produktion dieser Firmen ist beschädigt und fehlt in ein paar Wochen oder Monaten. In vielen Fällen wird die Seuchengefahr massiv steigen. Wir werden Quarantänezonen einrichten müssen. Glück im Unglück sind derzeit die tiefen Temperaturen in weiten Landesteilen. Sie werden die Verwesung noch einige Tage hinauszögern. Für den Süden werden aber bereits leichte Plusgrade vorhergesagt. Für uns Menschen ist das immer noch bitterkalt – für einen Kadaver reicht es, um zu verwesen.«

Sie hielt inne, um ihren Zuhörern die Möglichkeit zu geben,

das Vorgetragene zu verdauen. In ihren Gesichtern sah sie, dass die Bilder ihre Wirkung nicht verfehlt hatten.

»So viel zu einem der vorrangigen Themen, der Versorgung mit Lebensmitteln. Aber wie Sie hier bereits sehen, greift ein Thema ins andere. Noch wichtiger als Nahrung ist die Versorgung mit Wasser. Auch diese ist in vielen Regionen zusammengebrochen. Vor allem Pumpen, die das Wasser in die Häuser und dort in die Etagen hochbefördern sollen, arbeiten nicht mehr. Ich weiß nicht, wie es bei Ihnen zu Hause aussieht«, versuchte sie einen persönlichen Bezug zu den Anwesenden herzustellen. »In meiner Wohnung kann ich weder duschen, noch rinnt Trinkwasser aus der Leitung. Nun gut, ein paar Tage ohne Körperreinigung überlebt man, schließlich stinken bald alle um einen herum genauso wie man selbst. Einen gewissen Getränkevorrat hat man hoffentlich auch eingelagert. Aber Wasser braucht man noch für zahlreiche andere Zwecke. Um einen der – buchstäblich – brennendsten zu nennen: zum Löschen von Feuer. Die Löschwasserversorgung läuft im Allgemeinen über ein eigenes Netz, aber auch das ist auf Strom angewiesen. In ländlichen Bereichen greift die Feuerwehr im Normalfall öfter auf offene Gewässer wie Bäche oder Teiche zurück, so diese vorhanden sind. Deshalb wird das Problem dort nicht ganz so dringend wie in der Stadt. Zwar sinkt das Risiko kurzschlussbedingter Brandfälle in Haushalten und Industrie, dafür steigt die Gefahr durch zu erwartende Versuche, auf Campingkochern oder gar auf offenen Feuern zu kochen oder sich daran zu wärmen. Auch in der Industrie, speziell der chemischen, ist durch den Ausfall von Not- und Sicherheitssystemen mit vermehrten Brandunfällen zu rechnen. Ein fast ebenso großes Problem ist die Wasserentsorgung. Bereits jetzt kann halb Deutschland seine Toiletten nicht mehr spülen. Dieses Hygieneproblem wird schon in den nächsten Stunden eskalieren. Stellen Sie sich ein Hochhaus vor, in dem niemand mehr seine Toilette benutzen kann, aber es trotzdem tun muss. Und wie wir nun wissen, wird sich diese Situation in den kommenden Tagen höchstwahrscheinlich nicht ändern. Meine Damen und Herren«, mit der Anrede wollte sie ihren Worten den nötigen Nachdruck verleihen, »wir müssen sofort mit groß angelegten Evakuierungen in Notquartiere beginnen. Wir reden bereits in der ersten Stufe von mehr als zwanzig Millionen Menschen.«

Schockierte Stille breitete sich im Raum aus. Alle starrten auf den Bildschirm, wo Michelsen Bilder von Notquartieren in den Vereinigten Staaten nach der Flutkatastrophe in New Orleans und dem japanischen Erdbeben von 2011 zeigte. Turnhallen, Veranstaltungssäle, Kongresszentren, überdachte Sportstadien, in denen Notbetten wie kleine Mosaiksteinchen wirre Muster bildeten. Irgendwo am Rand eine lange Menschenschlange vor der Lebensmittelausgabe. Deutschland kannte solche Bilder in diesem Ausmaß nur in Schwarz-Weiß, mit Menschen in abgerissenen Mänteln und altmodischem Schnitt, aus den Fernsehdokumentationen eines Krieges, den die meisten der Anwesenden nicht erlebt hatten, so lange war er her. Und niemand hatte sich vorgestellt, solche Bilder in diesem Land jemals wieder sehen zu müssen.

»Dieses Problem überschneidet sich mit einem weiteren Feld, für das ich nun an den Kollegen Torhüsen aus dem Gesundheitsministerium übergebe.«

Sie setzte sich. Der Angesprochene, ein untersetzter Mann Mitte fünfzig, dem die fehlenden Stunden Schlaf deutlich anzusehen waren, erhob sich schwerfällig.

Er begrüßte die Anwesenden mit leiser Stimme. »Die hygienischen Probleme und Seuchengefahr durch Tierkadaver sind nur ein Aspekt aus Sicht unseres Zuständigkeitsbereichs. Prinzipiell ist das deutsche Gesundheitswesen eines der besten der Welt. Auch auf Krisen sind wir gut vorbereitet, aber nicht auf eine diesen Ausmaßes. Lassen Sie mich kurz skizzieren, was da draußen gerade passiert. Zum einen sind da die Krankenhäuser. Sie sind mit Notstromsystemen ausgerüstet, die den Betrieb je nach Haus für achtundvierzig Stunden bis zu einer Woche sicherstellen. Die ersten stehen bereits jetzt vor sehr ernsthaften Problemen. Manche beginnen mit der Verlegung von Patienten in andere Krankenhäuser. Dort werden in Kürze die Betten knapp werden. Und auch in den Kliniken mit genug Reserven für die nächsten Tage herrscht unter Notstrombedingungen längst kein Regelbetrieb mehr.«

Bilder von Menschen auf Intensivstationen, mehr Schläuche und Maschinen als Körper.

»Intensivstationen müssen zurückgefahren werden, genauso wie Abteilungen für Frühgeborene.«

Beim Anblick der nackten, roten, schrumpeligen Babys mit durchsichtiger Haut, unter der man jedes Äderchen sah, in den kleinen Glaskuben zog sich Michelsens Hals zusammen.

»In manchen Häusern können die Fahrstühle nicht mehr oder nur eingeschränkt benutzt werden. Was das für die Patienten oder gar für die Verlegung Bettlägeriger bedeutet, kann sich jeder vorstellen. Die Ambulanzen sind doppelt betroffen.«

Ein Wartesaal voller Kranker und Verletzter. Michelsen konnte sich die Verzweiflung dieser Menschen gut vorstellen. Sie merkte, wie sie ihre Lippen zusammenpresste und ihre Kiefermuskeln arbeiteten.

»Auch hier kann man nicht mehr auf alle Geräte zurückgreifen, die man sonst hat. Zudem kommt es durch ausgefallene Ampeln zu mehr Unfällen im Straßenverkehr, aber aufgrund des Stromausfalls auch in den Privathaushalten, also zu mehr Verletzten, die behandelt und versorgt werden müssen. Die Rettungsdienste sind mittlerweile hoffnungslos überlastet. Eine weitere Gefahr geht bei dieser Witterung von der Kälte aus. In den kommenden Tagen werden wir ein sprunghaftes Ansteigen viraler Infekte erleben. Wenn wir Pech haben, verstärkt sich auch die Grippewelle. Doch zu ihrem Hausarzt können die Betroffenen nur selten gehen. Viele Ärzte erreichen ihre Praxen wegen Treibstoffmangels und stillstehenden öffentlichen Verkehrsmitteln entweder gar nicht oder können ohne Computer nur wenig ausrichten. Bei den Apotheken stehen viele Patienten vor dem nächsten Hindernis. Diese haben entweder geschlossen oder dasselbe Problem wie alle anderen Läden. Ihre elektronischen Kassen funktionieren ebenso wenig wie ihre Lagerverwaltung und Bestellsysteme. Das heißt erstens, dass Patienten momentan nur bar bezahlen können. Da jedoch – wie später noch ein Kollege ausführlicher erläutern wird – auch die Bargeldversorgung durch Banken und Geldautomaten zunehmend geringer wird, haben die meisten irgendwann nicht mehr genug in der Brieftasche. Die Apotheken verweigern daher schlicht und einfach den Verkauf der notwendigen Mittel. Das können und werden wir so schnell wie möglich durch Notverordnungen ändern müssen. Die rechtlichen Möglichkeiten dazu haben wir. Aber selbst dann gehen den meisten Apotheken nach wenigen Tagen die Arzneien aus, weil sie keine neuen geliefert bekommen. Besonders hart trifft das chronisch Kranke, die auf die regelmäßige Einnahme angewiesen sind, denken Sie etwa an Herzkranke oder Diabetiker.«

Torhüsen trank einen Schluck Wasser, dann fuhr er fort. »Überhaupt sind chronisch Kranke in dieser Situation besonders gefährdet. Tausende Menschen in Deutschland etwa müssen regelmäßig zur Dialyse, viele von ihnen täglich. Die meisten Dialysezentren sind für einen Fall wie diesen nicht gerüstet. Es sind private Praxen, die ihre Patienten jetzt nur in die Krankenhäuser schicken können. Dort kann man bestenfalls nur die allerschwersten Notfälle übernehmen. Hier drohen uns hundert-, wenn nicht tausendfache menschliche Katastrophen.«

Michelsen spürte, wie sie auf ihre Unterlippe biss. Vor ein paar Jahren hatte sie in hilfloser Verzweiflung das langsame Sterben einer Freundin an einer unheilbaren Nervenkrankheit begleitet. Wie entsetzlich musste diese Hilflosigkeit erst für Menschen und deren Angehörige sein, die wussten, dass es Mittel zur Rettung gab, diese jedoch nicht mehr verfügbar waren. Doch Torhüsen gewährte keine Gnade.

»Zu einer Todesfalle – es tut mir leid, aber anders kann ich es fast nicht bezeichnen – werden Alten- und Pflegeheime. Sofern diese überhaupt mit Notstromsystemen ausgerüstet sind, gehen auch hier den meisten demnächst die Reserven aus. Die Folgen kann man sich unschwer vorstellen. Hat irgendjemand einen pflegebedürftigen Elternteil in einer solchen Einrichtung?«

Er ließ seinen Blick durch den Raum schweifen. Natürlich gab niemand eine Antwort, aber die Stille sprach Bände über die Betroffenheit der Anwesenden.

»Künstliche Ernährung funktioniert nicht, wie auch alle anderen medizinischen Geräte, etwa zur künstlichen Lebensverlängerung. Die Küche fällt aus, die Versorgung mit Lebensmitteln insgesamt, ebenso die mit Wasser. Reinigung von Pyjamas und Bettwäsche wird unmöglich, die hygienischen Zustände werden auch hier schnell untragbar. Die Heizungen fallen aus, und binnen weniger Stunden erkalten die Räume. Viele der Insassen können sich nicht von allein bewegen. Auch hier funktionieren die Fahrstühle nicht mehr, eine Verlegung wird kompliziert. Wie die Ärzte können Teile des Personals ihren Arbeitsplatz nicht erreichen. Die verbliebenen sind völlig überfordert.«

»Mein Gott«, flüsterte eine Stimme.

Aus den Augenwinkeln versuchte Michelsen zu erkennen, wem dieser Seufzer entfahren war. Den fahlen Mienen nach konnte es jeder im Raum gewesen sein. Bislang hatte sich wohl noch keiner von ihnen die Konsequenzen in ihrer vollen Wucht ausgemalt. Dabei waren sie mit ihrem Vortrag noch längst nicht zu Ende.

»Wir brauchen ein ganzes Bündel an Maßnahmen, um wenigstens eine rudimentäre Versorgung der Bevölkerung und der Schwerstkranken sicherzustellen. Und wir brauchen es sofort. Dazu gehören unter anderem die Schaffung von medizinischen Notfallzentren, Notverordnungen für die Abgabe von Medikamenten und jede Unterstützung, die wir von den Sanitätseinheiten der Bundeswehr erhalten können. Die Pläne dafür gibt es. Danke für Ihre Aufmerksamkeit. Rolf?«

Torhüsen setzte sich, zwei Plätze weiter erhob sich Rolf Viehinger, Leiter der Abteilung Öffentliche Sicherheit im Innenministerium. Trotz seiner bald sechzig Jahre sah er noch immer aus wie das Mitglied einer Sondereinsatztruppe des Bundeskriminalamts, das er einmal gewesen war. Seine Bewegungen waren auf das Notwendigste beschränkt, aber ausdrucksstark. Bei ihrem Eintritt ins Ministerium hatte er Michelsen gefallen, und fast hätte sie mit ihm angebändelt, wäre da nicht seine rechte Gesinnung gewesen, aus der er kein Hehl machte. Damit konnte Michelsen, deren Großvater als Widerstandskämpfer die Konzentrationslager der Nazis als gebrochener Mann verlassen hatte, nichts anfangen. Nichtsdestotrotz billigte sie ihm zu, dass er seinen Job ordentlich erledigte.

»Krisen«, hob er an, »wecken oft das Beste im Menschen. In den vergangenen achtundvierzig Stunden konnte man ein unfassbares Ausmaß an gesellschaftlicher Solidarität erleben. Wildfremde Menschen helfen einander in der Not. Das Freiwilligenwesen bei den Hilfsdiensten, ob Rotes Kreuz, Feuerwehr und all die anderen, eine der wichtigsten Säulen der deutschen Katastrophenhilfe, funktioniert sensationell, obwohl die Aktiven sich auch um ihre eigenen Familien kümmern müssen. Dieses Phänomen lässt sich immer wieder beobachten, erinnern wir uns nur an die Oderflut vor einigen Jahren. Aber machen wir uns nichts vor. Je länger dieser Zustand anhält, desto schwächer werden diese Strukturen. Sobald die Kühlschränke der Menschen leer sind, werden sie sich nach Nahrung umschauen. Hunger, Durst und Kälte werden unsere zivile Fassade sehr bald bröckeln lassen. Wenn wir nicht schleunigst eine Grundversorgung mit Lebensmitteln, Wasser und Medikamenten herstellen, müssen wir bald mit Plünderungen und Ausschreitungen rechnen. Auch Nachbarn werden nicht mehr so hilfsbereit miteinander umgehen, wie sie es momentan tun. Ganz zu schweigen davon, was passiert, wenn die Menschen die Ursache des Ausfalls erfahren. Was sich nicht verhindern lassen wird. Die Nachricht wird ihre Angst schüren. Und Angst war noch nie ein guter Ratgeber. Ein weiteres Problem werden in absehbarer Zeit die Inseln darstellen, wie wir sie intern nennen.«

Er rief eine Landkarte auf dem Bildschirm auf.

»Einige Städte und Regionen in Deutschland können momentan eine wenigstens temporäre Stromversorgung organisieren. Sei es durch funktionierende Kraftwerke in ihrem Einzugsbereich oder aus anderen Gründen. Wie Sie sehen können, sind sie über das ganze Bundesgebiet verteilt. Zurzeit haben dadurch etwa zwanzig bis dreißig Prozent der Bevölkerung zeitweise Zugriff auf lebenswichtige Strukturen. Trotz zusammengebrochener Kommunikationssysteme wird sich diese Tatsache herumsprechen. In der Folge werden immer mehr Menschen aus den unversorgten Gebieten versuchen, in diese Oasen zu gelangen. Im besten Fall finden sie Unterschlupf bei Verwandten oder Freunden. Viele andere werden auf der Straße stehen. Die betroffenen Gebiete werden diesen Ansturm allein nicht bewältigen können. Bald wird es zu Auseinandersetzungen zwischen Ansässigen und Flüchtlingen kommen. Wir müssen diese Gebiete möglichst schnell auf diesen Ansturm vorbereiten, vor allem aber verhindern, dass er zu einem nicht bewältigbaren Strom anschwillt.«

Michelsen musste an die Asylanten- und Zuwandererdebatte denken, die Deutschland seit Jahren bewegte. Auf einmal bekam diese einen ganz neuen Aspekt. Sie war gespannt, wie lange unter

diesen Umständen die Geduld der Einheimischen mit den Flüchtlingen aus dem eigenen Kulturkreis währte. Was würde geschehen, wenn sich die Eigenheimbesitzer von den Flüchtlingsmassen
bedroht sahen? Wenn jene auf den Notmatratzen in den Zeltstäd-
ten nach einigen Tagen neidisch auf die schmucken Häuschen
mit eigener Toilette und Dusche zu schielen begannen. Wenn die
Zahl der Flüchtlinge jene der Einheimischen irgendwann deutlich überstieg?

»Ich dachte«, wandte der Außenminister ein, »zahlreiche Gemeinden wären inzwischen energieautark. Manche produzieren
doch sogar schon mehr Strom, als sie selbst verbrauchen.«

»Da ist der Wunsch leider Vater des Gedankens«, sprang Staatssekretär Rhess ein. »Erstens sind nur wenige Gemeinden wirklich
energieautark. Die meisten, von denen man liest, haben die Programme erst begonnen oder sind nur teilautark. Außerdem, und
das ist entscheidend dabei: Energieautark bedeutet in praktisch
allen Fällen keine physische Unabhängigkeit, sondern nur eine
rechnerische. Diese Gemeinden erzeugen zwar vielleicht mehr
Strom, als sie selbst verbrauchen. Das heißt, sie müssen im Nor-
malbetrieb von niemandem mehr Strom kaufen. Aber sie speisen
den von ihnen erzeugten ebenso ins reguläre Netz ein, an dem sie
weiterhin hängen. Sobald also dieses Netz ausfällt, nützt ihnen
ihre ganze Energieproduktion nichts, da sie kein stabiles Netz im
Kleinen etablieren können. Auf diese Mini-Insellösungen ist die
herrschende Netzstruktur nicht ausgelegt.«

»Das heißt, die könnten zwar Strom produzieren, ihn aber
nicht an die Verbraucher verteilen?«, fragte der Minister ungläubig nach.

»Genau das heißt es. Dasselbe gilt für die Großkraftwerke«, bestätigte Rhess. »Aber wir haben Sie unterbrochen, Kollege Viehinger. Bitte fahren Sie fort.«

»Selbstverständlich wurde für alle Sicherheitsbehörden ein

Urlaubsstopp verhängt. Trotzdem werden wir Unterstützung von Bundespolizei und Bundeswehr brauchen.«

»Zivil oder auch militärisch?«, fragte die Umweltministerin.

»Den Anforderungen entsprechend«, antwortete der Innenminister knapp.

»Danke für Ihre Ausführungen«, warf der Bundeskanzler ein. »Der Herr Innenminister erklärte mir gerade, dass wir noch nicht fertig sind. Deshalb schlage ich eine kurze Pause vor. Vertreten wir uns die Beine und machen wir in zehn Minuten weiter.«

Unter allgemeinem Rascheln erhoben sich alle, die Raucher eilten zu den Fahrstühlen, um ins Freie zu gelangen. Nur zum Mobiltelefon griff niemand, wie es die Vielbeschäftigten in einem solchen Moment getan hätten, fiel Michelsen auf. Dass die Mobilfunknetze nicht mehr funktionierten, hatten mittlerweile alle begriffen.

»Was meinst du?«, flüsterte ihr Torhüsen zu.

»Sie stehen unter Schock, würde ich sagen«, erwiderte Michelsen ebenso leise.

Die Mitglieder des Kabinetts und die Ministerpräsidenten standen mit ernsten Mienen in Gruppen beisammen und diskutierten, manche ruhig, manche geradezu aufgebracht. Michelsen hörte Begriffe wie »Notstandsgesetze« und »Spannungsfall«.

Paris

Natürlich hatte kein Taxi angehalten. Shannon war quer durch die Stadt gelaufen, über die Ile de la Cité bis zum Gare du Nord, wo die Busse abfuhren. Straßenlaternen, Verkehrsampeln und die Beleuchtung vieler Gebäude waren ausgefallen. Das meiste Licht spendeten die Scheinwerfer der Autos. Kurz nach zehn Uhr abends erreichte sie den Bahnhof. Auch hier war fast alles finster, nur ein paar Notleuchten flimmerten. An den Eingängen zur Bahnhofshalle drängten sich Trauben von Menschen. Da Shannon nicht wusste, wo sich der Busterminal befand, zwängte sie sich hinein. In düsterem Dämmerlicht hatten die gestrandeten Reisenden die Bahnhofshalle zu einem gigantischen Notquartier umfunktioniert. Überall saßen und lagen Menschen auf dem Fußboden. Einige schimpften. Kinder jammerten und weinten. An den Schaltern versuchten die Ticketverkäufer die Wartenden zu beruhigen, wie Shannon aus den Gesten der Beteiligten schloss. In der Luft lag trotz der Kälte ein muffiger Geruch, durch den manchmal ein Hauch von Fäkalien zog.

Shannon suchte Anzeigetafeln. Die Bildschirme mit den Ankünften und Abfahrten waren blind. Sie kämpfte sich kreuz und quer durch die Halle, bis sie ein Schild fand, auf dem sie schwach das Zeichen für Busse erkennen konnte. Hoffentlich wies es nicht nur auf die städtischen Verbindungen hin. Sie folgte dem Pfeil, musste das Gebäude wieder verlassen und gelangte schließlich auf einen Parkplatz, auf dem sich Bus an Bus reihte. Dazwischen suchende, wartende Leute mit ihrem Gepäck. Zehn Minuten später hatte sie den Bus nach Den Haag gefunden. Shannon sah hoch zu den Fenstern, noch schien er nicht voll. Sicherheitshalber fragte sie den Fahrer.

»*Oui, La Haye*«, wie Den Haag auf Französisch hieß.

»Müssen Sie unterwegs tanken?«, fragte sie. Durch ihre Recherchen der letzten zwei Tage hatte sie gelernt, dass die meisten Tankstellen nicht mehr funktionierten. Sie hatte keine Lust, mitten auf der Strecke liegen zu bleiben.

»*Non.*«

»Wo bekomme ich ein Ticket?«

»Heute bei mir. Die Schalter sind geschlossen. Nur Barzahlung. Sechsundfünfzig Euro, bitte.«

Shannon zahlte und suchte sich einen freien Platz. In einer der hinteren Reihen waren sogar noch zwei nebeneinander. Wenn sie Glück hatte, setzte sich niemand neben sie. Fast sieben Stunden Fahrt in einem Bus waren kein Vergnügen. Noch weniger mit unterhaltungssüchtigen oder schlecht riechenden Nachbarn. Sie verstaute ihren Seesack in der Ablage über den Sitzen und wählte den Fensterplatz. Was für eine idiotische Idee, schoss es ihr durch den Kopf. Was habe ich mir bloß dabei gedacht? Aber jetzt saß sie da. Immerhin war es im Bus warm. Der Fahrer ließ den Motor an. Bei jedem, der jetzt noch einstieg, betete Shannon, dass er einen anderen Platz als den neben ihr wählte. Sie hatte Glück. Wenig später setzte sich der Bus ruckelnd in Bewegung und verließ langsam das Gelände.

Shannon legte ihre Daunenjacke zusammen und steckte sie als Kissen zwischen die Scheibe und ihren Kopf.

Draußen glitten die Schatten der Stadt an ihr vorüber. Irgendwann wurden die Schemen schwächer, unter einem sternen- und mondlosen Himmel versank die Landschaft in fast kompletter Dunkelheit. Shannon starrte in die Finsternis und dachte an nichts.

Berlin

Als Nächster war Staatssekretär Rhess an der Reihe.

»Geld regiert die Welt, heißt es so schön«, leitete er seinen Vortrag ein.

Hübsch, dachte Michelsen, diesen Satz einer Regierung hinzuwerfen. So viel Mut hätte sie ihm nicht zugetraut.

»Die Frage ist, wer regiert, wenn es auf einmal kein Geld mehr gibt?«

Gespannt wartete sie, wie er aus der Nummer wieder herauskommen wollte.

»Der Kollege Torhüsen hat es schon angesprochen. Zwar ist das Finanzwesen auf einen Stromausfall verhältnismäßig am besten vorbereitet. Banken können ein paar Tage lang ihren Betrieb einigermaßen aufrechterhalten. An den Schaltern können Kunden Bargeld abheben, an vielen Bankautomaten allerdings nicht mehr. Die Bargeldversorgung der Filialen ist so lange sichergestellt, wie die Geldtransporter Treibstoff beziehen können. Nach drei bis vier Tagen werden kleinere Filialen jedoch schließen, nach spätestens einer Woche auch große. Sehen Sie in Ihren eigenen Brieftaschen nach. Wie viel Bargeld tragen Sie bei sich? Enorme Auswirkungen wird das Versiegen des Geldkreislaufes auch auf die Wirtschaft haben. Unternehmen können keine Gehälter, Waren und Lieferanten bezahlen. Die Börsen sind gut ausgerüstet, ebenso die Europäische Zentralbank und die Clearingorganisationen, über die Finanztransaktionen abgewickelt werden. Schlechter dagegen sieht es für die Menschen und Unternehmen aus, die Finanzdienstleistungen in Anspruch nehmen wollen. Durch den weitgehenden Ausfall der Telefonnetze und des Internets können sie bestenfalls noch durch persönliches Erscheinen bei einer Bank Geschäfte tätigen. Das heißt, die europäischen Börsen können und werden morgen öffnen. Es ist allerdings mit herben Kursabschlägen zu rechnen. Wahrscheinlich wird es zu einem verkürzten Handel kommen. Sobald die Nachricht eines gezielten Angriffs draußen ist, werden die Börsen weltweit ein Blutbad erleben. Der Wert deutscher Unternehmen wird radikal sinken, viele werden in den folgenden Monaten Opfer von Übernahmeversuchen durch ausländische Konzerne. Ganz zu schweigen von zahlreichen Klein- und Mittelbetrieben, denen die Mittel fehlen, um nach solchen Verlusten zu überleben. Auch wenn wir in dieser Situation zuerst an die Grundversorgung denken müssen, halte ich es für wichtig, auch diese mittel- bis langfristigen Aspekte nicht aus den Augen zu verlieren.«

Michelsen stellte fest, dass Rhess seine provokante Einleitung bislang gar nicht aufgelöst, sondern einfach weggeredet hatte. Sei's drum. Auch eine Strategie. Ohnehin ging es um Wichtigeres.

»Die brisantesten Themen haben wir bereits behandelt, bis auf eines: die Kommunikation untereinander und mit der Bevölkerung. Den Zustand muss man leider als katastrophal bezeichnen. Die öffentlichen Telefonnetze und die Mobilfunknetze sind größtenteils bereits in der Nacht von Freitag auf Samstag zusammengebrochen. Dasselbe gilt für den BOS-Funk, das behördeninterne Funksystem. Es ist nur auf eine stromlose Zeit von etwa zwei Stunden angelegt ...«

»Himmel, wer genehmigt denn so etwas?!«, rief jemand in der Runde.

Rhess ignorierte den Einwurf und fuhr fort: »Am Samstag war eine Kommunikation zwischen Bund, Ländern und Hilfsdiensten fast unmöglich. Erst im Lauf des heutigen Tages wurden die Ersatzsysteme so weit etabliert und die Notstromsysteme der wichtigsten Anlagen ausreichend nachgerüstet, dass wir wieder rudimentär in der Lage sind, miteinander zu kommunizieren. Nach wie vor fehlt uns in viele Regionen eine feste Verbindung. Von dort bekommen wir beziehungsweise die Krisenzentralen in den Ländern gar keine Informationen oder nur tröpfchenweise, mal per Satellit, mal von Amateurfunkern oder über die Fernsehanstalten, die gut ausgestattet sind und senden können. Auch wenn sie außer in den Strominseln kaum jemand empfangen kann.«

Michelsen bemerkte verständnisloses Kopfschütteln.

»Die Bundeswehr könnte ein Feldnetz einrichten, das stellenweise für Entlastung sorgen würde. Das ist allerdings ebenfalls energieintensiv und auf ausreichend Versorgung mit Treibstoff angewiesen. Schleunigst einbeziehen sollten wir Amateurfunker, von denen es mehr gibt, als man denkt, und deren Ausrüstungen relativ robust sind. Auch sie stehen aber vor dem Problem, dass ihre Akkus irgendwann leer sind. Die Satelliten sind überlastet. Wir werden Kernfunkzeiten einrichten, damit wir die Kapazitäten besser nützen können.«

Er machte eine kurze Pause, bevor er fortfuhr: »Immens wichtig ist jetzt die Information der Bevölkerung. Natürlich gibt es Pläne, Warnungen und Broschüren, in denen jeder nachlesen kann, was er bei einem Stromausfall tun soll. Aber, Hand aufs Herz, wer von uns hat zuletzt in so etwas hineingeschaut, obwohl es sogar unsere Arbeitsbereiche betrifft? Tatsache ist, dass es eine Broschüre des Innenministeriums gibt, in der empfohlen wird, ein batteriebetriebenes Radio zu Hause zu haben. Aber wer von Ihnen hat so etwas? Und wenn, wer besitzt auch die notwendigen Batterien? Wir haben uns an eine Welt gewöhnt, die mit Fernsehen, Internet und Mobiltelefonen funktioniert. Einige von Ihnen besitzen vielleicht gar keine Festnetzanschlüsse mehr. Würde aber auch nichts helfen, denn die Notstromreserven der Ortsvermittlungsstellen betragen zwischen fünfzehn Minuten und acht Stunden. Auch die Mobilfunknetze sind tot. Selbst wenn sie in Betrieb wären, sind die Akkus der Mobiltelefone inzwischen leer, weil man sie nirgends mehr aufladen kann. Das Internet ist für den Durchschnittsbürger so gut wie nicht mehr nutzbar – und wenn, nur für jene, deren Computer noch mit Elektrizität versorgt werden. Dasselbe gilt für Fernsehen und Radio. Kurz: Die Menschen da draußen sind mehr und mehr auf Hörensagen und Gerüchte angewiesen. Das kann ganz schnell eine gefährliche Dynamik annehmen. Deshalb müssen wir die Kommunikation sicherstellen. Ich schlage vor, das über die Hilfsdienste zu organisieren. Rettungsdienste, Feuerwehr, Polizei und das Technische Hilfswerk verfügen teilweise noch über eigene funktionsfähige Kommunikationsnetze. Allerdings sind diese Ressourcen sehr begrenzt, eine flächendeckende Kommunikationsversorgung ist nicht möglich. Trotzdem müssen die Dienste neben ihren herkömmlichen Aufgaben nun auch die des Informationsdienstes übernehmen.«

Sie hatten dieses Thema schon öfter diskutiert, erinnerte sich Michelsen. Natürlich gab es Informationsmöglichkeiten für Notsituationen, aber sie waren entweder äußerst bescheiden wie das satellitengestützte Warnsystem SatWaS, mit dem der Bund direkt in Radio- und Fernsehsender Nachrichten einspielen konnte. Aber wo keine Fernseher und Radios liefen, nützte es nichts. Genauso war es mit Warnsystemen wie dem Deutschen Notfallvorsorgeinformationssystem deNIS und anderen, die über das Internet oder Mobiltelefone liefen.

»Gibt es irgendwelche Prognosen, ob und wann wir eine landesweite Stromversorgung wiederherstellen können?«, fragte der Bundeskanzler. »Viele Kraftwerke funktionieren ja.«

»Die Versorger und Netzbetreiber wagen dazu nichts mehr zu sagen«, antwortete Rhess. »Vor allem wissen wir noch nicht, welche Systeme betroffen sind. Es können einige Kraftwerke sein, Verteilernetze, wir wissen es einfach nicht. Und so lange kann man keine Voraussagen machen.«

»Was ist mit den Kernkraftwerken?«, fragte der Wirtschaftsminister.

»Wurden alle heruntergefahren«, erwiderte die Ministerin für Umwelt, Naturschutz und Reaktorsicherheit.

»Trotzdem müssen sie weiterhin gekühlt werden, wenn ich recht informiert bin. Funktionieren die Notsysteme? Sind das nicht in erster Linie Dieselgeneratoren? Wie lange halten deren Reserven?«

»Laut der Sicherheitsüberprüfung deutscher Kernkraftwerke unter Berücksichtigung der Ereignisse in Fukushima haben alle ausreichend Treibstoff für mindestens zweiundsiebzig Stunden ...«

»Nur zweiundsiebzig!?«, rief jemand dazwischen.

»...die meisten für weit mehr. Laut desselben Berichts liegen nach Angaben der Betreiber ...«

Angaben der Betreiber, wenn ich das schon höre, dachte Michelsen.

»...ich zitiere aus dem Bericht ›vertragliche Festlegungen oder mündliche Absprachen zu Lieferungen von Hilfs- und Betriebsstoffen‹: ›Zu Zeiten für die Anlieferung von Hilfs- und Betriebsstoffen wie auch zur Berücksichtigung von naturbedingten EVA-Schäden‹ – EVA bedeutet Einwirkungen von außen – ›gibt es zumeist keine Ausführungen. Die Betreiber weisen zum Teil erhebliche Öl- und Kraftstoffvorräte auf dem Anlagengelände aus. Bei einigen Anlagen ist damit der Betrieb für mehrere Wochen möglich. Aussagen zum Schutz dieser Stoffe gegen naturbedingte EVA und zum gesicherten Transport gibt es nicht. Bis auf wenige Ausnahmen haben alle Anlagen Zugriff auf mobile Notstromaggregate in ihrem Umfeld. In diesen Fällen liegen die Zeiten bis zur Verfügbarkeit der mobilen Notstromaggregate deutlich unter zweiundsiebzig Stunden.‹«

Das heißt, bis spätestens morgen Abend müssen einige von denen nachversorgt sein, dachte Michelsen. Und mit einem Szenario wie dem herrschenden hatte wahrscheinlich niemand gerechnet. Dass Diesel und mobile Notstromaggregate innerhalb von zweiundsiebzig Stunden beschafft werden konnten, musste nun gewährleistet werden, sonst ...

»Wir sind im Kontakt mit den Betreibern«, fuhr der Minister fort, »und garantieren, dass ausreichend Diesel geliefert wird. Treibstoff wird generell ab sofort rationiert und bleibt den Behörden, Notdiensten und anderen dringenden Einsätzen vorbehalten. Allerdings melden die Internationale Atomenergie-Organisation in Wien und die französischen Behörden eine sehr ernste Lage aus dem Kraftwerk Saint-Laurent und leichtere Zwischenfälle aus anderen.«

»Wo liegt das?«

»In der Region Centre südlich von Paris.«

»Gefahren für unser Bundesgebiet?«

»Vorläufig nicht.«

Der Wirtschaftsminister nickte nachdenklich, gab sich aber mit der Antwort zufrieden.

Michelsen wollte die Rehe jetzt nicht scheu machen, indem sie die anderen Probleme in den einheimischen Atomkraftwerken zur Sprache brachte, die vorläufig nicht ganz so gravierend waren, mit der Zeit aber ebenso katastrophale Auswirkungen haben konnten wie versagende Notstrom- und Sicherheitssysteme. Immer weniger Personal gelangte überhaupt zu seinem Arbeitsplatz in den AKWs, die verbliebenen Leute schoben Sonderschichten und waren längst total übermüdet, was das Risiko von Fehlern drastisch steigerte. Viele Tätigkeiten konnten nicht oder nur reduziert ausgeführt werden, die regelmäßige Reinigung und Dekontaminierung der Kleidung oder von Schutzanzügen war da noch eine der harmlosesten.

Staatssekretär Rhess unterbrach Michelsens Gedanken.

»Zum Abschluss aber noch eine gute Nachricht«, sagte er. »Die internationale Zusammenarbeit klappt bis jetzt ausgezeichnet. Die vorgesehenen bilateralen Prozesse und jene innerhalb der Europäischen Union laufen wie vorgesehen. Dank dieser supranationalen Zusammenarbeit konnte so zum Beispiel sehr schnell festgestellt werden, dass es sich um eine bewusste Manipulation der Stromnetze handelt und nicht um eine Verkettung unglücklicher Zufälle. Ich bitte daher, die europaweite Zusammenarbeit weiterhin nach Kräften zu unterstützen. Auch wenn«, fügte er hinzu, »wir Hilfsmaßnahmen weder in Anspruch nehmen noch leisten werden können. Das wird sicher eine der größten Herausforderungen der kommenden Tage. Deshalb hat das Außenamt erste Sondierungen für internationale Hilfe aufgenommen, natürlich in Koordination mit den Brüsseler Stellen. Danke noch einmal für Ihre Aufmerksamkeit.«

»Internationale Hilfe?«, fragte der Ministerpräsident von Brandenburg. »Woher soll die kommen?«

»Aus den USA, Russland und der Türkei in erster Linie.«

»Carepakete, oder wie?«, flachste der Brandenburger.

»Das muss schon mehr sein«, erwiderte Rhess. Er hatte sich kaum gesetzt, da fragte die Ministerpräsidentin von Hessen: »Haben wir denn eine Ahnung, wer die Manipulation vorgenommen hat und warum?«

»Nein«, antwortete der Innenminister. »Die Ermittlungen laufen auf Hochtouren.«

»Die Frage ist doch«, meldete sich der Verteidigungsminister zu Wort, »warum ausgerechnet Europa? Wer könnte Interesse daran haben? Wirtschaftlich bringt es niemandem einen Vorteil, einen der größten und stärksten Märkte der Welt so zu beschädigen. Über eine halbe Milliarde Konsumenten kaufen gern Waren aus Russland, China, Japan, Indien und den USA. Geht es Europa schlecht, leiden auch die anderen großen Volkswirtschaften darunter. Dasselbe gilt für einen Militärschlag. Die diplomatischen Beziehungen zu den großen Nationen sind gut, auch wenn es, wie wir wissen, zuletzt Spannungen mit Russland und China gab. Natürlich stehen wir laufend in Kontakt mit den Kommandozentralen der NATO. Aber zurzeit haben wir keine Anhaltspunkte für feindliche Aktivitäten irgendwelcher Nationen.«

»Organisierte Kriminalität, zur Erpressung von Lösegeld?«, schlug der Gesundheitsminister vor.

»Bislang sind keine Forderungen eingegangen. Außerdem muss jeder, der so etwas versucht, damit rechnen, dass er auf der ganzen Welt gejagt wird.«

»Womit wir bei der momentan wahrscheinlichsten Variante sind: ein Terrorakt«, sagte der Innenminister.

»In diesem Ausmaß?«, fragte der Verkehrsminister ungläubig.

»Vielleicht war er ja gar nicht so groß geplant. Erinnern wir uns an den 11. September 2001 in New York. Die Terroristen wollten die Türme des World Trade Centers treffen. Mit deren Einsturz hatten sie wahrscheinlich nicht gerechnet.«

»Aber warum Europa?«, hakte der Verkehrsminister nach. »Seien wir ehrlich, oberstes Ziel der Islamisten sind doch die USA.«

»Ich sage nur Madrid und London 2005«, erinnerte der Innenminister, »die vereitelten Attentate auf Züge in Deutschland 2007 und diverse andere. Wir sind ein Verbündeter im weltweiten Kampf gegen den Terror. Deutsche Truppen kämpfen in Afghanistan, wir unterstützen den Boykott gegen den Iran, soll ich noch mehr aufzählen? Gründe gibt es genug, wenn man welche braucht.«

»Meine Damen und Herren«, unterbrach der Bundeskanzler die Diskussion, »ich denke, Gebot der Stunde ist die Versorgung der Bevölkerung und die Sicherung der öffentlichen Ordnung. Ich danke dem Innenministerium, seinen Mitarbeiterinnen und Mitarbeitern für die informativen Ausführungen. Angesichts der Situation schlage ich die Ausrufung des Katastrophenfalls in allen Bundesländern vor. Der Bund übernimmt die Führung und Koordination. Ein permanenter Krisenstab unter Leitung des Innenministeriums ist bereits eingerichtet. Das Parlament selbst oder der ständige Ausschuss werden in den kommenden Stunden alle rechtlichen Grundlagen schaffen, um Sicherheit und Ordnung im Land aufrechtzuerhalten.«

»Wie weit informieren wir die Bevölkerung?«, fragte Rhess.

Der Kanzler warf seinem Sprecher einen kurzen Blick zu, auffordernd, nicht fragend.

»Solange die Motive der Verursacher nicht bekannt sind, handelt es sich um einen Zusammenbruch aus ungeklärten Gründen«, sagte der Sprecher des Regierungschefs. »Alles andere würde die Menschen derzeit nur beunruhigen.«

»Sollten wir dieses Urteil nicht den Bürgerinnen und Bürgern selbst überlassen?«, fragte Michelsen.

»Wollen Sie eine Panik riskieren?«, fragte der Sprecher.

»Ich denke nur, dass es vernünftiger wäre, den Menschen zu sagen, worauf sie sich einstellen müssen.«

Sie hatte diese überhebliche, bevormundende Haltung von Führungskräften, ob in Wirtschaft, Wissenschaft oder Politik, nie verstanden. »Die Erfahrung lehrt uns doch«, erwiderte sie, »dass die Wahrheit früher oder später herauskommt.«

»In diesem Fall tut sie es besser später ...«, sagte der Kanzler.

»Was dann wie üblich zum noch größeren Desaster führt«, murmelte Michelsen kopfschüttelnd, während Rhess erklärte:

»Außerdem müssen wir diese Verlautbarung international koordinieren. Kein Staat soll und wird dabei vorpreschen. Das ist in unser aller Interesse.«

Der Bundeskanzler erhob sich.

»Meine Damen und Herren, ich danke Ihnen. Wir sehen uns spätestens morgen um zwölf Uhr mittags wieder, zum ab sofort täglichen Jour fixe.«

Paris

Ambrose Tollé hatte Blanchard gerade noch gefehlt. Der Sekretär des Präsidenten war noch keine dreißig Jahre alt, gekleidet wie ein Model für ein Herrenmodemagazin, und trat auf, als wäre er der Staatschef persönlich.

Monsieur le Président hatte Tollé nach dem neuerlichen Total-ausfall geschickt, um ihn permanent auf dem Laufenden zu halten. Und um Blanchard und allen anderen Verantwortlichen bei CNÉS zu signalisieren, dass sie Missfallen an oberster Stelle erregt hatten.

In der Gegenwart Tollés war auch Albert Proctets fatalistische Ruhe vom Nachmittag verschwunden. Hauptgrund für seine Schweißausbrüche und den damit verbundenen Geruch der Angst, den der IT-Chef vom Dienst verströmte, waren jedoch die Erkenntnisse der Tests, die sie im Lauf des Nachmittages durchgeführt hatten.

»Mit dieser IT können wir keine stabile Stromversorgung aufbauen«, erklärte Blanchard. Es war ein Offenbarungseid, und er wusste, dass er dafür zur Rechenschaft gezogen würde, wenn nicht in den nächsten Stunden, dann spätestens, sobald der Normalzustand wiederhergestellt war.

Seit drei Uhr nachmittags war praktisch ganz Frankreich abermals vom Netz. Fast alle Server zur Steuerung der Netzschaltstellen waren ausgefallen, auch die redundanten Systeme hatten versagt.

»Das mit den Testservern, die wir unmittelbar nach den Blue Screens aufsetzten, und der darauf etablierten Laborsituation habe ich Ihnen bereits erläutert«, sagte Blanchard. »Leider war das Ergebnis wenig hilfreich: Eine Neuinstallation auf Basis der vorhandenen Installationsroutinen ist keine Lösung. Jemand hat die Systeme richtig böse infiziert. Mit unserem Know-how allein kommen wir nicht weiter. Wir haben externe Experten angefordert. Sie werden noch heute Nacht mit den Arbeiten beginnen.«

»Heute Nacht?«, fragte Tollé kühl. »Warum nicht sofort?«

»Sie kämpfen mit denselben Problemen wie alle anderen. Ihre Leute sind nicht erreichbar, müssen sich um ihre Familien kümmern, Sie wissen schon …«

»Wann kann ich dem Präsidenten die Wiederherstellung der Stromversorgung mitteilen?«

»Das können wir zurzeit noch nicht abschätzen«, gestand Blanchard zerknirscht. Warum gelang es diesem jungen Fatzke, dass er sich so mies fühlte?

»Diese Antwort wird er nicht akzeptieren.«

»Das wird er müssen«, sagte Proctet zu Blanchards Überraschung.

Blanchard sah, wie Tollés Kiefer arbeiteten. Mit mühsam beherrschtem Ton antwortete der Sekretär: »Sagen Sie, was Sie brauchen, damit es schneller geht, und ich kümmere mich darum.«

Blanchard überlegte, wie oft er sich von der Politik etwas gewünscht hatte. Wirklich handelten die Damen und Herren wie üblich erst, wenn etwas Schlimmes geschehen war. Dann waren sie auf einmal da, die Retter der Nation, um für ihre Versäumnisse von früher andere verantwortlich zu machen und selbst den Helden zu spielen. Blanchard hätte kotzen können, doch sogar dafür fehlte ihm in diesem Augenblick die Kraft.

Berlin

Michelsen trank noch einen Espresso. Sie sehnte sich nach einem Bett. Stattdessen schüttete sie gleich noch einen Kaffee nach, drückte sich einen weiteren aus der Maschine und kehrte an ihren Arbeitsplatz zurück.

Die Aufgabe, vor der sie standen, war kaum zu bewältigen. Sämtliche Lebensbereiche waren betroffen, wenn auch in unterschiedlichem Ausmaß. Sie für ihren Teil wollte sich eine Übersicht verschaffen, mit der sie die wesentlichen Punkte und Geschehen im Blick behielt.

Sie begann zu tippen.

Wasser
Lebensmittel
Medizinische Versorgung
Unterkunft
Kommunikation
Öffentliche Ordnung
Transport
Geld/Finanzen
Andere Infrastrukturen
Versorger
International

Waren das die wichtigsten Punkte? Falls sie einen vergessen hatte, konnte sie ihn nachtragen. Sie legte eine neue Seite an. In die erste Zeile schrieb sie:

Tag 2 (Sonntag)

Darunter kopierte sie die Punkte ein weiteres Mal ein. Dazu tippte sie ihre Notizen.

Wasser

aktueller Status nicht bekannt, Ausfall in Teilen des Bundes-gebiets (BG)

Noch hatten sich regionale Behörden und die Länder keine Übersicht verschaffen können. Vor morgen rechnete Michelsen mit keinen neuen Erkenntnissen.

Lebensmittel

Am nächsten Morgen, dem ersten Montag seit Beginn des Ausfalls, würden die meisten Lebensmittelgeschäfte geschlossen bleiben. Jene, die öffneten, erhielten keinen Nachschub. Tiefkühlware war bereits verdorben oder würde es demnächst sein. Mit der Einrichtung von Ausgabestellen und Suppenküchen wurde begonnen. In Stichwörtern schrieb sie es auf. Nächstes Thema:

Medizinische Versorgung

Dieselmangel in Krankenhäusern; Personal gelangt zum Teil nicht an Arbeitsplatz, Apotheken bleiben teilweise geschlossen, anderen fehlt Nachschub; zahlreiche Arztpraxen öffnen nicht; Pflege- und Altenheime unterversorgt

Unterkunft

Notquartiere einrichten

Kommunikation

Bevölkerung über Selbsthilfe aufklären, Kanzler wird über Angriff informieren müssen (will noch nicht)

Öffentliche Ordnung

bis jetzt okay, lokale Personalengpässe, große Solidarität

Transport

Bahn räumt nach und nach Strecken von liegen gebliebenen Zügen, > Transportunternehmen verpflichten, Treibstoffreserven ausreichend; Individualverkehr auf den Straßen nicht stärker als erwartet; Zehntausende Gestrandete an Tankstellen und Flughäfen zu versorgen; Tankstellen aufrüstbar?

Geld/Finanzen

Bargeldversorgung über Bankschalter; elektronische Bezahlung funktioniert nicht

Andere Infrastrukturen

einige Industrieanlagen kritisch (besonders Chemie)

Versorger

nicht abschätzbar, Strominseln ca. 20% des Bundesgebiets; in einigen nur wenige Stunden pro Tag Grundversorgung; AKWs mit Diesel für mind. 3 Tage versorgt
> Nachschub sichern!!!

International

erste Abstimmungen (EU, NATO, UNO, bilateral); Probleme im AKW Saint-Laurent (F), Temelín (CZ), div. Fabriken

Tag 3 – Montag

Den Haag

Das Erste, was Shannon spürte, war ein stechender Schmerz im Genick. Dann fiel ihr auf, dass etwas anders war. Der Motor des Busses hatte aufgehört zu brummen, sie bemerkte keine Vibrationen mehr. Sie öffnete die Augen. Ihre Lider fühlten sich geschwollen an. Draußen herrschte Nacht. Shannon hörte die Geräusche von Reisenden, die sich erhoben, ihr Gepäck zusammensuchten, zum Ausgang strebten. Langsam streckte sie ihre steifen Gliedmaßen und suchte hinter der Scheibe nach Anhaltspunkten, wo sie sich befanden.

In der Finsternis entdeckte sie ein Schild: Den Haag.

Shannon rieb sich die Augen und sah auf die Uhr. Kurz vor sieben. Der Bus hatte Verspätung. Sie zog ihre Daunenjacke über und sehnte sich nach einer heißen Dusche sowie einem dampfenden Kaffee. Da draußen sah es nicht danach aus, als ob sie das eine oder das andere bekommen würde. Keine Straßenbeleuchtung, dunkle Gebäude, wenige Menschen. Sie wartete, bis alle ausgestiegen waren, dann verließ auch sie den Bus. Sofort spürte sie beißende Kälte auf Wangen, Nase und Ohren. Sie zog die Kapuze ihrer Jacke über und kramte ihre Handschuhe hervor.

Sie versuchte, sich zu orientieren. Wie es schien, war sie auch hier an einem Bahnhof gelandet. Das Gebäude war nicht groß, erinnerte sie an die Stationen in kleineren Städten Frankreichs.

Auf ihrer Europareise hatte sie in den Niederlanden nur Amsterdam besucht.

Sie ging zum Hauptgebäude. In der Halle glommen ein paar Notleuchten. Einige Reisende standen ratlos herum, suchten Personal oder warteten an einem der zwei offenen Schalter.

Shannon sprach den Erstbesten auf Englisch an.

»Sprechen Sie Englisch?«

»Ein bisschen.«

»Sind Sie von hier?«

»Ja.«

Sie hielt ihm den Zettel vor die Nase, auf dem sie François Bollards Adresse notiert hatte.

»Wissen Sie zufällig, wo das ist und wie ich hinkomme?«

Der Mann studierte das Papier, dann sagte er: »Das ist etwa eine halbe Stunde zu Fuß von hier. Oder Sie nehmen ein Taxi. Wenn Sie eines bekommen.«

Shannon bat ihn, ihr ungefähr den Weg zu beschreiben. Er nannte ihr ein paar fremd klingende Straßennamen und Abzweigungen, die sie notdürftig auf den Zettel kritzelte. Sie bedankte sich und marschierte los. Nach einem Taxi hielt sie nicht Ausschau, sie musste mit ihrem Geld haushalten. Ihr Magen knurrte. In ihrem Seesack hatte sie ein paar Schokoriegel, von denen sie einen im Gehen aß. Sie wanderte durch Straßen mit netten, alten Backsteinhäusern, ähnlich wie in Amsterdam. Die Straßenlampen erhellten ihr auch hier nicht den Weg. Immer wieder sah sie Licht in Fenstern, schwach, flackernd. Kerzen, vermutete sie. Menschen begegneten ihr kaum, Autos dagegen waren einige unterwegs.

Die Beschreibung des Mannes am Bahnhof war gut gewesen. Sie fand jede Straße, die er genannt hatte. Sie schritt zügig voran, damit ihr nicht kalt wurde, und überlegte, was sie zu François Bollard sagen sollte. Ihr Ausflug kam ihr noch absurder vor als am

Abend zuvor, als sie in den Bus gestiegen war. Gleichzeitig trieb sie eine geheimnisvolle Kraft an. Shannon ließ es geschehen.

Nach einer knappen halben Stunde hatte sie ihr Ziel erreicht. Sie blieb vor dem Haus stehen, kontrollierte noch einmal die Adresse auf ihrem Zettel. Der Name neben der Klingel bestätigte, dass sie richtig war. Der Schwiegersohn ihrer Nachbarn lebte mit seiner Familie in einem schmucken Backsteinbau aus dem ausgehenden neunzehnten Jahrhundert, in einer Straße, die ausschließlich aus solchen Gebäuden bestand. Davor parkten deutsche und schwedische Limousinen und Kombis.

Eine Weile lang betrachtete sie die Fassade, suchte nach einem Zeichen, dass jemand da war. Als Kälte durch jede Ritze ihrer Kleidung zu kriechen begann, klopfte sie schließlich fest gegen die Holztür. Sie wartete kurz, dann klopfte sie ein zweites Mal. Da es keine Elektrizität gab, brauchte sie die Klingel gar nicht zu versuchen. Sie klopfte erneut. Lauschte, ob sie von drinnen etwas hörte. Nichts. Klopfte noch einmal. Wartete, horchte.

Nach zehn Minuten gab sie auf. Hier war niemand. Sie spürte einen heißen Schub der Scham ihr Gesicht hochsteigen. Daran hatte sie nicht gedacht, nicht damit gerechnet: François Bollard war nicht daheim. Vielleicht war er mit seiner Familie doch nach Frankreich gefahren. Oder sie waren in ein Hotel gezogen, das eine Notstromversorgung besaß. Mit einem Mal spürte sie die ganze Müdigkeit der letzten Tage, ja, der letzten Jahre, die Kälte, den Hunger und Durst, die Sehnsucht nach einer Dusche. Sie begann zu zittern, Tränen füllten ihre Augen, sie fühlte sich sehr einsam. Ihre Lippen bebten, sie rang nach Luft, atmete tiefer und tiefer, um sich zu beruhigen, bis sie den Zettel wieder aus ihrer Tasche zog und auf der Rückseite nachsah, wo sie die Adresse von Europol notiert hatte.

Brüssel

Angströms Nase war so kalt, dass es fast schmerzte. Sie zog den Schlafsack bis unter die Augen und wartete, bis sich ihre Nase erwärmt hatte. Dann wagte sie es, eine Hand aus dem Schlafsack zu strecken, in den sie sich unter die Decke verkrochen hatte, und betätigte den Schalter der Nachttischlampe. Nichts. Noch immer kein Strom. Sie zog den Arm wieder zurück und dachte über die Konsequenzen nach.

Sie besaß einen elementaren Informationsvorsprung gegenüber den meisten Menschen Europas. Nachdem sich Piero Manzanos Annahmen bestätigt hatten, musste sie davon ausgehen, dass der Ausfall womöglich länger andauerte.

Manzano. Wie es ihm jetzt wohl ging?

Angström überlegte, wie gut sie auf eine solche Situation vorbereitet war. Was würde sie benötigen? Wasser, wie sie gestern Abend schon festgestellt hatte. Lebensmittel. Geld. Sie sollte so schnell wie möglich aufstehen und zusehen, dass sie vielleicht noch einen geöffneten Supermarkt und eine Bank fand.

Sie kroch aus ihrer Schlafstatt, ging auf die Toilette, die sie gestern Abend einmal hatte spülen können. Wasser war keines in den Tank nachgeflossen. Trotzdem setzte sie sich auf die kalte Brille und tat, was sie tun musste. Hoffnungsvoll drückte sie den Knopf, doch nichts. Aus der Küche holte sie eine Mineralwasserflasche und spülte mit dem Inhalt das Klo.

Mit ein wenig Wasser aus einer zweiten Flasche erledigte sie eine notdürftige Morgenwäsche. Das Thermometer vor dem Fenster zeigte vier Grad über null an. Auf ihrer Seite der Scheibe konnte es nicht wärmer als zwölf Grad sein. Nieselregen sprühte gegen das Glas. Sie zog ein frisches T-Shirt an, ein dickes Baumwollhemd und einen Wollpulli. Lange Unterhosen unter die

Jeans. Den Anorak, eine warme Wollmütze, Handschuhe, Stiefel.

Normalerweise fuhr sie mit den öffentlichen Verkehrsmitteln zu ihrer Arbeit, da sie in Brüssel kein eigenes Auto besaß. Wenn sie eines benötigte, lieh sie es. Doch heute würden ihr weder ein Leihwagen noch die öffentlichen Verkehrsmittel etwas nützen. Also rollte sie ihr Hollandrad aus dem Flur und sperrte die Wohnungstür hinter sich ab.

In der Straße entdeckte sie kein einziges Licht. Sie rief sich die Supermarktfilialen und Lebensmittelläden der Umgebung in Erinnerung, dann stieg sie auf das Fahrrad und trat ordentlich in die Pedale, um sich aufzuwärmen.

Den Haag

Bollard hatte kaum geschlafen. Noch vor sechs Uhr morgens war er aus dem Bett geschlüpft, hatte sich leise angezogen und aus dem kleinen Apartment in dem Bauernhof gestohlen. Eine halbe Stunde später saß er an seinem Schreibtisch im Statenkwartier. Er war nicht der Einzige. Seine halbe Mannschaft hatte die Nacht im Büro verbracht.

Janis Christopoulos, ein dreiunddreißigjähriger Grieche, begrüßte ihn mit einem Bündel Ausdrucke in der Hand.

»Hier sind endlich die Phantombilder aus Italien und Schweden. Insgesamt sechs Stück.«

Sie gingen zu der großen Wand in der Einsatzzentrale, an der sie alle Informationen ausgedruckt aufhängten. Christopoulos fügte drei Bilder zum schwedischen Komplex hinzu und drei zum italienischen. Die Porträts zeigten durchwegs Männer. Wie üblich wirkten die Gesichter auf den Computerzeichnungen alters- und seelenlos. Es musste etwas mit den Augen zu tun haben, dachte Bollard.

Fünfmal dunkle Haare, zweimal mit schütterem Wuchs, einmal Schnurrbart, zwei Vollbärte. Einer hatte asiatisch anmutende Augen.

»Zwischen zwanzig und vierzig lauten die Aussagen, Körpergrößen stehen dabei«, erklärte Christopoulos. »Vier von den sechs wurden als eher südländische bis arabische Typen beschrieben. Einer meinte auch, vielleicht sei einer südamerikanischer oder asiatischer Herkunft.«

Christopoulos zuckte mit den Schultern.

»Zeugenaussagen eben … In Schweden war allerdings auch ein Blonder dabei.«

Weder in Schweden noch in Italien würde jemand Verdacht schöpfen, wenn ein Servicemitarbeiter mit Migrationshintergrund bei ihm auftauchen würde, dachte Bollard. Ebenso wenig wie in Frankreich.

»Momentan zirkulieren die Bilder bei den Stromversorgern. Aber sie werden wohl niemanden finden. Die Dienstpläne der jeweiligen Versorger zeigen nämlich für die betreffenden Tage und Adressen keine Termine.«

»Das ist immerhin ein Anfang. Die Typen könnten also tatsächlich etwas damit zu tun haben.«

»Wir vergleichen sie bereits mit unseren Datenbanken. Interpol und die USA auch.«

»Das ist alles?«

»Zu diesen Ermittlungen leider. Dann haben wir noch ein paar Meldungen von der IAEO aus Wien. Temelín in Tschechien meldet weiterhin Probleme mit dem Kühlsystem, die Behörden sagen aber nur INES-Stufe 0, dasselbe im finnischen Olkiluoto und im französischen Tricastin.«

Bollard vergegenwärtigte sich die Landkarte seiner Heimat und entspannte sich wieder. Die genannte Anlage lag im Süden, mehr als fünfhundert Kilometer vom Loiregebiet und seinen Eltern entfernt. Er erinnerte sich, dass sie in den vergangenen Jahren mehrmals durch Störfälle in die Schlagzeilen geraten war, obwohl – und weil – diese teilweise hatten vertuscht werden sollen.

»Die beunruhigendsten Nachrichten kommen leider auch aus Frankreich«, fuhr Christopoulos fort. »In Saint-Laurent sind offenbar ernstere Probleme mit den Notkühlsystemen aufgetreten.«

Bollard meinte zu spüren, wie jemand einen breiten Gürtel um seinen Hals zusammenzog. Die Anlage in Saint-Laurent-Nouan lag zwanzig Kilometer vom Haus seiner Eltern entfernt.

»Noch ist die Lage unklar. Die Rede ist von erhöhtem Druck und ansteigender Temperatur.«

»INES-Einstufung?«

»Noch nicht erfolgt.«

»Entschuldigen Sie mich«, sagte Bollard.

Er eilte in sein Büro und schaltete den Computer an. Im Internet suchte er vergeblich nach Berichten über den angeblichen Vorfall. War die Öffentlichkeit noch nicht informiert worden? Er blickte auf die Uhr. Kurz vor acht. Um diese Zeit waren seine Eltern gewöhnlich bereits wach. Bollard wählte die Nummer.

Die Leitung blieb tot. Nervös klopfte Bollard auf die Gabel, versuchte es noch einmal. Wieder nichts. War womöglich die Europol-Anlage defekt? Zur Kontrolle probierte er die Nummer eines Kollegen in Brüssel, von dem er wusste, dass er erreichbar sein musste.

»Guten Morgen, François Bollard hier, entschuldige die Störung, ich musste nur unsere Anlage testen.«

»In Ordnung«, erwiderte der andere, »das Problem hatte ich auch schon.«

Noch einmal wählte er die Nummer seiner Eltern. Aus dem

Hörer klang nur ein leises Rauschen. Im Computerverzeichnis suchte er die Nummer ihrer Ansprechperson bei der französischen Atomaufsichtsbehörde.

»*Autorité de sûreté nucléaire, bonjour?*«

Bollard nannte den Namen seines gewünschten Gesprächsteilnehmers.

»Ist heute leider noch nicht im Haus«, erwiderte die freundliche Telefonistin.

»Dann geben Sie mir seinen Stellvertreter.«

»Leider auch noch nicht da. Der Stromausfall, Sie verstehen. Da haben viele Probleme, zur Arbeit zu kommen.«

Bollard biss die Zähne zusammen, um sie nicht anzuschreien.

Musste er es eben später noch einmal versuchen. Er legte auf. Dann erinnerte er sich daran, dass er eine Verabredung hatte.

Berlin

Viertel vor acht Uhr stand der Kriminalbeamte Hartlandt mit seinem Sparbuch vor der nächsten Filiale seiner Bank. Vor ihm wartete bereits ein Dutzend Leute. Einige Passanten bemühten vergeblich den Geldautomaten neben dem Eingang. Hartlandt stampfte auf und schlug die Arme um den Oberkörper gegen die Kälte. Hinter ihm bildete sich eine längere Warteschlange. Einige der Leute unterhielten sich, tauschten Erfahrungen aus, schimpften auf die Behörden. Hartlandt überlegte, wo er wohl einen offenen Supermarkt oder Lebensmittelladen finden würde. Um Punkt acht Uhr drängten alle in den Schalterraum.

Drinnen war es angenehm warm.

»Wie viel?«, fragte der Angestellte hinter dem Tresen, als Hartlandt ihm das Sparbuch reichte.

»Zehntausend«, erwiderte Hartlandt nicht zu laut.

»Das ist ja fast alles«, bemerkte sein Gegenüber überrascht.

»Ja«, sagte Hartlandt. »Der Geldautomat draußen funktioniert nicht.«

»Ist von unserem Stromnetz abgekoppelt«, erklärte der Mann, während er das Geld Schein für Schein auf den Tresen legte. »Damit die Notstromversorgung hier drinnen länger hält.«

Hartlandt teilte das Bündel, klappte beide Packen zusammen und versenkte sie tief in die vorderen Taschen seiner Jeans. Als er die Bank verließ, war der Schalterraum zwar gut besucht, aber nicht überlaufen.

Wenn die Menschen wüssten, dachte er. Und fragte sich, warum sie eigentlich nichts wussten.

Den Haag

Manzano lungerte auf dem Sofa in seinem Hotelzimmer herum und arbeitete am Laptop, als es klopfte.

Bollard trat ein.

»Haben Sie gut geschlafen?«, fragte der Europol-Mann.

»Und ein anständiges Frühstück bekommen«, antwortete Manzano.

»Gehen wir einkaufen«, schlug Bollard vor.

Manzano kam der Franzose verändert vor. Noch angespannter.

»Haben die Läden wieder offen?«

»Für uns schon.«

Bollard fuhr mit ihm durch die leeren Straßen. Unterwegs zeigte er Manzano einige Sehenswürdigkeiten.

Manzano fragte Bollard, wie er zu Europol nach Den Haag gekommen war.

»Die üblichen Gründe«, erklärte Bollard. »Eine interessante Aufgabe. Karriereperspektiven.«

Sie fuhren an einem großen Modehaus vorbei. Bollard parkte den Wagen in einer Seitenstraße.

»Wir nehmen den Nebeneingang«, sagte er. Aus dem Kofferraum nahm er eine Tasche mit.

Am Lieferanteneingang ließ sie eine Frau mittleren Alters ein, nachdem Bollard ein paar Worte mit ihr gewechselt und ihr einen Ausweis gezeigt hatte.

Drinnen war es so dunkel, dass Manzano kaum etwas sah. Aus seiner Tasche zog Bollard zwei große Taschenlampen. Eine davon reichte er Manzano. Mit der anderen leuchtete er quer durch das riesige Geschoss voller Regale, Tische und Stangen mit Kleidung.

»Suchen Sie sich etwas aus.«

»Ich komme mir wie ein Einbrecher vor«, bemerkte Manzano.

»Damit sollten Sie doch vertraut sein«, erwiderte Bollard.

Manzano verstand die Bemerkung zwar nicht, ihm missfiel jedoch der Ton.

»Als Hacker, meine ich«, fügte Bollard hinzu.

Manzano hatte keine Lust auf diese Diskussion.

Doch Bollard ließ nicht locker. »Da brechen Sie ja auch in fremdes Eigentum ein.«

»Ich bin nicht eingebrochen, ich habe Sicherheitslücken genützt. Und ich habe weder etwas zerstört noch gestohlen«, fühlte sich Manzano nun doch zu einer Rechtfertigung genötigt. Um das Gespräch zu beenden, wechselte er zu einem anderen Tisch, leuchtete über die Hemden.

»Wenn Sie vergessen, Ihre Tür abzuschließen«, blieb Bollard hartnäckig, »fänden Sie es auch in Ordnung, dass Wildfremde einfach in Ihre Wohnung spazieren?«

»Ich wäre nicht böse, wenn mich jemand auf den Sicherheitsmangel aufmerksam macht.«

»Ist bei Ihnen zu Hause schon einmal eingebrochen worden? Kennen Sie das Gefühl, wie das ist, wenn man weiß, dass da jemand war? Man weiß aber nicht, wer es war. Ob er wiederkommt. Ob er beim nächsten Mal etwas Schlimmeres tut. Ich kann Ihnen versichern, es ist ein Scheißgefühl. Selbst wenn nichts zerstört oder gestohlen wurde.«

»Wollen Sie mit mir streiten oder zusammenarbeiten?«, fragte Manzano. Er hielt einen Pullover hoch, legte ihn an seinen Rumpf. »Der könnte passen.«

Auf dem Bildschirm hatte der niederländische Kriminalbeamte beobachtet, wie Bollard mit dem Italiener das Hotelzimmer verließ.

»Dann bin jetzt ich dran«, sagte er zu seinem Partner. »Bis gleich.«

Er verließ den Überwachungsraum und stieg die zwei Stockwerke tiefer. Mit dem Zweitschlüssel kam er problemlos in das Apartment. Manzanos Laptop lag auf dem Schreibtisch. Das Passwort hatten sie auf den Überwachungskameras schon gesehen. Dann steckte er den USB-Stick hinein. Er gab ein paar Befehle ein, bis der Downloadbalken auf dem Bildschirm erschien. Zwei Minuten später war das Programm auf dem Computer installiert. Drei weitere Minuten später hatte er es so gut versteckt und seine Spuren verwischt, dass der Italiener es nicht entdecken konnte. Er schaltete den Computer wieder aus und ließ ihn genauso zurück, wie er ihn vorgefunden hatte. Er ging zur Tür, warf noch einen kontrollierenden Blick zurück, schaltete das Licht aus und verließ das Zimmer so schnell und unauffällig, wie er gekommen war.

Brüssel

Auf ihrer Radtour hatte Angström als Erstes eine geöffnete Bank aufgestöbert. Mit fünfhundert Euro in der Tasche radelte sie weiter, bis sie zwanzig Minuten später einen Supermarkt fand, dessen Eingang sie an das Einflugloch eines Bienenstocks erinnerte, so viele Menschen drängten hinein und heraus. Unter der Notbeleuchtung schoben sich die Menschen zwischen den Regalen hindurch wie an einem Samstagnachmittag vor Weihnachten. Vor den Kassen war das Gedränge am größten.

Angström ergatterte einen der letzten Einkaufswagen. Gezielt schob sie sich zwischen den Massen zur Getränkeabteilung, wo sie von den bereits ziemlich reduzierten Beständen vier Kisten mit Wasserflaschen auflud. Ellenbogen bohrten sich in ihre Seiten, Einkaufswagen rammten in ihren Rücken und ihre Hacken. Um die Tiefkühlabteilung machte sie einen Bogen, dort prügelten sich die Kunden um die Ware, deren Preise das Personal radikal herabgesetzt hatte, bevor sie gänzlich unverkäuflich wurde. Den Rest ihres Wagens füllte sie mit Konserven aller Art, was ihren ganzen Körpereinsatz erforderte. Sie drängte, rempelte, schob.

Die Schlange zur Kasse begann bereits dreißig Meter davor.

»Immer mit der Ruhe!«, hörte Angström eine verzweifelte Stimme. »Wir können ja auch nichts dafür! Bitte stellen Sie sich wieder an! Sonst muss ich den Sicherheitsdienst rufen!«

»Saftladen!«, brüllte eine andere. »Ich werde hier doch nicht den ganzen Tag warten, bis Sie Kopfrechnen gelernt haben!«

»Ruhe, meine Damen und Herren, bitte! Alle kommen dran! Wir geben uns alle Mühe!«

»Davon merke ich nichts!«

»Ja, ich auch nicht!«

»Weitermachen da vorne!«

Angström stellte sich an das Ende der Schlange. Vor ihr warteten mindestens sechzig Menschen. Manche standen geduldig, andere gestikulierten und riefen.

»Was ist denn los?«, fragte eine Frau vor ihr ihren Vordermann.

»Die Scanner und Kassen funktionieren nicht«, erklärte dieser. »Jetzt müssen die alles von Hand zusammenrechnen. Und kennen von den meisten Waren nicht einmal den Preis, sondern müssen ständig nachschlagen. Können wahrscheinlich gar nicht richtig rechnen. Das kann ewig dauern!«

In der Schlange neben ihr bemerkte Angström einen Mann, der ein paar Päckchen in seine Jacke stopfte, den halb vollen Wagen stehen ließ und sich an der Warteschlange vorbeidrängte.

»Lassen Sie mich vorbei! Ich habe nichts dabei.«

Angström zögerte einen Moment, dann rief sie: »He, Sie! Sind Sie sicher?«

Der Mann hielt irritiert inne, drehte sich um und suchte die Rufende.

»Ja, Sie!«, rief Angström.

»Womit soll ich sicher sein?«

»Dass Sie nichts dabeihaben. Sehen Sie doch einmal in Ihren Jackentaschen nach.«

Nun wandten sich auch andere nach ihnen um. Der Mann betastete seine Jacke und spielte den Unschuldigen. Dann kehrte er zu seinem Wagen zurück.

»Ziege«, zischte er Angström zu. »Was geht Sie das an?«

Unauffällig beförderte er den Inhalt seiner Taschen wieder in den Wagen.

»Mama, können wir bald nach Hause?«, jammerte ein Kind hinter ihr. Ein kleines Mädchen an der Hand eines etwas älteren Jungen.

»Dauert noch ein bisschen, Schatz«, erwiderte die Mutter.

»Ich muss aufs Klo!«

Na klar.

»Bitte warte noch kurz.«

»Ich muss aber jetzt!«, quengelte sie.

»Es geht jetzt aber nicht! Du bist doch groß genug, dass du dich noch zurückhalten kannst!«

»Neeein!«

»Bitte, Janina. Du darfst dir dafür vorne auch etwas Süßes aussuchen.«

»Dann will ich aber auch was!«, meldete sich der Junge zu Wort.

»Ja, du bekommst auch was.«

»Aber er muss doch gar nicht aufs Klo!«

»Muss ich doch!«

Angström schloss die Augen und überlegte für einen Moment, den Wagen stehen zu lassen und ohne dessen Inhalt nach Hause zu gehen. Dann fiel ihr ein, dass sie die Waren mit dem Fahrrad gar nicht transportieren konnte, dafür waren es viel zu viele. Sie würde den Wagen nach Hause schieben müssen. Und das Fahrrad? Legte sie entweder quer darüber oder schob es mit der anderen Hand. Nein, für die letztere Variante war der Wagen viel zu schwer. Sie rechnete sich aus, dass es mindestens drei Kilometer bis zu ihrer Wohnung waren, vielleicht mehr als vier.

»Halt! Hiergeblieben!« Angström hörte Fluchen, Schmerzensschreie, ein Handgemenge. Dann herrschte für einen Moment atemlose Stille.

»Aufstehen!«

»Lassen Sie mich los!«

»Nur weil der Strom ausgefallen ist, brauchen Sie nicht glauben, dass Sie hier stehlen und ungestraft hinausmarschieren können.«

Angström fragte sich, wie lange sie hier warten wollte. Die Leute fanden sich nicht mit der Situation ab, sondern wurden immer aggressiver und lauter.

»Wer ohne Einkäufe gehen möchte, bitte die Kasse ganz rechts benutzen!«, wiederholte eine Stimme von vorne einen Aufruf.

Während sie sich quälend langsam der Kasse näherte, beobachtete Angström die Kassiererin. Tatsächlich sah sie die Waren Stück für Stück an, blätterte dann in einem Heft voller Kopien, in dem sie bei diesem schwachen Licht kaum lesen konnte, um den jeweiligen Preis herauszufinden und ihn als Nächstes auf einen Zettel zu notieren, bis sie die Summe zusammenzählen konnte.

Angström nahm sich vor, nicht nachzurechnen, obwohl sie kein Vertrauen in die Frau setzte.

Den Haag

Shannon war eine weitere Dreiviertelstunde durch die Kälte zur Zentrale von Europol marschiert. In der Empfangshalle des Neubaus hatte man ihr mitgeteilt, dass François Bollard nicht im Haus sei. Nach telefonischer Rückfrage hatte der Portier aber erklärt, dass Bollard bald erwartet würde.

Kurzerhand hatte sich Shannon in einer der Sitzgruppen niedergelassen. Hier war es warm, und sie konnte auf die Toilette gehen. Sogar eine notdürftige Wäsche hatte sie durchführen können. Danach fragte sie den Portier, ob es Neuigkeiten zum Stromausfall gäbe. Er kannte keine oder wollte nichts sagen.

Lange musste sie nicht warten. Die Uhr über dem Empfang zeigte kurz nach zehn, als sie Bollard eintreffen sah. Bei ihm befand sich ein schlaksiger Mann mit einer frisch genähten Narbe an der Stirn, der ein paar Einkaufstüten trug.

Shannon fragte sich kurz, woher er die hatte, denn sie war unterwegs an keinem geöffneten Laden vorbeigekommen, sprang auf und ging ihnen entgegen.

»Guten Tag, Herr Bollard«, stellte sie sich vor. »Lauren Shannon, ich bin eine Nachbarin Ihrer Schwiegereltern in Paris.«

Bollard musterte sie aufmerksam.

»Was machen Sie hier? Ist etwas mit meinen Schwiegereltern?«

»Das wollte ich gerne von Ihnen wissen«, entgegnete Shannon.

»Gehen Sie schon einmal weiter«, bat Bollard seinen Begleiter auf Englisch. Als dieser außer Hörweite war, fuhr er fort: »Ich erinnere mich an Sie. Als wir uns das letzte Mal gesehen haben, waren Sie für irgendeinen TV-Sender tätig.«

»Bin ich immer noch. Gestern Nachmittag reisten Ihre Schwiegereltern kopfüber aus Paris ab – die Schwiegereltern des Terrorverantwortlichen bei Europol. Zu Ihren Eltern, Herr Bollard, wenn ich es richtig verstanden habe. Dabei rutschte Ihrer Schwiegermutter eine Bemerkung heraus, die mir keine Ruhe gelassen hat.«

»Offensichtlich, wenn sie Sie mitten in der Nacht von Paris hierhergetrieben hat. Ich wüsste allerdings nicht, was ich damit zu tun haben könnte. Medienvertreter wenden sich bitte an unsere Pressestelle.«

Shannon hatte nicht erwartet, dass er ihr freiwillig etwas erzählte. Das hätte lediglich bedeutet, dass sie wirklich umsonst gekommen war, denn wenn Bollard freimütig geredet hätte, wäre längst auch eine Mitteilung über die internationalen Presseagenturen verbreitet worden.

»Wir müssen also nicht damit rechnen, dass es sich bei den Stromausfällen um Terroranschläge handelt und sie noch länger andauern?«

»Wann der Strom wiederkommt, müssen Sie die Produzenten fragen, nicht mich.«

Er wich ihr eindeutig aus.

»Hinter den Ausfällen stecken also keine Anschläge?«

»Wie gut kennen Sie sich mit der europäischen Energieversorgung aus?«

»Ich sehe und höre, dass sie nicht funktioniert. Das genügt.«

Er hatte recht. Sie hatte keine Ahnung.

»Nicht ganz«, erwiderte er mit einem mitleidigen Lächeln. »Denn dann wüssten Sie, wie komplex diese Systeme sind. Die schaltet man nicht ohne Weiteres aus wie das Licht in Ihrem Wohnzimmer. Jetzt entschuldigen Sie mich bitte. Weitere Fragen beantwortet Ihnen gern unsere Pressestelle.«

»Warum fahren Ihre Schwiegereltern dann aufs Land?«, rief sie ihm hinterher. »Zu Bauern, die einen eigenen Brunnen haben, mit Holz im Kamin heizen können und – wie formulierte es Madame Doreuil – einfach ein Huhn im Stall schlachten, wenn sie etwas zum Essen brauchen.«

Er wandte sich um, kehrte zu ihr zurück.

Sie fuhr fort: »Für mich klingt das nach jemandem, der jetzt schon weiß, dass dieser Zustand länger andauern wird. Und von wem könnte sie das wohl erfahren haben?«

Wieder bedachte Bollard sie mit diesem nachsichtigen Blick, den Erwachsene gern aufmüpfigen Jugendlichen schenkten.

»Ihre Fantasie und Ihr Engagement in Ehren, Frau…«

»…Shannon. Lauren Shannon.«

»…aber ich habe zu tun. Wenn auch nicht, was Sie denken. Kehren Sie nach Paris zurück.«

Shannon schaute ihm nach, bis er am Treppenaufgang verschwunden war. Dabei rekapitulierte sie das Gespräch. Ihre Frage nach Anschlägen hatte er nicht rundweg als lächerlich abgetan, dachte sie. Statt eines eindeutigen Dementis hatte er sie über die Komplexität der Energieversorgung belehrt. Sie ging zu der Sitzgruppe, an der ihr Seesack lehnte. Schon wieder spürte sie Hunger. Aus der Seitentasche holte sie ihren letzten Riegel.

Und jetzt?

»Ich bringe meine Einkäufe jetzt ins Hotel«, sagte Manzano.

Bollard nickte.

»Sobald die Listen mit den SCADA-Produzenten da sind, gebe ich Bescheid. Sind sie woanders weitergekommen?«

»Noch keine Durchbrüche.«

Manzano studierte das Diagramm an der Wand. In dem Raum, der Bollards Einsatzzentrale bildete, hatten sie begonnen, über die ganze Längswand Informationen zu verteilen. Da hingen an einer Stelle Notizen mit den Codes in den italienischen Stromzählern, daneben alles, was sie bis jetzt von den Italienern zu den Wohnungen bekommen hatten, in deren Zähler die Codes eingespeist worden waren. Dazu gehörten Personendaten aller Eigentümer und Bewohner aus den letzten Jahren, Befragungen der Nachbarn und von Arbeitskollegen, so die italienischen Behörden welche gefunden hatten. An anderer Stelle waren die vergleichbaren Informationen aus Schweden. Dazu jeweils drei Phantombilder.

Weitere Inseln bildeten der Komplex des französischen CNES und Netzleitstellen in weiteren Staaten, die am Vortag ausgeschaltet worden waren. Schlauer waren sie dadurch bislang nicht.

Draußen war es etwas wärmer geworden. Ein paar Tropfen fielen vom Himmel. Manzano beeilte sich, ins Hotel zu kommen, bevor der Regen heftiger wurde. Unterwegs beobachtete er die Menschen, die ihm entgegenkamen, in den Autos an ihm vorbeifuhren. Noch ahnten sie nicht, was ihnen bevorstand. Endlich erreichte er den warmen Hoteleingang.

»Entschuldigen Sie, habe ich Sie vorhin nicht mit François Bollard gesehen?«, sagte eine weibliche Stimme auf Englisch.

Hinter ihm stand eine junge Frau, dick vermummt in einer Steppjacke, mit einem kleinen Seesack. Außer ihnen und dem Portier war niemand in der Lobby. Das Gesicht kam ihm bekannt vor.

»Ja. Sie sind die Frau aus der Eingangshalle bei Europol«, sagte er, ebenfalls auf Englisch.

»Ich bin die Nachbarin von Bollards Schwiegereltern in Paris«, erwiderte sie. In Manzanos Ohren klang sie wie eine US-Amerikanerin.

»Was tun Sie hier?«

»Das ist ein Hotel. Ich suche ein Zimmer.«

»Ich fürchte, das Haus ist voll.«

»Und was tun Sie hier? Sie sind nicht von Europol? Oder warum wohnen Sie hier?«

»Im Moment haben sich viele Ersatzquartiere besorgt, wenn sie die Chance dazu hatten. Dieses Hotel hier hat eine funktionierende Notstromversorgung. Ich meinte aber: Was machen Sie in Den Haag?«

»Ich bin Journalistin. Ich habe mitbekommen, wie Bollards Schwiegereltern gestern Nachmittag fluchtartig Paris verließen. Ich glaube nicht, dass die Schwiegereltern des Terrorverantwortlichen bei Europol so eine Reise zufällig während des größten Stromausfalls in der Geschichte Europas unternehmen. Bollard wollte mir nichts sagen.«

»Sie sind mir von Europol hierhergefolgt.«

»Ich muss wissen, was los ist. Ich habe deshalb die ganze Nacht in einem Bus verbracht.«

»So sehen Sie auch aus.«

»Wie charmant, danke.«

Sie war eine kleine, schlanke Person mit einem runden Kopf und halblangen brünetten Haaren. Die Augen blitzten frech, der kleine Mund verriet Entschlossenheit.

»Die ganze Nacht im Bus? Und kein Zimmer? Haben Sie schon gefrühstückt?«

»Ein paar Schokoriegel.«

Manzano ging zum Portier.

»Ist noch ein Zimmer frei?«

»Nein«, antwortete der Mann.

Manzano wandte sich wieder zu der jungen Frau.

»War zu erwarten. Das wird ungemütlich für Sie. Sie sollten den nächsten Bus nach Hause nehmen.«

»Dort gibt es auch keinen Strom.«

»Aber ein Dach über dem Kopf.«

Die junge Frau zuckte mit den Schultern.

»Haben Sie auch einen Namen?«, fragte Manzano.

»Lauren Shannon.«

»Das klingt nicht französisch.«

»Ich bin Amerikanerin.«

»Eine Amerikanerin in Paris, wie hübsch. Fehlt nur noch, dass Sie wie Gene Kelly tanzen.«

»Da muss ich Sie enttäuschen. Und Sie?«

»Piero Manzano.«

»Auch kein Franzose.«

»Ich bin Italiener.«

»Ein internationales Städtchen, dieses Den Haag.«

»Eine ganze Nacht im Bus«, bemerkte Manzano. »Sie haben sicher Lust auf eine Dusche.«

»Und wie!«, seufzte sie.

»Dann kommen Sie. Ich lade Sie auf eine ein.«

Sie beäugte ihn misstrauisch.

Manzano musste lachen.

»Nicht was Sie denken! Ich esse lieber mit sauberen Personen zu Mittag. Sie haben doch sicher Hunger.«

Ihr Blick blieb zögerlich.

Manzano wandte sich zu den Treppen.

»Wie Sie wollen. Dann wünsche ich Ihnen noch viel Erfolg.«

Er begann die Stufen hinaufzusteigen.

»Warten Sie!«, rief die Amerikanerin.

Manzano hielt inne, bis sie ihn eingeholt hatte.

»Sie haben nichts zum Grund meiner Reise nach Den Haag gesagt.«

»Was soll ich sagen?«

»Ob ich recht habe.«

»Womit?«

»Dass hinter den Stromausfällen mehr steckt als menschliches Versagen oder technische Gebrechen.«

»Warum sollte ich das wissen?«

»Weil Sie mit Bollard unterwegs waren.«

»Sie werden so hartnäckig bleiben, nicht wahr?«

»Das ist mein Job.«

»Und mein Job unterliegt einer Geheimhaltung. Selbst wenn ich etwas wüsste, dürfte ich es nicht sagen.«

»Das heißt, Sie wissen etwas.«

»Hier ist mein Zimmer.«

Manzano hielt die Plastikkarte gegen das elektronische Schloss. Ein grünes Lämpchen leuchtete auf, es knackte, und die Tür ließ sich öffnen. Manzano fragte sich, was mit diesen Schlössern geschah, wenn der Notstrom nicht mehr floss.

Shannon stellte ihren Seesack im Flur ab.

»Nehmen Sie Ihre Dusche«, sagte Manzano, »dann gehen wir unten Mittag essen. Ein Luxus in einer Situation wie dieser.«

Während seine neue Bekanntschaft im Bad zugange war, stapelte Manzano seine Einkäufe in den Schrank. Dann las er im Internet die neuesten Nachrichten. Das Hotel besaß wie Europol eine besondere Leitung, die direkt mit dem Backbone des Internets verbunden war, welches nach wie vor gut funktionierte. Erste Gerüchte waren aufgetaucht, über Polizeieinsätze in Italien und Schweden, die mit den Stromausfällen in Zusammenhang stehen sollten. Ein paar Experten äußerten bereits Zweifel, dass die Stromausfälle auf die üblichen Ursachen zurückzuführen waren.

Von offiziellen Stellen gab es dazu keine Kommentare. Manzano fand diese Strategie nicht richtig. Die Regierungen wussten mittlerweile, dass es sich um einen Angriff handelte. Ihnen musste klar sein, dass weite Teile der Bevölkerung womöglich noch tagelang ohne Strom auskommen mussten.

Shannon kam aus dem Bad, im Bademantel, rubbelte sich die Haare trocken.

»Das war fantastisch, vielen Dank!«

»Keine Ursache.«

»Gibt es Neuigkeiten?«

»Nicht wirklich.«

»Sie haben recht!«, rief sie, »ich habe einen Riesenhunger!«

Zehn Minuten später saß Shannon mit Manzano im Speisesaal des Hotels. Die Hälfte der Tische war besetzt. Seltsamer Typ, ihr Gegenüber. Sie wusste nicht genau, was sie von ihm halten sollte. Bislang war er nett gewesen, nicht aufdringlich, und er hatte ihr Hoffnungen gemacht, dass er etwas wusste. Sie blieb jedoch auf der Hut.

»Wir haben eine reduzierte Karte«, erklärte der Kellner.

»Besser als nichts«, erwiderte Manzano. Er bestellte ein Clubsandwich. Shannon wollte einen Hamburger.

»Wogegen sind Sie denn gelaufen?«, fragte sie mit einer Geste auf die Nähte an seiner Stirn.

»Autounfall, als die Ampeln erloschen.«

»Arbeiten Sie bei Europol?«

»Ich arbeite *für* Europol. Bollard hat mich engagiert.«

»Wofür?«

»Für welche Medien arbeiten Sie?«

»CNN.« Sie zeigte ihm einen Ausweis.

»Haben die keine Leute hier?«, wollte Manzano wissen.

»Ich bin ja da.«

»Und wie berichten Sie? Ohne Strom? Wie bekommen Sie Ihr Material zum Sender? Wie bringen Sie es auf die Bildschirme? Abgesehen davon, dass kaum noch jemand fernsehen kann.«

»In Europa nicht«, gab sie zu bedenken. »Ich stelle die Nachrichten online. Solange Teile des Internets noch funktionieren.«

»Was nicht mehr lange der Fall sein wird«, sagte Manzano. Er sah sich um, als habe er Sorge, beobachtet zu werden. Von den anderen Gästen interessierte sich niemand für sie. Er senkte seine Stimme: »Ich bin selbst erst seit gestern hier. Darüber, was ich hier mache, darf ich nicht sprechen, ich musste eine Geheimhaltungsklausel unterschreiben.« Er grinste sie an. »Aber niemand kann mir verbieten zu erzählen, was ich davor entdeckt habe.«

Nachdem er geendet hatte, hielt es Shannon kaum auf ihrem Platz.

»Warum wurde das den Menschen noch nicht mitgeteilt?«, flüsterte sie aufgeregt.

»Die Behörden haben Angst vor einer Panik.«

»Aber die Bevölkerung hat ein Recht darauf, das zu wissen!«

»Das sagen Journalisten immer, um ihre Arbeit zu rechtfertigen.«

»Journalistische Ethik können wir ein anderes Mal diskutieren! Außerdem haben Sie mir nicht davon erzählt, damit ich den Mund halte.«

»Nein.«

»Sie haben einen Internetanschluss in Ihrem Zimmer. Darf ich den benutzen?«

»Wenn er funktioniert. Würde mich wundern, wenn Europol den nicht überwacht.«

»Na und? Meinen Beitrag habe ich hochgeladen, bevor die überhaupt merken, was los ist.«

»Ist gar nicht notwendig. Im ganzen Hotel gibt es WLAN. Das Hotel hat eine direkte Verbindung zum Backbone des Internets, weil es häufig von Europols Gästen und Diplomaten genutzt wird.«

»Dafür braucht man sicher einen Code, den nur Hotelgäste bekommen.«

»Sie kriegen meinen.«

»Haben Sie keine Angst, dass man Sie hinauswirft?«

»Die wollen etwas von mir, nicht umgekehrt.«

»Danach vielleicht nicht mehr.«

»Das lassen Sie meine Sorge sein.«

»Glauben Sie das auch – das mit der Panik?«

»Interessanter Gedanke«, erwiderte er. »Einen ganzen Kontinent in Panik zu versetzen ... Glauben Sie es denn?«

Shannon zögerte. Sie wusste, die Chance zu so einer Story bekam eine Journalistin, wenn überhaupt, genau einmal im Leben.

»Ich denke, wir unterschätzen die Menschen da draußen«, antwortete sie schließlich. »Im Gegensatz zu reißerischen Katastrophenfilmen fanden bislang praktisch kaum Unruhen und Plünderungen statt, im Gegenteil, die Leute helfen sich gegenseitig, sind friedlich.«

»Noch haben sie Vorräte in der Speisekammer.«

»Wissen Sie was? Ich glaube, die Nachricht von einer böswilligen Sabotage der Stromsysteme wird die Menschen noch näher zusammenrücken lassen. Gegen einen gemeinsamen Feind muss man schließlich zusammenhalten!«

»An Ihnen ist ein Propagandaminister verloren gegangen.«

»Wir wissen nicht, worüber sie gesprochen haben«, sagte der Polizist zu Bollard. »Es war zu laut.«

Bollard starrte gedankenverloren auf den Bildschirm des Laptops, der die Bilder von Manzanos Zimmerkamera zeigte. Der Italiener saß auf seinem Bett, den Laptop vor sich. Er schien zu arbeiten.

»Wo ist sie jetzt?«

»Unten im Restaurant, mit ihrem Laptop. Schreibt.«

Bollards Gedanken schweiften ab. Noch immer hatte er seine Eltern nicht erreicht. Weder von der IAEO noch von den französischen Behörden gab es neue Meldungen an Europol über die Situation im Kernkraftwerk Saint-Laurent. Er zwang sich zur Konzentration.

»Und natürlich wissen wir auch da nicht, was sie schreibt.«

»Luc ist gerade dabei, es herauszufinden. Er zapft das WLAN an.«

Bollard stand auf.

»Ihr haltet mich auf dem Laufenden.«

Unser Korrespondent in Stockholm hat tatsächlich eine Bestätigung für die Sabotage erhalten, las Shannon Eric Laplantes Antwort im E-Mail. Das Pariser Büro erreichte sie über dessen Satellitenverbindung.

Shannon klapperte mit fliegenden Fingern auf der Tastatur.

Habe ich euch doch gesagt. Ich sitze hier an der Quelle. Wenn ich weitermachen können soll, muss der Sender die Spesen für ein Quartier und einen Leihwagen übernehmen. Falls ich auch nur eines davon überhaupt noch bekomme.

Okay, kam die Antwort. Dazu fügte Laplante die Daten einer Firmenkreditkarte.

Gute Arbeit, Lauren.

Shannon ballte triumphierend die Faust. Sie ging zum Portier.

»Haben Sie noch immer kein Zimmer frei?«

»Tut mir leid.«

»Können Sie mir woanders eines besorgen?«

»Haben wir schon für Stammgäste versucht. Jedes Haus mit Notversorgung in der Stadt ist restlos ausgebucht.«

»Und Mietwagen?«

»Können wir versuchen. Bevorzugen Sie einen bestimmten Anbieter?«

»Den, der einen Wagen mit vollem Tank hat.«

Der Portier musste minutenlang probieren, bevor er ein kurzes Telefonat führen konnte. Er legte die Hand auf die Muschel und sagte ihr: »Ich habe nur einen erreicht. Er hätte noch genau einen Wagen. Ist aber nicht billig.«

»Wie viel?«

»Hundertfünfzig Euro. Pro Tag.«

»Was ist das? Ein Ferrari?«

»Ein Porsche.«

»Ist nicht Ihr Ernst.«

»Wahrscheinlich der letzte freie Leihwagen mit vollem Tank in ganz Den Haag und Umgebung, den Sie noch bekommen. Die billigen Wagen sind alle schon weg oder die Verleihstationen überhaupt geschlossen.«

Shannon zuckte mit den Schultern. Laplante würde toben.

»Na dann.«

»Und Sie müssen bar zahlen.«

Shannon erstarrte. Laplante würde vorerst nicht toben. Wenn sie den Wagen haben wollte, musste sie die Gebühr von ihren Barreserven vorstrecken.

Und wenn schon! War jetzt auch schon egal! Sie ließ sich den Weg beschreiben.

Eine Stunde später schob sie den Zündschlüssel in das Schloss des silbernen Sportwagens, über dessen Karosserie sich bunte Streifen zogen wie bei einem Rennauto. Vorsichtig versuchte sie sich an Kupplung und Schaltung. Der Motor heulte auf. Der Angestellte des Verleihs sah ihr besorgt zu. Sie winkte ihm und rollte zur Ausfahrt der Garage.

Bis sie zurück im Hotel war, beherrschte sie den Boliden immerhin für den Stadtverkehr.

Sie klopfte an Manzanos Zimmertür, und als dieser öffnete, gestand sie ihm: »Ich habe ein Problem. Ich muss über Nacht bleiben. Aber in der ganzen Stadt ist kein Zimmer aufzutreiben. Und ich dachte, weil Sie mir schon so geholfen haben, vielleicht…«

»Was? Dass Sie bei mir unterschlüpfen können?«

»Ich kenne sonst niemanden.«

»Was ist mit dem Schwiegersohn Ihrer Pariser Nachbarn, Herrn Bollard?«

»Der will nicht einmal mit mir reden.«

»Sie haben ein Vertrauen in die Menschen«, schnaubte Manzano kopfschüttelnd. »Wollen mit einem wildfremden Mann das Bett teilen.«

»Das Zimmer!«

»…hat nur ein Doppelbett. Das Sofa ist zu klein, um darauf zu schlafen.«

»Ich bleibe auch auf meiner Seite«, versprach Shannon.

»Wehe, Sie schnarchen«, sagte Manzano.

Berlin

In der Kaserne am Treptower Park herrschte Hochbetrieb. Den ganzen Tag lang hatten Hartlandt und seine Kollegen die Daten der vergangenen Jahre gesichtet, dazu die laufend neu eintreffenden Informationen gesammelt, analysiert, kategorisiert. Sofern Informationen eintrafen. Die erst in den letzten Jahren erfolgte Umrüstung von analogem auf digitalen BOS-Funk hatte tatsächlich seit der ersten Nacht einen entscheidenden Unterschied gemacht. Jahrzehntelang hatten sich die Behörden und Organisationen mit Sicherheitsaufgaben, kurz BOS, in Deutschland bei Notfällen über ein analoges Funksystem verständigt. Wegen dessen schlechter Verschlüsselbarkeit waren seit den Achtzigerjahren digitale Systeme entwickelt worden, die mittlerweile in den meisten Ländern zum Einsatz kamen. Doch während die USV, die unterbrechungsfreie Stromversorgung der analogen Stellen, noch einen Betrieb von vier bis acht Stunden garantiert hatte, schaffte die batteriegestützte Überbrückung der digitalen TETRA-Geräte lediglich zwei Stunden. Seit Samstagmorgen waren alle Anstrengungen unternommen worden, die Sendestationen mit Notstrom und die Geräte mit zusätzlichen Batterien auszurüsten. Trotzdem konnten viele regionale Dienststellen der beteiligten Behörden und Organisationen sich nur zeitweise oder gar nicht untereinander und mit den Zentralen verständigen.

Gemeinsam mit drei Kollegen analysierte Hartlandt die Nachrichten der Energie erzeugenden und verteilenden Industrie.

Da draußen waren gerade Tausende Ingenieure damit beschäftigt, Fehler und Ursachen für den Stromausfall zu suchen, während Dutzende Servicetrupps die wichtigsten Leitungsstraßen prüften.

»Viel zu viele Kraftwerke haben Probleme, wieder zu starten«, stellte einer von ihnen über einen Stapel Ausdrucke gebeugt fest. »Deshalb können zu wenige Inseln aufgebaut und Netze synchronisiert werden.«

»Zwei Schäden bekamen wir allerdings schon gemeldet«, bemerkte Hartlandt bei Durchsicht seiner Listen.

»In den Schaltanlagen Osterrönfeld und Lübeck-Bargerbück in Schleswig-Holstein haben Brände mehrere Transformatoren zerstört.«

»Na, fabelhaft«, konstatierte Hartlandts Gegenüber, »das heißt, die sind gleich für die nächsten Monate lahmgelegt.«

Was noch nicht so dramatisch war, wie Hartlandt sich gemerkt hatte. Deutsche Regionalnetze waren üblicherweise von mehreren Seiten speisbar. Fiel eine Versorgungsleitung aus, existierte immer noch eine andere, die es belieferte. Der Ausfall zu vieler Schaltanlagen oder strategisch besonders wichtiger wäre allerdings wirklich schmerzhaft, zumal in der gegenwärtigen Situation.

»Hoffentlich nur die zwei?«

Doch Hartlandt hörte nicht mehr zu. Eben war eine neue Nachricht eingetroffen. Mitgeschickt hatte der Absender, einer der großen Netzbetreiber, einige Bilder.

»Seht euch das an«, forderte Hartlandt seine Kollegen auf.

Auf den Bildern lag das krakelige Gerüst eines Hochspannungsmasts quer über einem braunen Feld und erinnerte Hartlandt an das Untergestell einer Achterbahn. Einige seiner Arme ragten stummelig in den grauen Winterhimmel, von ihren Spitzen hingen die Kabelreste wie die abgerissenen Fäden einer gigantischen Marionette.

»Dieser Mast wurde durch eine Sprengung gestürzt«, stellte Hartlandt fest.

Den Haag

»Das heißt«, erklärte Bollard der Runde im Lagezentrum bei Europol, »dass da draußen jemand das Chaos des Stromausfalls nutzt, um nach der Software auch die Hardware des Stromversorgungssystems anzugreifen.« Er zeigte auf die Karte. »Gerade kam eine Meldung aus Spanien. Ebenfalls ein gesprengter Hochspannungsmast. Und wir wissen nicht, ob nicht bereits viel mehr Sabotageakte stattgefunden haben. Die Netzbetreiber und Stromversorger haben bei Weitem nicht genug Servicemannschaften zur Verfügung, um alle Anlagen und Trassen ausreichend zu kontrollieren. Bislang wurde erst ein verschwindend geringer Bruchteil davon untersucht.«

»Könnten es Trittbrettfahrer sein?«, schlug jemand vor.

»Oder jemand geht konsequent vor, um den größtmöglichen Schaden anzurichten«, entgegnete Bollard. »Die Attacken auf die Software waren vielleicht erst der Anfang. Zwar wissen wir noch nicht, wie sie genau ausgeführt wurden oder wer alles davon betroffen ist. Aber das sagen alle Studien zu dem Thema: Nach ein paar Tagen sollte es möglich sein, die Versorgung wieder rudimentär aufzubauen. Ganz anders dagegen sieht es aus, wenn strategisch wichtige Anlagen wie Schaltwerke oder Übertragungstrassen physisch zerstört werden. Manche dieser Elemente sind nicht so schnell zu reparieren, was die Wiederherstellung der Stromversorgung erschwert.«

Ratingen

»Die Argumente sind Quatsch«, ereiferte sich Wickley in der Talaefer-Zentrale. »Die Produzenten werden den Anwendern andere liefern müssen.«

An die Wand projiziert stand eine Reihe von Schlagworten:

- Wäschewaschen, wenn Tarife billig
- Geld verdienen mit der Autobatterie
- Individuelles Energiemanagement

»Ich möchte die Hausfrau und noch viel mehr die berufstätige Mutter sehen«, wetterte Wickley, »die ihre Waschmaschine nur bei besonders günstigen Tarifen einschaltet – oder vom System einschalten lässt. Das ist dann um zwei Uhr nachts, danach liegt die Wäsche noch vier Stunden feucht herum und müffelt bereits, wenn sie am Morgen aufgehängt wird. Weil man ja in der Früh nichts anderes zu tun hat, als Wäsche aufzuhängen ...«

Zwei der Zuhörer im Raum nickten zustimmend, die anderen saßen abwartend da. Zur Durchsicht der Präsentationen hatte Wickley nicht nur Vertriebs- und Technikvorstand, Entwicklungschef und Leiter der Konzernkommunikation gebeten, sondern weitere Führungskräfte. Vier Mitglieder der Kommunikationsagentur waren ebenfalls anwesend. Für diesen Montagnachmittag hatten sie einen Termin vereinbart. Absagen war wegen der fehlenden Telefon- und Internetverbindungen nicht möglich gewesen. Deshalb hatten sich die vier aus Düsseldorf nach Ratingen bemüht.

»Außerdem werden die Konsumenten ganz schnell anfangen zu rechnen und dahinterkommen: Die Tarifunterschiede während des Tages sind so gering, dass es sich nicht auszahlt, seinen Lebensrhythmus davon bestimmen zu lassen. Ganz schnell werden sie beschließen: Wegen der fünf Euro Ersparnis pro Jahr tu ich mir das nicht an. Wir kennen das jetzt auch: Jeder weiß mittlerweile, dass der Stand-by-Betrieb von Fernsehern, Computern, Hi-Fi-Anlagen und anderen Geräten Strom frisst und Geld kostet. Von mehreren Dutzend Euro pro Haushalt pro Jahr ist die Rede. Und? Schalten die Leute deshalb aus? Nein. Die Bequemlichkeit siegt. Aber eigentlich ist das nur ein kleines Schlachtfeld im Gesamtkriegsschauplatz: individuelles Energiemanagement. Mit der großen neuen Freiheit will man den Konsumenten den Umstieg auf die neuen Technologien schmackhaft machen.«

Er schüttelte den Kopf.

»Der Strom kommt aus der Steckdose. Seit Generationen. Darüber denken die Menschen nicht einmal nach. Sie erwarten es. Und sind glücklich darüber. Den Kopf zerbrechen müssen sie sich schon über genug andere Probleme: Wie bekomme ich meine Kinder morgens rechtzeitig in die Schule und schaffe es pünktlich zur Arbeit? Wer holt die Kinder nachmittags ab, geht mit ihnen zum Arzt, während mein Arbeitgeber von mir noch ein paar unbezahlte Überstunden verlangt? Wann gehe ich einkaufen, kümmere mich um die gebrechlicher werdenden Eltern, wie sorge ich für meine Rente vor, wie bezahle ich meine Kredite, ganz zu schweigen von allen Schwierigkeiten am Arbeitsplatz? Heutzutage einen ganz normalen Familienalltag zu managen erfordert Fähigkeiten, von denen sich viele unserer Vorstandskollegen eine Scheibe abschneiden könnten. Nur dass man dafür nicht so exorbitant bezahlt wird wie wir. Und die Senioren? Können nicht einmal ihr Handy oder ihren Computer ordentlich bedienen. Diesen Leuten will man jetzt auch noch zumuten, ihren Stromverbrauch per Mobiltelefon oder Computer aktiv zu managen? Wissen Sie, was ich an deren Stelle antworten würde? Sie können mich – na, Sie wissen schon. So etwas finden nur ein paar technikverliebte Ingenieure toll. Für den Rest der Menschheit ist das ein Albtraum!«

Den Umstand, dass die Smart Meter großartige Überwachungsinstrumente abgeben und zu wunderbaren Datensammlern werden konnten, weshalb Datenschützer schon Bedenken angemeldet hatten, sprach er lieber gar nicht an. Er stützte sich auf den Tisch ab, blickte in die Runde.

»Wir verlangen von den Menschen nicht weniger als einen Paradigmenwechsel. Der muss zuerst in den Köpfen stattfinden. Sonst wird die Energierevolution scheitern. Und mit ihr unsere Gewinnmöglichkeiten am Markt. Kein Mensch versteht heute, warum er sich plötzlich Arbeit mit etwas machen soll, was bis jetzt problemlos aus der Wand kam – und warum sie oder er dafür auch noch mehr bezahlen soll! Weder die Energieindustrie noch die Behörden haben bislang wirklich attraktive Argumente dafür. Und vielleicht ist es auch das falsche Konzept. Ich glaube, wir müssen unseren potenziellen Kunden in der Industrie mehr anbieten als nur Produkte. Sie brauchen die geeigneten Verkaufsargumente für die Konsumenten gleich dazu. Und zwar bessere, als wir sie heute hören und lesen. Das«, sagte er zu Hensbeck, »wird Ihre Aufgabe der nächsten Tage. Sie kennen unsere Produkte, sie kennen die Präsentationen. Schaffen Sie überzeugende Argumente, arbeiten Sie den wahren Nutzen für die Menschen heraus. Denn, glauben Sie mir, jene gern bemühte Freiheit der Wahl und des Selbstmanagements, die letztlich bei Warteschleifen und inkompetenten Beratern in Callcentern endet, die ist es nicht.«

Hensbeck nickte. Was hätte er auch sagen sollen? Die Aufgabe war klar.

Wickley wandte sich zu den Zeilen an der Wand um.

»Und was diese Präsentationen betrifft ...«

Der Text verschwand. Im Raum war es so dunkel wie seit einer Stunde vor den Fenstern.

»Was ist jetzt ...?«

Einer seiner Mitarbeiter nestelte an der Fernsteuerung für den Beamer. Ein anderer sprang auf und eilte zu den Lichtschaltern neben der Tür. Ihr Klacken blieb folgenlos. Wickley griff zum Hörer der Telefonanlage am Tisch, wählte die Nummer seiner Sekretärin. Kein Freizeichen erklang. Er versuchte es noch einmal. Die Anlage blieb tot.

Wickley stürmte aus dem Raum. Im Flur war es noch dunkler. Nirgends sah er Licht. Er hastete zu seinem Büro. Im Vorraum erkannte er die Silhouette seiner Sekretärin, die nervös auf dem Telefon herumtippte.

»Nichts geht«, erklärte sie.

»Zünden Sie Kerzen an!«

Sie schwieg.

»Wir haben keine«, gestand sie schließlich.

Wickley unterdrückte ein Fluchen. Der gesamte Kontinent hatte sich mittlerweile auf die Verhältnisse eingestellt, nur sie nicht!

»Dann besorgen Sie welche!«, bellte er und verließ das Zimmer wieder. Im Flur hörte er Stimmen. Die Besprechungsteilnehmer hatten den Konferenzsaal verlassen und irrten ziellos umher. Wickley ignorierte sie, steuerte die Fahrstühle an. Einige Personen schienen ihm zu folgen.

»James?«

Wickley erkannte die Stimme des Vertriebsvorstands.

»Ich such Lueck«, erklärte Wickley.

»Wir helfen dir.«

Natürlich waren auch die Fahrstühle außer Betrieb. Durch das stockdunkle Treppenhaus stieg er in den vierten Stock, wo das Gebäudemanagement saß. Hinter sich das Getrappel mehrerer Fußpaare.

Auf dem langen, finsteren Flur waren einige Menschen unterwegs, die er hörte, aber praktisch nicht sah.

»Wo ist Lueck?«, brüllte er in die Dunkelheit.

»Unten!«, kam es von einer Männerstimme zurück. »Im Keller, bei den Notgeneratoren!«

Wickley stieg weiter hinab. Unterwegs stieß er auf andere Mitarbeiter.

»Hat jemand Lueck gesehen?«

»Ich sehe seit ein paar Minuten gar nichts«, antwortete eine Frauenstimme.

Wickley ärgerte sich über die Frechheit, bis ihm klar wurde, dass ihn nicht jeder nur an der Stimme erkannte. Außerdem musste er sich eingestehen, dass er keine Ahnung hatte, wo sich die Notstromgeneratoren befanden. Inzwischen hatte er auch die Übersicht verloren, in welcher Etage er sich befand. Er ging einfach immer weiter, bis die Treppen zu Ende waren. Er tastete nach einer Tür, hinter der es nachtschwarz war.

»Lueck?«, brüllte er.

Keine Antwort. Wickley rief noch einmal.

Aus einer Tür am Ende des Flurs leuchtete der Strahl einer Taschenlampe.

»Hier«, hörte Wickley, da war er schon mit langen Schritten unterwegs.

Er fand Lueck, Bereichsleiter Katastrophenmanagement, in einem weitläufigen, beklemmend niedrigen Raum, der vollgestopft war mit Maschinen, Kabeln und Rohren, die im Schein der Taschenlampe lebendig schienen. Bei ihm waren zwei Männer in grauen Arbeitsanzügen mit dem Talaefer-Logo auf dem Rücken.

Lueck war ein drahtiger, kleiner Mann mit schütterem Haar und großer Brille.

»Was, zum Teufel, ist hier los?«, zischte Wickley, um Beherrschung bemüht. Im Licht von Luecks Taschenlampe sah er hinter sich Vertriebs- und Technikvorstand eintreten, ihnen folgten drei weitere, darunter Hensbeck und eine seiner Mitarbeiterinnen.

Lueck leuchtete auf einen großen Kessel im Hintergrund des Raums.

»Das Notstromaggregat ist kaputt«, erklärte er.

Wickley spürte, wie die Wut seine Schläfen erreichte.

»Wir sind einer der wichtigsten Ausrüster der Energieindustrie und haben selbst keinen Strom! Ist Ihnen klar, dass wir uns lächerlich machen?« Seine Stimme hallte zwischen all den Metallkonstruktionen wider.

»Die Notstromversorgung ist – war – für drei Tage angelegt. Wahrscheinlich wurde sie überlastet. Aber der Diesel war ohnehin fast alle«, erwiderte Lueck. »Die Einrichtung einer langfristig autonomen Energieanlage wurde vor drei Jahren abgelehnt. Aus Kostengründen, wenn ich mich recht erinnere.«

Dass der Kerl wagte, ihn darauf hinzuweisen! Leider erinnerte Wickley sich nur zu gut an die Vorstandssitzung, in der sie die fünf Millionen Euro für eine solche Anlage als hinausgeworfenes Geld betrachtet hatten. Nur der Vorstand, in dessen Bereich Sicherheitsfragen fielen, hatte dafür gestimmt. Er war nicht mehr im Unternehmen. Sonst hätte Wickley ihn jetzt fertiggemacht dafür, dass er seinerzeit nicht nachdrücklich genug für das Projekt eingetreten war. Das war schließlich seine Aufgabe als Führungskraft, strategisch wichtige Vorhaben auch gegen Widerstände durchzusetzen. Gut, dass sie sich von dem Versager getrennt hatten.

»Ich habe Ihnen am Samstag die Verantwortung dafür übertragen, wenigstens eine Grundversorgung zu sichern, bis die Stromnetze wieder liefern!«

»Wir brauchen Ersatzteile und Diesel«, entgegnete Lueck. »Weder die einen noch die anderen bekommen wir momentan.«

»Dann besorgen Sie mobile Notstromgeräte!«

»Die werden ebenso wie die Tanklaster woanders gebraucht.«

»Wer, bitte schön, soll wichtiger sein als eines der größten Unternehmen der Region?«

»Krankenhäuser, Notquartiere, Rettungsdienste, Technisches Hilfswerk ...«, wandte Lueck mit provozierender Ruhe ein.

Wickley hasste Lueck dafür, dass er ihn gegen eine Wand von Argumenten laufen ließ, gegen die er nichts einwenden konnte. Aber im Augenblick war er auf den Mann angewiesen. Sobald das alles vorbei war, würde er sich den Typ vorknöpfen. »Sagen Sie den Behörden, dass wir unsere Mitarbeiter nach Hause schicken müssen.«

»Ein Viertel der Leute ist heute ohnehin nicht erschienen«, teilte Lueck ihm ungerührt mit. »Sie haben kein Benzin, und die öffentlichen Verkehrsmittel funktionieren nicht.«

Wickley überlegte kurz, dann sagte er, zu allen gewandt: »Heute wird das nichts mehr. Wir machen morgen weiter. Sagen wir vierzehn Uhr. Und Sie«, er wandte sich an Lueck, »sorgen dafür, dass hier morgen früh alles wieder läuft. Sonst sorgen Sie zukünftig bei Talaefer für gar nichts mehr.«

Berlin

Michelsen trank den fünfzehnten Kaffee an diesem Tag. Wie schon in den Nächten davor hatte sie auch in der letzten so gut wie nicht geschlafen. Seit der Bundeskanzler am Vorabend den Katastrophenfall erklärt hatte, kam sie kaum zum Essen. In der Einsatzzentrale drängten sich die Menschen, nachdem sie die Mannschaft deutlich erweitert hatten. Sie mussten alle rekrutieren, die sie erwischen konnten. Einige Mitarbeiter waren nicht mehr erschienen.

Michelsen telefonierte die meiste Zeit mit Verantwortlichen von Hilfsdiensten. Die Luft fühlte sich an wie feuchter Brei. In dem Stimmengewirr konnte Michelsen kaum ihre eigenen Worte verstehen. Das Technische Hilfswerk und die Bundeswehr hatten mit der Einrichtung von Notunterkünften begonnen. In allen deutschen Großstädten rüsteten sie Turnhallen, Veranstaltungszentren und andere geeignete Örtlichkeiten mit Matratzen, Feldbetten, Decken, mobilen Sanitäranlagen, medizinischer Grundversorgung und Lebensmitteln aus. Das konnte sie in ihrer Liste unter dem Punkt »Unterkunft« als positiv notieren.

In den betroffenen Gebieten war die Polizei mit Lautsprecherwagen unterwegs und forderte die Menschen auf, zu den Lagern zu kommen. Familien mit Kindern, Kranke und Alte genossen Vorrang. Vor allem die zweite und dritte Gruppe mussten die Beamten jedoch erst einmal finden. Viele alleinstehende Alte hörten die Lautsprecherwagen nicht. Oder sie waren zu schwach, ihre Wohnungen zu verlassen, erst recht nach zwei Tagen der Kälte, vielleicht ohne Nahrung und Wasser, ohne Fahrstühle. Wer keine Verwandten oder Nachbarn hatte, die sich kümmerten, war darauf angewiesen, dass Polizisten, die von Tür zu Tür gingen, sie fanden und ihnen erklärten, was sie tun sollten, oder einen der Rettungsdienste für einen Transport verständigten.

Zur gleichen Zeit installierte das Technische Hilfswerk im gesamten Bundesgebiet Notstromaggregate für neuralgische Einrichtungen wie lokale Behörden, große Arztpraxen, Landwirtschaftsbetriebe, doch sie hatten viel zu wenige davon, auch nur für die wichtigsten. Minuspunkte auf ihrer Liste bei »medizinische Versorgung« und »andere Infrastrukturen«. Die Brennstoffvorräte des Bundes wurden verteilt, viele Krankenhäuser standen bereits kurz davor, den Betrieb einstellen zu müssen, weil die Dieselvorräte für ihre Ersatzsysteme verbraucht waren.

Mit über fünfundzwanzig Millionen Tonnen strategischer Ölreserve lagerte die Bundesregierung ausreichend Rohöl und Erdölprodukte, um den deutschen Ölbedarf für etwa neunzig Tage zu decken. Während das Rohöl sich überwiegend in aufgelassenen Salzstöcken Niedersachsens befand, warteten die Fertigprodukte über das Bundesgebiet verteilt in überirdischen Tanks. Das bot den Vorteil, dass die Tanklastwagen die Schwerkraft zum Befüllen nutzen konnten, statt auf Pumpen angewiesen zu sein. Ihr Problem in den kommenden Tagen würde weniger die Menge des verfügbaren Treibstoffs sein als die Mittel – Tankwagen und Fahrer –, diesen auch rechtzeitig dort hinzubringen, wo er benötigt wurde.

Auch unter »International« hatte Michelsen wenig Erfreuliches festzuhalten. Im übrigen Europa ging es nicht anders zu. Noch schlimmer musste es für die Skandinavier sein. Während die Temperaturen in Deutschland rund um den Nullpunkt pendelten, hatte sich ein eisiges Russlandtief über den Norden gelegt. Stockholm etwa zählte achtzehn Grad unter null. Erst südlich der Alpen kletterte die Temperatur in den positiven Bereich. Im Kernkraftwerk Saint-Laurent waren die Notkühlsysteme fast oder ganz ausgefallen, so genau wusste das keiner. Bislang vor der Öffentlichkeit verborgen hatte die Internationale Atomenergie-Organisation in Wien das Ereignis mittlerweile auf INES 2 hochgestuft. Es hieß, das Kraftwerk habe bereits radioaktiven Dampf ablassen müssen, um den Druck im Reaktor zu senken. Michelsen schob den Gedanken beiseite, dass bei Dieselmangel in ein paar Tagen zahlreichen Kraftwerken in ganz Europa diese Aussichten blühten. Ein Horrorszenario.

Deutsche Betreiber hatten angegeben, dass ihre Anlagen für mindestens drei weitere Tage ausreichend versorgt seien. Um Ersatzdiesel würden sie sich derzeit kümmern. Bei Bedarf würden sie auf den Bund zukommen. Wie zuverlässig diese Angaben waren, konnte Michelsen nicht sagen. Die Verbindung zu den örtlichen Behörden war weiterhin lückenhaft.

Auch die Punkte »Transport« und »Kommunikation« machten Michelsen keine Freude. Die Bahn kämpfte nach wie vor mit der Bergung liegen gebliebener Züge, manche wichtigen Strecken für Versorgungsfahrten waren immer noch nicht frei. Stellwerke und Weichen konnten nur händisch bedient werden. Personenverkehr hatte sie bis auf Weiteres eingestellt. Selbst in den Strominseln kam es zu zahlreichen Ausfällen und langen Verspätungen. Außerdem störte Michelsen die Tatsache, dass die Bevölkerung noch immer nicht über den Angriff auf die Stromsysteme informiert worden war. Bislang hatte man das Geheimnis gut hüten können, doch früher oder später würde die Bombe platzen.

Einen Lichtblick bildete die öffentliche Ordnung. Trotz der grauenhaften Zustände waren ihnen keine schweren Zwischenfälle gemeldet worden. Große Plünderungen oder massiv angestiegene Kriminalität blieben bislang aus. Vielleicht lag das aber auch nur daran, dass über die rudimentären Kommunikationsnetze längst nicht alle Informationen zu ihnen gelangten. Bei »Information« hatte sie vermerken müssen, dass Behörden und Hilfsdienste in rund vierzig Prozent des Bundesgebiets nicht, kaum oder nur mangelhaft untereinander und mit dem Krisenzentrum des Bundes kommunizieren konnten.

Verhältnismäßig gut funktionierte die Geldversorgung. Was wenig half, da fast alle Geschäfte geschlossen blieben. Michelsen befürchtete die Entstehung von Schwarzmärkten. Sie würden das Vertrauen in die offiziellen Stellen zusätzlich untergraben.

»Verdammt«, hörte sie Torhüsen aus dem Gesundheitsministerium neben sich fluchen. Sie sah, wie er sich aufrichtete und auf die Leiste mit den Bildschirmen starrte, über die einige der noch funktionierenden TV-Sender flimmerten. Erst jetzt bemerkte sie, dass auch die meisten anderen im Raum ihre Tätigkeiten unterbrochen hatten. Im Raum war es deutlich leiser geworden. Jemand drehte den Ton lauter.

»Da schau«, sagte Torhüsen, »auf CNN.«

Der Monitor zeigte eine junge Frau mit brünetten Haaren, die in die Kamera sprach. Die Einblendung stellte sie als Lauren Shannon, Den Haag, vor.

Im Tickerband am unteren Bildrand lief der immer gleiche Satz vorbei:

Europaweite Stromausfälle – Terrorangriff vermutet. Italien und Schweden bestätigen Manipulation ihrer Stromnetze.

Michelsen spürte, wie etwas in ihr brach. Jetzt erfuhren die Menschen die Ursache der Misere zuerst von einem Fernsehsender statt von den Behörden oder vom Bundeskanzler. Damit hatten die öffentlichen Stellen eine gewichtige Portion Vertrauen eingebüßt. Hoffentlich rächte sich das nicht in den kommenden Tagen.

»Zum Glück kann kaum noch jemand seinen Fernseher einschalten«, flüsterte Torhüsen.

»Diese Nachricht erfährt trotzdem jeder Mensch in diesem Land noch vor Mitternacht«, erwiderte Michelsen, ohne ihren

Blick von den Bildern zu lösen. »Da kannst du sicher sein. Und ich will gar nicht wissen, was die stille Post daraus macht, bis sie bei der Mehrheit angekommen ist.«

Jetzt fehlte bloß noch die Berichterstattung über das havarierte französische Kernkraftwerk, dachte sie.

Düsseldorf

Der Bedienstete brachte Wickley zu Siegmund von Balsdorff, dessen Haus nach wie vor warm und hell war.

»Alter Freund«, begrüßte er Wickley mit ausgebreiteten Armen. »Welch überraschender Besuch.«

»Ich habe die Nachrichten gehört«, sagte Wickley.

»Wir alle haben das«, erwiderte von Balsdorff ernst.

»Wie lange weißt du schon Bescheid?«

»Seit gestern. Am Abend fand eine Sitzung der Regierung und des Krisenstabs statt. Einige von uns wurden per Satellit zugeschaltet.«

»Wie sieht es aus?«

Von Balsdorff starrte an ihm vorbei, überlegte.

»Sie wissen es nicht.«

»Hat es euch auch erwischt?«

»Ich habe es am Mittag erfahren, während ihr alle hier wart. Die meisten Netzbetreiber, die uns gehören oder an denen wir beteiligt sind. Auch Kraftwerke.«

»Die zwei Männer mit den Koffern, die nach deiner Kellerführung so dezent aufgetaucht sind?«

»Das Satellitentelefon. Für die Verbindung zur Zentrale und nach Berlin.«

»In den Nachrichten war von Italien, Schweden und einer noch unbekannten Anzahl von Netzbetreibern die Rede. Weiß man Genaueres?«

»Wen es erwischt hat, ja, im Wesentlichen. Wie genau, das schauen sich die Experten gerade an. Auch Kraftwerke melden ungewöhnliche Schwierigkeiten ...«

Wickley spürte seinen Magen.

»Wir wurden nicht kontaktiert.«

»Einige haben wohl Schwierigkeiten beim Wiederhochfahren.«

»Unsere Techniker stehen bei Bedarf bereit, dafür haben wir gesorgt. Weiß man, wer hinter alldem steckt?«

»Großes Rätsel.« Er bemerkte Wickleys skeptischen Blick, zuckte mit den Schultern. »Scheinbar weiß es wirklich niemand.«

»Ein Ende absehbar?«

»Nicht wirklich.«

Den Haag

»Ich sollte den Vertrag mit Ihnen sofort auflösen!«, tobte Bollard. Vom Sofa in Manzanos Zimmer verfolgte Shannon die Diskussion.

»Ich habe kein Wort über meine Arbeit hier erzählt«, erklärte Manzano. »Wie es unsere Vereinbarung vorsieht. Ihre eigene Pressestelle hat Shannon einen Verdacht bestätigt.«

»Nachdem Sie ihr von den Codes in den italienischen Zählern erzählt hatten«, erregte sich der Franzose.

»Die habe ich schon vor unserer Zusammenarbeit entdeckt. Hätten die Journalisten etwas genauer recherchiert, hätten sie das auch schon früher gewusst. Ich hatte bereits in der ersten Nacht eine Anfrage in einem Technikforum im Internet gestellt. Das haben durchaus ein paar Leute diskutiert. Nur bis zu den Mainstreammedien und der breiten Öffentlichkeit ist es nicht durchgedrungen«, fuhr Manzano fort, »oder bestenfalls als entstelltes Gerücht. Die Dementis der Behörden taten das Übrige.«

»Damit ist es nun vorbei. Die meisten Regierungen und einige Elektrizitätsgesellschaften haben nach den Anfragen Ihrer Freundin« – er zeigte auf Shannon – »mittlerweile bestätigt.«

Über den Bildschirm des Fernsehers liefen die Bilder der Berichterstatter, die Shannons Geschichte aufgegriffen hatten. Seit dem späten Abend brachte fast jeder Kanal eine Sondersendung. Manzano fragte sich, wer die Programme noch sehen konnte. Zum Glück nur sehr wenige Menschen. Shannon hatte im Vorfeld ihre Kollegen gebeten, auch darüber zu berichten, dass es bislang nirgends in größerem Ausmaß zu sozialen Unruhen gekommen war.

»Alle erwarten jetzt Straßenkriegsbilder«, hatte sie ihnen erklärt. »Nachrichten von Mitmenschlichkeit sind die größere Überraschung und haben mehr Neuigkeitswert. Ganz abgesehen davon tun sie den Menschen besser als Aufnahmen von Randalierern.«

Doch die meisten Reportagen illustrierten mögliche Szenarien anschaulich mit Bildern vergangener Ereignisse oder aus Katastrophenfilmen. Dabei stürzten sie sich besonders auf die negativen Möglichkeiten wie Unruhen und Plünderungen, Tierkadaver und Menschenleichen.

Bollard seufzte.

»Was mache ich jetzt mit Ihnen?«

»Sie lassen mich weiterarbeiten. Oder schicken mich nach Hause.«

Bollards Kiefer mahlten.

»Wenigstens ist jetzt Schluss mit der Geheimnistuerei«, sagte er schließlich und verabschiedete sich mit diesen Worten.

»Da haben wir was losgetreten«, stellte Manzano fest. Er musste an Bondoni denken. Wie es ihm und den drei Frauen in den Bergen wohl erging? »Ich bin müde«, erklärte er.

»Ich auch.«

»Geh ruhig zuerst ins Bad.«

Während Shannon sich schlaffertig machte, verfolgte Manzano nachdenklich die Fernsehberichte. In T-Shirt und Shorts kam die Amerikanerin zurück. Manzano fragte: »Müsstest du nicht da draußen weiter Material sammeln?«

»Das Wichtigste habe ich getan«, antwortete sie. »Den Rest sollen erst einmal andere besorgen. So wie es aussieht, werden wir alle in den kommenden Tagen genug zu berichten haben. Wenn es dann noch jemand sehen kann.« Sie schwieg einen Moment, dann sagte sie: »Danke. Dass ich hierbleiben kann. Und dass du mir heute alles erzählt hast.«

»Keine Ursache.«

Er wunderte sich immer noch ein wenig, dass sie so bedenkenlos die Nacht in einem Zimmer mit einem fremden Mann verbringen wollte. Sie könnte fast meine Tochter sein, überlegte er. Und sie sah gut aus.

Manzano ging ins Bad. Er spürte die Müdigkeit und fragte sich, wie lange die Notaggregate des Hotels noch Strom und eine heiße Dusche liefern würden.

Als er zurück ins Zimmer kam, lag Shannon bereits auf ihrer Seite des Bettes unter der Decke. Sie atmete tief und gleichmäßig. Leise schaltete Manzano den Fernseher aus, legte sich hin und fiel sofort in einen traumlosen Schlaf.

Tag 4 – Dienstag

Den Haag

Schweißgebadet erwachte Shannon aus einem Albtraum. Schwer atmend orientierte sie sich. Sie war in diesem Hotelzimmer. Die Wände flackerten blau und orangefarben, wie in einer Diskothek. Neben ihr wälzte sich jemand unruhig im Bett. Natürlich, der Italiener. Shannon fragte sich, wie sie so bedenkenlos ins Bett eines Fremden steigen konnte. Ohne dass etwas zwischen ihnen war. Sie betrachtete seinen Hinterkopf, die Schultern im flackernden Dunkel. Er hatte nicht einmal eine Annäherung versucht. Vielleicht interessierte er sich nicht für Frauen. Oder sie war nicht sein Typ. Sie wusste nicht einmal, ob er ihr gefiel. Er war viel älter als sie. Sie stützte sich auf die Ellenbogen, verscheuchte die letzten Fetzen des Albtraums und fragte sich, woher das Leuchten kam. Sie stand auf, ging zum Fenster, schob die Vorhänge beiseite.

Ein Stück die Straße hinunter brannte ein Haus. Flammen schlugen aus den Fenstern und dem Dach. Dichter Qualm stieg in den Nachthimmel. Mehrere Löschzüge der Feuerwehr standen kreuz und quer auf der Straße, zwei Leitern waren ausgefahren, von denen Wasserstrahlen in das Inferno spritzten. Feuerwehrmänner liefen hektisch durcheinander, evakuierten die Bewohner der benachbarten Gebäude. Menschen in Pyjamas, mit Decken um die Schultern. Shannon tastete nach ihrer Kamera auf dem Schreibtisch und begann zu filmen.

»Wollte wohl wieder einmal jemand mit einem Lagerfeuer im

Wohnzimmer heizen«, hörte sie hinter sich und zuckte zusammen. Sie hatte nicht bemerkt, dass Manzano aufgestanden war.

»Wir haben leicht reden in unserem warmen Hotelzimmer«, erwiderte sie. »Der vierte Tag ohne Strom und Heizung beginnt. Die Leute sind verzweifelt.«

Sie zoomte näher. In einem Fenster des obersten Stocks, aus dem dichter Rauch qualmte, entdeckte sie eine Bewegung.

»Mein Gott…«

Ein Schatten winkte, klammerte sich an den Fensterrahmen, kletterte hinaus. Eine Frau in einem verrußten Pyjama, die Haare wirr im Gesicht. In der dunklen Öffnung erschien noch einer, kleiner.

»Da ist noch jemand im Haus«, stammelte sie, ohne die Kamera abzuwenden. »Ein Kind…«

»Sch…«, flüsterte Manzano.

Shannon hielt mit der Kamera darauf, verfolgte mit ihrem Blick die Lage auf der Straße. Dort brach noch mehr Hektik aus. Eine der Leitern wurde länger und drehte sich. Auch aus dem Dach des Nebenhauses drang nun Rauch. Gleichzeitig breiteten Feuerwehrleute unter dem Fenster ein Sprungtuch aus.

Oben hatte die Frau das Kind auf den Arm genommen, stand auf dem Fensterbrett, die freie Hand am Rahmen, beugte sich mit dem Kleinen so weit wie möglich aus dem Rauch.

»Sie kommen mit der Leiter nicht hin«, wisperte Manzano.

Flammen fuhren aus dem Fenster. Die Frau ließ los, schwankte, verlor das Gleichgewicht.

Nanteuil

Annette Doreuil öffnete ihre Lider und starrte ins Dunkel. Es roch anders im Schlafzimmer. Dann wurde ihr bewusst, dass sie in einem der Bed-and-Breakfast-Zimmer bei Bollards aufgewacht war. Jetzt im Winter hatten sie keine Gäste. Außer ihnen, den Doreuils, den Eltern ihrer Schwiegertochter.

Zuerst dachte Annette Doreuil, die ungewohnte Umgebung ließ sie nicht schlafen. In Paris litt sie selten unter einer gestörten Nachtruhe. Aber sie war auch nicht zum ersten Mal in Nanteuil. Es hatte zwar ein paar Jahre gedauert, bis sie François' Eltern besucht hatten, nachdem ihre Tochter den Jurastudenten vor bald zwanzig Jahren kennengelernt hatte. Anfangs gestand sich Annette Doreuil ihre Vorurteile gegenüber dem Freund ihrer Tochter nicht einmal ein. Als Sohn eines Bauern kam er für sie eigentlich nicht infrage, obwohl seine Manieren eine gute Erziehung nahelegten. Der Junge hatte sich ausgezeichnet entwickelt. Erst nach fünf Jahren der Beziehung hatten sie François' Eltern zum ersten Mal getroffen, als diese ihren Sohn in Paris besuchten. Zwei Jahre später, anlässlich der Hochzeit, waren die Doreuils erstmals nach Nanteuil gereist.

Das Anwesen der Bollards entpuppte sich als ein jahrhundertealter Gutshof, seine Eigentümer als gebildete und interessierte Leute. Annette Doreuil begrub ihre Vorurteile und hatte seither mit ihrem Mann bereits mehrmals eine Woche oder sogar zwei im herrlichen Loiregebiet verbracht. Trotzdem war es natürlich nicht ihr Zuhause. Die untragbaren Zustände durch den Stromausfall, die rätselhaften Andeutungen ihres Schwiegersohnes, der überhastete Aufbruch aus Paris hatten sie schon in der ersten Nacht bei Bollards unruhig schlafen lassen. Und dann gestern Abend die Nachrichten. Bollard hatte sie im Autoradio gehört, dem einzigen elektronischen Gerät im Haus – beziehungsweise in der Garage –, das noch funktionierte. Regelmäßig alle paar Stunden war er hinausgegangen, ob es etwas Neues gab. Kurz vor dem Schlafengehen war er zu ihnen in die Stube gestürzt und hatte berichtet.

An Schlaf war natürlich nicht mehr zu denken gewesen. Über sein altmodisches Festnetztelefon hatte Bollard versucht, seinen Sohn zu erreichen, vergeblich. Aufgeregt hatten sie stundenlang die Bedeutung der Neuigkeiten diskutiert, bis die Müdigkeit doch die Oberhand gewonnen hatte. Annette Doreuil hatte sich in den Schlaf gewälzt, während sie von ihrem Mann bald nur noch lange, ruhige Atemzüge gehört hatte. So wie jetzt, als sie gelegentlich von kurzen, kleinen Schnarchern unterbrochen wurden, an die Annette Doreuil sich gewöhnt hatte und die sie schon lange nicht mehr störten.

Doch da drang noch ein anderer Laut an ihre Ohren. Es klang wie eine scheppernde Stimme. Von weit weg. Doreuil lauschte. Der monotone Singsang, von dem sie kein Wort verstand, wurde lauter, schien sich zu nähern. Dann Stille.

Wenige Sekunden darauf setzte die Ansprache erneut ein. Wieder lauter, aber noch immer genauso unverständlich. Doreuil versuchte, sich auf einzelne Worte zu konzentrieren. Wie spät mochte es sein? Sie tastete nach ihrer Armbanduhr auf dem Nachtisch. Hielt sie direkt vor ihre Augen. Wenn sie die Zeichen der Leuchtfarbe auf den Zeigern richtig deutete, musste es kurz nach vier Uhr morgens sein.

Jetzt hatte sie etwas verstanden.

»Häuser.«

Gebrabbel. Was sollte das bedeuten? Warum fuhr um vier Uhr morgens ein Wagen mit Lautsprecher – denn um einen solchen handelte es sich offenbar – durch den Ort und verkündete Nachrichten, wie man es sonst nur von Zirkussen oder Werbetreibenden kannte?

Wieder vernahm sie ein paar Wortfetzen, doch sie ergaben keinen Sinn. Sie richtete sich auf und schüttelte ihren Mann an der Schulter.

»Bertrand, wach auf! Hörst du das?«

Der so unsanft aus dem Schlaf Geholte brummte: »Was ist denn?«

»Jetzt hör doch! Da draußen wird etwas durchgesagt, mitten in der Nacht!«

Das Bettzeug raschelte, sie hörte, wie auch ihr Mann sich erhob.

»Was ist denn los? Wie spät ist es?«

»Pst! Kurz nach vier. Was sagen die?«

Wieder brummte ihr Mann, rieb sich über das Gesicht.

Eine Weile hörten sie zu.

»Ich verstehe kein Wort«, grummelte Bertrand Doreuil schließlich, seine Frau hörte das Tappen seiner Füße auf dem Boden, dann knarrten die Fenster und die Läden.

»… und warten Sie auf weitere Meldungen«, verkündete die scheppernde Stimme nun laut. Nach einer kurzen Pause setzte sie wieder ein. Dabei schien sie sich zu entfernen.

»Bitte bleiben Sie in Ihren Häusern und halten Sie die Fenster geschlossen.« Die verzerrte Stimme war immer noch schwer zu verstehen, aber Annette Doreuil konnte sich den Inhalt zusammenreimen. »Es besteht keine Gefahr und kein Grund zur Beunruhigung. Schalten Sie ein Radio an und warten Sie auf weitere Meldungen.«

Ihr Mann wandte sich um.

»Hat der jetzt gesagt …?«

»Wir sollen die Fenster geschlossen halten.«

»Warum denn?«

»Mach schon!«

Ihr Mann schloss die beiden Flügel.

»Jetzt habe ich die Läden vergessen.«

»Ist doch egal.«

Die Stimme von draußen war kaum mehr zu verstehen. Doch nun, nachdem Annette Doreuil den Inhalt der Durchsage kannte, verstand sie die Botschaft auch in dem Kauderwelsch.

Ihr Mann trat zurück ans Bett.

»Was bedeutet das?«

Annette Doreuil hatte sich erhoben und zog ihren Morgenmantel über.

»Ich werde die Bollards fragen.«

Mit der Taschenlampe, die sie für alle Fälle auf dem Nachttisch liegen hatte, leuchtete sie sich den Weg hinaus. Ihr Mann folgte ihr. Im Flur trafen sie auf den Hausherrn.

»Hast du das auch gehört?«, fragte Annette Doreuil.

»Im Haus bleiben und die Fenster geschlossen halten.«

»Aber weshalb?«

»Keine Ahnung«, antwortete Bollard.

Den Haag

Shannon erwachte mit dicken Lidern. Die Betthälfte neben ihr war leer. Aus dem Bad hörte sie nichts. Sie rieb sich die Müdigkeit aus dem Gesicht, stand auf und tappte zum Fenster. Kein Traum. Das Haus in der Nachbarschaft war eine schwarze Ruine. Auf der Kamera ließ sie die Bilder der Nacht noch einmal laufen. Ein Albtraum. Die Frau mit dem Kind auf dem Sprungtuch, das die Feuerwehrleute nicht rechtzeitig hatten ausbreiten können. Die Uniformierten, wie sie neben den leblosen Körpern knieten. Shannon schaltete ab. Überlegte, ob sie die Aufnahme löschen sollte.

Mit der Morgentoilette ließ sie sich Zeit. Dann schnappte sie ihre Kamera und ging hinunter zum Frühstück. Viele Leute saßen nicht an den Tischen. Sie hatte keinen Appetit, zwang sich zu einem Honigbrot und einem Kaffee.

In der Hotelgarage wartete der Porsche. Vorsichtig lenkte sie den Boliden auf die Straße. Dekadent, dachte sie. Ein kleineres, unauffälligeres Gefährt wäre ihr lieber gewesen. Shannon kannte den üblichen Morgenverkehr in Den Haag nicht. Jetzt war er nicht besonders dicht. Das Bild der beiden Schwerverletzten oder Toten hatte sie nicht mehr richtig schlafen lassen. Verließ sie auch jetzt nicht. Ohne bedrängt zu werden, konnte sie langsam fahren und beobachten. Viele Fußgänger und Radfahrer waren unterwegs. Die Kamera lag auf dem Beifahrersitz, eine zweite sowie Ersatzakkus davor im Fußraum.

Viele der Menschen schienen es eilig zu haben. An der nächsten Kreuzung entdeckte sie den Grund. In der Straße rechts drängte ein Schwarm um ein Gebäude, das Shannon beim Näherkommen als Supermarkt identifizierte. Einzelne Erfolgreiche hasteten bereits mit überfüllten Einkaufswagen davon, eifrig darauf bedacht, dass ihnen niemand etwas daraus stibitzte.

Shannon hielt an, stieg aus, filmte. Um ein Interview brauchte sie keinen der Menschen fragen. Sie waren zu sehr damit beschäftigt, in den Supermarkt zu gelangen oder ihre Einkäufe in Sicherheit zu bringen. Shannon zielte mit dem Objektiv auf die hektischen Gesichter, aufgerissenen Münder, die Hände, die gegen ihre Vorderfrauen drückten oder am Vordermann zerrten. Sie filmte Strauchelnde, Alte oder Schwache, die zur Seite gedrängt wurden. Sie hielt auf die Einkaufswagen, die aus dem Getümmel auftauchten, über die die Schiebenden beschützend Oberkörper und Arme geworfen hatte, die gleichzeitig verzweifelt versuchten, lästige Diebe zu verscheuchen.

Ketchup, Senf – warum nahmen die Leute das mit?, fragte sich Shannon, den Blick unverwandt auf den kleinen Monitor gerichtet, der die Welt abbildete. Die Menschen schienen alles in die Körbe zu werfen, dessen sie habhaft wurden, schien Shannon.

War es die Gier, die Angst, Gedankenlosigkeit?

Wäre es ohne meinen Bericht gestern Abend hier heute anders zugegangen?

Sie stieg in den Porsche. Mit röhrendem Motor ließ sie den Aufruhr im Rückspiegel zurück.

»Gehen wir alles durch«, sagte Bollard. Er stand vor der großen Übersichtswand in ihrem improvisierten Lagezentrum.

»Beginnen wir mit Italien. Dort haben sie inzwischen die Bewohner der letzten Jahre jener Appartements überprüft, über deren Zähler der falsche Code eingeschleust und verbreitet wurde.«

Er zeigte auf eine ganze Reihe von Bildern der Wohnungen und von Personen.

»Besonders intensiv widmeten sie sich natürlich jenen der letzten Monate und Jahre. Die Leute waren durchwegs unauffällig und unbescholten, wenn man von Steuervergehen absieht, was in Italien nicht als echtes Verbrechen gilt. Von den angeblichen Mitarbeitern der Stromgesellschaft weiterhin keine Spur.«

Bollard deutete auf das Bild eines modernen italienischen Stromzählers.

»Inzwischen wissen wir auch mehr darüber, was in Italien geschehen ist. Techniker des italienischen Elektrizitätsversorgers Enel haben die Zugriffsprotokolle der Firewalls zum Internet geprüft und herausgefunden, dass bereits seit fast achtzehn Monaten verdächtige Zugriffe auf interne Systeme und Datenbanken des Unternehmens stattfinden. Die IP-Adressen der Eindringlinge kommen aus der Ukraine, von Malta und aus Südafrika. Auf diese Weise gelangten sie vermutlich an die Zugangsdaten für die Zähler. Außerdem wurden die Router so umkonfiguriert, dass sich der

Störcode über das ganze Netz verteilen konnte. Der Angriff selbst fand dann, wie schon bekannt, in mehreren Wellen statt.«

»Eines verstehe ich nicht ganz«, sagte eine Kollegin. »Wie kommen Angreifer überhaupt an die ganzen Informationen, um in die Enel-Netze einzudringen und die Zähler zu manipulieren?«

»Für Profis ist das möglich. Seit Jahren dringen Unbekannte in praktisch jedes Netz kritischer Infrastrukturen ein. Manche meinen, es seien Hacker, andere behaupten, Staaten steckten dahinter, von den Chinesen über die Russen bis zu den Iranern oder Nordkoreanern. Um in die internen IT-Netze der Stromgesellschaften zu kommen, gibt es verschiedenste Möglichkeiten. Von speziell entwickelten Webseiten, bei deren Besuch man sich einen Trojaner oder einen Wurm einfängt, über ›liegen gelassene‹ USB-Sticks, die ein Mitarbeiter findet, bis zu raffinierten E-Mails. Die Schwachstellen sind immer die Menschen. Nicht umsonst verbieten viele Behörden und Unternehmen schon länger die Verwendung derartiger Datenüberträger oder gestatten ihren Mitarbeitern nur die Benutzung einiger weniger Webseiten. Leider sind Menschen, wie sie sind, und halten sich nicht immer an das, was man ihnen vorgibt. Außerdem sollten natürlich so heikle technische Systeme auch hardwaremäßig voneinander getrennt sein. Sind sie aber in vielen Fällen nicht wirklich vollständig, weil es kaum machbar ist. So kommen sie also an die internen Daten. Und was die Stromzähler betrifft, das ist noch einfacher: Die Dinger hängen in jedem Haushalt, und man kann sie auf eBay gebraucht kaufen. Man muss sie nur auseinandernehmen, da erfährt man schon einiges.

Außerdem findet man im Internet tonnenweise Literatur und Referenzgeschichten zu den Geräten, unter anderem von den Herstellern selbst. Wenn man sich genauer damit beschäftigt, findet man schnell heraus, wie geeignet diese Kästchen für ein derartiges Vorhaben sind. Sie können nämlich Daten an die anderen funken.«

»Aber so ein Zähler wird doch nicht beliebige Daten von wildfremden Zählern annehmen. Die müssen sicher irgendeine Art der Authentisierung verlangen.«

»Tun sie, aber die haben die Angreifer vermutlich durch die Infiltrierung der internen IT-Netze und Datenbanken bei Enel abgegriffen. Mit etwas Glück haben sie die sogar im Internet gefunden. Man wundert sich immer wieder, was man da alles findet, wenn man nur weiß, wie und wo man suchen muss. Wenn sie die Authentisierung haben, ist der Rest ein Kinderspiel. Wobei wir Grund zur Annahme haben, dass die Authentisierung der italienischen Datenquellen schwach war. Die Angreifer müssen dann nur noch die verlangte Datenquelle imitieren und den jeweiligen Befehlscode einspielen.«

»Und mit solchen Systemen soll in den nächsten Jahren ganz Europa ausgerüstet werden?«

»Tja«, sagte Bollard dazu nur. Er wandte sich einer anderen Bilderreihe zu. »Damit wären wir bei den Schweden. Im Prinzip gingen die Angreifer dort nach derselben Methode vor. Auch dort wurden drei Haushalte als Infektionsherde ausgemacht. Und auch hier haben sich die Bewohner selbst bei den mittlerweile intensiven Nachforschungen als unbescholten und unverdächtig entpuppt. Die Codes wurden also wie in Italien mit hoher Wahrscheinlichkeit von jenen Männern in die Zähler gesetzt, die sich als Servicemitarbeiter der Elektrizitätsgesellschaften ausgaben und von denen wir nach wie vor nur ungefähre Personenbeschreibungen haben.«

Er stellte sich vor die Europakarte im Zentrum der Wand.

»Neben den Angriffen auf die IT-Systeme haben wir seit Neuestem noch die Nachrichten von Brandstiftung in Schaltanlagen und die Sprengung von Strommasten. Noch ist allerdings auch hinter dieser zweiten Art von Angriffen keine Systematik zu erkennen. Deshalb wird es schwierig, die Saboteure zu erwischen.«

Bollard beendete seinen Vortrag, bedankte sich und eilte in sein Büro zurück. Auf seinem Computer überprüfte er, ob es neue Meldungen aus Saint-Laurent gab. Seit dem Morgen war der Zwischenfall von der französischen Atomaufsichtsbehörde auf INES 3 hochgestuft worden. Die Bevölkerung im Umkreis von zwanzig Kilometern wurde dazu aufgefordert, in den Häusern zu bleiben. Zum wiederholten Mal wählte Bollard die Nummer seiner Eltern. Die Leitung blieb stumm.

Shannon musste auf die Gegenfahrbahn ausweichen, um die Menschentraube vor dem Gebäude zu umfahren. Erst jetzt erkannte sie, dass die Drängenden nicht in einen Supermarkt wollten, sondern eine Bankfiliale stürmten. Zwei Minuten später war sie mitten unter ihnen.

»Ich habe noch siebzig Euro in meiner Geldbörse«, erklärte ihr ein rundlicher Mann aufgebracht in die Kamera. »Alles, was man noch kaufen kann, muss man bar bezahlen. Und wer weiß, wie lange das noch so geht? Da wollte ich mir ausreichend Geld besorgen. Und dann das!« Empört wies er hinter sich. »Wenn die jetzt schon kein Geld mehr haben, wie sieht das dann erst in den nächsten Tagen aus? Morgen bin ich auf jeden Fall schon sehr früh da.«

»Was heißt das?«, fragte Shannon. »Die Bank hat kein Geld mehr?«

»Heute nicht mehr, behaupten sie, weil schon so viele abgehoben hätten. Bargeld wird erst morgen wieder geliefert. Wir haben hier alle umsonst gewartet.«

Shannon filmte einige der Frauen und Männer, die noch wütend gegen die Scheiben der Bank trommelten, bevor sie aufgaben und sich nach und nach verteilten. Sie schwenkte auf das handgeschriebene Schild hinter der Tür.

Gesloten vanwege een technische storing. Vanaf morgen kunt
u weer geld opnemen. We vragen uw begrip voor het feit dat het
maximale bedrag dat u per persoon kunt opnemen EUR 250 is.
Closed due to technical disruption. You can get money as of
tomorrow. We ask you kindly for your understanding that the
maximum amount for withdrawal will be 250 € per person.

Die Bank hatte also geschlossen. Geld gab es erst wieder morgen und auch dann nur zweihundertfünfzig Euro pro Person. Im
Schalterraum entdeckte sie die Angestellten, die in Gruppen zu-
sammenstanden und sich unterhielten. Sie klopfte, mehrmals, bis
sich einer umdrehte. Er schüttelte den Kopf. Als Shannon ihm die
Kamera zeigte, wandte er sich ab.

Paris

»Ich brauche Ergebnisse«, erklärte Blanchard müde. »Der Präsident, der Innenminister und alle anderen fordern unsere Köpfe.
Zum Glück haben sie keine Alternativen.« Nur ungern dachte
er daran, wie er noch vor wenigen Tagen den Anwesenden mit
Köpferollen gedroht hatte. Inzwischen lag sein eigener auf dem
Schafott. Seit zwei Tagen arbeiteten die gesamte IT-Abteilung und
zwei Dutzend externe IT-Forensiker rund um die Uhr. Vor ein
paar Minuten hatte Proctet ihn angerufen.

»Ergebnisse haben wir«, erklärte der junge Mann. »Aber keine
erfreulichen.«

Blanchard schloss für einen Moment die Augen. Er sah das Beil
auf seinen Hals fallen. War jetzt auch schon egal.

»Wir haben Teile der auslösenden Schadsoftware gefunden. Sie
befindet sich seit mehr als achtzehn Monaten im System. Dieser

Angriff ist von langer Hand geplant. Das heißt, unsere aktuellen Datensicherungen sind alle unbrauchbar, weil ebenfalls verseucht.«

»Dann greifen wir eben auf ältere zurück.«

Proctet schüttelte den Kopf. »Können wir vergessen. Eineinhalb Jahre im digitalen Zeitalter sind wie ein Jahrhundert in der realen Welt. Achtzehn Monate alte Datensicherungen sind hoffnungslos veraltet. «

»Das heißt?«

»Wir müssen alle Rechner säubern.«

»Das sind Hunderte!«

»Ein paar Dutzend würden für den Anfang genügen«, wandte Proctet ein. »Wäre da nicht noch etwas anderes.«

Blanchard bemühte sich, den jungen Mann nicht zu entgeistert anzustarren. »Was denn noch?«, fragte er atemlos.

»Die wenigen Server«, erläuterte Proctet, »die noch in Betrieb waren, versuchten, auf Rechner zuzugreifen, wo sie eigentlich nichts verloren hatten.«

»Sie wollen sagen ...«

»... dass auch die Server infiziert sind. Genau.«

»Das ist ein Desaster«, murmelte Blanchard. »Wie lange schätzen Sie den Aufwand?«

»Eine Woche«, meinte Proctet leise. Trotzdem hörte ihn jeder im Raum. Blanchard hatte den Eindruck, dass der junge Mann noch bleicher wurde, als er das sagte. Und hinzufügte: »Mindestens.«

»Vergessen Sie es!«, rief Blanchard. »Haben Sie heute Morgen schon die Nachrichten gesehen? Mitten in Frankreich droht eine Reaktorkatastrophe, wenn die in Saint-Laurent nicht bald Strom für ihre Kühlsysteme bekommen! Wer weiß, wo so ein Szenario noch überall lauert!«

Den Haag

Fassungslos scrollte Bollard über die Seite mit dem Newsticker:

**+ Betreiber bestätigen kontrolliertes Ablassen
von Radioaktivität +**
(05:26 Uhr) Électricité de France, Betreibergesellschaft des havarierten Kraftwerks in Saint-Laurent, bestätigt die kontrollierte Abgabe geringer Mengen radioaktiven Dampfes in die Umgebungsluft zur Druckentlastung des Reaktorbehälters. In der näheren Umgebung des Kraftwerks wurden leicht erhöhte Radioaktivitätswerte gemessen. »Sie entsprechen der durchschnittlichen Belastung eines Flugbegleiters während eines Transatlantikfluges«, erklärte ein Sprecher der Gesellschaft.

**+ Atomsicherheitsbehörde: »Keine Schäden an
Reaktorhülle« +**
(06:01 Uhr) Die französische Atomsicherheitsbehörde ASN erklärt, dass der Reaktorbehälter in Block 1 von Saint-Laurent unbeschädigt sei. Die Kühlsysteme von Block 2 arbeiteten fehlerfrei.

+ Block 2 soll Block 1 helfen +
(09:33 Uhr) Wie der Betreiber des Kraftwerks bekannt gibt, soll eines der drei redundanten Notkühlsysteme des intakten Reaktorblocks 2 so schnell wie möglich für Block 1 adaptiert werden. Experten halten so eine Lösung allerdings für ebenso unmöglich wie gefährlich.

+ Regierung: »Andere AKWs sicher« +
(10:47 Uhr) Die französische Regierung erklärt, dass es seit Beginn des Stromausfalls zu kleinen Zwischenfällen in drei weiteren

Kraftwerken gekommen sei. Die betroffenen Anlagen sind Tricastin im Süden des Landes, Le Blayais bei Bordeaux und Cattenom an der deutsch-französischen Grenze. Sie legt Wert auf die Feststellung, dass zu keinem Zeitpunkt eine Gefahr für die Bevölkerung bestand.

+ IAEO bestätigt europaweit Zwischenfälle,
gibt gleichzeitig Entwarnung +
(11:12 Uhr) Die Internationale Atomenergie-Organisation (IAEO) in Wien bestätigte Zwischenfälle in insgesamt vierzehn Atomanlagen in zehn Ländern. Welche davon im Zusammenhang mit dem Stromausfall stehen, sei noch nicht geklärt. Alle seien auf INES-Stufe 1 bewertet und stellten keinerlei kurzfristige oder langfristige Bedrohung für die Bewohner der Umgebung oder die Umwelt dar.

+ EZB gibt Finanzspritze von 200 Milliarden +
(12:14 Uhr) Die Europäische Zentralbank wird die Märkte auch heute mit gigantischen Summen stützen. Nach den zweistelligen Kursverlusten am Montag und weiteren schweren Turbulenzen am Dienstag schießt die EZB noch einmal 200 Milliarden Euro nach. Nach der verkürzten Handelszeit gestern wurden die Aktien zahlreicher europäischer Unternehmen heute vom Handel ausgesetzt. Besonders betroffen waren Energieversorger, Chemiebetriebe und die Autobranche.

Ohne seinen Blick vom Bildschirm zu lösen, tippte Bollard die Telefonnummer seiner Eltern in den Apparat und legte den Hörer ans Ohr. In der Leitung hörte er nur dieses unheilvolle, leise Rauschen.

»Ach du liebe…«, rief Shannon, als Manzano das Zimmer betrat. Sie saß auf der Bettkante, zwei Kameras neben sich auf der Decke, eine davon per Kabel mit dem Laptop auf ihrem Schoß verbunden. Doch der Computer interessierte sie nicht, sie starrte in den Fernseher.

»Sieh dir das an!«, stieß sie hervor. »Auch das noch!«

Auf dem Bildschirm verkündete eine Sprecherin im CNN-Nachrichtenstudio: »…asiatischen Börsen schwer von den Neuigkeiten des gestrigen Abends getroffen. Der Nikkei-Index fiel erneut um elf Prozent, der breiter gestreute Topix sogar um dreizehn. Schanghai verlor zehn Prozent, und der Hang Seng gab sogar fünfzehn Prozent nach.«

»Was hast du erwartet?«, fragte Manzano. »Hoffentlich hast du auf fallende Kurse gesetzt, bevor du die Nachrichten gestern in die Welt posaunt hast.«

Manzano hatte nur wenig Ahnung von den Finanzmärkten, aber ihm war vollkommen klar gewesen, dass Shannons Nachrichten weitere Kursstürze auf der ganzen Welt auslösen würden. Wer rechtzeitig auf diese fallenden Kurse setzte, konnte viel Geld verdienen.

»Das meine ich doch nicht«, sagte sie. »Lies den Ticker.«

Im roten Band am unteren Bildschirmrand lief ein Text: »Störfall in französischem Kernkraftwerk. Kühlsystem versagt. Radioaktivität ausgetreten. Sondersendung in Kürze.«

Manzano beobachtete, wie Shannon an ihren Fingernägeln kaute.

»…schalten jetzt zu unserem Korrespondenten James Turner nach Frankreich. James?«

»Verdammt, verdammt, verdammt!«, zischte Shannon. »Und ich bin nicht dort!«

»Sei froh.«

Der Amerikaner stand auf einem Feld, weit im Hintergrund

konnte Manzano die Kühltürme einer Atomanlage mehr ahnen als sehen.

»Ich befinde mich hier im Herzen Frankreichs, mitten zwischen den weltberühmten Loire-Schlössern. Doch seit heute ist es mit der Idylle vorbei. Im Morgengrauen fuhren Wagen mit Lautsprechern durch die Orte der Umgebung und forderten die Bevölkerung auf, in den Häusern zu bleiben und die Fenster geschlossen zu halten. In einer offiziellen Mitteilung heißt es, dass die Notkühlsysteme von Reaktorblock 1 im Atomkraftwerk Saint-Laurent ausgefallen sind. Noch weiß niemand, wie lange das schon der Fall ist. Wir befinden uns etwa fünf Kilometer entfernt, am anderen Loireufer. Zu Schäden am Reaktorkern gibt es noch keine genauen Angaben ...«

»Dieser Mistkerl hat mich jahrelang geknechtet, und jetzt hat er wieder die Top-Story!«

»Die hast gestern doch du geliefert.«

»Nichts ist so alt wie die Nachrichten von gestern.«

»... ein Schaden könnte gravierende Auswirkungen auf die Umwelt haben.«

»Wie kommt der überhaupt auf Sendung?«, wollte Manzano wissen.

»Mit dem Satellitenwagen wahrscheinlich. Da kann er die Geräte über den Motor mit Strom versorgen und die Daten direkt an den Satelliten funken. Sündhaft teuer, noch dazu jetzt, da die Satellitenkapazitäten sicher ein Vielfaches kosten.«

»... nach Berichten von Reuters müssen die Probleme den Verantwortlichen schon länger bekannt sein. Umso unverständlicher ist es, dass die Bevölkerung erst jetzt informiert wurde.«

»Die hatte genug andere Probleme«, bemerkte Manzano. »Werden sie zumindest als Entschuldigung anführen.«

Statt der Kühltürme breitete sich hinter dem Reporter explosionsartig eine Wolke aus.

»Noch gibt es allerdings ...«

Sogar im Fernsehen hörte Manzano den dumpfen Knall.

»Wow, was war das?« Turner wirbelte herum, den Blick auf die wachsende Wolke gerichtet. »Es hat eine Explosion gegeben!«, rief er in sein Mikrofon. »Im Kernkraftwerk hat es soeben eine Explosion gegeben!«

»An deiner Stelle würde ich die Beine in die Hand nehmen«, murmelte Manzano.

»Eine Explosion!«

»Fällt dem nichts anderes ein?«, maulte Shannon.

»Abhauen«, bemerkte Manzano.

Doch Turner wandte sich wieder an die Kamera. Hinter ihm stieg die Wolke langsam hoch, wurde transparenter.

»Hast du das gesehen? Hast du es drauf? Verdammt! Können wir das noch einmal sehen? Studio?«

Tatsächlich spielte die Redaktion bereits eine Zeitlupenwiederholung ein, in der das Kraftwerk herangezoomt war. Trotzdem war nicht mehr zu erkennen als beim ersten Mal. Anstelle der Kühltürme breitete sich ruckartig eine weiße Wolke aus.

»Scheiße«, flüsterte Shannon.

»Na, wärst du noch immer gern dort?«, fragte Manzano.

Hinter Turner lichtete sich die Wolke allmählich, die Konturen der Kühltürme traten wieder hervor.

»Was ist da explodiert?«, fragte der Journalist rhetorisch, denn eine Antwort würde ihm sein Kameramann nicht geben können. »Meine Damen und Herren, liebe Zuschauer ...«

Manzano nervte das aufgeregte Geplapper des Mannes, auch wenn er dessen Gefühle gut verstehen konnte. Er spürte selbst, wie die Anspannung seine Glieder erfasst hatte. Er erinnerte sich an die Tage nach der Katastrophe von Fukushima 2011, als er wie ein Junkie vor den Livetickern im Internet gesessen hatte, ganz zu schweigen vom 11., 12. und 13. September 2001, die er ohne

Unterbrechungen vor dem Fernseher und im Internet verbracht hatte, gebannt und fassungslos angesichts der immer wiederkehrenden Bilder.

»… versuchen, Verantwortliche zu erreichen, und melden uns dann wieder«, verkündete Turner. Die Regie wechselte ins Studio zu der Sprecherin, in deren Gesicht das Entsetzen deutlich abzulesen war.

»*Well, good luck, James*«, sagte sie und schob dabei nervös Papiere vor sich hin und her. »Sobald es Neuigkeiten aus Frankreich gibt, schalten wir wieder zu James Turner.«

»Scheiße …«, wiederholte Shannon leise.

»Allerdings«, ergänzte Manzano. »Ich hoffe, unser Freund Bollard hat in der Gegend keine Freunde.«

Zwischen den Besprechungen konsultierte Bollard immer wieder kurz den Newsticker. Die Nachrichten wurden nicht besser.

+ Explosion erschüttert AKW Saint-Laurent +
(13:09 Uhr) Im französischen Kernkraftwerk kam es heute Mittag zu einer Explosion. Zu den Ursachen gibt es noch keine Informationen. Fachleute vermuten eine Wasserstoffexplosion im Reaktorgebäude. Ob dabei Radioaktivität freigesetzt wurde, ist noch nicht bekannt.

+ Betreiber bestätigt Verletzte in AKW Saint-Laurent +
(13:35 Uhr) Électricité de France spricht von drei Arbeitern, die durch die Explosion verletzt wurden. Sie seien dabei jedoch keiner gefährlichen Strahlung ausgesetzt worden, erklärt die Gesellschaft.

+ Reaktor nach Explosion unbeschädigt +
(14:10 Uhr) Nach der Explosion in der zentralfranzösischen Anlage Saint-Laurent seien Reaktorhülle und -kern weiterhin intakt,

erklärte die Atomsicherheitsbehörde ASN. Radioaktivität sei mit hoher Wahrscheinlichkeit keine ausgetreten. Trotzdem ruft die Regierung die Bevölkerung im Umkreis von dreißig Kilometern dazu auf, in geschlossenen Räumen zu bleiben.

»Und warum, wenn angeblich keine Radioaktivität ausgetreten ist?«, brüllte Bollard den Bildschirm an. Wieder versuchte er die elterliche Nummer. Abermals vergeblich. Er probierte verschiedene Nummern im Innenministerium, bei der Atomsicherheitsbehörde, bei der Polizei. Obwohl die meisten nicht offiziell waren, kam er bei keiner durch. Entweder die Leitungen waren pausenlos besetzt oder tot.

Kommandozentrale

+ Atomexperten unterwegs nach Saint-Laurent +
(14:18 Uhr) Französische Regierung und IAEO haben ein Expertenteam nach Saint-Laurent entsandt. Die Fachleute werden gegen Abend erwartet. Sie sollen die Mitarbeiter der Anlage dabei unterstützen, den Reaktor wieder in einen sicheren Betriebszustand zu bringen.

+ Betreiber: Kaum Risiko für weitere Zwischenfälle +
(14:55 Uhr) Ein Sprecher von EDF erwartet keine weiteren Zwischenfälle im beschädigten Kernkraftwerk Saint-Laurent. Experten gehen mittlerweile von einer Knallgasexplosion aus. Zu Schäden am Kraftwerk gab der Sprecher keine Auskünfte. Zwei Stunden nach der Explosion wurde in näherer Umgebung des Kraftwerks leicht erhöhte Radioaktivität gemessen. Für die Bevölkerung besteht keine Gefahr, versichert er, fordert die Bewohner im Um-

kreis von dreißig Kilometern jedoch auf, weiterhin in den Häusern zu bleiben. ·

Zugegeben. Damit hatten sie nicht gerechnet. Saint-Laurent verlieh dem Ganzen eine neue Dimension. Nicht unbedingt im Sinn der Sache. Europa sollte nicht unbewohnbar werden. Im Gegenteil. Wir müssen die Sache abbrechen, argumentierten einige. Bevor noch Schlimmeres geschieht. Er war nicht der Meinung. Selbst wenn Saint-Laurent kein Einzelfall bleiben sollte. Für einen Abbruch war es ohnehin zu spät. Auch wenn sie die Schadcodes preisgeben würden und die Systeme, in denen sie saßen, ein paar Tage würde es dauern, sie zu reparieren. Außerdem. Sie hatten gewusst, dass es Opfer geben würde. Viele Opfer. Sie waren bereit gewesen, sie in Kauf zu nehmen. Jede Veränderung verlangte Opfer. Wie stellt ihr euch das vor?, hatte er die Kritiker gefragt. Ihr könnt nicht einfach aufstehen und gehen. Das hieße, all unsere Ziele aufzugeben. Ziele, für die auch sie Opfer gebracht hatten. Große Opfer. Jetzt aufzugeben hieße, wieder klein beizugeben. Wieder den anderen die Räume des Handelns und der Interpretation zu überlassen. Dieser Gesellschaft, die vom Geld besessen war und von Macht, von der Ordnung und der Produktivität und der Effizienz, vom Konsum, von der Unterhaltung und vom Ego und davon, wie sie möglichst viel von allem an sich reißen konnte. Für die Menschen nicht zählten, nur Profitmaximierung. Für die Gemeinschaft nur ein Kostenfaktor war. Umwelt eine Ressource. Effizienz ein Gebet, Ordnung ihr Schrein und das Ego ihr Gott. Nein, sie konnten jetzt nicht aufhören.

Ratingen

»Das ist ein Desaster«, erklärte Wickley. »Für uns alle. Energie-wende, moderne Energienetze, Smart Grid und Co. können wir für die nächsten Jahre vergessen.«

Der Besprechungsraum in der Vorstandsetage war schwächer besetzt als am Vortag. Wieder waren ein paar Leute weniger an ihrem Arbeitsplatz erschienen, auch von den Führungskräften. Die Kommunikationsagentur war gleichfalls nur mit zwei statt vier Personen vertreten, Hensbeck und seine Assistentin. Alle tru-gen ihre Mäntel oder Daunenjacken.

Wickley hätte sie gern alle gleich am Morgen einberufen, doch einige hatten Termine außer Haus gehabt, und Hensbeck hatte er natürlich nicht erreicht. Berittene Boten oder Brieftauben, wo-möglich müssen wir sie wieder einführen, dachte er.

Lueck hatte weder Ersatzteile noch einen neuen Generator oder Dieselnachschub organisieren können. Ohne funktionie-rende Telefonnetze kam er nicht einmal zu den zuständigen Stel-len durch. Persönlich hatte er sich mit dem Auto auf den Weg nach Düsseldorf gemacht, ohne zu wissen, an wen genau er sich überhaupt wenden musste und ob er vorgelassen würde. Allein die Recherche der Adressen war ein Problem. Alle waren sie elek-tronisch gespeichert, auf Servern, in Mobiltelefonen, auf Laptops, deren Akkus längst den Geist aufgegeben hatten. Ein Telefonbuch hatten sie schon seit Jahren nicht mehr im Haus. Noch war er von seiner Mission nicht zurückgekehrt.

»Zahlreiche europäische Netzbetreiber bestätigen mittlerweile fatale Attacken auf ihre IT-Systeme«, sagte Wickley. »Inoffiziell konnte ich in Erfahrung bringen, dass manche sogar mit einigen Tagen oder länger für die Reparatur rechnen.«

»So schlimm die Nachrichten und die Situation sind«, warf

Hensbeck ein, »schafft die Lage doch auch eine große Chance, oder nicht? Sie macht deutlich, dass die gegenwärtigen Systeme nichts taugen und eine Umstellung nötig ist.«

»Ihren Willen zum positiven Denken in Ehren, Hensbeck, aber so einfach ist es nicht. Die Ursache für den Ausfall ist bereits jetzt eindeutig: die IT-Systeme. Ausgerechnet jener Teil des Gesamtsystems Energieproduktion und -verteilung, der beim Aus- und Umbau zum Smart Grid in den kommenden Jahren die Schlüsselrolle spielen sollte. Und Teil unseres Kerngeschäfts. Und – Kern unserer visionären Entwicklungsprojekte! Verstehen Sie? Neben dem Stromnetz sollte ja ein Kommunikationsnetz aufgebaut werden, um das Stromnetz zu steuern. Womit Banken, Kreditkartenfirmen und Versicherungen seit Jahren kämpfen, hat jetzt auch unsere Branche ereilt. Nur mit weitaus schlimmeren Folgen, wie man da draußen gerade sehen kann. Die Niederlande haben bei der Einführung von Smart Metern schon vor geraumer Zeit eine Pause eingelegt. Grund: Sicherheitsbedenken. Wenn sich der Staub nach dieser Situation gelegt hat, werden alle Entwicklungsprojekte, die mit IT zu tun haben, evaluiert, überprüft, gestoppt werden.«

»Unsere Produkte wurden nach höchsten Sicherheitsstandards entwickelt«, warf der Technikvorstand ein. »Damit können wir punkten.«

»Das wurden auch jene der Banken, Versicherungen, Behörden und anderer Angegriffener in den vergangenen Jahren, beteuerten jedes Mal die Verantwortlichen. Wie sich später herausstellte, war dem häufig nicht so. Können Sie garantieren, dass unsere Systeme absolut sicher sind?«

»Kein System wird jemals absolut sicher sein«, wand sich der Technikvorstand. »Aber wir gehen weit über alle Industriestandards hinaus.«

»Das ist das Argument der Atomindustrie jeweils bis zum nächsten GAU und der Finanzindustrie bis zum nächsten Crash. Es wird nicht genügen. Als Erstes möchte ich, dass wir alle Zukunftsprojekte noch einmal auf Herz und Nieren überprüfen. Sobald wir das getan haben, wiederholen wir es und dann noch einmal!«

»Zuerst einmal bräuchten wir Strom«, murmelte jemand laut genug, dass Wickley es hörte.

Er ging nicht darauf ein. »Außerdem müssen wir unsere Kommunikationsstrategie nach diesen Neuigkeiten fundamental überdenken. Nach diesem Angriff auf die Systeme wird es in der Energieversorgung für Jahre nur noch ein Thema geben: Sicherheit beziehungsweise Versorgungssicherheit. Klima- und Umweltschutz werden vergessen sein. Europa wird froh sein, wenn es überhaupt wieder auf die Beine kommt. Ich höre die Politiker jetzt schon. Sie werden argumentieren, wie es heute Entwicklungs- und Schwellenländer tun. Um den Lebensstandard ihrer Wähler auch nur annähernd zu halten, wird der deutsche Atomausstieg zurückgenommen, Gas- und Kohlekraftwerke werden schneller und ohne Rücksicht auf die Umwelt gebaut, Hauptsache, sie können liefern.«

»Warum sollten sie die Chance nicht nutzen und gleich die Erneuerbaren noch stärker vorantreiben?«, wollte Hensbeck wissen.

Wickley fragte sich langsam, warum dieser Mann die Kommunikationsstrategie für Talaefer ausarbeitete. Er schien sich nicht in die Materie vertieft zu haben.

»Weil sie für die erneuerbaren Ressourcen und zahllosen dezentralen Kleinproduzenten das Smart Grid benötigen. Aber dessen bescheidene Anfänge wurden gerade mit Kawumm in die Luft gejagt – im übertragenen Sinn. Die Angriffe starteten in Italien und Schweden ausgerechnet über intelligente Stromzähler, wie sie bis 2020 nach Vorgabe der EU in ganz Europa eingesetzt werden sollen.«

»Das wird doch eine Festtafel für kriminelle Hacker, Terroristen oder feindlich gesinnte Nationen«, sagte Hensbeck. »Weshalb wurden denn so unsichere Geräte installiert? Das ist doch verantwortungslos.«

»Die Italiener wollten einfach den Volkssport Stromdiebstahl unterbinden«, erklärte der Technikvorstand. »Sicherheit war Anfang des neuen Jahrtausends noch kein so großes Thema.«

»Wie bitte? Aber natürlich. Da war doch sogar dieser Actionfilm...«, widersprach Hensbeck.

»Ich weiß, welchen Sie meinen, *Die Hard*, vierter Teil. Abstruse Story...«

»Aber das Thema war bereits da.«

»Natürlich, da müssen wir uns alle an die Nase greifen, damals hat man die Gefahren als Spinnerei von Katastrophenpropheten abgetan. Die wahre Brisanz wurde vielen Verantwortlichen erst in den letzten Jahren bewusst. Und natürlich ist es auch eine Kostenfrage. Sicherheit kostet Geld.«

»Wie man gerade sieht, kostet es noch mehr, sie nicht zu bezahlen.«

»Sie sind alt genug dafür, erinnern Sie sich an die Zeit, als etwa in Italien der Entscheidungsprozess für diese gewaltige Investition begann. Wie umständlich und langwierig der war, um endlich umgesetzt zu werden, können Sie sich vorstellen. Das dauerte Jahre! Und Sie wissen, was Jahre für ein technisches Gerät heutzutage bedeutet. Im Grunde sind die Smart Meter bei ihrem Einbau bereits veraltet. Und selbst wenn sie es nicht wären, heute sind sie es. Das ist ein Grundproblem moderner Technik, für das noch niemand eine Lösung gefunden hat.«

»Apple und Co. schon«, wandte Hensbeck ein. »Die Konsumenten fiebern den neuen Produkten entgegen und sind bereit, Hunderte Euro für das neueste Handy, den neuesten Flach- oder 3D-Bildschirm, den neuesten Tabletcomputer oder was als Nächstes erfunden wird, auszugeben, obwohl das Vorgängermodell es noch drei Jahre machen würde.«

Wickley griff das Stichwort auf. Ähnliche Gedanken hatte er selbst auch schon gehabt. Doch er war nicht der Kreative, sich solche Produkt- oder Kommunikationskonzepte auszudenken.

»Wenn es Ihnen gelingt, die Konsumenten dazu zu bringen, gern und begeistert für Smart Meter alle zwei Jahre einhundert Euro auszugeben, werden Sie ein sehr reicher Mann. Denn wir haben die optimalen Programme und Services dazu, sozusagen den App-Store der Energieindustrie.«

Hensbeck blickte ihn nachdenklich an.

»Für dessen Angebote man dann noch extra bezahlen muss«, sagte er.

»Von irgendetwas wollen unsere Ingenieure ihre Kinder ernähren«, antwortete Wickley.

Später, nachdem die Kommunikationsleute gegangen waren und es draußen bereits dämmerte, fragte Wickley den Technikvorstand: »Sind bei uns eigentlich Meldungen von Kraftwerksbetreibern eingetroffen?«

»Bis jetzt nicht. Wobei das ursprüngliche Callcenter schon wieder außer Dienst ist. Die Telefonnetze brachen so schnell zusammen, dass wir ohnehin nicht erreichbar waren. Wir versuchen gerade, eines in Bangalore einzurichten.«

Seit sechs Jahren unterhielten sie, so wie viele andere Hightech-Konzerne, eine Entwicklungsabteilung in der südindischen Stadt, die mittlerweile zu einem Zentrum der weltweiten Softwareindustrie geworden war. Ein bis zwei Mal pro Jahr besuchte Wickley den Standort, der seit der Gründung seine Mitarbeiterzahl auf hundertzwanzig Leute versechsfacht hatte.

»Aber die Kommunikation über Satellit ist mühsam, die Satelliten alle überlastet«, fuhr der Technikvorstand fort. »Wir hoffen, morgen so weit zu sein. Aber ich erwarte eigentlich nicht viele Kontakte. Unsere SCADA-Bestandteile sind sicher, und die Leute haben gerade andere Sorgen.«

Wickley hatte noch immer von Balsdorffs Satz in den Ohren: »Auch Kraftwerke melden ungewöhnliche Schwierigkeiten...«, deshalb sagte er: »Sollte etwas kommen, will ich sofort darüber informiert werden.«

Den Haag

Shannon hatte ihre Beiträge geschnitten und lud sie ins Internet hoch. Der Fernseher lief.

Manzano kam ins Zimmer.

»Was Neues?«

Er warf sich aufs Bett, klappte seinen Laptop auf und verfolgte die Nachrichten im Fernsehen, während das Gerät hochfuhr.

»Hm«, erwiderte Shannon unkonzentriert, mit einem Blick auf seinen Computer und den komischen grünen Aufkleber auf dessen Deckel.

Die Nachrichten aus Saint-Laurent klangen schlecht. Unscharfe Bilder aus großer Entfernung zeigten das Kraftwerk, von dem Rauch aufstieg.

»Was wir sehen, ist kein Dampf aus den Kühltürmen«, erklärte eine Sprecherin. »Nach der Explosion am Mittag ist die Situation weiterhin unklar...«

Parallel überflog Manzano den Liveticker im Internet. Bei den meisten Meldungen beschränkte er sich auf die Headlines.

+ Europäische Börsen geschlossen +

+ Stillstand in allen europäischen Autoproduktionsstätten +

+ Münchner Rück rechnet bislang mit Schäden in Höhe von
   1 Billion Euro +

+ Korrektur: Sechs Mitarbeiter in AKW Saint-Laurent verletzt;
   zwei verstrahlt +

+ Eishockeyweltmeisterschaft in Schweden Ende Februar
abgesagt +
+ Regierung schätzt Opferzahl in Deutschland nach
Stromausfall auf bis zu 2000 +
+ Greenpeace: Strahlungswerte um Saint-Laurent stark
erhöht +
+ USA, Russland, China, Türkei bereiten Hilfe vor +
+ Region Bochum zeitweise wieder mit Strom +
+ Interpol veröffentlich Phantombilder von Verdächtigen +
+ NATO-Oberkommando bespricht Lage +
+ Ölpreise nach Stromausfall im Sinkflug +
+ Atombehörde: Saint-Laurent kein Tschernobyl oder
Fukushima +

»Das haben die in Japan in den ersten Tagen auch gesagt«, murmelte Manzano. »Bis herauskam, dass der Reaktor vom ersten Augenblick an außer Kontrolle war.«

Berlin

»Es ist ein Zeichen an die Bevölkerung«, erklärte der Innenminister.

»Das kaum jemand sieht«, sagte der Sprecher des Bundeskanzlers.

Fassungslos verfolgte Michelsen die Diskussion. Beim Jour fixe hatten sie sich an der Frage festgebissen, ob der Kanzler in Begleitung der Medien ein Notquartier und ein Krankenhaus besuchen sollte. Als ob sie nichts Wichtigeres zu tun hätten. Michelsen studierte ihre Liste. Längst hatte sie aufgegeben, jedes Detail festzuhalten. Für den groben Überblick genügten ihr ein paar Stichwörter.

Wasser

In vielen Strominseln nur stundenweise; in stromlosen Gebieten fast völliger Ausfall; Notbrunnen aktiviert, Verteilung läuft; Informationen aus einigen Gebieten fehlen wegen nicht vorhandenem Kommunikationsnetz; Notstrom für Pump- und Abwasserentsorgungsanlagen teilweise installiert; keine ausreichenden Notstromkapazitäten, da u.a. auch für Krankenhäuser benötigt

Lebensmittel

Hamsterkäufe in noch geöffneten Supermärkten; Ausgabestellen und Suppenküchen eingerichtet; Versorgung wegen mangelnder Transportmöglichkeiten teilweise kritisch > verbessern!

Medizinische Versorgung

Konzentration auf Schwerpunktkrankenhäuser und Verlegungen in Durchführung; Medikamentenmangel in Krankenhäusern, Notquartieren und Apotheken; Dialyse und Pflegeheime dramatisch > Verlegungen forcieren!

Unterkunft

187 Notquartiere etabliert; 156 in Arbeit

Kommunikation

Notstrom für BOS-Funk für Kommunikation zwischen Bund, Ländern und Zentralen der Hilfsorganisationen teilweise wieder aufgebaut; Kommunikation mit regionalen Einheiten schwierig bis unmöglich; Informationsfluss stark verzögert. Feldnetz Bundeswehr wird etabliert.

»Ende der Debatte«, bestimmte der Bundeskanzler mit einer harschen Handbewegung. »Wir besuchen das Notquartier und ein Krankenhaus.« An seinen Sprecher gewandt: »Arrangieren Sie für morgen einen Termin. Die wichtigsten Verantwortlichen möchte ich dabeihaben, damit auch sie sich ein Bild machen können.«

Sie gingen über zum nächsten Thema. In den folgenden dreißig Minuten konnte Michelsen ihre Liste für den Tag vervollstän-
digen.

Öffentliche Ordnung

Vereinzelte Plünderungen, vermehrt Einbruchsdelikte, soweit
bekannt; Informationslage unbefriedigend; JVAs keine Aus-
brüche gemeldet, versuchte Häftlingsaufstände in JVAs
Kassel 1, Fuhlsbüttel, für Frauen Berlin, Mannheim, Regens-
burg unter Kontrolle.

Doch die Lage in den Justizvollzugsanstalten wurde zunehmend
gefährlich, hatte der verantwortliche Ressortleiter erklärt. Wie
überall fehlte es in den Gefängnissen mittlerweile an Personal. Die
verbliebenen Belegschaften arbeiteten unter körperlichem und
seelischem Hochdruck. Den Häftlingen waren Hof- und Freigang
verboten worden, Wasser- und Lebensmittelversorgung zum Teil
reduziert, die hygienischen Verhältnisse oftmals katastrophal. Der
Aggressionspegel der Insassen stieg, wandte sich zunächst gegen
die schwächeren Gefangenen und schließlich gegen die Wärter.
Bald würden sich die Beamten auf das Verhindern von Ausbrü-
chen konzentrieren oder Häftlinge in größere Anstalten verlegen
müssen, um Personal einsparen zu können. Michelsen mochte
nicht an den logistischen Aufwand denken, an das Fluchtrisiko
während der Verlegung und die Zustände in den danach noch
überfüllteren Sammelanstalten.

Transport

Bahnlinien weitestgehend frei; Gütertransporte aufgenommen; Versorgungs- und Transportachsen in Zusammenarbeit mit Ländern ausarbeiten.

Geld/Finanz

Bank-Run?

Andere Infrastrukturen
Keine Vorkommnisse bekannt, aus einigen Regionen fehlen
allerdings Informationen
Versorger
Ausfall-Ende nicht absehbar; Strominsel Schleswig-Holstein-
Süd verloren; Dt. AKWs: zwei Diesel ausgefallen (Brokdorf,
Gundremmingen C), Ersatz funktioniert; Dieselnachschub
unterwegs
International
AKW Saint-Laurent Evakuierung; Temelín kritisch; Brände
in Industrieanlagen mit Schadstoffaustritt sieben, keiner
grenznah.

Noch immer lieferten TV-Stationen ihre Bilder an jene wenigen,
die sie sehen konnten. Michelsen und ihre Kollegen im Innenministerium gehörten dazu. Die Nachrichten des Vorabends hatten sich schnell herumgesprochen. Die Folgen waren wie vorher-
gesehen. Die wenigen geöffneten Supermärkte waren gestürmt
worden.

Dagegen hatte niemand mit einer anderen Reaktion gerechnet,
über die am Monitor der ARD gerade ein Bericht lief. Im Nach-
richtenstudio erklärte eine blonde Sprecherin: »... habe ich jetzt
Doktor Cornelius Ydén von der Bundesbank bei uns im Studio
zu Gast. Herr Doktor Ydén, zunächst danke ich für Ihr Kommen,
was angesichts der Umstände keine so einfache Sache ist.«

»Danke für die Einladung.«

»Herr Doktor Ydén, erleben wir einen Bank-Run?«

Ydén, ein Mittfünfziger mit grauem Haar und scharfen Gesichtszügen, erwiderte: »Nein. Es handelt sich hier um Einzel-
fälle.«

Die bisherigen Meldungen, die Michelsen und ihre Kollegen
erhalten hatten, zeigten ein anderes Bild. Mindestens zweihundert

Bankfilialen im ganzen Land hatten bis spätestens mittags schließen müssen. Dabei besaßen sie nur die Zahlen der sieben größten Institute und des Sparkassenverbandes.

»... Bargeldversorgung in Deutschland ist gesichert«, versicherte Ydén. »Vor Beginn des Stromausfalls waren in Deutschland geschätzte vierzig Milliarden Euro Bargeld im Umlauf, doppelt soviel wurden gehortet. Wir dürfen davon ausgehen, dass, selbst wenn der Ausfall noch ein paar Tage anhalten sollte, die Menschen nicht sehr viel Geld für den täglichen Bedarf brauchen. Viele Geschäfte haben geschlossen, Wasser- und Lebensmittel werden von den Behörden umsonst ausgegeben. Die Angst, zu wenig Geld zur Verfügung zu haben, ist völlig unbegründet. Die Bundesbank rät den Menschen daher, wenn überhaupt vorerst nur das Notwendigste an Barbeträgen abzuheben.«

»Für rund vierzig Millionen Haushalte in Deutschland stehen also etwa hundertzwanzig Milliarden Euro zur Verfügung. Wenn dieses Geld gleichmäßig verteilt wäre, wären das drei Tausend Euro pro Haushalt. Viele haben aber deutlich weniger in der Tasche. Ist die Sorge der Bürgerinnen und Bürger da nicht berechtigt, dass ihnen das Geld ausgeht?«

Michelsen war froh, dass kaum jemand diese Gespräche sehen oder hören konnte. Es gab bereits erste Schwarzmärkte für verschiedene Güter, vor allem Wasser, Lebensmittel und Medikamente. Sollten die Behörden die Versorgung nicht mehr sichern können, würden sie überhandnehmen und damit nicht nur das Vertrauen in den Staat untergraben, sondern den Menschen tatsächlich das Geld aus der Tasche ziehen. Trotzdem hatte Ydén recht. Das Gebot der Stunde hieß Vernunft.

»Das sind irrationale Ängste, die allerdings, das gebe ich zu, selbsterfüllende Prophezeiungen werden können. Das ist das Wesen des von Ihnen angesprochenen Bank-Runs. Die Menschen sehen andere vor der Bank stehen und fürchten, dass sie kein Geld mehr bekommen, die Menge wird immer größer und dadurch die Angst. Irgendwann geht den Banken tatsächlich das Geld aus. Deshalb setzen sie auf einfache Gegenmittel wie die Beschränkung der Bargeldausgabe. Die Menschen müssen eines berücksichtigen: Sie brauchen keine Angst davor zu haben, dass, wie bei einer Bankenkrise, die Geldinstitute morgen bankrott sind und das Geld verloren ist.«

Da macht er es sich jetzt ganz schön einfach, dachte Michelsen und hoffte, dass die Sprecherin es ihm durchgehen ließ. Selbstverständlich konnten die Banken in ernsthafte Schwierigkeiten geraten, schon kurzfristig, aber auch mittel- und langfristig, weil viele Unternehmen die Folgen des Stromausfalls nicht überleben und die Institute damit auf Milliardenkrediten sitzen bleiben würden. Vorerst ging es aber tatsächlich darum, einen klassischen Bank-Run zu verhindern.

»Um das Geld müssen wir uns also keine Sorgen machen«, schloss die Sprecherin mit ernstem Gesicht. »Danke, Herr Doktor Ydén von der Bundesbank.«

Was der Finanzkrise nicht gelungen war, schaffte das nun ein Stromausfall?

Brüssel

»Die Hilfsgesuche halten sich in Grenzen«, fasste Zoltán Nagy, der ungarische Leiter des MIC, die Sitzung zusammen. »Um Saint-Laurent und Temelín kümmert sich die Internationale Atomenergie-Organisation in Wien. Sie entsandte Experten und hält uns auf dem Laufenden.«

Dreißig Minuten lang hatten sie die aktuellsten Entwicklungen besprochen. Sie waren weit schlimmer, als Angström und irgendjemand anderer im EUMIC befürchtet hatte. Offen war nur noch der aktuelle Stand der technischen Unfälle.

»Eine Anfrage kommt aus Spanien wegen der Explosion im Chemiewerk Abracel bei Toledo. Dort traten giftige Gase aus. Genaue Zahlen über Opfer haben die Behörden noch immer nicht, sie gehen von mindestens einigen Dutzend aus. Mehrere Tausend mussten evakuiert werden, zum Teil auch aus den bereits eingerichteten Notquartieren. Die USA und Russland wollen technische Teams schicken, die helfen sollen, die Lecks abzudichten. Unfälle mit Austritten von Schadstoffen und Todesopfern wurden uns außerdem gemeldet aus dem britischen Sheffield, dem norwegischen Bergen, der Schweiz nahe Bern und dem bulgarischen Pleven. Keiner der Staaten hat jedoch internationale Hilfe angefordert, die Opferzahlen liegen angeblich jeweils im niedrigen einstelligen Bereich. Es handelt sich durchwegs um Beschäftigte der betroffenen Fabriken. Wir müssen uns jedoch darauf einstellen, dass von der einen oder anderen Stelle noch Hilfsanfragen kommen werden. Außerdem umfasst diese Liste nur die bisher offiziell an uns gemeldeten Fälle. Wir können nicht ausschließen, dass es weitere gibt, die womöglich selbst den nationalen Behörden noch nicht bekannt sind. Die Kommunikation ist in allen Staaten noch immer äußerst lückenhaft. So viel erst einmal zur aktuellen Lage. Die nächste Statussitzung findet in drei Stunden statt.«

Nagy wollte schon aufstehen, da fiel ihm offensichtlich noch etwas ein.

»Ach, und bevor ich es vergesse, wir haben eine Information der Brüsseler Verkehrsbetriebe erhalten. Zur Aufrechterhaltung eines Mindestbetriebs öffentlicher Einrichtungen haben sie Shuttledienste mit Bussen eingerichtet, die sechs Linien in einem Radius von vierzig Kilometern rund um die Stadt bedienen. Die Busse fahren zwei Mal täglich exklusiv für Mitarbeiter bestimmter Behörden wie Polizei, Ministerien und auch elementarer Abteilungen der Europäischen Kommission. Dazu gehören wir. An vereinbarten Sammelpunkten können Sie morgens zusteigen und werden abends zurückgebracht. Als Legitimierung dient Ihr Mitarbeiterausweis. Die Routen und Sammelstellen finden Sie am Schwarzen Brett.«

Berlin

Hartlandt schreckte hoch, als jemand hinter ihm klatschte.

»Aufwachen!«, rief der Kollege.

Verlegen sah sich Hartlandt um. Nur einen Moment lang hatte er sich ausruhen wollen, das Kinn war ihm auf die Brust gesunken.

»Ich habe Nachrichten, die dich hellwach machen werden«, erklärte er. »Sie kommen von der Feuerwehr, die den Brand in der Schaltanlage Osterrönfeld gelöscht hat. Sie sind sicher, dass der Brand gelegt wurde.«

»Sch…«, hielt sich Hartlandt gerade noch zurück. »Und warum erfahren wir das erst jetzt?«

»Weil die da draußen alle Hände voll zu tun haben. Da kommt die Ursachenforschung zu kurz.«

Hartlandt sprang auf, stellte sich vor die Wand mit der riesigen Deutschlandkarte, auf der sie alle bislang bekannten Defekte in verschiedenen Farben markiert hatten. Unter den farbigen Nadelköpfen war stellenweise kaum mehr Land zu erkennen.

»Dann… ist das vielleicht kein Zufall«, murmelte er. »Seit Beginn des Ausfalls wurden uns Brände aus acht Schaltanlagen gemeldet. Das sind diese rosa Kügelchen. Die ersten aus Schleswig Holstein und Niedersachsen, also ganz im Norden. Nach und nach kamen die anderen hinzu. Bis jetzt war man von Kurzschlüssen als Ursache ausgegangen.«

Er lief zu seinem Arbeitsplatz, kramte in den Unterlagen.

»Hier«, er reichte seinem Kollegen ein Blatt. »Das ist die Liste der betroffenen Schaltanlagen. Funk alle örtlichen Feuerwehrstationen an. Sie sollen sofort die Brandursache überprüfen. Außerdem brauche ich die exakten Zeitangaben, wann die Brände jeweils ausgebrochen sind. Außerdem kontaktierst du alle Netzbetreiber, ob es weitere beschädigte Schaltanlagen gibt, von denen wir bis jetzt nichts wissen. Und ab, los!«

Den Haag

Manzano hörte der Berichterstattung nur mit einem Ohr zu. Seit Stunden war er damit beschäftigt, Bollards Unterlagen zu den Herstellern von Kraftwerkssteuerungssystemen auszuwerten. Je mehr er sich vertiefte, desto stärker wurde sein Verdacht.

»Vielleicht sollten wir nicht alle Geräte gleichzeitig laufen lassen«, meinte er abwesend. »Das Hotel wird nicht unbegrenzt Notdiesel zur Verfügung haben.«

»Auf die paar Minuten oder Stunden kommt es dann auch nicht mehr an«, erwiderte Shannon, die auf dem Bett lag, ohne den Blick vom TV-Gerät zu nehmen.

»… aus Kreisen der europäischen Netzbetreiber heute bekannt wurde«, berichtete die Sprecherin gerade, »wird die Wiederherstellung der attackierten Computersysteme zum Betrieb zahlreicher Stromnetze bis zu zehn Tage dauern.«

»Du liebe Güte«, murmelte Shannon.

»Eine Bestätigung dafür von offizieller Seite blieb bislang jedoch aus. Neuigkeiten gibt es auch aus dem angeschlagenen Kernkraftwerk Saint-Laurent in Zentralfrankreich. Von dort live unser Korrespondent James Turner.«

»Schau dir den Kerl an«, ärgerte sich Shannon. »Hoffentlich klingen seine Nachrichten nicht so schlecht, wie er aussieht.«

Widerwillig blickte Manzano hoch. Auf dem Bildschirm hielt Shannons ungeliebter Kollege sein Gesicht in die Kamera. Dick vermummt stand er im Scheinwerferlicht, Wind zerrte an seiner Kapuze und rauschte im Mikrofon.

»Die Internationale Atomenergie-Organisation hat die Situation in Saint-Laurent mittlerweile mit INES 4 eingestuft«, brüllte er gegen den Wind an, »und somit offiziell vom Störfall zum Unfall erklärt! Damit geben auch Regierung und Betreiber zu, dass die Bevölkerung in der näheren Umgebung einer geringen Strahlenbelastung ausgesetzt war, die die natürliche Strahlenbelastung aber noch nicht wesentlich übersteigt! Beunruhigender dabei ist die Tatsache, dass es laut dieser Einstufung zu Schäden am Reaktorkern oder an den Schutzhüllen gekommen ist! Wie gravierend diese aber sind, wurde nicht bekannt gegeben! Außerdem kam es beim Personal zu so schwerer Kontamination, dass diese Auswirkungen auf die Gesundheit haben kann! In der Geschichte der Kernkraft gab es bislang elf Unfälle dieser oder höherer Stufen! Die Kühlsysteme von Block 1 sind nach wie vor defekt, die Ursache dafür ist weiterhin unbekannt! Auch über die Ursache der Explosion herrscht Unklarheit!«

»Ja, ja«, meckerte Shannon. »Keine Ahnung haben, dafür umso mehr berichten.«

»Umweltorganisationen dagegen erklären, dass sie einen Kilometer vom Kraftwerk entfernt massiv erhöhte Strahlenbelastung festgestellt haben! Nach ihren Angaben betrugen die Messungen bis zu zweihundert Millisievert pro Stunde! Zum Vergleich: 0,01 Millisievert pro Stunde gelten als Richtwert für eine langfristige Evakuierung der Bevölkerung! Wenn diese Messungen stimmen und solche Werte anhalten, ist das Kraftwerk wesentlich schwerer beschädigt als bisher bekannt oder zugegeben!«

»Binnen weniger Tage auf INES 4 hochgestuft«, bemerkte Manzano und senkte den Blick wieder auf seinen Computer. »Erinnert verflixt an Tschernobyl und Fukushima.«

»Tschernobyl habe ich noch nicht mitbekommen«, sagte Shannon. »Aber mit Fukushima hast du recht. Hoffentlich geht das in Saint-Laurent nicht auch so weiter. Sieh her«, sie zeigte auf eine Landkarte auf dem Bildschirm ihres Laptops. »Stell dir vor, sie müssten wie in Fukushima im Umkreis von dreißig oder mehr Kilometern eine Sperrzone einrichten. Da stehen die Juwelen der Loire-Schlösser! Ganz zu schweigen von einer wie in Tschernobyl. Da kannst du halb Zentralfrankreich abschreiben!«

»… belastet weiterhin die internationalen Börsen«, verkündete die Nachrichtensprecherin. »Die europäischen blieben geschlossen. Wenige Stunden vor Handelsschluss kämpfen die amerikanischen Handelsplätze mit bis zu zwanzigprozentigen Verlusten. An der New York Stock Exchange wurde der Handel mehrmals ausgesetzt, nachdem der Dow Jones binnen kürzester Zeit mehr als zehn Prozent an Wert verloren hatte. Über einen früheren Handelsschluss wird bereits diskutiert, ebenso wie über das vorläufige Verbot von Leerverkäufen bestimmter Papiere. Besonders litten Anteilscheine europäischer Unternehmen. Volkswagen etwa verlor seit Beginn des Stromausfalls in nur zwei Handelstagen fast siebzig Prozent seines Wertes, nicht besser ergeht es den anderen europäischen Autobauern. Europäische Banken und Versicherungen büßten sogar bis zu neunzig Prozent Börsenkapitalisierung ein. Schon werden – vor allem aus den Unternehmen selbst – Stimmen laut, die Papiere ebenfalls vorübergehend aus dem Handel zu nehmen, da sie zu den gegenwärtigen Preisen wehrlose Opfer von feindlichen Übernahmen durch Konkurrenten wären.«

»Wer soll die in dieser Situation denn kaufen?«, fragte Shannon.

»Ich nicht«, erwiderte Manzano.

»Deshalb musst du wahrscheinlich immer noch arbeiten«, antwortete Shannon schnippisch. »Ich habe Hunger.«

»Ich auch.«

Seine Analysen konnte Manzano später fortführen.

»Dann lass uns auf dem Vulkan tanzen und speisen, solange wir das noch können.«

Zevenhuizen

Fast wäre François Bollard in das Auto gefahren, das auf der Zufahrt des Gutshofs stand. Im Licht seiner Scheinwerfer erkannte er, dass die ganze Strecke bis zum Gebäude zugeparkt war. Er lenkte seinen Wagen in die Wiese und arbeitete sich so bis zum Haus vor. In manchen Fahrzeugen sah er Menschen liegen, in warme Kleidung und Decken gewickelt. Was machten sie alle hier? Auch der Vorplatz war voll mit Fahrzeugen. Dazwischen standen ein paar Menschen, die sich Bollard zuwandten, als er den Wagen abstellte und ausstieg. Er ließ sich seine Verwunderung nicht anmerken und ging durch die Versammlung auf das Haus zu.

»Die lassen dich da nicht mehr rein«, rief ihm jemand zu.

»Außer er gehört zu den Guten«, rief ein anderer spöttisch. Einige Männer folgten ihm bis zur Tür. Bollard sperrte auf, da packte ihn eine Hand, und bevor er sich wehren konnte, zog sie ihn hinein und schlug die Tür zu. Von draußen hörte Bollard zornige Rufe. Vor ihm stand Jacub Haarleven. Er wirkte verstört. Erst jetzt nahm Bollard das Stimmengewirr im Haus wahr.

»Wir können nicht alle aufnehmen«, erklärte Haarleven und ging voran. Als sie am Frühstücksraum vorbeikamen, verstand Bollard, was er meinte. Die Tische waren beiseitegeschoben, auf dem Boden lagen mindestens vierzig Personen dicht an dicht. Bollard stieg der Geruch ungewaschener Menschen in die Nase, jemand schnarchte, ein anderer wimmerte im Schlaf.

»Ich habe ihnen gesagt, dass wir sie nicht auch noch verpflegen können«, fuhr Haarleven fort. »Aber was sollte ich tun? Es sind Kinder dabei, Kranke und Alte. Ich kann sie doch nicht draußen erfrieren lassen! In zwei anderen Räumen sieht es genauso aus.«

»Und die vor der Tür?«

Haarleven sah ihn ratlos an. »Ich hoffe, sie bleiben vernünftig.«

»Was wollen Sie morgen früh machen, wenn die Leute hungrig aufwachen?«

Haarleven zuckte mit den Schultern. »Das überlege ich mir morgen. Wir können nur noch improvisieren. Wenn der Strom nicht bald zurückkommt, stehen wir vor einem gewaltigen Problem.«

Bollard bewunderte die Haltung des Mannes. Oder war er bloß naiv?

»Sie sind doch bei der EU ...«

»Europol«, korrigierte Bollard.

»Können Sie nicht etwas für diese Menschen tun?«

»Was ist mit den niederländischen Behörden? Es gibt Notquartiere.«

»Nicht genug, sagen die Leute.«

»Heute nicht mehr«, erwiderte Bollard. »Morgen werde ich sehen, was ich tun kann.«

Was nicht viel mehr war, als bei der Stadt anzurufen und zu fragen, warum für die Menschen keine Quartiere bereitstanden. Und zur Not bei der Polizei, um Haarlevens Besitz und die Menschen darin zu schützen. Die Antworten auf beide Fragen konnte er sich jetzt schon ausmalen.

Bollard stieg die Treppe zu den Zimmern seiner Familie hoch. Er hatte kaum die Tür geöffnet, als seine Frau auf ihn zustürzte.

»Hast du etwas von unseren Eltern gehört?«

Auf diesen Moment hatte er sich nicht gefreut.

»Noch nicht. Es geht ihnen sicher gut.«

»Gut?« In ihrer Stimme schwang ein hysterischer Unterton mit, der Bollard nicht gefiel. »Zwanzig Kilometer entfernt passiert ein GAU, und du bist sicher, dass es ihnen gutgeht?«

»Wo sind die Kinder?«

»Schlafen schon. Lenk nicht ab.«

»Das ist kein GAU. Die Regierung sagt ...«

»Was soll sie denn sonst sagen?«, rief sie, den Tränen nahe.

»Du weckst die Kinder auf.«

Sie begann zu schluchzen, mit den Fäusten gegen seine Brust zu trommeln.

»Du hast sie dort hingeschickt!«

Er versuchte, sie zu beruhigen, zu umarmen, sie entwand sich, schlug weiter auf ihn ein.

»Du hast sie dort hingeschickt!«

In Bollard flammte Zorn auf und Hilflosigkeit. Er drückte sie so fest an sich, dass ihre Arme blockiert waren. Zuerst wehrte sie sich noch, doch er hielt sie, bis er spürte, wie sie sich ergab und hemmungslos schluchzend an seiner Schulter lag.

Vier Tage erst, dachte er, und unsere Nerven liegen bereits blank. Er schloss die Augen, und zum ersten Mal seit seiner Kindheit betete er. Bitte, wenn es dich gibt, mach, dass es unseren Eltern gutgeht!

Den Haag

»Wir haben es gut«, stellte Shannon fest. Genussvoll wickelte sie ihre Nudeln auf die Gabel. »Das wurde mir nach dem Tag wieder klar.«

»Du sowieso«, antwortete Manzano. »Darfst mit dem Porsche zu Katastrophenfällen fahren.«

»Glaub mir, lieber würde ich ohne Porsche darüber berichten, dass alles wieder in Ordnung ist. Kommt ihr denn nicht weiter?«

»Meine Liebe«, sagte Manzano und grinste. »Ich verstehe, dass du eine Fortsetzung für deinen gestrigen Coup suchst, umso mehr, als der Herr Kollege in Frankreich jetzt volle Aufmerksamkeit genießt. Aber du brauchst es gar nicht zu versuchen. Meine Arbeit hier, du weißt ja…«

»…ist geheim. Habe ich schon verstanden.«

»Erzähl mir lieber etwas von dir.«

»Das Wichtige weißt du. Ich bin in einem Kaff in Vermont aufgewachsen, in New York begann ich zu studieren, dann ging ich auf die verhängnisvolle Weltreise, die mich schließlich in Paris stranden ließ.«

»Nicht der schlechteste Platz für einen Schiffbruch.«

»Zugegeben.«

»Das war das Wichtige. Und das Unwichtige? Ist meistens viel interessanter.«

»In meinem Fall nicht.«

»Schwache Geschichte, Frau Journalistin.«

»Ist deine besser?«

»Hast du noch nicht recherchiert?«

Jetzt grinste Shannon.

»Natürlich. Aber viel gibt es über dich nicht. Scheinst kein aufregendes Leben zu führen.«

»Da halte ich es mit den Chinesen, die nur ihren Feinden ein aufregendes Leben wünschen. Aber wie es scheint, hat das in meinem Fall kürzlich jemand getan.«

»Konntest du einfach so aus Mailand weg? Keine Frau, Kinder?«

»Weder noch.«

»Warum?«

»Ist das wichtig?«

»Reine Neugier. Berufskrankheit. Und über irgendetwas müssen wir uns ja unterhalten.«

»Hat sich bis jetzt nicht ergeben.«

»Oh! Auf der Suche nach Miss Right? Ich dachte, das tun nur Frauen.«

»Du zum Beispiel?«

Sie lachte. Ihm gefiel ihr Lachen.

»Was ist mit deinen Eltern? Sind sie in Italien?«

»Sie sind tot.«

»Das tut mir leid.«

»Autounfall. Ist schon zwölf Jahre her.«

Er erinnerte sich an den Tag, als er die Nachricht erhalten hatte. An die eigenartige Taubheit seiner Gefühle.

»Vermisst du sie?«

»Nicht … wirklich.« Er bemerkte, dass er schon lange nicht mehr an sie gedacht hatte. »Vielleicht hätten wir noch etwas zu besprechen gehabt. Für manches wird man ja erst später im Leben reif. Aber vielleicht spricht man dann ja trotzdem nicht darüber. Wer weiß das schon. Und deine?«

»Haben sich getrennt, als ich neun Jahre alt war. Ich blieb bei meiner Mutter. Mein Vater zog nach Chicago, später nach Seattle. Ich habe ihn nicht oft gesehen.«

»Und seit du in Europa bist?«

»Ich skype mit Mom. Manchmal mit Dad. Sie sagen immer,

dass sie mich einmal besuchen kommen müssen. Sie waren noch nie in Paris. Aber bis jetzt ist keiner der beiden gekommen.«

»Geschwister?«

»Eine Halbschwester und einen Halbbruder, die Kinder aus Dads zweiter Ehe. Kenne ich kaum.«

»Also ein Einzelkind.«

»So gut wie«, erwiderte sie, verzog ihr Gesicht zu einer finsteren Grimasse und erklärte in theatralischem Tonfall: »Eigensinnig. Egoistisch. Rücksichtslos.«

»Sagen meine Freundinnen auch immer.«

»Auch die aktuelle?«

Manzanos Miene ließ die Antwort offen.

»Was wird sie sagen, wenn sie erfährt, dass du mit mir das Bett teilst?«, fragte Shannon.

»Von mir erfährt sie nichts.«

Er verwendete die Einzahl. Er hatte keine Lust, seine losen Verhältnisse mit Julia und Carla zu erklären oder sich gar dafür rechtfertigen zu müssen. Sonja Angström schoss ihm durch den Kopf. »Und was ist mit Mister Right?«, fragte er.

»Wird schon noch auftauchen«, erwiderte sie, nahm einen Schluck Wein. Über den Glasrand blitzten ihre Augen ihn frech an.

»Meine sehr geehrten Damen und Herren, als größter öffentlich-rechtlicher Sender der Niederlande hatten wir bislang das Privileg ausreichender Notstromversorgung und konnten Sie so laufend über die Entwicklungen auf dem neuesten Stand halten. Nun werden die Brennstoffe für andere Zwecke dringender benötigt, etwa für Notquartiere, in denen europaweit mittlerweile geschätzte einhundertfünfzig Millionen Menschen leben, für Hilfsdienste und Krankenhäuser.

Aufgrund dieser Versorgungslage sind wir dazu gezwungen, unseren Sendebetrieb bis auf Weiteres zu reduzieren. Informationen über die aktuelle Lage erhalten Sie ab sofort von sechs Uhr morgens bis Mitternacht jede volle Stunde in einer fünfminütigen Nachrichtensendung. Andere Programme werden vorerst eingestellt. Wir bitten um Ihr Verständnis. Gute Nacht.«

Ybbs-Persenbeug

Oberstätter lief durch die menschenleeren Flure des Kraftwerks. Anwesend waren nur ein paar Techniker, die Mindestbesetzung, um das Werk wieder zum Laufen zu bringen – wenn sie denn dahinterkamen, wie.

Oberstätter fragte sich, wie es weitergehen sollte. Bereits jetzt waren die Schäden verheerend. Die Bauern in ihrer Nachbarschaft hatten große Teile ihres Viehs verloren. Die Tiere waren erfroren oder verhungert, viele Milchkühe unter erbärmlichen Qualen an überfüllten Eutern krepiert. Tagelang war das Schmerzgebrüll kilometerweit zu hören gewesen. Der Vater eines Bekannten war an einem Schlaganfall gestorben, weil die Ambulanz zu spät gekommen war.

Einige waren einfach abgehauen, was Oberstätter ihnen nicht einmal verübelte. Seit die Nachricht durchgesickert war, dass einzelne Gemeinden in Österreich eine rudimentäre Versorgung aufrechterhalten konnten, versuchten immer mehr Menschen dorthin zu gelangen.

Er selbst lebte hier noch in einem kleinen Paradies. Wie seine Kollegen auch brachte er ab und zu seine Familie her, damit sie sich aufwärmen und wenigstens für ein paar Stunden den Hauch von Normalität genießen konnte.

Oberstätter betrat den südlichen Generatorraum.

»Seid ihr so weit?«, fragte er über das Funkgerät. In der Leitstelle beobachteten jetzt fünf Ingenieure gespannt die Armaturen. Seit einer Stunde gingen sie die Schritte durch, um den Kraftwerksbetrieb wieder aufzunehmen. Bis jetzt hatten die Anzeigen keine Probleme gemeldet. Ein Knopf noch, und die Generatoren würden wieder beginnen, Strom zu produzieren.

»Und los«, hörte er es durch den Lautsprecher krachen.

Vor ihm sprangen mit einem tiefen Brummen die roten Riesen an.

»Läuft!«, rief Oberstätter in das Mikro.

»Na also, geht doch!«, rief der Kollege zurück.

Oberstätter fühlte dieselbe Erleichterung. Vier Tage lang hatten sie in den verschiedensten Phasen der Aktivierung Fehlermeldungen bekommen, Teile kontrolliert oder gar ausgetauscht.

»Scheiße«, hörte Oberstätter aus dem Funkgerät.

»Was ist?«

»Sie überdrehen!«

»Tun sie nicht, das würde ich hören«, rief Oberstätter.

»Bekommen wir hier aber angezeigt.«

»Kann nicht sein.«

»Ist zu riskant. Wir schalten ab.«

»Lass laufen!«, forderte Oberstätter. »Im Ernstfall schalten sie sich selbst ab.«

»Und wenn nicht?«

»Hier klingt alles normal«, sagte Oberstätter.

»Von den Anzeigen bekommen wir Befehl zum Abschalten!«, krächzte es durch das Funkgerät. »Wir müssen. Wir können die Generatoren nicht riskieren!«

Das leise Dröhnen in der Halle wurde schwächer und tiefer, bis es ganz verklang.

»Verflucht«, flüsterte Oberstätter.

Er ging hinauf in den Leitstand.

»Es sind nicht die Geräte«, erklärte Oberstätter. »Die Generatoren schnurrten wie die Katzen. Irgendetwas stimmt nicht mit der Steuerungssoftware.«

»Das SCADA-System?«, fragte der IT-Mann skeptisch. »Das ist auf Herz und Nieren geprüft.«

»Denk an Stuxnet.«

»Das war ein hochkomplexes Programm. Glaubst du, jemand hat ausgerechnet für uns ein solches geschrieben? Da gäbe es doch interessantere Ziele.«

»Überprüf die Logs. So viel anderes hast du gerade ohnehin nicht zu tun.«

Brummend wandte sich der Mann seinem Bildschirm zu. Seine vier Kollegen hatten zugehört und versammelten sich um seinen Platz. Zuerst gingen sie die Logs der Messgeräte durch.

»Die Messwerte liegen alle im grünen Bereich, oder?«

»Ja.«

Dann verglichen sie diese Messungen mit den Logs der Steuersoftware für den gleichen Zeitpunkt.

»Siehst du«, stellte Oberstätter fest. »Die Logs der Messgeräte unterscheiden sich von denen der Steuerungssoftware. Zwei verschiedene Systeme zeigen für dasselbe Ereignis unterschiedliche Ergebnisse an. Das ist genau, was wir in den letzten Tagen andauernd feststellen. Wir bekommen Fehlermeldungen, tauschen das Bauteil aus, die Fehlermeldung verschwindet zwar, aber irgendeine andere taucht auf. So viele Teile können gar nicht kaputt sein, wie wir schon gewechselt haben. Ich schwöre dir, die Maschinen funktionieren einwandfrei. Es ist nur die Software, die uns die ganze Zeit linkt.«

»Wenn dem so wäre, hätten wir ein Problem.«

»Welches?«

»Ein Fehler, wie du ihn beschreibst, muss im Quellcode der SCADA-Software stecken. Und der ist Geheimnis des Unternehmens, das SCADA programmiert.«

»Dann müssen die danach suchen.«

»Auf Verdacht hin? Die Fehleranzeigen können verschiedenste andere Gründe haben.«

»Vorschlag?«

Der Mann zuckte mit den Schultern. »Ich weiß nicht. Warum sollte dieser Fehler gerade jetzt auftauchen? Und wie soll er überhaupt hineingekommen sein? Die SCADA-Anbieter sind Riesenunternehmen mit gigantischen Qualitätsprüfmechanismen und Sicherheitsvorkehrungen.«

»Ich finde die These nicht so abwegig«, widersprach einer seiner Kollegen. »Wir können es ja einmal an die Zentrale in Wien melden. Mal sehen, was sie sagen.«

Tag 5 – Mittwoch

Zevenhuizen

François Bollard hatte eine weitere unruhige Nacht hinter sich. Nach ihrem Ausbruch am Vorabend hatte seine Frau eine Beruhigungstablette genommen und war schnell eingeschlafen. Bollard hatte sich ebenfalls hingelegt, war aber bald wieder aufgestanden und hatte stundenlang aus dem Fenster gestarrt, das auf den zugeparkten Vorplatz blickte. Irgendwann war dort auch der Letzte in sein Auto gekrochen. Kurz darauf hatte auch Bollard etwas Schlaf gefunden.

Noch vor Morgengrauen erwachte er von Geräuschen, die er nicht sofort identifizieren konnte. Er quälte sich hoch, tappte zum Fenster. Unten hatte sich eine Gruppe von etwa zwanzig Personen vor dem Haustor versammelt und verlangte Einlass. Nachdem er sich angezogen hatte, ging er hinunter. Im Flur kam er nicht mehr weiter. Eine wild diskutierende Horde bedrängte Jacub Haarleven, die Tür zu öffnen. Noch gebot der Hausherr, ein Gewehr quer vor der Brust, der Menge Einhalt.

Seine operative Zeit als Polizist, inklusive der Einsätze bei Kundgebungen und Demonstrationen, war lange her, trotzdem war Bollard sofort klar, dass Haarleven auf Dauer keine Chance hatte. Von draußen klangen die dumpfen Schläge gegen die Tür, drinnen murrten die Leute unwillig. Er sollte ihm das Gewehr abnehmen, bevor Haarleven sich zu Dummheiten hinreißen ließ.

»Gehen Sie zurück«, sagte der Hausherr zu der Gruppe vor ihm und ließ die Waffe sinken. »Ich öffne die Tür, aber Ihnen muss klar sein, dass Sie trotzdem nicht bleiben werden können. Die Behörden werden sich um Sie kümmern.«

»Das haben sie bis jetzt auch nicht getan!«, rief einer.

»Genau!«

»Die lassen uns verhungern und verdursten!«

»Und erfrieren!«

Bollard überlegte bereits, wo er seine Familie jetzt noch unterbringen konnte. Wie es aussah, mussten sie wieder nach Hause. Holz für den Kamin hatten sie genug. Aber weder Lebensmittel noch Wasser. Er selbst würde noch eine Weile über Europol versorgt. Aber wie lange noch?

Eine Frau aus der Gruppe trat vorsichtig vor. Sie musste im fünften oder sechsten Monat schwanger sein. »Wir bitten Sie um Hilfe«, flehte sie, drehte sich zu den anderen um. »Beruhigt euch. Mit Geschrei ist niemandem geholfen.«

»Die habe ich schon gegeben«, erwiderte Haarleven. »Aber ich habe nicht Platz für alle, die draußen sind. Und auch nicht genug Verpflegung.«

Aus einem Nebenraum klang das Klirren von Glas, dann ein Poltern, noch ein Klirren. Die Frau zuckte zusammen, Haarleven umklammerte sein Gewehr, trat einen Schritt nach vorn. Die Menge wich zurück. Bollard beeilte sich, die Waffe sanft niederzudrücken.

»Jemand hat ein Fenster eingeworfen!«, rief eine Frau aus dem Frühstücksraum. »Hört auf!«

Auf der Treppe entdeckte Bollard seine Frau mit besorgtem Gesicht. Mit einer Handbewegung bedeutete er ihr, wieder hinaufzugehen. Er hatte seinen Entschluss gefasst und folgte Marie ins Zimmer.

»Wir packen«, erklärte er. »Schnell.«

Sie verlangte keine Erklärungen.

Zwanzig Minuten später schleppten sie ihr gesamtes Gepäck die Treppe hinunter, damit sie nur ein Mal aus dem Haus mussten.

Haarleven, mittlerweile auf einem Stuhl neben der Tür, das Gewehr zwischen den Beinen, empfing sie mit überraschter Miene.

»Wir fahren«, erklärte Bollard. »Bezahlt hatte ich ja eine Woche im Voraus. Wir sind Ihnen also nichts schuldig. Lassen Sie uns bitte hinaus?«

Vorsichtig öffnete Haarleven die Pforte und schob Bollard hindurch. Kaum war die Familie im Freien, schlug er die Tür hinter ihnen zu.

Alles war so schnell gegangen, dass die Belagerer nicht hatten reagieren können. Die Bollards schleppten ihren Kram zu den Autos und luden sie voll. Ein paar andere mussten zur Seite fahren, um den zugeparkten Wagen von Marie freizugeben.

»Die Kinder fahren mit mir«, erklärte Bollard. Wenige Minuten später hatten sie das Grundstück verlassen, da leuchtete das Tankreservelicht auf. So viel konnte er unmöglich verbraucht haben. Bei der Ankunft gestern Abend war der Tank noch halb voll gewesen.

Kaum hatten sie die Stadtgrenze von Den Haag erreicht, als hinter ihm seine Frau mehrmals kurz aufblendete, um ihm ein Signal zu geben. Bollard fuhr langsamer, doch Marie war bereits am Straßenrand stehen geblieben und betätigte abermals die Lichthupe. Er legte den Rückwärtsgang ein.

»Ihr bleibt sitzen«, sagte er zu den Kindern und stieg aus.

»Benzin ist aus«, erklärte Marie. »Dabei weiß ich sicher, dass der Tank fast voll war, als ich vorgestern auf dem Bauernhof angekommen bin. Seither bin ich nicht mehr gefahren.«

»Dann habe ich mich doch nicht verguckt«, erwiderte er. »Ich fahre auch schon auf Reserve.«

Sie prüften den Tankdeckel. Er war aufgebrochen worden.

Sie luden die Koffer um, schoben Maries Wagen noch ein Stück weiter an den Rand und fuhren gemeinsam in seinem Wagen weiter.

»Hoffentlich kommen wir noch bis nach Hause«, bemerkte Georges von der Rückbank.

»Wann hat das ein Ende?«, flüsterte Marie mit Tränen in den Augen.

Den Haag

Zu Hause half François ihr noch beim Ausladen des Autos, dann fuhr ihr Mann weiter zu Europol.

Da war sie also wieder. Leider nicht, weil alles vorbei war. Zuerst entzündete Marie Bollard ein Feuer im Wohnzimmerkamin, damit wenigstens ein Raum im Haus geheizt war. Nachdem sie die Koffer und Taschen ausgeräumt hatte, inspizierte sie den Kühlschrank. Tiefkühlware und leicht verderbliche Produkte hatte sie bereits in den ersten Tagen des Ausfalls verbraucht. Danach war nicht mehr viel übrig geblieben. Wegen des geplanten Aufenthalts auf dem Bauernhof hatten sie sich um keine Vorräte gekümmert. Während ihrer Abwesenheit waren die meisten Reste verdorben. In der Speisekammer fand sie verschiedene Konserven, die würden noch ein, zwei Tage reichen, wenn auch in seltsamen Speisekombinationen, aber jetzt war die falsche Zeit für hohe Ansprüche. Sie musste sich dringend schlaumachen. Vielleicht wussten ihre Nachbarn schon, wo man Lebensmittel beziehen konnte. François hatte von solchen Stellen erzählt. Vielleicht wusste auch er Bescheid. Dann versuchte sie den Fernseher und das Telefon, jedes Mal vorher schon wissend, dass sie keinen Mucks von sich geben würden. Wie es wohl ihren Eltern ging?

+ Lage in Saint-Laurent für EU-Kommissar ernst +

EU-Umwelt-Kommissar Roman Padarescu äußerte sich beunruhigt über den Unfall in dem französischen Kernkraftwerk. Gleichzeitig zeigte er sich überzeugt, dass die Verantwortlichen die Lage im Griff hätten. Bislang wären nur geringe Mengen an Radioaktivität freigesetzt worden, für die Bevölkerung Frankreichs und Europas bestünde keine Gefahr. »Wir müssen gemeinsam die schwierigen Umstände bewältigen, unter denen Hunderte Millionen Menschen gerade leiden. Das sollten wir mit der notwendigen Ruhe und Solidarität tun.«

Die Lage im Griff!, dachte Bollard, während er auf den Bildschirm starrte, und glaubte keine Sekunde daran. Ebenso wenig wie an die geringe Menge freigesetzter Radioaktivität. Dass die Telefone in der Europol-Zentrale funktionierten, half ihm wenig. Zum wiederholten Mal an diesem Morgen wählte er die Telefonnummer seiner Eltern, und als sich niemand meldete, jene des französischen Innenministeriums, der Atomsicherheitsbehörde und der Polizei in Nanteuil, in Blois und in Orléans. Vier der Leitungen waren tot, im Innenministerium hob niemand ab. Der Griff zum Telefon war für Bollard längst zum sinnentleerten Ritual geworden. In seinem Innersten wusste er, dass ihm niemand über das Schicksal seiner Eltern und der Doreuils würde Auskunft geben können.

+ USA: Reaktoren und Stromnetze sicher +

Umweltorganisationen und Abgeordnete des US-Kongresses fordern nach den großflächigen Stromausfällen in Europa ein Überdenken der Energiepolitik. Regierungsmitglieder bezeichneten die amerikanischen Reaktoren als sicher. Die Ereignisse in Europa zeigten die Bedeutung des raschen Ausbaus der Energienetze zum Smart Grid. Einwände, dass der Ausfall in Europa durch Angriffe

357

auf die smarten IT-Komponenten des Netzes ausgelöst wurde, wiesen sie als »irreführend« zurück.

+ Asiatische Börsen mit schweren Verlusten +
Die asiatischen Börsen starteten den dritten Handelstag in Folge mit bis zu zweistelligen Verlusten. Der japanische Topix verlor bis Mittag 9 %, der Hang Seng 8 %, der Sensex 10,7 %.

+ Meldungen über Reaktorschäden unterschiedlich +
»An der Reaktorhülle in Saint-Laurent könnte es zu Schäden gekommen sein«, erklärte ein Experte der französischen Atomsicherheitsbehörde. Ist die Hülle um die Brennstäbe beschädigt, kann es zum Austritt großer Mengen von Radioaktivität kommen. Der Betreiber dagegen verweist auf Strahlenmessungen, die belegen, dass es zu keiner wesentlichen Erhöhung der Belastung während der vergangenen Stunden kam. Umweltschutzorganisationen widersprechen und behaupten, im fünfzehn Kilometer entfernten Chambord, Standort des weltberühmten Loire-Schlosses, eine Belastung von einem Mikrosievert pro Stunde gemessen zu haben. Das entspräche dem zehnfachen des als unbedenklich geltenden Wertes.

+ Eilmeldung: Frankreich evakuiert Bevölkerung +
Das französische Innenministerium bestätigt, dass im Umkreis von fünf Kilometern rund um das Kraftwerk Saint-Laurent im Department Loire-et-Cher mit der Evakuierung der Bevölkerung begonnen wurde. Betroffen davon sind mehrere Dörfer und Kleinstädte beiderseits der Loire. Im Umkreis von dreißig Kilometern wurde die Bevölkerung aufgefordert, ihre Häuser weiterhin nicht zu verlassen. Davon betroffen sind unter anderem Städte wie Blois mit seinem weltberühmten Schloss und Vororte von Orléans. Weitere Evakuierungsmaßnahmen werden nicht ausgeschlossen.

»Mein Gott«, stöhnte Bollard. Nanteuil lag zwischen Blois und Saint-Laurent. Erneut griff er zum Telefon.

+ Bargeldabhebungen auf 100 Euro pro Tag beschränkt +
Nach dem gestrigen Ansturm auf die Banken in den meisten europäischen Ländern ruft die Europäische Zentralbank zur Ruhe auf. »Die Bargeldversorgung ist gesichert«, bekräftigte ihr Vorsitzender Jacques Tampère. Bis auf Weiteres wird die Abhebung jedoch auf hundert Euro pro Tag und Person beschränkt. Tampère dementierte, dass einige Banken vor dem Zusammenbruch stünden. »Wir müssen jetzt einen kühlen Kopf bewahren«, forderte er. Viele kleinere Bankfilialen, besonders auf dem Land, bleiben mittlerweile aber geschlossen, weil sie nicht mehr mit Bargeld und Treibstoff für die Notstromanlagen beliefert werden können. Tampère bestätigte, dass die EZB weitere einhundert Milliarden Euro für die Stützung der Märkte zur Verfügung stellte.

+ Radioaktive Wolke unterwegs nach Paris? +
Für Unruhe sorgen seit dem frühen Morgen Berichte, wonach eine Wolke mit radioaktiven Partikeln aus Saint-Laurent vom Wind Richtung Paris getrieben wird. Laut AKW-Betreiber EDF wurde gestern leicht radioaktiver Dampf aus dem Kernkraftwerk abgelassen, um den Druck im Reaktor zu reduzieren. Nach Angaben von EDF seien die Mengen jedoch nicht gesundheitsgefährdend gewesen. Der französische Wetterdienst bestätigt die Wetterlage, wonach derzeit der Wind von Süden weht – für Paris sieht der Wetterdienst keine Gefahr. Saint-Laurent liegt einhundertsechzig Kilometer südlich von Paris. Für den Fall, dass tatsächlich eine Wolke Paris erreichen sollte, wird empfohlen, in geschlossenen Räumen zu bleiben.

Es klopfte an Bollards Tür.

»Herein.«

Manzano trat ein.

»Haben Sie kurz Zeit?«

Bollard legte den Hörer zurück und bat ihn an den kleinen Besprechungstisch.

»Sie sehen blass aus«, bemerkte Manzano.

»Ich bekomme zu wenig Schlaf in den letzten Tagen.«

»Wer nicht«, seufzte Manzano. Er stellte den Laptop vor Bollard auf.

»Sie erinnern sich an die Daten der Softwarelieferanten für die Kraftwerke, die ich von Ihnen wollte?«

»Ja.«

»Ich glaube, ich habe da etwas entdeckt, woher die rätselhaften technischen Probleme bei den Kraftwerken kommen könnten. Deren Software ist ja erstens sehr spezifisch und zweitens sehr komplex, so komplex, dass ein breiter Angriff auf so viele Kraftwerke eigentlich viel zu aufwendig ist. Wo könnte ein Angreifer also ansetzen? Ich habe mir einfach überlegt, wo ich ansetzen würde, wenn ich genügend Vorbereitungszeit und Geld hätte. Als Angreifer brauche ich ein Einfallstor, das mir bei möglichst vielen potenziellen Opfern zur Verfügung steht. Also etwas, was bei möglichst vielen Kraftwerkssteuersystemen, trotz aller Unterschiede, gleich ist. Wenn man so denkt, kommt man recht schnell dahinter, dass das die SCADA-Systeme, die Softwaresysteme, die Kraftwerke verwenden, sind. Weil sie weltweit von nur wenigen Ausrüstern stammen. Diese SCADA-Hersteller entwickeln natürlich auch für jedes Kraftwerk spezifische Lösungen. Aber gewisse Softwareteile sind für viele gleich. Wenn es mir also gelingt, einige dieser Teile zu manipulieren, habe ich gewonnen.«

»Aber die SCADAs sind aufgrund ihrer Struktur extrem sicher«, warf Bollard ein. »Außerdem müsste man trotzdem jedes Kraftwerk separat infiltrieren und die jeweiligen Sicherheitsmaßnahmen durchbrechen. Das ist immer noch ein riesiger Aufwand.« Er zog die Augenbrauen zusammen. »Es sei denn …«

»… es handelt sich um einen Insider-Job beim SCADA-Produzenten«, führte Manzano Bollards Gedanken zu Ende. »Ich habe mittlerweile Grund zu der Annahme, dass genau das der Fall sein könnte. Könnte, sage ich mit sehr großer Vorsicht. In den letzten Jahren wurden SCADAs zunehmend unsicherer.«

»Inwiefern unsicherer?«, fragte Bollard.

»Vergleichsweise sicher waren nur die SCADA-Systeme der ersten Generation, in denen die Hersteller jeweils eigene Softwareprotokolle und -architektur verwendet hatten. Moderne SCADA-Systeme bedienen sich jedoch zunehmend Standardlösungen, wie sie auf jedem Computer und im Internet verwendet werden. Das macht die Bedienbarkeit einfacher, erhöht aber die Sicherheitsrisiken drastisch«, erklärte Manzano. »Allerdings muss ich gestehen, dass mein Verdacht nur auf einer einzigen Statistik beruht.«

Auf dem Monitor aktivierte er eine Europakarte mit vielen blauen Punkten.

»Das sind nach aktuellem Stand die betroffenen Kraftwerke. Ich habe einen simplen Abgleich mit den jeweiligen Softwareausrüstern gemacht. Das Ergebnis ist verblüffend.«

Er drückte eine Taste. Die meisten der Punkte färbten sich rot. »All diese Kraftwerke wurden von einem SCADA-Hersteller ausgerüstet.«

Er ließ seine Worte sacken.

»Zur Sicherheit habe ich natürlich den Gegencheck durchgeführt. Das restliche Viertel wurde von anderen großen SCADA-Ausrüstern ausgestattet. Kurz: Eine überwältigende Mehrheit der nach wie vor nicht einsatzfähigen Kraftwerke arbeitet mit Systemen desselben Ausrüsters: Talaefer.«

Kommandozentrale

Langsam wurde der Italiener lästig.

Natürlich hatten sie damit gerechnet, dass Tausende Ermittler in Europa früher oder später eine Spur finden würden. Allerdings hatten sie es deutlich später erwartet, als es nun der Fall war. Und wieder war der Italiener schuld. Zuerst die Stromzähler in Italien und Schweden, jetzt das. Zeit, dass sie etwas gegen den Kerl unternahmen. Sie würden noch ihren Spaß mit ihm haben. Zu seinem Computer hatten sie Zugang. Er tippte ein paar Befehle in seine Tastatur. Auf einem Bildschirm vor ihm erschien eine Liste mit Namen, darunter Manzanos. Daneben stand »offline«. Sobald der Italiener den Laptop wieder anschaltete und online ging, würde er ihm eine kleine Überraschung bereiten. Dabei bedauerte er ihn fast ein wenig. Manzano war ihnen so nah. Mit ihnen war er den Bullen gegenübergestanden, hatte die Prügel ihrer Schlagstöcke eingesteckt. Wie sie hatte er sich in verbotene Räume gewagt, als er sich schwerelos durch die unendlichen Weiten des Netzes gehackt, Grenzen durchdrungen und aufgelöst hatte. Bis er irgendwann wie so viele die falsche Abzweigung genommen hatte. Wenn sie ihn schon nicht auf den rechten Weg zurückbrachten, dann mussten sie ihn jetzt aus ihrem eigenen räumen.

Den Haag

»Was halten Sie davon?«

Mit einem Stirnrunzeln blickte Bollard in die Kamera seines Laptops. In dem kleinen Fenster rechts oben auf seinem Bildschirm sah er das Gesicht des Direktors von Europol. Der war schon wieder unterwegs, diesmal in Brüssel, um sich mit verschiedenen führenden Beamten anderer EU-Organisationen zu beraten.

»Eine Spur, der wir nachgehen können«, meinte der Direktor. »Wir müssen jede mögliche Idee verfolgen. Uns läuft die Zeit davon.«

Darauf hatte Bollard gehofft. Manzanos Zusammenarbeit mit der amerikanischen Journalistin hatte Bollards schlimmste Befürchtungen bestätigt. Auch wenn Manzano, genau betrachtet, nicht gegen die Geheimhaltungsklausel verstoßen hatte, traute er ihm weniger denn je. Er wollte diesen kriminellen Pseudorevoluzzer aus dem Haus haben.

»Was halten Sie davon?«, fragte er Ruiz, »wenn wir Manzano als Unterstützung zu Talaefer schicken, um denen zu helfen?«

Sollen sich die Deutschen mit ihm herumschlagen.

»Wenn Sie ihn nicht brauchen...«

»Wir bräuchten jeden Mann, aber wenn an seiner These etwas dran ist, sind sie bei Talaefer sicher auch glücklich über Hilfe.«

»Schlagen Sie es vor.«

Endlich, dachte Bollard. Ciao, Piero Manzano!

Ratingen

»Die wollen was?«, fragte Wickley.

»An die Software ran«, wiederholte der Technikvorstand. Er hatte ein Satellitentelefon aufgetrieben, mit dem er die Verbindung zum Standort Bangalore hielt. »Wir konnten eben erst wieder den Kontakt herstellen. Wir kommen nur drei oder vier Mal am Tag durch.«

»Und jetzt gab es Anfragen?«

Draußen über dem Gebäude der Talaefer AG erstreckte sich ein grauer Himmel. Der Winter war trist hier. Erst recht, wenn man wie sie bei zehn Grad im Büro Schal und Winterjacken tragen musste. Sie boten einen lächerlichen Anblick. Wickley träumte sich nach Bangalore.

»Drei Betreiber melden Probleme bei mehreren Kraftwerken, die sie sich nicht erklären können. Sie hätten gern Unterstützung von uns.«

»Dann müssen wir dafür sorgen, dass sie die bekommen. Womit kämpfen sie konkret?«

»Wissen wir noch nicht genau. Das Problem ist, dass sich unsere Serviceleute üblicherweise online einloggen und die Systeme ansehen. Aber solange das Internet nicht vernünftig funktioniert, ist das unmöglich.«

»Dann müssen wir jemanden hinschicken.«

»Wir können froh sein, wenn wir noch Leute hier haben, die sich auskennen. Wenn wir die jetzt auch noch wegschicken... und zu wem sollen wir sie zuerst schicken? Und wie?«

Er rieb die Hände aneinander, führte sie zum Mund, hauchte sie an.

»Finden Sie einen Weg!«

»Wir suchen bereits danach. Aber es ist wie mit dem Diesel. Immer ist jemand anderes zuerst dran, weil wichtiger.«

In Wickleys Ohren entstand ein seltsames Rauschen, das sich in ein Dröhnen verwandelte. Er hatte bereits zwei Hörstürze hinter sich. Einen weiteren brauchte er so dringend wie ein Loch im Kopf. Das Geräusch wurde immer lauter, entwickelte ratternde Untertöne.

»Was ist das?«, fragte der Technikvorstand.

»Hören Sie es auch?« Wickley versuchte, seine Erleichterung zu verbergen. Es war die falsche Zeit für Zeichen der Schwäche.

Der Lärm füllte jetzt seinen Kopf. Ein Schatten verdunkelte die

Fenster des Vorstandsbüros. Wickley erkannte eine dunkelblaue Silhouette, dann den rasenden Rotor eines Hubschraubers, der sich langsam auf den Parkplatz vor dem Haus senkte.

»Was zum …«

Sie stürzten zum Fenster und beobachteten, wie das Fluggerät zwischen den Autos aufsetzte. Gleich darauf sprangen vier Gestalten heraus, beladen mit schweren Taschen, die sie auf den Boden warfen. Zwei von ihnen liefen geduckt zum Gebäude, zwei blieben stehen. An der Seite des Hubschraubers konnte Wickley einen Schriftzug entziffern.

»Polizei?«

»Was wollen die denn hier?«, rief der Technikvorstand ungläubig.

Aus dem Inneren des Helikopters wurden Kisten gereicht, die von den zwei Verbliebenen in Empfang genommen und neben den Taschen abgestellt wurden. Schließlich sprangen zwei weitere Passagiere hinaus. Einer gab ein Zeichen, der Hubschrauber hob ab und zog in einer langen Kurve hinauf und davon. Die ganze Aktion hatte nicht länger als drei Minuten gedauert.

Jemand klopfte an die Tür.

Sie saßen in einem kleinen Besprechungszimmer hinter dem Empfangsraum, in das Wickley sie geführt hatte. Der Vorstandsvorsitzende musterte Hartlandt, dann räusperte er sich und sagte: »Unter welchem Titel führen Sie diese Untersuchung?«

Hartlandt hatte in seiner Karriere beim Bundeskriminalamt gelernt, auch mit Führungskräften internationaler Großunternehmen umzugehen. Ihm missfiel Wickleys Überheblichkeit, doch er war sie gewohnt und blieb ruhig.

»Ermittlungen zur Bildung einer terroristischen Vereinigung, einfach gesagt. Ich nehme nicht an, dass Sie darin verwickelt sind«, lancierte er eine dezente Spitze. »Aber jemand in Ihrer Firma könnte es sein. Falls das so ist, wollen Sie das sicher so schnell wie möglich geklärt wissen, oder?«

Wickley wog Hartlandts Aussagen ab. »Unsere SCADA-Systeme?«, fragte er. »Unmöglich!«, fügte er entrüstet und entschieden hinzu.

Hartlandt hatte diese Reaktion erwartet. Er packte die Statistik aus, die Europol ihm geschickt hatte, breitete das Blatt vor dem Vorstandsvorsitzenden aus und erklärte ihm die Fakten.

»Das muss ein Irrtum sein«, beharrte Wickley.

»Irrtum oder nicht«, erwiderte Hartlandt. »Wir müssen der Sache nachgehen. Stellen Sie uns bitte eine Liste aller Mitarbeiter zusammen, die an diesen Projekten gearbeitet haben. Außerdem möchten wir uns heute noch mit den verantwortlichen Führungskräften zusammensetzen. Meine Mitarbeiter hier sind IT-Forensiker des Bundeskriminalamts. Sie werden Ihre Leute dabei unterstützen, mögliche Fehler zu finden.«

»Das wird nicht ganz so einfach sein, fürchte ich«, gestand Wickley schließlich.

Hartlandt sah, dass ihm dieses Zugeständnis nicht leichtfiel. Er sagte nichts und wartete, dass der andere fortfuhr.

»Unsere Notstromversorgung war auf einen Fall wie diesen nicht eingerichtet. Viele Mitarbeiter können wegen Treibstoffmangels und ausgefallener öffentlicher Verkehrsmittel nicht zur Arbeit erscheinen. Und ohne Strom können wir auch nicht auf unsere Computer zugreifen, in denen sämtliche Daten gespeichert sind.«

Hartlandt verkniff sich eine Bemerkung über mangelnde Stromversorgung eines großen Zulieferers der Energieindustrie, stattdessen nickte er nur leicht. »Ich kümmere mich darum. Wir werden hier zumindest eine Mindestversorgung etablieren. Dazu brauchen wir bis morgen. Sorgen Sie dafür, dass Ihre Angestellten dann da sind. Außerdem benötige ich drei Räume hier im

Haus als Quartier für mich und meine Leute und für ein Lagezentrum.«

Berlin

Michelsen stieg aus der Dusche und trocknete sich ab. Rasch
brachte sie ihre Haare in Ordnung, trug ein wenig Schminke auf
und zog sich an. Als sie das kleine Bad verließ, warteten bereits
zwei andere. Die vier kleinen Kojen im Keller des Ministeriums
waren eine beliebte Anlaufstelle. Einer der wenigen Orte in Berlin,
an denen man noch einigermaßen normale Körperhygiene pfle-
gen konnte.

Michelsen nahm den Fahrstuhl in den dritten Stock.

Im Krisenstab ging es zu wie in einem Bienenstock. Ein
Kollege streckte einen Telefonhörer in die Luft und rief ihren
Namen.

Am anderen Ende meldete sich Jürgen Hartlandt. Sie hatte ihn
kurz per Bildschirmtelefonat kennengelernt, nachdem der Krisenstab beschlossen hatte, Sonderermittler zu Talaefer zu schicken.

»Talaefer hat keinen Strom«, erklärte der BKA-Mann nach einer
knappen Begrüßung. »Wir brauchen ein paar Generatoren.«

Michelsen schloss für einen Moment die Augen und seufzte.

»Ich kümmere mich darum. Ich rufe Sie zurück.«

Michelsen wusste, dass es eilte. Doch alles eilte in diesen Tagen.
Sie ging zum Kontaktmann des Technischen Hilfswerks und erklärte ihm das Problem.

»Alle brauchen Generatoren«, schnaubte er. »Und den Treibstoff dazu. In den vergangenen zwei Tagen haben wir so gut wie
alle verteilt.«

»Ich weiß, ich weiß … Aber das hier ist wichtig.«

»Ich weiß.« Der Mann zuckte mit den Achseln. »Aber Sie kennen das Problem ja selbst.«

Auf seinem Computer rief er eine Deutschlandkarte auf. Darauf waren unzählige Punkte in verschiedenen Farben verteilt. Sie häuften sich in und um die Städte. Mit ein paar Tastenbefehlen blieben schließlich nur noch die dunkelblauen Punkte übrig.

»Gepriesen seien unsere Geodatenprogramme! Haben auch genug gekostet. Aber immerhin sind wir jetzt gut organisiert. Hier sind alle unsere Notstromsysteme eingetragen. In der Liste rechts sehen Sie, wie viele noch verfügbar sind.«

»Die Liste ist leer«, bemerkte Michelsen.

»Messerscharf erkannt. Das Problem besteht also darin, dass wir Generatoren, die Sie bei Talaefer einsetzen wollten, woanders abziehen müssen. Die Betroffenen werden sich nicht freuen.«

»Das tut mir leid für sie«, erwiderte Michelsen. »Aber diese Ermittlungen gehen vor. Sie wissen besser, wer wo wie versorgt ist. Entscheiden Sie, wer in Düsseldorf oder Umgebung am ehesten auf den Notstrom verzichten kann. Ich übernehme die Verantwortung.«

Der Mann scrollte eine Weile durch eine andere Liste. Dann sagte er: »Ich hätte da einen Lokalpolitiker in Düsseldorf, der tatsächlich Generatoren für sein Restaurant und sein Fitnessstudio bekam. Mit dem Argument, dass er für die Lebensmittelversorgung und Gesundheit der Bevölkerung verantwortlich sei.«

»Zu ein paar Ausnahmen waren wir gezwungen.«

»Gezwungen . . .«, spuckte der Mann spöttisch aus.

»Aber vielleicht kann man ja eine davon jetzt rückgängig machen, was meinen Sie?«

»Nichts lieber als das.«

Düsseldorf

Die Szenen erinnerten ihn an seine früheste Kindheit, doch er wusste nicht einmal, ob er die Bilder in seinem Kopf nur aus den Medien hatte. So leer hatte Hartlandt deutsche Straßen lange nicht gesehen. Kaum jemand hatte noch Treibstoff im Tank. Tanken konnte nur, wer einen Berechtigungsschein hatte. Und die wurden ausschließlich an jene vergeben, die für die Versorgung der Bevölkerung die notwendigsten Güter transportierten. Auch Menschen waren nur vereinzelt zu sehen. Stattdessen wucherten Berge von Müllsäcken auf den Bürgersteigen. Eine gespenstische Stimmung herrschte in der Stadt.

Im Rückspiegel beobachtete er den Konvoi. Der Lastwagen mit dem Hebearm folgte ihm. Dahinter wusste er einen Kleinbus der Düsseldorfer Polizei mit sechs Beamten. Sie mussten darauf vorbereitet sein, dass in diesen Tagen niemand seine Stromversorgung freiwillig hergab, auch wenn sie ihm nicht gehörte.

Keine Ampel regelte mehr den Verkehr. Auch keine Polizisten, das hatte man nur vereinzelt in den ersten Tagen versucht. Ab und zu sah Hartlandt einen Einsatzwagen.

Er fuhr den Fürstenwall entlang. Nur gelegentlich warf er einen Blick auf die Hausnummern. Das Objekt würde er auch so erkennen.

Schon von Weitem sah er die Maschinen. Zwei Meter hoch und noch breiter belegten sie in ihren Containern fast den gesamten Bürgersteig. Über dessen schmalen Rest lagen dicke Kabelstränge und verschwanden in einer Haustür. Rechts davon pries eine große Tafel an der Fassade die Pizzeria San Gimignano an, links wiesen – abgeschaltete – Leuchtbuchstaben das Fitnessstudio aus.

Er parkte so, dass der Lkw hinter ihm direkt neben den Geräten zum Stehen kam. Er wartete, bis alle ausgestiegen waren, seine Kollegin, die drei Mitarbeiter des Technischen Hilfswerks aus dem Lkw und die Uniformierten aus dem Mannschaftswagen. Es stank nach Diesel und Müll.

Gemeinsam betraten sie die Pizzeria. Eine Kellnerin begrüßte sie und wollte ihnen einen Tisch anbieten. Hartlandt verlangte nach dem Besitzer. Die Frau verschwand in einer Tür hinter dem Tresen.

Hartlandt sah sich um. Das Lokal war gut besucht. Kein Wunder. Hier war es warm, es gab Essen und Getränke. Die Gäste musterten die Truppe verstohlen. Er griff sich eine Speisekarte, in Folien eingeschweißte Drucke, studierte sie. Der übliche Nachbarschaftsitaliener, Pizza, Pasta, Tiramisu. Die Preise waren von kleinen, mit Hand beschriebenen Klebern verdeckt, die neu aussahen. Die Pizzeria musste Gold in ihre Speisen mischen.

»Guten Tag, meine Herren. Was kann ich für Sie tun?«

Hinter dem Tresen erschien ein Mann mit breiten Schultern und Stiernacken, der in einem blauen Hemd mit weißem Kragen steckte. Darüber trug er Jackett und Schlips. Er überragte den nicht kleinen Hartlandt um Haupteslänge.

»Alfons Hehnel?«, fragte Hartlandt.

»Ja.«

Hartlandt zeigte ihm seinen Ausweis.

»Wir haben den Auftrag, die Generatoren vor Ihrem Lokal abzubauen. Es empfiehlt sich daher, dass Sie das Lokal jetzt schließen.«

Der Mann zog die Augenbrauen zusammen, dann hellte sich seine Miene wieder auf.

»Nein«, erklärte er. »Das muss ein Irrtum sein. Ich habe die Geräte extra bekommen, damit die Leute in der Umgebung hier versorgt werden können.«

»Das mag sein. Doch die Maschinen werden woanders dringender gebraucht. Wir beginnen jetzt mit dem Abbau.« Er gab den Männern vom Technischen Hilfswerk ein Zeichen. Sie verließen den Gastraum. Hehnel lief ihnen nach.

»Nein! Das dürfen Sie nicht!«

Hartlandt ging hinterher, die Polizisten im Schlepptau. Vor dem Lokal folgten die Männer vom THW dem Kabelstrang in den Hausflur, wo er in einer Tür verschwand. Ein Vorratsraum hinter der Küche, wie sich herausstellte. Als sie anfangen wollten, die Anschlüsse zu trennen, zog Hehnel sie zurück. »Schluss jetzt! Sie können hier doch nicht einfach hereinspazieren und den Leuten den Strom abstellen.«

»Können wir schon. Lassen Sie die Männer bitte arbeiten.«

»Kommt nicht infrage.« Er baute sich vor den Steckern auf. Aus der Küche sah ein Koch herein. Er war noch muskulöser als sein Chef.

»Hol die anderen«, befahl ihm Hehnel. »Die wollen uns den Strom wegnehmen.«

»Herr Hehnel«, erklärte Hartlandt geduldig, »Wenn Sie uns behindern, machen Sie sich strafbar. Lassen Sie die Männer jetzt bitte weitermachen.«

Hehnel stand mit verschränkten Armen da, hob sein Kinn, was Hartlandt an Mussolini erinnerte, und erklärte: »Sie wissen wohl nicht, wer ich bin.«

»Kreistagsabgeordneter der CDU. Das wird Ihnen aber auch nicht helfen. Mein Befehl kommt direkt aus dem Krisenstab. Und auch wenn der Bundeskanzler der SPD angehört, glauben Sie mir, das hier hat nichts mit Politik zu tun. Treten Sie bitte zur Seite.«

Aus der Küche und vom Flur drängte ein gutes Dutzend Muskelmänner, die meisten in Sportkleidung, einige verschwitzt, in den kleinen Raum. Der Koch musste sie aus dem benachbarten Fitnessstudio geholt haben.

»Was soll das werden?«, fragte Hartlandt. Er wandte sich an die

Neuankömmlinge und erklärte ihnen seinen Befehl. Ungerührt hörten sie zu, suchten mit Blicken Anweisungen von Hehnel. Als er fertig war, gab er zwei Polizisten ein Zeichen. Sie stellten sich neben Hehnel, wollten ihn von seinem Platz schieben, doch dieser wehrte sich. Als die Beamten mit mehr Nachdruck zur Tat schritten, kam es zum Handgemenge, Hehnel schimpfte und fluchte, wich aber nicht zur Seite. Seine Muckitruppe rückte bedrohlich näher.

Hartlandts Leute waren zahlenmäßig unterlegen. Er fragte sich, was diese Männer sich einbildeten. Glaubten sie wirklich, ihn und seine Kollegen einschüchtern zu können?

Er trat auf Hehnel zu.

»Es reicht!«, sagte er scharf. »Lassen Sie uns unsere Arbeit machen.«

Hehnel rührte sich nicht von der Stelle, blickte überheblich auf ihn herab. Ohne Vorwarnung brachte Hartlandt ihn mit einem Kampfgriff zu Fall. Bevor Hehnel reagieren konnte, lag er auf dem Bauch, einen Arm hinter den Rücken gedreht, Hartlandts Knie im Rücken. Der Kreis von Hehnels Leuten zog sich um die Beamten enger, im nächsten Moment jedoch wichen sie wieder zurück. Einige Beamte hatten ihre Waffentaschen geöffnet.

»Meine Herren, Sie gehen jetzt besser nach Hause, bevor wir Sie verhaften«, befahl Hartland, während ein Polizist Hehnel Handschellen anlegte.

Die anderen Uniformierten drängten die Sportler hinaus, eine Hand immer an der Hüfte.

Hartlandt half Hehnel auf die Beine und führte ihn in das Lokal. Den überraschten Gästen verkündete er: »Das Lokal ist geschlossen. Bitte verlassen Sie es jetzt.«

Als die Leute gingen, hielt Hartlandt einen älteren Herrn auf. »Sind Sie öfter hier?«

Der Mann sah ihn vorsichtig an, dann antwortete er: »Ja. Wieso?«

Hartlandt zeigte ihm eine Speisekarte.

»Sind die Preise hier schon länger so stolz?«

»Seit dem Stromausfall, was denken Sie denn?«, antwortete der Mann empört. Hartlandt konnte nicht einordnen, ob die Empörung den Preisen oder seiner Frage galt.

»Danke«, erwiderte Hartlandt. Er ließ den Mann gehen und sagte zu Hehnel: »Wucher auch noch.«

Er schob Hehnel auf die Straße und nickte den Mitarbeitern des Technischen Hilfswerks bei den Generatoren zu. Deren Brummen verstummte. In der Pizzeria San Gimignano wurde es dunkel.

Eine Viertelstunde später baumelte der erste Generator unter dem Kranarm des Lkws auf seinem Weg zur Ladefläche.

Den Haag

Ein Konvoi aus Militär- und Tankwagen schob sich über den Bildschirm, Manzano musste an den gleichnamigen Actionfilm aus den späten Siebzigerjahren denken.

»Der Unfall in Frankreich hat in den übrigen Ländern Europas für Unruhe gesorgt. Streng bewachte Diesellieferungen sollen die ausreichende Versorgung der Notstromsysteme in den Kernkraftwerken sichern.«

Alle Anwesenden im Besprechungsraum von Europol verfolgten die Reportage.

»Mit Ausnahme von Saint-Laurent befinden sich so gut wie alle Kraftwerke des Kontinents und auf den Britischen Inseln in stabilem Zustand«, erklärte der Nachrichtensprecher, »die Internationale Atomenergie-Organisation meldet aus zwölf Anlagen geringfügige Zwischenfälle. Einzig im tschechischen Kraftwerk Temelín bleibt die Lage angespannt. Schlechte Nachrichten gibt es dagegen aus dem havarierten französischen Kraftwerk.«

Längst verfolgten sie hier nur noch CNN, die nationalen und viele europäische TV-Stationen hatten ihren Sendebetrieb einstellen müssen. Auf dem Bildschirm unscharfe, körnige Aufnahmen der Anlage. Als würde ein Luftballon platzen, dehnte sich eines der Gebäude zu einer gewaltigen Wolke aus.

»In der havarierten Anlage kam es zu einer zweiten Explosion. Dabei wurden Gebäude schwer beschädigt.«

Unheimliche Wesen in Schutzanzügen staksten wie gigantische Insekten über das Kraftwerksgelände, ratternde Kästchen in den Händen.

»Eine Stunde danach wurde eine dreißigfach erhöhte Radioaktivität gemessen.«

Ein weiterer Insektenmann, auf dessen Overall ein Logo von Greenpeace prangte, streckte ein Messgerät in die Kamera.

»Umweltorganisationen geben an, bereits zwanzig Kilometer vom Kraftwerk entfernt gesundheitsbedrohlich hohe Strahlendosen gemessen zu haben.«

Kolonnen von Militärlastkraftwagen, in deren Laderäumen sich grün vermummte Spezialeinheiten drängten, schienen direkt vom Set eines Katastrophenfilms zu kommen.

»Die französische Regierung hat angekündigt, die Bevölkerung im Umkreis von zwanzig Kilometern vorläufig zu evakuieren.«

Die folgenden Bilder von Notquartieren gehörten mittlerweile zu den Standards der Berichterstattung in den vergangenen Tagen. Manzano beobachtete, wie Bollard auf einem der Telefone wählte.

Die Redaktion spielte Bilder eines Flughafens ein. In den Bauch plumper Riesenflugzeuge schienen spielzeuggleiche Lastwagen gesaugt zu werden wie Plankton in das Maul eines Wals. Andere Aufnahmen zeigten Soldaten beim Verladen von Kisten und Einweisen von Fahrzeugen.

»Die USA, Russland, Türkei, China, Japan und Indien bereiten die Entsendung erster Hilfsmannschaften vor.«

Bollard legte den Hörer auf, ohne mit jemandem gesprochen zu haben, wie Manzano feststellte.

»Wir müssen diesen Wahnsinn stoppen«, sagte einer.

Die anderen blieben stumm.

Ratingen

Hartlandt hatte ihre Einsatzzentrale in einem der Konferenz-räume hinter der Empfangshalle von der Talaefer AG eingerichtet. Die Tische waren zu einem länglichen Rechteck zusammengestellt. An einem Ende standen die Laptops von Hartlands Leuten. Die andere Hälfte diente für Besprechungen. Die Notstromgeneratoren hinter dem Gebäude lieferten ausreichend Energie für ihre Computer und einige sanitäre Anlagen im Erdgeschoss sowie für die Server. Fahrstühle und obere Etagen hatten die Haustechniker abgekoppelt. Selbst Wickley hatte sich von seinem Chefbüro im obersten Stock zu ihnen herabbegeben müssen. Er hatte sich ein provisorisches Büro auf demselben Flur eingerichtet, wenn auch mit ein paar Zimmern Abstand. Jetzt allerdings saß er mit ihnen und einigen seiner Mitarbeiter am Tisch und fasste die Lage im Unternehmen zusammen.

»Unser SCADA-Führungsteam umfasst sieben Leute, von denen heute zwei da sind, die gesamte Belegschaft beträgt rund hundertzwanzig Leute. Details dazu erklärt Ihnen Herr Dienhof.«

Der Angesprochene, ein großer, hagerer Mann mit einem grauen Haarkranz und Vollbart, nahm ein Blatt Papier zur Hand, las es kurz und sagte: »Drei unserer Manager sind im Urlaub, wir konnten sie noch nicht erreichen. Zwei weitere wohnen in Düsseldorf, allerdings mussten sie offensichtlich in ein Notquartier umziehen. Und wir wissen noch nicht, in welches. Vielleicht können Sie uns bei dieser Suche unterstützen, Sie haben sicher besseren Zugang zu den Behörden«, wandte er sich an Hartlandt.

»Ich kümmere mich darum«, bestätigte dieser.

»Vom Rest der Mannschaft konnten wir bislang nur zehn kontaktieren. Bei den anderen waren wir noch nicht, weil wir nicht genug Leute und Fahrzeuge mit Treibstoff dafür haben, oder wir haben sie ebenfalls nicht zu Hause angetroffen.«

Er legte das Blatt zur Seite.

»Geben Sie uns eine Liste mit Namen und Adressen«, bat Hartlandt. »Wir werden versuchen, sie zu finden.«

Dienhof nickte. »Was die SCADA-Systeme betrifft, so konnten wir erst heute Morgen mit Analysen beginnen. Im Moment können wir noch nicht abschätzen, wie lange es dauern wird. Je mehr Leute wir hier hätten, desto besser. Die Systeme basieren zwar auf einigen gemeinsamen Grundmodulen, werden aber für jeden Kunden individuell zugeschnitten. Natürlich schauen wir uns zuerst einmal diese gemeinsamen Faktoren an. Falls unsere Systeme für die Probleme tatsächlich mitverantwortlich sind, müsste die Ursache am ehesten dort zu finden sein, weil ja viele Kraftwerke davon betroffen sein sollen.«

»In Ordnung«, sagte Hartlandt. »Arbeiten Sie weiter. Wir sehen zu, dass wir möglichst viele Ihrer Leute finden und herbringen.«

Mit einem schnellen Blick verglich Hartlandt Name und Adresse auf seiner Liste mit jenen auf dem Türschild des Einfamilienhauses. Dimitri Polejev. Klingeln war sinnlos. Er rief laut den Namen, mehrmals. Als niemand antwortete, öffnete er mit einem Dietrich routiniert die Gartentür.

So wie er waren gerade vier seiner sechs Leute und fünf regionale Polizeibeamte unterwegs und klapperten die Adressen der Talaefer-Mitarbeiter ab. Nach der Lagebesprechung bei dem Unternehmen hatten sie die Beamten informiert und für die Aufgabe freistellen lassen. Autos hatten sie von einem lokalen Mietwagenverleih. Für jeden hatten sie eine Route zusammengestellt. Die rund hundertzwanzig Mitarbeiter, die sie finden mussten, wohnten in einem Umkreis von siebzig Kilometern. Jeder Uniformierte und Hartlandts Leute hatten an der behördlichen Versorgungsstelle ihre Wagen vollgetankt. Dann hatten sie sich auf den Weg gemacht. Hartlandt war seit fast drei Stunden unterwegs. Polejev war Nummer elf auf seiner Liste.

An der Haustür klopfte Hartlandt laut und rief noch einmal den Namen. Endlich wurde die Tür einen Spaltbreit geöffnet. Hartlandt sah die dünne Sicherungskette, die sofort reißen würde, träte er mit Wucht gegen die Tür. Er stellte sich vor und fragte, ob Herr Polejev da sei.

»Bin ich«, antwortete der Mann hinter der Tür.

»Wir brauchen Sie und Ihre Kollegen aus der IT bei Talaefer«, erklärte ihm Hartlandt.

Polejev schloss die Tür, zog die Sicherungskette zurück und bat Hartlandt in einen finstern Flur. Irgendwo hörte er ein Kind weinen.

»Mein Auto hat keinen Sprit mehr«, entgegnete Polejev. »Und fünfundzwanzig Kilometer zu Fuß zu gehen hat wenig Sinn.«

»Deshalb werden wir einen Abholdienst organisieren«, sagte Hartlandt. »Er wird Sie und einige Ihrer Kollegen am Morgen mitnehmen und abends wieder nach Hause bringen.«

»Wie stellen Sie sich das vor?« Er zog Hartlandt am Arm in ein düsteres Wohnzimmer. Eine Frau in Anorak und wattierter Skihose ging durch den Raum, ein Bündel auf dem Arm. Hartlandt erkannte ein Baby. Auf dem Sofa saßen zwei kleine Kinder, in dicke Jacken gepackt, Wollmützen auf den Köpfen, Decken um die Schultern, und spielten, soweit es die unförmigen Finger ihrer Handschuhe zuließen, mit Puppen.

»Soll meine Frau hier ganz allein bleiben?«

»Wir brauchen Sie unbedingt. Vielleicht können Sie mithelfen, diese Misere zu beenden.«

Er erzählte von der notwendigen Überprüfung der SCADA-Systeme und fragte dann: »Was hat denn das Kleine?«

»Kalt, Hunger, dasselbe wie wir alle.«

»Warum gehen Sie und Ihre Familie nicht in ein Notlager? Dort ist es warm, Sie bekommen Lebensmittel, es gibt Toiletten und sogar Duschen.«

»Toiletten«, seufzte Polejevs Frau. »Und Duschen!«

»Wie machen Sie das denn jetzt?«, wollte Hartlandt wissen.

Polejev deutete in den Garten. »Da draußen. Ich habe eine Grube gegraben.«

Hartlandt sah das Loch neben einer Hecke.

Polejev zeigte auf das mager bestückte Bücherregal. »Und das ist unser Klopapier, seit das richtige ausgegangen ist.«

»Sehr erfinderisch«, lobte Hartlandt. »Frau Polejev, wir brauchen Ihren Mann.« Er nannte auch ihr noch einmal den Grund.

»Dann gehe ich eben mit den Kindern in so ein Notquartier«, seufzte sie.

»Und währenddessen räumt man uns hier das Haus aus«, beklagte sich Polejev.

»Du kannst ja weiter hierbleiben«, sagte sie.

»Wer soll so etwas denn tun?«, argumentierte Hartlandt. »Außer den Behörden hat praktisch niemand mehr Treibstoff. Diebe kommen also gar nicht hierher. Und Ihren Nachbarn werden Sie so etwas wohl nicht zutrauen.«

»Sie kennen unsere Nachbarn nicht«, meinte Polejev und wackelte mit dem Kopf. »Zugegeben, die meisten sind anständige Menschen. Aber in so einem Lager hat man keine Privatsphäre.«

»Besser das als Kinder, die sich hier eine Lungenentzündung holen.«

»Er hat recht«, stimmte Frau Polejev ihm zu.

»Wo ist denn das nächste Quartier?«, fragte Polejev gereizt.

»In Ratingen gibt es drei. In der Schule, der Veranstaltungshalle und in der Sporthalle. In einem davon finden wir sicher noch Platz. Wir sorgen dafür, dass Ihre Familie hingebracht wird. Packen Sie die wichtigsten Sachen zusammen.«

Das Baby zeigte sich unbeeindruckt und plärrte weiter. Polejevs Frau sagte nur: »In Ordnung.«

Polejev zuckte mit den Schultern und sah Hartlandt hilflos an.

»Sie tun das Richtige«, versicherte ihm Hartlandt. »Ihre Familie ist gut aufgehoben, und Sie können wieder an Ihren Arbeitsplatz.«

Hartlandt kündigte ihm die erste Tour noch für den Nachmittag an. Dann nannte er ihm ein paar Namen von Kollegen: »Die sind zurzeit in Ferien«, fügte er hinzu. »Haben Sie sich zufällig mit einem darüber unterhalten, wohin er fährt?«

Polejev dachte kurz nach. »Müller wollte in die Schweiz zum Skifahren, wohin genau, weiß ich nicht. Dragenau hat was von Bali erzählt. Und Fazeri wollte zu Hause bleiben. Musste wohl im Haus einiges reparieren.«

Hartlandt bedankte sich. Vor allem Dragenau war wichtig, er war einer der fehlenden Chefentwickler. Den Bali-Urlaub hatte schon die Personalfrau bei Talaefer erwähnt. Ihn hätten sie besonders gern dabeigehabt. Aber wenn er tatsächlich auf Bali war, hatten sie da wohl wenig Chancen.

Als er wieder im Auto saß, machte er hinter die Zeile mit Polejevs Namen und Adresse einen Haken. Er gab die nächste Adresse in sein Navigationssystem ein und fuhr los.

Die Veranstaltungshalle war ein modernes, funktionales Gebäude, das große, weiße Buchstaben über dem Eingang als »Dumeklemmerhalle« vorstellten.

Davor standen Menschen in Gruppen beisammen und unterhielten sich oder rauchten. Hartlandt betrat die große Vorhalle. Wo sonst Tickets verkauft wurden, Menschen sich vor den Veranstaltungen verabredeten und mit Popcorn und Softdrinks eindeckten, befanden sich jetzt Leute in Winterkleidung, obwohl es wärmer war als draußen. Durch große, offene Tore gewann Hartlandt kurze Einblicke in die große Halle. Für einen Moment fühlte er sich in die Zeit zurückversetzt, 1997, da hatte er im Grundwehrdienst wochenlang bei der großen Oderflut geholfen.

Über die Anzeigetafeln für Ticket-, Snack- und Getränkepreise waren Schilder gehängt worden. In einfachen schwarzen Buchstaben auf weißem Grund erklärten sie: Aufnahme. Rotes Kreuz. Freiwillige Helfer. Materialausgabe. Wegweiser zu Toiletten, Duschräumen und Lebensmittelausgabe, die sich in anderen Räumen befinden mussten. An einer langen Wand hingen unzählige Zettel und Bilder, eine Art Schwarzes Brett, vermutete Hartlandt. Nur wenige der Deckenspots gaben Licht. Die restlichen waren vermutlich deaktiviert worden, um Strom zu sparen.

Er ging zur Aufnahme. Eine korpulente, ältere Frau begrüßte ihn mürrisch. Er wies sich aus und legte ihr eine Liste mit siebenunddreißig Namen vor.

»Ist jemand von diesen Personen bei Ihnen einquartiert?«

Die Frau drehte sich wortlos zu einem mannshohen Schrank mit Schubladen um, von denen sie eine herauszog. Sie begann, Hängeregister zu durchsuchen. Dazwischen sah sie öfters auf Hartlandts Liste und machte sich Notizen auf einen Zettel.

Er beobachtete die Menschen in der Halle. Sie wirkten weder aufgeregt noch besorgt. Fast schien es, als warteten sie auf den Beginn einer Veranstaltung. Ihre Gespräche vermischten sich zu einem konturlosen Schnattern, das den Raum erfüllte. Dazwischen kehrte eine Frau mit einem breiten Besen Schmutz zusammen. Eine Horde Kinder tollte über den Steinboden und verschwand so schnell und laut, wie sie aufgetaucht war, nur ihre Stimmen hallten noch eine Weile nach.

Bei der Materialausgabe stand etwa ein Dutzend Personen, ein Mann mit zwei Kindern bekam Decken ausgehändigt, wie Hartlandt sie aus seiner Militärzeit kannte. Eine Frau vom Roten Kreuz erklärte einer Mutter mit einem Kind an der Hand etwas zu einer Medikamentenschachtel, die sie ihr schließlich übergab.

»Elf davon sind hier«, bestätigte die Aufnahmedame in Hartlandts Rücken. Er wandte sich um. Vor ihm lag seine Liste, ein Blatt Papier mit elf Namen, daneben jeweils eine Buchstaben-Zahlen-Kombination.

Die Frau legte einen dicken Finger darauf.

»Das ist sozusagen die Adresse der Leute hier«, erklärte sie. »An den Eingängen zur großen Halle finden Sie Pläne mit einem Raster darauf. Die Buchstaben und Zahlen geben den Quadranten im Raster an, wo die Menschen ihre Schlafstelle haben. Es gibt bei uns aber weder eine Aufenthalts- noch Meldepflicht. Ich kann Ihnen daher nicht sagen, ob Sie die Damen und Herren auch antreffen werden.«

Hartlandt bedankte sich und marschierte los. Unterwegs studierte er die Liste. Zu seiner Freude fand sich auch eine der bislang vermissten Führungskräfte darauf, von denen Dienhof gemeint hatte, dass sie besonders wichtig seien.

Die Einlässe zur zentralen Halle waren Schiebetüren aus hellem Holz, die weit offen standen. An einem davon klebte ein gerasterter Plan, wie es die Frau an der Aufnahme erklärt hatte.

Die Halle selbst hatte einen trapezartigen Grundriss und bildete ein riesiges Feld voll einfacher Betten, die in Reih und Glied standen und zwischen denen teilweise aufgehängte Tücher notdürftig einzelne Bereiche voneinander abschirmten. Boden und Decken waren aus Holz. Das Material verlieh dem Raum eine freundliche, warme Atmosphäre. Die Luft war abgestanden, es roch muffig, nach feuchter Kleidung, Schweiß und einem Hauch von Urin. Menschen saßen oder lagen auf Betten. Andere plauderten, lasen, starrten in die Luft, schliefen.

Hartlandt warf noch einmal einen Blick auf seinen Plan, auf seine Liste und steuerte seine erste Station an.

Brüssel

»Die haben was getan?«, brüllte Nagy in das Telefon. Das Gespräch war auf laut geschaltet, sodass alle im Kontrollraum des Monitoring and Information Centre mithören konnten.

»Das Lager ist vollständig leer geräumt«, erklärte die Stimme auf Englisch aus dem Lautsprecher der Anlage. Sie gehörte dem Verbindungsmann im slowakischen Innenministerium.

Alle Staaten unterhielten mehr oder minder umfangreiche Lager mit Ausrüstung für Notfälle, von Feldtoiletten über Zelte und Generatoren bis zu Satellitentelefonen. Einige der Bestände waren für die internationale Zusammenarbeit vorgesehen. In einem Lagerhaus nahe Zvolen hatten die Verantwortlichen nur noch leere Regale vorgefunden.

»Über Nacht«, sagte die Stimme aus dem Lautsprecher. »Sie wissen auch nicht, wie das passieren konnte. Es war das slowakische Hauptlager, jetzt fehlt uns natürlich all das Material, mit dem unser Zivilschutz gerechnet hatte.«

Neben Angström flüsterte ein dänischer Kollege: »An die Diebstahlgeschichte glaube ich nicht. Das waren sicher die Slowaken selbst.«

Nagy warf ihm einen strengen Blick zu.

»Mit Teilen davon haben auch wir kalkuliert«, erinnerte er. »Wir haben zurzeit keinerlei Ressourcen. Wir können nur versuchen, von der außereuropäischen Hilfe ein wenig mehr zu ihnen umzuleiten. Aber auch das wird von den Entwicklungen der nächsten Tage abhängen.«

Aus seiner Stimme hörte Angström Ärger und Zweifel. Nur fünf Tage und die europäische Solidarität beginnt zu bröckeln, dachte sie. Wie im Alltag zwischen den Menschen. Nachdenklich kehrte sie zurück in ihr Büro.

Ratingen

Bei Talaefer hatten sie die mobilen Trennwände zwischen den Besprechungszimmern im Erdgeschoss entfernt und so einen einzigen, großen Saal geschaffen. Auf zwei langen Tischreihen standen sich hundertzwanzig Laptops gegenüber. Gut zwei Drittel der Arbeitsplätze waren besetzt, die meisten von Männern. Viele von ihnen hatten sich seit ein paar Tagen nicht rasiert. Und nicht geduscht. Dagegen würden sie mit der Zeit etwas tun. Hartlandts Team hatte vom Technischen Hilfswerk zwei provisorische Duschen mit Wassertanks angefordert, die jeder benutzen durfte.

Hartlandt stand am Ende der Tische mit Dienhof, Wickley und seinen eigenen Leuten zusammen.

»Wir haben dreiundachtzig von hundertneunzehn«, erklärte er. »Dreißig sind im Urlaub. Zehn konnten wir noch nicht finden. Von den Führungskräften sind alle da außer Dragenau, Kowalski und Wallis. Laut unserer Aufzeichnungen macht Dragenau Urlaub auf Bali, Kowalski in Kenia, und Wallis ist zum Skifahren in der Schweiz. Kontakt konnten wir noch zu keinem aufnehmen.«

»Wir sind jetzt schon ganz gut aufgestellt«, meinte Dienhof. »Trotzdem wird es eine Weile dauern. Zunächst untersuchen wir die Standardbibliotheken. Das sind jene Bestandteile der verschiedenen Softwarelösungen für unterschiedliche Kraftwerke, die bei allen Systemen gleich sind. Wir müssen den Quellcode jedes einzelnen Elements überprüfen. Das sind teilweise Millionen von Programmzeilen. Viele davon werden immer wieder aktualisiert. Das heißt, wir müssen auch die Änderungen der vergangenen Jahre durchforsten. Denn wenn wir hier wirklich einen Saboteur haben, kann er das nicht über Nacht eingebaut haben. Außerdem müssen wir alles von mindestens zwei Personen untersuchen lassen.«

»Wieso denn das?«, fragte Wickley.

»Falls der Saboteur zufällig selbst seine Manipulation prüft, wird er uns das kaum sagen«, antwortete Hartlandt. »Deshalb setzen wir das Vieraugenprinzip ein.«

»Die größte Herausforderung«, fuhr Dienhof fort, »ist jedoch, dass wir nicht wissen, was wir suchen. Wir durchwühlen den sprichwörtlichen gigantischen Heuhaufen, haben aber keine Ahnung, ob nach einer Stecknadel, einer Zecke oder einem Schimmelpilz.«

»Oder nach gar nichts«, ergänzte Wickley.

»Oder nach gar nichts«, bestätigte Hartlandt.

»Frühestens wissen wir das in zwei, drei Tagen, schätze ich«, sagte Dienhof.

Tag 6 – Donnerstag

Ratingen

Hartlandt erwachte vor dem Morgengrauen. Leise schlüpfte er aus dem Schlafsack, zog sich an und erledigte in einem der Belegschaftsbäder seine Morgentoilette. Nur auf eine Rasur verzichtete er vorerst.

Ihr provisorisches Lagezentrum hatten sie mit Schlössern versperrt, Zutritt besaßen nur er und seine Leute. Darin installiert hatten sie ihre Computer, Server und ein TETRA-Funkgerät, mit dem auch Daten übertragen werden konnten.

Neben seiner operativen Aufgabe bei Talaefer oblag Hartlandt immer noch die Leitung der Einsatzgruppe Energieproduzenten und -verteiler. Er warf seinen Laptop an und überprüfte die aktuellen Daten aus dem Funk. Berlin hatte neues Material geschickt: die Analyse der Brände in den Schaltanlagen. Tatsächlich war die Ursache in drei der sechs Fälle höchstwahrscheinlich Brandstiftung gewesen. Bei allen Anlagen handelte es sich um solche des Höchstspannungsnetzes. Sie reduzierten die Spannung, sodass der Strom in die Mittelspannungsnetze weiterverteilt werden konnte. Waren sie beschädigt, wurde es also besonders schwierig, Strom über weite Strecken zu transportieren, die Spannung im Gesamtnetz besser zu verteilen und dieses wieder zu einem funktionierenden Ganzen zusammenschließen zu können. Die Liste war kurz: Cloppenburg, Güstrow, Osterrönfeld. Freundlicherweise hatten die Kollegen mehrere Listen erstellt, nicht nur eine alphabetische.

Geordnet hatten sie sie auch nach dem ungefähren Beginn der jeweiligen Feuer. Deren Reihenfolge lautete: Osterrönfeld Samstag, Güstrow Sonntag, Cloppenburg Dienstag.

Außerdem wurde ein neues gemeldet in Minden gestern Abend.

Hartlandt war nicht schlecht in Geografie, aber im Kopf hatte er die Lage der Orte nicht. Er rief seine interaktive Deutschlandkarte auf, in der er, wie auch auf ihrer großen Wandkarte in Berlin, alle bisher gemeldeten Vorfälle markiert hatte. Die Orte lagen über ganz Norddeutschland verstreut.

Und da war noch eine Neuigkeit.

Sein Kollege Pohlen, ein blonder Hüne, tappte verschlafen in den Raum.

»Sieh dir das an«, sagte Hartlandt. »In drei Schaltstellen des Hochspannungsnetzes wurden Brände gelegt.«

»Über ganz Norddeutschland verteilt«, bemerkte Pohlen. »Haben die eine ganze Armee von Saboteuren?«

Hartlandt blendete die Punkte aus.

»Die Feuer entstanden nicht gleichzeitig, sondern mit zeitlichem Abstand«, erklärte er und blendete sie einen nach dem anderen wieder ein.

»Zuerst Norden, dann Osten, dann Westen«, stellte Pohlen fest. »Das ergibt doch keinen Sinn.«

»Als ob jemand kreuz und quer durch das Land fährt und die Dinger abfackelt. Aber da ist noch eine Meldung. Hier. Vier weitere gesprengte Strommasten wurden entdeckt.«

Er gab die Standorte in sein System ein.

»Leider konnten die Teams vor Ort den Zeitpunkt der Sprengung nicht genau feststellen. Aber ...«, stockte er, nachdem er alle Punkte auf der Karte gesetzt hatte, »das ist schon interessant.«

Hartlandt verband die Standorte der drei Brände mit einer Linie von Lübeck nach Güstrow im Osten und von dort nach Cloppenburg im Westen.

»Zwei der gesprengten Masten liegen ganz in der Nähe der Verbindungslinie Güstrow–Cloppenburg. Lass uns etwas versuchen.«

Er gab alle Daten sabotierter Anlagen ein, wie in einen Routenplaner im Internet. Dabei ordnete er sie von Norden nach Süden und Osten nach Westen. Die neue Linie begann bei einem der gesprengten Masten, führte über Lübeck und den zweiten Mast bei Schwerin nach Güstrow, von dort über Lüneburg und Bremen nach Cloppenburg bis Lingen an der niederländischen Grenze. Von dort prallte sie zurück wie eine Billardkugel von der Bande und endete bei Minden, wo der letzte Brand stattgefunden hatte.

»Es sieht wirklich so aus, als sei da jemand unterwegs und sabotiert systematisch strategisch wichtige Anlagen.«

»Dann müssen die restlichen Anlagen sofort geschützt werden!«, rief Pohlen.

»Vergiss es. Allein im Höchstspannungsnetz sind das Hunderte. Wir können unmöglich alle bewachen lassen, die Polizei und Bundeswehr ächzen ohnehin schon. Von Anlagen der Mittel- und Niederspannungsnetze haben wir bislang nichts gehört, aber davon stehen mehr als eine halbe Million in Deutschland, zum Beispiel die klassischen Trafohäuschen, kennst du auch. Wenn du die gesamte Bundeswehr einsetzt, kannst du nicht einmal neben jede zweite Anlage einen Mann stellen. Ganz zu schweigen von Strommasten. Aber diese Linie ergibt ein Muster. Wenn sie einer ähnlichen Route wie der bisherigen ungefähr folgen«, und dabei fuhr sein Finger entlang einer imaginären Verlängerung der Strecke Lingen–Minden, »können wir die potenziellen Ziele stark einschränken.«

»Die müssten gut geplant haben«, überlegte Pohlen laut. »Tanken können sie nicht. Das wussten sie vorher. Das heißt, sie müssen vorab auf den Routen Lager angelegt haben. Ein ziemlicher logistischer Aufwand.«

»So schlimm auch wieder nicht«, widersprach Hartlandt.

»Wenn jeder Trupp nichts anderes zu tun hatte. Da genügen zwei, drei Leute. Die benötigen dafür nur ein paar Monate. Verstecke finden, präparieren, nach und nach auffüllen, damit niemand Verdacht schöpft oder es später nachvollziehen kann. Denk an die Attentäter vom 11. September 2001: Das war auch keine Armee.«

Er griff zum Funkgerät.

»Mal sehen, wie die das in Berlin sehen.«

Den Haag

»Wir haben Ihre Theorie diskutiert«, erklärte Bollard Manzano. »Die mit den SCADA-Systemen von Talaefer. Im Rahmen eines Amtshilfeverfahrens gehen die deutschen Behörden der Sache nach. Unsere eigenen Leute können wir aber nicht schicken, wir brauchen jeden Mann hier.«

Er beugte sich nach vorne und stützte die Ellenbogen auf seinen Schreibtisch. »Deshalb kurz und geradeheraus: Hätten Sie Lust, in einen Ort namens Ratingen bei Düsseldorf zu fahren und dort Ihre Fähigkeiten einzusetzen?«

Manzano hob überrascht die Augenbrauen.

»Ich bin kein SCADA-Spezialist.«

Bollard grinste ihn an.

»Ich glaube Ihnen viel, sogar Ihre Theorien, aber das nicht. Und selbst wenn es wahr wäre, Sie erkennen Fehler in Systemen. Darum geht es bei der Sache. Vielleicht laden Sie sich die Berichte einmal herunter, sie stehen bereits in unserem Netz. Ich kann Ihnen allerdings nicht garantieren, dass es in Ratingen auch noch beheizte Hotels mit Warmwasser und Toiletten gibt.«

»Sie verstehen es, mir die Aufgabe schmackhaft zu machen.«

»Dafür bekommen Sie einen Wagen zur Verfügung gestellt. Über das Honorar werden wir uns sicher einig. Erzählen Sie bloß Ihrer Freundin nichts davon.«

»Sie ist nicht meine Freundin.«

»Wie auch immer. Fahren Sie?«

»Ab sofort hast du das Zimmer für dich«, erklärte ihr Manzano, während er seinen Koffer packte. Shannon war gerade von einer Rundfahrt durch die Stadt zurück, von der sie ein paar Kurzreportagen mitgebracht hatte.

»Du reist ab? Wohin?«

»Unwichtig.«

Aus dem Bad hörte sie die Toilettenspülung, darauf den Wasserhahn, dann trat Bollard heraus.

»Ah, die Starreporterin«, sagte er spöttisch. »Würden Sie uns bitte noch kurz alleine lassen?«

Shannon zögerte, immerhin war es auch ihr Zimmer. Na ja, nicht wirklich. Sie legte ihre Kamera auf den Schreibtisch, verließ den Raum, schloss die Tür von außen und legte ihr Ohr daran. Sie verstand nur einzelne Worte, die ihr nichts sagten. Dann endlich doch einen ganzen Satz.

»Vorausgesetzt, die Deutschen haben einen funktionierenden Internetzugang«, sagte Manzano.

Nach Deutschland fuhr er also. Shannon überlegte fieberhaft.

»Man kann über die Deutschen sagen, was man will, aber organisiert sind sie«, erwiderte Bollard. »Das BKA bei Talaefer hat sicher die notwendige Ausrüstung. Hier sind die Wagenschlüssel. Das Auto steht in der Hotelgarage, ein schwarzer Audi A4 mit niederländischem Kennzeichen und vollem Tank. Damit kommen Sie spielend bis Ratingen« – er betonte den Namen auf der letzten Silbe – »und zurück.«

Shannon hörte Schritte und lief auf Zehenspitzen zwei Türen

weiter. Dort lehnte sie sich gegen die Wand, verschränkte die Arme, als ob sie seit Ewigkeiten so hier wartete.

Bollard nickte ihr im Vorbeigehen zu.

Shannon kehrte ins Zimmer zurück. Manzano stand mit Koffer und Laptoptasche zum Aufbruch bereit.

»Hat mich gefreut«, sagte er und reichte ihr die Hand. »Ich hoffe, wir sehen uns wieder, wenn diese ganze Geschichte vorbei ist. Vielleicht machst du ja einmal eine Story in Mailand. Meine Adresse hast du.«

Shannon wartete, bis die Tür hinter ihm ins Schloss gefallen war. Hastig begann sie, ihre Habseligkeiten in den Seesack zu stopfen.

New York

Rund um Tommy Suarez drängten sich Menschen in der Subway-Linie A Richtung Brooklyn, wischten Schnee von ihrer dampfenden Kleidung, telefonierten, lasen und starrten ins Leere, als das Licht ausfiel.

Das Kreischen der Bremsen verschmolz mit den Schreien der Passagiere. Fremde Körper rammten ihn, der Haltegriff schnitt in sein Handgelenk, dann fühlte er sich durch den Schmerz der Stöße gegen Rippen, Rücken und Beine wie ein Stück von vielen in einer Waschtrommel, Schleudergang. Mit einem Ruck kam die U-Bahn zum Stehen. Einen Atemzug lang dehnte sich die Stille im Waggon aus, dann begannen die Menschen wild durcheinanderzurufen. Suarez fand das Gleichgewicht wieder. Sein Zorn über den Moment der Hilflosigkeit wich der Erleichterung darüber, dass er die Grenzen zwischen sich und der Umwelt wieder wahrnehmen konnte. Die Notleuchten überzogen alles mit einem geisterhaften Blau. Suarez spürte, wie er erstarrte. Er hasste das Gefühl, wenn sich die Räume um ihn schlossen wie ein Sarg. Er musste sich konzentrieren. Ablenken. Sein Bauch wurde von einem Mann mit Bart umarmt. Überall im Waggon rappelten sich Menschen auf, andere halfen ihnen dabei. Auf den Bänken setzte man sich auf seinen Platz zurück, Mäntel wurden abgeklopft, Hüte gerückt, Handtaschen kontrolliert, die Ordnung wiederhergestellt. Suarez hievte seinen schwerfälligen Anhang in die Senkrechte. Schob ihn dabei beiläufig etwas von sich weg.

»Sind Sie okay?«

Der Bärtige bedankte sich und zog seinen Mantel zurecht.

Langsam gewöhnten sich Suarez' Augen an das Dämmerlicht. Als ob es heller würde, dachte er. Das half. Er merkte, wie er sich etwas entspannte.

»Ist jemand verletzt?«, rief er.

Verneinendes Gemurmel.

»Und?«, brüllte eine Stimme weiter vorn. »Geht es jetzt weiter?«

»Na hoffentlich«, flüsterte eine Frau neben Suarez.

Suarez hatte keine Ahnung, wie weit es noch bis zur nächsten Station war. Hoffentlich war niemand vor den Zug gesprungen. Die Gespräche um ihn herum wurden lauter. Er sah auf die Uhr. Viertel vor sieben. Wo blieb die Durchsage des Zugführers?

»Super!«, erklärte eine ältere Dame lautstark. »Hoffentlich nicht wieder ein Stromausfall! Beim großen Ausfall 2003 steckte ich zwei Stunden in so einem Ding fest!«

»Zwei Stunden?«, rief eine junge Frau. In ihrer Stimme hörte Suarez unterdrückte, ansteckende Panik.

»Und da hatte ich noch Glück!«, legte die Alte nach. »Andere…«

Sollte sie doch den Mund halten!

»Es geht sicher gleich weiter«, beruhigte Suarez die junge Frau. Nicht jeder blieb in dunklen, engen Räumen mit vielen Menschen gelassen. Erst recht nicht mit der Aussicht, es für mehrere Stunden aushalten zu müssen. Er verstand sie sehr gut. Und er mochte keine Schwarzseher, noch weniger in solchen Situationen. »Uns kann nichts geschehen.«

Neben ihm tippte ein Jugendlicher auf seinem Mobiltelefon.

»Na klar, geht auch nicht das Ding.«

»Kein Wunder, hier unter der Erde.« Der Bärtige, der Suarez' Bauch umarmt hatte. »Neumodisches Zeug. Versagt immer genau dann, wenn man es braucht.«

»Funktioniert sonst immer«, behauptete der Junge.

»Was machen wir eigentlich, wenn das so bleibt?«, fragte ein Mann, seine Aktentasche unter den Arm geklemmt.

»Wenn was so bleibt?«, wollte eine Frau wissen. Ihr Anorak glänzte, sein Kragen war mit Kunstpelz besetzt. Suarez wusste nicht, warum er darauf achtete. Er roch ihr Parfüm, zu stark, zu süß.

»Kein Licht, keine Weiterfahrt.«

»Das kann ich Ihnen sagen«, mischte sich die Alte von vorhin wieder ein. »Warten. Warten und frieren.«

Am liebsten hätte Suarez ihr eine runtergehauen, um sie zum Schweigen zu bringen. Aber es wäre, wie seine Mutter zu ohrfeigen.

»Ruhe bewahren und Anweisungen abwarten«, erwiderte die Frau mit dem pelzbesetzten Anorak.

»Ich bin die Ruhe selbst!«

»Steht da.« Die Frau zeigte auf den Kleber neben der Tür. »Verhalten bei Betriebsstörungen.«

»Kann ja keiner lesen bei dem Licht«, raunzte der bärtige Mann.

»Zug außerhalb der Station nur nach Anweisung verlassen«, las die Anorakträgerin überdeutlich vor.

»Wenn jemand einmal Anweisungen geben würde ...«

Suarez mochte die Gereiztheit in den Stimmen nicht. Er fühlte die Unruhe in der Menge wachsen.

»Und wenn es jetzt auch uns erwischt hat?«, fragte die Frau mit dem Kunstpelz. »So wie die Europäer?«

Die junge Frau begann voller Panik zu wimmern, dann zu schreien. Suarez merkte, wie er abermals erstarrte, wie sich ihre Panik auf ihn und die anderen übertrug. Er musste sich beherrschen, sie nicht anzubrüllen, versuchte stattdessen, sie zu beruhigen, klopfte auf ihre Schulter, wollte sie in den Arm nehmen.

Sie schlug um sich, wurde noch hysterischer.

»Lassen Sie mich! Ich will hier raus!«

Den Haag

»Kommen Sie herein«, rief einer der Männer.

Nach Manzanos Abreise waren seine Bewacher gerade dabei, zurück zu Europol zu übersiedeln.

»Zweierlei«, erklärte einer der Beamten. »Erstens: Diese Journalistin ist sofort nach Manzanos Abfahrt ebenfalls aufgebrochen. Wohin sie ist, wissen wir nicht.«

»Womöglich hinter ihm her«, sagte Bollard. »Er war ja schon einmal für eine Geschichte gut.«

»Und dann das hier. Haben wir eben erst entdeckt. Er muss die E-Mail kurz vor seinem Aufbruch geschickt haben.«

Auf dem Bildschirm des Beamten sah Bollard eine Nachricht, verfasst in leidlichem Englisch: *Zu Talaefer. Bug suchen. Werden nichts finden. Halte dich auf dem Laufenden.*

Wusste ich es doch!, dachte Bollard triumphierend.

»An wen ging es?«

»An eine russische Adresse. Mata@radna.ru. Mehr wissen wir noch nicht.«

»Findet es heraus. Warum seht ihr das erst jetzt?«

»Muss er irgendwie hinausgeschmuggelt haben.«

»Oder ihr habt in der Nase gebohrt.«

Werden nichts finden – woher wusste er das? Oder wollte er verhindern, dass sie etwas fanden? Warum hätte er sie dann überhaupt auf die Spur der Talaefer AG bringen sollen? Um Zugang zum Unternehmen zu bekommen? Manzano hatte nicht damit rechnen können, dass er ihn hinschicken würde. Vielleicht hätte Manzano es selbst vorgeschlagen, wäre Bollard ihm nicht zuvorgekommen. Eigenartig schien es ihm, dass der Italiener die Mail so offen verschickt hatte. Er musste damit rechnen, dass Europol ihn überwachte. Bollard musste den Direktor unterrichten. Denn wenn etwas dahintersteckte, hatten sie ihre erste ganz heiße Spur. Er fühlte, wie ihn das Jagdfieber packte.

»Wo ist der Direktor?«

»In seinem Quartier in Breitscheid.«

Er griff zum Telefon, um seinen Chef anzurufen. Es dauerte nicht lange, bis er dessen Assistenten von der Dringlichkeit des Anrufes überzeugt hatte und durchgestellt wurde. In kurzen Worten schilderte er ihm den Vorfall. Das Diktum seines Vorgesetzten hatte Bollard erwartet.

»Wir können kein Risiko mehr eingehen. Informieren Sie diesen BKA-Mann, der die Talaefer-Sache betreut, wie heißt er noch?«

»Hartlandt«, antwortete Bollard.

»Genau. Sie sollen den Italiener verhaften. Und sehen, was sie aus ihm herausbringen. Die CIA hilft ihnen sicher mit Freuden dabei.«

Warum der amerikanische Geheimdienst?

»Warum die CIA?«

»Haben Sie die Nachrichten denn noch nicht erhalten?«

»Welche Nachrichten?«

Berlin

»Die USA?«

Für einen langen Augenblick wirkte das Lagezentrum des Innenministeriums wie ein Schnappschuss. In ihrer jeweiligen Bewegung verharrend starrten alle auf die wenigen verbliebenen Bildschirme und den Staatssekretär. Die Uhren zeigten kurz nach vierzehn Uhr.

»Dasselbe wie bei uns?«, fragte jemand.

Rhess nickte. An sein Ohr hielt er den Telefonhörer gepresst und nickte immerzu.

Michelsens Blick sprang zwischen den Fernsehern und dem Staatssekretär hin und her.

»Wenn das wahr ist«, flüsterte sie ihrer Nachbarin zu, »sind wir endgültig im Arsch, entschuldige den Ausdruck.«

Rhess legte auf.

»Das Außenministerium bestätigt, dass weite Teile der US-Stromnetze zusammengebrochen sind.«

»Das ist kein Zufall«, sagte jemand. »Nur knapp eine Woche nach Europa.«

»Hilfe von dort können wir jetzt auch abschreiben«, stellte Michelsen fest.

»Die westliche Welt ist unter Beschuss«, konstatierte Rhess. »Das NATO-Oberkommando trifft sich in diesen Minuten zu einer Notsitzung.«

»Die glauben doch nicht, dass es die Russen oder Chinesen waren?«

»Alle Möglichkeiten müssen in Betracht gezogen werden.«

»Der Himmel steh uns bei«, flüsterte Michelsen.

Kommandozentrale

Die amerikanischen Stromnetze waren eigentlich einfacher gewesen als die europäischen, weil sie schlechter gesichert und noch enger mit dem Internet verbunden waren. Doch einige der Zero-Days hatten keinen früheren Einsatz zugelassen. Lieber hätten sie auf beiden Kontinenten gleichzeitig zugeschlagen. Aber so war es auch gut. Vielleicht sogar besser. Seit fast einer Woche rätselte die Welt, wer hinter den Anschlägen auf Europa stand. Der Ausfall in den USA würde neue Gerüchte nähren. Mit Sicherheit schalteten sich die Militärs jetzt noch intensiver ein. So ein breiter Angriff ließ einen Staat als Verursacher vermuten. Infrage kamen einige: Iran, Nordkorea, China, sogar Russland. Seit Jahren fand man Hinweise darauf, dass sie und andere die Computersysteme der kritischen Infrastrukturen des Westens infiltrierten. Jetzt hatte also einer die Ernte dieser Saat eingefahren und losgeschlagen. Aber wer? Natürlich würden alle dementieren. Es war so einfach. Niemand konnte die Spuren zu den Urhebern zurückverfolgen. Dazu waren sie im globalen Netz viel zu leicht zu verwischen. Die Theorien würden überborden. Und die Ermittler bei Polizei, Militär und Nachrichtendiensten mussten unzähligen neuen Spuren, Hinweisen, Richtungen folgen, ihre Ressourcen aufteilen, schwächen. Krieg? Terror? Kriminalität? Von allem etwas? Noch verheerender war der psychologische Effekt. Die letzte Supermacht der Welt, ohnehin angeschlagen durch die Wirtschaftskrise, hatte sich nicht verteidigen können. Gegen diese Attacke waren Pearl Harbour und die Anschläge vom 11. September 2001 in New York und Washington Insektenstiche gewesen. Bald würde auch die amerikanische Bevölkerung merken, dass sie diesmal nicht einfach ein Heer in irgendeine entfernte Weltgegend schicken konnte. Denn sie wusste nicht, wohin. Und sie würde bemerken, wie hilflos sie war. Wie hilflos ihre Regierung, ihre Mächtigen und Reichen, ihre sogenannten Eliten, ihr gesamtes System. In dem sie sich schon längst nicht mehr wohl, geschweige denn aufgehoben fühlten, aber das sie dem Unbekannten vorzogen. Sie würde begreifen, dass sie alleingelassen wurden. Schon vor langer Zeit. Dass ein neues Zeitalter der Aktion angebrochen war, in dem sie ihre eigenen Territorien schaffen mussten, durften, konnten.

Ratingen

Zu Beginn der Fahrt hatte Manzano noch versucht, Radiosender zu empfangen, doch aus den Lautsprechern klang nur Rauschen. Seitdem war er durch die Stille gefahren. Auch nicht schlecht, nach den Aufregungen der vergangenen Tage.

Das Navigationssystem führte ihn von der Autobahn durch eine Siedlung mit Einfamilienhäusern an den Stadtrand zu einem fünfzehnstöckigen Glas- und Betonklotz. Über der Fassade thronte der Schriftzug »Talaefer AG«. Manzano stellte den Wagen auf einem Gästeparkplatz ab. Er nahm den Laptop mit. Sein restliches Gepäck ließ er vorerst im Wagen.

Am Empfang fragte er nach Jürgen Hartlandt. Zwei Minuten später begrüßte ihn ein athletischer Mann seines Alters. Er trug einen dicken Seemanns-Rollkragenpulli und Jeans. Seine hellblauen Augen musterten ihn blitzschnell. Ihn begleiteten zwei jüngere Männer, Kurzhaarschnitt, ebenso trainiert wie der Ältere, auch sie in Freizeitkleidung.

»Jürgen Hartlandt«, stellte sich der Anführer vor. »Piero Manzano?«

Manzano nickte, und die beiden anderen postierten sich links und rechts von ihm.

»Folgen Sie mir bitte,« sagte Hartlandt in nahezu akzentfreiem Englisch, ohne seine Kollegen vorzustellen. Er führte Manzano in einen kleinen Besprechungsraum. Hinter ihnen schloss er die Tür, bei der einer seiner Begleiter stehen blieb.

»Setzen Sie sich. Ich habe eine Nachricht von Europol aus Den Haag erhalten. Ich muss zur Sicherheit vorab Ihren Computer überprüfen.«

Manzano runzelte die Stirn. »Der ist meine Privatsache.«

»Haben Sie etwas zu verbergen, Herr Manzano?«

Manzano begann sich unwohl zu fühlen. Er fragte sich, was dieses Vorgehen sollte. Hatte man ihn nicht gebeten, hier zu helfen? Ihm gefiel Hartlandts Ton nicht.

»Nein. Aber eine Privatsphäre.«

»Dann machen wir es anders«, schlug Hartlandt vor. »Erklären Sie mir bitte, wer Mata@radna.ru ist.«

»Wer soll das sein?«

»Das frage ich Sie. Sie haben eine E-Mail an diese Adresse geschickt.«

»Sicher nicht. Und selbst wenn, woher wüssten Sie es?«

»Sie sind nicht der Einzige, der sich mit IT auskennt und in fremden Rechnern umsehen kann. Europol hat Sie natürlich überwacht. Wer ist Mata@radna.ru?«

»Noch einmal: Ich weiß es nicht.«

Einer von Hartlandts Begleitern nahm Manzano die Laptoptasche ab, bevor er sich dagegen wehren konnte. Manzano sprang auf. Der andere Mitarbeiter Hartlandts drückte ihn in seinen Stuhl zurück.

»Was soll das?«, rief Manzano. »Ich dachte, ich soll Sie hier unterstützen?«

»Das dachten wir zuerst auch«, antwortete Hartlandt, während er den Laptop auspackte und anschaltete.

»Dann gehe ich eben wieder«, erklärte Manzano.

»Tun Sie nicht«, erwiderte Hartlandt, ohne von dem Bildschirm aufzusehen.

Manzano versuchte aufzustehen, wurde jedoch abermals zurückgehalten.

»Bleiben Sie bitte sitzen«, befahl Hartlandt, drehte Manzano seinen Laptop zu und sagte: »Sie haben also keine E-Mail an Mata@radna.ru geschickt.«

Auf dem Bildschirm las Manzano eine Mail von seiner Adresse an die von Hartlandt genannte.

Zu Talaefer. Bug suchen. Werden nichts finden. Halte dich auf dem Laufenden.

Er las sie noch einmal. Sprachlos sah er Hartlandt an. Musste wieder auf den Bildschirm starren. Endlich brachte er ein paar Worte hervor: »Das habe ich weder geschrieben noch geschickt.«

Hartlandt kratzte sich am Kopf. »Das ist aber schon Ihr Laptop?«

Manzano nickte. Seine Gedanken rasten. Er sah das Versanddatum der Mail. Etwa um die Zeit war er in Den Haag aufgebrochen. Er verschränkte die Arme vor der Brust. »Ich habe das nicht geschrieben. Ich habe keine Ahnung, wer das getan hat. Untersuchen Sie das Gerät. Vielleicht ist es manipuliert worden. Ich würde es ja selbst gern tun. Aber ich vermute, dass Sie das nicht zulassen werden.«

»Da haben Sie recht. Das Gerät untersuchen wir.« Er reichte den Computer einem seiner Männer, der damit den Raum verließ. »Währenddessen können wir uns weiter über Ihre E-Mail-Bekanntschaften unterhalten.«

»Da gibt es nicht viel zu unterhalten«, erwiderte Manzano. »Ich kenne weder diese Mail noch die Adresse. Deshalb kann ich dazu auch nichts sagen.«

Währenddessen überlegte er fieberhaft, wie die Botschaft von seinem Account verschickt werden konnte. Ihm fielen nur zwei

Möglichkeiten ein. »Sie sagen selbst, dass mein Laptop von Europol angezapft wurde. Suchen Sie den E-Mail-Verfasser dort.«

»Warum sollte Ihnen Europol falsche E-Mails unterschieben?«

»Um mich zu belasten, von sich abzulenken, falsche Spuren zu legen, was weiß denn ich?« Manzano wurde sauer. Er war schon öfters von der Polizei verhört worden, doch das war Jahre her. Beim letzten Mal hatten sie ihm etwas nachweisen können und ihn zu einer Bewährungsstrafe verurteilt. Damals war das Delikt vergleichsweise harmlos gewesen. »Oder«, fuhr er fort, »jemand anderer hat meinen Computer gehackt. Und will mir diese Mail anhängen. Warum auch immer. Und Sie fallen prompt darauf herein.«

Er hatte sich im Lauf seines Lebens nicht nur Freunde gemacht. Aber keine Feinde, die ihm etwas Derartiges einbrocken würden und – vor allem – auch in der Lage dazu wären. Denn natürlich war sein Laptop ausgezeichnet gegen Eindringlinge geschützt. Wer es trotzdem schaffte, gehörte zur obersten Liga. Außerdem musste dieser Jemand über seinen Aufenthaltsort und seine Pläne Bescheid wissen. Das waren nur die Leute bei Europol.

»Das sind ja schöne Theorien«, widersprach Hartlandt. »Wer außer Ihnen wusste zu diesem Zeitpunkt denn überhaupt, dass Sie hierherkommen sollten?«

»François Bollard von Europol. Vielleicht ein paar Kollegen, die er informiert hat, das weiß ich nicht …«

»Der Direktor von Europol und noch ein Kollege«, entgegnete Hartlandt. »Ich habe Bollard gefragt.«

»Hoffentlich hat er Ihnen die Wahrheit gesagt.«

Dass der Franzose ihn nicht besonders mochte, hatte Manzano gemerkt. Aber deshalb so etwas?

»Wer noch?«

Er überlegte, wem er noch davon erzählt hatte. Shannon nicht.

»Waren das alle?«

»Ja.«

Auf seinem eigenen Computer rief Hartlandt offensichtlich eine Datei auf, aus der er ablas: »Sie sind Piero Manzano, zumindest in den Achtziger- und Neunzigerjahren brillanter Hacker, außerdem politischer Aktivist ...«

»Na, das ist jetzt übertrieben. Ich war auf der einen oder anderen Demonstration. In meiner Heimat gab und gibt es ja genug Missstände, gegen die man demonstrieren musste und muss. Auch als ganz normaler besorgter Bürger.«

»Beim G-8-Gipfel in Genua 2001 wurden Sie sogar kurzzeitig verhaftet«, fuhr Hartlandt ungerührt fort.

»Himmel! Haben Sie nicht mitbekommen, was die Polizei dort damals getan hat? Dutzende Polizeibeamte, darunter Führungskräfte, wurden später dafür sogar verurteilt! Nur die grotesken Verjährungsgesetze unseres Landes verhinderten, dass die meisten dafür auch ins Gefängnis mussten!«

»Zudem wurden Sie verurteilt wegen des illegalen Eindringens in die Computernetzwerke von ...«

»Gute Güte, erzählen Sie mir nicht mein Leben. Ich weiß, was ich getan habe ...«

»Da draußen greift jemand Europa und die USA an! Und bei Ihrer Mail könnte man ...«

»Moment, Moment! Wieso die USA?«

»... den Verdacht bekommen, dass Sie mit diesem Jemand Kontakt haben.«

Diesmal spürte Manzano, wie ihm alles Blut aus dem Gesicht wich, sich aus Händen, Armen, Füßen und Beinen zurückzog und mit voller Wucht in seinem Herzen Zuflucht suchte, das nun bis in seinen Hals zu klopfen begann.

Sie verdächtigten ihn, Piero Manzano, zu den Urhebern der Katastrophe zu gehören! Dieser Hartlandt hatte ihn gerade zu einem politischen Cyberaktivisten erklärt. Sie glaubten, er wäre ein Terrorist!

»Das… das … ist absurd.«

Warum stotterte er? Für Hartlandt musste das in dieser Situation wie ein Eingeständnis klingen. Manzano wusste, dass er unschuldig war! Es war die Angst, die ihm in alle Glieder gekrochen war, das Blut daraus und das Selbstbewusstsein aus seinem Gehirn vertrieben hatte.

»Das werden wir herausfinden«, erwiderte Hartlandt, eine tiefe Falte zwischen den Augenbrauen.

»Da werden Sie… Und was soll das mit den USA?«

»Haben Sie auf Ihrer Reise kein Radio gehört?«

»Keine Station scheint mehr senden zu können.«

»In den Vereinigten Staaten geht es seit heute Morgen ähnlich zu wie bei uns. Weite Teile des Landes sind ohne Strom.«

»Das… ist nicht Ihr Ernst.«

»Glauben Sie mir, ich bin nicht zum Scherzen aufgelegt. Besser, Sie fangen an zu erzählen, bevor die CIA sich für Sie interessiert.«

Shannon griff nach ihrer Daunenjacke auf der schmalen Rückbank des Porsche und zog sie über. Im Auto war es kalt geworden. Seit einer Stunde wartete sie auf dem Parkplatz vor dem riesigen Bürogebäude, das etwas außerhalb der Stadt lag. Über dem obersten Stockwerk stand in riesigen Buchstaben »Talaefer AG«. Unter normalen Umständen wäre sie mit ihrem Mobiltelefon online gegangen und hätte nachgesehen, um was für ein Unternehmen es sich handelte. Aber es herrschten keine normalen Umstände. Ohne Radio gestaltete sich das Warten als still und langweilig.

Sie stieg aus und überquerte den Parkplatz. Stehen doch einige Wagen hier, dachte sie. Vielleicht haben die Notstrom.

In der Empfangshalle saß eine einsame Frau und begrüßte Shannon mit hochgezogener Augenbraue.

»Was kann ich für Sie tun?«

Shannon sah sich unauffällig um. Am Tresen vor der Frau

enthielt ein kleiner Ständer Broschüren, auf denen der Firmenname prangte. Deutsche Version. Englische. Ausgezeichnet.

»Do you speak English?«, fragte sie.

»Yes.«

»I think I'm lost. I need to go to Ratingen.«

Die Miene ihres Gegenübers hellte sich auf. In unbeholfenem Englisch erklärte sie Shannon, dass sie nur die Straße vom Parkplatz rechts fahren müsse und so nach einem Kilometer in Ratingen sei.

Shannon bedankte sich, blätterte beiläufig in einer der Broschüren und steckte sie ein.

»Bye.«

Zurück im Wagen kuschelte sie sich noch tiefer in ihre Jacke und begann mit dem Studium des Prospekts, immer wieder unterbrochen von kurzen Blicken zum Eingang, in dem Manzano verschwunden war.

Nanteuil

»Aus«, sagte Bertrand Doreuil und schüttelte die leere Medikamentenpackung. »Ich brauche dringend neue.«

»Aber wir sollen die Häuser nicht verlassen«, wandte seine Frau ein.

»Ich steige direkt vor dem Haus ins Auto. Was soll da passieren?«

Er ging in die Küche, Annette Doreuil folgte ihm. Celeste Bollard saß am Tisch und rupfte ein Huhn. Die Federn sammelte sie in einem großen Korb, doch nicht wenige verteilten sich auf dem Küchenboden.

»Das habe ich seit Jahren nicht mehr gemacht«, seufzte sie. »Ich habe ganz vergessen, wie anstrengend das ist.«

Durch die gegenüberliegende Tür trat schnaufend Vincent Bollard, in jeder Hand einen Korb voller Brennholz. Polternd stellte er sie ab.

»Wisst ihr, wo ich die nächste offene Apotheke finde?«, fragte Bertrand Doreuil.

»Können wir nur ausprobieren«, antwortete Vincent Bollard. »Ist es dringend?«

»Ja, meine Herzmedikamente.«

Bollard nickte nur.

Seine Frau wechselte einen Blick mit Annette Doreuil.

»Eigentlich sollen wir da ja nicht hinaus«, ächzte Bollard kurzatmig. »Aber wenn wir müssen, müssen wir.« Er drückte seiner Frau einen Kuss auf die Wange. »Wir sind bald wieder zurück.«

Ratingen

Zwei Stunden lang hatte Hartlandt Manzano in die Zange genommen.

»Was heißt: *Werden nichts finden*? Gibt es denn etwas zu finden, und Sie werden verhindern, dass es gefunden wird? Oder gibt es nichts zu finden? Glauben Sie, Zugriff auf die Systeme zu erhalten und sie dann manipulieren zu können? Worüber wollen Sie wen auf dem Laufenden halten? Was haben Sie schon alles verraten?«

Endlose Fragerei. Manzano hatte mit Gegenfragen geantwortet.

»Warum sollte ich so dumm sein, eine derartige Botschaft unverschlüsselt zu senden? Warum sollte ich sie nicht gleich nach Versand gründlich löschen?«

Dazwischen war Hartlandt mehrmals aus dem Raum gegangen und hatte Manzano allein gelassen, nicht ohne vorher die Tür abzusperren. Nun saß er seit einer Viertelstunde wieder vor Manzano, fixierte ihn und wiederholte die immer gleichen Fragen.

Manzano konnte ihm keine neuen Antworten geben. Er hatte seine Selbstsicherheit zurückgewonnen. Er dachte, dass er Hartlandt damit am besten von seiner Unschuld überzeugen konnte. Zwischen Hartlandts Befragungen überlegte er, wie er an seinen Laptop gelangen könnte, um ihn zu untersuchen.

Die Tür ging auf, und Hartlandts zweiter Mitarbeiter trat ein. In seinen Händen erkannte Manzano seinen Laptop. Der Mann stellte das Gerät vor Hartlandt auf den Tisch. Hartlandt ließ Manzano nicht aus den Augen.

»Wir konnten keine Auffälligkeiten finden«, sagte er.

Manzano stöhnte auf und verdrehte die Augen. »Ich sehe einmal nach. Jetzt haben Sie ihn ja durchsucht. Eine Kopie der Festplatte haben Sie vermutlich ohnehin gemacht.«

»Dafür haben wir weitere E-Mails entdeckt, in denen Sie verschiedene Adressen über Ihren Aufenthalt in Den Haag informieren.«

Manzano fühlte einen Schlag in die Magengrube. »Das ist lächerlich!«, rief er. »Was soll das werden?«

Hartlandt klappte den Monitor hoch und drehte ihn zu Manzano.

»Das zum Beispiel, von vorgestern.«

Er stand auf, kam um den Tisch herum, stützte sich so knapp neben Manzano auf, dass er ihn fast berührte, und las vor:

»*Guten Kontakt zu Einsatzleiter F. Bollard. Glaube, dass er mir vertraut. Habe Daten über SCADA-Produzenten angefordert.*«

Er klickte das Fenster weg, ein anderes erschien.

»Oder hier, von gestern: *Habe Talaefer-Theorie ventiliert. Mal sehen, ob sie darauf anspringen.*«

Manzano starrte fassungslos auf den Bildschirm.

»Ich habe die nicht geschrieben«, erklärte er leise. »Keine Ahnung, woher die kommen.«

Diese E-Mails waren während seines Aufenthalts in Den Haag versendet worden. Wollte Europol ihm aus irgendwelchen Gründen etwas anhängen? Brauchten sie einen Sündenbock? Suchte jemand Revanche für Manzanos frühere Aktionen?

»Sie sind mir ein schöner Computercrack«, meinte Hartlandt und richtete sich wieder auf. »Herr Manzano, wir nehmen Sie fest. Sie haben das Recht auf einen Anwalt…«

Manzano hörte nicht mehr zu. In seinem Kopf überschlugen sich die Gedanken. Jemand verfolgte seit Tagen seine Schritte, wusste, worüber er mit Bollard und anderen gesprochen hatte, dass Europol ihn nach Deutschland schickte. Nichts davon hatte er in seinem Computer notiert, festgehalten, beschrieben. Wer immer davon wusste, musste dabei gewesen sein. Manzano fielen nur zwei Möglichkeiten ein. Entweder jemand bei Europol hatte sich gegen ihn verschworen. Oder jemand außerhalb von Europol hörte – und sah? – ihnen die ganze Zeit zu. Ein ungeheurer Verdacht keimte in ihm auf. Den er Hartlandt gegenüber gar nicht zu äußern brauchte, so verrückt klang er. Manzano fand ihn letzten Endes jedoch nicht so abwegig. Wer in der Lage war, die europäischen Stromnetze lahmzulegen, für den stellten wahrscheinlich auch die Sicherheitsvorkehrungen der Europol-IT kein großes Hindernis dar. Wie ein Roboter folgte Manzano der Aufforderung, sich zu erheben, fühlte den Griff an seinem Oberarm, als gehörte dieser nicht zu ihm, während sein Gehirn das Szenario weiterspann. Auch er hatte sich spaßeshalber schon in Firmennetzwerke gehackt und dort die internen Mikrofone und Kameras der Computer aktiviert, ohne dass die Nutzer etwas davon gemerkt hatten. So konnte er problemlos deren Gespräche verfolgen. Manzanos Vorstellungskraft schlug immer neue Volten. Wenn die Angreifer tatsächlich Verteidigungsstrukturen ihrer Opfer angezapft hatten, warum sollten sie es bei Europol belassen? Wer wusste, wo sie noch überall mitsahen und -hörten? Regierungen? Die EU, die Nato? Manzano bemerkte kaum, dass er unter Hartlandts Griff zum Parkplatz ging und in ein Auto gesetzt wurde.

Warum aber hackten sie dann auf ihm herum, wenn sie ganz andere Mittel hatten? War er mit Talaefer auf eine heiße Spur gestoßen und sie wollten ihn aus dem Weg räumen? Nein, jetzt wurde er größenwahnsinnig. Er schüttelte heftig den Kopf, um wieder zu Sinnen zu kommen. Es musste eine einfachere Erklärung geben. Erst jetzt nahm er wahr, dass er auf der Rückbank einer Limousine saß, neben sich Hartlandt, am Steuer einen seiner Mitarbeiter.

»Wo fahren wir hin?«

»Sie kommen in Untersuchungshaft. Dort werden wir Sie weiter befragen. Der Bundesnachrichtendienst hat auch schon Interesse an Ihnen bekundet.«

»Das können Sie nicht machen! Ich habe nichts mit der Sache zu tun!«

Wo der BND war, war die CIA sicher nicht mehr weit, nachdem die USA ebenfalls angegriffen worden waren. Bei dem Gedanken an die Methoden des amerikanischen Geheimdienstes, die sogar die US-Präsidenten billigten, wurde Manzano schlecht vor Angst.

Nanteuil

Als Annette Doreuil den Wagen vor dem Haus hörte, eilte sie in den Flur. Mit dampfendem Atem kamen die beiden Männer durch die Tür und schlossen sie schnell.

Ihr Mann hielt eine Medikamentenpackung hoch, und sie spürte die Erleichterung.

Ihr Mann zerknüllte sie in seiner großen Faust. Es war die alte, leere gewesen.

»Nichts«, sagte er. »Zurzeit nirgends mehr auf Lager.«

Düsseldorf

Hartlandts Fahrer steuerte den Wagen auf einen Parkplatz neben einem großen Gebäudekomplex. Ein paar Plätze waren von dröhnenden Generatoren besetzt, deren Abgase die Luft verpesteten. Dicke Kabelstränge wanden sich durch ein schmales Beet in Richtung des Bauwerks.

Sie waren eine halbe Stunde lang gefahren, hatten ein Ortsschild passiert, das Manzano mitteilte, dass sie jetzt in Düsseldorf waren. Wahrscheinlich brachten sie ihn in die örtliche Polizeizentrale oder gleich ins Gefängnis.

Es wäre das erste Mal, dass man ihn einsperrte. Seinerzeit war er nur befragt worden, danach durfte er wieder nach Hause gehen.

Doch zu Hause war weit weg.

Der Bundesnachrichtendienst hat auch schon Interesse an Ihnen bekundet. Selbst wenn es nur dieser war, Manzano wollte ihm nicht in die Finger geraten.

Als er ausstieg, spürte er die Kälte. Hartlandt hatte es nicht für notwendig gehalten, ihm Handschellen anzulegen.

»Ich muss furchtbar dringend auf die Toilette«, erklärte er. »Ich kann nicht mehr bis drinnen warten. Kann ich hier schnell austreten?«

Hartlandt musterte ihn kurz.

»Bevor Sie uns in die Hosen machen ...«

Manzano ging zu den Generatoren. Hartlandt und sein Mitarbeiter folgten ihm. Manzano stellte sich neben die Maschinen, warf den beiden einen Blick zu, der ein Mindestmaß an Privatsphäre forderte, und knöpfte die Hose auf. Die beiden ignorierten seinen Wunsch und blieben unmittelbar hinter ihm stehen. Er konnte ihren Atem hören, während er verstohlen die Geräte und die Kabelstränge inspizierte. Da war nichts zu machen. Er wandte sich um und richtete seinen Strahl auf Hartlandts Mitarbeiter.

»Zum Teufel ...!«

Der Mann sprang zurück. Manzano schwenkte weiter zu Hartlandt. Auch der machte instinktiv ein paar Schritte zurück. Wie sein Kollege sah er auf seine Hose. Den Moment nutzte Manzano und rannte los.

Mit langen Schritten überquerte er den Parkplatz. Dabei schloss er mit fiebrigen Fingern seinen Hosenstall. Hinter sich hörte er die beiden rufen.

»Stopp! Halten Sie an!«

Er dachte nicht daran. Er war ein routinierter Läufer. Ob er gegen trainierte Polizisten ankam, würde sich herausstellen. In seinen Ohren pochte das Blut so laut, dass er die Rufe kaum hörte. Er musste von der Straße weg. Einer der beiden würde sicher versuchen, ihn mit dem Auto einzuholen. Seine Füße schienen kaum den Boden zu berühren. Hektisch suchte sein Blick die Straße ab. Wo konnte er abbiegen?

Wieder rief jemand etwas, das er nicht verstand. Er lief in eine Seitengasse. Sofort erkannte er, dass er auch hier nicht so schnell entwischen konnte. Er musste die nächste Gasse nehmen. Hinter sich das rasende Stampfen seines Verfolgers. Er konnte nicht ausmachen, ob es einer oder zwei waren. Sein Atem versuchte inzwischen, seinen Herzschlag zu übertönen. Er spürte den Schweiß auf seiner Stirn. Jetzt brummte ein Automotor. Da vorn war ein Garten, begrenzt von einem übermannshohen Zaun mit Hecke. Noch ein paar Schritte, er kletterte und sprang über den Zaun. Hinter sich Fluchen, quietschende Bremsen. Manzano lief auf das

Haus zu, eine große Villa. Die Fenster waren dunkel. Er lief seitlich vorbei, dahinter breitete sich der Garten aus, wurde auch dort von einer Hecke und einem Zaun begrenzt. Manzano sah nicht, was dahinter auf ihn wartete. Mit einem Sprung gelang es ihm, die Oberkante des Zaunes zu fassen. Er zog sich hoch, wälzte sich darüber und ließ sich auf der anderen Seite hinunterfallen. Er landete auf einem Bürgersteig und hastete weiter. Lange würde er dieses Tempo nicht mehr durchhalten, wurde ihm langsam bewusst.

Wieder hörte er jemanden rufen. Er hatte ihn also nicht abgehängt. Im Gegenteil, die Stimme klang sehr nah. Was sie rief, verstand Manzano nicht. Ein Knall ertönte. Er rannte weiter, die Gasse entlang. Da vorne, wieder eine Kreuzung. Noch ein Knall. Im selben Augenblick spürte er einen dumpfen Schmerz im rechten Oberschenkel. Er strauchelte, lief weiter, merkte aber, dass er langsamer wurde. Plötzlich wurde er von hinten gerammt und zu Boden geworfen. Bevor Manzano sich wehren konnte, waren seine Arme schmerzhaft nach hinten gedreht. Ein stumpfer Gegenstand bohrte sich in seinen Rücken. Er hörte Metall klappern, dann spürte er die kalten Handschellen um seine Gelenke zuschnappen.

»Sie Idiot«, hörte er den Mann völlig außer Atem keuchen. »Ich dachte, Sie sind vernünftig.«

Manzano spürte Hände an seinem Bein.

»Lassen Sie das mal ansehen.«

Erst jetzt wurden ihm die Schmerzen bewusst. Sein rechter Oberschenkel brannte, als drückte jemand ein glühendes Eisen dagegen.

»Ist bloß eine Fleischwunde«, bemerkte der andere und hob ihn unter den Achseln hoch. »Können Sie stehen?«

Manzano, benommen, nickte. Als er das rechte Bein belasten wollte, knickte er ein. Der andere fing ihn auf, es war der Fahrer des Wagens, der sie hergebracht hatte. Manzano suchte die Ursache der Schmerzen. Sein rechtes Hosenbein war unterhalb der Hüfte zerfetzt. Rundherum hatte sich ein großer dunkler Fleck gebildet. Der Mann lehnte Manzano gegen den Zaun.

»Versuchen Sie bloß keinen Unsinn mehr«, sagte er.

Um die nächste Ecke bog der Wagen, der Manzano zum Polizeigebäude gebracht hatte. Er hielt vor ihnen. Hartlandt stieg aus.

»Wir brauchen Verbandszeug«, erklärte Manzanos Häscher. Hartlandt trat zu Manzano, sah ihm kurz in die Augen, schüttelte wortlos den Kopf. Dann untersuchte er die Wunde. Schüttelte erneut den Kopf. Der andere blickte trotzig drein, während Hartlandt aus dem Kofferraum einen Erste-Hilfe-Kasten holte.

Währenddessen beäugte Manzano wieder die Wunde. »Was ist passiert?«

Als wäre er Arzt, legte Hartlandt eine Kompresse auf und wickelte einen Verband um den Schenkel.

»Sie haben einen Streifschuss abbekommen. Nichts Schlimmes.«

Zu seiner eigenen Überraschung war Manzano nicht entsetzt, sondern wurde wütend.

»Ihre Leute haben auf mich geschossen?«, rief er.

»Sie hätten ja nicht davonrennen müssen.«

»Wenn Sie mich einsperren wollen, obwohl ich unschuldig bin!«

»Fluchtversuche sind nicht dazu angetan, dass ich Ihnen das glaube. Kommen Sie.«

Hartlandt breitete auf dem Rücksitz des Wagens eine Decke aus. »Damit Sie uns nicht alles vollsauen. Rein mit Ihnen.«

Berlin

»Es gibt nicht die leisesten Hinweise«, gestand der NATO-General. Jeder der zehn Monitore im Besprechungszimmer des Krisenzentrums war viergeteilt, aus jedem Kästchen blickte mindestens ein Gesicht. Vertreten waren die meisten Regierungschefs der EU oder die jeweiligen Außenminister, sechs NATO-Generäle, die aus dem Hauptquartier in Brüssel zugeschaltet waren, und der Präsident der Vereinigten Staaten. Sicherlich saßen bei allen im Hintergrund der halbe Krisen- und Beraterstab, so wie hier in Berlin auch, dachte Michelsen.

»Aber die Breite der Attacke und die dafür notwendigen Ressourcen stehen sicher nur Staaten zur Verfügung«, sagte der General.

»Wer ist dazu überhaupt in der Lage?«, fragte der US-Präsident.

»Nach unseren Einschätzungen haben in den vergangenen Jahren rund drei Dutzend Staaten Kapazitäten für Cyberangriffe aufgebaut. Dazu gehören aber viele der jetzt betroffenen wie Frankreich, Großbritannien, andere europäische Länder und die USA. Außerdem verbündete Nationen wie Israel oder Japan.«

Die Besprechungen waren die unangenehmste Zeit des Tages, fand Michelsen. Sie spürte, wie sich die Müdigkeit auf ihre Lider setzte, sie der Versuchung nachgeben wollte, schließlich konnte sie dem Gespräch auch mit geschlossenen Augen folgen. Ihr ganzer Körper fühlte sich an, als hinge ein nasser Zementsack auf dem Stuhl. Nur zuhören müssen, das war das Schlimmste. Solange sie aktiv sein konnte, behielt sie die Oberhand über die Erschöpfung. Sie beobachtete, dass es den anderen im Raum ähnlich erging. Bei mehr als einem flatterten die Lider, nickte der Kopf kurz nach unten. Sie fragte sich, wie der Bundeskanzler und viele der anderen Politiker so fit blieben. Mehr Schlaf bekamen sie auch nicht. Ließen sie sich dopen? Die Stimme des US-Präsidenten ließ Michelsen die Augen wieder öffnen.

»Wer kommt in Betracht?«

»Unsere Informationen sprechen dafür, dass auch Russland, China, Nordkorea, Iran, Pakistan, Indien und Südafrika dazu in der Lage sein könnten.«

»Indien und Südafrika würde ich als Verbündete betrachten«, wandte der britische Premierminister ein.

»Es gibt erste diplomatische Reaktionen aus vielen Ländern, in denen auch den USA Hilfe angeboten wird, darunter von fast allen der genannten Staaten, mit Ausnahme von Nordkorea und Iran.«

»Solange wir über die Verursacher so völlig im Unklaren sind, müssen wir uns auf die Situation der Bevölkerung konzentrieren«, erklärte der Bundeskanzler. »Der Angriff auf die USA erfordert es, die internationale Hilfe neu zu koordinieren. Jene Hilfskräfte, die in den Vereinigten Staaten bereits für Europa mobilisiert wurden, werden nun in den USA selbst zum Einsatz kommen.«

»Dadurch haben wir immerhin einen kleinen Startvorteil«, legte der US-Präsident dar. »Wir sparen uns drei Tage Mobilisierungszeit.«

»Die Frage ist, wie wir mit den übrigen Hilfsangeboten umgehen«, warf der italienische Premier ein. »Wollen wir chinesische oder russische Hilfe annehmen, solange wir nicht sicher sind, dass diese Staaten uns nicht angegriffen haben? Vielleicht befinden wir uns bereits im Krieg mit Russland oder China und wissen es bloß noch nicht? Mit den Hilfstruppen könnten leicht weitere Saboteure eingeschleust werden.«

Ist der paranoid, fragte sich Michelsen, oder verstehe ich zu wenig von moderner Kriegsführung? Wir müssen jede Hilfe annehmen, die wir bekommen können.

Der Verteidigungsminister, der auch das Amt des Vizekanzlers bekleidete, drückte auf den Knopf, der das Mikrofon für die anderen Teilnehmer der Videounterhaltung deaktivierte, sodass sie nicht mithören konnten.

»Ich muss dem italienischen Premier recht geben«, sagte er zum Bundeskanzler. »Ein gewisses Risiko dafür besteht.« Er ließ den Knopf wieder los. Der Kanzler hob nur eine Augenbraue, Michelsen konnte sehen, wie er das Argument abwog.

»Soweit ich informiert bin«, sagte die schwedische Regierungschefin, »sind die ersten Hilfsflüge aus Russland für übermorgen, Samstag, geplant. Die ersten Lkw-Konvois und Bahntransporte sollen dann ebenfalls aufbrechen. Chinesische Hilfsflieger werden ab Sonntag erwartet. Ich schlage vor, die Vorbereitungen dafür vorläufig voranzutreiben. Wenn wir zum jetzigen Zeitpunkt derartige Bedenken öffentlich äußern, kann es zu diplomatischen Verstimmungen kommen, die dringend benötigte Hilfe womöglich verzögern oder, im schlimmsten Fall, verhindern. Sollten wir bis zum Beginn der tatsächlichen Transporte neue Erkenntnisse besitzen, können wir sie immer noch stoppen.«

Danke, dachte Michelsen mit einem Seitenblick zum Verteidigungsminister.

»Im Übrigen«, fügte die Schwedin hinzu, »wird es sich bei den ausländischen Hilfskräften um maximal ein paar tausend Mann handeln, für ganz Europa. Und wenn wir die jetzt mit den USA teilen müssen, werden es noch weniger. Sehr viel Schaden werden die nicht anrichten können.«

Gefährliches Argument, dachte Michelsen, wenn sie nicht viel Schaden anrichten konnten, war ihr Nutzen vielleicht ebenso beschränkt, sodass man aus Sicherheitsbedenken auf sie verzichten konnte.

»Gut ausgebildete Männer«, wandte einer der Generäle ein, »sind auch in kleiner Anzahl durchaus in der Lage, gewaltige Schäden zu verursachen. Deshalb müssen wir vorsichtig sein.

Aber ich halte die Idee der Frau Ministerpräsidentin für sinnvoll. Bis dahin müssen wir die zivilen Hilfsdienste der NATO-Truppen neu koordinieren. Ich gehe davon aus, dass wir dann auch wissen, wer hinter den Angriffen steckt.«

Düsseldorf

Vor der Klinik standen drei Rettungswagen. Zwei dick vermummte Gestalten schoben ein Krankenbett vom Hospital fort. Auf den zweiten Blick erkannte Manzano, dass unter der Decke ein Patient lag. Eine halb volle Infusionsflasche baumelte an dem Metallarm über seinem Kopf. Ein Schlauch daraus verschwand unter der Decke. Dahinter lief ein junger Mann ganz in Weiß und gestikulierte aufgeregt. Die beiden mit dem Bett schüttelten nur den Kopf und drängten ihre Fracht weiter Richtung Straße. Schließlich gab der Mann in Weiß auf, machte eine abfällige Handbewegung und eilte zurück ins Gebäude.

Hartlandt fuhr an der seltsamen Truppe vorbei und parkte hinter einem der Ambulanzwagen.

»Können Sie ein paar Schritte gehen?«

Manzano funkelte ihn an. Wahrscheinlich wäre es kein Problem für ihn gewesen. Aber warum sollte er zu jemandem, der ihn für einen Terroristen hielt und anschoss, freundlich sein?

»Nein!«

Wortlos verschwand Hartlandt im Eingang des Krankenhauses. Sein Mitarbeiter beobachtete jede Bewegung Manzanos. Viele Möglichkeiten, sich zu regen, hatte er nicht. Seine Hände waren hinter seinem Rücken gefesselt, sein Bein pochte äußerst schmerzhaft.

Hartlandt kam mit einem Rollstuhl zurück.

»Setzen Sie sich da hinein.«

Manzano gehorchte widerwillig. Hartlandt schob ihn in das Gebäude. Sein Mitarbeiter wich nicht von Manzanos Seite.

Kaum waren sie im Eingangsbereich, überwältigte ihn der Geruch. Obwohl es auch hier nicht viel wärmer war als draußen, stank es nach Fäulnis, Verwesung und Fäkalien, durchsetzt von Spuren eines Desinfektionsmittels. Ihm wurde sofort schlecht. Zum zweiten Mal innerhalb weniger Tage musste er in eine Klinik und sich verarzten lassen. Mit einem Mal tat er sich selbst entsetzlich leid. Er wollte hier nicht sein. Er wäre so gern zu Hause gewesen, an einem sonnigen Strand oder in einer gemütlichen Berghütte vor einem prasselnden Kamin. Der Morgen auf der Bank mit Angström in der Sonne schoss ihm durch den Kopf. Für einen Augenblick besserte sich seine Laune. Dann wurde ihm wieder bewusst, wo er war.

Auch in der Vorhalle wurden Betten mit Patienten herumgefahren, von Menschen, die nicht wie Pflegerinnen oder Pfleger aussahen. Es herrschte ein großes Durcheinander, in dem Manzano doch eine allgemeine Bewegung Richtung Ausgang festzustellen meinte. Als er sich umdrehte, verließ schon wieder ein Bett das Haus.

Hartlandt schob ihn durch einen Flur, dessen Wände Betten säumten, in denen Kranke und Verletzte lagen. Manche stumm, andere stöhnten oder wimmerten. Bei einigen stand jemand, eher Angehörige als Ärzte. Hier war es ein wenig wärmer, aber sicher auch weit unter normaler Zimmertemperatur. Außer dem weiß gekleideten Mann draußen hatte Manzano noch keinen Arzt oder Pflegepersonal gesehen.

Endlich erreichten sie eine Tür mit dem Schild »Ambulanz«. Im Raum dahinter waren alle Stühle besetzt. Hartlandt zückte seinen Ausweis und zeigte ihn der Aufnahmeschwester.

»Schussverletzung«, erklärte er. Manzanos Deutsch war nicht

besonders gut, aber ausreichend, um die Unterhaltung verfolgen zu können. Zwei Studiensemester in Berlin, ein Jahr mit einer deutschen Freundin und jahrelange – wenn auch nicht ganz legale – Besuche von Systemen deutscher Unternehmen machten sich bezahlt. »Wir brauchen sofort einen Arzt.«

Manzanos Magen sackte nach unten. Wieso sofort? Hartlandt hatte doch gesagt, es sei nicht schlimm?

Die Schwester blieb ungerührt.

»Sie sehen, was hier los ist. Ich sage den Leuten, dass wir sie nicht behandeln können. Das Krankenhaus müsste längst evakuiert werden. Glauben Sie, irgendjemand hört mir zu? Hören Sie mir zu?«

»Sie hören mir zu«, beharrte Hartlandt. »Ich will sofort einen Arzt sehen. Muss ich erst mit nationalem Interesse oder anderen Keulen kommen, damit Sie jemanden holen?«

Die Frau hob verzweifelt die Hände.

»Was soll ich denn machen? Jeder...«

»Sie sollen einen Arzt holen«, unterbrach Hartlandt sie. »Sonst tue ich es selbst.«

Sie seufzte und verschwand.

Im Aufnahmesaal warteten mindestens fünfzig Menschen. Eine Frau versuchte, ihr weinendes Kind zu beruhigen. Auf einem Stuhl war ein alter Mann gegen seine Frau gekippt, sein Gesicht kalkweiß, seine Lider flatterten. Sie flüsterte ihm unentwegt etwas zu, streichelte seine Wange. Eine andere lag mehr in ihrem Stuhl, als dass sie saß, den Kopf zurückgelehnt, die Haut wächsern, einen Arm auf Brusthöhe gehoben, sein Ende ein Stumpf aus weißer Gaze, unter der sich eine Hand befinden musste, blutgetränkt. Manzano zwang sich wegzusehen. Lieber starrte er an die Wand. Beruhigte seinen Magen aber auch nicht. Er schloss die Augen und versuchte, an etwas Schönes zu denken.

»Was soll das? Wer glauben Sie, sind Sie?«

Hinter Manzano war die Schwester aufgetaucht, mit sich einen Mittvierziger mit den typischen Arztutensilien in einem Mantel, der nicht mehr ganz weiß war. Unter seinen Augen lagen dunkle Ringe, sein Gesicht hatte seit Tagen keinen Rasierer gesehen. Er diskutierte mit Hartlandt.

»Ein Notfall«, erläuterte Hartlandt, »der vor allen anderen hier Vorrang hat.«

»Und warum, bitte schön?«

Hartlandt streckte ihm einen Ausweis entgegen. »Weil er vielleicht mitverantwortlich ist für die Situation, in der wir hier alle stecken ...«

Manzano glaubte sich zu verhören. Machte ihn der Wahnsinnige hier vor allen zum Sündenbock!

»Umso mehr ein Grund, ihn nicht zu behandeln!«, schnaubte der Arzt.

»Hippokrates hätte seine Freude an Ihnen«, bemerkte Hartlandt. »Vielleicht kann uns Ihr Patient hier helfen, das Problem auch wieder zu lösen. Aber dazu brauche ich ihn mit einem stabilen Kreislauf und ohne Blutvergiftung oder Infektion.«

Der Arzt brummelte etwas, dann sagte er zu Hartlandt: »Kommen Sie mit.«

Er durchquerte den Raum, Hartlandt schob Manzano in seinem Rollstuhl hinterher. Einige der Wartenden blickten ihnen neugierig nach, andere protestierten. Eine Frau versuchte, den Mediziner aufzuhalten, jammerte, flehte. Er sagte: »Sie sollten nicht hier sein. Wir haben nicht mehr genug Leute und Material. Das Krankenhaus wird heute geräumt. Bitte gehen Sie in eine andere Klinik.«

Ohne die Antwort der Frau anzuhören, setzte er seinen Weg fort. Er führte sie in einen kleinen Behandlungsraum und zeigte auf eine Liege.

»Wir haben kein Schutzpapier mehr, Sie müssen sich so darauf legen.«

Hartlandt hob Manzano an den Achseln aus dem Stuhl.

»Was ist denn das?«, fragte der Mediziner, als er die Handschellen sah. »Abnehmen. So kann ich ihn nicht behandeln.«

Hartlandt öffnete die Fesseln und steckte sie ein.

Der Arzt schnitt Hartlandts Verband auf, danach Manzanos Hose. Er untersuchte die Wunde, tastete vorsichtig, trotzdem musste Manzano vor Schmerzen aufschreien.

»Ist nicht weiter tragisch«, schloss der Arzt. »Ich habe nur ein Problem. Wir haben kein Betäubungsmittel mehr. Wollen Sie ...«

»Er ist Italiener«, unterbrach ihn Hartlandt. »Können Sie Englisch sprechen?«

Manzano sagte nichts. Der Arzt wiederholte in ziemlich gutem Englisch den letzten Satz und fuhr fort: »Ich kann die Wunde vorläufig verbinden und das Projektil drinlassen. Dadurch entsteht natürlich eine hohe Infektionsgefahr. Oder wir entfernen das Projektil und versorgen die Wunde ohne Betäubung.«

Manzano wurde schwindelig. Er schielte auf seinen nackten Oberschenkel. Ein blutiges Tal mit zerfetzten Rändern zog sich zehn Zentimeter an seiner Seite entlang und endete in einem Loch. Sein Herz schlug bis zum Hals. Er spürte, wie ihm der Schweiß ausbrach. Hatte dieser Hartlandt nicht etwas von Streifschuss gesagt?

»Ich desinfiziere schon einmal«, sagte der Arzt. »Da bekommen Sie einen Vorgeschmack. Dann können Sie ja entscheiden.«

Er kippte eine Flüssigkeit auf ein Stück Gaze und tupfte damit die Wunde ab. Manzano stöhnte auf.

»Furchtbar ist das«, fluchte der Arzt. »Ich komme mir vor wie im Dreißigjährigen Krieg, als man den Verletzten eine Flasche Schnaps zu trinken gab, bevor man ihnen das Bein absägte. Mit Medizin hat das nichts mehr zu tun. Ich komme mir vor wie ein Metzger.«

Sawed off the leg. A butcher. Manzano schloss die Augen und hoffte, dass er das Bewusstsein verlor. Den Gefallen machte ihm sein Kreislauf nicht.

Er wollte keine Infektion und dadurch womöglich das Bein verlieren. Doch genauso wenig wollte er ohne Narkose operiert werden. Jemand schüttelte ihn.

»Nun?«, fragte der Arzt.

Manzano holte tief Luft, antwortete auf Englisch: »Raus mit dem Ding.«

»Okay. Beißen Sie die Zähne zusammen. Oder noch besser« – er drückte Manzano einen Fetzen in die Hand –, »beißen Sie da drauf.«

Er schüttete abermals Desinfektionsflüssigkeit über ein Stück Gaze und wischte damit eine lange Pinzette ab. »Wir haben keine sterilen Instrumente mehr«, erklärte er schulterzuckend.

Dann bohrte ihm jemand einen glühenden Spieß durch den Oberschenkel und rührte damit in seinem Fleisch herum. Manzano hörte einen unmenschlichen Laut, ein langes, aus dunkler Tiefe dringendes, doch geknebeltes Brüllen. Erst als er keine Luft mehr bekam, begriff er, dass es sein eigenes gewesen war. Seine Lunge versagte ihm den Dienst. Er versuchte aufzuspringen, doch Hartlandt drückte ihn an den Schultern, sein Mitarbeiter an den Knien auf die Liege.

Aus dem Winkel seiner tränenden Augen sah Manzano, wie der Arzt die Pinzette vor sein Gesicht hob. Zwischen den Spitzen klemmte ein blutiges Etwas.

»Da haben wir sie schon.«

Er warf das Projektil in einen Mülleimer neben der Liege.

»Jetzt muss ich noch nähen. Das tut weniger weh.«

Was soll jetzt noch wehtun?, dachte Manzano und bekam gleichzeitig den nächsten Schweißausbruch. *Ich sollte endlich wieder atmen,* erinnerte er sich, dann wurde es dunkel.

Paris

Laplante hielt die Kamera auf James Turner, der sich vor einer Industriehalle aufgestellt hatte, und verfluchte Shannon, dass sie ihn mit dem Kerl allein gelassen hatte. Hinter Turner tauchten vereinzelt Gestalten oder kleine Personengruppen auf, die große Pakete aus dem Dunkel eines riesigen Tores schleppten.

»Ich stehe hier vor dem Zentrallager einer großen Lebensmittelkette im Süden von Paris. Seit heute Nacht die Tore aufgebrochen wurden, holen sich die Menschen, was sie darin finden.«

Laplante folgte Turner, der auf eine Gruppe Plünderer zuging und sich ihnen in den Weg stellte. In den Armen stapelten sich Plastiksäcke, deren Inhalt Laplante nicht identifizieren konnte.

»Was haben Sie da?«, fragte Turner.

»Geht Sie einen Scheißdreck an«, erwiderte einer der Männer und rempelte Turner zur Seite.

Der Journalist fing sich, bewahrte die Fassung.

»Wie man sieht, sind die Menschen bereits äußerst angespannt. Am sechsten Tag des Stromausfalls, wenn man von der kurzfristigen und nur teilweisen Wiederversorgung an Tag zwei absieht, fehlt es der Pariser Bevölkerung an allem. Die Nachricht, dass eine radioaktive Wolke aus Saint-Laurent die Metropole erreichen könnte, hat die Stimmung in der Stadt verschlimmert. Womit wir bei unserem Stichwort wären.«

Nicht schon wieder, dachte Laplante. Turner gab ihm das Zeichen zum Stopp.

»Stellen wir uns vielleicht dort vor den Eingang. Dann kann ich gleich Reaktionen einfangen.«

»Du spinnst ja wirklich.«

»Bist du hier der Journalist oder ich?«

»Ich bin der Produzent«, erwiderte Laplante, zu müde für einen Streit. »Und ich finde, das hat hier keinen Sinn mehr.«

»Scheiße, verdammt!«, brüllte Turner. »Und wenn die Welt untergeht, werden wir davon live berichten!«

»Wird bloß keiner zusehen«, murmelte Laplante.

»Die halbe Welt sieht zu! Wenn irgendein Arschloch Europa und den USA den Strom ausknipst, bleiben immer noch ein paar Milliarden übrig! Bloß weil du in deinem beschränkten Froschgehirn ...«

Laplante blendete die Tirade aus. Seit den Nachrichten aus den USA war Turner endgültig von der Rolle. Bis dahin hatte er unverhohlen die scheinbare technologische Überlegenheit seiner Heimat genossen. Neben der Schmach, dass es nun auch diese erwischt hatte, kam die Sorge um seine Verwandten, allen voran seine Eltern hinzu, die Turner zwar nie zugegeben hätte, ihn aber ganz offensichtlich an den Rand des Wahnsinns trieb.

»Können wir?«, fragte der Journalist, wieder ruhig.

»Und los.«

Turner zog das Gerät, das er seit ihrer Stippvisite in Saint-Laurent mit sich trug, aus dem Gürtel seines Mantels.

»Nun also unser schon obligater Messbericht«, erklärte er mit ernster Miene. »Mit diesem Dosimeter kann ich die aktuelle Strahlenbelastung feststellen.«

Er streckte das Gerät in die Höhe.

»Es handelt sich dabei um ein digitales Kleingerät, also nicht die ratternden Dinger, die man aus Filmen kennt. Allerdings sind sie so eingestellt, dass sie beim Erreichen kritischer oder gefährlicher Dosen Warngeräusche von sich ...«

Ein lautes Piepen unterbrach Turners Ausführungen. Verdutzt sah er zu dem Kästchen nach oben, bevor ihm einfiel, dass er es zum Ablesen wieder auf Augenhöhe senken musste.

Laplante zoomte sein Gesicht heran, in dem sich zuerst Verwirrtheit, dann Ungläubigkeit und schließlich Entsetzen ausbreitete.

»Das ...«

Noch einmal streckte er das Gerät in die Höhe, zur einen Seite, zur anderen, ging ein paar Schritte. Laplante folgte seinen Bewegungen. Im Hintergrund stahlen sich weitere Plünderer davon.

Turner hielt das Kästchen vor die Linse.

»0,2 Mikrosievert pro Stunde!«, stellte er fest. »Das Doppelte der als unbedenklich eingestuften Dosis! Die Wolke hat Paris erreicht!«

Das verwackelte Bild ließ Laplante merken, dass er vor Schwindel fast die Kamera hatte fallen lassen. Am liebsten hätte er aufgehört, doch Turners Antrieb riss ihn mit.

Der Amerikaner suchte nach Publikum. Mit eiligen Schritten fing er eine junge Frau ab. Unter ihrer Wollmütze hingen blonde Haarsträhnen heraus, die im Wind flatterten. In beiden Händen trug sie pralle Plastiktaschen.

»Wissen Sie, was das ist?«, fragte Turner sie und hielt ihr das Dosimeter vor das Gesicht. Ohne die Antwort abzuwarten, fuhr er fort: »Dieses Dosimeter misst die radioaktive Strahlung. Und wissen Sie, was es hier gerade gemessen hat?«

Düsseldorf

»Wachen Sie auf, wir sind fertig.«

Manzano brauchte einen Moment, um sich zu orientieren. Er lag auf dem Rücken, spürte einen pochenden Schmerz im Oberschenkel. Über ihn beugten sich drei Gesichter. Dann erinnerte er sich wieder.

»Das haben Sie geschickt gemacht«, sagte der unrasierte Arzt. »So haben Sie nicht gespürt, wie ich die Wunde genäht habe.«

»Wie … wie lange war ich …?«

»Zwei Minuten. Jetzt bleiben Sie noch ein paar Stunden zur Beobachtung hier. Dann müssen ohnehin alle aus dem Haus.«

»Warum?«, fragte Hartlandt.

Der Arzt zog Manzano an einem Arm in eine sitzende Position. Dabei erklärte er: »Die Notstromversorgung ist seit vorgestern auf Reserve.« Mit Hartlandts Hilfe hievte er Manzano zurück in den Rollstuhl. »Wir bekommen keinen Treibstoff mehr«, fuhr er fort, während sie den Behandlungsraum verließen. »Weil nicht genug für alle Kliniken in Düsseldorf vorhanden ist. Jetzt müssen wir zusehen, wie wir unsere Patienten loswerden. Heute Abend gehen hier buchstäblich die Lichter aus.«

»Gibt es dafür denn keine Notfallpläne?«, erkundigte sich Hartlandt.

»Nicht für einen solchen Extremfall«, antwortete der Arzt. »Suchen Sie Ihrem Mann hier irgendwo ein Bett im Haus. Ich finde Sie dann schon.«

»Sollen wir ihn nicht gleich woanders hinbringen?«

»Er sollte ein paar Stunden ruhen. Außerdem bekommen Sie in den wenigen noch funktionierenden Kliniken keinen Platz mehr. Die brauchen Betten und Personal für schwerere Fälle.«

»Ich wurde immerhin angeschossen«, warf Manzano mit schwacher Stimme ein.

»Das war harmlos. Glauben Sie mir, Sie wollen nicht wissen, was für Operationen ich in den letzten Stunden ohne Narkose durchführen musste.«

Womit er recht hatte, das wollte Manzano in der Tat nicht wissen. Vor seinem inneren Auge erschienen mittelalterliche Holzschnitte von Folterszenen.

»Ich kann Ihnen leider kein Schmerzmittel geben«, sagte der Mediziner. »Sind auch längst aus. Sie werden die Wunde in den nächsten Tagen spüren.« Er drückte ihm zwei Schachteln in die

Hand. »Hier haben Sie wenigstens ein Antibiotikum. Falls es zu einer Infektion kommt. Vielleicht hilft es. Am besten, Sie schlafen jetzt ein wenig.«

Grußlos wandte er sich ab und ließ sie stehen.

»Na dann«, sagte Hartlandt zu seinem Mitarbeiter, »such ein Bett für den Herrn. Ich könnte auch eines gebrauchen. Aber mir wird das nicht vergönnt sein. Ich fahre zu Talaefer zurück. Dort gibt es genug zu tun. Pass gut auf den Kerl auf. Davonlaufen wird er ja nicht mehr so schnell. Ich komme später wieder oder schicke einen Wagen.«

Mit diesen Worten drängte er sich durch den Flur hinaus.

Manzano sah ihm nach, bis er verschwunden war.

»Wie heißen Sie eigentlich?«, fragte Manzano seinen Bewacher. »Wenn wir die nächsten Stunden schon gemeinsam verbringen müssen...«

»Helmut Pohlen«, antwortete der Mann.

»Na dann, Helmut Pohlen, finden wir ein Bett für mich.«

Auf den Gängen standen viele Betten, doch sie alle waren belegt. Nirgendwo fanden sie ein Patientenzimmer. Manzano fröstelte. Der Schweiß, der ihm während der Wundversorgung am ganzen Leib ausgebrochen war, trocknete langsam. Sein rechter Unterschenkel war nackt. Endlich entdeckten sie ein verwaistes Bett auf einem Flur. Decken und Kissen waren zerwühlt, als wäre es gerade erst verlassen worden. Manzano legte seine Hand auf das Laken. Es war kalt. Sein ursprünglicher Besitzer musste es bereits vor geraumer Zeit aufgegeben haben. Mit Pohlens Hilfe stemmte er sich hoch. Er hoffte, dass die Decke ausreichend wärmte. Kaum lag er, spürte Manzano, wie erschöpft er war. Pohlen beförderte das Bett in ein kleines Zimmer, an dem sie vorbeigekommen waren, offensichtlich für Behandlungen gedacht, aber leer. Das Bett füllte den Raum fast ganz aus. Pohlen schloss die Tür, stellte den einzigen Stuhl zwischen das Bett und die Tür und setzte sich so darauf, dass er beides im Blick hatte. Manzano interessierten die Bewachungsstrategien des Mannes nicht. Er schloss die Augen und war gleich darauf eingeschlafen.

Shannon wartete ein paar Minuten. Als Manzano und sein Bewacher nicht mehr aus dem Raum kamen, näherte sie sich der Tür. Sie klopfte leise und öffnete, ohne eine Aufforderung zum Eintreten abzuwarten. Das Zimmer war so klein, dass Manzanos Bett es ausfüllte.

Der Italiener schien zu schlafen. Sein Bewacher sprang auf, als Shannon hineinlugte. Doch sie hatte bereits gesehen, was sie gesucht hatte: Hier gab es weder Fenster noch eine andere Tür.

»*Sorry*«, flüsterte sie und schloss die Tür wieder.

Sie ging ein paar Meter den Flur entlang und suchte sich eine Stelle, wo sie den Ausgang von Manzanos Krankenquartier gut im Blick hatte, ohne selbst sofort gesehen zu werden.

Was hatte der Italiener bloß angestellt, dass die anderen ihn angeschossen hatten?

Verdammt, war das ein Gestank hier!

Ratingen

Dienhof stand vor einem Flipchart, auf dem ein paar Diagramme aufgezeichnet waren. Piktogramme von Gebäuden, die durch Linien miteinander verbunden waren. Außer ihm und Hartlandt waren nur Wickley, Hartlandts Mitarbeiter, ein weiterer Vorstand von Talaefer, in dessen Bereich Sicherheitsfragen fielen, der Sicherheitschef und die Personalchefin des Unternehmens anwesend.

»Wir sind vom schlimmstmöglichen Fall ausgegangen«, begann Dienhof. »Nämlich, dass unsere Produkte tatsächlich an den

Problemen der Kraftwerke schuld sein könnten. Daher haben wir erste Möglichkeiten überlegt, wie überhaupt bei so vielen Kraftwerken Fehler auftreten konnten, und das auch noch gleichzeitig. Dazu muss man bedenken, wie unsere Produkte prinzipiell aufgebaut sind und wie sie bei den Kunden implementiert werden. Erstens laufen in den Kraftwerken Systeme verschiedener Generationen. Aus den Daten von Europol entnehmen wir, dass nur Objekte der zweiten und dritten Generation betroffen sind, nicht die der ersten. Diese Produkte basieren auf Grundmodulen, die wir zum Teil selbst entwickelt haben, aber auch auf Standardmodulen, Protokolle etwa, die heute zum Beispiel häufig im Internet eingesetzt werden.« Seine Ausführungen begleitete Dienhof mit Hinweisen auf die Zeichnungen am Flipchart. »Auf dieser Basis entwickeln wir jedoch für jeden Kunden maßgeschneiderte Lösungen. Das heißt, einen Fehler oder eine bewusste Manipulation, die so viele Kraftwerke betreffen, müssen wir sinnvollerweise zuerst in einem der Grundmodule suchen.«

»Könnte aber auch woanders sein«, unterbrach einer von Hartlandts Männern.

»Theoretisch ja, praktisch eher nicht. Denn dann müsste eine mögliche Schadsoftware ebenfalls jeweils maßgeschneidert werden. Und dieser Aufwand ist ganz sicher zu groß. Das wäre fast wie bei Stuxnet. Und da geht man davon aus, dass mehrere Dutzend Programmierer ziemlich lange drangesessen sind und außerdem die Anlage sehr genau kannten. Diesen Aufwand gleich für Dutzende Kraftwerke treibt niemand, wenn er es einfacher haben kann.«

Als Hartlandts Mitarbeiter zustimmend nickte, fuhr Dienhof fort: »Wir müssen uns also fragen, wer sie entwickelt, beziehungsweise, wer bei uns schreibenden Zugriff auf die Grundmodule hat. Das war die erste Gruppe, die in unseren Fokus rückte.«

An eine freie Stelle des Charts zeichnete er einen Kreis und betitelte ihn mit »Grundmodule schreibender Zugriff«.

»Schreibender Zugriff«, unterbrach ihn Hartlandt, »bedeutet das, dass nur diese die Grundmodule ändern können?«

»Genau«, bestätigte Dienhof. »Nun ist es ja nicht so, dass die Kraftwerke einmal das System von uns bekommen und dann nichts mehr von uns hören. Diese Produkte sind ungemein komplex und werden natürlich laufend verbessert. Das heißt, die Unternehmen erhalten immer wieder Updates ihrer Software oder von einzelnen Bestandteilen ebendieser. Hier haben wir natürlich auch eine besonders interessante Gruppe von Mitarbeitern, nämlich jene, die direkten Zugang zu den laufenden Systemen der Produzenten haben. Selbstverständlich unterliegen sowohl diese Mitarbeiter als auch die Update-Verfahren strengsten Sicherheitsregeln. Eine generelle Sicherheitsregel innerhalb unseres Unternehmens ist die strikte personelle Trennung verschiedener Einheiten wie Entwicklung, Prüfung und Kundenbetreuung.«

Er zeichnete zwei weitere Kreise neben dem ersten. In den zweiten schrieb er »Prüfung«, in den dritten »Implementierung/Kundenbetreuung«.

»Wer Software entwickelt, darf nicht zu den Prüfern gehören oder zu jenen, die sie schließlich beim Kunden implementieren. Ebenso wenig darf ein Prüfer entwickeln oder implementieren. Und natürlich hat ein Implementierer keinen schreibenden Zugriff zur Entwicklung oder Prüfung, das heißt, auch sie können deren Programmteile lesen und analysieren, aber nicht verändern. Um einen Bug bis zum Kunden zu bringen, muss man ihn also so genial schreiben, dass ihn die Prüfer und deren Instrumente nicht entdecken. Oder wir haben einen Fehler im Berechtigungssystem für das Quellcode-Archiv.«

»Soll was heißen?«, fragte Hartlandt.

»Den Quellcode dürfen nur bestimmte Leute verändern. Jede diese Veränderungen muss von anderen kontrolliert und freigegeben werden.«

»Wenn Sie in diesem System einen Fehler hätten …«

»… könnte ein Entwickler einen Programmcode an den Prüfern vorbeischleusen. Halte ich aber für ausgeschlossen. Wir haben die Logs des Quellcode-Archivs geprüft und keine Hinweise darauf gefunden, dass ein Programmcode an den Prüfern vorbeigeschmuggelt wurde.«

Viele Konjunktive, fand Hartlandt. Der gute Dienhof konnte sich nicht mit dem Gedanken anfreunden, dass bei ihnen womöglich ein Teil der Verantwortung für den Schlamassel lag.

»Guter Ansatz«, lobte er trotzdem. »Aber was ist, wenn es nicht einer allein war?«

»Auch darüber haben wir uns Gedanken gemacht. Wir halten es allerdings für höchst unwahrscheinlich, und zwar aus folgendem Grund: In den einzelnen Teilbereichen arbeiten fast alle Leute immer an relativ spezialisierten Projekten und haben auch keinen schreibenden Zugriff auf die Daten der anderen, wenigstens nicht auf die kompletten. Das bedeutet, um einen Angriff bei so vielen unserer Kunden durchzuführen, müsste man mehr als nur einen oder zwei Komplizen haben. Sonst könnten sie ihre Sauerei nur an kleinen Teilen der Prüfung vorbeischmuggeln oder nur in die wenigen Kraftwerke implementieren, für die auch ihre Komplizen zuständig sind. Nein, ich denke, wir suchen eine einzige Person, und zwar jemanden, der die Routinen verändern kann, die von allen Programmen verwendet werden. Nach unseren Recherchen in der Zugriffsverwaltung des Quellcode-Archivs konnten wir nur drei Personen ausmachen, auf die das zutrifft. Der erste ist Hermann Dragenau, unser Chief-Architect. Neben seinen Programm-Design-Aktivitäten kann er auch Standardbibliotheken anpassen.«

Hartlandt konnte sich an den Namen erinnern. Auf seiner Suche nach den Mitarbeitern hatte er auch nach ihm gefragt. »Der ist im Urlaub auf Bali«, stellte er fest.

»Das ist auch unser Informationsstand. Alle unsere Schlüsselkräfte müssen für den Urlaub eine Kontaktadresse angeben, wo man sie in Notfällen erreichen kann. Leider ist uns das noch nicht gelungen. Wir haben eine Nachricht hinterlassen. Der zweite ist Bernd Wallis. Er ist in der Schweiz zum Skifahren, auch ihn haben wir noch nicht erreicht. Der dritte ist Alfred Tornau. Er stand auf der Liste der Personen, die nicht mehr zur Arbeit kommen konnten. Bei ihm zu Hause haben Sie ihn aber nicht angetroffen, und auch sonst war er nirgends aufzutreiben, wenn ich das richtig verstanden habe.«

»Nach ihm, wie nach ein paar anderen, suchen wir noch«, erwiderte Hartlandt. Er blickte Wickley an. »Was ist mit den Vorständen?«

»Wir sind genauso in das Sicherheitssystem eingebunden wie alle Mitarbeiter«, antwortete der Angesprochene gelassen. »Aus Mangel an Bedarf haben wir wesentlich weniger Zugriffsmöglichkeiten als alle Techniker und keine auf die Quellcode-Verwaltung.«

»Das stimmt«, bestätigte Dienhof.

Hartlandt beschloss, diese Erklärung erst einmal als solche hinzunehmen. Er wusste jedoch aus Erfahrung, dass der Vorstand eines durchschnittlichen deutschen Unternehmens von seinen Mitarbeitern auf dem informellen Weg alles bekam, was er wollte, wenn er es denn wollte. Das würde er im Hinterkopf behalten. »Verstehe ich das also richtig: Wir haben drei Personen, die am ehesten infrage kommen, der eine sitzt auf Bali, der andere hockt in der Schweiz, und der Dritte ist verschwunden. Das sind ja großartige Nachrichten.«

»Das war gut aufbereitet, Dienhof.« Wickley meinte es nicht so, aber er sagte es dennoch, als sie wieder allein waren. In Wahrheit hätte er seinem Mitarbeiter während der Ausführungen am liebsten den Kopf abgerissen. Bei Talaefer gab es keine Sicherheitslücken. Durfte es keine geben!

»Auch wenn nicht zu übersehen war, dass Sie selbst nicht ganz glücklich damit waren, dass unter Umständen tatsächlich Einzelne in der Lage sein könnten, Manipulationen an den Programmen durchzuführen. Wobei ich davon überzeugt bin, dass selbst dann niemand wirklich gravierenden Schaden anrichten könnte.«

Selbstverständlich besaß Wickley nicht einmal im Ansatz das technische oder organisatorische Wissen, um diese Behauptung aufzustellen. Aber Dienhof brauchte jetzt Bestätigung.

»Ich möchte, dass Sie mit den Behörden ohne Einschränkungen zusammenarbeiten. Geben Sie ihnen auf alle Daten und Unterlagen, die sie verlangen, unbegrenzten Zugriff.«

Diese vier IT-Forensiker des BKA hatten viel zu wenig Ahnung, um etwas zu finden. Sie konnten Wickleys Mannschaft lediglich unterstützen und begrenzt überwachen.

»Ich bin überzeugt, dass wir nichts entdecken werden, was mit den Stromausfällen zu tun hat. Vielleicht stoßen wir auf den einen oder anderen harmlosen Programmiererscherz im Programmcode. Deren Harmlosigkeit kann man den Ermittlern dann ja erklären. Wobei ich Ihnen dankbar wäre, wenn Sie im Sinne des Unternehmens solche Fälle zuerst mir mitteilen, bevor Sie Hartlandts Mitarbeiter informieren. Damit die Unternehmensführung den Behörden kompetent Auskunft und Erklärungen geben kann.«

»Und wenn die Polizisten selbst etwas finden?«

»Sagen Sie mir natürlich auch umgehend Bescheid. Am besten bremsen Sie sie ein wenig, bis Sie sich selbst ein Bild gemacht und mich informiert haben. Sobald wir so weit sind, können wir ihnen dann ja sogar die Freude lassen …«

Den Haag

Nachdenklich studierte Bollard die große Übersichtswand im Lagezentrum, an der sie ihre Informationen sammelten.

Die Versuche, seine Eltern anzurufen, hatte er eingestellt. Seit dem Angriff auf die USA gelangten kaum mehr Berichte über die Lage in Saint-Laurent nach Den Haag. Die US-Networks sendeten weniger internationale Nachrichten. Andere Sender wie Al Jazeera oder die Asiaten hatten offenbar keine Journalisten vor Ort. Bollard konnte froh sein, wenn die Kommunikationskanäle zwischen den nationalen und internationalen Behörden rudimentär bestehen blieben. Mit den Kollegen von der EU in Brüssel und Straßburg konnten sie sich nur zeitweise austauschen, zu seinen Kollegen in Frankreich noch seltener. Ebenso sporadisch tröpfelten Informationen von der Internationalen Atomenergie-Organisation aus Wien ein. Bollards Letztstand für Saint-Laurent war Stufe 5 auf der INES-Skala. Im Gegensatz zu den Verantwortlichen beim Betreiber EDF und der französischen Atomsicherheitsbehörde wollte die IAEO eine partielle Kernschmelze im Reaktorblock 1 nicht mehr ausschließen.

Bollard betete, dass seine Eltern und die seiner Frau rechtzeitig gewarnt und evakuiert worden waren.

Saint-Laurent war nicht mehr das einzige Kraftwerk, dessen Notsysteme versagten. Vom französischen Tricastin, dem belgischen Doel, dem tschechischen Temelín und dem bulgarischen Kosloduj wurden ähnliche Verhältnisse gemeldet. Doel war nur hundertvierzig Kilometer von Den Haag entfernt, von Brüssel trennten das Kraftwerk sogar nur sechzig Kilometer. Noch war in keinem Fall Radioaktivität in großer Menge ausgetreten, doch bei negativer Entwicklung des Störfalls und ungünstiger Wetterlage konnte eine radioaktive Wolke die belgische Hauptstadt und den

Sitz des Europäischen Rats sowie der Europäischen Kommission erreichen.

Bollard steckte eine weitere Nadel in die Europakarte. Nach dem Anruf der Deutschen heute Morgen hatte er die Information an alle anwesenden Liaisonoffiziere weitergegeben, damit sie in ihren Heimatländern nachfragten. Tatsächlich trafen bis zum Mittag Meldungen aus Spanien, Frankreich, den Niederlanden, Italien und Polen ein. In Spanien war eine Brandstiftung in einer Umschaltanlage gemeldet worden und zwei gesprengte Masten, in Frankreich waren vier Masten gefallen, in den Niederlanden, Italien und Polen je zwei. Wobei alle Länder betonten, dass die Angaben vorläufig und womöglich nicht vollständig waren, da sie viel zu wenige Teams zur Überprüfung hatten. Für jede sabotierte Anlage steckte er eine Nadel in die Tafel.

»Aus Deutschland kamen ebenfalls neue Daten«, sagte Bollard. »Die lassen Berlins Routen-Theorie schlecht aussehen. Die Brandstiftung in Lübeck wurde widerrufen, dafür haben wir eine im südlichen Bayern. Auch die Masten im Norden sind anscheinend natürlichen Gründen zum Opfer gefallen. Dafür haben wir angeblich einen gefällten Mast im östlichen Sachsen-Anhalt.«

»Müssen wir also nicht annehmen, dass jemand quer durch Europa fährt und Schaltanlagen deaktiviert?«

»Das müsste ein Haufen Trupps sein«, stellte Bollard fest.

Das Klingeln eines Funktelefons unterbrach ihre Überlegungen.

»Für Sie«, sagte der Mitarbeiter, der abgehoben hatte, zu Bollard und streckte ihm den Hörer entgegen.

Am anderen Ende meldete sich Hartlandt. »Ich versuche seit einer Stunde, zu Ihnen durchzukommen.«

Zuerst wollte Bollard Hartlandts folgender Schilderung kaum glauben. Der Italiener hatte einen Fluchtversuch unternommen und war dabei angeschossen worden. Jetzt lag er in einem Kran-

kenhaus in Düsseldorf. Hartlandt beschrieb, wie Manzano hartnäckig darauf bestand, dass jemand anderes als er die belastenden
E-Mails von seinem Computer verschickt haben musste.

»Jemand von Europol«, sagte Hartlandt, »oder jemand, der Ihre
Pläne kannte, weil er Ihr Kommunikationssystem infiltriert hat.«

»Für meine Leute lege ich die Hand ins Feuer«, versicherte Bollard.

Kaum hatten sie das Gespräch beendet, sprang er nervös auf.

»Bin gleich wieder da«, wandte er sich an seinen Kollegen. Zur
IT-Abteilung musste er zwei Stockwerke tiefer. Auch dort standen
viele Büros leer, stellte er fest.

Der leitende Direktor saß in seinem Zimmer, hinter ihm ein
Mitarbeiter, gemeinsam stierten sie auf die vier Bildschirme vor
sich.

»Haben Sie zwei Minuten?«, fragte Bollard.

Der IT-Leiter war ein umgänglicher Belgier, der seit Jahren für
Europol arbeitete.

»Nicht wirklich«, erwiderte er.

»Es ist wichtig.«

Der Belgier seufzte, der andere musterte Bollard unwirsch.

»Ich würde das lieber auf dem Flur besprechen«, sagte Bollard
und deutete mit dem Daumen über seine Schulter.

Jetzt blickte ihn auch der Belgier unfreundlich an, doch Bollard
hatte sich schon wieder vor die Tür gestellt und gab zu verstehen,
dass er so lange warten würde, bis der andere ihm folgte.

Mit einer dramatischen Geste erhob sich der IT-Leiter und
schlurfte zu Bollard.

»Was ist so wichtig?«

Bollard schob ihn ein paar Schritte weiter und erzählte ihm in
kurzen Worten von Manzano, den E-Mails und den Anschuldigungen des Italieners.

»Lächerlich!«, stieß der Belgier hervor.

»Diese Leute haben immerhin die Stromnetze von zwei der größten Wirtschaftsräume der Welt lahmgelegt. Warum können Sie ausschließen, dass sie nicht auch bei uns drin sind?«

»Weil unser System x-fach gesichert ist!«

»Das waren die anderen angeblich auch. Hören Sie, wir sind hier unter uns. Wir wissen beide, dass es keine absolut sicheren Netze gibt. Und mir ist auch bekannt, dass es durchaus bereits erfolgreiche Versuche gab, in unsere Netze einzudringen …«

»Aber nur in periphere Bereiche!«

»Wollen Sie dafür verantwortlich sein, wenn eines Tages herauskommt, dass es womöglich nicht so war?« Bollard fixierte den Mann, ließ ihm Zeit zum Nachdenken, aber nicht für eine Antwort. »Nur einmal angenommen«, fuhr er fort, »jemand beobachtet und manipuliert uns tatsächlich über unsere eigenen Systeme: Merkt er dann auch, wenn Sie genau danach zu suchen beginnen?«

»Hängt davon ab, wie wir es anstellen«, brummte der Belgier. »Aber ich habe gar keine Leute für das, was Sie sich da vorstellen. Die Hälfte meiner Mannschaft taucht nicht mehr auf. Die andere steht kurz vor dem Zusammenbruch.«

»Wie wir alle. Und außerdem stehen wir mit dem Rücken zur Wand.«

Düsseldorf

Manzano wachte vom brennenden Schmerz in seinem Oberschenkel auf. Er wusste nicht, wie lange er geschlafen hatte, auch ein paar Sekunden lang nicht einmal, wo er sich befand. Doch die Schmerzen riefen die Ereignisse schnell in sein Gedächtnis zurück.

Am Fußende seines Bettes saß noch immer Pohlen.

»Wie geht es Ihnen?«, fragte er.

»Wie lange habe ich geschlafen?«

»Über zwei Stunden. Es ist sieben Uhr abends.«

»Der Arzt war nicht mehr da?«

»Nein.«

Manzano wurde wieder bewusst, was ihn hierhergebracht hatte. Er durfte sich von diesen Polizisten nicht wegbringen lassen!

»Ich muss auf die Toilette.«

»Können Sie gehen?«

Manzano versuchte, die Beine aus dem Bett zu heben. Sein rechter Schenkel beklagte sich bitterlich. Er stützte sich auf, stellte fest, dass er stehen konnte. Pohlens Hilfsangebot lehnte er ab.

Auf dem düsteren Flur herrschte Gedränge. Betten wurden nach wie vor Richtung Ausgang geschoben, Menschen riefen durcheinander, durchsetzt von Wimmern, Jammern und Schmerzensschreien. Manzano entdeckte kaum jemanden in Krankenhauskitteln.

»Was ist hier los?«

»Keine Ahnung«, erwiderte Pohlen.

Als sie schließlich die Toiletten erreichten, stellte er fest, dass sein Bein etwas weniger schmerzte. Er beschloss, trotzdem weiterhin auffällig zu humpeln. Wer wusste, wozu es gut sein konnte, wenn Pohlen ihn für fast gehunfähig hielt.

Manzano verrichtete sein Geschäft, dann erklärte er: »Gehen wir zur Ambulanz und versuchen, den Arzt zu finden.«

Manzano hinkte los. Unter einem verlassenen Bett entdeckte er achtlos weggeworfene Krücken.

»Die könnte ich gebrauchen«, sagte er zu Pohlen.

Der BKA-Mann bückte sich, reichte sie Manzano.

Die Evakuierung hatte sich anscheinend herumgesprochen. Der Wartesaal der Ambulanz war nur noch spärlich besetzt. Das Zimmer, in dem er behandelt worden war, war leer.

»Den finden Sie nicht mehr«, meinte Pohlen. »Aber es scheint Ihnen ohnehin besser zu gehen.«

»Und jetzt?«

»Warten wir auf den Wagen, den Hartlandt uns schicken wollte. Mit dem bringen wir Sie dann in Untersuchungshaft.«

Dort wollte Manzano unter gar keinen Umständen hin. Fieberhaft überlegte er einen Ausweg oder Argumente, Hartlandt von seiner Unschuld zu überzeugen. Ihm fielen keine ein. Aber währenddessen war sein Blick in dem Behandlungsraum umhergeschweift, und er hatte etwas entdeckt.

»Ich glaube, da unten liegt ein Schmerzmittel«, sagte er und zeigte auf die unterste Etage in einem Metallregal. »Könnten Sie es bitte für mich herausholen, ich komme da schlecht dran?«

Pohlen bückte sich. »Wo?«

Manzano hakte die Armstützen der Krücken an zwei Stangen des Metallregals ein und zog heftig daran. Samt Inhalt kippte es lautstark auf Pohlen und begrub ihn unter sich. Die Krücken hatte Manzano rechtzeitig wieder gelöst, er hörte den Kriminalbeamten aufschreien und fluchen. Schnell schloss er die Tür hinter sich und durchquerte so unauffällig wie möglich den Warteraum, die Krücken in der Hand. Bei jedem Auftreten schoss ein Stich von seinem Schenkel bis in sein Gehirn. Trotzdem musste er nachdenken, wohin er sollte. Als er in den Flur gelangte, wo die Menschen weiterhin dem Ausgang zustrebten, hatte er eine Idee.

Aus ihrem Versteck, einer Türnische, heraus beobachtete Shannon, wie Manzano aus dem Ambulanzraum trat, sich nervös umschaute und schließlich den Flur entlanghinkte, gegen den Strom der Flüchtenden, bis er in einem Seitengang verschwand. Shannon wollte ihm schon nachlaufen, doch in diesem Augenblick tauchte sein Bewacher aus dem Ambulanzraum auf. Shannon hielt die Luft an, während der Polizist einen Moment zögerte und sich dann durch die Menschenmassen Richtung Ausgang drängte.

Shannon löste sich aus ihrem Versteck und folgte Manzano. Sie rempelte Leute an, wurde selbst geschubst und gestoßen, bis sie endlich die Stelle erreichte, an der Manzano um die Ecke verschwunden war.

Der Italiener war weg.

Vor dem Krankenhaus herrschte Chaos. Das schwache Licht aus einigen Fenstern sowie das Blaulicht von Rettungswagen beleuchteten eine gespenstische Szenerie: hilflos umherirrende Menschen, die zwar das Krankenhaus verlassen mussten, aber anscheinend nicht wussten, wohin sie gehen sollten. Die Rettungswagen steckten fest. Mittendrin der baumlange Pohlen mit hektisch suchendem Blick. Hartlandt wusste sofort, was geschehen war.

»Wo ist er?«, rief er Pohlen zornig zu und kämpfte sich zu ihm durch.

»Er muss noch ganz in der Nähe sein«, keuchte Pohlen. Sein Gesicht war zerschrammt, unter dem rechten Auge bildete sich ein Bluterguss.

Selbst wenn Pohlen seit drei Tagen kaum geschlafen hatte, einen verletzten Zivilisten durfte er als ehemaliger Elitesoldat und top ausgebildeter BKA-Mann nicht entkommen lassen.

Hartlandt ließ seinen Blick über den Platz vor dem Krankenhaus schweifen. In dem Gewimmel und der kaum erhellten Dunkelheit konnte er wenig erkennen. Geradezu ideale Umstände, um unterzutauchen.

»Wann haben Sie ihn verloren?«

»Vor etwa zehn Minuten, aber mit seinem Bein kann er nicht weit gekommen sein.«

So gesehen war es ein Glück, dass er gerade jetzt eingetroffen war und Pohlen den Italiener nicht allein suchen musste. Trotzdem hätten sie Verstärkung gebraucht. Doch ohne funktionierende Mobiltelefonnetze konnte er keine anfordern.

»Okay. Sie links, ich rechts.«

Sie liefen los.

In dem Zimmer, vermutlich ein Behandlungsraum, war es dunkel. Ungefährdet konnte Manzano ans Fenster treten, niemand würde ihn sehen, auch von draußen nicht. Er blickte hinunter auf den Platz vor dem Krankenhaus, wo die Menschen im flackernden Blaulicht der Rettungswagen wie kleine Puppen kreuz und quer liefen. Das Gewusel stand in einem strengen Kontrast zur Stille, die ihn hier oben hinter dem geschlossenen Fenster umfing.

Ohne Fahrstuhl war der Weg in den fünften Stock beschwerlich gewesen, doch sobald er herausgefunden hatte, wie man mit Krücken Treppen stieg, hatte er es binnen weniger Minuten geschafft. Begegnet war er niemandem. Er wusste nicht, wie viele Etagen genau das Gebäude hatte, aber sieben oder acht mussten es sein. Er hatte sich bewusst dafür entschieden, nicht gleich im zweiten Stockwerk zu bleiben. Mit seiner Verletzung würde ihn kaum jemand so weit oben suchen, hatte er überlegt. Eigentlich rechnete er damit, dass Hartlandt ihn gar nicht mehr im Krankenhaus, sondern auf der Flucht durch Düsseldorf vermutete.

Wie es schien, ging sein Plan auf. Trotz der Höhe und der schlechten Lichtverhältnisse entdeckte er den langen Pohlen, wie er im Getümmel nach ihm suchte. Dann sah er einen zweiten Mann durch die Menge irren, mit ganz anderen Bewegungsmustern als der Rest. Hartlandt.

Manzano blieb stehen, wartete, versuchte einen seiner beiden Verfolger immer im Auge zu behalten. So beobachtete er eine Weile das Treiben. Irgendwann bemerkte er jedoch, dass sich Hartlandt und Pohlen vor dem notbeleuchteten Eingang trafen, zwei ruhende Pole in dem ganzen Tohuwabohu. Sie schienen kurz zu diskutieren, wandten sich noch einmal dem Haus zu und zogen schließlich gemeinsam ab. Manzano schaute ihnen nach, bis sie verschwunden waren.

Vielleicht holten sie Verstärkung, um doch noch das ganze Haus zu durchsuchen oder die Eingänge zu überwachen?

Er spürte wieder den pochenden Schmerz in seinem Bein, zog den Stuhl zum Fenster und setzte sich hin. So konnte er die Straße im Blick behalten und hoffte inständig, dass er trotz der Dunkelheit auch erkannte, wenn ihm Gefahr drohte.

Bald mussten in dem Gebäude die Lichter ausgehen, wenn der Arzt recht gehabt hatte. Dann würde er ganz allein sein.

Shannon sah in einen Raum nach dem anderen, doch noch im Erdgeschoß gab sie auf. Das Gebäude war viel zu groß. Hier würde sie Manzano nie finden. Vielleicht hatte er das Krankenhaus im Schutz des Getümmels längst verlassen. Hoffnungslos beobachtete sie die flüchtenden Menschen um sich herum. Schließlich schloss sie sich ihnen an. Sie musste einen Platz für die Nacht finden. Sie ließ sich aus dem Gebäude treiben, blickte noch einmal zurück, zögerte, dann ging sie zu dem Porsche, den sie im Halteverbot einer Seitenstraße geparkt hatte.

»Hilfe!«

Manzano wusste nicht, wie lange er an dem Fenster gesessen hatte. Der Platz vor dem Krankenhaus war fast leer. Das einzige Licht spendete nun der halb volle Mond. Hatte er sich das gerade eingebildet?

»Hilfe!« Die Stimme kam von weit weg, ganz leise. Manzano tastete sich mit seinen Krücken auf den finsteren Flur. Er horchte. Vielleicht war es doch nur ein Hirngespinst gewesen. Da hörte er erneut etwas und entdeckte weiter hinten einen schwachen Lichtstreifen unter einem Türschlitz. Während er darauf zuhumpelte, passierte er ein paar offene Türen. Aus einer drang ein fürchterlicher Gestank nach Fäulnis und Fäkalien. Zögernd betrat er den Raum und fiel nach wenigen Schritten beinahe über ein Bett. Er beugte sich vor, um das Gesicht zu sehen, das in dem Kissen lag. Es gehörte einem Greis, Manzano konnte nicht einmal sagen, ob Mann oder Frau, hauchdünne Haut über Knochen, geschlossene Augen, offener Mund. Die Gestalt bewegte sich nicht.

Hatte man sie hier vergessen? War sie tot und wurde deshalb vorerst nicht fortgebracht? Er suchte nach einem Lebenszeichen, konnte nichts erkennen.

Er tastete sich weiter vor, bis er an ein anderes Bett stieß. Ein Körper baute sich unter der Decke auf wie ein Berg, passte kaum auf die Matratze, aber Manzano vernahm schwache Atemgeräusche.

Wo war das Pflegepersonal?, fragte er sich. Vielleicht da, wo der Lichtschein herkam?

Mit vorsichtigen, humpelnden Schritten verließ er den Raum wieder und näherte sich so leise wie möglich dem Lichtschimmer.

Er hörte Stimmen. Die Tür war nur angelehnt. Seine Deutschkenntnisse halfen ihm, ein paar Gesprächsfetzen aufzuschnappen.

»Das können wir nicht tun«, flehte eine männliche Stimme.

»Wir müssen«, erwiderte eine Frau.

Jemand schluchzte.

»Dafür bin ich nicht Krankenpfleger geworden«, sagte der Mann.

»Und ich nicht Ärztin«, entgegnete die Frau. »Aber sie werden in den nächsten Stunden oder Tagen sterben, auch bei optimaler Betreuung. Eine Verlegung überlebt keiner von ihnen. Die Kälte und mangelnde Versorgung hier auch nicht. Sie einfach liegen zu lassen bedeutet, sie unnötigen Leiden auszusetzen. Sie verhungern, verdursten und erfrieren langsam in ihren eigenen Exkrementen. Wollen Sie das?«

Der Mann weinte jetzt.

»Abgesehen davon, dass Nehrler und Kubim ohne Fahrstühle nicht weggebracht werden können. Kein Sanitäter kann einen Fünfhundert-Pfund-Patienten mit einer Trage durch das Treppenhaus schleppen.«

Langsam begriff Manzano, worum es in der Diskussion ging. Ein Zittern erfasste seinen ganzen Körper, gegen das er sich nicht wehren konnte.

»Glauben Sie nicht, dass mir das Vergnügen bereitet«, fuhr die Ärztin fort. Manzano hörte das Beben in ihrer Stimme.

Der Pfleger antwortete mit einem erneuten Tränenausbruch.

»Keiner der Patienten ist bei Bewusstsein«, sagte die Ärztin. »Sie werden nichts merken.«

Wer hatte dann um Hilfe gerufen?, fragte sich Manzano. Hatten die beiden nichts gehört? Ihm brach der Schweiß aus.

»Ich gehe jetzt«, stieß die Ärztin mit gepresster Stimme hervor.

Schnell löste sich Manzano von der Wand und eilte ins nächste Zimmer. Es lag dem Raum mit den zwei Patienten direkt gegenüber. Er wagte nicht, die Tür zu schließen, um keinen Verdacht zu erregen. Neben dem Türstock drückte er sich gegen die Wand, eine Sekunde später hörte er bereits Schritte auf dem Flur.

Eine weitere Person kam angerannt.

»Warten Sie«, sagte der Pfleger leise.

»Bitte«, flüsterte die Ärztin. »Lassen Sie ...«

»Sie müssen das nicht allein durchstehen«, unterbrach sie der Mann, seine Stimme jetzt wieder fester. »Und die armen Menschen auch nicht.«

Dann vernahm Manzano das leise Quietschen ihrer Gummisohlen, wie sie in den gegenüberliegenden Raum gingen.

Vorsichtig lugte er um die Ecke. Da die beiden Taschenlampen dabeihatten, konnte er sehen, wie sie vor das Bett der Alten traten. Die Ärztin, groß, schlank und mit schulterlangem Haar, legte ihre Taschenlampe auf dem Bett ab, sodass das Licht an die Wand geworfen wurde. Der Pfleger, kleiner als sie und von sehr zarter Gestalt, setzte sich an den Bettrand, nahm die dünne Hand des Patienten in seine und begann sie zu streicheln. Währenddessen zog die Ärztin eine Spritze auf. Sie löste den Schlauch vom Infusionsbeutel, steckte ihn auf die Spitze der Spritze und drückte das Mittel hinein. Dann schloss sie den Schlauch wieder an den Beutel an. Der Pfleger streichelte weiterhin die Hand. Die Ärztin beugte sich über die Patientin und strich ihr über das Gesicht, immer wieder. Dabei flüsterte sie etwas, das Manzano nicht verstand. Manzano konnte seinen Blick nicht abwenden. Er stand da, als wäre das Blut in seinen Adern gefroren, unfähig, sich zu bewegen.

»Ich brauche die Leute«, beharrte Hartlandt. Vergeblich hatten er und Pohlen das Umfeld des Krankenhauses abgesucht. Jetzt standen sie im Büro des Düsseldorfer Polizeipräsidenten drei Männern gegenüber, die offensichtlich seit Tagen kaum geschlafen hatten.

»Wir brauchen sie auch«, widersprach der Polizeipräsident höchstpersönlich. »Sie wissen ja, was da draußen los ist.«

»Der Mann, den wir suchen, ist vielleicht dafür mitverantwortlich«, erklärte Hartlandt mit Nachdruck.

Der Polizeipräsident stöhnte. Er griff nach einem Funkgerät auf seinem Schreibtisch. Drückte einen Knopf, sprach grußlos in das Mikrofon: »Ist Deckert schon wieder da?«

Eine krächzende Stimme in dem Gerät bejahte.

»Kommen Sie mit«, sagte der Präsident.

Hartlandt und Pohlen folgten ihm durch Flure, die von der Notbeleuchtung nur schwach erhellt wurden. In einigen Büros, an denen sie vorbeikamen, saßen Beamte. Aus anderen hörten sie

Stimmen. Sie überquerten einen kalten Hof und betraten einen großen Raum, wo sie ein Trupp von acht Uniformierten erwartete. Hartlandt entdeckte vier Schäferhunde.

Der Polizeipräsident stellte Hartlandt einen durchtrainierten Mittvierziger vor.

»Karsten Deckert, Leiter unserer Hundestaffel.«

Hartlandt erläuterte ihm, was er brauchte.

»Wir wollten gerade Pause machen«, entgegnete Deckert. »Meine Männer sind seit achtundvierzig Stunden auf den Beinen. Die Hunde auch.«

»Ich fürchte, das muss warten«, erwiderte Hartlandt. »Wir müssen in das Krankenhaus.«

Die Ärztin richtete sich auf und bedankte sich beim Pfleger.

Er nickte wortlos, ohne die Hand der Toten loszulassen.

Sie hob ihre Taschenlampe auf, und für einen Moment traf der Lichtstrahl genau Manzanos Gesicht.

Manzano zuckte zurück, hoffte, dass sie ihn nicht gesehen hatten. Drüben hörte er ein Flüstern, dann Schritte in seine Richtung.

Grelles Licht blendete ihn, er musste die Augen schließen.

»Wer sind Sie?« Die Stimme des Pflegers überschlug sich fast. »Was machen Sie hier?«

Manzano öffnete die Augen einen Spalt, hielt sich die Hand vors Gesicht und stammelte: »*The Light. Please.*«

»Sie sprechen Englisch?«, fragte die Ärztin in derselben Sprache.

»Was machen Sie hier? Woher kommen Sie?«

»*Italy*«, erwiderte er. Sie brauchten nicht zu wissen, dass er leidlich Deutsch verstand und ihre Gespräche belauscht hatte.

Die Ärztin fixierte Manzano.

»Sie haben uns gesehen, nicht wahr?«

Manzano erwiderte ihren Blick, dann nickte er.

»Ich glaube, dass Sie das Richtige tun«, flüsterte er auf Englisch.

Die Ärztin starrte ihn weiterhin an, Manzano hielt ihrem Blick stand.

Nach einigen Sekunden brach die Medizinerin das Schweigen: »Dann verschwinden Sie. Oder helfen Sie diesen Menschen.«

Manzano schwankte. War das wirklich Hilfe? Er war sich bewusst, dass er den medizinischen Zustand der Betroffenen nicht beurteilen konnte. Da musste er sich auf die Expertise der Frau Doktor verlassen. Aber was war mit der moralischen Verantwortung? Manzano hatte zum Thema Sterbehilfe eine klare Meinung. Auch für sich selbst hätte er sich keine künstliche Verlängerung von Lebensfunktionen seines Körpers ohne Bewusstsein gewünscht. Auch wenn ihm klar war, wie schwierig es war, genau diesen Zustand endgültig festzustellen. War in diesem leblosen Körper doch noch etwas wie ein Ich? Und wenn, was wollte es? Leben? Sich verabschieden? Oder auch nur die Fähigkeit, die anderen dazu aufzufordern, selbst eine Entscheidung treffen zu dürfen? War es damit aber nicht wieder genügend bei Bewusstsein, um nicht – er wagte es kaum, das Wort zu denken – eingeschläfert zu werden? Diese und andere Gedanken jagten in diesem Moment gleichzeitig durch seinen Kopf. Doch hier ging es nicht mehr nur theoretisch um Sterbehilfe. Die Ärztin war deutlich gewesen. *Verschwinden Sie. Oder helfen Sie diesen Menschen.* Geschickte Frau. Sie hatte nicht gefordert: »Helfen Sie uns.« Nein, mit einem simplen rhetorischen Trick hatte sie die – vorgebliche – Selbstlosigkeit ihrer Handlung betont. Manzano wurde so nicht zum Komplizen, sondern durfte sich als Wohltäter fühlen. Was ihm nicht gelang. Er musste sich an der Wand abstützen. Erst jetzt spürte er, wie der Pfleger sich gefühlt haben musste, aber auch, was die Ärztin empfand. Er umfasste die Griffe seiner Krücken, richtete sich auf.

»Was soll ich tun?«

»Seien Sie einfach da«, antwortete die Ärztin mit sanfter Stimme. »Glauben Sie, dass Sie das können?«

Manzano nickte.

Sie wandte sich der einsamen Gestalt in dem Bett hinter ihnen zu, die Manzano erst jetzt im Schein der Taschenlampen ausmachte. Er und der Pfleger folgten ihr. Das Gesicht gehörte einer Frau, die Wangen waren eingefallen, die Augen geschlossen. Manzano entdeckte kein Lebenszeichen.

»Halten Sie ihre Hand«, forderte die Ärztin ihn auf.

»Was ist mit ihr?«, fragte Manzano, während er sich an den Bettrand setzte.

»Multiples Organversagen«, antwortete die Ärztin.

Zögerlich griff Manzano nach der Hand. Es war eine zarte Hand, mit schlanken, gepflegten Fingern. Sie fühlte sich kalt und klamm an. Manzano spürte keine Reaktion auf seine Berührung, reglos lag sie in seiner. Wie ein kleiner, toter Fisch, dachte er, auch wenn ihm der Vergleich nicht gefiel.

Die Ärztin bereitete eine weitere Spritze vor.

»Sie heißt Edda und ist vierundneunzig«, flüsterte sie dabei. »Vor drei Wochen hatte sie einen schweren Schlaganfall, ihr dritter in zwei Jahren. Ihr Gehirn erlitt massive Schäden. Sie hat keine Chance, je wieder aufzuwachen. Vor einer Woche kam noch ein Lungenödem dazu, seit vorgestern setzten Nieren und andere Organe aus. Unter normalen Umständen würde ich ihr vielleicht noch vierundzwanzig Stunden geben. Doch die Geräte sind ausgefallen.«

Sie hatte die Flüssigkeit von der Ampulle in die Spritze gesaugt. Als Nächstes wiederholte sie die Prozedur mit dem Schlauch des Infusionsbeutels, den Manzano bereits im Nebenraum beobachtet hatte.

»Ihr Mann ist seit Jahren tot, ihre Kinder leben in der Nähe von Berlin und Frankfurt. Vor dem Stromausfall haben sie es noch einmal geschafft, hierherzukommen.«

Manzano merkte, dass er während der Erzählung der Ärztin unwillkürlich die Hand der alten Frau zu streicheln begonnen hatte.

»Sie war Lehrerin für Deutsch und Geschichte«, fuhr die Ärztin fort. »Das haben mir die Kinder erzählt.«

Vor Manzanos innerem Auge erschienen Bilder einer jüngeren Edda, in verblichenen Farben, so wie auf den alten Aufnahmen seiner eigenen Großeltern. Ob sie Enkel hatte? Erst jetzt entdeckte er das kleine, gerahmte Bild auf dem Rollcontainer neben ihrem Bett. Manzano musste sich nach vorne beugen, um mehr zu erkennen. Es zeigte ein älteres Paar, feierlich gekleidet, umringt von neun Erwachsenen und fünf Kindern verschiedensten Alters, ebenfalls extra hergerichtet für das Bild, das offensichtlich im Studio eines Fotografen aufgenommen worden war. Damals musste ihr Mann noch gelebt haben.

Die Ärztin hatte ihre Arbeit erledigt, stöpselte den Schlauch wieder an den Infusionsbeutel. »Es dauert etwa fünf Minuten«, flüsterte sie. »Wir gehen zu den anderen. Brauchen Sie eine der Taschenlampen?«

Manzano verneinte und sah ihnen nach, als sie den Raum verließen. Im Dunkel hielt er Eddas Hand und spürte, wie ihm Tränen über die Wangen liefen.

Er begann auf sie einzureden, weil er die Stille nicht ertrug. Italienisch, weil es ihm am leichtesten fiel. Er erzählte von seiner Kindheit und Jugend in einer Kleinstadt nahe Mailands, von seinen Eltern, wie sie bei einem Verkehrsunfall ums Leben gekommen waren und er nicht einmal Abschied von ihnen hatte nehmen können, obwohl es noch so viel zu sagen, zu klären gegeben hätte. Von seinen Frauen, auch von seiner deutschen Freundin mit dem französischen Namen Claire, Claire aus Osnabrück, zu der er schon lange keinen Kontakt mehr hatte. Er versicherte Edda, dass ihre Kinder und Enkel jetzt bei ihr sein wollten, die

Umstände es ihnen aber unmöglich machten, dass er ihnen erzählen würde, wie sie sanft und friedlich in eine andere Welt hinübergegangen war. Er redete und redete um sein Leben. Lange musste er so dagesessen haben, länger als die fünf Minuten, von denen die Ärztin gesprochen hatte, bis er spürte, dass in der Hand, die er hielt, kein Leben mehr war. Behutsam legte er sie zurück auf die Decke, bettete die andere Hand darauf. Eddas Miene hatte sich während der ganzen Zeit nicht verändert. Er wusste nicht, ob sie auch nur ein Wort von ihm gehört hatte, ob sie gespürt hatte, dass sie nicht allein gewesen war in ihren letzten Minuten. In der Finsternis sah er nur die Höhle ihres Mundes und die Schatten, in die ihre Lider gesunken waren.

Wo die Tränen in seinem Gesicht getrocknet waren, spannte die Haut. Er erhob sich, nahm seine Krücken, an der Tür musste er sich noch einmal umdrehen, dann verließ er den Raum.

Gegenüber stand gerade der Pfleger auf. Manzano fiel ein, dass weder er noch die Ärztin sich vorgestellt hatten. Vielleicht war es besser, wenn sie namenlos blieben bei dem, was sie hier taten.

In der folgenden halben Stunde hielt Manzano die Hände von drei weiteren Menschen, dem dreiunddreißigjährigen Opfer eines Autounfalls, einem siebenundsiebzigjährigen mehrfachen Herzinfarktpatienten und einer Fünfundvierzigjährigen, die sich nach einer dreißigjährigen Drogenkarriere den finalen Schuss gesetzt hatte. Keiner zeigte in irgendeiner Form, dass er die Gegenwart Manzanos, des Pflegers oder der Ärztin wahrnahm. Nur die Drogenkranke ließ so etwas wie einen leisen Seufzer hören, bevor sie verstummte. Nachdem Manzano ihre Hand zurückgelegt hatte, spürte er eine unendliche Leere in sich.

Die Ärztin bedankte sich bei ihm.

Manzano nickte langsam.

Sie zeigte auf seinen Schenkel. »Alles in Ordnung damit?«

Nur langsam drang in Manzanos Bewusstsein zurück, warum

er hier war. Das Bein schmerzte, aber in diesem Augenblick freute er sich fast, dass er etwas spürte. Dass er lebte. Er stand auf, hielt sich ohne Krücken.

»Wir werden sie noch alle in einen Raum schieben und zudecken«, erklärte die Ärztin. »Dabei können Sie uns in Ihrem Zustand nicht helfen. Was werden Sie jetzt tun? Holt Sie niemand ab?«

»Doch«, erwiderte er und musste dafür nicht einmal lügen.

Sie streckte ihm die Hand entgegen. »Nochmals vielen Dank.«

Auch der Pfleger gab ihm die Hand. In stillem Einvernehmen beließen sie es bei der gegenseitigen Anonymität.

»Die werden Sie brauchen«, sagte die Ärztin und reichte ihm ihre Taschenlampe. Manzano bedankte sich seinerseits und humpelte den Flur entlang Richtung Treppenhaus.

Er hatte keine Ahnung, was er als Nächstes tun, wohin er gehen sollte. Wenn Hartlandt bis jetzt nicht gekommen war, würde er es nicht mehr tun. Vielleicht sollte er über Nacht hierbleiben. Immerhin war es wärmer als draußen, es gab Betten und Decken. Bei dem Gedanken beschlich ihn Unbehagen. Aber ihm fiel keine Alternative ein. Hunger spürte er keinen, obwohl er seit dem Morgen nichts gegessen hatte. Welches Bett sollte er nehmen? In allen waren Kranke gelegen, hatten geschwitzt, womöglich ihre Ausscheidungen darin verteilt. Neben den Fahrstühlen fand er eine Tafel, die beschrieb, welche Abteilungen er in welchem Stockwerk fand. Nachdem er die Liste durchgegangen war, kam für ihn nur ein Platz infrage. Er machte sich auf den Weg in den zweiten Stock, zur Entbindungsstation.

Selbst die Hotellobby war von Verzweifelten in ein Notlager umfunktioniert worden. Kein Kleinkind hätte mehr Platz darin gefunden, geschweige denn Shannon. Ähnlich hatte es in den zwei anderen Häusern ausgesehen, die sie noch geöffnet vorgefunden hatte. Alle anderen Hotels hatten ihren Betrieb eingestellt, wie Shannon in den vergangenen Stunden festgestellt hatte. Frierende Sicherheitsleute bewachten die Eingänge der verwaisten Gebäude.

Shannon sehnte sich nur noch nach einem Bett. Die Sitze des Autos waren zu unbequem zum Schlafen. Außerdem würde es in dem Porsche über Nacht zu kalt werden. Sein Außenthermometer zeigte zwei Grad über dem Gefrierpunkt.

Denk nach, Shannon! Wo findest du jetzt noch einen Platz zum Schlafen?

Dann hatte sie die Idee.

Shannon fuhr zum Krankenhaus zurück, in das sie Manzano gefolgt war. Morgen würde sie vielleicht ein amerikanisches Konsulat aufsuchen, so es eines in dieser Stadt gab. Vielleicht konnten sie ihr auch eine Dusche oder etwas zum Essen anbieten. Nachrichten wären ebenfalls wieder einmal interessant gewesen. Seit ihrer Abfahrt aus Den Haag war sie von der Welt abgeschnitten gewesen, im Autoradio hatte sie keine Nachrichten empfangen.

Den Wagen stellte sie wieder in der Tiefgarage ab, deren Schranken vermutlich seit Tagen offen standen. In dem Gebäude war es jetzt stockfinster. Im Werkzeugköfferchen fand sie eine kleine Taschenlampe. Sie schulterte ihren Seesack und stieg nach oben in die Empfangshalle. Die Flure des Krankenhauses waren verwüstet, überall lagen Laken, Fetzen, medizinisches Material. Der Geruch war widerlich. Der Lichtkegel ihrer Lampe glitt über den Plan neben den Fahrstühlen.

Zweite Etage, Entbindungsstation. Die einzigen Betten, in denen sie sich wohlfühlen würde. Sie nahm das Treppenhaus neben den Fahrstühlen.

»Leise«, sagte Hartlandt. »Damit er nicht gewarnt wird, falls er noch da ist.«

Sie betraten das Krankenhaus über die Ausfahrt der Tiefgarage, die etwas abseits lag und vom Gebäude aus nicht zu sehen war. Acht Polizisten mit vier Hunden folgten ihm und Pohlen. Unterwegs erkundeten sie mit ihren Taschenlampen jeden Winkel, an dem sie vorbeikamen.

Hartlandt fand den Weg in den Ambulanzraum, in dem Manzano operiert worden war. Aus dem überquellenden Mülleimer wühlte er jenen Teil von Manzanos Jeans heraus, den der Arzt abgeschnitten hatte, und reichte ihn dem Hundeführer. Dieser ließ die Tiere daran riechen, damit sie die Fährte aufnehmen konnten. Die Hunde schnupperten nervös an dem Fetzen, reckten ihre Hälse, drehten die Köpfe in alle Richtungen, senkten ihre Schnauzen zu Boden, dann zog einer zur Tür hinaus. Die anderen folgten ihm und zerrten die Männer an den Leinen hinterher.

Unter vier Decken liegend starrte Manzano durchs Fenster hinaus in die Dunkelheit. Von Schlaf konnte er nur träumen. Zu sehr hatten ihn die Ereignisse im fünften Stock aufgewühlt. Außerdem begann der Geruch von Fäkalien, Verwesung und Tod, der die anderen Stockwerke beherrschte, sich auch in der Entbindungsstation auszubreiten.

Zum ersten Mal seit Tagen war Manzano ganz allein. Er merkte, dass er über das Geschehen bislang nur wenig nachgedacht hatte. Zu schnell hatten sich die Ereignisse überstürzt, war er mit Aufgaben und Verantwortung zugeschüttet worden. Als er nun in diesem stillen Raum lag, wurde ihm erstmals das Ausmaß der Katastrophe bewusst. Und dass er bislang im Paradies gelebt hatte. Seine Gedanken wanderten zu Bondoni und dessen Tochter. Manzano vermutete, dass der alte Mann in dem Hüttendorf geblieben war. Ein Dach über dem Kopf, mit Holz heizen, vermutlich gab es auch Nahrungsmittelvorräte für einige Tage, Wasser konnten sie dort oben problemlos aus Schnee gewinnen. Leben wie vor zweihundert Jahren. Aber leben, während er hier von Tod und Verwesung umgeben war. Angström in Brüssel ging es wahrscheinlich auch nicht so gut. Manzano fragte sich, wie all die Institutionen und Organisationen der EU, der Staaten, Länder und Kommunen noch funktionieren sollten, wenn die Mitarbeiter irgendwann nicht mehr zur Arbeit erscheinen konnten, weil sie unter Umständen lebten, die den täglichen Kampf um Nahrung, Wasser und Wärme wichtiger machten als alles andere. Oder genossen diese Leute nun eine bevorzugte Behandlung, Unterkunft und Versorgung?

Einen Moment lang meinte er, Schritte zu hören und einen Lichtschein gesehen zu haben. Nein, er durfte jetzt nicht paranoid werden!

Unruhig wälzte er sich auf die andere Seite. Ein zweites Mal glaubte er, etwas zu hören, auch schien ihm, als würde sich auf dem Gang draußen ein schwacher Schein bewegen, der aber sofort wieder verschwand. Er stand auf und humpelte zur Tür. Diesmal hörte er ganz deutlich Schritte. Und leise Stimmen. Und da war noch ein Geräusch, das er nicht einordnen konnte. Als würde jemand mit Plastiklöffeln gegen den Steinboden klopfen. Waren das Plünderer?

Dann hörte er ein Winseln. Hunde. Und einen gezischten Befehl. Er spürte, wie ihm der Schweiß ausbrach. Hastig hinkte er zurück zu seinem Bett und griff nach den Krücken. Vorsichtig ging er hinaus und lauschte.

Die Geräusche kamen aus dem Treppenhaus. Hektisch sah sich Manzano um. War das doch noch Hartlandt, um ihn zu suchen? Einbrecher, Plünderer oder Obdachlose hatten keinen Anlass, leise zu sein.

Manzano stand vor den Fahrstühlen, hörte, wie sich die Schritte und Stimmen näherten. Ins Treppenhaus konnte er nicht mehr flüchten. Wohin die Flure letztlich führten, wusste er nicht. Gut möglich, dass es Sackgassen waren oder dass die anderen Ausgänge abgesperrt waren. In seiner Angst sah er nur einen Ausweg. Er hockte sich hinter einen der Mülleimer. Als er das Bein zu beugen versuchte, schrie er fast auf. Er biss die Zähne zusammen, im selben Moment öffnete sich die Tür zum Treppenhaus, und Lichtstrahlen warfen ovale Flecken an Decke, Boden und die Wand gegenüber. Manzano hielt den Atem an und erkannte Hartlandt. Er schwenkte mit einer Taschenlampe hin und her, ihm folgten vier weitere Männer und zwei Hunde.

Manzano schloss kurz die Augen. Er duckte sich noch tiefer, öffnete die Augen wieder und fügte sich in das Unvermeidliche. Doch Hartlandt gab ein Zeichen, und zwei von ihnen verschwanden mit einem Hund nach links in den Flur, zwei andere nach rechts. Hartlandt selbst leuchtete durch das Zimmer, in dem Manzano noch vor drei Minuten gelegen hatte, dann folgte er den beiden nach rechts.

Fieberhaft überlegte Manzano seine Möglichkeiten. Solange die Männer die Flure absuchten, konnte er über das Treppenhaus flüchten. Unter Schmerzen richtete er sich auf und schlich zur Treppenhaustür. Ganz leise öffnete er sie und trat in den Schacht, als er von unten Schritte und das Hecheln weiterer Hunde hörte. Er zögerte keinen Augenblick. Dann musste er eben nach oben. Er setzte seinen Fuß gerade auf die erste Stufe, der automatische Schließarm hatte die Tür noch nicht wieder ganz zugezogen, da hörte er von den Fluren die Hunde bellen und Stimmen rufen.

»Polizei! Wer sind Sie? Kommen Sie heraus!«

Erschrocken hielt Shannon die Hände vor ihre Augen, in die Taschenlampen blendeten.

»*I am a Journalist!*«, rief sie. »*I am a Journalist!*«

»Was sagt sie?«

»Hände hoch, steigen Sie aus dem Bett!«

»*I am a Journalist! I am a Journalist!*«

»Raus, los!«

Hundegebell.

Shannon sah nichts, rief weiter, versuchte, ihre Beine aus den Decken zu befreien.

»Das ist eine Frau!«

»Was sagt sie?«

»Sie sagt, dass sie Journalistin ist.«

Endlich hatte Shannon ihre Füße befreit, stand auf, eine Hand immer noch vor den Augen, die andere wie zum Gruß erhoben. Hundeknurren.

»Wer sind Sie?«, fragte ein großer, durchtrainierter Mann mit kurzen Haaren in gutem Englisch, wenn auch mit leichtem deutschen Akzent. »Was tun Sie hier?«

»Ich habe kein Hotel gefunden, wo ich übernachten könnte«, erklärte Shannon wahrheitsgemäß.

Der Mann tastete sie mit seinem Lichtstrahl von oben bis unten ab. Jetzt erkannte sie ihn wieder. Er hatte Manzano abgeführt, verfolgt und ins Krankenhaus gebracht.

»Haben Sie hier jemanden gesehen?«

»Nein.«

Die Männer durchsuchten noch die anderen Betten, fanden jedoch nichts. Als sie hinausgingen, sagte der Anführer: »Sie sollten sich ein besseres Quartier suchen.«

Shannon blieb neben dem Bett stehen, während die Männer ins nächste Zimmer stürmten. Sie spürte, dass sie zitterte, wusste aber nicht, ob wegen des Schreckens oder vor Kälte. Sie kroch wieder unter ihre Decken zurück und hörte den Polizisten zu, wie sie mit ihren Hunden einen Raum nach dem anderen absuchten. Die Stimmen und Schritte wurden leiser, dann kehrten sie zurück, kamen erneut an ihrem Zimmer vorbei und verhallten.

Im dritten Stock suchten Hartlandt und seine Leute so vergeblich wie im vierten. Es war weit nach Mitternacht. Männer und Hunde waren nach den Einsätzen der Vortage todmüde. Das dunkle Gebäude mit seinen verlassenen, verwüsteten Räumen war noch deprimierender, als es ein Krankenhaus normalerweise ohnehin schon war. Mit schweren Lidern arbeiteten sie sich den Flur in der fünften Etage entlang, als die Hunde immer lauter zu winseln begannen.

»Könnte er das sein?«, fragte Hartlandt einen der Hundeführer.

»Vielleicht. Obwohl mir das nach etwas anderem klingt.«

»Was?«

»Ich hoffe nicht das, was diese Signale üblicherweise bedeuten.«

Die Tiere zogen jetzt heftig, die Männer ließen sich führen, bis sie zu einem der letzten Zimmer gelangten. Die Lichtkegel ihrer Lampen wanderten über die ausgebeulten Konturen der Betten, insgesamt acht auf engstem Raum. Die Laken bedeckten alles, von den Fuß- bis zu den Kopfenden.

Hartlandt trat an das vorderste Bett, schlug das Tuch zurück und blickte in das bleiche, ausgemergelte Gesicht einer Greisin. In seiner Laufbahn hatte er genug Tote gesehen, um einen zu erkennen, wenn er vor ihm lag. Er eilte zum nächsten Bett, dort erwartete ihn die Leiche einer mageren Frau, vielleicht ein Junkie, dachte Hartlandt, als er die schlechte Haut und die faulen Zähne entdeckte.

Zwei seiner Kollegen hatten mittlerweile die ersten Betten auf der anderen Seite untersucht.

»Hier haben sie scheinbar die zuletzt Gestorbenen abgelegt«, stellte einer von ihnen fest.

Die Hunde hockten winselnd mit eingekniffenen Schwänzen in der Tür.

»Das Personal schaffte es wohl nicht mehr, sie in die Kühlräume zu bringen«, sagte ein anderer.

Hartlandt ließ seine Lampe über die restlichen Betten gleiten, unter zwei mussten ordentliche Schwergewichte liegen. »Seht euch die an. Die kann kein Mensch die Treppen hinuntertragen.« Er drehte sich um. »Wozu auch? Die Kühlräume funktionieren sicher nicht mehr.«

Er gab den Männern ein Zeichen und verließ den Raum.

»Machen wir weiter.«

Schwer drückte der Körper auf Manzano, während die Schritte verklangen. Der Kopf des Toten lag neben seinem, der Rumpf bedeckte seinen. Noch immer wagte Manzano kaum, Luft zu holen. Gewicht, Angst, purer Horror raubten ihm den Atem.

Verzweifelt war er das Treppenhaus hochgeflüchtet. Schon da hatte er an den Leichenraum als einen allerletzten Ausweg gedacht. Unter die hinterste Leiche, die er im Raum entdeckte, hatte er sich geschoben. Der Gestank war unerträglich, der Tote lag in getrocknetem Blut und Fäkalien und schied eine Flüssigkeit aus, die Manzano allerdings erst bemerkte, als er schon zur Hälfte unter ihm lag. Mehr als einmal dachte er, er müsste sich ergeben. Vielleicht wäre seine Erleichterung genauso groß gewesen, wenn sie ihn gefunden hätten, Hauptsache, er konnte dieses grauenvolle Versteck verlassen.

Schwerfällig rappelte er sich unter dem Körper hervor, warf die schlaffen Glieder von sich, zerrte die Krücken heraus, die er mitgenommen hatte, torkelte, bis er an die Wand stieß, den Blick voller Entsetzen auf die dunklen Konturen in dem finsteren Raum gerichtet. Noch immer atmete er nur ganz flach. Er spürte die Tränen über seine Wangen laufen. Irgendwann machte er die paar letzten Schritte zur Tür.

Noch einmal horchte er, lange. Vom Flur drang kein Geräusch. Er öffnete die Tür einen Spalt, sah nichts. Im Dunklen tappte er Schritt für Schritt den Gang entlang. Die Ärztin und der Pfleger waren weg, wahrscheinlich gegangen, schon bevor Hartlandt und die Hunde aufgetaucht waren. Er merkte, wie er am ganzen Leib zitterte. Seine Hose war feucht von seinem Versteck und stank widerlich. Er zog sie aus. Nun trug er nur noch seine Shorts. Jetzt eine Dusche! Lang, heiß, mit schaumiger Seife!

Eine kleine Ewigkeit später hatte er sich sehr vorsichtig in den zweiten Stock gearbeitet. Die Männer mit den Hunden waren verschwunden. Manzano kehrte in das Zimmer zu dem Bett zurück, wo er seinen Ausflug vor ein paar Stunden begonnen hatte. Er kauerte sich unter die Decken, immer noch am ganzen Körper schlotternd, und erwartete nicht, in dieser Nacht noch ein Auge zu schließen.

Tag 7 – Freitag

Den Haag

Bollard stand in der Küche, über dem Anzug bereits den Mantel, und schnitt sich eine Scheibe von dem halben Brotlaib ab. Er wickelte das Brot wieder in das Papier und legte es zurück in den Schrank neben die zwei Konservendosen mit Karotten und Erbsen. Vor dem Fenster herrschte noch Dunkelheit.

Sein Blick blieb an den Lebensmitteln hängen. Sie hatten nur wenige Vorräte. Und da er Marie mit den Kindern auf den Bauernhof geschickt hatte, auch keine angelegt. Nach ihrer Rückkehr waren die Supermärkte bereits geplündert gewesen.

Wie jeden Morgen war er möglichst früh aufgestanden, hatte sich lautlos aus dem Schlafzimmer entfernt, damit er Marie nicht aufweckte. Sie und die Kinder würden erst in einer Stunde oder noch später aufstehen.

»Ich glaube, ich habe Fieber«, stöhnte seine Frau von der Tür her.

Mit eingezogenen Schultern, die Arme um den Oberkörper geschlungen, den Rollkragen bis über das Kinn gezogen, lehnte sie am Rahmen. Trotz der Kälte im Haus überzog ein dünner Schweißfilm ihr bleiches Gesicht. Ihre Augen waren gerötet. »Ich schaffe es heute nicht zur Lebensmittelausgabe.«

Bollard legte seine Hand auf ihre Stirn. Zu heiß. In Gedanken war er schon bei den Aufgaben, die bei Europol auf ihn warteten. »Geh wieder ins Bett. Haben wir Grippemittel?«

»Ja. Ich nehme eines. Man muss früh dort sein, sonst bekommt man nichts mehr.«

»Wohin muss ich?«

Düsseldorf

Manzano erwachte von der Stille. Er konnte sich nicht erinnern, wann er das zuletzt erlebt hatte. Sein Kopf lag tief in zwei Kissen vergraben, über ihm türmten sich mehrere Decken. Oder war es doch sein Oberschenkel gewesen, der ihn aus einem tiefen, aber unruhigen Schlaf gerissen hatte? Die Verletzung brannte. Manzano blieb liegen, sah zum Fenster hinaus, vor dem ein grauer Tag dämmerte, und überlegte, was er als Nächstes tun sollte. Am liebsten wäre er einfach liegengeblieben. Doch das würde wenig helfen.

Er musste an die vergangene Nacht und an die Toten ein paar Stockwerke weiter oben denken, und da erschien ihm das Bett kein besonders gemütlicher Platz mehr. Zumal sein Magen ihm ins Gedächtnis rief, dass er seit gestern Morgen nichts gegessen hatte.

Er krabbelte unter seinem Deckenberg hervor, auf seinem Verband sah er verschiedene Flecken, von seinem eigenen Blut und fremden Körperflüssigkeiten. Er stank. Er musste eine anständige Hose finden. Wenigstens hatte er noch seine warme Jacke.

Als Erstes brauchte er etwas zu essen. In diesem Krankenhaus waren bis gestern Patienten verpflegt worden, hoffte er zumindest. Er stellte fest, dass er zwar auch ohne Krücken leidlich gehen konnte, aber mit ihnen fiel es ihm leichter. Also nahm er sie mit.

Durch die düsteren Flure im Erdgeschoss schien ein Wirbelsturm gefegt zu sein. Am Rand der Empfangshalle entdeckte

Manzano eine Cafeteria, aber sie war mit einem massiven Rollladen verschlossen. Wo wohl die Krankenhausküche war? Auf der Suche nach ihr begleitete ihn stets die Furcht, so wie am Vorabend unerwartete und unerfreuliche Entdeckungen zu machen. Eine Viertelstunde später stieß er endlich auf eine Tür mit der Aufschrift »Küche«.

Dahinter sah es ähnlich aus wie im restlichen Haus. Schränke standen offen, Schubladen waren herausgezogen, Geschirr, Besteck, Aufbewahrungsbehälter bedeckten den Boden. Der Inhalt einer aufgerissenen Zuckerpackung hatte sich über eine Anrichte und den Boden verteilt.

In einem Regal fand Manzano ein Stück hartes Weißbrot, in einem anderen einen offenen Plastiksack mit Resten aufgetauter Tiefkühlerbsen. Manzano drehte an allen Wasserhähnen, kein einziger wollte einen Tropfen spenden.

Ein weiteres Mal begriff er, wie komfortabel er in den letzten Tagen gelebt hatte. Langsam kaute er das Brot, schob dann die Handvoll Erbsen nach. Er musste dringend etwas trinken.

Den Haag

Bollard kettete das Fahrrad an ein Verkehrsschild an. Weiter würde er damit nicht kommen. Auf dem kleinen Platz, den alte Häuser umrahmten, drängten sich Hunderte Menschen, dazwischen konnte er ein paar Pferdewagen ausmachen, umringt von kräftigen Burschen mit Knüppeln und Mistgabeln. Aus einiger Entfernung ertönte das schwere Grollen eines Lkw-Motors, der sich langsam näherte. In der Masse entstand Bewegung. Aus einer Straße auf der gegenüberliegenden Seite des Platzes drang ein schwacher Lichtschein, wurde heller, dann schob sich ein Lkw in das Men-

schenmeer. Sofort kletterten einige der Wartenden über die Trittbretter und Stoßstangen am Wagen hoch. Bollard drängte in die
Platzmitte, doch er war nicht der Einzige. Eingeklemmt zwischen
den anderen kam er bald weder vor noch zurück, musste sich mit
den anderen treiben lassen. Die Menschen schimpften, fluch-
ten, schrien. So musste es sich anfühlen, wenn man in eine Mee-
resströmung geriet, gegen die man nicht anschwimmen konnte,
dachte er. Trotz seiner Gegenwehr wurde er seitlich abgedrängt,
statt auf den Lastkraftwagen zu, an dem die Menschen mittlerweile hingen wie Bienen an einem Imker.

Der Transporter hielt in der Mitte des Platzes, und zunächst
geschah eine Minute lang nichts. Dann gelang es dem Personal
endlich, die von Menschen blockierten Türen zu öffnen. Weitere
Minuten benötigten sie, in Begleitung von zwei Polizisten, für die
wenigen Meter bis an die Rückseite des Laderaums. Sie öffneten die großen Flügeltüren, kletterten auf die Plattform, während
links und rechts von ihnen je ein Polizist die allzu Aufdringlichen
mit Schlagstöcken daran hinderte, den Laderaum zu entern.

Die Menschen drängelten, schrien durcheinander, reckten ihre
Hände. Bollard sah zwei Kleinkinder über der Menge schaukeln,
wohl als Hilferuf der Eltern, dass hier jemand besondere Versorgung benötigte. Weiter hinten kam es zu ersten Handgreiflich-
keiten.

Stoisch gaben die Männer Pakete an jene ab, die es bis zur
Kante der Laderampe geschafft hatten. Im Laderaum hinter ihnen
stapelten sich ähnliche Bündel bis unter die Decke. Bollard selbst
war viel zu weit weg, um auch nur den Hauch einer Chance auf
ein Paket zu haben.

In dem Menschenknäuel kam es zu Schlägereien. Andere nutzten die Situation aus und schoben sich an den Streithähnen vorbei. Fassungslos fragte sich Bollard, wie Marie hier am Vortag an
Lebensmittel gelangt war.

Die Polizisten hatten trotz der heftigen Prügel, die sie austeilten, zunehmend Schwierigkeiten, die Ladung zu verteidigen. Einer von ihnen rief den Menschen etwas zu, dann zog er seine Dienstwaffe, und als das nichts half, schoss er in die Luft.

Für einen Augenblick gefror die Masse, die Verteiler nutzten den Moment, um schnell die Flügeltüren zu schließen, jedem Polizisten noch ein Paket unter den Arm zu drücken und vom Wagen zu springen. Von den Polizisten mit gezogenen Waffen eskortiert drängten sie zurück zum Führerhaus und sprangen hinein.

Binnen Sekunden war der Wagen überzogen von Menschen.

Bollard hörte das tiefe Gurgeln des Motors und musste hilflos mitverfolgen, wie sich der Lkw langsam durch die Massen der Enttäuschten davonschob. Wer sich dem Wagen in den Weg stellte, musste damit rechnen, überrollt zu werden.

Trotz der tobenden Menge hörte Bollard das hässliche Krachen, als ein Pflasterstein gegen die Windschutzscheibe schlug. Der Wagen beschleunigte ohne Rücksicht auf die Menschen vor ihm. Bollard hörte unschöne, dumpfe Geräusche, das Auto erreichte die Straße, fuhr schneller. Ein Freiluftpassagier nach dem anderen musste loslassen oder stürzte ab. Manche rappelten sich mit schmerzverzerrten Gesichtern auf, tasteten ihre Körper ab, andere blieben liegen.

Düsseldorf

Manzano wusste nicht, wo sich in dieser Stadt die offiziellen Lebensmittelausgabestellen befanden, wagte sich aber sowieso nicht dorthin. Womöglich besaß man dort seine Beschreibung. Nachdem er die Küche noch einmal durchsucht hatte, kehrte er in die Eingangshalle zurück. Unterwegs blickte er in jeden Raum und hielt Ausschau nach Kleidung. Er fand Wundpflaster, Verbände, Klebebänder und Desinfektionsmittel, die er in die Taschen seiner Jacke stopfte. Auch eine Schere und zwei Skalpelle steckte er ein. Endlich entdeckte er eine Wäschekammer, voll mit weißen Hosen und Hemden. Sie waren alle gebraucht. Nirgendwo sah er Waschmaschinen. Vermutlich erledigte das Krankenhaus die Wäsche nicht selbst, sondern ließ sie von einem Miettextilservice durchführen. Er stieg zurück in die zweite Etage, wo sich neben der Entbindungsstation auch die Gynäkologie und die Abteilung für Innere Medizin befanden. Dort stöberte er in einem Schrank tatsächlich zwei Hosen auf, die jemand vergessen oder zurückgelassen hatte. Die eine war zu klein, die andere ausreichend sauber und schien von der Größe passend.

Manzano setzte sich auf ein Bett, wechselte seinen Verband und schlüpfte in die Hose, die tatsächlich einigermaßen saß. Jetzt konnte er sich wenigstens auf die Straße wagen, ohne sofort aufzufallen. Aber wo sollte er hin?

»Piero?«

Manzano fuhr zusammen. Panisch sah er sich um.

»Hallo, Piero.«

In der Tür stand Lauren Shannon.

»Was … machst du hier?«, stammelte er.

»Ich habe im Krankenhaus übernachtet.«

»Aber wie kommst du überhaupt hierher?«

»Ich bin dir aus Den Haag gefolgt. Ich habe ein schnelles Auto, wie du weißt.«

»Aber …«

»Ich bin dir bis zu Talaefer nachgefahren. Ich habe alles mitbekommen: wie sie dich weggebracht haben, deinen Fluchtversuch, deine Verletzung. Erst hier im Krankenhaus habe ich dich gestern Abend verloren, als du deinen Bewacher überwältigt hast. Was hat das alles zu bedeuten?«

»Das wüsste ich auch gern.«

Er setzte sich zurück aufs Bett.

»Bist du allein?«, erkundigte er sich vorsichtig.

»Keine Sorge, deine gestrigen Begleiter habe ich nicht dabei.«

Manzano fragte sich, ob er ihr trauen konnte. Wenn sie ihm gefolgt war, hatte sie vielleicht doch vorab gewusst, wohin er unterwegs war. Hatte sie die E-Mail von seinem Computer geschickt und das Sendedatum manipuliert? Wann hätte sie die Gelegenheit dazu gehabt? Und was hätte es ihr gebracht?

Blitzschnell rief er sich die letzten Tage ins Gedächtnis. Angeblich hatte Shannon Bollard gesucht und war schließlich bei ihm, Manzano, gelandet. Wer sagte, dass sie es nicht von Beginn an auf ihn abgesehen hatte? Aber weshalb? Sie hatte ihm Informationen entlockt, die sie über Nacht zur Starreporterin gemacht hatten. Ihre Berichte hatte er im Internet und im TV gesehen. Er hatte keinen Grund zu zweifeln, dass sie tatsächlich Journalistin war. Aber vielleicht war sie mehr? Sie wäre nicht die erste Berichterstatterin, die für einen Geheimdienst arbeitete. Was erneut die Frage aufwarf, warum sie die E-Mail in seinem Laptop hätte platzieren sollen. Interesse daran konnten eigentlich nur diejenigen haben, die den Strom abgedreht hatten. Gehörte sie zu ihnen? Aber würde sie in diesem Fall als Erste über die Manipulationen berichten? Warum nicht.

»Was ist?«, fragte sie. »Du schaust mich so komisch an.«

»Woher wusstest du, wohin ich von Den Haag aus fahre?«

»Von niemandem. Ich bekam mit, dass du deine Sachen packst, da habe ich dasselbe getan und bin dir hinterher.«

Er saß da, musterte sie, spürte die Wunde an seinem Oberschenkel pulsieren. Er konnte sich nur auf sein Gefühl verlassen.

Schließlich begann er zu erzählen.

Den Haag

Das Gedränge auf dem Platz hatte nachgelassen. Nur um die Bauern auf ihren Pferdewagen sammelten sich noch Trauben von Menschen, überboten sich, um ein paar Kartoffeln, Rüben, Karotten, Kohlköpfe oder verschrumpelte Winteräpfel zu ergattern. Die Bewacher mussten zu vorwitzige Kunden immer wieder mit Mistgabeln oder Flinten zurückdrängen. Bollard zog sein Portemonnaie hervor und prüfte den Inhalt. Dreißig Euro. Wie viel er damit wohl kaufen konnte?.

Er musste es versuchen. Er drängte sich zwischen die anderen, streckte seine Scheine in die Luft, rief: »Hier! Hier!«

Der Bauer auf dem Wagen beachtete ihn nicht einmal. In den anderen hochgereckten Händen sah Bollard deutlich höhere Summen. Er fragte sich, warum die Polizei diesem Treiben keinen Einhalt gebot. Er selbst hatte keine Exekutivgewalt in einem fremden Land, durfte nichts tun. Ohne Waffe würde er hier ohnehin nichts ausrichten, einen simplen Polizeiausweis würden die Anwesenden auslachen. Erschöpft ließ er sich zur Seite drängen.

Für das Mittagessen von Marie und den Kindern würden die Konserven ausreichen, überlegte er auf dem Weg zurück zum Fahrrad. Aber was sollten sie heute Abend essen?

Düsseldorf

»Und nun?«, fragte Shannon.

»Keine Ahnung«, erwiderte Manzano.

»Du bist doch das Computergenie. Wenn es wirklich stimmt, was du glaubst – dass ein Fremder die E-Mails von deinem Com-

puter geschickt hat –, könntest du herausfinden, wie es durchgeführt wurde, oder noch besser, wer es gewesen ist?«

»Vielleicht. Hängt davon ab, wie professionell dieser Jemand
vorgegangen ist. Wenn er gut ist, hat er keine brauchbaren Spuren
hinterlassen. Aber dazu müsste ich an meinen Computer.«

Sein verletzter Oberschenkel pochte.

»Die zweite Frage ist, woher kannten die Leute deine Pläne?«

»Habe ich mir auch schon gestellt«, bemerkte Manzano. »Kann
eigentlich nur jemand bei Europol sein. Oder jemand, der die
Pläne von Europol kennt.«

»Oder diese Polizisten hier in Deutschland, denen dein Besuch
angekündigt war.«

»Welchen Grund sollte einer von ihnen haben, mich in so
einen Schlamassel hineinzureiten?«

»Sie brauchen einen Verdächtigen, weil sie die echten Täter
nicht finden.«

»Das würde doch das Problem nicht lösen.«

»Wer weiß, wozu verzweifelte Menschen in der Lage sind?«

»Ich«, flüsterte Manzano und musste an die letzte Nacht denken.

»Gehen wir einmal davon aus, dass unsere lieben Behörden-
mitarbeiter korrekte Beamte sind und nur ihren Job machen. Wie
haben die Angreifer dann von deiner Reise erfahren?«

»Ich kann mir nur eine Möglichkeit vorstellen. Sie belauschen
Europol irgendwie.«

»Wie sollte das gehen?«

»Einfach. Dass sie in supergeschützte Systeme eindringen können, haben sie schon bei den Energiekonzernen bewiesen. Warum
sollten sie also nicht das Europol-System infiltriert haben? Und
andere wahrscheinlich auch. Wenn du einmal drin bist, kannst
du allerhand anstellen. Ich habe selbst gesehen, wie Bollard per
Computer mit dem Direktor von Europol telefoniert hat. Diese
Gespräche kannst du dann in Echtzeit mithören und -sehen.«

»Aber wie kommen sie auf deinen Computer, um die E-Mails von dort abzuschicken?«

»Bollard ließ meinen Laptop überwachen. Damit könnte er den Angreifern ein Einfallstor geöffnet haben.«

»Sollten wir ihm das nicht sagen? Ich könnte das tun.«

»Dann wissen sie erstens sofort, dass du Kontakt mit mir hattest. Und es geht dir genauso wie mir. Außerdem kommst du telefonisch gar nicht mehr nach Den Haag durch.«

»Glaubst du, die denken von allein auch darüber nach?«

»Hartlandt gegenüber habe ich diese Vermutungen bereits geäußert. Ich weiß nicht, wie gut zugehört oder ernst genommen er sie hat.«

»Ist das der Typ, der dich gestern verhaften wollte?«

»Ja. Eigentlich ist er Chef einer deutschen Polizeispezialeinheit, die bei Talaefer nach möglichen Schadcodes suchen soll.«

»Sollte tatsächlich jemand das Europol-System infiltriert haben, würde man das Eindringen entdecken?«

»Wenn man genau und lang genug sucht, höchstwahrscheinlich. Deren Softwarespezialisten haben leider gerade Wichtigeres zu tun.«

»Okay. Bleib hier. Währenddessen versuche ich noch etwas.«

»Was soll ich denn hier noch?«

»Dich ausruhen. Glaub mir, einen besseren Platz findest du zurzeit schwer. Ich hole dich in ein paar Stunden ab.«

Den Haag

Bollard musste nicht absteigen, um zu erkennen, dass die Bankfiliale geschlossen war. Er radelte weiter. An der übernächsten Straßenecke fand er eine andere. Auch hinter ihrer Tür hing ein handgeschriebenes Schild, dass die Filiale bis auf Weiteres nicht öffnen würde. Zunehmend entnervt strampelte er Richtung Europol. Er war schon viel zu spät dran! Unterwegs passierte er drei weitere Banken. In keiner entdeckte er Licht oder Personal. Eine Möglichkeit fiel ihm noch ein. Auf seinem Weg lag das Hotel Gloria, in dem er den Italiener einquartiert hatte. Extra für Europol-Gäste eingerichtet war es besser versorgt als die meisten anderen Gästehäuser der Stadt.

In der Eingangshalle leuchteten nur wenige Lampen. Bollard zeigte dem Portier seinen Ausweis. Der Mann nickte und fragte nicht weiter. Bollard ging durch das Restaurant, das dünn besetzt war, in die Küche.

Ein Koch kam ihm entgegen.

»Zutritt nur für Mitarbeiter«, erklärte er.

Bollard präsentierte auch ihm seinen Ausweis. »Ich brauche ein paar Mahlzeiten. Was haben Sie?«

»Sind Sie Gast?«

»Wollen Sie Ihren Job behalten?«

»Kartoffelgemüse oder Gemüsekartoffeln, Sie haben die Wahl«, erwiderte der Mann trocken.

»Dann nehme ich von beidem. Ich muss es mitnehmen.«

»Transportbehälter habe ich nicht da.«

»Dann komme ich später mit welchen vorbei. Heben Sie die Portionen auf jeden Fall auf, wenn Ihnen Ihr Job lieb ist.«

Düsseldorf

Ein paar Gummischläuche, Skalpelle, Trichter und einen Kübel fand Shannon im Krankenhaus. In der Garage standen verstreut ein paar verlassene Autos. Die Taschenlampe zwischen den Zähnen, maß Shannon die Tanköffnung von ihrem Porsche, dann ging sie zum nächsten Wagen. Der Tankdeckel war verschlossen. Sie kehrte zurück zu ihrem Auto, fand im Pannenwerkzeug einen Schraubenschlüssel und ein zweites Gerät, das sie als Hebel benutzen konnte. Damit brach sie den Tankdeckel des anderen Wagens auf. Der Verschluss darunter ließ sich ohne Schlüssel öffnen. Dieselben Maße, also auch ein Benziner. Sie führte den Schlauch ein, hockte sich neben den Wagen und begann zu saugen. Sie spürte den Widerstand der Flüssigkeit. Ein paar Mal musste sie absetzen und die Schlauchöffnung mit einem Finger verschließen, immer besorgt, dass sie den widerlichen Geschmack jeden Moment auf der Zunge spüren würde. Nach dem fünften Mal war es so weit. Angeekelt spuckte sie aus und hielt den Schlauch über den Kübel. Leise plätscherte die Flüssigkeit hinein und verbreitete ihren Gestank.

Die treibende Kraft unserer Zivilisation, dachte sie. Wie lange noch?

Schließlich versiegte das Rinnsal. Sie zog den Schlauch heraus. Der Kübel war fast voll. Sie trug ihn zum Porsche und leerte den Inhalt vorsichtig durch den Trichter in den Tank.

Dann brach sie den Deckel des nächsten Wagens auf. Der Tankstutzen war größer als jener des Porsche. Diesel. Damit würde sie den Motor ihres Autos umbringen. Außerdem nur mit dem Wagenschlüssel zu öffnen. Der Nachbarwagen war wieder ein Benziner.

Nach zwei weiteren Zapfaktionen hatte Shannon ihren Porsche wieder randvoll befüllt. Ihre Tankutensilien und das Aufbruchswerkzeug warf sie in den Kofferraum, möglich, dass sie die noch einmal benötigte. Die Skalpelle versenkte sie in der Fahrertürtasche. In den Hallen der Tiefgarage röhrte der Angeberauspuff ihres Wagens doppelt so laut wie auf der Straße.

Ratingen

»Nein, wir haben noch keine Spur von dem Italiener«, gestand Hartlandt. Die Verbindung zu dem Franzosen in Den Haag über das Satellitentelefon wurde von Unterbrechungen geplagt. Zu viele wollten auf diesem Weg kommunizieren. »Was haben Sie gesagt?«

Er musste eine Weile auf Bollards Antwort warten.

»... gewundert, dass Berlin die Meldungen über Sabotageakte korrigiert hat.«

»Ja, die Nachricht habe ich auch erhalten. Ich bin leider noch nicht dazu gekommen, mit den Kollegen darüber zu sprechen. Wollte ich gerade tun. Über Manzano halte ich Sie auf dem Laufenden. Haben Sie Ihre IT schon überprüft?«

»Dasselbe Problem wie bei Ihnen. Noch nicht dazu gekommen. Wir bräuchten gerade alle zehn Gehirne, zwanzig Arme.«

»Wie diese indische Göttin.«

»Und einhundert Stunden Zeit pro Tag.«

»Ohne Schlaf.«

»Wir hören voneinander.«

Auf dem Computer rief Hartlandt die Meldung auf, die gestern in Lauf des Tages eingetroffen war.

»KORREKTUR« prangte in der Überschrift, damit auch jeder sofort begriff. Zugegeben, die Neuigkeit war nicht unwichtig, zerschlug sie doch die einzige mögliche Spur zu den Angreifern.

Darin revidierte Berlin die Angaben zu den Brandlegungen in Schaltanlagen und den gesprengten Hochspannungsmasten vom Tag davor. Plötzlich waren die meisten Fälle doch keine Sabotageakte, sondern auf andere Ursachen zurückzuführen. Das Feuer in Lübeck war durch einen Kurzschluss entstanden, zwei der Masten im Norden waren unter der Last von Blitzeis und Schnee auf den

Leitungen zusammengebrochen. Dafür war im südlichen Bayern ein verdächtig geknickter Mast gefunden worden, und ein Feuer in einem Umspannwerk in Sachsen-Anhalt schien ebenfalls auffällig. Abschließende Untersuchungen standen noch aus. Aber der Franzose hatte recht, wenn man diese Daten miteinander verband, blieb von einer geplanten Routen-Theorie wenig. Wenn hier überhaupt jemand sabotierte, handelte es sich eher um verstreute Trittbrettfahrer.

Über das BOS-Funkgerät rief er den Verantwortlichen in der Zentrale in Berlin an.

»Sie sind jetzt der Dritte, der mich damit nervt«, antwortete der Mann auf Hartlandts Fragen. »Ich habe diese Daten nicht verschickt. Ich wüsste auch niemanden, der es sonst getan haben sollte. Außerdem haben wir auch keinerlei derartige Informationen von den Versorgern bekommen.«

»Aber ich habe die Meldung doch empfangen«, widersprach Hartlandt.

»Ich weiß«, sagte der andere. »Sie ging auch von meinem Gerät raus. Aber noch einmal …«

Hartlandt schoss sofort ein Gedanke durch den Kopf. »Sie wollen mir also damit sagen, dass jemand von Ihrem Gerät aus Daten versendet, aber weder Sie noch die Kollegen sollen es gewesen sein?«

»Das …«

»Soll das heißen, dass die ursprünglichen Informationen nach wie vor gültig sind?«

»Eigentlich schon«, antwortete der andere zögerlich. »Außer dieser letzten stimmen sie alle, und irgendwer hat eben mein Gerät …«

»Dann verifizieren Sie das stante pede!«, rief Hartlandt wütend, beherrschte sich aber gleich wieder und fragte ruhig: »Andere neue Erkenntnisse zum Thema haben Sie aber auch noch nicht erhalten und weitergesendet?«

»Vor ein paar Minuten kam etwas, das wollte ich dann weiterleiten«, gab sein Gesprächspartner schroff zurück.

»Dann machen Sie mal«, befahl Hartlandt und legte auf. Sie arbeiteten alle am Rande des Nervenzusammenbruchs.

Noch einmal rief er Bollard an.

»Sie werden nicht glauben, was ich eben gehört habe«, sagte er und erzählte ihm von seinem Gespräch. »Das sind schon wieder Daten, die niemand verschickt haben will. Wie bei dem Italiener.«

Auf dem Talaefer-Parkplatz standen weniger Autos als am Vortag. Shannon parkte den Porsche hinter einigen davon, damit er wenigstens vom Eingang her nicht sofort auffiel. Manzanos Wagen wartete nach wie vor da, wo der Italiener ihn abgestellt hatte. Shannon hängte sich die Tasche mit der Kamera und dem Laptop um.

Am Empfang saß dieselbe Frau wie gestern, als Shannon die Verirrte gegeben hatte.

»Haben Sie sich schon wieder verfahren?«, fragte sie in schlechtem Englisch.

»Ich möchte zu Herrn Hartlandt«, erklärte Shannon.

»Wer ist das?«

»Einer der Polizisten, die seit gestern hier sind.« Hoffentlich verstand die Trutsche, was sie sagte.

»Ich weiß nichts.«

Hatte sie Anweisungen, die Gegenwart der Ermittler zu leugnen, oder wirklich keine Ahnung?

»Aber ich. Und ich werde so lange hierbleiben, bis ich zu ihm darf oder er das Haus verlässt. Irgendwann muss er das ja.«

Am verwirrten Blick der Frau erkannte Shannon, dass das zu viel Englisch gewesen war. Also noch einmal, langsamer.

Zur Antwort bekam sie: »Wenn Sie nicht gehen, rufe ich unseren Sicherheitsdienst.«

»Tun Sie das. Ich bin Journalistin und werde darüber berichten.«

Die Empfangsdame seufzte, dann griff sie zum Telefon. Shannon verstand nicht, was sie auf Deutsch in den Hörer nuschelte. Die Miene der Frau wechselte von sauer zu ernst zu gleichgültig. Sie legte auf und lächelte Shannon spöttisch an.

Sollte Shannon verschwinden, bevor sie sich von der Security hinauswerfen lassen musste? Zeit zum Überlegen blieb ihr nicht. Zwei groß gewachsene Männer erschienen hinter dem Tresen. Shannon wandte sich um, als aus einem Flur drei weitere Personen eintraten. Einen davon erkannte Shannon sofort.

»Sie habe ich gesucht«, rief sie Hartlandt auf Englisch entgegen.

Hartlandt und seine Leute, ein Mann und eine Frau, blieben stehen. Unter seinem Blick fühlte sich Shannon unwohl. Erkannte er sie wieder als die Frau aus dem Krankenhaus gestern Nacht?

»Was wollen Sie?«, fragte er grußlos auf Englisch.

Hinter ihr kamen die Sicherheitsleute näher.

»Ich bin Journalistin von CNN. Mich interessiert, was deutsche Ermittler bei einem der wichtigsten Produzenten von Kraftwerkssteuerungssystemen weltweit suchen.«

Er fixierte sie und sagte: »Verzeihen Sie, ich habe Ihren Namen nicht verstanden.«

Shannon schickte ein dreifaches Stoßgebet zum Himmel, dass er in den letzten Tagen nicht zu viel ferngesehen und damit Shannons »*fifteen minutes of fame*« versäumt hatte, dass Bollard nichts von ihrer Verbindung zu Manzano und ihrem Verschwinden aus Den Haag durchgegeben hatte und dass sie irgendwie aus der Nummer wieder herauskam, in die sie sich so blauäugig begeben hatte.

»Sandra Brown.«

»Sie berichten ohne Kameras, Sandra Brown?«

Sie klopfte auf die Tasche.

»Die Akkus sind leer. Und schwer zu laden, wie Sie sich vorstellen können.«

Die Security Guides gesellten sich an ihre Seite und schoben Shannon sacht Richtung Ausgang.

»Wir kümmern uns schon darum«, erklärte einer.

Auf Hartlandts Gesicht flackerte einen Moment so etwas wie ein Grinsen auf.

»Nicht so schnell, meine Herren. Was kann ich für Sie tun, Sandra Brown?«

Shannon warf den beiden Männern, die sie mittlerweile an den Oberarmen gepackt hatten, triumphierende Blicke zu. Zögerlich lockerten sie ihren Griff, ohne ganz loszulassen.

»Mir erzählen, worum es hier geht. Mittlerweile ist ja bekannt, dass die Stromausfälle bewusst herbeigeführt wurden. Spielt Talaefer dabei eine Rolle?«

»Folgen Sie mir.«

Mit einem bedauernden Schulterzucken ließ sie die Muskelprotze von der Sicherheit stehen.

Hartlandt brachte sie in ein kleines Büro im Erdgeschoss. Der Raum war voll mit Kisten und Computern.

»Kann ich Ihnen etwas anbieten? Kaffee? Einen Snack?«

Ja, ja, ja!, hätte sie am liebsten laut gerufen, hielt sich aber zurück. »Gern, danke.«

Er verschwand. Shannon sah sich um. Es sah aus wie ein improvisierter Arbeitsraum. Auf einem Aktenkästchen an der Wand stapelten sich Festplatten und Laptops. Der oberste sah aus wie das Modell, auf dem Manzano in Den Haag immer herumgetippt hatte. Sie sprang hoch, eilte die wenigen Schritte hinüber. Derselbe grüne Aufkleber wie auf Manzanos Gerät.

Das war fast zu viel Glück.

Sie setzte sich an ihren Platz zurück, gerade rechtzeitig, bevor Hartlandt wieder eintrat. Als er den Kaffee, eine Flasche mit Wasser und ein Sandwich vor ihr abstellte, musste sie sich sehr zusammenreißen, um nicht alles sofort zu verschlingen.

»Also«, sagte er mit einem Lächeln. »Dann fragen Sie. Da Sie keine Aufnahmegeräte dabeihaben, können wir ja offen reden.«

»Vielleicht dürfte ich meine Kamera bei Ihnen aufladen.«

»Tut mir leid, aber Energie ist gerade sehr wertvoll. Den Strom brauchen wir für Wichtigeres«, sagte Hartlandt.

»Und was ist das genau?«, fragte Shannon.

Shannon grub ihre Zähne in das Sandwich. Sie konnte sich nicht erinnern, jemals etwas Köstlicheres gegessen zu haben! Sie kaute langsam und mit Bedacht.

»Was Sie schon vermutet haben«, erwiderte Hartlandt.

»Sie bestätigen demnach, dass Sie bei Talaefer nach möglichen Ursachen für den Ausfall forschen?«

Noch ein Bissen. Dazu ein Schluck heißen Milchkaffee! Es machte ihr nichts aus, dass er völlig verzuckert war, im Gegenteil.

»Im Moment tut das jeder vergleichbare Produzent«, erklärte Hartlandt. »Talaefer ist keine Ausnahme.«

»Und jedem hilft die Polizei?«

Hartlandt zuckte mit den Achseln. »Das weiß ich nicht.«

»Haben Sie schon etwas gefunden?«

»Bislang nicht.«

Shannon stellte keine weitere Frage, stattdessen aß sie ihr Sandwich. Sollte Hartlandt erzählen. Dabei überlegte sie, wie sie unbemerkt an Manzanos Laptop gelangen könnte.

»Schmeckt es?«

Shannon nickte nur.

»Möchte Sie noch etwas?«

»Noch ein Kaffee wäre toll.«

Kaum war er draußen, schnappte sie Manzanos Laptop von dem Stapel und stopfte ihn in die Tasche zu ihren Geräten. Sie setzte sich nicht mehr hin. Als Hartlandt ein paar Minuten später zurückkehrte, nahm sie ihm den Kaffee ab, stürzte ihn mit einem Schluck hinunter und meinte: »Ich glaube, sehr viel mehr wollen Sie mir nicht erzählen, oder? Danke für Ihre Zeit.«

»Können Sie Ihren Sender denn überhaupt noch erreichen?«, fragte Hartlandt beim Hinausgehen.

»Nicht so einfach, aber es geht.«

»Aber wird er denn noch etwas senden?«

»Weshalb sollte er nicht?«

Hatte sie etwas verpasst in ihrer Nachrichtenabstinenz?

»Wo waren Sie denn in den letzten vierundzwanzig Stunden?«

Hoffentlich lief sie jetzt nicht rot an!

»Unterwegs, recherchieren.«

»Keinen Kontakt mit Ihren Leuten gehabt?«

»Ist nicht so einfach.«

Sie hatten die Eingangshalle erreicht.

»Wissen Sie etwa nicht, dass gestern auch die USA angegriffen wurde?«

Shannon erstarrte. »Wie bitte?« Sie schrie fast.

»Ich dachte, es würde Sie interessieren. Die Story ist allerdings schon draußen. Wenn auch nicht mehr viele davon erfahren, wie man sieht ...«

Bevor sie antworten konnte, schob er sie hinaus.

»Ich wusste gar nicht, dass CNN in Düsseldorf ein Büro hat«, erklärte er zum Abschied.

»Haben wir auch nicht«, antwortete sie geistesabwesend, bevor sie ihre Fassung zurückgewann. »Ich bin extra angereist. Ein wenig Benzin hatte ich noch im Tank.«

»Dann wünsche ich Ihnen eine gute Rückfahrt.«

Hartlandt blieb vor dem Eingang stehen und sah der Frau nach. Als sie in ihrem bunten Porsche davonfuhr, nickte er ihr noch einmal zu. Sobald sie den Parkplatz verlassen hatte, startete der graue Audi A6 mit Pohlen am Steuer und folgte ihr mit einigem Abstand. Hartlandt zog aus seiner Tasche den Ausdruck hervor, der Lauren Shannon auf dem Bildschirm zeigte, als sie den Angriff auf die Stromnetze enthüllte, und auf dem Bild einer Überwachungskamera im Den Haager Hotel Gloria mit Piero Manzano.

»Hältst du uns für blöd, Mädchen?«

Zum wiederholten Mal sah Shannon in den Rückspiegel. Jetzt war der graue Audi wieder da. Die Straßen waren so leer, dass fast jeder Wagen Aufmerksamkeit erregte, gleich, ob er Shannon entgegenkam oder in ihrem Rückspiegel auftauchte. Minutenlang hatte sie versucht, einen Radiosender einzustellen, doch in den Lautsprechern krachte es nur. Sie konnte sich kaum auf die Straße konzentrieren, ihre Gedanken flogen von ihren Eltern zu ihren noch lebenden Großeltern, die über die gesamten Vereinigten Staaten verstreut waren. Freunde fielen ihr ein, Studienkollegen, die sie seit Jahren nicht gesehen hatte. Boston, New York, wo sie vor ihrer Reise eine Weile gelebt hatte. Drohte ihnen jetzt dasselbe Schicksal, wie die Menschen es hier bereits seit einer Woche erlebten? Dieser graue Audi war immer noch da. Zufall?

Ein paar Minuten lang wurde sie von einem kilometerlangen Militärkonvoi auf der Gegenfahrbahn abgelenkt. An der Stadtgrenze von Düsseldorf erschien der Audi wieder. Shannon musste an Manzanos Laptop in ihrer Tasche denken. Wenn der Italiener mit seinen Geschichten recht hatte, durfte sie kein Risiko eingehen. Mit dem Diebstahl des Computers hatte sie sich zu Manzanos Komplizin gemacht.

Den Standort des Krankenhauses hatte sie bei ihrer Abfahrt ins Navigationssystem gespeichert. Sie konnte ein paar Umwege wählen, und es würde sie trotzdem zurückführen. Kurz entschlossen bog sie von der angesagten Route ab, während ihr Blick zwischen Straße und Rückspiegel hin- und hersprang.

Der Audi folgte ihr.

Noch ein Test.

Ihr Verdacht wurde bestätigt.

Wer saß in dem Auto hinter ihr? Es konnte sich nur um Hartlandts Männer handeln. Deren Methoden hatte sie schon kennengelernt. Manzano hatten sie kaltblütig angeschossen, als er zu flüchten versuchte. In Filmen gaben die Fahrer an dieser Stelle Gas und hängten ihre Verfolger in waghalsigen Verfolgungsjagden ab. Ein Wettrennen mit mehr als zweihundert Pferdestärken unter dem Hintern und Polizeiprofis im Nacken würde höchstwahrscheinlich schnell an einer Düsseldorfer Hauswand enden. Hatte sie eine Wahl?

Shannon beschleunigte. Spürte, wie sie in den Sitz gedrückt wurde. Test mit dem Pedal, kurzer Blick in den Spiegel. Der Audi blieb zurück. Der Motor röhrte, der Tachometer wanderte auf hundertdreißig Stundenkilometer. Hoffentlich lief jetzt niemand vor ihr auf die Straße oder bog aus einer Seitenstraße ein. Bei der nächsten Kreuzung bremste Shannon scharf, bog nach rechts ab und beschleunigte erneut. Ohne einen Blick zurück wiederholte sie das Manöver bei der nächsten Kreuzung. Shannon hatte keinen Schimmer, wo sie sich befand. Sie schien sich in einem Industriegebiet verloren zu haben. Nach der siebten oder achten Abzweigung wagte sie zum ersten Mal einen Blick nach hinten. Der Audi war weg. Sie drosselte ihr Tempo und atmete durch.

Die Frauenstimme des Navigationsgeräts gab ihr die neue Route an. Shannon folgte.

Ihr Magen verkrampfte sich, als sie den Audi abermals in den Spiegeln entdeckte. Resigniert ließ sie sich vom Navi zurück auf die Einfallsstraße führen. Spätestens nach diesem missglückten Fluchtversuch musste ihren Verfolgern klar sein, dass Shannon sie bemerkt hatte. Nun würden sie noch aufmerksamer sein, aber nicht mehr unauffällig. Sie verringerten ihren Abstand und fuhren unverhohlen hinter ihr her.

Shannon nestelte den Laptop auf dem Beifahrersitz aus der Tasche, dann die Kameras und den restlichen Kram. Aus dem Handschuhfach zog sie die Bedienungsanleitung heraus, die so dick war wie ein Telefonbuch, und steckte sie in die Tasche. Mit einem Knopfdruck öffnete sie ihre Scheibe und warf das Bündel hinaus. Im Seitenspiegel verfolgte sie, wie die Tasche sich mehrmals überschlug. Der Audi wurde langsamer. Jemand sprang aus dem Auto, hob die Tasche auf. Shannon trat das Gaspedal durch. Schnell wurde das Auto im Rückspiegel kleiner. Bei der nächsten Kreuzung bog sie in eine Nebenstraße und tauchte in das Gewirr kleinerer Straßen eines Wohngebiets ab.

Diesmal erschien der Audi nicht mehr in ihren Rückspiegeln.

Shannon lächelte mit schmalen Lippen, ohne sich zu freuen. Nach weiteren zehn Minuten wagte sie, den Anweisungen des Navigationssystems zu folgen. Die Raserei hatte die Treibstoffanzeige um ein Viertel sinken lassen. Musste sie im Krankenhaus eben noch einmal »tanken«.

Ratingen

Ihr verdammten Schwachköpfe!, hätte Hartlandt am liebsten in das Funkgerät gebrüllt. Lasst euch von einem Mädchen abhängen! Zum Glück hatte er genug Motivations- und Führungstrainingsstunden hinter sich und noch schwierigere Fälle, um zu wissen, dass Beleidigungen und Demütigungen ihnen nicht weiterhelfen. Nicht zuletzt durch seinen gefassten Charakter hatte er seine Position erreicht.

»Gestern Nacht war sie im Krankenhaus. Im Licht der Taschenlampen und ihrem erschrockenen Zustand haben wir sie bloß nicht gleich erkannt. Das war sicher kein Zufall, dass sie am selben Ort war, an dem wir den Italiener verloren haben. Fahrt noch einmal hin und seht nach, ob sie dort auftaucht.«

Auf den Einwand seiner beiden Mitarbeiter konnte er nur mit einer Gegenfrage antworten: »Wo soll ich Verstärkung hernehmen? Ihr seid Spitzenkräfte. Ihr schafft das schon.«

Woran er langsam zweifelte. Sie waren zu wenige und zu müde. So wie alle anderen.

Nanteuil

Annette Doreuil fand die zwei Menschen in den Schutzanzügen vor der Tür furchterregend. Dabei kamen sie, um den Bollards und Doreuils zu helfen.

»Ein Gepäckstück pro Person«, erklärte die scheppernde Stimme hinter der Maske des einen.

Im Laderaum des Lastwagens hinter ihnen drängten sich verängstigt dreinblickende Menschen.

»Ein Gepäckstück pro Person« hatte schon der Lautsprecher des Wagens gefordert, der vor zwei Stunden mehrmals durch die Straßen Nanteuils gefahren war.

»Danach dürfen wir aber hierher zurück, oder?«, fragte Celeste Bollard.

»Darüber besitzen wir keine Informationen«, erwiderte der Mann im Schutzanzug. »Unsere Aufgabe ist die Evakuierung.«

Annette Doreuil musste an die Berichte aus Tschernobyl und Fukushima denken. Jedes Mal hatte sie sich gefragt, wie es für die Menschen gewesen war, ihr Heim überstürzt zu verlassen, in der Angst nie wieder zurückkehren zu dürfen. Alles zurückzulassen, was einem lieb war. In der Panik, womöglich bereits von der Strahlung schwer, gar tödlich getroffen worden zu sein. Mit der Aussicht, ihren Lebensabend statt in der vertrauten Umgebung beschließen zu dürfen, in der Fremde von vorne beginnen zu müssen. Womöglich schwer krank. Diese Angst hörte sie nun in der Stimme Celeste Bollards. Seit elf Generationen, über dreihundert Jahre, hatte die Familie auf dem Hof gelebt, die Stürme der Französischen Revolution ebenso überstanden wie zwei Weltkriege.

Vor sich sah Annette Doreuil die Bilder anderer Flüchtlingsströme, wie man sie aus dem Fernsehen kannte. Nie hatte sie gedacht, einmal selbst in so einem Konvoi mitziehen zu müssen.

Annette Doreuil wusste nicht, was sie fühlte. Als sie mit Bertrand Paris verlassen hatte, konnte sie sich noch einreden, dass sie auf einen Kurzurlaub fuhren. Spätestens, seit sie die Hühner und Konserven der Bollards aufbrauchten und das Haus nicht mehr verlassen durften, gestand sie sich ein, dass sie ein Flüchtling war.

Nur ein Stück pro Person. Sie nahm einen Haltegriff der großen Tasche, Bertrand den anderen. In der anderen trug er einen schweren Koffer.

Sie hatten nicht so genau überlegen müssen, was sie einpackten. Im Gegensatz zu den Bollards. Annette Doreuil wusste nicht, was ihre Gastgeber in die Koffer gestopft hatten. Hatten sie jetzt schon entscheiden müssen, was sie retten wollten?

Sie horchte in ihren Körper. Fühlte sich etwas seltsam an? Ungewöhnlich? Irgendeine Empfindung, die darauf hinwies, dass die Radioaktivität bereits an ihren Zellen nagte?

Während die zwei Schutzanzugträger ihre Gepäckstücke in einen dafür vorgesehenen Lagerraum unterhalb des Laderaums packten, half ihr Bertrand hinauf. Die Menschen rückten auf den

Holzbänken zusammen, um ihnen Platz zu machen. Neben sie setzte sich Celeste Bollard, vorsichtig, als wäre die Bank nass, ohne den Blick von ihrem Gutshof zu wenden.

Mit einem Ruck nahm der Wagen Fahrt auf. Von Celeste und Vincent Bollard sah Annette Doreuil nur die Hinterköpfe, während die beiden das kleiner werdende Haus nicht aus den Augen ließen, bis es verschwunden war und sie es in der Ungewissheit zurücklassen mussten, ob sie es jemals wiedersehen würden.

Düsseldorf

Shannon stellte den Porsche in der Garage direkt vor der Tür zum Treppenhaus ab. Ein paar Sekunden lang musste sie sich gegen das Lenkrad stemmen und durchatmen. In ihrem Kopf fuhren die Gedanken Achterbahn. Hartlandt hatte Verdacht geschöpft. Vielleicht hatte er sie sogar erkannt. Womöglich hatte er sie mit Absicht an Manzanos Computer herangelassen, damit sie ihn zu dem Italiener führte. Und sie war in die Falle getappt wie ein kleines Kind.

Oder sie bildete sich das alles nur ein?

Wenn Hartlandt sie erkannt hatte, hatte er das auch vergangene Nacht getan? Oder später begriffen, wen er da vor sich gehabt hatte? Wusste er vielleicht von Bollard, dass sie in Den Haag in Kontakt zu Manzano getreten war? Musste sie befürchten, dass er seine Leute noch einmal hierherschickte?

Sie schnappte den Laptop, die Taschenlampe, sprang aus dem Wagen und lief zu Manzano in den zweiten Stock. Atemlos stolperte sie in das Zimmer, in dem sie ihn zurückgelassen hatte. Er lehnte in einem Bett, dick zugedeckt, der Kopf zur Seite gekippt.

»Piero?«, japste sie.

Als er sich nicht bewegte, rief sie lauter, stürzte auf das Bett zu.

»Piero!«

Seine Lider flatterten, schwerfällig hob er den Kopf.

»Wir müssen von hier weg!«, erklärte sie.

Sie schwenkte den Computer.

»Komm schon!«

»Wo … wo hast du den her?«

»Später!«

Sie zerrte die Decken von seinen Beinen. Auf dem rechten Schenkel prangte ein handtellergroßer dunkler, glänzender Fleck. Als sie erstarrte, meinte er nur: »Geht schon. Gib mir die Krücken.«

So schnell es Manzanos Verletzung zuließ, hinkte er hinter ihr her. Im Treppenhaus leuchtete Shannon den Weg aus. Vor der Tür zur Garage legte sie den Zeigefinger auf die Lippen und bedeutete ihm zu warten. Sie schaltete die Taschenlampe ab, öffnete die Tür einen Spalt und lugte hindurch. In der Düsternis erkannte sie kaum etwas, auch keinen Audi.

»Der Porsche steht vor dieser Tür«, flüsterte sie. »Ich werde ihn jetzt mit der Fernbedienung öffnen, du kommst heraus und steigst ein.«

Shannon stieß die Tür auf, gleichzeitig blinkten die Lichter des Porsche, als sie die Schlösser entriegelte.

Manzano humpelte los, da sah er den Schatten, der über Shannon herfiel. Ein anderer stand im Türrahmen und blockierte seinen Weg. Manzano erkannte Pohlens mächtige Statur. Mit aller Kraft rammte ihm Manzano seine Krücke in den Bauch. Pohlen knickte ein, Manzano hieb die Krücke so fest wie möglich auf seinen Kopf, einmal, zweimal, dreimal. Pohlen fiel, hob abwehrend den Arm. Manzano trat ihm mit seinem gesunden Fuß gegen den Rumpf, knickte auf dem verletzten fast ein, hörte ein pfeifendes Geräusch, trat noch einmal zu. Pohlen wand sich, wehrte sich aber nicht mehr. Hinter dem Porsche kniete der zweite Mann über Shannon, von der Manzano nur den Hinterkopf ahnte. Bevor er sich wehren konnte, hatte ihm Manzano bereits zweimal mit voller Wucht die Krücken über den Schädel gezogen. Ohne weitere Gegenwehr kippte er zur Seite.

Shannon rappelte sich hoch, sah sich panisch um, schrie: »Der Schlüssel! Der Laptop!«

Auf allen vieren tappte sie durch die Finsternis, zur Taschenlampe, deren einsamer Strahl unter dem Wagenboden hindurchleuchtete.

Manzano bemerkte, dass Pohlen auf die Beine kam. Er hinkte zu ihm und schlug abermals mit der Krücke auf ihn ein.

»Hab ihn!«, rief Shannon.

Manzano wandte sich zum Wagen, während Pohlen nach ihm griff. Die Beifahrertür stand schon offen, Shannon startete den Motor. Manzano warf sich in den Sitz. Shannon schoss mit aufheulendem Motor und quietschenden Reifen davon, neben Manzano fiel die Tür von allein ins Schloss.

»Alles in Ordnung mit dir?«, fragte sie hastig.

»Keine Ahnung. Und mit dir?«

»Geht schon.«

Sie schleuderte um eine Kurve, bremste so heftig, dass Manzano fast auf dem Armaturenbrett aufschlug, hielt neben einem grauen Auto an. Riss die Tür auf, eine Hand in deren Seitentasche.

»Autsch! Verdammt!« Kniete neben dem Wagen nieder, hieb mit etwas auf den Vorderreifen ein. Als sie zum Hinterreifen lief, erkannte er in ihrer Hand eine kleine Klinge. Sie durchlöcherte auch den hinteren Reifen, ließ das Skalpell fallen und saß schon wieder im Wagen, bevor das Klirren der Klinge auf dem Asphalt verklungen war.

Manzano wurde in seinen Sitz gedrückt, als sie auf das helle

Loch der Ausfahrt zuflitzten. Vorsichtig lenkte sie auf die Straße. Manzano bemerkte, dass ihre rechte Hand blutete.

»Wohin fahren wir?«, fragte er.

»Weg«, antwortete Shannon.

Berlin

»Rüber in den Besprechungsraum«, flüsterte der Sekretär des Bundeskanzlers Michelsen zu. Er eilte weiter, gefolgt von Michelsen. Vor den Bildschirmen, über die sie die Konferenzschaltungen mit den anderen Krisenzentren hielten, warteten bereits die Kabinettsmitglieder und andere Teilnehmer des Krisenstabs. Nur der Bundeskanzler fehlte. Von den Monitoren blickten einige europäische Regierungschefs, Minister oder Spitzenbeamte.

»Dringend einberufene Krisensitzung«, erklärte der Verteidigungsminister.

Raunen, Getuschel.

»Worum geht es?«, rief der Bundeskanzler, als er in den Raum stürmte.

Der Verteidigungsminister zuckte mit den Achseln.

Der Bundeskanzler ließ sich auf dem Platz nieder, wo ihn die Kamera erfassen würde, drückte den Knopf, mit dem er das Mikro öffnete, und bellte seine Frage in die virtuelle Runde, die sich auf den Bildschirmen mittlerweile komplettiert hatte. Nicht jeder Staat schickte zu jedem Meeting dieselbe Person, aber alle beschränkten sich auf maximal drei verschiedene Vertreter.

Die Gesichter hatte Michelsen während der vergangenen Tage alle kennengelernt. Nur auf dem spanischen Fenster entdeckte sie ein neues. Auf den zweiten Blick erkannte sie, dass der Mann Uniform trug. Ein unangenehmes Gefühl beschlich sie.

Der Spanier, ein bulliger Mann mit Schnurrbart und dicken Tränensäcken unter den Augen, antwortete: »Wir wollten unsere Bündnispartner in dieser Situation so schnell wie möglich darüber informieren, dass sich der Ministerpräsident unseres Landes außerstande sieht, weiterhin die Amtsgeschäfte zu führen. Dasselbe gilt für den Vizepräsidenten und die gesamte Regierung. Um die öffentliche Ordnung trotzdem weiterhin zu gewährleisten, die Sicherheit der Bevölkerung zu garantieren und alles in unserer Macht Stehende zu unternehmen, um die Lage wieder zu normalisieren, hat sich die Spitze der Armee unter meiner Führung dazu bereit erklärt, die Staatsgeschäfte bis auf Weiteres zu führen.«

Michelsen fühlte sich, als wäre die Stierherde der alljährlichen Fiesta in Pamplona über sie hinweggetrampelt. In Spanien hatte sich das Militär an die Macht geputscht, nichts anderes hatte ihnen der Mann auf dem Bildschirm eben verdeutlicht.

»Diese Entwicklung wird an der internationalen Zusammenarbeit Spaniens nichts ändern. Unsere Freunde in Europa und Amerika können hundertprozentig auf uns zählen.«

Michelsen bemerkte, dass sie zu zittern begonnen hatte. Unauffällig beobachtete sie, ob ihre Reaktion ihren Sitznachbarn aufgefallen war. Doch sie sah nur fassungslose und bleiche Gesichter.

»Wir gehen davon aus«, ergriff der Bundeskanzler als Erster das Wort, »dass es sich dabei um einen kurzfristigen Zustand handelt und die Zuständigen baldmöglichst wieder ihre Funktionen übernehmen.«

»Selbstverständlich«, erwiderte der spanische General. »Sobald die Lage es erlaubt, beziehungsweise die entsprechenden Personen es wünschen, werden wir die Amtsgeschäfte umgehend wieder in die dafür vorgesehenen Hände legen. Bis dahin haben wir zur Sicherheit der Bevölkerung das Kriegsrecht ausgerufen.«

Und noch einmal unter die Hufe der Stiere, dachte Michelsen. Sie wusste nicht, ob die Europäische Union ein Prozedere für solche Ereignisse in Mitgliedsstaaten vorsah.

»Wo hält sich der Ministerpräsident auf?«, fragte der italienische Präsident, sichtbar blass. »Können wir mit ihm sprechen?«

»Das ist zurzeit leider nicht möglich«, antwortete der Spanier. »Er hat sich zurückgezogen und mich gebeten, die Nachricht mitzuteilen.«

»Richten Sie ihm bitte unsere Grüße aus«, sagte der englische Premier schmallippig. »Und dass wir uns sehr freuen würden, möglichst bald mit ihm zu sprechen.«

»Das werde ich«, entgegnete der General.

Kommandozentrale

Er war zufrieden. Der Anfang war gemacht. In einigen Ländern hatten sie Militärputschs erwartet. In anderen existierte keine solche Tradition. Dort würde die Bevölkerung die angeknacksten Strukturen hinwegfegen, früher oder später. Die Lage verschärfte sich, trieb schon jetzt immer mehr Menschen dazu, ihr Leben an den herkömmlichen Systemen vorbei zu organisieren. Oder neue zu etablieren. Die staatlich organisierten Kommunen hatten ihre Daseinsberechtigung schon vor langer Zeit selbst zerstört, neue, selbstbestimmte, lebendige würden sich bilden, mehren, teilen, vergehen und auferstehen. Auch die Militärs würden das bald zu spüren bekommen. Ihre Machtübernahme war nur ein Zwischenschritt. Diese sprachlose Gesellschaft, die keine mehr war, weil ihr die Gemeinsamkeiten abhandengekommen waren, in ihrer verzweifelten Sucht nach Betäubung durch immer mehr, durch ewiges Wachstum, war am Ende ihres Weges angelangt.

Den Haag

»Ich hatte Wichtiges zu tun«, sagte Bollard missmutig. Er hatte keine Lust, sich dafür zu rechtfertigen, dass er für seine Familie Nahrung finden musste. Wie in einem Dritte-Welt-Land bei einer Hungerkrise, dachte er. Oder in der Steinzeit. »Wenn die Verantwortlichen nicht für ausreichende Lebensmittel sorgen, müssen wir das selbst tun.«

In eine dicke Jacke gewickelt saß Bollard mit dem Europol-Direktor und dem Rest der Führungsmannschaft zusammen. Seit dem Vorabend hatte das Gebäudemanagement die Energieversorgung auf das Notwendigste reduziert. Die Wärmeversorgung war auf achtzehn Grad gedrosselt. Die meisten Fahrstühle waren vorübergehend stillgelegt. Wer seinen Arbeitsplatz noch erreichte, lief vermummt herum.

»Wir sollten für Europol-Mitarbeiter und ihre Familien eine Sonderversorgung organisieren«, regte Bollard an. »Sonst können wir unseren Aufgaben bald nicht mehr nachgehen. Die Hälfte der Belegschaft bleibt ohnehin schon weg.«

»Ich werde sehen, was ich tun kann«, sagte Direktor Ruiz reserviert.

Keinerlei Neuigkeiten lieferten die schwedischen und italienischen Ermittler. Ihre Suche nach den falschen Mitarbeitern der Elektrizitätsgesellschaften war ohne Spur geblieben. Teilerfolge verzeichneten immerhin die IT-Einsatzteams bei den betroffenen Netzbetreibern. Einige kamen schneller voran als erwartet. Manche rechneten bereits für die kommenden drei Tage mit der Einsatzfähigkeit ihrer Anlagen.

Bei seinen eigenen Kollegen aus der IT-Abteilung hatte Bollard seit gestern dreimal vorbeigesehen. Noch hatten sie nichts gefunden – aber auch nicht viel Zeit zum Suchen gehabt. Bollard hatte mit dem Belgier gestritten, musste sich aber dessen Argumenten beugen, dass für zu wenige Leute viel zu viel Arbeit vorlag.

»Wir haben da gerade etwas von Interpol bekommen«, rief einer seiner Kollegen durch den Raum. Bollard beobachtete, wie er seinen Bildschirm fixierte und vor sich hin murmelte, bevor er bemerkte: »Ich weiß nicht, ob das gute Nachrichten sind oder schlechte.«

Bollard ging zu ihm hinüber.

»Sprich nicht in Rätseln.«

Auf dem Monitor war ein Gesicht zu sehen, das Bollard sofort als das eines Toten identifizierte.

Sein Mitarbeiter rief ein paar weitere auf. Sie zeigten andere Details der Leiche. Der Mann war mit mehreren Schüssen in die Brust ermordet worden.

»Wer ist das?«

Sie überflogen den Bericht. Unbekannter Europäer, heute Morgen Ortszeit in einem Waldstück nahe des Dorfes Gegelang auf Bali von Bauern gefunden. Mögliche Identifizierung als der vermisste deutsche Staatsbürger Hermann Dragenau.

Bollard wiederholte den Namen, während er sein Gedächtnis durchforstete.

»Das ist der Chief-Architect, den die Deutschen bei Talaefer suchen!«

Sie verglichen ihre Bilder von Dragenau mit dem Porträt des Toten.

»Sehen sich wirklich ähnlich«, stellte Bollards Kollege fest.

»Steht da etwas über Täter oder Verdächtige?«, fragte Bollard.

»Nein. Man fand weder Geld noch Wertgegenstände oder Ausweise bei ihm. Kann sich um einen normalen Raubmord handeln.«

»Wissen sie schon, wo er gewohnt hat?«

»Offenbar nicht. Wird noch gesucht.«

»Sollen wir an einen Zufall glauben?«, fragte Bollard. »Eine der ganz wenigen Personen, die für einen möglichen Insiderjob bei einem der wichtigsten SCADA-Produzenten verantwortlich sein könnten, reist ein paar Tage vor dem verheerenden Stromausfall, an dem er Mitschuld tragen könnte, aus Europa ab und wird wenige Tage später tot aufgefunden. Was immer er gewusst haben könnte, weitersagen kann er es nicht mehr.«

Bollard richtete sich auf.

»An Zufall glaube ich nicht. Hartlandt muss das Leben dieses Dragenau auf den Kopf stellen und bis in den hintersten Winkel durchleuchten!«

Er griff zum nächsten Telefon und wählte Hartlandts Nummer bei Talaefer. Hoffentlich bekam er eine Verbindung.

Ratingen

Hermann Dragenaus Haus lag ein paar Kilometer südlich von Ratingen in der Nähe eines Dorfes. Der Bau musste aus den frühen Siebzigerjahren stammen, mit seinen geraden Linien, den großen Glastüren und der dunklen Holzverschalung unterhalb des Flachdachs. Den Eingang verdunkelten hohe Eichen. Dragenau hatte hier allein gewohnt. Seine Kollegen hatten erzählt, dass er sich vor sechs Jahren von seiner Frau getrennt hatte, die mit der gemeinsamen Tochter bei Stuttgart lebte. Die Einrichtung war modern-praktisch, ein paar Designermöbel verloren sich zwischen Möbelhausware. Dragenau schien eine ordentliche und saubere Person zu sein. Wahrscheinlich half ihm eine Zugehfrau, vermutete Hartlandt.

Dragenau hatte keine unmittelbaren Nachbarn, die sie befragen konnten. Um ihn genauer zu überprüfen, mussten sie wohl in den umliegenden Orten von Tür zu Tür gehen – ob ihn jemand gekannt hatte, in den Geschäften, Kneipen. Doch dazu fehlte ihnen das Personal. Außerdem waren viele Leute wahrscheinlich nicht mehr da, sondern in einem der Notquartiere. Viel schwieriger konnte Polizeiarbeit kaum sein.

»Ein Dutzend Leute bräuchten wir dafür«, stöhnte Pohlen. Abschürfungen und blaue Flecken zeichneten sein Gesicht.

»Bekommen wir nicht«, erwiderte Hartlandt. »Das müssen wir alleine schaffen.«

Nach einer Tour durch das Haus hatten sie im Arbeitszimmer des Toten begonnen. Systematisch räumten sie jeden Schrank, jede Kommode und den Schreibtisch aus. Sie fanden Steuererklärungen der vergangenen Jahre, Versicherungsunterlagen, Arbeitsverträge mit Talaefer, alte Schulzeugnisse, Studienbescheinigungen, mehrere Festplatten und zwei ältere Computer.

»Allein die durchzuackern kostet Wochen«, klagte Pohlen.

Westlich von Düsseldorf

»Ich habe Durst«, sagte Manzano.

»Ich auch«, antwortete Shannon.

Sie hatten Düsseldorf Richtung Südwesten verlassen, ohne Ziel. Shannon mied Autobahnen und hielt sich auf Landstraßen. Sie fuhr gemächlich, auch um Treibstoff zu sparen. Der Tank war noch mehr als halb voll. Aus dem grauen Himmel fielen einzelne Tropfen. Das Außenthermometer des Wagens zeigte ein Grad unter null.

Manzano hatte sich bis jetzt Zeit gelassen, seinen Laptop aufzuklappen.

»Dann wollen wir einmal schauen...«

Er fand die Botschaften, die Hartlandt ihm gezeigt hatte. Insgesamt waren es sieben Stück. Manzano überprüfte die Daten. Sie waren alle während seines Aufenthalts bei Europol von seinem Computer versandt worden.

»Aber nicht von mir«, flüsterte er.

»Und?«, fragte Shannon.

»Diese E-Mails sind leider wirklich da.«

»Aber wer hat sie dann verschickt?«

»Entweder jemand von Europol. Oder jemand von außerhalb. Im ersteren Fall werde ich nichts finden. Aber die zweite Variante kann ich eventuell überprüfen.«

»Wie das?«

»Erstens habe ich eine zusätzliche Firewall auf dem Laptop. Der Windows-Firewall allein traue ich nicht. Du weißt, was eine Firewall ist?«

»Weiß heute jedes Kind. Sichert deinen Computer gegen unerwünschte Eindringlinge.«

»Genau. Ich habe sie so eingestellt, dass sie sämtlichen Datenverkehr, der über sie durchgeführt wurde, protokolliert und dies in sogenannten Log-Dateien ablegt.«

Natürlich hatte er nicht nur bei der Firewall das Logging aufgedreht. Eine eigene Software überwachte die anderen Zugänge, etwa die USB-Ports und was sonst noch so auf seinem Rechner passierte.

»Ob also Daten raufgeladen wurden oder herunter.«

»Und diese Protokolle willst du dir jetzt ansehen. Sind die nicht ziemlich umfangreich?«

»Das sind Abertausende, wenn nicht Millionen Textzeilen. Aber ich muss sie nicht alle persönlich durchsehen. Dafür habe ich kleine Helferlein.«

Manzano begann zu tippen.

»Ich habe ein paar Programme auf dem Laptop. Zum Beispiel eine Datenbanksoftware, die jeder gratis im Internet bekommt. Damit kann ich auch große Datenmengen verwalten.«

Seine Finger flogen jetzt über die Tasten.

»Ich schreibe mir ein kleines Programm, mit dem ich die Firewall-Daten in die Datenbank einspielen kann.«

Aus den Augenwinkeln nahm er wahr, dass sie an einer Menschengruppe vorbeifuhren. Dick vermummt wanderten sie entlang des Straßenrands mit großen Bündeln von Ästen und Zweigen auf dem Kopf oder unter den Armen. Einer zog einen Leiterwagen voll mit Holz hinter sich her. Manzano fühlte sich an einen Urlaub in Indien erinnert und an die Bilder aus dem Europa unmittelbar nach dem Zweiten Weltkrieg. Den bunten Porsche bestaunten sie wie ein außerirdisches Raumschiff.

Manzano programmierte weiter. Keine halbe Stunde später betrachtete er zufrieden sein Werk und gab den Befehl, die Firewall-Daten in die Datenbank zu laden.

»Und, was gefunden?«, fragte Shannon.

»So weit bin ich noch nicht. Jetzt lade ich die Daten, das dauert eine Weile. Sobald das vollendet ist, kann ich mithilfe meines kleinen Programms in diesen Daten nach Konkretem suchen.«

»Als da wäre?«

»Ungewöhnliche Befehle, auffällige Kommunikationsmuster ...«

Vor ihnen tauchten Häuser auf. Manzano legte den Computer auf den Rücksitz. Er verspürte wieder Hunger. Ein paar Ortschaften hatten sie bereits passiert. Nirgends waren viele Menschen zu sehen gewesen. Auch hier begegneten sie nur vereinzelten Holzsammlern. Vor einem Gasthaus hielten sie an. Shannon stieg aus und klopfte an die Tür. Wartete. Klopfte noch einmal. Niemand öffnete. Sie stieg wieder in den Wagen.

»Wie überall«, stellte sie fest.

»Von irgendetwas müssen die Menschen hier doch leben«, wandte Manzano ein. »Was essen und trinken sie denn?«

Shannon zuckte mit den Schultern. »Vielleicht nichts mehr?«

Sie startete den Motor und fuhr im Schritttempo weiter. Dabei inspizierte sie die Fenster der Häuser auf beiden Straßenseiten.

»Kannst du vielleicht die Heizung etwas schwächer drehen?«, bat Manzano. Er schwitzte.

Shannon musterte ihn, legte ihre Hand auf seine Stirn.

»Du hast Fieber.«

Sie reduzierte die Temperatur im Wagen. Neben einem Passanten hielt Shannon mit blubberndem Motor an. Der unrasierte Mann musterte sie und den teuren Sportwagen argwöhnisch.

Manzano ließ die Scheibe herunter. »Entschuldigen Sie«, sagte er mit seinen bescheidenen Deutschkenntnissen. »Wo bekommt man hier Essen?«

»Unsere Haubenrestaurants haben heute leider geschlossen«, erwiderte der Gefragte mit rauer Stimme.

»Ich meine, gibt es...«, er suchte das Wort, »Stelle, wo Essen ausgegeben wird.«

»Aber Porsche fahren«, grummelte der Mann.

Manzano benötigte einen Augenblick, bevor er verstand.

»Einziger Leihwagen, den wir bekommen haben.«

»Schön für Sie. Ich habe gar keinen bekommen.«

»Essen? Trinken?«, fragte Manzano noch einmal geduldig und erschöpft.

Der Mann zeigte auf die Straße vor ihnen.

»Am Hauptplatz im Rathaus ist die Lebensmittelausgabe eingerichtet. Aber da werden Sie heute nichts mehr bekommen. Die Lieferungen kommen immer morgens, und dann sind sie auch schon gleich verteilt.«

Manzano hatte nur Bruchstücke des Gesagten verstanden.

»Danke«, erwiderte er und ließ die Scheibe wieder hochgleiten.

Shannon folgte der Straße bis zu einem Platz mit einem Kreisverkehr in der Mitte. Sie konnte den Wagen getrost anhalten und sich umsehen. Verkehr behinderte sie dadurch keinen.

»Da drüben ist es«, bemerkte sie. Sie umrundete den halben Kreisverkehr und parkte vor einem großen Altbau aus rötlichen Steinen, auf dem groß die Buchstaben »Rathaus« prangten.

An der Tür hing ein handgeschriebenes Plakat.

»Warte hier«, befahl sie und stellte den Motor ab.

»Kann ich von hier aus lesen«, sagte Manzano. »Lebensmittelausgabe täglich sieben bis neun Uhr«, übersetzte er gleich ins Englische.

»Na toll. Und wenn man später Hunger hat?«

»Auf Reisende ist dieses System nicht eingestellt«, bemerkte Manzano. Er musste husten und kramte in seinen Taschen, bis er das Antibiotikum fand. Ohne zu wissen, ob es ihm wirklich helfen würde, schluckte er eine Tablette. Wie eine zu große Kartoffel blieb sie in seinem Hals stecken, er musste mehrmals würgen, um sie hinunterzubekommen.

Durch die autofreien Straßen lenkte Shannon den Wagen aus der Stadt hinaus. Unter dem grauen Himmel brach die Dämmerung noch früher herein. Die Landschaft wurde flacher.

Manzano fischte seinen Computer hervor.

»Was tust du jetzt?«

»Die Daten sind geladen. Jetzt stelle ich der Datenbank ein paar Fragen.«

Nachdem er fertig getippt hatte, fragte er: »Wo fahren wir jetzt hin?«

»Wo es ein Dach über dem Kopf und vor allem etwas zu essen und zu trinken gibt. Ein Bauernhof vielleicht.«

Er starrte aus dem Fenster, als ob er in der kahlen Winterlandschaft eine Antwort fände.

»Fahr da vorne rechts«, forderte er Shannon auf.

Shannon bog von der Landstraße ab auf einen schmalen Weg, der in ein Wäldchen führte. Davor erhoben sich links und rechts Geländer.

»Eine Brücke«, stellte sie fest und hielt an.

Darunter floss ein Bach.

Ratingen

Seine Leute waren in Dragenaus Haus und bei der Talaefer AG, Hartlandt selbst fuhr in Richtung der nächsten Siedlung. Unterwegs stoppte er bei den vier Häusern, die auf dem Weg lagen. Bei dreien reagierte niemand auf sein Klopfen und Rufen. Beim vierten öffnete ein Mann in seinem Alter.

»Polizei?«

Hartlandt präsentierte ihm Dragenaus Bild.

»Der wohnt da weiter vorn«, bestätigte der Mann.

»Kennen Sie ihn näher?«

»Nein. Ich glaube, ich habe in meinem Leben fünf Worte mit ihm gewechselt.«

»Wissen Sie, ob er Freunde in der Nachbarschaft hatte?«

»Ich glaube nicht. Die meisten hier in der Gegend kenne ich. Von Dragenau hat nie jemand was erzählt. Weder Gutes noch Schlechtes. Der hat zwar hier gewohnt, aber keinen Anschluss gesucht.«

»Haben Sie ihn in Gesellschaft anderer Leute gesehen, hatte er vielleicht Besuch?«

»Wäre mir nicht aufgefallen. Aber so genau habe ich das nicht verfolgt. Sagen Sie, wenn Sie von der Polizei sind: Wann hat der Mist denn ein Ende, haben Sie eine Ahnung?«

»Hoffentlich bald.«

Die Siedlung bestand hauptsächlich aus Wohnhäusern der Sechzigerjahre. In der örtlichen Bezirksdienststelle fand er einen einsamen Uniformierten. Hartlandt zeigte auch ihm das Bild Dragenaus.

»Kenne ich nicht«, verkündete der Mann. »Aber kommen Sie mit. Wir können ein paar Leute fragen gehen, die hier in der Umgebung wohnen.«

Hartlandt folgte ihm über die Straße in ein größeres Gebäude.

»Unser Spiel- und Sportverein«, erklärte der Beamte. »Jetzt ein Notlager. Vielleicht kennt ihn dort jemand.«

In der Halle reihte sich ein Feldbett an das nächste. Die Luft war stickig, einige Leute lagen auf den Betten und starrten an die Decke, andere lasen, Kinder tollten herum.

Der Polizist stellte ihm einen untersetzten Mann mit buschigem, grauem Schnurrbart vor. »Das ist einer unserer Gastwirte. Seine Wirtschaft ist abgebrannt.«

Der Polizist klopfte dem Grauhaarigen auf die Schulter. »Alles klar?« Und zu Hartlandt: »Er kennt eine ganze Menge Leute aus der Umgebung.«

Hartlandt zeigte dem Mann Dragenaus Porträt.

Der Wirt schüttelte den Kopf.

Der Uniformierte führte Hartlandt weiter zu einem improvisierten Abteil. Zwischen zwei Stangen spannte sich eine Decke als Abtrennung zum Nachbarbett.

Die vorgestellte Frau entpuppte sich als Vorsitzende eines örtlichen Kulturvereins.

»Nein«, sagte sie, nachdem Hartlandt ihr das Bild gezeigt hatte. »Wohnt der bei uns in der Siedlung?«

»In der Nähe.«

»Tut mir leid.«

»Wir haben noch zwei Ärzte, eine Apothekerin, zu denen kommen auch viele aus der Gegend. Dann können wir noch zum

Pfarrer und zur Pastorin schauen. Wenn wir sie finden. Die sind alle nicht hier einquartiert.«

Draußen hatte die Dämmerung eingesetzt.

Zwischen Düsseldorf und Köln

Die Lichter des Porsche schnitten durch die Dämmerung.

»Mist«, fluchte Manzano.

»Was ist?«

Sie hörte ihn hektisch tippen. Seit einer halben Stunde saß Manzano nun schon konzentriert über seinen Laptop gebeugt. Murmelte unverständliches Zeug vor sich hin, unterbrochen von überraschten Ausrufen.

»Was ist denn nun?«

»Da ist eine IP-Adresse«, erzählte Manzano aufgeregt. »Wir brauchen Strom. Und einen Internetanschluss. Dringend.«

»Kein Problem«, erwiderte Shannon. »Gibt es überall in Hülle und Fülle.«

»Ich meine das ernst«, beharrte Manzano. »Jede Nacht um ein Uhr fünfundfünfzig sendete mein Computer Daten an eine bestimmte IP-Adresse. IP-Adresse sagt dir was?«

»IP wie Internetprotokoll. Ist so etwas wie die Adresse eines Computers innerhalb eines Netzwerks, auch im Internet.«

»Genau. Im Prinzip kann man damit jeden Computer lokalisieren. Und mein Laptop hat Daten an eine solche Adresse gesandt, die ich nicht kenne. Ohne dass ich es ihm befohlen habe oder davon wusste.«

»Das heißt, jemand anderes hat ihm den Auftrag gegeben. Europol?«

»Vielleicht.«

»Aber wie ist der auf deinen Computer gekommen?«

»Keine Ahnung. Auf jeden Fall hat dieser Jemand die Mails im Zusammenhang mit meiner Arbeit bei Europol verschickt. Ich vermute also, dass er über das Europol-Netz eingedrungen ist.«

»Also doch die Europa-Polizisten?«

»Ich weiß es nicht. Ich bräuchte einen Internetzugang, um mehr zu erfahren.«

Er schlug sich mit der Hand auf die Stirn.

»Ich Idiot! Ich weiß, wohin wir müssen!«

Er beugte sich vor, inspizierte das Navigationssystem.

»Kennst du dich damit aus?«

»Wohin müssen wir denn?«

»Nach Brüssel.«

Shannon drückte ein paar Knöpfe, bis das Display eine Route und Distanz angab.

»Gut zweihundert Kilometer«, stellte sie fest. Warf einen Blick auf das Armaturenbrett. »Dafür reicht der Tank. Weshalb Brüssel?«

»Ich kenne dort jemanden.«

»Und der hat Strom und Internetzugang?«

»Wenn das Monitoring and Information Centre der Europäischen Kommission in so einer Situation keinen Strom und keinen Internetzugang mehr hat, sind wir wirklich am Arsch. Verzeih den Ausdruck.«

»Na, dann. Zwei Stunden sagt das Navi.«

»Aber vorher brauche ich etwas zu essen.«

»Woher nehmen?«

Brüssel

Hastig stopfte sich Angström ein Stück Brot in den Mund, während die anderen im Besprechungszimmer eintrudelten. Als Letzter kam der Leiter des EUMIC, Zoltán Nagy. Ohne lange Einleitungsworte kamen sie zur Sache.

»Hilfe aus den USA können wir vergessen«, stellte Nagy fest. »Und nicht nur das: Jene der Russen und Chinesen, der Türkei, Brasiliens und anderer Staaten müssen nun auf Europa und die Vereinigten Staaten aufgeteilt werden.«

Ein paar Sekunden lang herrschte ratloses Schweigen. Dann gingen sie zur Tagesordnung über und gemeinsam die neuesten Berichte durch.

»Das NATO-Oberkommando hat den Bündnisfall ausgerufen«, sagte Nagy mit düsterer Stimme. »Das Bündnis wird laut einer Erklärung mit aller Entschlossenheit gegen die Aggressoren vorgehen. Allerdings herrscht nach wie vor völlige Unklarheit, wer für den Angriff verantwortlich ist.«

Angström musste an Piero Manzano denken. Sie hatte nichts mehr von ihm gehört. Ob er Europol in Den Haag helfen konnte?

Die Internationale Atomenergie-Organisation hatte den Unfall in Saint-Laurent auf 6 hochgestuft, nur eine Kategorie unter den Katastrophen von Tschernobyl und Fukushima. »Die Evakuierungszone wurde auf dreißig Kilometer ausgeweitet«, berichtete der mit der Sache befasste Kollege. »Damit sind unter anderem Städte wie Blois und Viertel von Orléans betroffen. Das Gebiet rund um das Kraftwerk, darunter Teile des UNESCO-Welterbes Loiretal, sind womöglich auf Jahrzehnte oder gar Jahrhunderte unbewohnbar. Frankreich hat uns offiziell um Hilfe gebeten. Japan hat angeboten, Experten zu schicken.«

»Die müssen sich da ja auskennen«, bemerkte jemand voller Sarkasmus.

Angström fragte sich, ob der Franzose, der sie in Den Haag am Flughafen abgeholt hatte, in der Gegend Freunde oder Verwandte hatte.

»Ein ähnliches Szenario drohte der Umgebung des tschechischen Temelín, das inzwischen auf INES 4 steht«, fuhr der Kollege fort. »Über den Zustand des Reaktors herrscht Unklarheit. Experten meinen, dass es bereits zu einer partiellen Kernschmelze gekommen sein könnte.«

Aus sieben weiteren AKWs in ganz Europa meldete die IAEO Zwischenfälle der Stufen 1 und 2.

»Es betrifft uns zwar nicht unmittelbar«, meinte der Kollege, »aber auch aus dem US-amerikanischen Atomkraftwerk Arkansas One wird ein schwerer Störfall gemeldet. Dort kam es ebenfalls zu einem Ausfall der Notstromversorgung.«

Wenig wussten sie über die europaweiten Bedingungen für die Zivilbevölkerung. Mit Sicherheit konnten sie nur von den Verhältnissen in Brüssel ausgehen, denen sie und ihre Familien ausgesetzt waren. Die allgemeine Solidarität hatte breite Risse bekommen. Hatte man vor wenigen Tagen noch Wildfremden geholfen, beschränkten sich gute Taten mittlerweile meist auf den engsten Freundes- oder Familienkreis.

»Unruhen und Plünderungen werden mittlerweile aus zahlreichen Städten gemeldet«, sagte eine Kollegin.

Keinerlei gute Nachrichten, dachte Angström bedrückt. Die Lage war so finster wie die Nacht vor den Fenstern.

Vor ihnen tauchte aus dem Dunkel ein Haus auf.

»Da vorn ist Licht«, sagte Manzano.

Shannon steuerte den Wagen darauf zu. Von der Straße führte ein schmaler, asphaltierter Weg weg. Shannon folgte ihm, bis vor ihnen ein großes Bauernhaus auftauchte. In seinem Erdgeschoss leuchteten drei Fenster. Sie hielten an und stiegen aus. Die Bewohner mussten den Motor gehört haben, denn jemand öffnete die Tür. Gegen das Licht von drinnen erkannten sie zunächst nur einen Schemen.

»Was wollen Sie?«, fragte ein Mann, der ein Gewehr quer vor der Brust hielt.

»Wir suchen etwas zu essen, bitte«, antwortete Manzano radebrechend.

Ihr Gegenüber beäugte sie misstrauisch.

»Woher kommen Sie?«

»Ich bin Italiener, und sie ist eine amerikanische Journalistin.«

»Schicken Wagen haben Sie da.« Der Mann deutete mit der Waffe auf den Porsche. »Und fährt sogar noch. Darf ich mal sehen?« Er machte einen Schritt auf sie zu, ließ die Waffe sinken.

Shannon zögerte, dann begleitete sie ihn zum Auto.

»Habe noch nie in so etwas gesessen«, sagte er. »Darf ich mal?«

Shannon öffnete die Tür, er setzte sich auf den Fahrersitz. Manzano war neben sie getreten.

»Den Schlüssel«, bat der Mann und streckte seine Hand aus. Als Shannon nicht sofort reagierte, richtete er den Lauf der Flinte auf sie.

»Den Schlüssel«, wiederholte er.

Shannon reichte ihm das gewünschte Teil.

Der Mann nahm ihn entgegen, startete. Dabei ließ er die Tür

offen stehen, die Waffe so über seine Schenkel gelegt, dass sie weiterhin auf Shannon gerichtet war.

»Klingt gut. Und sogar noch Benzin im Tank.«

Er schloss die Tür und fuhr in ein offen stehendes Scheunentor, bevor Shannon oder Manzano reagieren konnten.

Shannon und Manzano liefen ihm nach. Als sie das Tor erreichten, war er bereits ausgestiegen und richtete die Waffe auf sie.

»Verschwinden Sie!«

»Sie können doch nicht …!«, rief Shannon auf Englisch, doch Manzano hielt sie zurück.

»Sie sehen ja, dass ich kann.«

»Wir holen die Polizei.«

Der Mann lachte. »Wenn Sie die finden …«

Wieder machte er mit dem Gewehr eine Bewegung auf sie zu.

»Selbst wenn es dir gelingen sollte, Mädchen, sage ich einfach, ihr hättet mir den Wagen freiwillig gegeben. Als Gegenleistung für Essen. Und jetzt …«

Noch ein Wink mit der Waffe.

Manzano hörte Shannon schnauben.

»Unsere Sachen«, sagte Manzano. »Geben Sie uns wenigstens unsere Sachen aus dem Auto.«

Der Mann überlegte kurz, dann zog er Shannons Seesack von der Rückbank, warf ihn vor ihre Füße.

»Den Computer auch«, bat Manzano und beeilte sich hinzuzufügen: »Aber nicht werfen, bitte!«

Er ging ein paar Schritte auf den Wagen zu, der Mann hob den Gewehrlauf, Manzano blieb stehen.

»Wozu brauchen Sie einen Computer?«

»Sie können nichts damit anfangen«, erwiderte Manzano. Und wiederholte: »Bitte.«

»Holen Sie ihn sich«, sagte der Mann unwirsch. »Aber keine falsche Bewegung.«

Manzano gehorchte. Er hinkte zum Wagen.

»Was ist mit Ihrem Bein?«

»Verletzt.«

»Ihr Kopf auch.«

Manzano sagte nichts.

Er zog den Computer unter dem Beifahrersitz hervor, wohin er verrutscht war.

»Und jetzt verschwinden Sie!«

Er schloss das Tor von innen.

Manzano und Shannon sahen sich an, liefen ein paar vorsichtige Schritte hinüber zum Hauseingang, der immer noch offen stand und aus dem schwacher Lichtschein drang.

»Dieser Mistkerl«, zischte Shannon, da erschien ein Schatten in der Tür.

»Verschwinden Sie, sagte ich!«, rief er. Gleich darauf zerriss ein Knall die Stille. Auf dem Boden vor Manzano spritzten Erde und Steinchen hoch.

»Scheiße!«, fluchte Shannon und sprang zurück. Als der nächste Schuss knapp neben ihr einschlug, stützte sie Manzano am Ellenbogen und zog ihn weg.

»Und kommen Sie ja nicht zurück!«, brüllte ihnen der Mann hinterher. »Beim nächsten Mal ziele ich besser!«

Den Haag

»Das schmeckt nicht!«

Bernadette knallte den Löffel in den Gemüseeintopf, den Bollard aus dem Hotel Gloria mitgebracht hatte.

»Etwas anderes bekommst du nicht«, antwortete Bollard.

»Ich will Spaghetti!«

Marie verdrehte die Augen. Die Grippemittel hatten geholfen, ihr Fieber war gesunken.

»Du siehst doch, dass der Ofen nicht geht. Wie willst du denn das Wasser für die Nudeln kochen? Auf dem Wohnzimmerkamin?«

Eigentlich ging es den Kindern gar nicht so schlecht, fand Bollard. Sie mussten nicht in die Schule, durften den ganzen Tag spielen, wegen der ungewöhnlichen Situation waren er und seine Frau nachsichtiger als sonst.

»Mir egal! Und Fernsehen will ich auch!«

»Bernadette, es ist genug!«

»Nein! Nein, nein!«

Sie sprang von ihrem Stuhl und trampelte aus der Küche.

Seine Frau warf Bollard einen verzweifelten Blick zu. Er stand auf und folgte seiner Tochter. Sie saß im Wohnzimmer auf dem Boden vor dem Kamin, in dem die Flammen flackerten. Konzentriert kämmte sie die Haare einer Puppe. Nur ihre aufgeworfene Unterlippe verriet ihren anhaltenden Trotz.

Bollard setzte sich gegenüber auf den Boden.

»Hör mal, Schatz...«

Bernadette senkte den Kopf, zog die Augenbrauen grimmig zusammen, schob ihre Lippe noch weiter vor und kämmte das Puppenhaar doppelt so schnell.

»Ich weiß, das ist gerade nicht einfach, aber wir alle...«

Er hörte das leise Schluchzen seiner Tochter, sah, wie die kleinen Schultern bebten. Dieses Weinen kannte er nicht von ihr. Das waren nicht nur Zorn und Trotz. Die Kinder verstehen vielleicht nicht, was vor sich geht, dachte er, aber sie spüren es. Unsere Ratlosigkeit, unsere Anspannung, unsere Angst. Bollard strich ihr über das Haar, nahm sie in den Arm. Ihr zarter Körper wurde jetzt geschüttelt, die Tränen tropften auf Bollards Hemd, der sie umschlungen hielt und sanft wiegte.

So fühlen wir uns doch alle, Schatz, dachte er, so fühlen wir uns alle.

Zwischen Köln und Düren

Shannon hatte Manzano einen Pullover aus ihrem Seesack geliehen, trotzdem zitterte er. Sie musste ihn stützen, da er sein verletztes Bein kaum mehr belasten konnte. Sie waren auf die Straße zurückgekehrt, auf der sie hergefahren waren. Die letzte Ortschaft lag ein paar Kilometer zurück. So weit würden sie es heute Nacht nicht schaffen, schon gar nicht mit Manzanos verletztem Bein.

»Dreckskerl!«, fluchte Shannon.

»Es geht nicht mehr«, stöhnte Manzano.

»Was willst du machen?«, fragte Shannon. »Wir können nicht mitten auf der Straße stehen bleiben. Wir holen uns den Tod.«

Manzano atmete schwer, dann schleppte er sich weiter.

»Schau, da vorn!«

Im Mondlicht erhoben sich die Umrisse einer schiefen Hütte auf einem Feld.

Sie kämpften sich über den zerfurchten Boden des Ackers. Das Holzhäuschen maß etwa fünf mal fünf Meter, hatte kein Fenster, vor der Tür hing ein verrostetes Schloss. Shannon trat mehrmals dagegen, doch der Riegel hielt stand. Sie versuchte, die Bretter der Tür aufzubiegen, die krachend nachgaben. Shannon hatte ein Stück herausgebrochen, das groß genug war, um ins Innere zu kriechen.

Sie wühlte in ihrem Seesack herum und fand die Streichhölzer, die sie noch in Paris eingepackt hatte. Sie legte sich auf den Bauch, zündete eines an und leuchtete hinein. So viel sie im bescheidenen Lichtkreis des Streichholzes erkennen konnte, war die Hütte bis auf ein paar alte Pfosten und etwas Heu leer. Die Flamme erlosch, Shannon warf ihren Seesack vor, dann robbte sie hinein. Mit ein paar heftigen Tritten gelang es ihr nun, die Tür zu öffnen.

»Ist nicht wärmer hier drin«, stellte Manzano fest.

»Das ändern wir«, sagte Shannon.

Durch ein großes Loch im Dach schimmerte das Mondlicht.

Sie sammelte das Heu zusammen, das herumlag, und häufte es in der Mitte aufeinander. Darauf legte sie das Holzstück, das sie aus der Tür gebrochen hatte. Mit einem Streichholz versuchte sie, das Heu anzuzünden. Der Haufen begann zu rauchen, aber nur wenige Halme glühten auf.

Shannon probierte es noch einmal, diesmal flackerten ein paar kleine Flammen, die sie mit behutsamem Blasen am Leben hielt. Schnell erfassten sie das restliche Stroh und leckten bald an dem darüberliegenden Holzstück. Dichter Rauch breitete sich in der Hütte aus, hustend wollte Manzano flüchten, als die Schwaden begannen, durch die Lücke im Dach abzuziehen.

Wenige Minuten später warf ein kleines Feuer tanzende Schatten an die Wände. In der Zwischenzeit hatte Shannon einen der verwitterten Pfosten, die in einer Ecke lehnten, auf die Flammen geworfen, und auch dieser begann zu glühen. Manzano hatte sich vor dem Feuer zusammengekauert und streckte seine Hände in die Wärme.

»Das ist großartig«, seufzte er. »Wo hast du das gelernt?«

»Pfadfinder«, antwortete sie. »Ein paar Jahre lang hat mich meine Mutter hingeschickt. Ich mochte es nie besonders. Wer hätte gedacht, dass es mir eines Tages nützt.«

Sie wusste, dass es nicht ungefährlich war, neben diesem Feuer einzuschlafen. Funkenflug konnte die gesamte Hütte in Brand setzen und der Rauch sie im Schlaf ersticken.

Eine Weile starrten sie stumm in die Flammen.

»Was für ein Irrsinn«, bemerkte Manzano schließlich.

Shannon erwiderte nichts.

»Ein Gedanke will mir nicht aus dem Kopf«, fuhr Manzano fort. »Welche Ziele die Angreifer damit verfolgen, dass sie uns den Lebenssaft unserer Zivilisation abdrehen. Ist es das, was sie wollen? Dass wir uns gegenseitig ausrauben und die Schädel einschlagen? Uns wieder wie Steinzeitmenschen verhalten?«

»Dann ist es ihnen gelungen«, meinte Shannon bitter, stand auf, kippte ihren Seesack aus, reichte ihm einige Kleidungsstücke. Viel war es nicht.

»Als Unterlage und zum Zudecken.«

»Bei allen ist es ihnen noch nicht gelungen.«

»Was?«

»Das mit dem Steinzeitverhalten. Danke.«

Manzano knüllte zwei T-Shirts und einen Pullover zu einer Kopfstütze zusammen. Shannon tat dasselbe mit einer Hose. Sie legten sich gegenüber, mit dem Blick zum Feuer. Shannon spürte die Kälte im Rücken, aber nicht mehr so beißend wie im Freien. Manzano hatte seine Augen bereits geschlossen.

Shannon warf noch einen Blick auf die kleinen Funken, die vereinzelt aus dem glühenden Pfosten sprangen, schloss gleichfalls die Augen und hoffte, dass sie am nächsten Morgen wieder aufwachen würde.

Tag 8 – Samstag

Ratingen

»Der Italiener und seine amerikanische Freundin sind verschwunden«, erklärte Hartlandt mit einem Seitenblick auf Pohlen. »Auch
von Dragenau haben wir nichts wirklich Neues.«

Er sah in die Runde. Dienhof war da, die restliche Führungs-
riege der Talaefer AG, sogar Wickley.

»Die balinesischen Behörden haben den Tatort- und den Ob-
duktionsbericht geschickt. Demnach wurde Dragenau am Auf-
findungsort erschossen, zwei Projektile in Brust und Bauch. Sein
Hotelzimmer war durchsucht worden, bevor die Polizei es gefunden hatte. Keine Fingerabdrücke, vielleicht DNA, aber wer weiß,
wie sorgfältig das Reinigungspersonal dort ist und von wie vielen
vorherigen Gästen da noch Material herumliegt. Dragenaus Ausweis fehlte, Geld und Kreditkarten sind ebenfalls verschwunden.«

Er gab diese Einzelheiten mit Absicht bekannt, denn er hatte
noch mehr zu berichten: »Allerdings gibt es ein hochinteressan-
tes Detail: Dragenau war nicht Dragenau. Zumindest nicht im
Hotel. Dort checkte er nämlich als Charles Caldwell ein. Sagte jemandem der Name etwas?«

Die versammelte Runde schüttelte ihre Köpfe.

»Warum sollte er das tun?«, fuhr Hartlandt fort. »Meine These
ist, dass Dragenau unser Mann ist. Er ist nicht nach Bali gefahren, um Urlaub zu machen. Sondern um unterzutauchen. Zu seinem – und unserem – Unglück haben ihm seine Komplizen oder

seine Auftraggeber nicht getraut. Deshalb musste er zum Schweigen gebracht werden. Schlecht für uns, denn nun kann er uns nichts mehr sagen. «

»Das sind doch nur Spekulationen«, ereiferte sich Wickley. »Und wenn der Tote tatsächlich Charles Caldwell ist? Warum sollte Dragenau denn so etwas tun?«

»Geld?«, schlug Hartlandt vor.

»Verletzter Stolz«, warf Dienhof ein. »Späte Rache.«

Wickley warf ihm einen bösen Blick zu.

»Weshalb?«, fragte Hartlandt nach. »Er gehörte zu den Schlüsselkräften des Unternehmens. Wofür sollte er sich rächen?«

»Vor vielen Jahren«, seufzte Wickley, »noch als Technikstudent, gründete Dragenau eine Firma für Automationssoftware. Er war ein brillanter Kopf, aber ein schlechter Kaufmann. Trotz seiner ausgezeichneten Produkte kam er nie richtig ins Geschäft. Eine Weile war er ein Konkurrent, aber auf Dauer hatte er gegen Talaefer keine Chance. Ende der Neunzigerjahre verkaufte er an uns und wurde Chief-Architect. Als solcher trieb er die Entwicklung neuer Geschäftsfelder technologisch voran.«

»Ich verstehe nicht, wofür er sich rächen sollte«, wandte Hartlandt ein. »Klingt, als hätte er Kasse gemacht und auch noch einen Job bekommen, der ihm Spaß bereitete.«

»Kasse gemacht hat er nicht. Seine Firma war hoch verschuldet, nicht zuletzt wegen verschiedener Rechtskonflikte mit Talaefer. Der Kauf seiner Firma war in erster Linie ein strategischer, um Dragenaus Kopf zu bekommen. In den folgenden Jahren hat sich das auch mehr als ausgezahlt. Ihm verdankt die Firma zahlreiche ausgezeichnete Entwicklungen.«

»Einen enttäuschten, in den Bankrott getriebenen Konkurrenten als Mitarbeiter betrachteten Sie in Ihrer Branche nicht als extremes Sicherheitsrisiko?«, fragte Hartlandt ungläubig.

»Anfangs schon«, antwortete Wickley. »Aber über die Jahre fiel er einfach so positiv auf, dass sich die Zweifel irgendwann zerstreuten. Er stand sogar als kommender Entwicklungschef zur Diskussion.«

»Tja, wie es aussieht, könnten Sie sich in ihm getäuscht haben. Sie und wir konzentrieren unsere Untersuchungen vorerst auf jene Bereiche, auf die Dragenau Zugriff hatte.«

Zwischen Köln und Düren

Shannon öffnete die Augen und blickte in die Asche. Dazwischen glühten noch ein paar orange Nester. Dahinter schlief Manzano, atmete schwer.

Auf seinem bleichen Gesicht glänzte der Schweiß. Durch die Lücken im Dach leuchtete blauer Himmel.

Shannon blieb liegen und dachte über ihre Situation nach. Sie lag in einer schäbigen Holzhütte, in einem Land, dessen Sprache sie weder verstand noch sprach. Draußen herrschte Winter, neben ihr lag ein Verletzter. Man hatte ihr das einzige Transportmittel gestohlen. Sie hatte weder zu essen noch Wasser. Fernsehen und andere Medien funktionierten nicht, mit denen sie sich über die allgemeine Lage informieren konnte. Dasselbe galt für Telefone, um Verwandte, Freunde, Arbeitskollegen oder Hilfe anzurufen.

Shannon spürte Panik in sich hochsteigen. Sie kannte das Gefühl von früher, aus der Schule, als sie gedacht hatte, Prüfungen nicht zu schaffen, von ihren Reisen, als sie kein Ziel mehr gehabt hatte oder kein Geld. Aber sie hatte gelernt, damit umzugehen. Sie wusste, was sie tun musste: nicht wie das Kaninchen vor der Schlange erstarren, sondern den ersten Schritt setzen. Etwas tun, sich bewegen, auf das Ziel hin.

Welches Ziel?

Leise richtete sie sich auf, legte einen Pfosten auf die Feuerstelle, blies behutsam, bis erste Flammen daran züngelten. Manzano atmete noch schwerer, wachte aber nicht auf. Shannon schlich hinaus und erledigte hinter der Hütte ihr morgendliches Geschäft. Die Felder und Wäldchen der Umgebung hatte der nächtliche Frost mit einer weißen Schicht überzogen, die in der Sonne glitzerte. Einen Atemzug lang fühlte sie sich leicht.

Shannon konnte nicht einschätzen, wie weit sie sich am Vorabend noch von dem räuberischen Hofbewohner entfernt hatten, Gebäude entdeckte sie jedoch nirgends.

Sie spürte ihren trockenen Mund und lehnte sich gegen die Holzwand, die von der Morgensonne aufgewärmt war, schloss die Augen und genoss das Kitzeln der Strahlen im Gesicht. So stand sie eine Weile da, versuchte, ihre Gedanken zu ordnen, einen Plan zu fassen. Eine Richtung zu finden. Bis vorgestern waren ihre Ziele klar gewesen. Die beste Story aus dieser ohnehin unglaublichen Geschichte zu holen. Ihr wurde bewusst, wie gut es ihr in den vergangenen Tagen noch ergangen war. Hunderte Millionen Europäer lebten seit Beginn des Ausfalls unter diesen Bedingungen, die jeden Tag schlimmer wurden. Für sie waren sie bislang nur Gegenstand von Reportagen gewesen, bis sie in ihr geheiztes Hotelzimmer hatte zurückkehren dürfen. Sie horchte in sich hinein. Welche Neuigkeit wollte sie noch erfahren? Eigentlich nur eine: Es ist vorbei. Alles ist wieder gut.

Sie wollte gern die gute Nachricht überbringen. Dafür mussten zuerst die Fakten geschaffen werden. Vielleicht war es an der Zeit, nicht nur darüber zu berichten, was andere taten, sondern selbst etwas zu tun. Manzano hatte etwas unternommen, als er den Code in den italienischen Zählern entdeckt hatte.

Ihr rauer Mund und das Rumpeln ihres Magens erinnerten sie jedoch daran, dass ihre nächsten Schritte elementareren Bedürfnissen dienen mussten. Seit gestern Vormittag bei Hartlandt hatte sie nichts gegessen und nur einmal aus diesem Bach getrunken. Bei Manzano sah es noch schlechter aus, er hatte nicht einmal die Snacks des Polizisten genossen.

Sie kehrte zurück in die Hütte.

Manzano schlug die Augen auf, sie glänzten.

»Guten Morgen«, sagte sie leise. »Wie geht es dir heute?«

Er schloss die Augen wieder, hustete.

Sie legte die Hand auf seine Stirn. Sie glühte. Vielleicht auch von den Flammen, denen er fast zu nahe war.

Er murmelte irgendetwas.

»Wir müssen einen Arzt für dich finden«, stellte sie fest. Erster Schritt.

Den Haag

Marie Bollard drängte sich zu einem der Händler, die sich rund um den Platz postiert hatten. Er bot Kohlrabi, Rüben und fleckige Äpfel an. Sie zog die Uhr hervor, die ihre Eltern ihr zum Abitur geschenkt hatten, außerdem hielt sie zwei goldene Ringe und ein Kettchen in der Hand, ihre letzte Reserve. Sie streckte dem Händler einen der Ringe entgegen.

»Echt Gold!«, rief sie. »Der ist vierhundert Euro wert. Was bekomme ich dafür?«

Die Aufmerksamkeit des Mannes gewann jemand weiter drüben, der Bargeld bot. Marie Bollard zeigte den Ring einem der vielen Bewacher, die mit Argusaugen auf die Waren achteten.

»Echt Gold!«, wiederholte sie. »Achtzehn Karat!«

Der Mann reagierte nicht. Mit stoischer Miene sah er zu, wie sie sich wieder an den Verkäufer wandte.

Mehrmals noch rief sie, bis er ihr einen kurzen Blick zuwarf. »Und woher soll ich wissen, ob der echt ist?«, fragte er.

Bevor Bollard antworten konnte, nahm er einem anderen sein Geld ab und reichte ihm im Gegenzug zwei volle Säcke.

Abgespannt zog sich Marie Bollard aus dem dichtesten Gedränge zurück. So schnell durfte sie jetzt nicht aufgeben. Mindestens dreißig Händler hatten sich auf dem Platz verteilt. Dazwischen schoben sich die hungrigen Menschen aneinander vorbei wie auf einem Antikmarkt an einem lauen Herbsttag, nur hektischer, aggressiver. Mittendrin stand ein Mann mit langem Bart, der nur ein weißes Tuch um den Körper gewickelt trug, wie eine Mischung aus Guru und Jesus. Die Arme erhoben wiederholte er unablässig: »Das Ende naht! Bereut!«

Solche Typen gab es tatsächlich. Bei diesen Temperaturen. Kopfschüttelnd zog Bollard weiter. Immer wieder hörte sie Streitigkeiten, Zornesrufe. Besonders an einem Ende des Marktes hatten sich Menschen versammelt, die einem wütend brüllenden Redner zuhörten.

Sie kämpfte sich an den Ständen vorbei, als sie einen entdeckte, der nichts zu verkaufen schien. Sein Tisch war kleiner als die anderen, dafür wurde er von sechs großen Männern mit Stiernacken und unfreundlichen Gesichtern bewacht. Bollard arbeitete sich vor. Durch eine Lupe, die er in sein rechtes Auge geklemmt hatte, begutachtete ein Mann ein Schmuckstück.

»Zweihundert«, rief er zu der Frau vor ihm.

»Aber das ist mindestens achthundert wert!«, schrie sie.

»Dann verkaufen Sie es jemandem, der Ihnen achthundert dafür gibt«, erwiderte er und gab ihr die Brosche zurück.

Die Frau zögerte, sie anzunehmen, griff zu, ballte ihre Faust darum. Der Mann nahm bereits das nächste dargebotene Stück entgegen. Die Frau zögerte immer noch, da wurde sie von anderen beiseitegeschoben.

Marie Bollard tastete nach den Schmuckstücken in ihrer Manteltasche. Sie biss sich auf die Lippen, dann drehte sie um.

Ratlos stand sie im Gewimmel und Getöse. Für solche Wuchergeschäfte war sie noch nicht bereit. Die Massen um den Redner hatten sich vergrößert, belegten mittlerweile den halben Platz. Im Chor brüllten sie, was Bollard erst nach einigen Wiederholungen verstand.

»Gebt uns Essen! Gebt uns Wasser! Gebt uns unser Leben zurück!«

Zwischen Köln und Düren

Shannon stand am Straßenrand, neben ihr saß Manzano an den Seesack gelehnt. In seinem Zustand kamen sie nicht weiter. Seit einer halben Stunde hoffte sie auf ein Auto. Wenn sie hier wegkommen wollten, mussten sie es riskieren. Zum Glück schien die Sonne und entschärfte die schneidende Kälte ein wenig.

Shannon hörte die Motorengeräusche, bevor sie den Wagen sah. Dann tauchte von links ein Lastkraftwagen auf.

»Hoffentlich kein Militär oder Polizei«, murmelte Manzano. »Wenn die Fahndungsbilder von uns haben ...«

»Die Farbe sieht nicht danach aus«, sagte Shannon. »Wir versuchen es.« Zum Verstecken war es ohnehin zu spät.

Sie streckte ihren Arm aus, den Daumen nach oben.

In der Fahrerkabine des Lkws erkannte sie zwei Personen. Das Fahrzeug hielt neben ihnen an. Durch die offene Fensterscheibe sah ein junger Mann mit Kurzhaarschnitt und Stoppelbart zu ihnen herab. Er fragte etwas, das Shannon nicht verstand. Wieder einmal mussten sie sich erkundigen, ob der andere Englisch sprach. Der junge Mann blickte sie verwundert an, sagte dann aber »*Yes*«.

Shannon erklärte ihm, dass Manzano krank war und sie in die nächste Stadt mussten. Sein Kopf verschwand, Shannon hörte ihn mit dem Fahrer reden. Dann öffnete er die Tür und reichte ihnen die Hand. Shannon hievte zuerst Manzano hoch, dann stieg sie selbst nach.

Am Steuer saß ein älterer Mann, auch er mit Mehrtagesbart und ordentlichem Bauch. Der junge stellte ihn als Carsten vor, er selbst hieß Eberhart.

»Wo haben Sie sich denn herumgetrieben?«, fragte er und schnupperte. »In einer Räucherkammer?«

»So ähnlich.«

In der Fahrerkabine war es herrlich warm. Hinter den Sitzen von Carsten und Eberhart bot eine Bank ausreichend Platz für sie, Manzano und ihre wenigen Habseligkeiten.

Sobald sie und Manzano angeschnallt waren, legte Carsten einen Gang ein, behäbig setzte sich der Lkw wieder in Bewegung. Manzano sank gegen die Kabinenwand und schloss die Augen. Sie legte die Hand an seinen Kopf. Hinter seiner Stirn schien er ein Stück Glut des nächtlichen Feuers mitgenommen zu haben.

»Wir sind Reporter«, erklärte Shannon. »Während unserer Recherchen ist unser Wagen ohne Sprit liegen geblieben ...«

»Ziemlich harte Reportagen, wenn ich mir den Kollegen so ansehe«, meinte Eberhart und wies auf Manzanos Kopfverletzung.

»Autounfall, als die Ampeln ausfielen«, gab Manzano wahrheitsgemäß Auskunft.

»... unser Hotel schloss nach wenigen Tagen ebenfalls«, fuhr Shannon fort. »Jetzt wollen wir nach Brüssel.«

Im selben Moment begriff sie, wie blöd das klang.

»Glauben Sie, dass Ihnen die EU hilft?«, lachte Eberhart.

»... oder in die nächste große Stadt, wo wir vielleicht ein Konsulat oder eine Botschaft finden«, fügte sie schnell hinzu. »Oder in eines der Gebiete, die mit Strom versorgt sind. Wissen Sie zufällig, wo welche liegen?«

»Nein. Auf unserer Route nirgendwo. Ich schätze, diese Gebiete gibt es nur am Ende des Regenbogens ...«

Berlin

»Wir müssen *jetzt* entscheiden, was wir den Russen sagen«, forderte der Bundeskanzler. »In zwei Stunden starten die ersten Flüge.«

»Wir haben noch immer keine Erkenntnisse über die Urheber«, erwiderte der Verteidigungsminister.

»Wir brauchen jede Hilfe«, warf Michelsen ein. »Mit welchem Argument sollen wir sie jetzt noch stoppen? Und vor allem, warum nur die russische und nicht die türkische oder ägyptische?«

»Und wenn die Russen dahinterstecken?«

»Wenn, wenn ...«, eiferte sich Michelsen. Sie hatte genug von den dauernden Einwänden jener, die sich bereits in einem Krieg wähnten. Von Beginn an hatte der Verteidigungsminister zur Kriegsthese geneigt, während sich der Kanzler abwartend verhielt und auch nach dem Angriff auf die USA einen Terroranschlag nicht ausschließen wollte. An seiner Seite wusste er den Innenminister, der ihm auch jetzt beisprang.

»Russland schickt in der ersten Welle fast ausschließlich zivile Kräfte«, wandte er ein. »Die Streitkräfte haben nur das Kommando über die Koordination.«

Dass es bei der Diskussion nicht um Argumente, sondern um Macht ging, war allen Beteiligten klar. Der Innenminister war Herr über die Polizei. Diese war zuständig für Ermittlungen in Terrorfällen. Seit dem Angriff auf die USA witterte der Verteidigungsminister seine Chance. Als Führer der kleineren Koalitionspartei hätte er als Verantwortlicher für die Bundeswehr im Fall einer kriegerischen Auseinandersetzung auch gegenüber dem Bundeskanzler deutlich an Stellenwert gewonnen. Fast hatte Michelsen mittlerweile das Gefühl, der Kerl wäre dafür sogar bereit, einen Krieg zu provozieren.

An der Tür zum Besprechungsraum klopfte jemand. Ein Sekretär des Kanzlers öffnete, streckte seinen Kopf hinaus, eilte zum Regierungschef und flüsterte ihm etwas ins Ohr.

Bedächtig stand der Bundeskanzler auf, sagte zu den Anwesenden: »Das sollten Sie sich ansehen«, und verließ den Raum.

Die anderen folgten ihm verwundert. Der Kanzler verließ den gesicherten Bereich bis zu einem der Flure, aus denen sie auf die Straße sehen konnten.

Bei dem Anblick spürte Michelsen, wie eine Gänsehaut schmerzhaft ihren Rücken hinauf bis ins Genick lief und weiter bis auf die höchste Stelle ihres Scheitels. »Ich kann sie verstehen«, sagte sie zu ihrer Nachbarin, die wie sie und andere aus dem Krisenstab gebannt die Menschenmasse beobachtete, die sich ein paar Etagen unter ihnen vor dem Innenministerium eingefunden hatte. Es mussten Tausende sein. Sie riefen Sprechchöre, die Michelsen durch die dicken Scheiben nicht hörte. Sie sah nur die offenen Münder, die geschwenkten Fäuste und Transparente.

Wir haben Hunger!

Wir frieren!

Wir brauchen Wasser!

Wir brauchen Heizung!

Wir wollen auch Strom!

Bescheidene Wünsche, dachte Michelsen. Und doch immer schwerer zu erfüllen. Ihr war bewusst, welches Bild sie da oben für die da unten abgeben mussten. Menschen ohne Mäntel, dicke Pullover, Schals und Fäustlinge, hinter Scheiben eines beleuchteten, offensichtlich geheizten Gebäudes, blickten wie aus einer Festung herab auf die Belagerer in der Kälte.

Die Menge bewegte sich hin und her, ein Meer von Köpfen, das immer wieder auf das Gebäude zuwogte, sich etwas zurückzog, wieder näher kam. Michelsen wusste, dass die Tore unten geschlossen und durch Polizisten gesichert waren.

»Ich muss wieder an die Arbeit«, sagte sie und wandte sich ab. Ein dumpfes Geräusch ließ sie sich noch einmal umdrehen. Ihre Kollegen waren zurückgewichen und blickten erschrocken zu den Fenstern. Wieder schlug ein Schatten gegen eine Scheibe, über die sich ein spinnennetzartiges Gewirr von Rissen ausbreitete. Mehr Steine flogen gegen die Fassade, zwei weitere Fenster zeigten plötzlich Sprünge. Obwohl das Sicherheitsglas stabil genug war, traten die Personen im Flur zurück. Einer nach dem anderen machte sich wieder auf den Weg in die Räumlichkeiten der Krisenzentrale, die durch Spezialtüren mit Sicherheitscodes gesichert waren. Nur eine Handvoll blieb.

Genau dafür bin ich eigentlich da, dachte Michelsen: um so etwas zu verhindern. Das Gefühl des Versagens kroch ihr in alle Glieder, ihre Zähne schlugen aufeinander, als hätte sie Schüttelfrost. Sie lehnte sich gegen die Wand, sah den Steinen zu, die gegen das Glas donnerten.

Dann hörte der Hagel auf. Fünf der sechzehn Fenster im Flur waren beschädigt worden.

»Wir lassen die Russen kommen«, hörte sie den Bundeskanzler zum Außenminister sagen.

Vorsichtig wagte sich Michelsen wieder zu den Fenstern. Vor dem Gebäude breitete sich Rauch aus. Feuer oder Tränengas?, fragte sie sich.

»Und Sie?«, fragte Shannon den Beifahrer. »Was machen Sie hier auf der Straße?«

»Carsten arbeitet für einen großen Lebensmittelkonzern«, antwortete Eberhart. »Normalerweise beliefert er die Filialen vom Zentrallager aus mit Lebensmitteln.«

Bei dem Gedanken an Essen zog sich Shannons Magen zusammen.

»Sie sprechen gut Englisch.«

»Ich studiere«, erklärte Eberhart. »Das hier mache ich als Nothelfer.«

»Und was haben Sie dabei?«

»Was noch verwendbar ist. Konserven, Mehl, Nudeln. In allen Ortschaften auf unserer Route wurden bestimmte Filialen zu Lebensmittelausgabestellen umfunktioniert, meistens von den örtlichen Behörden. Dort verteilen wir festgelegte Mengen, direkt vom Lastwagen. Aber lange wird das ohnehin nicht mehr gehen.« Er blickte nachdenklich aus dem Fenster.

»Weshalb?«

»Weil unser Lager praktisch leer ist. Das ist eine unserer letzten Fahrten. Schon jetzt müssen wir bei der Ausgabe streng rationieren.«

Shannon zögerte, bevor sie ihre nächste Frage stellte: »Sie transportieren Lebensmittel. Wir haben seit gestern Morgen nichts mehr gegessen.« Als keiner der beiden reagierte, fügte sie hinzu: »Ich hätte noch ein wenig Geld übrig.«

Eberhart musterte sie mit zusammengekniffenen Augen.

»Sie haben noch Geld?«

In Shannon stieg ein unangenehmes Gefühl hoch, das ihren schmerzenden Magen jedoch nicht beschwichtigte.

»Wenig«, schwächte sie ab. »Ich dachte, ich könnte Ihnen etwas abkaufen.«

Eberhart kratzte seinen Bart. »Dürfen wir nicht. Notstandsgesetze. Wir müssen das Zeug gratis verteilen. Ist streng rationiert.« Dabei fixierte er sie so intensiv, als erwartete er von ihr ein Angebot..

»Ein kleines Paket«, versuchte Shannon. »Für meinen Kollegen und mich. Sie sehen ja, wie es ihm geht.«

Eberhart warf einen Blick auf Manzano, der zu keiner Reaktion fähig war.

Shannon kramte in ihrer Tasche.

»Ich habe hier fünfzig Euro. Damit wäre so ein Paket doch sicher bezahlt? Gut bezahlt.«

»Hundert«, sagte Eberhart und griff nach den Scheinen. Shannon zog sie zurück.

Eberhart wandte sich der Straße zu, als sei nichts geschehen. Eine Minute lang, in der Shannons Magensäure sich in ihrem ganzen Bauchraum auszudehnen schien, fuhren sie so.

Schließlich gab Shannon nach: »Sechzig.«

»Jetzt sind es schon hundertzwanzig.«

Shannon fluchte lautlos. Als Nächstes würde er sie aus dem Wagen werfen.

»Achtzig.«

»Ich habe heute Morgen anständig gefrühstückt.« Eberhart hielt den Blick unverwandt auf die Straße geheftet. »Und bald werde ich ein ordentliches Mittagessen zu mir nehmen. Wenn Sie auch eines wollen, hundertfünfzig.«

»So viel habe ich nicht mehr!«

»Wer kein Geld zum Handeln hat, sollte es nicht tun.«

Fuck! Drecksau!

»Okay! Hundert! Mehr geht nicht.«

Shannon spürte Tränen des Zorns hochsteigen.

Eberhart gab Carsten ein Zeichen. Der Wagen wurde langsamer, hielt schließlich an.

Eberhart wandte sich Shannon zu, streckte ihr die offene Hand entgegen.

»Zuerst das Essen«, verlangte Shannon.

Eberhart stieg aus, kam mit einem Paket zurück.

Zähneknirschend tauschte Shannon es gegen ihre hundert Euro.

Sie riss die Folie auf, fand einen in Plastik abgepackten Laib Brot, zwei Konservendosen mit Bohnen und Mais, eine Mineralwasserflasche, eine Tube Kondensmilch, eine Packung Mehl und eine mit Nudeln. Großartig! Sie hatte hundert Euro für Mehl und Nudeln gezahlt, die sie ohne Herd oder wenigstens Feuer nicht verarbeiten konnte. Hastig nestelte sie das Brot aus der Packung, brach ein Stück ab, reichte es Manzano, riss ein weiteres herunter und schlang es gierig hinunter. Neben ihr aß Manzano ähnlich ausgehungert, drückte sich etwas von der Kondensmilch aufs Brot.

Eberhart und Carsten lachten über irgendetwas.

Shannon kümmerte es nicht.

Ratingen

»Wir haben etwa dreißig Prozent der Codezeilen überprüft, die aus unserer Sicht infrage kommen«, berichtete Dienhof. »Bislang sieht alles korrekt aus.«

»Bleiben noch immer siebzig Prozent. Warum geht das so langsam?«, fragte Hartlandt nach.

Dienhof zuckte mit den Schultern. »Was erwarten Sie? Wir müssen jede einzelne Programmzeile kontrollieren und die dahintersteckende Logik der Programmierer nachvollziehen. Das ist schon unter normalen Bedingungen höchst aufwendig, erst recht unter den jetzigen.«

Hartlandt beendete den Termin, wechselte in den Nebenraum, das Lagezentrum seines Teams.

Seine Mitarbeiterin hing am Funktelefon. Als sie Hartlandt sah, beendete sie das Gespräch und legte auf. »Das war Berlin. Ich habe ihnen etwas geschickt, dass sie auch an Europol und die anderen weitergeben sollen. Schau her.«

Auf ihrem Computer öffnete sie eine Bilddatei.

»Das sind rekonstruierte Daten von den alten Festplatten und Computern, die wir bei Dragenau gefunden haben. Der Gute war nicht sonderlich sorgfältig, oder es war ihm egal, ob man etwas findet.«

Ein Gruppenbild versammelte mindestens sechzig Menschen aller Nationalitäten vor einer Stadtkulisse, die Hartlandt nicht identifizierte. Die Gesichter waren nur schwer zu erkennen.

»Schanghai 2005« erklärte der Bildtitel in der Fensterleiste.

»2005 nahm Dragenau an einer Konferenz zur IT-Sicherheit in Schanghai teil. Ich habe bereits Talaefers Personalabteilung gebeten, mir alle Unterlagen dazu zu geben, falls es welche gibt und es keine Privatreise Dragenaus war. Das Foto muss irgendwann während dieser Konferenz entstanden sein. Hier steht Dragenau. Und hier drüben steht jemand, den wir vielleicht auch kennen.«

Sie vergrößerte das Bild, bis das Gesicht deutlich wurde. Ein gut aussehender, junger Mann mit bronzefarbenem Teint und schwarzem Haar lächelte in die Kamera.

»Besitzt eine verdammt Ähnlichkeit mit ...« – sie rief eine zweite Bilddatei auf.

Hartlandt erkannte eines der Phantombilder, die von den mutmaßlichen Smart-Meter-Saboteuren in Italien erstellt wurden.

Sie stellte es neben das Gesicht auf Dragenaus Schanghai-Foto.

»Liegen fünf Jahre dazwischen. Die Haare sind jetzt kürzer. Aber sonst…«

»Berlin, Europol, Interpol und alle anderen werden gerade informiert. Mal sehen, wer das ist und ob man etwas über ihn weiß.«

»Und alle anderen« waren alle Geheim- und Nachrichtendienste der betroffenen Staaten, damit durften sie in der gegenwärtigen Lage rechnen.

Hinter Düren

»Na, satt?«, fragte Eberhart.

Shannon ärgerte sich zwar darüber, wie schamlos der Kerl ihre Notsituation ausgenutzt hatte. Aber noch brauchte sie die beiden als Fahrer, wenn sie weiterkommen wollten.

»Wo sind wir eigentlich genau?«, fragte sie ihn.

Eberhart zog einen zerfledderten Buchatlas aus dem Handschuhfach, blätterte, bis er die richtige Seite fand, dann zeigte er auf ein Straßengeflecht mit vielen kleinen Ortschaften. Am Rand der Karte entdeckte Shannon größere Städte. Düsseldorf, Köln, Aachen.

»Wie ist Ihre Route?«

»Wir fahren die Dörfer und Kleinstädte ab«, erklärte Eberhart, und seine Fingerspitze kreiste über der Karte, ohne eine der Städte zu berühren.

»Welche größere Stadt ist denn Ihr Ziel?«

»Unsere Endstation ist Aachen.«

»Würden Sie uns bis dorthin mitnehmen?«

»Kommt darauf an, ob Sie die Fahrt bezahlen können.«

Nicht schon wieder, dachte Shannon. Sie biss die Zähne zusammen, atmete tief durch.

»Ich sagte doch, dass ich nichts mehr habe.«

»Schade. Dann lassen wir Sie in der nächsten Ortschaft raus. Wir sind ohnehin gleich da.«

Tatsächlich säumten vereinzelte Häuser die Straße.

»Das wird jetzt gleich ein Getümmel«, kündigte Eberhart lakonisch an.

Weiter vorn erweiterte sich die Durchgangsstraße zu einem Platz, auf dem sich vor einem Supermarkt Hunderte Menschen drängten.

»Okay«, sagte sie schnell. »Wie viel bis Aachen? Siebzig hätte ich noch.«

»Sie haben sicher mehr.«

»Nein«, erwiderte Shannon mit fester Stimme. »Siebzig. Meine gesammelten Reichtümer. Können Sie haben. Wenn Sie uns bis Aachen mitnehmen. Sonst bekommt sie jemand anders.«

Der Lkw näherte sich der Menschenmenge.

Eberhart wechselte ein paar Worte mit Carsten, dann drehte er sich wieder zu ihnen um. »In Ordnung, wird hier etwa eine Stunde dauern.«

Manzano lehnte neben ihr, Augen geschlossen, schwitzend. Er hatte zwar Medikamente aus dem Krankenhaus genommen, doch die schienen nicht zu wirken.

»Können wir währenddessen einen Arzt für meinen Partner suchen?«, fragte Shannon.

»Sie können es versuchen. Aber in einer Stunde ist Abfahrt. Auf dem Platz werden Sie nicht einsteigen können, Sie werden gleich sehen, warum. Wir erwarten Sie an der übernächsten Kreuzung hinter dem Platz.«

Langsam bahnte sich Carsten seinen Weg durch die Menge und blieb mitten auf dem Platz stehen. Erst jetzt entdeckte Shannon im Getümmel drei Pferdewagen, auf denen jemand etwas verkaufte. Kartoffeln.

Carsten und Eberhart stiegen nicht aus. Schon kletterten einige der Wartenden über die Trittbretter und Stoßstangen am Wagen hoch. Besorgt verfolgte Shannon, wie immer mehr Gesichter zu ihnen hereinblickten, offene Münder riefen.

»Das ist schon seit Tagen so«, beteuerte Eberhart. »Wir müssen noch warten.«

Nach wenigen Minuten verschwanden die Gesichter, stattdessen tauchte ein neues auf. Es trug eine Polizeikappe. Shannon spürte das Blut in ihren Kopf schießen.

Carsten und Eberhart öffneten die Türen.

»Sie müssen jetzt auch raus, wenn Sie zum Arzt wollen«, sagte Eberhart.

Shannon half Manzano beim Aussteigen. Der Polizist schenkte ihnen keinerlei Beachtung. Hinter ihnen schloss Eberhart die Türen.

»Eine Stunde«, rief Eberhart ihr nach und deutete auf seine Armbanduhr.

Shannon nickte und schleppte Manzano durch das Gedränge. Sie fragte die Entgegenkommenden auf Englisch nach einem Arzt, bekam aber keine Antwort. Erst am Rand des Platzes fand sie jemanden, der ihr Auskunft gab.

Bis zu der Arztpraxis waren es nur fünf Minuten. Noch eine Dreiviertelstunde bis zur Abfahrt.

Kommandozentrale

Hatten sie also die Leiche des Deutschen auf Bali gefunden. Umso genauer würden sie nun bei der Talaefer AG suchen. Nun, da konnten sie lange suchen. Abermillionen von Programmzeilen aus den letzten Jahrzehnten durchforstete niemand innerhalb von ein paar Tagen, selbst wenn sie das komplette Bundeskriminalamt daran setzten. Sie waren ja nicht einmal in der Lage, einen einfachen Hacker festzuhalten.

Er musste daran denken, wie er noch vor wenigen Tagen selbst in der Heimat von diesem Manzano gewesen war. Nachdem er den intelligenten Stromzähler manipuliert hatte, war er nach Bari gefahren und hatte dort eine der letzten Fähren genommen. Ähnlich hatten es die anderen beiden gemacht. Das schwedische Team hatte sich per Auto über Finnland nach Russland abgesetzt. Von dort hatten sie einen Flug genommen und waren drei Tage später zu ihnen gestoßen.

Ihre internen Diskussionen über die Situation in Saint-Laurent, anderen Kernkraftwerken sowie diversen Chemiefabriken diesseits und jenseits des Atlantiks waren inzwischen verstummt. Die IT-Systeme dieser Anlagen hatten sie bewusst nicht infiltriert. Die Verantwortung für die Stör- und Unfälle lag allein bei den Betreibern und deren mangelhaften Notsystemen. Dieses Argument mussten auch die Bedenkenträger in ihrer Runde akzeptieren. Dass die betroffene Bevölkerung die Unternehmen und Politiker nicht mehr mit Ausreden und Lügen davonkommen lassen würde, wenn alles vorbei war. Beziehungsweise, sobald sie sich an die neuen Verhältnisse gewöhnt hatten, sie zur Verantwortung ziehen würden. Und begannen, wirklich etwas zu ändern.

Langerwehe

In einem Fachwerkhaus, ein paar Straßen von der Lebensmittelausgabestelle entfernt, wurde Shannon fündig. Bereits im Hausflur lehnten Menschen an den Wänden oder saßen auf dem Boden. Unter wiederholtem »*Sorry, sorry*« zwängte sich Shannon mit Manzano hindurch, nur um den Warteraum noch voller vorzufinden, die Luft klamm und stickig.

Erneut das Sprachspiel. Ein älterer Herr in Hut und Mantel gab ihr schließlich Auskunft. Sie alle warteten hier, teils schon seit Stunden. Sie müsse sich im Flur anstellen. Er selbst sei gestern schon da gewesen, aber nicht mehr drangekommen. Nein, er wisse nicht, wie lange der Arzt heute Patienten empfing.

Hilfe für Manzano konnten sie nicht erwarten. Sie mussten eine andere Möglichkeit finden.

Shannon fragte den Mann, ob er wusste, wo versorgte Gebiete lagen.

»Glauben Sie, dann wäre ich noch hier?«, fragte er zurück.

Ein Kind fing zu brüllen an, andere Wartende wandten sich entnervt oder mitleidig zu ihm um, die Mutter nahm es in den Arm, flüsterte beruhigend auf die Kleine ein, doch die schrie nur noch lauter. Shannon spürte, wie der Lärm auch an ihren Nerven zerrte.

»Kennen Sie jemanden, der mir weiterhelfen kann?«

»Vielleicht die Polizei oder im Rathaus. Das liegt zwei Straßen weiter.«

Das Rathaus war ein Stilmix in Gelb, Rot und Glas. Im Gebäude stießen sie auf die nächste Warteschlange. Dicke Wintermäntel, Mützen, Schals, Handschuhe, warme Schuhe oder Stiefel. Schon die zweite Befragte antwortete ihr, wofür sich die Menschen anstellten, in leidlichem Englisch: »Verschiedenes. Hauptsächlich Lebensmittelkarten.«

»Lebensmittelkarten?«

»Ohne die bekommt man bei der Ausgabe gar nichts.«

»Woher kommen die? Wer druckt sie aus, bringt sie?«

Die Frau sah sie verwundert an. »Niemand, nehme ich an. Die Beamtin kritzelt auf einen Zettel, welchen Anspruch man hat, und stempelt den ab.«

»Dauert es lang, bis man drankommt?«

Die Frau zuckte mit den Schultern. Auch die Frage nach strom-
versorgten Regionen konnte sie nicht beantworten. So mussten
sie wohl oder übel mit Eberhart und Carsten weiterfahren.

Unverrichteter Dinge verließen sie das Rathaus und erreichten
ein paar Minuten später den vereinbarten Treffpunkt.

Aus der Ferne beobachtete Shannon, wie der Lastwagen los-
rollte. Ein paar Menschen klammerten sich an ihn, stürzten jedoch auf die Straße, als das Fahrzeug beschleunigte.

Eberhart hatte den Abstand bis hierher richtig eingeschätzt. Als
der Lkw vor Shannon und Manzano hielt, konnten ihn die Menschen vom Platz nicht mehr einholen.

»Einsteigen!«, befahl Eberhart hektisch.

Shannon und Manzano hatten sich noch nicht richtig gesetzt,
da trat Carsten auf das Gaspedal.

Orléans

Annette Doreuil richtete ihre Haare vor dem fleckigen Spiegel.
Als der nächste Luftschwall aus den Toiletten ihre Nase streifte,
hielt sie den Atem an. Schnell fuhr sie mit den Fingern weiterhin durch ihre Frisur, als sie plötzlich zwischen ihren Fingern
eine Haarsträhne entdeckte. Erschrocken vergaß sie den Gestank
und schnappte nach Luft. Irritiert schüttelte sie das dünne Etwas
in das Waschbecken. Noch einmal fuhr sie durch ihre Haare,
zog vorsichtig an ihnen. Abermals blieben graue Strähnen in
ihrer Hand zurück. Ein paar Haare verliert man immer, dachte
sie, habe ich mein Leben lang getan. Die wachsen nach. Gleichzeitig kamen ihr die Bilder eines Anti-Atomkriegfilms aus den
Achtzigerjahren in den Sinn. Darin begannen die Hauptfiguren

wenige Tage, nachdem sie von den Bomben verstrahlt worden waren, ihre Haare zu verlieren. Einige Wochen später waren die Menschen qualvoll gestorben. Sie spürte, wie ihr Gesicht heiß anlief.

Links neben ihr wusch sich eine Frau in ihrem Alter die Arme mit einem Waschlappen, rechts badete eine junge Frau ein Baby im Waschbecken.

Zitternd ließ Doreuil ihre Hand noch einmal über das Haar gleiten. Diesmal blieb nichts zurück. Sie hatte aber auch nicht zu ziehen gewagt. Eilig verließ sie die Gemeinschaftsnassräume, deren Fliesenboden so schmutzig war, dass sie selbst mit Schuhen kaum darübergehen wollte.

Fett und kalt hing die Luft in dem breiten Gang, der die Halle umschloss, von der Decke glomm das Licht einiger verlorener Neonleuchten. Den ganzen Tag über erfüllte eine Mischung aus Flüstern, Reden, Schnarchen, Weinen und Schimpfen den Saal, der normalerweise Sportlern und Publikum diente. Auch jetzt drangen die Geräusche durch die großen Türen von der Halle heraus auf den Flur.

Doreuil ging zum Eingangsbereich, wo Helfer den neu Hinzugekommenen Plätze zuwiesen, Lebensmittel und Decken verteilten, Fragen beantworteten. Ein Mann in Uniform, der vielleicht so alt war wie ihre Tochter, sortierte Konservendosen.

»Entschuldigen Sie«, sagte Doreuil.

Er unterbrach seine Arbeit, wandte sich ihr mit offener Miene zu.

»Wir kamen gestern aus der Nähe von Saint-Laurent«, fuhr sie fort, merkte, wie heiser ihre Stimme war, musste sich räuspern. »Wann werden wir denn auf Strahlung untersucht?«

Der Mann stemmte die Fäuste in die Hüften. »Machen Sie sich keine Sorgen, Madame«, entgegnete er.

»Aber müssen wir nicht untersucht werden?«

»Nein, Madame. Diese Evakuierung ist nur eine Vorsichtsmaßnahme.«

»Nach dem Unglück in Japan 2011 haben sie im Fernsehen gezeigt, wie Menschen in den Notlagern mit so Geräten …«

»Wir sind hier nicht in Japan.«

»Ich will untersucht werden!«, forderte Doreuil. Ihre Stimme hörte sich fremd und schrill an.

»Zurzeit fehlen uns sowohl die Geräte als auch das Personal dafür. Aber, wie gesagt, Sie brauchen keine Angst zu haben. In Saint-Laurent ist nichts …«

»Ich habe aber Angst!«, rief sie. »Warum wurden wir dann evakuiert?«

»Sagte ich doch schon«, erwiderte der Mann jetzt deutlich schroffer. »Vorbeugend.« Er wandte sich wieder seinen Konserven zu.

Annette Doreuil fühlte, wie ihr Körper bebte, ihr Gesicht glühte. Tränen stiegen in ihre Augen, und sie schloss kurz die Lider, um sie wegzudrücken.

Nahe Aachen

Eberhart und Carsten hatten noch in zwei anderen Ortschaften Lebensmittel verteilt. Währenddessen waren Manzano und Shannon im Wagen sitzen geblieben. Shannon hatte das Gefühl, dass seine Stirn nicht mehr ganz so heiß war. Vielleicht wirkten die Medikamente aus dem Krankenhaus doch langsam.

Am Himmel kündigte sich die Dämmerung an. Sie befanden sich kurz vor Aachen in locker bebautem Gebiet, das von Feldern und Wäldchen durchsetzt war, als Carsten so abrupt bremste, dass Shannon in den Sicherheitsgurt gepresst wurde. Als sie sich wieder aufrichtete, entdeckte sie einen Baum quer über der Straße liegen.

Neben Eberhart und Carsten wurden die Türen aufgerissen. Männerstimmen riefen. Shannon sah Gewehrläufe, dann Köpfe. Schals um das Gesicht gewickelt, Mützen und Kappen tief in die Stirn gezogen.

»Aussteigen!«, schrien die Vermummten und kletterten hoch. Carsten wollte den Rückwärtsgang einlegen, da schlug ihm einer der Bewaffneten mit dem Gewehr auf die Hand, ein anderer presste die Mündung gegen seinen Kopf. Mit einem Schmerzensschrei ließ Carsten den Schaltknüppel los und hob die Hände. Die Männer zerrten an ihm, fast wäre er aus dem Wagen gefallen, konnte sich gerade noch halten, stieg eilig herunter, wie Eberhart auf der anderen Seite. Von draußen hörte Shannon dumpfe Schläge und Schreie. Sie presste sich gegen die Rücklehne, instinktiv hob auch sie die Hände. Jetzt fuchtelten die Männer vor ihren Gesichtern mit den Waffen herum, schrien. Shannon löste Manzanos Gurt, versuchte, ihn so weit hochzuhieven, dass er allein aus dem Wagen kam. Ihren Seesack mit Manzanos Laptop warf sie über die Schulter. Ein Mann zog Manzano hinaus, wollte ihn hinunter auf die Straße stoßen. Shannon hielt Manzano zurück, schob sich an ihm vorbei, rief »*Easy! Easy!*«. Manzano kippte auf ihre Schultern, so konnte er mit ihr aussteigen, ohne dass er auf den Asphalt stürzte. Am Straßenrand krümmten sich Eberhart und Carsten auf dem Boden, einer hielt sich den Kopf, der andere seinen Schritt.

Den Fahrersitz hatte bereits einer der Vermummten eingenommen. Zwei weitere drängten drüben in die Kabine, auf der Beifahrerseite waren es noch einmal drei. Hinter sich schlugen sie die Türen zu.

Der Fahrer setzte zurück, steuerte den Lkw in einen Feldweg, wendete, fuhr in die Richtung davon, aus der sie gekommen waren.

Zuerst Erpressung durch Eberhart, dann Überfall durch Fremde. So sah das also aus, wenn der Staat mit seinen Organen nicht mehr präsent war. Sie musste an frühere Schulkollegen in den Staaten denken, die sich inzwischen für die radikalen Staatsgegner der Tea Party begeisterten. Sie fragte sich, ob daheim inzwischen ähnliche Zustände herrschten. Anzunehmen war es. Verdammt, dachte sie, wir entwickeln uns gerade wirklich zurück zu Höhlenmenschen.

»Scheißkerle!«, brüllte Carsten dem Lastwagen nach, als dieser in einer Staubwolke kleiner wurde und verschwand.

Da schreit der Richtige, dachte Shannon.

Eberhart hatte sich inzwischen aufgesetzt, stöhnte aber noch immer.

Shannon bedauerte ihn nicht. Für seine Erpressungen hatte er eine Abreibung verdient, fand sie. Trotzdem fragte sie: »Alles in Ordnung?«

»Der Laderaum war sowieso leer«, ächzte Eberhart.

Auch Carsten saß wieder.

»Wie weit ist es noch bis Aachen?«, fragte Shannon.

Eberhart zeigte die Straße entlang.

»Vielleicht vier Kilometer.«

»Glaubst du, dass du gehen kannst?«, fragte Shannon Manzano.

»Muss ich«, antwortete er.

Shannon warf ihren Seesack über die Schulter, stützte Manzano.

»Hey!«, rief Eberhart ihnen nach. »Unsere siebzig Euro!«

»Ihr habt uns nicht nach Aachen gebracht, wie wir abgemacht hatten«, antwortete Shannon über die Schulter, ohne anzuhalten. Sie beobachtete, wie Eberhart sich aufrappelte und ihnen folgen wollte. Nach wenigen gestolperten Schritten gab er auf. Shannon konzentrierte sich auf die Straße vor ihnen.

»*On the road again*«, seufzte Manzano.

»Tut mir leid«, erklärte Ruiz. »Eine gesonderte Versorgung für Europol-Mitarbeiter ist nicht vorgesehen.«

Unwillig fuhr sich Bollard über seinen jungen Bart. Um Wasser zu sparen, hatte er das Rasieren seit Tagen aufgegeben, wie die meisten seiner Kollegen auch.

»Wenn ich die jüngsten Nachrichten höre«, sagte er zu Bollard, »frage ich mich, ob wir überhaupt noch etwas bekommen.«

Nichts ging mehr. Die externe Kommunikation lief immer schlechter. Zu vielen Behörden und Organisationen bestand inzwischen oft stundenlang keine Verbindung. Europols Aufgabe als zentrale Ermittlungskoordination wurde dadurch nicht einfacher. Über die Lage in Saint-Laurent etwa hatte er seit dem Vortag nichts gehört. Sein Letztstand war die Evakuierung der Bevölkerung im Umkreis von dreißig Kilometern. Die Radioaktivität in Paris war angeblich nicht weiter angestiegen. Doch Bollard wusste nicht, wie weit er den französischen Behörden in dieser Angelegenheit trauen durfte. In seiner Heimat war die Atomenergie bislang erhaben über jede Kritik gewesen, die mit ihr verbundene Industrie außerdem politisch bestens vernetzt und sehr einflussreich. Immerhin hatte sich die Lage in den anderen kritischen Anlagen nicht verschärft, wenn die Angaben der IAEO in Wien stimmten, die jedoch vom Vortag stammten. Allerdings meldeten einige inzwischen ernste Dieselknappheit. Bollard fragte sich, wie es so weit kommen konnte. Hatten die jeweiligen Betreiber und Regierungen nach Bekanntwerden der Krise nicht für Nachschub gesorgt? Sicher kämpften sie mit denselben Problemen wie er – ausgefallene Kommunikationssysteme, mangelnder Überblick auf die Gesamtlage, fehlende Ressourcen wie Tanklastwagen oder Fahrer.

Selbst von den internationalen Polizeibehörden trafen nur sporadisch und oft verspätet Neuigkeiten ein. Über den ermordeten Dragenau hatten die balinesischen Polizeibehörden keine neuen Erkenntnisse geschickt. Weder eine Tatwaffe noch ein Täter oder auch nur Zeugen waren aufgetaucht. Von den Italienern und Schweden kam auch nichts Neues in der Smart-Meter-Sache. Nachdenklich starrte er auf die Europakarte, als sich hinter ihm jemand räusperte.

Als er sich umdrehte, stand der Belgier aus der IT vor ihm. Stumm gab der Mann Bollard ein Handzeichen, ihm zu folgen. Auf dem Flur lehnte er sich an die Wand, versenkte die Hände in den Hosentaschen und streckte seinen Bauch heraus.

»Wir haben ein Problem«, erklärte er leise.

Aachen

In den unbeleuchteten Straßen waren nur wenige Menschen unterwegs. Überall stapelte sich der Müll auf den Bürgersteigen und stank. Shannon und Manzano folgten den Verkehrsschildern, bis sie vor einem burgartigen Steinbau landeten.

»Das ist der Bahnhof«, erklärte sie.

Die Tore wirkten geschlossen. Shannon rüttelte an einer Klinke.

»Hier fährt nichts«, stellte sie fest.

»Bollard sagte, dass Versorgungstransporte mit der Bahn durchgeführt werden«, antwortete Manzano. »Weil die Bahn ein eigenes Stromnetz hat, das weniger betroffen ist.«

»Weshalb ist der Bahnhof dann geschlossen?«

»Weil der, anders als die Züge, am öffentlichen Netz hängt.«

»Hier ist ein Fahrplan«, sagte sie und beugte sich vor, um in der Dunkelheit etwas zu erkennen. Sie zündete ein Streichholz an. »Nach Brüssel fährt man normalerweise nicht viel mehr als eine Stunde.«

Shannon sah auf ihre Uhr. »Können wir nur abwarten, ob morgen so ein Transport hier durchfährt. Es ist halb neun. Wir brauchen einen Platz für die Nacht. Glaubst du, wir können uns in ein Notquartier wagen?«

»Dazu müssten wir eines finden.«

Sie zogen durch die Straßen, fanden bald ein Hotel. Die Fenster waren dunkel. Sie klopften an die Tür. Warteten. Klopften erneut. Als niemand reagierte, probierten sie es an einigen straßenseitigen Fenstern, in denen vergilbte Vorhänge links und rechts zur Seite gebunden waren. Verschwörerisch blickte sie zu Manzano. »Wenn da ohnehin keiner da ist, was meinst du, vielleicht sollten wir …?«

Shannon drückte ihr Gesicht gegen eine Fensterscheibe, um im Inneren etwas erkennen zu können. »Was suchen Sie?«, dröhnte eine unfreundliche Stimme hinter ihnen.

Die Männer waren zu dritt. Shannon hatte sie nicht kommen hören. Einer trug einen Baseballschläger, ein zweiter eine Eisenstange, der dritte an einem Riemen über die Schulter ein Gewehr mit dem Lauf nach vorn gerichtet, auf dem er seine Hand abstützte. Einer war so groß wie Manzano, die beiden anderen etwas kleiner, den mittleren machte seine Winterjacke noch dicker, als er ohnehin schon war. Um ihre rechten Ärmel spannten sich orange Schleifen, auf den handschriftlich etwas geschrieben stand, von dem Shannon nur die letzten Buchstaben lesen konnte:

…rheits

…ife

»*Do you speak English?*«, fragte Shannon.

»*A little*«, antworte der Gewehrträger überrascht.

»*We are journalists*«, erzählte sie wieder einmal und fuhr langsam fort, damit der Mann sie verstand: »*We are looking for a place to stay overnight.*«

Die drei beäugten sie weiterhin misstrauisch.

»Journalisten«, wiederholte er. »Ah…« Er neigte den Kopf, faltete seine Hände, legte sie an die untere Gesichtshälfte. »… Nacht… schlafen…«

Der Mann mit dem Gewehr erklärte seinen Kumpanen, was sie ohnehin schon verstanden hatten. Er zeigte auf Manzanos Kopf.

»*What happened?*«

»*Accident*«, erwiderte Shannon. Sie berührte seine Schläfe.

»*What is this?*«

»*We security*«, erläuterte er mit einer Mischung aus Ernsthaftigkeit, Wichtigtuerei und Stolz. »*Guards*«, fügte er hinzu und warf seinen Partnern Beifall heischende Blicke zu.

»*Ah, very good!*«, gab sich Shannon begeistert. Eine selbst ernannte Bürgerwehr, dachte sie. Gefährliche Typen, kannte sie von zu Hause. Paranoide Blockwarte und Waffennarren, die sich freuten, wenn andere sich vor ihnen fürchteten. Sie musste vorsichtig sein.

»*You know a place for us to stay?*«

Bevor er sich die Blöße geben musste, zuzugeben, dass er sie nicht verstanden hatte, entschlüsselte Shannon seinen Gesichtsausdruck und wiederholte ihre Frage sehr langsam und in abgewandelter Form.

»*Do you know a place where we can sleep?*«

Der Mann übersetzte seinen Begleitern, warf einen Blick auf Shannon und fügte mit einem Grinsen etwas hinzu, das sie nicht verstand. »Försiedawüsstichschon'nbett.« Die beiden anderen lachten schmutzig.

»Lass uns gehen«, forderte Manzano Shannon auf.

»*Maybe there is an emergency shelter around?*«, fragte Shannon. »*Or a police station?*« Sie kreiste mit den Händen, als suche sie nach Worten, fügte hinzu: »Polizei?«

Das Wort bremste den Übermut der Männer.

»Polizei …«, sagte einer gedehnt.

»*Yes. Or a place… you know… where people sleep… who can not sleep in their houses.*«

Der Mann schien Shannons Satz im Geist wiederzukäuen, bis sich seine Miene erhellte.

»Ah – das Notlager …«

Das englische Wort dafür suchte er vergebens.

»*It is completely full. You must find a different place.*«

Berlin

Michelsen kontrollierte gerade eine Statistik der noch vorhandenen Bundeslebensmittelreserven, als ihr jemand ins Ohr raunte: »In den Besprechungsraum. Alle. Sofort.«

Seit Beginn des Stromausfalls war ihnen jede neue Nachricht laut verkündet worden, sei es von jemandem im Haus oder in den Medien.

Diesmal war es anders. Da hastete einer durch den Raum und zischte einem nach dem anderen immer dieselben fünf Worte ins Ohr, als gäbe es ein Geheimnis, hier drin, in diesem geschützten Raum, ihrem letzten Zufluchtsort, dem einzigen Platz, der jedem Anwesenden das letzte Fünkchen Gefühl gab, die Lage vielleicht doch noch unter Kontrolle bekommen zu können. In dieses Gefühl drang das zischende Geräusch des Flüsternden wie der erste Wasserstrahl ins Innere der Titanic.

Michelsen erhob sich, einem Roboter gleich, und folgte der Anweisung. Auf dem Weg über den kurzen Flur sprach niemand ein Wort.

Im Besprechungsraum fand sie keinen Sitzplatz mehr. Am Kopf des langen Tisches saßen der Bundeskanzler und das halbe Kabinett. Keiner von ihnen trug mehr Krawatte oder Sakko. Auch hier wagte niemand zu sprechen, bis der Flüsternde als Letzter eintrat und die Tür hinter sich schloss.

»Meine Damen und Herren«, hob der Innenminister an. »Der Angriff hat eine neue Eskalationsstufe erreicht. Wie uns unsere IT-Forensiker vor wenigen Minuten mitteilten, sind unsere Kommunikationssysteme von den Angreifern durchsetzt. Noch wissen wir weder, wie sie es geschafft haben einzudringen, noch worauf sie genau Zugriff haben. Aber bereits jetzt ist klar: Ihre Computer sind gekapert. Wir haben außerdem eine Bestätigung von Europol, dem französischen, britischen, polnischen und drei weiteren Krisenstäben auf dem Kontinent. Die restlichen konnten ihre Systeme noch nicht überprüfen, wir müssen aber davon ausgehen, dass auch sie teilweise unterwandert sind.« Er hob abwehrend die Hände: »Um Missverständnissen vorzubeugen: Wir glauben nicht, dass jemand der hier Anwesenden etwas damit zu tun hat. Das Eindringen in die Systeme muss von ebenso langer Hand vorbereitet worden sein wie die Attacke auf die Energieinfrastruktur.«

Er ließ die Hände wieder sinken, räusperte sich und fuhr dann fort: »Die Angreifer belassen es vor allem nicht dabei, unsere Kommunikation zu beobachten. Nein, sie manipulieren sie ganz gezielt, um unsere Aktivitäten zu sabotieren, fehlzuleiten oder zu verhindern! Leider haben uns erst mehrere dieser Vorfälle überhaupt auf die Spur der Eindringlinge gebracht. Sie müssen davon ausgehen, dass jede Ihrer Nachrichten mitgelesen wird, jedes Telefonat und jede Besprechung mitgehört werden.«

Michelsen, die bis jetzt wie in Trance zugehört hatte, vernahm aus einer anderen Ecke des Raums ein Flüstern.

»Ja, auch Besprechungen«, wiederholte der Innenminister, der offensichtlich mehr verstanden hatte. »Ihre Computer sind mit Kameras und Mikrofonen ausgerüstet, die jemand mit der passenden Software von außen aktivieren kann. Auf diese Weise hört und sieht er alles, was die Kameras und Mikrofone aufnehmen. Die Angreifer haben ihre Augen und Ohren hier, mitten in unserem Lagezentrum! Und bei den Franzosen, den Polen, bei Europol, dem Monitoring and Information Centre der EU, von der NATO haben wir noch nichts gehört. Würde mich aber nicht wundern ...«

Er musste Luft holen, um sich zu beruhigen. »Aber sie haben auch ihre Finger und Münder hier. In unserem Namen können sie Daten verschicken und womöglich sogar Gespräche führen. Das heißt, wir müssen unser Kommunikationsverhalten radikal ändern. Wie wir das tun werden, erarbeitet gerade ein Strategieteam von Experten. Vorläufig sollen die Angreifer nicht erfahren, dass wir von ihrem Eindringen wissen. Daher darf außerhalb dieses Raums niemand darüber sprechen! Das ist sehr wichtig. Was Sie eben gehört haben, darf diesen Raum nicht verlassen! Bis auf Weiteres arbeiten Sie wie gehabt. Mit einem Unterschied, und ich weiß, Sie werden mich jetzt dafür hassen, weil der noch mehr Arbeit macht, als wir ohnehin schon zu bewältigen haben: Jeder Informationsaustausch mit externen Stellen, ob in- oder ausländische, muss ab sofort durch einen separaten Kommunikationsvorgang bestätigt werden. Wenn Sie also jemandem Daten zu etwas senden oder eine Anordnung geben oder was auch immer, muss dieser Jemand den Absender über Funk zurückrufen, bestätigen, dass er die Daten oder Anordnung oder was immer erhalten und verstanden hat, sowie den Inhalt zumindest grob vergleichen. Wir dürfen zurzeit davon ausgehen, dass die verbliebenen Teile des Behördenfunks nicht infiltriert wurden und sicher sind.«

Er blickte in die Runde, um sich zu versichern, dass ihn auch alle verstanden hatten.

»Wir hoffen, dass wir Ihnen in ein paar Stunden weitere Verhaltensregeln geben können. Bis dahin gehen Sie bitte wieder an die Arbeit.«

»Kann man denn nicht zurückverfolgen, an welche Server die Daten weitergeleitet wurden? Könnte das nicht ein Hinweis auf die Täter sein?«

»Eine Spur führt zu Servern in Tonga, die mit gestohlenen Kreditkarten bezahlt wurden. Das ist eine Sackgasse. Auch bei zwei anderen Spuren sieht es nicht besser aus.«

Die Tür wurde geöffnet.

»Einen Moment noch«, fügte der Innenminister hinzu, und die Tür wurde leise wieder geschlossen. »Nur, damit Ihnen bewusst ist, wie wichtig es ist, unter keinen Umständen außerhalb dieses Raums zu kommunizieren: Wer in der Lage ist, unsere Kommunikation zu überwachen, der kann sie auch abschalten.«

Aachen

»Verflucht, ist das kalt!«, schimpfte Shannon neben Manzano. Er sah ihr zu, wie sie in ihrem Seesack nach einem Pullover suchte.

»Ich will das alles nicht mehr«, stöhnte sie erschöpft. »Ich möchte ein warmes Bett in meiner Wohnung, eine heiße Dusche, oder noch besser, ein heißes Bad!«

Was sollte er erst sagen? Er zitterte am ganzen Körper, ob vom Fieber, der Kälte, vor Erschöpfung oder allem zusammen.

»Ich will eine warme Mahlzeit und zivilisierte Menschen um mich!«, jammerte Shannon weiter. »Ich will …«

Eine kehlige Stimme unterbrach sie laut grölend. Der Mann war in mindestens ebenso üblem Zustand wie sie selbst. Aufgeregt fuchtelte er mit seinen Händen, an denen Manzano die langen Fingernägel auffielen, in der Luft herum, zu seinen Füßen lagen ein paar Bündel und Tüten.

»*Sorry, I don't understand*«, sagte Shannon.

»Oh, ei dont anderständ«, äffte er sie nach. »Sis is mei pläs!«

»*Your place? Here?*«, fragte sie den Fremden.

Sein Gesicht war zerfurcht, seine Nase geschwollen, seine Oberlippe seltsam eingefallen, dafür wölbte sich die untere über den ungepflegten Bart.

»*Fuck off!*«, rief der Kerl. »*I sleep here!*«

»*Nice place*«, antwortete Shannon. »*You can keep it.*«

»Ich glaube, du raffst das nich'!«, brüllte er.

Manzano verstand nicht, was das bedeutete, aber sicher nichts Nettes. Der Mann wankte. War der Typ besoffen?

»Jetzt wollen uns die Ausländer sogar noch auf der Straße den Platz wegnehmen«, lallte er.

Was hatte er gesagt?

Manzano kratzte seine Deutschkenntnisse zusammen und fragte nach einem Notquartier oder Asyl.

Der Penner brummte vor sich hin, dann beschrieb er ihnen in einer kaum verständlichen Mischung aus Deutsch und Englisch den Weg zu einem Obdachlosenasyl und einem Notquartier. Danach breitete er einen schmutzigen Schlafsack aus, in dem er sich verkroch.

»Suchen wir uns ein Dach über dem Kopf«, schlug Manzano vor.

Ratingen

»Hatte der verdammte Italiener also recht!«, brüllte Hartlandt in den Hörer seines Funktelefons. »Hallo, da draußen, hört ihr uns jetzt auch zu?!«, rief er, um danach seinen Gesprächspartner in Berlin ernsthaft zu fragen: »Werden wir jetzt auch belauscht?«

»Vermutlich nicht«, erwiderte der andere. »Dazu müssten die

Angreifer ein Gerät besitzen, das nicht als verloren oder gestohlen gemeldet wurde. Oder sie müssten direkt ins Bundesamt für Sicherheit in der Informationstechnik eingedrungen sein, wo die jeweils aktuellen digitalen Schlüssel der Geräte erstellt werden.«

»Würde mich nicht wundern, wenn man sich ansieht, wo sie offenbar überall reingekommen sind«, widersprach Hartlandt. »Aber bitte. Kommen wir zur Sache.«

»Die Sache ist die, dass die ursprünglichen Informationen über die Brände und gesprengten Strommasten richtig waren.«

»Die Route von Schleswig-Holstein über Güstrow bis Cloppenburg?«

»Inzwischen ist ein neuer dazugekommen. Ein Mast bei Braunschweig.«

»Die angeblichen Korrekturen mit den Entwarnungen waren tatsächlich engineered?«

»Sieht so aus.«

»Sie ziehen also wieder Richtung Osten. Nützt uns aber auch wenig, dieses Wissen. Wir können unmöglich jeden Strommast Deutschlands überwachen lassen. Aber vielleicht wenigstens jede Umschaltanlage des Hochspannungsnetzes auf der potenziellen Strecke, falls sie es bei einer davon noch einmal versuchen.«

Berlin

»Aber dafür braucht man Hunderte von Leuten«, rief Michelsen. »Und die fehlen dann bei der Versorgung der Bevölkerung mit Lebensmitteln, bei der Sicherung der öffentlichen Ordnung, bei …«

»Das ist uns auch klar«, erwiderte der NATO-General. Zwar leistete die Bundeswehr offiziell nach wie vor nur Hilfsmaßnahmen im Rahmen einer zivilen Notsituation, doch spätestens seit dem Angriff auf die USA hatten sich sein Ton und Auftreten merklich verändert. Die Entdeckung der Abhörung hatte diese Haltung noch verstärkt. Viele Analysten hielten nur eine Nation zu einem solchen Angriff fähig, nämlich China. Und für kriegerische Akte war das Militär zuständig, nicht mehr die Polizei. Noch aber fehlten Beweise dafür.

»Wie wollen Sie diese Wahnsinnigen sonst erwischen?«, fragte der Verteidigungsminister. Auch ihm hatten die jüngsten Entwicklungen erneut Auftrieb gegeben. »Diese mutmaßlichen reisenden Kommandos sind bislang unsere heißeste Spur.«

»Wir spekulieren«, erklärte der Verbindungsoffizier des Bundeskriminalamts. »Unsere Terrorspezialisten sind der Meinung, dass solche Teams, so es sie denn gibt, mit hoher Wahrscheinlichkeit keine Mitglieder der Angreifergruppe sind, sondern Söldner, die ihre Auftraggeber gar nicht kennen.«

»Das mag aus dem Terrorblickwinkel einleuchten«, wandte der Verteidigungsminister ein. »Wenn es aber Soldaten einer feindlichen Armee sind?«

»Sie sind der Militärstratege«, sagte der BKA-Mann. »Würde nicht auch eine feindliche Macht Söldner einsetzen, um im Falle einer Festnahme der Leute die Drahtzieher unerkannt zu lassen?«

Der Verteidigungsminister blickte Hilfe suchend zum General, doch der blieb eine Antwort schuldig.

»Tatsache ist«, schaltete sich der Bundeskanzler in die Diskussion ein, »dass die konsequent und professionell durchgeführten Anschläge eines zeigen: Wer immer uns angreift, gibt nicht auf. Die Attacken werden fortgesetzt. Sie vergrößern den Schaden. Wir müssen jede Möglichkeit nutzen, um die Aggressoren zu stoppen oder zu finden. Vielleicht fehlt uns das Personal kurzfristig an anderer Stelle. Aber wenn es uns mittel- und langfristig hilft, die Katastrophe zu beenden, ist uns damit mehr geholfen. Außerdem müssen wir diese Zerstörungen ohnehin stoppen, gleichgültig, wer sie durchführt.«

Aachen

»Sie sehen ja selbst«, erklärte der Quartierleiter Shannon auf Englisch, »hier passt niemand mehr herein.«

Im Dämmerlicht der Notbeleuchtung sah Shannon zwar wenig, aber das genügte ihr. Das Notquartier war in einem leer stehenden Kino eingerichtet worden. Shannon und Manzano waren kaum zur Tür hineingekommen. Selbst auf den Fluren lagen die Menschen dicht an dicht. Manche hatten nicht einmal mehr Liegeplätze, lehnten hockend an der Wand, die Luft ähnelte trotz der Kühle stinkendem Brei. Noch einmal ließen sie sich den Weg zum Obdachlosenheim beschreiben.

»Geht's noch?«, fragte sie Manzano.

»Muss, und das Asyl liegt ja auch nicht weit entfernt.«

In vielen Hauseingängen schliefen Menschen in Schlafsäcken, oft zwischen Bergen von Müllsäcken, die vielleicht weich waren oder ein wenig wärmten.

Die Tür zum Asyl öffnete ein Mann mit einer Laterne, in der eine Kerze brannte. Der Flur hinter ihm war dunkel. Er sprach leidlich Englisch.

Shannon fragte nach einem Platz.

»Wir sind ein Männerasyl«, erklärte er. »Normalerweise«, fügte er dann hinzu.

»Aber jetzt haben Sie auch Frauen da?«

»Ein paar.«

»Und noch Platz für uns zwei? Er«, sie zeigte auf Manzano, »ist ein Mann.«

»In ein paar Räumen ist auf dem Boden noch etwas frei«, brummte ihr Gegenüber. »Haben Sie Schlafsäcke?«

»Nein.«

»Dann wird es unbequem.«

»Bequemer als draußen.«

»Wenn Sie meinen.«

Er ließ sie ein, ging mit der Laterne voran.

Shannon stützte Manzano. Links und rechts führten Durchgänge vom Flur ab, von diesem nur durch dünne Vorhänge getrennt. Dahinter hörte Shannon leise Gespräche, Fluchen, Weinen, Schnarchen.

»Haben Sie hier denn kein Licht?«, fragte sie.

Der Mann hob die Laterne, ohne sich umzudrehen. »Nur das hier.«

»Wo sind die Toiletten und Waschräume?«

»Am Ende des Flurs. Funktionieren aber nicht. Ihr Geschäft müssen Sie in einen der Kübel erledigen, die dort rumstehen. Achtung, wir haben kein Papier. Und Vorsicht beim Hineingehen. Nicht jeder trifft die Kübel.«

Die Vorstellung, gepaart mit dem Geruch, ließ Shannon noch einmal würgen.

Der Mann sperrte eine Tür auf, die einzige, die sie bis jetzt gesehen hatte. Aus einem Regal reichte er ihnen zwei Bettdecken. Die Flecken darauf ekelten Shannon, angewidert verzog sie das Gesicht.

»Waschen können wir das Zeug nicht«, bemerkte der Mann schroff.

Er schubste sie aus dem Raum, sperrte wieder ab. Sie gingen den Flur fast bis zu dessen Ende, und der Gestank wurde immer unerträglicher. Schließlich zog der Mann den Vorhang eines Zimmereingangs beiseite, leuchtete hinein. Drinnen standen vier Metallbetten an den kahlen Wänden. Alle waren belegt, in einem drängten sich sogar zwei Personen. Darunter lagerten Bündel. Eine fast abgebrannte Kerze spendete schwaches Licht. Die Bewohner hoben die Köpfe, Shannon blickte in gegerbte, verwüstete Gesichter.

»Verpisst euch«, grölte einer.

»Sie schlafen auf dem Boden«, erklärte der Laternenträger resolut.

»Wir sind doch schon übervoll«, schimpfte ein anderer.

»Haut ab, sucht euch ein anderes Zimmer!«, forderte der Erste wieder.

»Aber lass doch die Lady bei uns übernachten«, meinte ein Dritter.

»Scheiße! Kann man hier nicht in Ruhe schlafen?«

»Ruhe jetzt!«, befahl der Laternenträger, »oder ihr fliegt alle raus!« Dann zeigte er auf den Boden, wechselte ins Englische. »Da können Sie sich hinlegen. Geben Sie auf Ihre Sachen acht. Kommen leicht weg hier.« Mit diesen Worten verschwand er.

»Ich kann hier nicht bleiben«, flüsterte Shannon Manzano zu. Sie spürte den Druck im Hals, der nicht vom Brechreiz kam, sondern von unterdrückten Tränen. Sie hob die Decken hoch. »Was glaubst du, wovon diese Flecken stammen?«

»Geht mir ähnlich«, flüsterte Manzano zurück. »Aber willst du auf der Straße schlafen? Dort erfrieren wir.«

Den Haag

Bollard rieb sich die Augen. Es hatte keinen Zweck, er war zu müde. Er brauchte ein paar Stunden Schlaf. Als er sich erhob, um zu gehen, klingelte das Telefon.

»Guten Abend«, sagte die Stimme im Hörer auf Englisch. »Hier spricht Jürgen Hartlandt.«

Der Deutsche, dessen Mitarbeiter Manzano angeschossen und verloren hatte, fiel Bollard sofort ein. »Haben Sie Manzano gefunden?«, fragte er.

»Nein. Glauben Sie immer noch, dass er etwas mit den Angreifern zu tun hat?«

»Wir können es nicht ausschließen.«

Bollard ärgerte sich darüber, dass der Italiener mit seinem Verdacht zu den infiltrierten Kommunikationsnetzen schon wieder recht behalten hatte. Gleichzeitig war er froh, dass sie dadurch die Überwachung entdeckt hatten. Und in seltenen Momenten konnte er sich nicht gegen die Scham wehren, die in ihm hochstieg, wenn er daran dachte, dass sie Manzano wahrscheinlich zu Unrecht verdächtigt hatten. Scham, die seinen Ärger auf Manzano verstärkte.

»Ich glaube es nicht«, erklärte Hartlandt.

Bollard erwiderte nichts.

»Dragenau ist im Moment wichtiger«, sagte Hartlandt. »Gibt es schon neue Erkenntnisse zu ihm und dem Mann auf dem Foto?«

»Alle Dienste durchforsten intensiv ihre Datenbanken. Europol, Interpol, nationale Polizeieinheiten in ganz Europa, CIA, FBI, NSA. Wir haben erste Hinweise. Sobald wir mehr wissen und die Daten gebündelt haben, geben wir Bescheid.«

Der Deutsche änderte seinen Tonfall, es klang wärmer, als er fragte: »Wie geht es bei Ihnen in Den Haag? Ich meine, wie kommen die Menschen zurecht? Man erfährt nicht mehr sehr viel.«

»Meine Frau kämpft bereits auf dem Schwarzmarkt um Essen«, bekannte Bollard. »Die staatliche Versorgung ist zusammengebrochen.«

Einen Atemzug lang herrschte Stille im Hörer, dann räumte Hartlandt ein: »Hier ist es genauso.«

»Wir müssen diese Typen finden und aufhalten«, polterte Bollard.

»Das werden wir«, sagte Hartlandt, jetzt wieder in seinem kühlen, professionellen Ton. »Wir bleiben in Kontakt.«

Hoffentlich, dachte Bollard. Ewig würden die Notstromreserven auch die Kommunikation zwischen den Einsatzzentralen nicht mehr aufrechterhalten.

A6

Manuel Amirá blinzelte mit den Augen in die Nacht. Seit dreißig Jahren lenkte er Lastkraftwagen quer durch Europa. Er war an lange Fahrtzeiten gewöhnt, vierzig, fünfzig Stunden waren keine Seltenheit, die vorgeschriebenen Pausen konnte man durch Manipulationen der Messegeräte spielend umgehen. Er hatte Gurken von Südspanien nach Schweden gefahren, polnische Schweine nach Italien, ukrainische Paprika auf die Britischen Inseln, deutsche Milch nach Portugal und so ungefähr jede andere Ware, die es auf diesem Kontinent zu transportieren gab. Der Job war nie einfach gewesen, doch mit jedem Jahr schlimmer geworden. Seit dem Fall des Eisernen Vorhangs ruinierten Speditionen und Fahrer aus dem ehemaligen Ostblock die Preise, immer strengere Sicherheitsstandards, mehr Kontrollen und höhere Strafen machten den Beruf eigentlich längst unrentabel. Die Jahrzehnte im Fahrersitz hatten seine Wirbelsäule ruiniert, mangelnde Bewegung – und ja, seine Frau hatte recht, ungesunde Ernährung – seinen Blutdruck. Eigentlich wäre er längst reif für eine Frührente. Doch Manuel Amirá hatte ein kleines Häuschen südlich von Léon abzubezahlen, seine Tochter studierte, und gelernt hatte er nichts anderes. Bei einer Arbeitslosigkeit in Spanien von fast fünfundzwanzig Prozent musste er sich glücklich schätzen, überhaupt einen Job zu besitzen. Im Rückspiegel glänzte die schimmernde Rundung der Tanks, beleuchtet von den Scheinwerfern des Tanklastwagens, der, wie üblich in Lkw-Konvois, knapp hinter ihm fuhr, um den Windschatten auszunutzen, auch wenn der Sicherheitsabstand dadurch viel zu gering war.

Als der Strom ausgefallen war, hatte Amirá tiefgefrorene Rinderhälften in Norwegen verladen, um sie nach Griechenland zu bringen. Wusste der Teufel, warum die Griechen norwegische Rinder essen mussten. Doch dann war ihm mitten in Deutschland der Sprit ausgegangen. Die Tankstellen pumpten nichts mehr. Binnen eines Tages waren seine Rinderhälften vergammelt. Und er saß fest. Auf einer Tankstelle irgendwo zwischen Hannover und Nürnberg. Drei Tage lang. Von seiner Familie hatte er seither nichts mehr gehört. Am dritten Tag war das Militär aufgetaucht, hatte ein paar Latrinen gegraben, Wasser und Lebensmittel verteilt und war wieder abgezogen. Zwei Tage später waren sie zurückgekommen. Sie hatten begonnen, die Lkw-Fahrer zu rekrutieren. Sie boten Unterkunft, Verpflegung und sogar Bezahlung, wenn auch erst zu einem späteren Zeitpunkt. Für die Versorgung der Bevölkerung mit Lebensmitteln und Wasser wurden dringend Fahrer und Wagen gesucht. Amirá hatte sich dazu bereit erklärt. Sie hatten seinen Tank mit etwas Diesel gefüllt und ihm den Weg zum nächsten Zentrallager gewiesen. Zwei Tage lang war er zwischen den Lagerhäusern und Verteilerstellen hin- und hergependelt. Am zweiten Tag war sein Lkw mit Motorschaden liegen geblieben. Während sich Militärmechaniker um eine Reparatur bemühten, was angesichts schwer lieferbarer Ersatzteile mühselig war, wurde Amirá auf den Sitz eines Tanklasters gesetzt. Mit diesem sollte er die Notstromsysteme von Hilfsorganisationen und Krankenhäusern, chemischen Anlagen, Behörden und Firmen versorgen. Sein aktueller Transport führte ihn in den Westen zu einem Atomkraftwerk irgendwo zwischen Karlsruhe und Mannheim. Er hatte keine Ahnung, wozu die Diesel benötigten, irgendjemand hatte behauptet, auch für Notstromsysteme. Amirá hatte sich nie damit beschäftigt, fragte sich aber, wozu ein Kraftwerk Notstromsysteme benötigte. Konnte es seinen Strom nicht selbst erzeugen? Der Transport musste wichtig sein, denn vor ihm und am Ende des Konvois aus drei Wagen, jeweils mit Anhänger, begleiteten sie Militärfahrzeuge mit bewaffneten Soldaten.

Amirá blinzelte abermals den Schlaf weg, als die roten Bremslichter des Autos vor ihm aufleuchteten. Er hieb seine Ferse in die Bremsen, doch er war zu nah dran. Er riss das Steuer herum, um die Soldaten mit der Wucht seines Wagens nicht zu zerschmettern, geriet auf die linke Spur, prallte gegen die Leitplanken, kurbelte das Lenkrad zurück und rammte den Militärlaster auf dessen linker Seite. Sein Laster schob ihn durch die rechte Leitplanke auf ein Feld, wo er samt Insassen zur Hälfte unter seiner Fahrerkabine verschwand, während Amirá spürte, wie hinter ihm die Tanks kippten. Er versuchte gegenzusteuern, ahnte mehr als er im Rückspiegel sah, dass der Wagen hinter ihm ungebremst in den quer stehenden Anhänger voller Treibstoff raste, der sich in eine große, gelbe Wolke verwandelte. Im Rhythmus der einschlagenden nachfolgenden Wagen wuchs eine zweite, dritte, vierte Wolke zu einem gigantischen Feuerball, um welchen die Zeit stillzustehen schien, bevor er Amirás Fahrerkabine umschloss, deren Scheiben zerbarsten, und binnen eines Atemzuges alles im Umkreis von zweihundert Metern zu Asche verglühte.

Aachen

Manzano wusste nicht, was ihn geweckt hatte. Irgendwann musste er trotz des Gestanks, des harten Bodens, der bedrohlichen Gesellschaft in dem Obdachlosenheim eingenickt sein. Hinter ihm lag

Shannon, gegen die Wand gedrückt, ihr schwerer Atem deutete darauf hin, dass auch sie eingeschlafen war.

Manzano hörte ein Rascheln. Er öffnete die Augen einen Schlitz weit. Die Kerze war endgültig abgebrannt und verloschen. Trotzdem huschte ein schwacher Schein neben ihm über den Boden.

Da war noch ein Atemgeräusch, ganz in der Nähe. Manzano spürte die Anwesenheit eines anderen Menschen außer Shannon, direkt neben sich, über sich. Da war ein Schatten, Beine vor seinem Gesicht. Jemand beugte sich über ihn, versuchte, zu Shannon zu gelangen.

Manzano fuhr hoch, rammte der Person seinen Kopf und einen Ellenbogen in den Bauch. Der andere strauchelte, fiel zwischen den Betten auf den Boden. Eine kleine Stabtaschenlampe rollte davon.

Manzano spürte, dass der Mann noch immer etwas Schweres in der Hand hielt. Shannons Seesack! Der Asylwärter hatte sie vor Dieben gewarnt.

Der Lärm weckte die anderen.

»Dieb!«, brüllte Manzano. »Helft mir!«

Jemand stürzte sich auf seinen Widersacher, aber auch an Manzanos Armen zerrten Hände. Das Licht der Taschenlampe blendete ihn kurz, fuhr wild durch den Raum. Manzano fühlte sich wie gefesselt, während der andere mit dem Seesack durch den Vorhang hinausstürmte.

»Bleiben Sie stehen! Hilfe!«, rief er. Mit einem dumpfen Geräusch lockerte sich der Griff um seinen Körper, hinter ihm fiel jemand zu Boden, Shannon stürzte an ihm vorbei, die Taschenlampe in der Hand.

Im Zimmer wurde es wieder stockdunkel.

So schnell wie möglich folgte er Shannon. Zurück ließ er ihre grölenden, schimpfenden, feixenden Zimmergenossen.

Manzano wurde schlecht vor Zorn, während er sich durch den

Flur zum Ausgang tastete. Diesen Menschen hier ging es ohnehin schon so dreckig. Sie mussten doch wissen, was es bedeutete, wenn einem noch die letzten Habseligkeiten geklaut wurden! Nicht ahnen konnten sie natürlich, dass der Computer in Shannons Seesack womöglich die einzige Spur zu den Verursachern der ganzen Katastrophe beinhaltete.

Shannon kam ihm entgegen.

»Wo ist er?«, keuchte sie.

»Keine Ahnung«, antwortete Manzano. »Ich dachte, du warst hinter ihm her.«

»Verdammt!«, fluchte sie. »Verdammt! Da drin war mein ganzes Zeug! Und dein Computer! Aber er ist nicht raus, das hätte ich gesehen. Das heißt, er muss sich in einem der anderen Kabuffs versteckt haben.«

Sie lief bis zum Eingang, riss dort den ersten Vorhang zur Seite und leuchtete in den Raum. Beim Durchgang gegenüber dasselbe Spiel. Und weiter. Den nächsten Raum durchsuchte Manzano mit ihr. Shannon leuchtete mit der Lampe unter jedes Bett. Aus einem sprang ein Mann auf sie zu, stieß sie zu Boden, rempelte Manzano um, der aus den Augenwinkeln noch erkannte, dass der Typ unter einem anderen Bett ein Bündel hervorzog, das Shannons Seesack sein konnte.

Shannon hatte sich schon wieder hochgerappelt und rannte ihm hinterher. Manzano brauchte etwas länger, dafür hatte er jetzt die Lampe.

Auf dem Flur erblickte er von Shannon nur noch einen Schemen in der Tür, durch die sie sich warf. Wirklich, sie sprang kopfüber hinaus! Manzano hörte einen Schrei, humpelte, so schnell er konnte. Auf der Straße fand er ein Menschenknäuel über den Bürgersteig rollen. Manzano stürzte dazu, packte den Dieb bei den Haaren und riss ihn daran hoch. Mit einem Schrei ließ der Shannon los. Manzano schlug und trat auf ihn ein, spürte nichts mehr, nur die rasenden Bewegungen seines Körpers, bis ihn jemand von hinten umklammerte und ankeuchte: »Ist genug! Es reicht!«

Shannon musste ihn noch fester drücken, bevor er sich in den Griff bekam. Vor ihm auf dem Boden lag der Mann, wollte sich hochstemmen, knickte ein, robbte langsam davon, fluchte, spuckte, röchelte, hustete. Shannon ließ Manzano los und schnappte sich den Seesack.

Von der Eingangstür des Asyls her kam der Laternenträger, im Schlepptau zwei andere. Sie beugten sich zu dem Davonkriechenden.

»Er wollte uns ausrauben!«, rief Manzano.

»Verpisst euch«, forderte der Heimleiter. Und zu dem Verletzten, der jetzt an die Hauswand gelehnt saß: »Du auch. Ich will keinen von euch mehr hier sehen.«

Sprach's, verschwand im Haus und schloss die Tür hinter sich.

Tag 9 – Sonntag

Aachen

Vereinzelte Schneeflocken schmolzen in ihren Gesichtern. Ratlos schlichen sie durch die eisigen Straßen.

»Wie spät ist es?«, fragte Manzano. Wenigstens fühlte er sich etwas besser.

Shannons Armbanduhr zeigte Viertel vor vier.

»Lass uns zurück zum Bahnhof gehen«, schlug sie vor. »Von dort sehen wir, wie wir weiterkommen.«

»Wir sollten zur Polizei«, sagte Manzano. »Vielleicht haben die einen Internetanschluss.«

»Wegen dieser IP-Adresse auf deinem Laptop?«

»Wahrscheinlich finde ich dahinter nichts. Aber ich muss es wenigstens versuchen.«

»Glaubst du, sie geben dir die Chance, wenn sie herausfinden, dass du auf der Flucht bist?«

»Nein.«

»Eben. Wir müssen zu deinem Kontakt nach Brüssel oder in eine der Strominseln kommen.«

»Von denen wir nicht wissen, wo sie liegen. Oder ob sie nicht überhaupt ein Mythos sind. Wie Atlantis. Oder der Garten Eden. Verdammt, ist das kalt!!!«

Die Flocken fielen jetzt dichter.

Sie erreichten den Bahnhof. Umrundeten ihn. Im überdachten Bahnsteigbereich lagerten Dutzende Menschen, nebeneinander in

Schlafsäcke und Decken gewickelt. Die Unterführungen zu den Gleisen und der Haupthalle waren durch Rollgitter abgesperrt. Davor drängten sich abermals Schlafende.

Shannon und Manzano suchten sich einen Platz. Immerhin waren sie hier vor Wind und Schnee einigermaßen geschützt. Es dauerte eine Weile, denn die meisten unbesetzten Stellen stanken nach Pisse. Aber schließlich fanden sie einen freien Winkel. Manzano setzte sich, lehnte seinen Rücken in die Ecke.

»Lehn dich an mich«, forderte er Shannon auf. »So können wir uns gegenseitig wärmen.«

Shannon setzte sich zwischen seine Beine, presste ihren Rücken gegen seinen Oberkörper, steckte ihre Hände unter die Achseln, zog ihre Beine an. Manzano legte seine Arme um sie. Sie spürte seinen warmen Atem an ihrem Ohr, langsam auch die Wärme seines Körpers, die durch die Kleiderschichten drang.

»Hilft wenigstens ein bisschen«, flüsterte er.

Sie wandte sich um, wollte sehen, wie es ihm ging.

Manzano hatte seinen Kopf nach hinten an die Wand kippen lassen, seine Augen geschlossen. Seine Brust hob und senkte sich regelmäßig, seine Arme verloren ihre Spannung. Behutsam klemmte Shannon sie unter die ihren, ließ ihren Kopf nach hinten auf seine Brust sinken, starrte an die finstere Dachkonstruktion der Halle, durch die einzelne, verirrte Schneeflocken trieben, bevor sie in einen traumlosen Schlaf fiel.

Den Haag

Bollard hatte das letzte Stück Brot in acht Scheiben geschnitten. Vier dicke, vier hauchdünne. Danach mussten sie dringend Nachschub besorgen. Sie hatten kaum mehr etwas zu essen im Haus.

Bollard ertappte sich dabei, gedankenverloren aus dem Küchenfenster zu starren. Er, der sonst so kontrolliert war. Die Wiese des kleinen Gartens war sogar im Winter grün. Die Büsche darauf blattlos, wie die Hecken zu den Nachbarn. Hinter einer sah er auf der Terrasse des Nebenhauses einen Mann hocken. Wahrscheinlich Luc. Bewegungslos, den Arm Richtung Wiese gestreckt. Jetzt entdeckte Bollard einige Meter weiter eine Katze, die sich langsam auf den Nachbarn zubewegte. Er schien sie mit etwas zu locken. Sie stellte den Schwanz auf und näherte sich schneller, erreichte Luc, schnupperte an seinen Fingern. Mit einer blitzschnellen Bewegung packte der Nachbar sie im Genick, schlug mit der anderen auf ihren Kopf, in der Hand einen eckigen Gegenstand, den Bollard erst in diesem Moment als Hammer erkannte. Sein Nachbar erhob sich, in der einen Hand den blutigen Hammer, aus der anderen baumelten die leblosen Beine des getöteten Tieres.

Behutsam legte Bollard das Messer ab, mit dem er das Brot geschnitten hatte.

Die Kinder stürmten in die Küche, Marie folgte ihnen müde, aber wieder besser bei Kräften als vorgestern. Bollard, froh über die Ablenkung, legte die vier dicken Brotscheiben auf je einen Teller und stellte sie auf den Esstisch. Dann nahm er die dünnen, hielt sie den Kindern vor die Nase.

»Stellt euch vor, das sind leckere Wurstscheiben, die wir auf die Brote legen.«

Er drapierte die dünnen Scheiben auf den dicken, schaute die Kinder erwartungsvoll an. Dabei ging ihm das eben Gesehene nicht aus dem Kopf.

»Das ist Brot, nicht Wurst«, widersprach Bernadette und betrachtete ihren Teller ablehnend.

»Für mich ist es Wurst«, beharrte Bollard. In ihren Spielen machten Kinder doch sogar Luft zu allem Möglichen! Demonstrativ biss er von seinem Stück ab.

»Mmmmhhhh! Guuut!«

Bernadette verfolgte sein Schauspiel skeptisch. Marie kostete ihr Stück und gab ebenfalls lautstark zu verstehen, dass es ihr schmeckte. Bollard kaute mit Genuss, nickte seinem Brot anerkennend zu, dann seiner Tochter, seinem Sohn.

»De-li-kat. Solltet ihr euch nicht entgehen lassen.«

Georges, der wie seine Schwester skeptisch danebengesessen hatte, ließ sich mitreißen, richtete sein »Wurststück« auf dem Brot und nahm gleichfalls einen gewaltigen Bissen, begleitete von »Mmmhs« und »Aaahs«.

Bernadette musterte ihr Brot unsicher, ihre Eltern und ihr Bruder setzten ihre Genussbekundungen verstärkt fort. Kopfschüttelnd griff sie schließlich zu, sagte: »Ihr spinnt ja total«, und biss zu.

Bollards Gedanken kreisten nur noch um die nächste Mahlzeit, die er ihnen beschaffen musste. So wie der Nachbar wollte er es nicht machen müssen.

Aachen

»Guten Morgen«, flüsterte Manzano in Shannons Ohr. Trotz der Eiseskälte und der unbequemen Haltung musste er ein paar Stunden geschlafen haben. Er fühlte sich etwas besser als am Vortag, das Fieber schien zurückgegangen zu sein.

Shannon zuckte, bewegte den Kopf unruhig hin und her, bevor sie ihr Gesicht an seinem Hals vergrub und weiterschlief. Seine Hände und Füße, Gesäß und Rücken spürte er kaum mehr vor Kälte und der unbequemen Haltung. Etwas weiter vorn kam Bewegung in einen Schlafsack. Nach und nach erwachte der Bahnhof. Müde Gesichter, strubbelige Frisuren. Die meisten schienen

Manzano Dauergäste der Straße zu sein, mit verwitterten Antlitzen und verfilzten Haaren.

Nach Brüssel nicht einmal eineinhalb Stunden mit der fahrplanmäßigen Verbindung, dachte er. Zu Fuß über zwei Tage. Sanft wiegte er Shannon, flüsterte ihr erneut ins Ohr, bis sie die Augen aufschlug.

Sie blinzelte ihn an.

»Albtraum«, ächzte sie.

»Hattest du?«

»Nein, mit dem Aufwachen bin ich wieder in einen gekommen.«

Sie blieb noch einen Moment sitzen, dann erhob sie sich schwerfällig, streckte sich ausgiebig. Manzano versuchte es auch, spürte das verletzte Bein.

»Und jetzt?«

»Muss ich mal.«

»Ich auch.«

Nachdem sie diesen Teil in getrennten Ecken erledigt hatten, wanderten sie über den Bahnsteig auf der Suche nach einer Landkarte oder anderen Hinweisen, wie sie nach Brüssel gelangen konnten.

Sie fragten einige der Personen, die ebenfalls ihren Tag begannen.

»Kommen hier Züge durch?«

»Ganz selten. Güterzüge«, erwiderte einer.

»Wohin fahren die?«

»Keine Ahnung.«

»Bekommt man in der Nähe etwas zu essen?«

»In der Straße vor dem Bahnhof gibt es eine Suppenküche. Hat aber nicht immer offen.«

Die hatten sie gestern nicht gesehen. Sie ließen sich den Weg beschreiben. Beeilten sich. Trafen auf eine Warteschlange, die sich um den halben Häuserblock wand.

Eine Stunde später saß Shannon neben Manzano in einem Raum, der von einem Kohlenofen geheizt wurde. Bei der Essensausgabe ·hatte sie niemand ausgehorcht, jeder hatte zwei große Schöpflöffel Gemüsesuppe in einen Blechnapf bekommen, die sie, an langen Tafeln zwischen die anderen gedrängt, Schluck für Schluck tranken. Löffel hatten sie keine erhalten.

Die Menschen redeten nicht viel. Die meisten trugen mehrere Kleidungsschichten übereinander, ohne Rücksicht auf Stil oder Eleganz. Wer mit seiner Suppe fertig war, wurde von Betreuern aufgefordert, seinen Platz für die nächsten Esser freizugeben, was dazu führte, dass die meisten sehr lange für das Leeren ihres Napfes brauchten, während andere zwischen den vollen Bankreihen umherirrten. Auch Shannon und Manzano beeilten sich nicht. Die Kälte der vergangenen Nacht wich nicht so schnell aus ihren Gliedern.

Aber nach mehrfacher Aufforderung standen sie schließlich wieder in der Kälte draußen. Aus dem Haus gegenüber trugen vermummte Gestalten Möbel und elektrische Geräte. Sie sahen nicht wie die Hausbesitzer aus. Niemand interessierte sich für sie.

»Was machen die da?«, fragte Shannon.

»Ich fürchte, darum können wir uns nicht kümmern«, antwortete Manzano. »Wir haben Wichtigeres zu tun. Komm, zurück zum Bahnhof.«

Dort lief er die Gleise auf und ab, entschied sich schließlich für eine Richtung und zog Shannon mit sich. Nach etwa zweihundert Metern kamen sie unter einer Brücke durch, dahinter teilten sich die Gleise in mehrere Spuren. Zwei davon verschwanden in Gebäuden, die anderen liefen nach einigen hundert Metern wieder zu wenigen Gleisen zusammen. Dazwischen parkten Dutzende verschiedene Schienenfahrzeuge, von einfachen Lokomotiven über Teile von Regionalzügen und Güterwaggons bis zu seltsamen Konstruktionen, die wohl dem Gleisbau oder der Reparatur dienten. Eine sah sogar aus wie ein kurzer, gelber Lastwagen, der auf Schienen fahren konnte.

Manzano kletterte neben der Fahrertür hoch, versuchte, sie zu öffnen. Gleich darauf saß er hinter dem Steuer und untersuchte die Armaturen.

Shannon beobachtete ihn von der Leiter neben der Tür aus skeptisch.

»Braucht das Ding keinen Strom?«

»Nein. Fährt mit Diesel.«

»Wenn der Tank nicht leer ist.«

Unterhalb der Armatur demontierte Manzano eine Abdeckplatte, hinter der ein Kabelsalat auftauchte. Er überprüfte die Drähte, riss daran herum, verband einige neu, und auf einmal sprang mit lautem Stottern der Motor an.

»Worauf wartest du?«, fragte er. »Sieh nach, ob es hier so etwas wie einen Streckenplan gibt.«

»Hat der kein Navigationssystem?«, fragte sie, sprang hinein, setzte sich auf den Beifahrersitz, durchsuchte eine Art riesiges Handschuhfach, bis sie ein dickes Buch fand, das voll war mit Diagrammen und Landkarten.

»Da ist es ja!«

Manzano testete, ob er das Gefährt in Bewegung setzen konnte. Mit einem Ruck fuhr es los.

Shannon studierte den Wälzer, fand auf einer Doppelseite zwischen vielen Linien und Zahlen Aachen und Brüssel.

»Jetzt müssen wir nur noch herausfinden, was das bedeutet.«

»Du bist das Navigationssystem, ich der Chauffeur!«, rief Manzano und beschleunigte auf Schritttempo.

»Seit wann vertraut ein Mann beim Autofahren seiner Beifahrerin mit dem Kartenlesen?«

»Seit er kein Auto fährt, sondern ein ... ach, sag einfach an!«

Berlin

»Rosinenbomber«, so hatten ihre Mutter und alle anderen Berliner die amerikanischen Flugzeuge genannt, die nach dem Zweiten Weltkrieg den Berliner Westsektor versorgt hatten. Michelsen fragte sich, ob die Jugendlichen heutzutage dieses Wort überhaupt noch kannten. Aber wie auch immer, so wie vor mehr als sechzig Jahren auf dem Flughafen Tempelhof, landeten nun Maschinen in Tegel, und wie damals waren es Militärmaschinen, nur dass es jetzt russische Flugzeuge waren, die Hilfe brachten.

Die zu Beginn des Stromausfalls gestrandeten Passagiermaschinen waren beiseitegeräumt worden, an ihrer Stelle reihte sich bereits eine unübersehbare Menge dunkelgrüner, dickbäuchiger Kolosse nebeneinander, an deren Leitwerken die Symbole der Russischen Föderation prangten. Zwischen ihnen wimmelte es vor Menschen in verschiedenen Uniformen.

Ein Blick in den Himmel zeigte Michelsen die Lichterkette der anfliegenden Flieger und die Formationen der wieder abfliegenden.

Berlin war nicht ihr einziges Ziel. Zur gleichen Zeit spielten sich in Stockholm, Kopenhagen, Frankfurt, Paris, London und auf weiteren großen Flughäfen Nord- und Mitteleuropas ähnliche Szenen ab, während im Süden Hunderte Maschinen vor allem aus der Türkei und Ägypten ihre Transporte ablieferten. Gleichzeitig brachten Lkw-Konvois und kilometerlange Züge weitere rettende Versorgungsgüter aus Russland, den Kaukasusstaaten, der Türkei und Nordafrika.

»Sieht aus wie eine Invasion«, murmelte der Außenminister.

Noch immer nicht entschieden hatte die NATO über die Hilfsangebote aus China. Zunehmend setzte sich bei Hardlinern die Ansicht durch, dass im Reich der Mitte die eigentlichen

Verursacher der Katastrophe saßen. Solange dieser Verdacht nicht entkräftet war, wollten sie deren Soldaten oder auch nur zivile Hilfskräfte keinesfalls auf heimischem Boden dulden.

»Gehen wir den General begrüßen«, sagte Michelsen.

Zwischen Liège und Brüssel

Mehr als siebzig Stundenkilometer waren sie bis jetzt nicht gefahren, um keine Weichen oder Hindernisse zu übersehen, aber sie kamen voran, wenn auch mit Unterbrechungen, so wie jetzt.

»Schon wieder«, stöhnte Shannon.

Vor ihnen teilte sich die Bahnstrecke in zwei Gleise.

»Ich denke, wir müssen rechts«, überlegte sie laut.

»Ich hoffe, das stimmt. Ich habe keine Ahnung, wo wir sind.«

»Irgendwo in Belgien, zwischen Liège und Brüssel, wenn ich mich nicht täusche.«

»Wie weit ist es noch bis Brüssel?«

»Vielleicht eine Stunde? Oder zwei? Wenn nichts dazwischenkommt.«

Das manuelle Umstellen der Weichen kostete Zeit. Manzano hatte ihr erklärt, dass ihr Gefährt sicher eine Vorrichtung besaß, um die Weichen ferngesteuert umzustellen. Doch er hatte sie nicht gefunden. Außerdem, meinte er, wäre es gut möglich, dass die elektrischen Komponenten an den Weichen nicht mit Strom versorgt wurden, was die Fernsteuerung ohnehin obsolet gemacht hätte.

Anfangs wären sie beinahe verzweifelt. Nach Shannons Planlesungen hätten sie bei der ersten Abzweigung nach rechts müssen, doch die Weiche hatte sie nach links geführt. Manzano hatte zurückgesetzt. Sie waren ausgestiegen, hatten die Weiche untersucht. Schnell hatten sie entdeckt, dass sie mechanisch verstellbar war. Wenn man das passende Gerät dazu hatte. Sie fanden es, eine Art überdimensionaler Schraubenschlüssel, im hinteren Teil des Schienenlastwagens.

Shannon griff nach der Eisenstange, sprang aus dem Wagen, stellte die Weiche um, kletterte wieder hinein.

Sie fuhren weiter. Shannon studierte das Kartenbuch. Ganz sicher war sie nicht, ob sie die richtige Abzweigung gewählt hatten. Die Weiche eben hatte doch eine andere Nummer getragen als hier im Buch.

»Stopp!«

Manzano bremste den Wagen.

»Ich glaube, wir sind doch falsch.«

»Also retour?«

»Ja.«

Manzano legte den Rückwärtsgang ein. »Was ist das dort hinten für ein Licht?«

In der Richtung, aus der sie gekommen waren und in die sie nun wieder fuhren, sahen Shannon und Manzano ein winziges Licht flackern.

»Keine Ahnung. Wird heller und größer«, sagte Shannon.

Sie näherten sich der Weiche.

»Wird sehr schnell heller und größer«, stellte sie fest. »Auf den Schienen. Das ist ein Zug. Und er hat es eilig.«

Manzano hatte die Weiche fast erreicht.

»Ein Zug?«

»Auf den du gerade direkt zufährst.«

»Auf unserem Gleis?«

»Kann ich nicht erkennen.«

Manzano bremste ihren Wagen, nachdem sie die Weiche überfahren hatten.

»Das ist ein Zug«, wiederholte Shannon nun nervös. Sie konnte bereits die Lokomotive erkennen. »Wenn der auf unserem Gleis fährt, rammt er uns! Fahr, los, fahr!«

Manzano erkannte die Gefahr auch. Ohne die Weiche umgestellt zu haben, gab er erneut Gas. Ihr Schienenauto setzte sich träge in Bewegung. Der Zug hinter ihnen war vielleicht nur noch hundert Meter entfernt.

»Schneller!«, rief Shannon.

Wieder überfuhren sie die Weiche, Shannon spürte die Beschleunigung des Wagens. Kurz vor der Weiche hielt der andere Zug an. Erleichtert atmete Shannon aus.

»Wo fährt der hin?«

»Vielleicht auch nach Brüssel«, antwortete Shannon.

»Wir sollten ihn fragen.«

Zum zweiten Mal setzte er auf der Strecke zurück. Beim Näherkommen sahen sie Dutzende Güterwaggons hinter der Lokomotive. Deren Dächer waren seltsam unregelmäßig geformt, wie von unzähligen Stacheln überwachsen. Als sie die Lok erreichten, stellte ein Mann gerade die Weiche um.

»Wohin fahren Sie?«, rief Shannon auf Französisch aus dem Seitenfenster.

»Brüssel«, erwiderte der andere.

»Da sollten wir uns dranhängen«, schlug sie Manzano vor.

Während der Zug an ihnen vorbeifuhr, erkannte Shannon, um was es sich bei den Erhebungen auf den Dächern handelte.

»Das sind Menschen!«, rief sie.

Hunderte bevölkerten als illegale Passagiere den Zug.

»Wie in Indien«, bemerkte Manzano. »Nur frieren die hier wie Schneider!«

Der lange Güterzug benötigte einige Minuten, bis er sie passiert hatte. Manzano kehrte zurück hinter die Weiche und folgte dem letzten Waggon.

»Vielleicht frieren wir auch bald dort oben«, sagte er.

»Warum?«

Manzano wies sie auf die Tankanzeige hin. Sie leuchtete im Reservebereich.

»Verdammt! Dazu müssten wir erst einmal umsteigen.«

»Hoffentlich reicht der Sprit noch bis zur nächsten Weiche, an der der Zug halten muss.«

Berlin

»Oh, mein Gott«, stieß Michelsen hervor.

»Wie konnte das geschehen?«, fragte der Bundeskanzler. Sein Gesicht war kreidebleich.

»Wie es scheint, gab es einen Unfall«, erklärte der Staatssekretär des Ministeriums für Umwelt, Naturschutz und Reaktorsicherheit. »Wir bekamen die Bilder gerade vom GMLZ. Zunächst nicht im Kraftwerk selbst. Von dort kam nur ein nervöser Anruf, wo der Dieselnachschub blieb. Die ausgesandte Streife fand nur noch die Reste eines Infernos.«

Auf dem Bildschirm erschienen Fotos verkohlter Lkw-Skelette, die über eine Autobahn und die benachbarten Felder verteilt lagen. Einige Anwesende verzogen entsetzt ihre Gesichter, andere schüttelten betroffen den Kopf.

»Wir wissen nicht, wie es dazu kam«, sagte der Staatssekretär. »Die Untersuchungen laufen noch. Die drei Tanklastwagen hatten Anhänger und wurden von zwei Einsatzwagen, vorn und hinten, mit je zehn Mann Besatzung begleitet.«

Er zeigte auf zwei der schwarzen Trümmer in den Feldern.

»Es gibt keine Überlebenden. Die Untersuchung wird eine Weile andauern. Für sie stehen kaum Kräfte und Material zur Verfügung.«

»War es ein Unfall oder ein Angriff?«, fragte der Bundeskanzler.

»Können wir gegenwärtig nicht sagen. Tatsache ist, dass von der Nachfrage des AKWs Philippsburg bis zum Auffinden der Unglücksstelle zehn Stunden vergingen.«

»Himmel, wieso so lang?«

»Weil da draußen niemand mehr weiterkann!«, stöhnte der Staatssekretär. »Weil immer weniger überhaupt noch zur Verfügung stehen. Weil der BOS-Funk in vielen Gebieten versagt. Weil...« Ihm versagten die Worte, seine Lippen begannen zu zittern, er kämpfte mit den Tränen.

Bitte hier jetzt keinen Nervenzusammenbruch, betete Michelsen lautlos. Sie hatten bereits zwei Leute so verloren.

»Der nächste Dieseltransport konnte erst heute Vormittag losgeschickt werden und wird Philippsburg frühestens in sechs Stunden erreichen.«

Auf dem Bildschirm erschien ein großes Becken, das an ein Hallenbad erinnerte.

»Das ist das Abklingbecken für ausgediente Brennstäbe im Kernkraftwerk Philippsburg 1. Hier lagern die Brennstäbe, die nicht mehr verwendet werden. In manchen Kraftwerken liegen in den Abklingbecken mehr Brennstäbe, als im Reaktor selbst aktiv sind. Da sie nach wie vor sehr heiß sind, müssen sie noch jahrelang gekühlt werden. Das Becken in Philippsburg 1 war immer schon sicherheitskritisch, da es außerhalb des Sicherheitsbehälters für den Reaktor liegt, oben im Gebäude, offen unterhalb des Dachs. Die längste Zeit war das Notstromsystem völlig unzureichend, beziehungsweise es existierte gar kein eigenes für das Abklingbecken, erst seit der vorzeitigen Stilllegung wurde es notdürftig nachgerüstet. Gegen einen schweren Flugzeugabsturz ist es bis heute nicht gesichert. Aber wie wir sehen, braucht es den gar nicht. Nach Angaben der Betreiber ist der Diesel zur Kühlung der Abklingbecken im Lauf der Nacht zu Ende gegangen. Diesel von der Notkühlung der Reaktoren wagte die Kraftwerksleitung nicht abzuzweigen. Seither konnte das Wasser im Becken nicht mehr gekühlt werden. Durch die Hitze der Brennstäbe ist es mittlerweile größtenteils verdampft. Bis der Ersatzdiesel angekommen ist, wird es voraussichtlich völlig weg sein. Vermutlich beginnen die Brennelemente bereits zu schmelzen. Ich brauche niemandem hier zu erklären, was das bedeutet. Oder vielleicht doch. Da sich das Abklingbecken nicht im Sicherheitsbehälter befindet, fände diese Kernschmelze mitten im Gebäude statt. Dadurch wird das Gebäudeinnere so schwer verstrahlt, dass es eigentlich nicht mehr betreten werden kann. Ich will den Teufel nicht an die Wand malen, aber bei einer Explosion könnten selbst Mannheim und Karlsruhe gefährdet sein.«

»Verdammt!«, brüllte der Bundeskanzler und hieb mit der Faust auf den Tisch, dass selbst dessen schwere Platte zitterte. »Da steigt man schon aus, und dann passiert trotzdem noch etwas!«

»Das gern zitierte Restrisiko«, murmelte Michelsen.

»Müssen wir die Umgebung evakuieren?«, fragte der Kanzler.

»Selbst wenn wir es wollten, schnell können wir es auf keinen Fall tun«, antwortete der Staatssekretär. »Die Verbindung zu lokalen Hilfsmannschaften aller Art ist längst lückenhaft. Selbst wenn wir nur von ein paar Kilometern Umkreis sprechen, bräuchten wir Hunderte Fahrzeuge plus Fahrer plus Treibstoff. In der gegenwärtigen Lage …« Er blickte betreten auf die Tischplatte vor sich, schüttelte den Kopf, »können wir nur beten.«

Brüssel

Bis zur nächsten Weiche hatte sich genug Treibstoff im Tank befunden. Dort hatten Shannon und Manzano das Schienengefährt kurzerhand an den Zug angedockt. Der Lokführer weit vorn hatte davon nichts mitbekommen.

Eine Dreiviertelstunde später hielt der Zug in dicht bebautem Gebiet. Die Gleisanlage ließ Manzano vermuten, dass sie einen großen Bahnhof erreicht hatten.

Entlang des Zuges standen auf beiden Seiten Soldaten, je einer im Abstand von vielleicht zwanzig Metern, jeder mit einem Gewehr vor der Brust.

»Hoffentlich warten die nicht auf uns«, sagte Manzano.

»Nimm dich nicht so wichtig«, entgegnete Shannon. »Die sind sicher wegen Plünderern hier.«

Ein Soldat ohne Gewehr, dafür mit Megafon, patrouillierte den Zug entlang und forderte die Leute in Französisch auf, abzusteigen und sich ruhig zu entfernen. Sie kletterten von den Containern und Waggons und schleppten unbehelligt ihre Habseligkeiten zwischen den Soldaten hindurch, die sich nicht bewegten. Manzano und Shannon mischten sich unter die Menge. Niemand beachtete sie.

»Sage ich doch«, erklärte Shannon, als sie mit den anderen über die Gleise zu den Bahnsteigen liefen. »Die waren nur für die Ladung da.«

Die Stationsschilder bestätigten ihnen, dass sie Brüssel erreicht hatten.

»Wir sollten es zum Monitoring and Information Centre schaffen, bevor es dunkel wird.«

»Dazu müssen wir erst einmal herausfinden, wo es liegt.«

In der Bahnhofshalle hatten sich auch hier Hunderte Menschen behelfsmäßige Schlafstätten eingerichtet. Die Schalter waren geschlossen, aber Manzano entdeckte einen Mann in einer gelben Sicherheitsjacke, der das Treiben vom Rand beobachtete.

»Wo wollen Sie hin?«, fragte er, nachdem Shannon und Manzano ihr Englisch an ihm ausprobiert hatten.

»Zum Monitoring and Information Centre der EU«, wiederholte Manzano.

Der Mann zuckte mit den Schultern.

»Keine Ahnung, wo das ist. Ich kenne nur den Sitz der Europäischen Kommission.«

»Wie kommen wir dorthin?«

»Mit dem Taxi.«

»Hier fahren Taxis?«

»Natürlich nicht«, erwiderte der andere. »Hier fährt gar nichts mehr. Sie werden schon zu Fuß gehen müssen.«

Er zeigte zum Ausgang. »Halten Sie sich rechts. Dann gehen Sie die nächste große Straße wieder rechts. Das ist die Avenue Leopold III. Der folgen Sie bis zum Boulevard General Wahis, beim Kreisverkehr rechts ...«

»Das merke ich mir nie«, stöhnte Manzano.

»Bis dorthin hab ich es«, warf Shannon ein. »Behalt du den zweiten Teil.«

Ihr Gegenüber blickte sie fragend an.

»Okay«, sagte Manzano, »Kreisverkehr, und weiter?«

»In die Chaussée de Louvain, links in die Avenue Milcamps, an deren Ende in die Rue des Patriotes und von der bald wieder in die Rue Franklin. Auf der kommen Sie direkt zum Hauptgebäude der Europäischen Kommission.«

»Hast du dir das gemerkt?«, wollte Shannon wissen.

»Hoffentlich. Wie weit ist es?«, fragte Manzano den Mann.

»Eine Stunde, schätze ich.«

Manzano war kalt genug, dass er sich trotz seines verwundeten Beins auf Bewegung freute.

Kommandozentrale

Zuerst waren sie beunruhigt gewesen. Seit dem Vortag waren immer mehr Computer, über die sie die Kommunikation in den Krisenstäben und bei den wichtigsten Organisationen wie Europol verfolgten, zeitweise abgeschaltet worden. Auch der E-Mail-Verkehr hatte deutlich abgenommen. War ihr Lauschangriff entdeckt worden? Sie warteten ab, nahmen keine aktiven Zugriffe vor. Eigentlich war es fast zu einfach gewesen. Über soziale Netzwerke wie Facebook, Xing, LinkedIn und andere hatten sie sich Tausende E-Mail-Adressen von Mitarbeitern verschiedener Energieunternehmen und Behörden besorgt. Diesen hatten sie persönliche E-Mails geschickt mit der Einladung zum Besuch einer Webseite, die »für ausgewählte Mitarbeiter« besonders günstige Urlaubsreisen anbot.

Auf dieser Webseite fanden sich tatsächlich billige Arrangements, die man wirklich buchen konnte. Nichts Ungewöhnliches, solche Angebote bekamen etwa Mitglieder von Automobilclubs oder Besitzer bestimmter Kreditkarten. Entscheidend waren die Videos und PDF-Dateien zur Information der Besucher. Sobald jemand eine davon ansah, versuchte ein darin versteckter Schadcode, den zugreifenden Rechner zu infizieren. Dazu lud er von einer anderen Webseite ein EXE-Programm. Gelang dies, wurde das Programm im Hintergrund gestartet und schrieb sich auf die lokale Festplatte, sodass es beim nächsten Neustart ausgeführt wurde.

Binnen weniger Monate hatten sie praktisch alle Zielobjekte infiltriert, zahlreiche Unternehmen und die Systeme der größten europäischen Staaten sowie der USA. Sobald die jeweiligen Rechner neu starteten, begann sich das Schadprogramm vorsichtig in der Netzumgebung umzusehen. Dazu beobachtete es die

Nutzergewohnheiten des Anwenders und forschte seine Benutzerrechte aus. Damit arbeitete es sich langsam auf die Server vor. Besonders spannend waren natürlich Shares, also Plattenbereiche auf Servern, wo viele Mitarbeiter zugriffen. Dort installierte sich das Programm als Nächstes. War es erst einmal so weit, sammelte es wichtige Informationen wie Benutzer-Accounts, Informationen über Mitarbeiter aus dem Telefonbuch und dem System des Personalbüros, alle technischen Pläne von Gebäuden und Computernetzen, Details der eingesetzten Hardware und vieles mehr, gründliche Handwerksarbeit eben. Diese sandte es über Nacht auf externe Webserver. Dort warteten bereits die Programmierer, die sie über anonyme Foren im Internet angeheuert hatten und die nun die Informationen auswerteten und etwa die Passwörter zu den Accounts knackten. Auf demselben Weg identifizierten sie auch Laptops, die Skype oder vergleichbare Internettelefonprogramme installiert hatten. Deren eingebaute Kameras und Mikrofone hatten sie nun ohne Benachrichtigung der Anwender aktiviert.

Doch nun schalteten die ihre Computer immer öfter aus. Und nahmen ihnen damit ihre Augen und Ohren in den Schaltstellen der Gegner.

In einer Mail aus dem französischen Krisenstab war die automatisierte Stichwortsuche schließlich auf eine Nachricht gestoßen. Sie stammte direkt aus dem Büro des Präsidenten. Darin forderte er alle Mitarbeiter in den Behörden auf, Computer und andere technische Geräte nur noch dann anzuschalten, wenn sie wirklich benötigt wurden, um Notstrom zu sparen. Innerhalb weniger Stunden entdeckten sie ähnliche E-Mails in zahlreichen anderen Regierungssystemen.

Das war eine positive Überraschung. Wenn nach nur einer Woche selbst die wichtigsten Behörden bereits den Notstrom sparen mussten, konnte es bis zum endgültigen Zusammenbruch nicht mehr lange dauern. Je eher, desto besser. Jedes Ende war ein Anfang. Wie Ruinen, die sich der Dschungel zurückholte, würden sich die Menschen ihr Leben wieder erobern.

Brüssel

Sie hatten noch zweimal fragen müssen und länger als eine Stunde benötigt. Es dämmerte, als sie vor dem riesigen Gebäude standen, neben dessen Eingang große Buchstaben erklärten: »Europese Commissie – Commission européenne«.

Drinnen brannte Licht. Einzeln oder in kleinen Gruppen verließen und betraten Menschen das gläserne Foyer. Hinter den Scheiben standen ein paar nachtblau gekleidete Männer und blickten auf die Straße.

Shannon musterte Manzano von der genähten Stirn bis zu den schmutzigen Schuhen. Er sah aus wie ein Penner. Ein Blick an sich selbst herab erinnerte sie daran, dass es um sie nicht besser stand.

»Ja«, sagte Manzano, »wir sehen sicher aus wie willkommene Besucher. Sicher riechen wir auch so.«

Sie hatten die Tür noch nicht aufgedrückt, da stand ihnen bereits einer der Sicherheitsleute gegenüber.

»Zutritt nur für Personal«, erklärte er auf Französisch.

»Bin ich«, antwortete Manzano selbstbewusst auf Englisch, wollte sich an ihm vorbeischieben, lief aber gegen einen ausgestreckten Arm.

»Ihren Ausweis«, verlangte der Mann, nun auch auf Englisch.

»Begleiten Sie mich zum Empfang«, forderte Manzano. Die Situation erinnerte ihn fatal an jene bei Enel am Morgen nach dem Beginn des Stromausfalls. Damals hatte er sich seinen Weg auch freigekämpft. Um danach wieder auf die Straße geschickt zu werden, ohne dass man ihn ernst genommen hätte.

»Ich bin ein freier Mitarbeiter des Monitoring and Information Centres«, flunkerte Manzano. »Fragen Sie Sonja Angström, die ist hier angestellt. Wenn Sie mich nicht durchlassen, bekommen Sie richtige Schwierigkeiten, das kann ich Ihnen versprechen.«

Der Sicherheitsmann zögerte.

»Kommen Sie mit.«

Manzano atmete auf. Er und Shannon folgten ihm zu einem lang gestreckten Empfangstresen.

»Wir möchten zu Sonja Angström vom Monitoring and Information Centre«, erklärte Manzano einem der Mitarbeiter dahinter. »Sagen Sie ihr, Piero Manzano sei hier.«

Der Mann hinter dem Tresen begutachtete sie mit kritischem Blick.

»Bitte«, fügte Manzano hinzu. Er spürte den Atem des Securityguides im Nacken.

Der Portier drückte einen Knopf vor sich und sprach in sein Headset. Wartete, sprach wieder. Ließ sie nicht aus den Augen. Hörte dem Knopf in seinem Ohr zu, bedankte sich leise.

Zu Manzano sagte er: »Warten Sie dort drüben«, und zeigte dabei auf eine Reihe von Besucherbänken.

Der Sicherheitsmann folgte ihnen nicht, schielte aber von seinem Platz an der Tür immer wieder zu ihnen herüber.

Angström trat aus dem Fahrstuhl, sah sich in der Halle um. Erst auf den zweiten Blick erkannte sie Piero Manzano. Neben ihm saß eine junge Frau mit verfilzten Haaren, die unter anderen Umständen ganz hübsch ausgesehen hätte. Beim Näherkommen erkannte Angström auch ihr Gesicht.

»Piero! Mein Gott, wie siehst du denn aus?« Sie machte einen Schritt zurück. »Und wie du … riechst.«

»Ich weiß. Eine lange Geschichte. Das hier ist übrigens Lauren Shannon, amerikanische Journalistin.«

»Oh, ich kenne sie«, sagte Angström. »Sie berichtete als Erste über den Angriff auf die Stromnetze. Und jetzt weiß ich, woher Sie die Nachrichten hatten«, sagte sie zu Shannon. »Piero hier...«

»Wir haben uns in Den Haag kennengelernt«, erklärte Manzano, »über François Bollard, du erinnerst dich an ihn? Noch eine lange Geschichte.«

Unwillkürlich fragte sich Angström, ob Manzano mit der jungen Amerikanerin mehr als nur »lange Geschichten« erlebt hatte.

»Was macht ihr in Brüssel? Eine neue Story? Oder bist du für Europol hier?«

»Ich habe eventuell eine Spur zu den Angreifern«, antwortete Manzano.

»Die ganze Welt rätselt, wer für diese Katastrophe verantwortlich ist, und du willst es wissen?«

»Das habe ich nicht gesagt. Aber vielleicht habe ich eine Spur. Ich hatte schon einmal den richtigen Riecher.«

Angström nickte.

»Dazu brauche ich allerdings Strom und einen Internetanschluss. Ich dachte, bei euch kann ich den vielleicht bekommen.«

Angström lachte müde. »Du machst mir Spaß. Hier kann nicht jeder hereinmarschieren und...«

»Ich bin nicht jeder, Sonja«, unterbrach Manzano sie.

Die direkte Anrede mit ihrem Namen irritierte sie.

»Warum nicht Europol?«

»Ich wurde von denen nach Deutschland geschickt. Von dort war es näher hierher. Kurz gesagt.«

Sie seufzte. »Einige unserer Kollegen kommen nicht mehr zur Arbeit. Wohnen zu weit weg, andere Gründe... freie Plätze gäbe es.« Sie biss sich auf die Lippen. »Ist ja auch egal. Hier geht ohnehin alles drunter und drüber.« Mit einer Kopfbewegung gab sie ihnen ein Zeichen, ihr zu folgen. »Das kann mich meinen Job kosten. Aber zuerst müsst ihr euch anmelden und duschen.«

»Nichts lieber als das.«

»Wir haben Sanitärräume, da gehen wir zuerst hin. Habt ihr was zum Wechseln?«

»Ich schon«, sagte Shannon.

»Ich nicht«, gestand Manzano.

»Vielleicht treibe ich etwas auf«, sagte Angström.

Sie standen am Tresen.

»Zwei Besucherausweise, bitte«, verlangte Angström von dem naserümpfenden Portier.

Sie erhielt zwei scheckkartengroße Plastikkarten, die sich ihre Gäste an die Kleidung heften konnten.

»Seid ihr in Kontakt mit Europol?«, fragte Manzano auf dem Weg zum Lift.

»Nicht wirklich.«

»Ich möchte meine Nachforschungen durchführen, bevor ich mich dort melde«, erklärte er Angström.

Sie musterte ihn skeptisch, sagte aber nur: »Okay. Und was Sie angeht«, sie wandte sich an Shannon, während sie den Aufzug betraten, »was Sie hier sehen und hören, unterliegt selbstverständlich absoluter Geheimhaltung.«

»Selbstverständlich«, erwiderte Shannon.

Ratingen

»Wir haben sie«, erklärte der Anrufer aus Berlin am Funktelefon. »Das Beschattungsteam einer Hochspannungs-Umschaltanlage entdeckte sie, nachdem sie einen Brand gelegt hatten.«

»Wo?«

»In der Nähe von Schweinfurt.«

Schweinfurt. Hartlandt versuchte erst gar nicht zu raten, wie weit das war. Auf seinem Computer rief er die Deutschlandkarte auf. Rund dreihundert Kilometer südöstlich von Ratingen.

»Haben sie die Kerle erwischt?«

»Sie haben einen Hubschrauber angefordert. Der ist unterwegs und wird die Beobachtung aus sicherer Höhe fortsetzen. Die GSG 9 ist bereits informiert.«

»Ich muss dahin.«

»Helikopter sollte in zwanzig Minuten auf dem Talaefer-Parkplatz landen.«

Brüssel

Zwei Minuten, mehr war nicht erlaubt, hatte Angström ihm klargemacht. Noch nie hatte er eine Dusche derart genossen. Als er, mit dem Handtuch um die Hüften, aus der Kabine trat, wartete die Schwedin mit einem Bündel Kleider.

»Hose und Hemd. Von einem Kollegen, der sie als Reserve im Schrank hatte, der aber seit Tagen nicht aufgetaucht ist. Werden ein bisschen zu kurz sein, aber besser als nichts. Dein Zeug habe ich in eine Waschmaschine geworfen. Sogar so etwas haben wir hier. Haben sie extra ein paar aufgestellt, für die Mitarbeiter.«

Er versuchte, die Hose so überzuziehen, dass sie die Verletzung an seinem Bein nicht sah.

»Was ist denn da passiert?«, fragte sie und zeigte auf die Naht.

»Blöd gefallen«, log er.

»Sieht übel aus.«

»Fühlt sich auch so an. Und wie kommst du sonst zurecht?«, wechselte er das Thema, während er sich anzog.

»Ich lebe mehr oder minder hier«, antwortete sie achselzuckend. »Nach Hause fahre ich nur zum Schlafen. Und selbst das nicht immer. Die Notlinien für Mitarbeiter pendeln nicht mehr hin und her. Mit dem Fahrrad sind das immerhin eineinhalb Stunden, ein Weg. Na ja, da bleibt es mir warm, und ich komme zu dem Sport, den ich im Skiurlaub verpasst habe.«

»Hast du etwas von deinen Freundinnen und dem alten Bondoni gehört?«

»Seit unserer Abfahrt nicht mehr«, gestand sie bedrückt.

Vor den Waschräumen trafen sie Shannon.

»Ich geh hier nie wieder weg«, seufzte die Journalistin genussvoll. Sie trug frische Jeans und einen Pulli.

»Doch«, erklärte Angström. »Mit uns ins MIC.«

Die zentrale Melde- und Verwaltungsstelle für Zivilschutz und Katastrophen, eine der größten politischen Einheiten der Welt, hatte sich Manzano spektakulärer vorgestellt.

Angström führte sie in ein kleines Büro im sechsten Stock.

»Das hier ist ein kleiner Besprechungsraum«, erklärte sie. »Wir haben ein Gästenetz, in das kommst du über WLAN.«

»Komme ich nicht.« Er zeigte ihr seinen Laptop. »Der Akku ist leer. Ich bräuchte ein Netzkabel. Habt ihr so etwas?«

Angström untersuchte den Anschluss. Sie öffnete ein Sideboard. »Hier sind zwei Laptops, vielleicht passt da was?«

Manzano probierte sie aus. Ein Kabel passte.

»Wenn euch jemand fragt«, sagte Angström, »schickt ihn zu mir.«

»Sag, dass wir von der IT sind. Ihr seid hier Tausende Leute, da kennt ohnehin nicht jeder jeden.«

»Das stimmt. Ich bin zwei Zimmer weiter, auf der linken Seite. Ich werde gelegentlich vorbeischauen.«

Sie verließ den Raum, schloss die Tür.

Manzano ließ sich in einen der Sessel fallen und startete den Computer vor sich.

Shannon nahm an dem Schreibtisch gegenüber Platz.

»Wenn ich mir vorstelle, dass es Millionen Menschen seit über einer Woche so geht wie uns letzte Nacht«, sagte sie und blickte nachdenklich aus dem Fenster, »wundere ich mich, dass da draußen nicht längst der Teufel los ist.«

»Ist er ja wohl zum Teil«, erwiderte Manzano. »Aber die meisten Menschen sind nur beschäftigt, zu überleben. Die haben gar keine Zeit oder Energie für Randale.«

Manzano fuhr zusammen, als die Tür geöffnet wurde.

Angström trat ein, stellte ein Tablett auf den Tisch.

»Heißer Kaffee und etwas zu essen. Ihr seht aus, als könntet ihr es gebrauchen.«

Manzano musste sich beherrschen, nicht sofort darüber herzufallen.

»Danke.«

»Wenn etwas ist, wie gesagt, zwei Zimmer weiter. Meine Durchwahl ist die 27. Bis später«, sagte sie und schloss die Tür hinter sich.

»Fehlt nur noch, dass sie dir ihre Körbchengröße nennt«, grinste Shannon mit vollem Mund. »Du gefällst ihr.«

Manzano spürte, wie er rot wurde.

Shannon musste lachen.

»Und sie dir auch!«

»Hör auf damit. Wir haben zu tun.«

»Du hast zu tun«, gluckste Shannon vergnügt und schluckte ihren Bissen hinunter. »Ich muss nur essen, Kaffee trinken ...«, sie schob ihren Stuhl um den Tisch neben seinen, »und dir zusehen.«

Ratingen

Mit gebeugtem Rücken lief Hartlandt unter den rasenden Rotoren des EC 155 hindurch und sprang in den Helikopter, in dem acht GSG-9-Männer warteten. Der EC 155 war der kleinere und schnellere Hubschrauber, derer sich die Anti-Terroreinheit bediente. Mit über dreihundert Stundenkilometern Höchstgeschwindigkeit würden sie ihr Einsatzziel in einer Stunde erreichen. Hartlandt hatte sich noch nicht gesetzt, da hob die Maschine bereits ab. Einer der Männer reichte ihm einen Helm, über den er sich mit den anderen verständigen konnte. Die schusssichere Weste würde Hartlandt erst kurz vor dem Einsatz anlegen. Der Kommandeur der Truppe informierte ihn über den Stand der Dinge.

»Zwei unmarkierte Wagen verfolgen die Attentäter abwechselnd. Wir sind über Sprechfunk verbunden. Bislang scheinen sie keinen Verdacht geschöpft zu haben, zumindest kam es zu keinen Fluchtmanövern. Unser zweites Team ist schon auf halbem Weg zu ihnen, wird aber bis zu unserem Eintreffen nur passiv in ausreichender Höhe folgen.«

»Hoffentlich verlieren die Bodentruppen sie bis dahin nicht.«

»Selbst wenn. Wir haben eine gute Beschreibung. Militärgrüner Mercedes-Transporter.«

»Sehr schlau. Wenn noch etwas fährt, dann Wagen mit dieser Farbe. Können wir keine Drohne vorausschicken?«

»Ist keine passende in ausreichender Nähe stationiert. Und so viele Bundeswehr-Transporter gleichen Typs werden dort nicht unterwegs sein.«

»Wir dürfen die Zielpersonen nicht nur stoppen. Wir müssen sie befragen können.«

»Ist oberste Einsatzpriorität.«

»Es wird dunkel.«

»Kein Problem. Der Pilot kann mit Nachtsichtgerät navigieren. Macht den Zugriff zwar nicht einfacher, dafür ist bei Dunkelheit das Überraschungsmoment größer.«

Brüssel

Shannon wusste nicht, wann ihr ein simpler Sandkuchen zuletzt so gut geschmeckt hatte.

»Was machst du jetzt?«, fragte sie.

»Erinnerst du dich an die verdächtige IP-Adresse, die ich entdeckt hatte, bevor der Akku den Geist aufgab und uns der Porsche geraubt wurde?«

»An die dein Laptop jede Nacht unerlaubterweise Daten sendete?«

»Die wählen wir jetzt an.«

Er gab die IP-Adresse ins Adressfeld des Internetbrowsers ein. Im Browserfenster erschienen links oben das Wort »RESET« und in der Fenstermitte zwei Felder übereinander. Vor dem oberen stand »user«, vor dem unteren »password«.

»Sieh einer an«, flüsterte Manzano.

»Das war's dann wohl«, bemerkte Shannon.

»Noch lange nicht. Da war jemand richtig selbstsicher.«

»Wieso?«

»Weil er nicht über Anonymisierungsserver oder mit anderen Verschleierungsmethoden gearbeitet hat. Wer immer mir die E-Mails auf meinen Computer gepflanzt hat, tat es von einer Stelle aus, die man mit Benutzernamen und Passwort schützt. Dahinter könnte sich Wichtigeres verbergen.«

»Oder ein Trick.«

»Oder ein Trick. Wir werden sehen.«

»Was willst du sehen? Du kennst weder den Benutzernamen noch das Passwort.«

»Noch nicht.«

Shannon hielt die Kaffeetasse mit beiden Händen umfasst und trank einen kleinen Schluck.

»Ist ›RESET‹ in diesem Fall ein Befehl?«, fragte sie. »Oder ein Name? Oder was?«

»Neustart«, murmelte Manzano. Wenn er mit dem Cursor über das Wort fuhr, geschah nichts. Trotzdem klickte er es sicherheitshalber nicht an. Wer wusste, was sich dahinter verbarg.

»Zuerst kümmere ich mich einmal um Benutzername und Passwort«, murmelte Manzano.

»Wie willst du Benutzername und Passwort einer dir unbekannten Seite knacken? Du hast keinerlei Anhaltspunkte.«

Jemand klopfte an die Tür, und bevor sie etwas sagen konnten, wurde sie bereits geöffnet.

Ein Mann mit modischer Designerbrille steckte den Kopf herein und blickte sie überrascht an.

»Oh, ich dachte… Wer sind Sie?«

»IT-Department«, antwortete Manzano. »Wir sollen hier was reparieren.«

»Ah. Ja dann, entschuldigen Sie bitte die Störung.«

Er schloss die Tür, Manzano und Shannon waren wieder ungestört.

»Also«, beharrte Shannon, »wie willst du Benutzername und Passwort einer dir unbekannten Seite herausfinden, wenn du keinerlei Anhaltspunkte hast?«

»Die brauche ich vielleicht nicht«, erwiderte Manzano. Er gab eine neue Adresse ein. »Es gibt Programme für Leute, die in fremde Computer eindringen wollen…«

»Und die stehen einfach so im Internet?«

»Einfach so«, bestätigte Manzano, den Blick starr auf den Bildschirm gerichtet, auf dem ein kleiner Junge sie durch große Brillengläser angrinste. »Zum Beispiel dieses hier: Metasploit.«

»Was kann das?«

»Damit kannst du Sicherheitsprüfungen durchführen …«

»… oder Sicherheitslücken aufspüren.«

»Du hast es erfasst. Ich hoffe, ich darf das hier herunterladen.« Er klickte den Download-Button. Binnen weniger Sekunden war das Programm geladen. Manzano installierte und startete es.

»Was machst du da?«, wollte Shannon wissen.

»Ich gebe jetzt die verdächtige IP-Adresse in die Software ein. Dann wähle ich die Technik aus, mit der ich diese Seite überprüfe. Ich versuche es einmal mit einer SQL-Injektion. Ich erspare dir die Details, dazu bräuchtest du schon einen kleineren Kurs in Informatik oder IT-Forensik.« Er lehnte sich zurück. »Das kann etwas dauern.«

Den Haag

Sie hatten einen speziellen Besprechungsraum gewählt, in dem keine Computer standen außer Bollards. Und dieser war nicht mit dem internen Netzwerk verbunden. Nach der Präsentation würde Bollard alle Spuren derselben löschen lassen, bevor er das Gerät wieder ins Netz klinkte.

»Der Mann heißt Jorge Pucao«, erklärte Bollard. »Geboren 1981 in Buenos Aires. Aufgewachsen ebenda. Schon als Schüler wird er politisch aktiv, fällt bei Demonstrationen gegen die beginnende Wirtschaftskrise auf.«

Auf der Leinwand war das zornige Gesicht eines brüllenden, jungen Mannes zu sehen, der inmitten Gleichgesinnter seine Faust gegen unsichtbare Gegner reckte.

»Während des Höhepunkts der Krise um die Jahrtausendwende studiert er in Buenos Aires Politikwissenschaft und Informatik, engagiert sich weiterhin politisch, bei Demonstrationen und der Organisation eines Tauschringes, die zu dieser Zeit in Argentinien populär wurden, da die staatliche Währung Peso infolge der Wirtschafts- und Finanzkrise beziehungsweise des Staatsbankrotts massiv an Wert verloren hatte und große Teile der Mittelschicht verarmten. 2001 wird Jorge Pucao bei den Protesten gegen den G-8-Gipfel in Genua verhaftet.«

Auch die unvorteilhaften Polizeifotos mit Pucaos verschwitzten Locken taten seiner Attraktivität keinen Abbruch.

»Währenddessen nimmt sich sein Vater als Folge der Krise das Leben. Pucao kehrt in seine Heimat zurück und setzt seine Aktivitäten noch intensiver fort. Sie wirken in dieser Zeit orientierungslos, vielleicht probierte er aber auch nur die für ihn interessantesten Varianten aus oder suchte Spaß.«

An einer grauen Betonwand schien sich auf wundersame Weise Moos zu einer Parole verwachsen zu haben: »*Cultivar la equidad* – Pflegt die Gleichheit«.

Als Terrorexperte hatte sich Bollard naturgemäß auch mit harmloseren Protestformen auseinandergesetzt, etwa dem Guerilla Gardening, dessen Aktivisten zum Beispiel Mischungen aus Buttermilch und Moos an Betonwände strichen, sodass das Moos auf dem Nährboden Buttermilch gedieh, in jener Form, in der man die Tinktur eben aufgetragen hatte, wodurch man sogar Parolen wie die gezeigte buchstäblich zum Leben erwecken konnte.

»Das reichte von Guerilla Gardening über Kommunikationsguerilla bis zur Unterstützung von Betrieben, die sich in Selbstverwaltung organisierten, wie es viele in dieser Phase taten.«

Eine Gruppenaufnahme zeigte junge Menschen aller Hautfarben, darunter Rastalockenträger ebenso wie Studenten in blauem Oxford-Hemd. Mittendrin stand Jorge Pucao, die Locken zurückgekämmt, aufgeweckter Blick, das helle Hemd hing über die Jeans.

»2003 hat Argentinien das Schlimmste hinter sich, und Pucao beginnt ein Master-Studium an der School for Foreign Service der Georgetown University in Washington. Sie gilt als eine der Kaderschmieden für spätere Karrieren in der Politik, bei internationalen oder karitativen Organisationen. Finanzieren kann er das Studium durch seine Fähigkeiten als gefragter freiberuflicher IT-Fachmann, pikanterweise im Bereich Online-Sicherheit. Parallel dazu engagiert er sich in der Anti-Globalisierungsbewegung. Dabei wird er offensichtlich immer radikaler, wie Artikel und ein sogenanntes Manifest nahelegen, die er auf seiner Webseite publizierte. Sie finden alle Dokumente, auch spätere, unter ›Pucao_lit‹ in der Datenbank«, fügte Bollard hinzu, in der Erwartung, dass sie sich jeder der Anwesenden zu Gemüte führte. Er selbst hatte einige davon überflogen, sich aber nicht darin vertieft. Auffällig war auf den ersten Blick die Disziplin der Argumentation, die den meisten Pamphleten diverser Radikaler fehlte, deren Tiraden sich in wirren Parolen und Anschuldigungen verloren.

»In den USA kommt er auch in Kontakt mit Gruppierungen des Primitivismus. Für alle, denen das nichts sagt: Im Wesentlichen vertreten dessen Anhänger eine Rückkehr in vorindustrielle Lebensformen, viele lehnen auch unsere Form der Zivilisation ab. Allerdings scheinen diese Kontakte nicht besonders intensiv gewesen zu sein. Wäre auch seltsam angesichts der Tatsache, dass Pucao mit modernster Technologie sein Geld verdiente. Aber wir haben ja schon mitbekommen, dass der Gute durchaus ambivalent ist.

2005 schließt er sein Studium in Washington erfolgreich ab. Beim G-8-Gipfel im schottischen Gleneagles protestiert er wieder. Zurück in den USA arbeitet er weiterhin als IT-Spezialist. Es gibt Mutmaßungen, aber keine Beweise, dass er in all den Jahren auch als Hacker aktiv war.«

Nun kam Bollard zu dem Gruppenfoto der Konferenz in Schanghai, das ihm die Deutschen übermittelt hatten.

»2005 nimmt er an einer Konferenz für Internet-Sicherheit in Schanghai teil. Auf derselben Konferenz ist auch Hermann Dragenau anwesend, wie dieses Foto zeigt. Er ist Produktverantwortlicher bei Talaefer, jenem Technologiekonzern, bei dem der Verdacht besteht, dass seine Steuerungssoftware für Kraftwerke manipuliert worden sein könnte.«

»Verstehe ich das richtig«, fragte Bollards Mitarbeiter Christopoulos, »wir konstruieren hier aus der – zugegebenermaßen großen – Ähnlichkeit eines Phantombildes mit dem Foto eines Menschen, der vor ein paar Jahren dieselbe Konferenz wie Hermann Dragenau besucht hat, einen möglichen Terroristen?«

»Ein bisschen mehr haben wir schon«, antwortete Bollard.

Er rief eine optisch wenig spektakuläre Liste aus Buchstaben- und Zahlenfolgen auf.

»Wie wir alle wissen, haben die USA nach den Terroranschlägen vom 11. September 2001 mit der Speicherung von Flugpassagierdaten begonnen, seit 2007 hat sich die EU bereit erklärt, Daten von Passagieren in und aus den USA ebenfalls an die USA zu geben. Dadurch wissen wir, dass Pucao zwischen 2007 und 2010 häufig zwischen den Vereinigten Staaten und Europa pendelte. Nicht selten war dabei sein europäischer Zielflughafen Düsseldorf, also nur einen Katzensprung von Dragenaus Wohnort entfernt. Es kommt aber noch besser. 2011 macht Dragenau Urlaub in Brasilien. Davon gibt es Fotos und sogar noch Reiseunterlagen. Zur selben Zeit fliegt auch Pucao dorthin und bleibt zwei Tage. Zu kurz für einen Urlaub.«

»Aber es gibt keine Beweise dafür, dass die beiden sich getroffen haben?«, fragte Christopoulos. »Und wenn, würde das auch noch nichts bedeuten.«

»Das stimmt natürlich, aber ...«

»Entschuldige, wenn ich dich unterbreche, aber mir leuchtet noch etwas nicht ein: Wenn die beiden solche Computergenies sind und die Apokalypse planen, dann wissen sie doch, dass sie bei all ihren Aktivitäten digitale Spuren hinterlassen. Warum gehen sie nicht vorsichtiger vor oder verwischen sie?«

»Weil sie sich sicher fühlen?«, fragte Bollard zurück. »Weil es ihnen egal ist? Da können wir momentan nur spekulieren.«

»Du hast auch nichts mehr über seine politischen Aktivitäten in den letzten Jahren erwähnt.«

»Dazu komme ich jetzt. Diesbezüglich ändert Pucao sein Verhalten nach 2005 nämlich auffällig. Weder tritt er noch einmal bei den üblichen Veranstaltungen der Szene in Erscheinung, also bei G-8-Treffen oder Ähnlichem, wobei man hinzufügen muss, dass die Proteste der Globalisierungsgegner in den Folgejahren immer schwächer werden. Aber auch seine Veröffentlichungen stellt er gänzlich ein. Der letzte politische Eintrag auf seinem Blog stammt vom 18. November 2005. In sozialen Netzwerken ist er nicht aktiv, zumindest nicht unter seinem Klarnamen.«

»Du meinst, dafür kann es zwei Gründe geben«, räsonierte Christopoulos. »Er hat sein Engagement aufgegeben, oder er führt es planvoll weiter, will dabei aber nicht mehr auffallen ...«

»... weil er im Geheimen etwas vorbereitet. Exakt. Denk an die Attentäter vom 11. September 2001. Vordergründig mehr oder minder brave Studenten oder Ähnliches. Unauffällig, angepasst. Währenddessen planen sie in aller Stille den schlimmsten Terroranschlag seit Ende des Zweiten Weltkriegs. Oder denk an den Irren aus Norwegen 2011.«

»Er musste aber damit rechnen, dass wir ihn trotzdem auf dem Ticker haben.«

»Natürlich. Wir haben ihn in unserer Datenbank. Leider mit Bildern, auf denen die Gesichtserkennungssoftware keine ausreichende Ähnlichkeit zum Phantombild herstellte.«

»Wie viele Millionen hat die gekostet? Keines dieser Gesichter hat sie erkannt.«

»Das werden wir herausfinden.«

»Aber selbst wenn dieser Pucao tatsächlich zu den Angreifern gehört, fehlen uns immer noch die anderen«, spielte Christopoulos weiterhin den Kritiker, wogegen Bollard nichts hatte, im Gegenteil. »Zu zweit haben sie diese umfassende Attacke nicht auf die Beine gestellt.«

»Nein. Du kannst davon ausgehen, dass momentan jeder Nachrichtendienst in Europa, den USA und in allen befreundeten Staaten jeden Kontakt überprüft, den sie bei Dragenau und Pucao finden.«

»Soweit sie dazu in der Lage sind«, seufzte Christopoulos. »Wenn es in den USA ebenso zugeht wie bei uns, dann werden sie bei vielen Schwierigkeiten haben, sie überhaupt zu finden. Aber nicht, weil sie Terroristen sind, sondern weil sie in irgendeiner Sporthalle oder einem Gemeindezentrum zwischen Hunderten auf einer Matratze schlafen oder in der Schlange bei einer Lebensmittelausgabestelle stehen.«

Brüssel

»Ich glaube es nicht«, flüsterte Manzano.

»Was?«, wisperte Shannon zurück.

»Das Benutzer-Eingabefeld«, erklärte Manzano. »Es ist verwundbar. Ich kann praktisch, ohne einen Benutzernamen einzugeben, durch das Feld durchgreifen auf Daten der Webseite.«

»Wie geht denn das?«

»Schlechte Sicherheitsmaßnahmen der Verantwortlichen.«

»Und welche Daten sind das?«

»Das sehen wir uns gleich an.«

Auf dem Bildschirm erschien eine lange Liste.

blond

tancr

sanskrit

zap

erzwo

cuhao

proud

baku

tzsche

b.tuck

sarowi

simon

...

»Was ist das?

»Mit ein bisschen Glück haben wir hier eine Liste der User dieser Webseite«, sagte Manzano. Und als Nächstes schauen wir einmal nach den Passwörtern.«

Er lud die Datei auf den Computer herunter, und ein paar Sekunden später konnte er sie öffnen.

Im Fenster tauchte ein unübersehbarer Ziffern- und Buchstabensalat auf.

Downloaded table: USERS

sanskrit:36df662327a5eb9772c968749ce9be7b

sarowi:11b006e634105339d5a53a93ca85b11b

tzsche:823a765a12dd063b67412240d5015acc

tancr:6dedaebd835313823a03173097386801

b.tuck:9e57554d65f36327cadac052a323f4af

blond:e0329eab084173a9188c6a1e9111a7f89f

...

»Schau, schau …«, bemerkte Manzano nur.

Jemand klopfte. Die Tür wurde geöffnet, Manzano griff zum Laptop, um ihn notfalls schnell schließen zu können.

Angström trat ein.

»Du hast uns erschreckt«, bemerkte Manzano.

»Macht ihr was Verbotenes?«

»Nein. Wir finden nur sehr Interessantes.«

»Kommen Sie her«, sagte Shannon. »Ist sehr faszinierend, was er da treibt. Wenn auch völlig unverständlich …«

Angström betrachtete den Bildschirm.

»Ist mir ein spanisches Dorf«, sagte sie.

»Mir auch«, stimmte Manzano zu. »Wie kann man nur so unvorsichtig sein. Seht hier«, er zeigte auf die Zeilenanfänge. »Das sind Benutzernamen für diese Webseite. Klar und deutlich, unverschlüsselt abgelegt. Das heißt, das obere Feld können wir schon einmal ausfüllen. Die Zahlenkombinationen dahinter sind die Passwörter – oder, und das ist das Problem –, genauer gesagt, sogenannte ›Hashes‹ der Passwörter, also Verschlüsselungen ebendieser.«

»Damit kommen wir nicht weiter«, meinte Shannon.

»Kommt darauf an«, erwiderte Manzano. Erneut flogen seine Finger über die Tasten.

»Wenn die Verantwortlichen sauber genug gearbeitet haben, ist für uns hier Schluss. Aber man wundert sich immer wieder, wie nachlässig gerade Profis in diesem Bereich sind.«

Abermals klopfte es an der Tür, Angström wandte sich nervös um, ging hin, öffnete sie, ohne aber den Zutritt in den Raum freizugeben. Hinter ihr im Flur erkannte Manzano wieder den Mann mit der Designerbrille.

»Ah, die sind immer noch da …«, sagte er.

»Ich habe sie gerufen, IT«, erklärte Angström.

Manzano konnte sehen, wie der Mann versuchte, über Angströms Schulter einen Blick auf ihn und Shannon zu erhaschen.

»IT«, wiederholte der Mann. »Wenn ich die brauche, dauert das zwei Wochen, bis sie auftauchen. Ich müsste so aussehen wie du…«

»Danke«, erwiderte Angström.

»Dann werd ich mal…«

Er warf noch einen Blick in den Raum und verschwand.

Angström schloss die Tür, kam zurück an den Tisch.

»Wollte der was?«

»Neugierig war er, fand ich.«

»Bin ich auch«, sagte Shannon. »Was sind denn diese Hashes?«

»Ein Hash wird erzeugt, indem man Daten durch bestimmte Algorithmen schickt und damit verändert. Und zwar so, dass eine Rückübersetzung unmöglich wird. Man kann dann nur probieren. Das kann aber langwierig werden. Stell dir ein Passwort mit zehn Zeichen vor, das noch dazu aus Groß- und Kleinbuchstaben sowie Ziffern besteht. Dieses Passwort kann auf achthundertvierzig Billionen Weisen verändert worden sein. Das heißt, du musst achthundertvierzig Billionen – Billionen! – Varianten ausprobieren. Dazu braucht natürlich auch der schnellste Computer der Welt ewig lange.«

»Aber wie erkennt die Webseite dann überhaupt, ob jemand das richtige Passwort eingegeben hat?«

»Einfach gesagt: Wenn jemand ein Passwort eingibt, berechnet der Algorithmus im Hintergrund wieder einen Hash, also diesen Datensalat. Wenn er mit den ursprünglich abgelegten Werten übereinstimmt, war es das richtige Passwort.«

»Der Computer vergleicht also gar nicht das Passwort, sondern die Hashes.«

»Sozusagen.«

»Und wie willst du trotzdem an die Passwörter rankommen?«

»Ich spekuliere auf weitere menschliche Schwächen. Erstens hoffe ich, dass die Programmierer nicht zusätzliche Sicherheitsmechanismen eingebaut haben. Außerdem hoffe ich, dass einige der User zu faul waren, lange oder komplizierte Passwörter einzugeben. Denn je kürzer und einfacher ein Passwort ist, desto weniger Möglichkeiten gibt es, die der Rechner zum Knacken des Passwortes durchprobieren muss.«

»Aber doch sicher immer noch genug.«

»Dafür gibt es sogenannte Rainbow-Tables.«

»Du klingst für mich wie ein Gehirnchirurg«, meinte Angström.

»Ich operiere auch gerade am Nervensystem unserer Gesellschaft.«

»Was ist das jetzt?«

»Ich bin jetzt auf einer Webseite, die mir die Hashes mittels Rainbow-Tables vielleicht auflösen kann.«

»Und wie funktioniert diese Regenbogentabelle?«

»Im Prinzip hat da jemand bereits die Hashes aller einfachen Passwörter vorberechnet und in diesen Tabellen abgelegt. Der Computer schaut nur noch nach, ob er diesen Hash schon kennt.« Schwungvoll hieb er auf die Return-Taste und wartete.

»Wird wieder etwas dauern.«

Brüssel

»Ich schwör dir, die sitzt da drin«, sagte Daan Willaert zu seinem Kollegen und zeigte auf seinen Bildschirm, wo er ein YouTube-Video aufgerufen hatte. Das Bild zeigte eine hübsche junge Frau mit brünetten Haaren, der Hintergrund war zu dunkel, um darauf etwas zu erkennen.

Lauren Shannon, Den Haag, erklärte eine Einblendung darunter.

In einem roten Band am unteren Rand des Videofensters stand: »... Terrorangriff vermutet. Italien und Schweden bestätigen Manipulation ...«

»Ja, und wenn ...«

»Sonja sagt, die wären von der IT. Und sie hat sorgfältig darauf geachtet, dass ich nicht den Raum betrete.«

»Die wollte eben arbeiten und nicht mit dir tratschen. Zu tun haben wir genug.«

»Wie lange arbeitest du schon hier?«

»Acht Jahre.«

»Wann hat dir die IT, als du jemanden angefordert hast, zum letzten Mal eine hübsche junge Frau geschickt?«

»Hm ...«

»Siehst du. Ich wette, dort gibt es gar keine Frauen.«

»Chauvinist.«

»Realist.«

Willaert griff zum Telefon und rief den technischen Support an.

»MIC hier. Ich wollte nur fragen, ob die Unterstützung, die ich angefordert habe, schon unterwegs ist?«

- - -

»Sie haben niemanden geschickt? Na gut, dann weiß ich Bescheid.«

- - -

»Nein, ist nicht so dringend, danke.«

Er legte auf, blickte den Kollegen an.

»Die haben gar niemanden geschickt.«

Er nahm noch einmal den Hörer, wählte die Nummer des Empfangs.

»Hat Frau Sonja Angström aus dem Monitoring and Information Centre heute Besucher empfangen?«

- - -

»Ah, danke.« Er legte auf. »Besuch, aber nicht von der IT«, erklärte er. »Wusste ich es doch!«

»Kann sonst wer sein? Was willst du damit anfangen?«

»Schon wieder Zahlensalat«, stellte Shannon fest.

Manzanos Nutzung der Rainbow-Tables zur Entschlüsselung der Passwörter hatte eine lange Liste produziert:

```
36df662327a5eb9772c968749ce9be7b:NunO2000
1cfdbe52d6e51a01f939cc7afd79c7ac:kiemens154
11b006e634105339d5a53a93ca85b11b:
99a5aa34432d59a38459ee6e71d46bbe:
9e57554d65f36327cadac052a323f4af:gatinhas_3
59efbbecd85ee7cb1e52788e54d70058:fusaomg
823a765a12dd063b67412240d5015acc:43942ac9
6dedaebd835313823a03173097386801:
8dcaab52526fa7d7b3a90ec3096fe655:0804e19c
32f1236aa37a89185003ad972264985e:plus1779
794c2fe4661290b34a5a246582c1e1f6:xinavane
e0329eab084173a9188c6a1e9111a7f89f:ribrucos
```

»Sieh genauer hin«, forderte Manzano sie auf.

»Hinter manchen Buchstaben-Ziffern-Reihen stehen kürzere«, sagte Angström. »Manche sehen aus wie...«

»...Passwörter. Sie sehen nicht nur so aus. Es sind Passwörter: NunO2ooo, kiemens154, gatinhas_3, fusaomg, ... Und wie ihr seht, sind es meistens entweder kürzere oder solche, die nur Klein- oder Großbuchstaben verwenden oder aus anderen Gründen einfacher sind. Und natürlich hatten wir Glück, dass keine weiteren Sicherheitsmechanismen verwendet wurden.«

»Hinter einigen Zeilen steht nichts«, stellte Shannon fest. »Heißt das, deine Regenbogentabelle hat das Passwort dazu nicht gelöst?«

»Richtig. Macht aber nichts. Denn wir haben gleich mehrere Benutzernamen und Passwörter, mit denen wir reinkönnen.«

»Das heißt, jetzt kannst du dich auf der Seite einloggen, an die von deinem Computer jede Nacht Daten übertragen wurden?«

»Genau das werde ich tun.«

Manzano rief die Seite auf, füllte das Benutzer- und das Passwortfeld mit einer passenden Kombination aus.

Benutzer: blond
Passwort: ribrucos

»Enter.«

»Und wieder einmal Listen, Tabellen ...«, bemerkte Shannon. »Was sagen uns die? Da zum Beispiel.«

Sie zeigte auf eine Zeile.

tancrtopic 93rm4n h4rd $4b07493

»Das erste Wort ist der Benutzer, der eine Diskussion angelegt hat. Den kennen wir ja schon aus der Benutzertabelle.«

»Und der Rest?«, fragte Angström.

»Das ist das Diskussionsthema. Sieht mir nach ›Leet‹ aus. Das ist eine Hackersprache. Sie wird benutzt, damit Überwachungssysteme, die den Datenverkehr womöglich auswerten, nicht sofort hellhörig werden. Ziemlich primitiv, weil in Wahrheit problemlos zu verstehen, nur etwas kompliziert zu schreiben und zu lesen, wenn man nicht daran gewöhnt ist. Und mittlerweile so bekannt, dass mich wundert, es hier noch benutzt zu sehen. Bei Leet ersetzt du einfach Buchstaben durch andere Zeichen auf der Tastatur, beispielsweise Zahlen, die dem ersetzten Buchstaben ähneln.«

Er öffnete ein neues Fenster, in das er das Wort »LEET« tippte.

»Leet schreibt man in Leet zum Beispiel so.« Er tippte etwas ein, und auf dem Bildschirm erschien: »L33T«.

»Wenn ich jetzt 93rm4n hernehme, was könnte das heißen?«

»Du liebe Güte, mit so was habe ich in der Volksschule gespielt«, stöhnte Shannon.

»Ja, Hacker sind in manchen Dingen ziemlich kindisch...
Willst du es nicht selbst ausprobieren?«

»Wenn du stundenlang Zeit hast...«

Manzano klickte topic 93rm4n h4rd $4b07493 an.

»Ich denke, das heißt ›topic german hard sabotage‹. Schauen
wir nach, was dahintersteckt.«

date: sun, 10, 11:05 GMT

tancr: 734m 1 0bj 9 (0nph1rm; 3xp3(7 0bj 10 70m0rr0w

tzsche: 734m 2

tancr: 0bj 12 (0nph1rm

tzsche: 734m 3

tancr: 0bj 7 (0nph1rm, 0bj 5, 6 p3nd1n9

tzsche: 734m 4

tancr: 0bj 7 (0nph1rm, 0bj 3, 6 p3nd1n9; 3v3r¥0n3 w3|| 0n
7r4(|{

»Ich übersetze das mal«, sagte Manzano.

»Date: sun, 10, 11:05 GMT

tancr: team 1 obj 9 confirm; expect obj 10 tomorrow

tzsche: team 2

tancr: obj 12 confirm

tzsche: team 3

tancr: obj 7 confirm, obj 5, 6 pending

tzsche: team 4

tancr: obj 7 confirm, obj 3, 6 pending; everyone well on track.

Tancr bestätigt irgendwelche Objekte zu Team 1, 2, 3 und 4. Einige Objekte stehen noch aus, was immer das bedeutet. Zum Abschluss äußert er sich zufrieden, dass alles nach Plan läuft.«

»Kannst du es jetzt noch so übersetzen, dass wir auch wissen,
was nach Plan läuft?«

»Dafür müssen wir den Thread weiterlesen, vielleicht finden
wir dann mehr heraus.«

Er scrollte hinunter, Hunderte Zeilen tauchten auf.

»Wow, die unterhalten sich schon eine ganze Weile. Ah, hier scheinen sie zu beginnen.«

date: mon, 03, 12:34 GMT

tancr: 734m 2 0bj 1 (0nph1rm; w4171n9 ph0r 734m 1,3,4

»Date: mon, 03, 12:34 GMT

Tancr: team 2 obj 1 confirm; waiting for team 1, 3, 4.

Aha. Hier bestätigte er zum ersten Mal ein Objekt, und zwar für Team 2.«

Manzano scrollte noch einmal hinauf.

»Das ist interessant. Am Anfang jeder neuen Unterhaltung steht ein Datum. Bei der ersten war es Montag, der dritte...«

»Der letzte dritte war aber kein Montag.«

»Stimmt. Beim letzten Gespräch steht Sonntag, der zehnte.«

»Sonntag ist heute«, sagte Shannon.

»Aber auch nicht der zehnte«, ergänzte Angström.

»Wartet, wartet!«, rief Manzano. »Lasst mich nachrechnen!«
Er zählte im Stillen.

»Freitag vor einer Woche fiel der Strom aus. Das sind bis heute...«

»Zehn Tage«, vollendete Shannon den Satz.

»Die Zeitrechnung dieses Chats beginnt am Tag null des Stromausfalls.«

»Dann wäre dieses Gespräch von heute Vormittag.«

»Wenn unsere Annahme stimmt.«

»Worum es geht, wissen wir noch immer nicht.«

Manzano schloss den Dialog, kehrte zur ursprünglichen Liste zurück.

»Hier sind verschiedenste Unterhaltungen aufgeführt.«

»Apropos Unterhaltungen«, sagte eine tiefe Stimme von der Tür. »Die Polizei würde sich gern mit Ihnen unterhalten.«

Angström fuhr herum. In der Tür stand Nagy, Leiter des MIC, hinter ihm drei Stiernacken in der dunklen Uniform der Security. Bevor Angström etwas sagen konnte, hatten sie den Raum betreten. Aus den Augenwinkeln sah sie Manzano hektisch auf der Tastatur tippen und den Laptop zusammenklappen. Im nächsten Moment packte ihn ein Uniformierter, ein anderer ergriff die amerikanische Journalistin. Sie drehten ihnen so unsanft die Arme auf den Rücken, dass Shannon aufschrie.

»Was machen die beiden da?«, fragte Nagy mit eisiger Stimme. »Das sind keine Mitarbeiter unserer IT.«

»Nein!«, rief Manzano. »Aber ich habe gerade ...«

Der Sicherheitsmann hinter Manzanos Rücken zog den Arm des Italieners höher, sodass der mit schmerzverzerrtem Gesicht verstummte.

»Ich bin amerikanische Staatsbürgerin!«, rief Shannon. »Ich möchte sofort jemanden von der diplomatischen Vertretung der Vereinigten Staaten sprechen!«

Angström spürte, wie das Blut aus ihrem Gesicht wich. Ihr Blick suchte Manzanos, der nur stumm den Kopf schüttelte.

»Ich habe ...«, setzte er noch einmal an, doch sein Bewacher brachte ihn mit einem schmerzhaften Ruck erneut zum Schweigen.

»Ich bin ...«, begann Shannon, doch auch der Mann hinter ihr gab ihr mit einer unangenehmen Bewegung zu verstehen, dass er nichts hören wollte.

Angström wusste nicht, was sie sagen sollte. Als Manzano am Nachmittag vor ihr aufgetaucht war, hatte sie sich trotz seiner zerlumpten Erscheinung gefreut, ihn wiederzusehen, mehr als sie sich in diesem Moment eingestanden hatte. Sie hatte ihm vertraut.

»Dieser Mann hat Europol und uns alle erst überhaupt auf die wahre Ursache des Stromausfalls gebracht«, sagte sie und merkte, wie ihre Stimme dabei zitterte. Diese Unsicherheit, das war nicht ihre Art. Angström bemühte sich um eine festere Stimme. »Vor wenigen Minuten hat er ein Kommunikationsportal der Angreifer entdeckt.«

Noch bevor sie den Satz beendet hatte, schoss das Blut zurück in ihr Gesicht bei dem Gedanken, Manzano hätte diese Webseite schon die ganze Zeit gekannt. Hatte er ihr ein Theater vorgespielt?

Nagy gab den beiden Sicherheitsleuten ein Zeichen. Die beiden führten Manzano und Shannon hinaus.

»Hören Sie, Herr Nagy«, erklärte Angström. »Das hier ist, glaube ich, wirklich sehr ...«

Nagy nickte dem verbliebenen Sicherheitsmann zu.

»... wichtig.« Angström verstummte, als der Mann sie unsanft am Oberarm packte.

»Erzählen Sie das der Polizei«, erklärte Nagy.

EC 155

Die Bodentruppe hatte die Route durchgegeben. Bis der EC 155 die Strecke erreicht hatte, war es dunkel geworden. Sie flogen hoch genug, dass die Zielpersonen den Helikopter nicht würden hören können. Über sein Nachtsichtgerät, das er am Helm montiert hatte, suchte Hartlandt die Landstraße, die sich wie ein schmaler Pfad unter ihnen wand, nach dem Gefährt ab. Er trug jetzt die schusssichere Weste.

»Ich habe sie«, erklärte der Copilot. »Ein Uhr, zirka zweihundert Meter.«

Hartlandt saß auf der linken Seite des Hubschraubers, unter dem die Landstraße gerade in einer Rechtskurve verlief und sich seinem Gesichtsfeld entzog.

»Team 2, Lage voraus?«, fragte der Kommandeur den Verantwortlichen im zweiten Hubschrauber.

»Freies Gelände«, antwortete eine Stimme. »Guter Zugriffspunkt in etwa zwei Kilometern. Drei scharfe Kurven, bei denen sie langsamer werden müssen. Vorschlag: Zugriff kurz vor der dritten Kurve.«

»Verstanden, Team 2«, erwiderte der Kommandant.

Der Wagen unter ihnen war mit etwa neunzig Stundenkilometern unterwegs. Das hieß, überschlug Hartlandt schnell im Kopf, für eine Erkundung des Zugriffsorts durch ihren Helikopter blieb keine Zeit mehr. Sie mussten sich darauf verlassen, dass die anderen – die bereits seit zwanzig Minuten über dem Zielobjekt flogen – den Zugriffsort ordentlich ausgewählt hatten.

Hartlandt beobachtete, wie die Männer sich auf den Einsatz vorbereiteten. Waffen wurden noch einmal überprüft, der Sitz von Westen und Helmen kontrolliert. Währenddessen liefen die letzten Koordinierungsgespräche zwischen den Team-Kommandeuren über Funk, beinahe übertönt vom Knattern der Rotoren.

»Sinken«, befahl der Kommandant.

Jetzt musste alles mit höchster Präzision ablaufen. Binnen weniger Sekunden mussten die Piloten ihre Maschinen auf Straßenniveau bringen, damit die Verfolgten nicht zu lange durch die Motorengeräusche vorgewarnt wurden.

Hartlandt sah die Straße rasend größer werden und entdeckte auch den anderen Hubschrauber, der dasselbe Manöver vollführte. Er klappte das Nachtsichtgerät hoch.

Als sie noch etwa sechzig Meter über dem Wagen waren, schalteten die Piloten die Spotlights ein. Ein greller Lichtkreis umgab das Auto.

Hartlandt beobachtete, wie es abrupt langsamer wurde, während die Hubschrauber sich weiter senkten. Sein Magen sackte kurz ab, als der Pilot das Fluggerät schließlich wenige Meter über dem Boden und hinter dem Auto auffing. Vor dem Transporter hatte der andere Hubschrauber die Straße blockiert, strahlte mit seinem Licht direkt in die Fahrerkabine. Die Bremslichter leuchteten rot, dann begann der Wagen zurückzusetzen, schleuderte so geschickt, dass er sich um hundertachtzig Grad drehte und nun direkt auf sie zuraste.

Ihr Pilot hielt dagegen und setzte mit den Kufen fast auf der Straße auf. Der Transporter bremste so scharf, dass sich seine Schnauze senkte, dann wurden die Türen aufgerissen. Im gleißenden Licht der aufgeblendeten Scheinwerfer des Transporters sprangen die GSG-9-Männer aus dem Hubschrauber. Im Lärm der Rotoren wäre es sinnlos gewesen, den Gestoppten Befehle oder Aufforderungen zuzurufen, selbst über Megafon hätten sie kein Wort verstanden.

Hartlandt spürte den harten Asphalt unter seinen Stiefeln.

Neben dem Transporter flackerte Mündungsfeuer. Er hechtete von der Straße und robbte aus der Reichweite der Scheinwerfer.

»Nicht schießen!«, brüllte er. »Feuer einstellen.«

Durch die Helmkopfhörer vernahm er die kurzen, scharfen Befehle der Kommandeure.

Die Lichter des Transporters waren mittlerweile zerschossen, die Spotlights der Hubschrauber tauchten den durchsiebten Wagen in grelles Licht. Neben der Beifahrertür lag ein regloser Körper, Teammitglieder aus dem anderen Hubschrauber knieten bereits am Heck des Wagens in Deckung. Einer von ihnen arbeitete sich zu dem Getroffenen vor, trat eine Waffe zur Seite, tastete hastig den ganzen Körper nach weiteren Waffen ab, andere sicherten die Fahrerkabine von der Seite.

Gleich darauf kam auch die Meldung von der anderen Wagenseite. Einer der vermummten Polizisten legte seine Hand an den Hals des Leblosen, wartete ein paar Sekunden, bis Hartlandt in seinem Helm »kein Puls« hörte. Währenddessen kletterten zwei

GSG-9-Beamte in die Fahrerkabine und spähten durch das Schiebefenster, das sich zwischen Fahrerkabine und Heck des Wagens befand, vorsichtig in den Laderaum.

»Gesichert.«

Hartlandt erhob sich und lief zu dem Wagen.

»Eine Zielperson tot«, erklärte eine Stimme in Hartlandts Helm.

Auf jeden Fall sah der Mann auf der Straße vor ihm so aus. Sein Oberkörper und sein Kopf waren von zahlreichen Projektilen getroffen worden, von seinem Gesicht war nur noch eine Hälfte zu erkennen. Seine Ethnie konnte Hartlandt nicht identifizieren. Er lag in einer dunklen Lache, die sich weiterhin ausbreitete. Von ihm würden sie nichts mehr erfahren.

Wütend ging Hartlandt um die Wagenfront auf die andere Seite. Die Polizisten hatten keine Wahl gehabt, die Männer aus dem Transporter hatten den Schusswechsel begonnen. Gezielte Ausschaltung ohne Tötung war in der Situation unmöglich. Neben dem linken Vorderreifen lag ein zweiter Mann mit dunklem Teint, ähnlich zugerichtet wie der andere. Den dritten hatte es ein paar Meter weiter vorne im Feld erwischt. Neben ihm knieten zwei Polizisten, ein anderer eilte mit einem Erste-Hilfe-Koffer dazu. Auch er war mehrfach getroffen. Seine Gesichtszüge hätte Hartlandt am ehesten als typisch mitteleuropäisch beschrieben, die Farbe der kurz geschorenen Haare konnte er im Moment nicht benennen.

Hartlandt kehrte zum Transporter zurück.

Neben den vermummten GSG-9-Männern hatten sich ein paar Soldaten in normaler Montur gesammelt. Obwohl der GSG-9-Kommandant keine Befehlsgewalt über Bundeswehrangehörige hatte, wies er sie an, die Straße in ausreichendem Abstand zu sperren. Nicht, dass wirklich viel Verkehr zu befürchten gewesen wäre, aber man wusste ja nie. Die Männer gehorchten ohne Diskussionen. Zum Glück hielten sich in dieser Situation zumindest die Aktiven im Feld nicht mit Zuständigkeitshickhack auf, dachte Hartlandt.

Unterdessen hatte ein Teil der Einsatzkräfte vorsichtig die Hecktüren geöffnet. Die Saboteure hatten keine Spreng- oder anderen Fallen für Unbefugte eingebaut. Im Inneren fanden sie Dutzende Kanister und Pakete. Hartlandt tippte auf Brandbeschleuniger und Sprengmittel. In einer großen Box waren Lebensmittel und Schlafsäcke verstaut. Den bescheidenen Nahrungsmittelvorräten nach zu urteilen, mussten sie fast am Ende ihrer Reise oder in der Nähe eines Proviantlagers sein.

Währenddessen inspizierte ein zweites Team die Fahrerkabine. Zwei Laptops würden sie sich genau ansehen müssen. Eine zerfledderte Straßenkarte von Mitteleuropa war der erste interessante Fund. Mit lilafarbenem Filzstift war darauf die Route der Saboteure eingezeichnet. Die Strecke schlug noch zwei Haken in Deutschland, führte dann über Österreich nach Ungarn und weiter nach Kroatien, wo die Karte endete. Irgendwo würden sie wohl noch die Fortsetzung finden. Entlang der Linie befanden sich dreierlei Zeichen. Hartlandt hatte sie schnell decodiert.

»Das hier sind Schaltzentralen«, erklärte er und zeigte auf kleine Vierecke, deren nördlichstes in Dänemark lag, das nächste beim ersten deutschen Ziel Lübeck. »Die haben sie angezündet. Die Dreiecke bezeichnen die Hochspannungsmasten. Die hier zwischen Bremen und Cloppenburg zum Beispiel haben sie schon gefällt. Von den Orten, die mit einem Kreis vermerkt sind, dagegen haben wir keine Sabotagemeldungen. Ich vermute, das sind ihre Proviant- und Munitionslager.«

»Die muss es geben«, stimmte der Kommandeur zu. »Das dahinten« – er deutete auf den Laderaum – »genügt nie und nimmer für die bereits durchgeführten Anschläge.« Sein Finger fuhr über die Karte. »Und schon gar nicht für das, was sie noch vorhatten.«

»Bis jetzt haben wir noch keine Telefone oder anderen Kommunikationsmittel gefunden«, erklärte einer der Männer.

»Brauchen sie nicht«, meinte Hartlandt. »Sobald sie ihre Route festgelegt hatten, konnten sie unabhängig agieren. Schützt den Rest der Truppe.«

»Vielleicht haben sie auch nur in den Zwischenlagern Kommunikationsmittel und melden sich von dort bei ihren Chefs.«

»Das müssten dann Satellitentelefone sein, weil sonst nichts funktioniert. Schiene mir aber unökonomisch, in jeder Station so ein teures Teil zu platzieren. Da nimmt man doch besser eines mit.«

Einer der Polizisten stieß zu ihm und dem Kommandeur.

»Kennzeichen und Fahrzeug konnten wir schon überprüfen. Die Nummernschilder wurden vor vierzehn Tagen in Flensburg gestohlen, der Wagen schon vor vier Monaten in Stuttgart.«

»Was sonst?«, stellte Hartlandt fest. Diese Männer waren Profis gewesen oder zumindest von solchen geschult und ausgerüstet worden.

Blitzlichter überstrahlten für Sekundenbruchteile noch das grelle Licht der Helikopter-Spotlights. Ein Polizist hatte damit begonnen, alle Details zu fotografieren. Als Erstes nahm er sich die Opfer vor. Ihre Bilder und Fingerabdrücke würden sofort an die Datenbanken von Europol, Interpol und den Erkennungsdiensten übermittelt.

»Hier ist die zweite Karte«, sagte ein Vermummter. Vor Hartlandt und dem Kommandeur breitete er eine weniger zerfetzte Landkarte aus, in der die lilafarbene Linie bis nach Griechenland führte.

»Da wollte jemand gründlich sein«, bemerkte der Kommandeur.

»Die konnten doch nicht rechnen, damit durchzukommen?«

»Vielleicht starteten sie unter Vorspiegelung falscher Tatsachen«, meinte Hartlandt. »Oder sie waren Fanatiker. Wofür oder wogegen auch immer.«

Aus dem Augenwinkel beobachtete Hartlandt den Kampf der Polizisten um das Leben des einen Attentäters. Hoffentlich verloren sie ihn nicht.

Brüssel

»Ruhe!«, befahl der Polizist, drückte Manzanos Finger in das Stempelkissen und danach auf das Feld auf dem vorgesehenen Formular.

»Ich gebe auch so zu, dass ich Piero Manzano bin«, sagte er, »Sie müssen meine Finger dafür nicht dreckig machen.«

Der Beamte reichte ihm ein Taschentuch.

»Das genügt nicht«, erwiderte Manzano. »Ich möchte mir die Hände waschen.«

Entweder verstand der Uniformierte kein Englisch, oder er hatte die Anweisung, sich nicht mit Manzano zu unterhalten.

Der Mann kam um den Tisch herum und gab Manzano mit einem Griff unter die Achsel zu verstehen, dass er aufstehen sollte. Durch einen schmalen Flur, an dessen beiden Seiten schwere Türen mit kleinen Guckfenstern abgingen, führte er ihn in eine Zelle. Der Raum maß vielleicht zwei mal drei Meter, darin drängten sich sieben Personen. Der Gestank, der Manzano entgegenschlug, raubte ihm den Atem. Der Polizist schob ihn wortlos hinein und schloss die Tür hinter ihm. Manzano blieb stehen und bemühte sich, den Würgereflex zu beherrschen. Die Anwesenden vollzukotzen wäre kein optimaler Beginn.

Die sieben Männer jeden Alters inspizierten ihn mit müden Blicken. Wie Manzano trugen alle ungepflegte Bärte. Er sog die

Luft durch seine zusammengebissenen Zähne ein, lehnte sich gegen die Tür und ließ sich daran hinuntergleiten.

»*I am Piero Manzano*«, erklärte er.

Zwei der Männer nickten ihm zu, den anderen schien es egal zu sein.

Eine Weile saßen sie schweigend da, dann fragte Manzano, ob einer der Anwesenden Englisch sprach oder Italienisch.

»Englisch«, antwortete ein junger Mann. »Weshalb sind Sie hier?«

»Lange Geschichte«, seufzte Manzano.

»Wir haben Zeit«, erwiderte der Junge.

»Aber kein Interesse«, sagte ein Älterer mit kehliger Stimme. »Haltet die Klappe!«

Manzano fluchte innerlich. Womöglich hatte er eine wichtige Spur zu den Urhebern der Katastrophe gefunden, aber statt ihr folgen zu können, musste er seine Zeit in einer stinkenden Zelle verschwenden. Er bereute es inzwischen, die Seite geschlossen und die offensichtlichsten Spuren auf seinem Laptop verwischt zu haben, bevor ihn die Polizisten abgeführt hatten. Vielleicht war es Angström ja gelungen, der Polizei seine Entdeckung zu vermitteln.

»Hören die mich da draußen, wenn ich hier drinnen schreie?«, fragte Manzano den Jungen.

»Wenn einer randaliert, kommen sie schon mal und sehen nach. Manchmal.«

»Was sind das überhaupt für Zellen?«, fragte Manzano. »Da passt doch eigentlich höchstens einer rein?«

»Zur Ausnüchterung«, antwortete der Junge. »Aber die haben zu wenig Platz und Personal, deshalb kommt man hier auch rein, wenn man dabei erwischt wurde, wie man sich Lebensmittel oder Wasser besorgen wollte.« Er zuckte mit den Schultern. »Jeden Abend werden dann angeblich alle ins Zentralgefängnis gebracht.«

»Es ist Abend.«

Manzano spürte, wie die Tür hinter seinem Rücken wegkippte. Er fing sich, sah hoch, schob sich zur Seite, als er den Polizisten erblickte. Der Beamte trug ein Gewehr vor der Brust, hinter ihm stand noch ein Uniformierter mit Waffe.

Er bellte einen Befehl, die anderen Zelleninsassen erhoben sich und drängten an Manzano vorbei.

Auf dem Flur warteten bereits die übrigen Insassen in zwei Reihen. Links eine kurze mit Frauen, rechts eine lange mit Männern. Ganz vorne sah er Shannon und Angström. Er hatte ein verdammt schlechtes Gewissen, dass er Angström in die Sache mit hineingezogen hatte.

Ein Beamter brüllte etwas, das Manzano nicht verstand, alle setzten sich in Bewegung.

Vor dem Gebäude wurden die Frauen in einen kleinen Bus verfrachtet, die Männer in einen großen, dessen Fenster vergittert waren. Vier bewaffnete Polizisten begleiteten sie. Unter den Sitzen waren Stangen mit Fußfesseln angebracht, in die sie ihre Beine stecken mussten. Die Polizisten kontrollierten und verriegelten sie.

Wie ein Schwerverbrecher, dachte Manzano. Er starrte durch die vergitterten Scheiben in die Finsternis, in der dunkle Fassaden vorbeizogen. Die einzigen Fahrzeuge, die er sah, waren gepanzerte Wagen des Militärs, außer Soldaten in Zweiertrupps kaum Menschen auf den Straßen. Sie trugen Taschenlampen oder Laternen, die Soldaten Leuchten am Helm. Wie in so einem verdammten Katastrophenfilm, dachte er. In Zukunft sehe ich mir nur noch Liebesschmonzetten an. Wenn es eine Zukunft gibt.

Bei Nürnberg

Der Scheinwerfer des Hubschraubers beleuchtete eine Hütte inmitten einer Wiese. Sie maß vielleicht fünf mal fünf Meter, schätzte Hartlandt. Der Pilot setzte die Maschine ein paar Meter neben dem Gebäude auf. Die Kufen hatten den Boden kaum berührt, da sprangen Hartlandt und die GSG-9-Männer hinaus in die Kälte. Geduckt liefen sie aus dem Sturm der Rotoren auf die Hütte zu.

Der Motor des Helikopters verlangsamte sich, wurde leiser. Vorsichtig arbeiteten sich die Männer der Spezialeinheit die letzten Meter vor. An einem Kabel schoben sie eine winzige Kamera mit Beleuchtung unter dem Türschlitz durch. Auf dem Monitor, der die Bilder der Kamera übertrug, sah Hartlandt einen leeren Innenraum, nur auf dem Boden lag etwas Stroh, bis der Polizist mit der Fernsteuerung die Kamera auf die Innenseite der Tür lenkte und diese inspizierte.

»Sicher«, bestätigte er schließlich.

Zwei Männer brachen die Tür mit einem Rammbock auf. Die Nachfolgenden strahlten das Innere mit hellen Lampen aus. Die Hütte war leer. Mit den Füßen schoben sie die dünne Strohschicht zur Seite. Einer der Polizisten stampfte fester auf.

»Da drunter ist etwas.«

Schnell fanden sie die schmalen Schlitze zu einer Tür, die in den Boden eingelassen war.

Erneut musste der Polizist mit der Kamerasonde ran.

Nachdem er das kleine mobile Auge heruntergelassen hatte, erkannte Hartlandt Pakete aus weißer Plastikfolie auf der linken, Kanister auf der rechten Seite. Dazwischen lagerten drei Packen Konserven, die mit transparentem Band umwickelt waren. Die Kamera untersuchte alles genau, auch den Verschluss der Tür.

Der Kameramann gab das Okay, sie brachen die Tür auf. Zwei der Männer knieten nieder, schnitten vorsichtig die weißen Folien auf, untersuchten den Inhalt.

»Plastiksprengstoff«, erklärte einer. »Unmarkiert. Was es genau ist, wird eine Analyse zeigen.«

In den Kanistern fanden sie Diesel.

»Sprengstoff, Treibstoff, Lebensmittel«, stellte der Kommandeur schließlich fest. »Mehr ist da nicht.«

»Wieder kein Telefon oder Funkgerät«, sagte Hartlandt.

»Nein. Die waren auf sich allein gestellt unterwegs. Diese Spur endet erst einmal hier.«

Brüssel

Der Bus hielt vor einem kaum beleuchteten Gebäude. Immerhin Strom, dachte Manzano. Eine gewaltige Eisentür wurde geöffnet, der Bus fuhr in einen großen Hof. Der kleinere Transporter mit den Frauen folgte ihm. Der Hof wurde von vier dreistöckigen Flügeln umschlossen, deren Fassaden in regelmäßigen Abständen von wenigen Lampen in ein düster-gelbes Licht getaucht wurde. Der Frauenbus bog zur linken Seite ab, der Männerbus fuhr geradeaus durch einen großen Torbogen. Dahinter erwartete sie ein Kordon bewaffneter Polizisten. Die begleitenden Beamten lösten die Fußfesseln, schrien die Gefangenen an, die Männer erhoben sich, Manzano tat es ihnen gleich. Sie verließen den Bus und wurden durch einen langen Gang geführt. An dessen Ende warteten weitere Beamte vor einer hohen Flügeltür. Zwei von ihnen öffneten sie zu einem riesigen, düsteren Saal, aus dem bestialischer Gestank drang. Sie wurden vorwärtsgetrieben, schließlich schlug hinter ihnen die Tür mit einem metallischen Geräusch ins Schloss.

An der Decke leuchteten vier Neonlampen, von denen zwei flackerten. Ihr Licht reichte nicht einmal in die hintersten Ecken des Saals. Schemenhaft erkannte Manzano gedrängte Reihen von Stockbetten aus Metallrahmen, die den gesamten Raum füllten. In und zwischen ihnen wimmelte es von Menschen. Es musste sich um hunderte handeln. Ich will hier nicht sein, dachte er.

Mit der Gruppe der Neuankömmlinge stand er starr an der Tür und wartete, was passieren würde. Die Gefängniswärter hatten ihnen keine Anweisungen gegeben oder Plätze zugewiesen. Einige Männer, die vor den nächstliegenden Betten auf dem Boden hockten, sprachen die Neulinge unfreundlich an.

Manzano verstand sie zwar nicht, aber aus den Gesten entnahm er, dass sie am besten blieben, wo sie waren.

»Keine Betten mehr frei«, flüsterte ihm der junge Mann aus der Ausnüchterungszelle auf Englisch zu.

Einer aus ihrer Gruppe unterhielt sich weiter, der junge Mann übersetzte Manzano das Nötigste.

»Mehrere Brüsseler Gefängnisse wurden in dieses evakuiert, beziehungsweise hier zusammengelegt. Alle Zellen sind überfüllt. Das ist eigentlich die Sporthalle«, erklärte er. »Hier drin sitzen alle Sorten von Gefangenen. Vom Taschendieb über Wirtschaftsverbrecher bis zu Mehrfachmördern. Wir sollen uns ruhig verhalten und tun, was man uns sagt.«

Noch während er sprach, kam eine Truppe von Kerlen zwischen einem Bettengang auf sie zu, die Manzano nicht gefielen. Die zwölf Typen waren alle mindestens so groß wie er und verbrachten ihren Tag offensichtlich mit Gewichtstraining. Als sie näher kamen, erkannte Manzano die Tätowierungen, die ihre nackten Arme, Schultern, Hälse und sogar Teile der Gesichter oder der kahl geschorenen Schädel überzogen. Die anderen Eingesperrten zogen sich in und zwischen die Betten zurück.

Der größte und muskulöseste Kerl der Gruppe, offensichtlich

der Anführer, ging auf den Vordersten der Neuankömmlinge zu und fragte ihn etwas. Der Mann, vielleicht in Manzanos Alter, etwas kleiner, mit einem kleinen Bäuchlein, wich zurück, bis er an seinen Hintermann stieß. Der Muskelberg wiederholte seine Frage, der andere antwortete ängstlich, schien etwas zu verneinen. Der Anführer schlug ihm so heftig ins Gesicht, dass der Mann von denen hinter ihm aufgefangen werden musste. Weinerlich rappelte er sich hoch, die Hand im blutenden Gesicht. Der Tätowierte gab ein Zeichen, und zwei seiner Männer packten den Geschlagenen. Er selbst begann, die Taschen des Festgehaltenen rüde zu durchsuchen. Als er nichts fand, öffnete er den Gürtel des Mannes und zog ihm die Hosen herunter. Seine Helfer drehten den Mann um, der zu schreien begann, woraufhin ihm der Tätowierte einen heftigen Tritt zwischen die Beine verpasste. Mit einem Keuchen verstummte der Getretene. Der Muskelmann packte seine Gesäßhälften und zerrte sie auseinander. Einer seiner Helfer leuchtete mit einer Taschenlampe in den After des Wimmernden. Mit einem kurzen Stock fuhr der Anführer hinein, das Opfer gab einen gurgelnden Schrei von sich, dann ließ er den Mann los, trat ihm noch einmal zwischen die Beine, und seine Helfer warfen ihn zu Boden, wo er wie ein Fötus zusammengekauert leise schluchzend liegen blieb. Der Tätowierte packte den Nächststehenden am Hals, Manzano glaubte, den Griff an seinem eigenen Hals spüren zu können.

Der Fiesling brüllte sie an, Manzano verstand nichts. Einige der Neuankömmlinge schüttelten ängstlich die Köpfe, klopften auf die Taschen ihrer Jacken, stülpten ihre Hosentaschen um. Manzano tat es ihnen gleich, um zu demonstrieren, dass er nichts bei sich hatte.

Die anderen Tätowierten stellten sich so auf, dass sie einen kurzen Gang bildeten, durch den der Anführer nun den Mann schubste, den er an der Gurgel gehalten hatte. Unter Schlägen und Lachen filzten sie ihn, wie es der Anführer mit dem ersten Mann getan hatte, nur die finale Untersuchung blieb ihm erspart. Mit den Hosenbeinen um die Knöchel stolperte er aus der Spießruten-reihe. Manzano bemerkte, wie sich einige an der Seitenwand lang-sam davonmachen wollten. Doch dort warteten weitere musku-löse Helfer, die sie umgehend zurückschubsten. Manzano schloss die Augen und fragte sich, ob alle hier diese Tortur hatten durch-machen müssen. Sein Bein schmerzte, er spürte den Schweiß auf seinem Gesicht, am Hals, an den Händen, unter den Achseln, ihn schwindelte. Fast wünschte er sich eine Ohnmacht, um nicht mitzuerleben, was ihn erwartete. Stattdessen humpelte er zu dem Zusammengeschlagenen, kniete neben ihm nieder, sagte auf Eng-lisch: »Kommen Sie, ich helfe Ihnen.«

Er zog ihm die Hose hoch, doch der Mann wehrte sich, fürch-tete wohl, erneut misshandelt zu werden. Manzano redete beru-higend auf ihn ein. Ein anderer aus ihrer Gruppe beugte sich nun gleichfalls herab und half ihm.

Der Anführer der Gang packte Manzano am Kragen und schleuderte ihn hoch, als wäre er ein Spielzeug. Er brüllte ihn an, lachte höhnisch. Manzano verstand nur »Samariter«. Der Kerl entdeckte die Wunde an Manzanos Kopf, schlug mit der freien Hand darauf, fragte ihn etwas.

»*Sorry, I don't understand you*«, erwiderte Manzano und ver-suchte seine Schmerzen nicht zu zeigen. Überrascht blickte ihn sein Gegenüber an, wandte sich zu seinen Kumpanen um, die ihre Durchsuchungen unterbrochen hatten, grölte etwas. Sie lachten.

»*I have nothing*«, sagte Manzano und zeigte auf seine ausge-stülpten Hosentaschen.

Der Mann stieß Manzano zwischen seinen Trupp, der sofort mit ihrer Behandlung begann. Als einer Manzanos Hose herun-terriss und dabei heftig gegen das verletzte Bein schlug, knickte er ein. Die Männer zogen ihn wieder hoch, entdeckten den Verband an seinem Bein, auf dem sich ein Blutfleck ausbreitete.

»*What ist that?*«, fragte einer.

»*Police shot me*«, antwortete Manzano.

Der Mann starrte ihn an, stieß ihn von sich, aber nicht so brutal, dass Manzano abermals hinfiel. Dann gab er ihm ein Zeichen, mit dem er Manzano weiterwinkte. Ohne von den anderen erneut angegriffen zu werden, stolperte Manzano davon.

Während die Schlägerbande die anderen Neuankömmlinge weiterhin drangsalierte, suchte Manzano sich ein freies Fleckchen auf dem Boden. Sein Bein tat ihm weh, er fühlte sich müde und zerschlagen, musste an Angström und Shannon denken und hoffte, dass es im Frauentrakt weniger brutal zuging. Kurz überlegte er auch, Widerstand gegen den Terror zu organisieren, schließlich standen hier mehrere hundert Männer gegen das Dutzend Muskelprotze. Doch er musste sich eingestehen, dass seine Angst zu groß war, von den Schlägern dabei erwischt zu werden, bevor er ausreichend Leute zusammenhatte. In den vergangenen Tagen hatte er oft genug den Helden gespielt. Eine Schusswunde reichte ihm. Auf ausgeschlagene Zähne oder gebrochene Glieder konnte er gut verzichten. So verhielt er sich still und spielte lediglich in Gedanken durch, was er mit den Mistkerlen anstellen würde, wenn er die Möglichkeit dazu bekäme.

Tag 10 – Montag

Brüssel

Manzano erwachte von Getöse und Geschrei, und noch während er die Augen aufschlug, bemerkte er den eigenartigen Geruch, der sogar den Gestank überlagerte.

Feuer.

Panisch rappelte er sich zwischen den Stockbetten hoch und sah sofort die Flammen, die in der Saalmitte mannshoch loderten. Schwarzer Rauch stieg an die Decke, unter der er sich sammelte.

Viele Häftlinge hatten sich an den Rand des Saals zurückgezogen, eine große Traube drängte zur Tür, andere tobten um das Feuer, schrien, warfen Matratzen darauf, ob um die Flammen zu löschen oder weiter zu nähren, konnte Manzano nicht erkennen.

Der Rauch wurde dichter, sank von der Decke langsam herab.

Fenster gab es hier nur in etwa sechs Meter Höhe, und sie waren so schmal, dass sich niemand hätte hindurchzwängen können, selbst wenn er sie erreicht hätte.

Immer mehr Häftlinge stürmten zu der großen Tür, auch zu kleineren Ausgängen, die Manzano erst jetzt erkannte, riefen um Hilfe, donnerten mit den Fäusten dagegen, versuchten, sie mit den Metallgestellen der Betten zu rammen oder aufzubrechen.

Der Rauch kratzte in seinem Hals, rundum husteten die Gefangenen, hielten sich Tücher, Kleidungsstücke vor Mund und Nase.

Einige begannen, unter den Fenstern Bettenpyramiden zu errichten, bis sie zu ihnen gelangten. Sie schlugen die Scheiben ein, bemühten sich nach Leibeskräften, ins Freie zu gelangen, doch ohne Erfolg. Sie brüllten um Hilfe, bis die Brandstifter brennendes Material auf die Betten warfen und auch die Pyramiden in Flammen aufgingen.

Fassungslos an eine Wand gepresst verfolgte Manzano den Tumult mit vom Rauch tränenden Augen. Das Gedränge an den Türen wurde immer heftiger, also hielt er sich fern, um dort nicht erdrückt oder zertrampelt zu werden.

Schüsse fielen.

Ein Flügel der großen Tür stand plötzlich offen, Männer pressten sich hindurch, weitere Schüsse übertönten kaum das ohrenbetäubende Geschrei. Immer mehr wollten flüchten, stießen auf Widerstand, kamen nicht voran, bevor der nächste Schub durchstolperte und von einer neuen Gewehrsalve empfangen wurde.

Der zweite Türflügel sprang auf, und trotz anhaltender Schüsse strömten die Männer jetzt hinaus. Im Saal wurde der Rauch dichter, der Durchzug zwischen offener Tür und eingeschlagenen Fenstern fachte das Feuer an. Die Flammen sprangen auf immer mehr benachbarte Betten über.

Fantastische Alternative, dachte Manzano, ersticken, verbrennen oder erschossen werden. Draußen jedoch schienen die Schüsse weniger zu werden und aus größerer Entfernung zu kommen. Auf allen vieren krabbelte er unter den schwarzen Schwaden zum Ausgang, ließ die letzten um die Flammen tanzenden Irren hinter sich.

Vor der Tür lagen Dutzende Verletzte oder Tote, blutüberströmt, um die sich niemand kümmerte. Manzano kam an zwei leblosen Körpern in Uniform vorbei. Hatten die Häftlinge Polizisten getötet und ihre Waffen an sich gerissen? Im Schutz der Menge gelangte er bis zum Eingang des großen Hofes. Unter dem Torbogen hockten einige Männer und zielten mit Gewehren hinaus, schossen. Sirenen übertönten in wiederkehrenden Wellen das Getöse.

Manzano ließ sich zu Boden sinken, sah sich um. In die andere Richtung gab es keinen Ausweg. Er konnte nur hier im Gedränge warten, bis alles vorbei war.

Die Bewaffneten wagten einen Ausbruch, wild um sich feuernd rannten sie ins Freie, einer wurde getroffen, strauchelte, fiel, ein anderer humpelte, stolperte weiter, bevor auch er liegen blieb. Ihre Waffen wurden von anderen ergriffen, die weitermachten, wo die anderen gestoppt worden waren.

Auf der anderen Seite des Hofes fiel ein Mann vom Gebäude, Manzano konnte nicht erkennen, ob Häftling oder Beamter. Einer der Gefangenen rannte hin, nahm ihm die Waffen ab, drückte sich gegen die Wand, feuerte.

Der Rauch aus dem brennenden Saal kam bereits bis zu Manzano gekrochen, heiß und stinkend kratzte er im Hals, brannte in seinen Augen. Er vergrub sein Gesicht in einer Armbeuge, es half nichts. Er musste weiter. Hinaus auf den Hof, auf dem es keine Verstecke gab, keine Deckung, wo noch immer von allen Seiten die Kugeln querschlugen. Er humpelte los, erwartete jeden Moment den Einschlag eines Geschosses.

Berlin

»Ich möchte endlich klare Informationen aus Philippsburg«, forderte der Bundeskanzler.

Michelsens Liste wies auch heute noch keinen positiven Eintrag auf. Wohin sie auch blickte, überall nur Hiobsbotschaften. Den Tiefpunkt hatten die Nachricht aus Philippsburg und die folgende Diskussion markiert.

»Wir bemühen uns darum«, versicherte ihm die Mitarbeiterin des Ministeriums für Umweltschutz, Naturschutz und Reaktorsicherheit. »Aber die Verbindungen sind noch immer mangelhaft. Auch über das Land und die IAEO erhalten wir nicht laufend aktuelle Neuigkeiten. Der Letztstand von vor einer Stunde besagte, dass geringe Mengen radioaktiven Dampfes entwichen seien. Die Bevölkerung im Umkreis von fünf Kilometern wird bereits seit gestern dazu aufgefordert, die Häuser und Notquartiere nicht zu verlassen.«

»Sind sonst wenigstens alle anderen AKWs versorgt?«, bellte der Kanzler. Als die Frau nicht sofort antwortete, spürte Michelsen, wie ihre Hände zu zittern begannen.

»Was?«, fragte der Kanzler tonlos nach.

»Wie es scheint, hat es im Kraftwerk Brokdorf an der Elbe einen schweren Zwischenfall gegeben. Genaues ist noch nicht bekannt.«

»Genaues ist noch nicht bekannt?« Der Bundeskanzler explodierte förmlich. »Was wissen diese vermaledeiten Betreiber überhaupt? Sie haben keine Ahnung, wer ihnen die Würmer ins Netz gesetzt hat, warum ihre Kraftwerke nicht funktionieren, wann sie die Versorgung wieder in Gang bringen, nichts! Ich will die Vorstandsvorsitzenden der Betreiber von Philippsburg und Brokdorf hier oder auf den Bildschirmen sehen, und zwar schnell!«

»Ich … sorge dafür«, stammelte die Angefahrene.

Der Kanzler schloss kurz die Augen, öffnete sie wieder.

»Verzeihen Sie«, bat er. »Sie können nichts dafür. Ich hoffe, das war alles?«

Die Frau biss sich auf die Lippen.

Abermals schloss der Bundeskanzler die Augen.

»Sagen Sie schon.«

»Das französische Werk Fessenheim am Rhein meldet ebenfalls einen schweren Zwischenfall aufgrund von nicht näher benannten Schwierigkeiten mit den Notkühlsystemen.«

Auf der Europakarte an der Wand zeigte sie auf eine Stelle an der deutschen Grenze, nahe Stuttgart. »Laut IAEO wurde schwach radioaktiver Dampf abgelassen. Für Evakuierungen gäbe es keinen Grund, sagen die Betreiber. Noch. Der Plan sähe eine Zone von bis zu fünfundzwanzig Kilometer voraus. Das beträfe unter normalen Umständen fast eine halbe Million Menschen, darunter Freiburg.«

»Eine halbe Million …«, stöhnte der Bundeskanzler.

»Und Temelín«, ergänzte die Beamtin. »Dort dürfte es, wie in Saint-Laurent, zu einer Kernschmelze gekommen sein. Die tschechischen Behörden haben mit der Evakuierung begonnen. Aber das Kraftwerk liegt rund achtzig Kilometer von der nächsten deutschen Grenze entfernt. Außerdem herrscht zurzeit Nordwestwind. Radioaktivität wird also eher nach Österreich getragen.«

»Bis der Wind dreht«, stellte der Kanzler fest.

Die Frau sagte nichts dazu.

»Wie ist der Kontakt mit den tschechischen Behörden?«

»In Ordnung.«

»Gibt es auch gute Nachrichten?«

»Die anderen Kraftwerke verhalten sich ruhig«, antwortete die Frau. »Laut unseren Informationen sind alle bis auf Grohnde und Gundremmingen C mit ausreichend Diesel für mindestens zwei weitere Wochen ausgerüstet. Der Nachschub für die zwei ist unterwegs.«

»Philippsburg, Brokdorf, Fessenheim, Temelín, Grohnde und Gundremmingen«, zählte der Kanzler auf, »ich will über alle stündlich Bericht erstattet bekommen. Und natürlich sofort, wenn sich in einem davon die Situation ändert.«

Brüssel

Mit einem lauten Klack sprang die Zellentür auf. Angström bemerkte es als Erste, weil sie als Einzige nicht versuchte, einen Blick aus dem Fenster auf den Hof zu erhaschen.

Sie packte Shannon.

»Sie machen auf!«, rief sie und zerrte die Amerikanerin auf den Flur. Dort wurden sie von den anderen fast überrannt. Mit der Menge liefen sie ins Treppenhaus, hielten erst in der Einfahrt zum Hof inne. Das Schießen hatte aufgehört. Aus den Männertrakten strömten Hunderte dem Ausgang zu. Aus den meisten Fenstern stieg Rauch, loderten Flammen.

»Sollen wir warten, bis sie weg sind?«, fragte Shannon. »Hunderte amoklaufende Männer, Schwerverbrecher darunter…«

»Nein«, erwiderte Angström. »In dem Chaos fallen wir am wenigsten auf. Komm!«

Sie liefen los, Angström betete, dass das Schießen tatsächlich vorbei war.

Unbehelligt erreichten sie das große Tor. Es war geöffnet. Schnell verteilten sich die Flüchtigen auf der Straße in alle Richtungen.

»Wo sind wir?«, fragte Shannon, während sie neben Angström herlief.

»Am Stadtrand«, antwortete Angström.

»Und jetzt?«

»Sehen wir zu, dass wir nach Hause kommen. Dort wird uns die Polizei nicht so schnell suchen. Die hat schlimmere Zeitgenossen einzufangen.«

Den Haag

Hartlandt verstand Bollard über das Satellitentelefon nur undeutlich. Er war nach Ratingen zurückgekehrt, während die GSG 9 weitere Lager der Saboteure aushob.

»Wir haben die Männer identifiziert«, erklärte er. »Klassische Söldner. Ein Südafrikaner, ein Russe und ein Ukrainer. Fanden sich in den Datenbanken gleich mehrerer Nachrichtendienste. Einer war zuletzt für Blackwater im Irak, die zwei anderen waren schon früher dort gewesen.«

»Konnte der Überlebende schon befragt werden?«, erkundigte sich Bollard.

»Nein. Er wurde von zwölf Projektilen getroffen. Allein drei davon stecken im Hirn. Von dem erfahren wir nichts mehr.«

»Haben Sie sonst schon etwas?«

»Kommt demnächst. Im Wagen haben wir eine Karte mit der geplanten Route, den Anschlagszielen und Zwischenlagern gefunden. Aber weder bei ihnen noch in den Zwischenlagern waren Kommunikationsgeräte. Derzeit untersuchen mehrere Nachrichtendienste und nationale Ermittler in verschiedenen Staaten die jüngere Vergangenheit der drei und ihre finanziellen Verhältnisse. Ich persönlich würde solche Leute ja in bar bezahlen, aber wer weiß... Wie heißt es so schön? *Follow the money.*«

Brüssel

Manzano humpelte so schnell, wie es sein Bein zuließ, durch die Straßen. Von Weitem hörte er die Sirenen der Einsatzwagen. Während der ersten Fluchtminuten hatte purer Instinkt sein Handeln beherrscht. Jetzt kehrte langsam seine Vernunft zurück. Erst einmal brauchte er ein Versteck, dann musste er versuchen, einen Internetanschluss zu finden, an dem er die RESET-Seite genauer untersuchen konnte. Der Gedanke daran ließ ihn nicht mehr los. Er überlegte, wohin er gehen konnte. Er kannte niemanden in der Stadt. Außer Sonja Angström. Hatten die Frauen auch ausbrechen können? Er hatte nicht darauf geachtet.

Er musste es versuchen. Angströms Adresse hatte er im Kopf, seit sie ihm in Den Haag die Visitenkarte gegeben hatte. Er musste jemanden finden, der ihm den Weg beschreiben konnte. Und ein Transportmittel, falls Angströms Wohnung zu weit weg lag. Er prüfte jedes Fahrrad, das er in Ständern oder an Verkehrszeichen angekettet sah. Nach wenigen Versuchen hatte er eines gefunden, dessen Besitzer unvorsichtig genug gewesen war.

Den Haag

Wie am Vortag hatte Marie Bollard an der Lebensmittelausgabestelle vergebens auf den Lkw mit den Gütern gewartet. Irgendwann waren auch die Wucherer und Schwarzhändler vor der zunehmend zornigen Menge geflüchtet. Die wütenden Redner auf dem Platz hatten die Menge schließlich dazu angestachelt, die Verantwortlichen zur Rechenschaft zu ziehen, und darin sahen sie in erster Linie die Politiker. Die Masse hatte sich so träge und unaufhaltsam in Bewegung gesetzt wie eine Schlammflut nach einem Dammbruch. Mit einer diffusen Gefühlsmischung aus Faszination, Ärger und Neugier hatte sich Bollard mittreiben lassen bis zum Binnenhof, dem Sitz des niederländischen Parlaments.

Auf dem Weg durch die Stadt hatten sich laufend Menschen

angeschlossen. Sie schätzte, dass Tausende skandierend den Platz erreichten. Ein paar Polizisten versuchten, sie aufzuhalten, wurden jedoch einfach beiseitegeschoben. Die Menge war so groß, dass der riesige Innenhof des Komplexes längst nicht alle fassen konnte. Sie füllten die Straßen rundum, bis zum Sitz der Zweiten Kammer gegenüber.

Auf ihrer letzten Demonstration war Bollard als Studentin gewesen, und das nur, um ihre Eltern zu ärgern. Sie fühlte sich unwohl zwischen all den lauten, aufgebrachten Menschen und gleichzeitig geborgen in diesem großen, warmen, sich bewegenden Organismus, der in manchen Momenten mit einer Stimme zu rufen, einer Lunge zu atmen, sich mit einem Körper zu bewegen schien. Beunruhigt und zugleich furchtlos spürte sie seine Energie auf sich übergehen. Sie ging nicht so weit, mit den anderen zu brüllen, blieb aufmerksam, darauf bedacht, die Distanz zu wahren, und merkte doch, dass sie sich dem Sog der wilden Empfindungen nur schwer entziehen konnte. Manche hatten Transparente mitgebracht, beschriebene Leinentücher zwischen Besenstiele gespannt. Ihre Rufe wurden nicht leiser. Im Gegenteil, sie schienen an Wucht zuzunehmen. Wie Wellen von stürmischer See, die den Gewittersturm ankündigten, ein um das andere Mal an die Klippen brandeten, jedes Mal höher, tosender.

Berlin

»Wir haben weitere Hinweise darauf, dass China hinter dem Angriff steht«, erklärte der NATO-General vom Bildschirm herab. Hinter ihm ahnte Michelsen das geschäftige Treiben im Kommandozentrum des NATO-Krisenstabs.

»Die Spuren gewisser Schadprogramme, die in den Systemen europäischer Netzbetreiber gefunden wurden, führen zu IP-Adressen in China.«

»Die führten auch nach Tonga«, antwortete der Bundeskanzler. »Und Sie wollen doch nicht eine kleine Südseeinsel verantwortlich machen?«

»Server auf Tonga und in anderen Ländern dienten den Angreifern nur zur Verschleierung«, erwiderte der General geduldig.

»Und wer sagt, dass das bei den chinesischen IPs nicht genauso ist?«

»Der Standort dieser ganz bestimmten IP-Adressen. Sagen Ihnen die Schanghai-Jiaotong-Universität und die Lanxiang-Berufsschule etwas?«

Ohne die Antwort des Bundeskanzlers oder des übrigen Krisenstabs auf seine rhetorische Frage abzuwarten, fuhr er fort: »Erinnern Sie sich an die Hackerattacken auf Google und andere amerikanische Firmen, die 2010 und 2011 durch die Medien gingen. Damals konnten IT-Forensiker, unter anderem von der US-amerikanischen National Security Agency, NSA, die Spur bis zu diesen zwei chinesischen Bildungseinrichtungen zurückverfolgen. Eine davon bildet IT-Spezialisten für das Militär aus. Warum das so interessant ist, erklärt Ihnen am besten Jack Guiterrez, ein Experte des United States Cyber Command. Jack?«

In einem kleineren Fenster am Bildschirm erschien ein Mann mit kurz geschorenen Haaren und Nickelbrille. »Regimes wie China oder Russland verwenden bei solchen Attacken andere Strategien als die Vereinigten Staaten oder die NATO«, erklärte er. »Bei uns werden dafür direkt die spezialisierten Einheiten des Militärs und der Nachrichtendienste eingesetzt. Dagegen schieben China oder Russland gern angeblich freiwillige ›patriotische Hacker‹ vor. Ein Beispiel dafür war der russische Angriff auf Estland im Jahr 2007. Denial-of-Service-Attacken blockierten die Webseiten estnischer Parteien, Medien, Behörden, Banken und Notrufnummern. Das heißt, von gekaperten Computern wurden an die betroffenen Webseiten so viele Anfragen verschickt, bis die Server unter der Flut zusammenbrachen. Tagelang konnten keine Löhne und Rechnungen bezahlt werden. Das Land wurde lahmgelegt, ohne dass ein einziger Schuss abgefeuert, eine einzige Bombe abgeworfen wurde. Nachträglich muss man das wahrscheinlich als den ersten Krieg über das Internet bezeichnen. Lange wusste man nicht, wer dahintersteckte. 2009 bekannte sich die Jugendorganisation des Kremls ›Naschi‹ zu der Sabotage. Und da haben Sie das Problem. Selbst wenn wir damals sofort gewusst hätten, wer hinter dem Angriff auf ein NATO-Mitglied steckt, Russland hätte sich auf ein paar übereifrige Jungs in patriotischem Taumel herausgeredet. Dass hinter denen Militär und Geheimdienst stehen, müssen sie erst einmal beweisen.«

»Na ja«, murmelte Michelsen. »Beweise findet man schnell, wenn man sie braucht. Wenn ich an den angeblichen Grund für den Irakkrieg denke ...«

Der General hatte sie nicht gehört, doch der Verteidigungsminister warf ihr einen vernichtenden Blick zu.

»Kriege wurden zwar schon aus geringerem Anlass begonnen«, bemerkte der NATO-General. »Aber wegen ein paar Jungen?

China infiltriert seit mindestens einem Jahrzehnt intensiv IT-Systeme westlicher Staaten und Unternehmen. Denken Sie an die Trojaner, die schon 2007 auf Computern des deutschen Bundeskanzleramts und deutscher Ministerien gefunden wurden. Dasselbe gilt für die Infiltration des Weißen Hauses 2008, jene von Öl- und Energiefirmen 2009, die Aufzählung könnte ich endlos weiterführen.«

»Mir wäre weiterhin das Motiv ein Rätsel«, warf der Innenminister ein. »Wir haben das oft genug diskutiert. Die Weltwirtschaft ist längst so sehr vernetzt, dass eine Zerstörung Europas und der USA auch auf den Rest verheerende Auswirkungen hätte.«

»China steht vor jeder Menge Probleme. Soziale Ungerechtigkeit, der notwendige Umbau der Wirtschaft, das Überalterungsproblem aufgrund der jahrzehntelangen Ein-Kind-Politik. Die Kommunistische Partei kämpft an vielen Fronten, und wie wir alle wissen, ist ein gemeinsamer Feind ein willkommenes Mittel, um über solche Probleme hinwegzutäuschen. Den findet man am besten außerhalb der eigenen Grenzen, in einem Krieg.« Zum ersten Mal seit Beginn der Diskussion bewegte der General mehr als sein Gesicht. Er beugte sich ein wenig nach vorn, der Kamera entgegen.

»Sehen Sie, verehrter Herr Bundeskanzler, ich bin ein Militär alter Schule. Meine ersten Jahre saß ich in einem Leopard-Panzer. Aber auch ich habe begriffen, dass die Kriege der Zukunft nicht unbedingt mit Gewehren, Panzern oder Kampfjets ausgefochten werden. Sondern genau so, wie wir es gerade erleben. Wir können – nein, dürfen – nicht darauf warten, dass jemand die erste Kugel auf uns schießt oder die erste Bombe über einer unserer Städte abwirft. Das wird der Gegner nicht tun. Weil er es nicht mehr tun muss. Weshalb soll er seine Soldaten vor unsere Gewehre und Kanonen schicken, wenn er uns bequem und sicher von seinem Schreibtisch in zehntausend Kilometer Entfernung vernichten kann? Verstehen Sie? Der Erstschlag ist erfolgt! Der Gegner braucht nicht einmal Kernwaffen. Sogar für die Atomexplosionen sorgen wir selbst. Die erste hat bereits Teile Frankreichs verwüstet. Weitere sind nur eine Frage der Zeit. Zumindest die können wir noch verhindern, wenn wir jetzt aktiv werden.«

»Ein Gegenschlag zerstört Anlagen, tötet Menschen in China, garantiert aber noch längst nicht, dass bei uns der Strom wieder fließt«, wandte der Innenminister ein.

»Aber er bringt den Gegner eher dazu, den Angriff auf uns zu beenden«, mischte sich der Verteidigungsminister ein.

»Oder erst recht zuzuschlagen«, widersprach der Innenminister.

»Die Vereinigten Staaten und die NATO haben 2011 ihre Strategie für solche Fälle festgelegt. Angriffe auf IT-Infrastrukturen werden als kriegerischer Akt betrachtet. Sie erlauben uns, mit konventionellen oder digitalen Waffen zurückzuschlagen.«

Er lehnte sich wieder etwas zurück, um nicht zu aggressiv zu wirken, schien Michelsen.

»Wir müssen nicht gleich Atomraketen nach Peking schicken«, erklärte er. »Auch wir beherrschen die moderne Kriegsführung. In einer ersten Stufe wäre denkbar, auf ähnliche Weise zu reagieren, indem man einigen wichtigen Metropolen den Strom abstellt.«

»Wer kann das?«, fragte der Innenminister.

»Glauben Sie, die westlichen Militärs haben in den vergangenen Jahren geschlafen?«, fragte der NATO-General. »Schanghai, Peking« – er schnippte mit dem Finger –, »geben Sie das Okay, und in ein paar Stunden geht dort auch nichts mehr.«

Michelsen beobachtete auf den Gesichtern der Anwesenden, dass sie immerhin beeindruckt waren.

»Noch einmal, Herr Bundeskanzler«, fügte er eindringlich hinzu. »Was Sie in diesem Konflikt nicht bekommen werden, ist die eine *smoking gun*. Aber wenn Sie vor die Tür gehen, werden Sie sehen, dass der Schuss abgefeuert wurde. Und uns schwer verwundet hat. Schießen wir zurück, bevor wir verbluten.«

Brüssel

Angström stellte das geklaute Fahrrad vor dem vierstöckigen Zinshaus ab, Shannon lehnte ihres daneben.

Angström wohnte im obersten Stock. Sobald sie in der Wohnung waren, sperrte sie alle vier Schlösser doppelt ab.

Sie sahen beide zum Fürchten aus. Verrußt, verschwitzt, die Haare zerzaust.

»Komm mit«, sagte Angström knapp. Im Bad reichte sie ihr ein paar einzeln abgepackte Erfrischungstücher. »Das muss genügen, tut mir leid.«

Shannon reinigte sich notdürftig. Immerhin aus dem Gesicht und von den Händen konnte sie den Dreck entfernen. Ein Tuch blieb ihr sogar noch für die Achseln und den Hals.

In der Küche öffnete Angström eine Packung mit Brot, stellte Honig auf den Tisch, eine Flasche Wasser.

»Corned Beef hätte ich noch, wenn du zum Frühstück Fleisch möchtest«, bot sie Shannon an.

»Danke, ist wunderbar so.«

»Du hast Piero in Den Haag kennengelernt?«

Shannon erzählte die Geschichte, wie sie Bollard gesucht hatte und dabei auf Manzano gestoßen war. Sie hatte noch immer das Gefühl, dass Angström sich für den Italiener interessierte, deshalb verschwieg Shannon, dass sie mit ihm das Zimmer geteilt hatte.

»Und dann seid ihr nach Deutschland?«

Shannon fragte sich, wie viel sie der Frau verraten sollte. Sie entschloss sich für eine entschärfte Variante. Sollte Manzano ihr eines Tages die Wahrheit berichten, wenn die sie interessierte.

»Ganz verstehe ich immer noch nicht, warum ihr wieder wegmusstet«, gab Angström zu, als Shannon geendet hatte.

»Jetzt sind wir auf jeden Fall hier«, sagte diese. »Du glaubst, die Polizei wird uns hier nicht suchen?«

»Du hast gesehen, wie viele dort abgehauen sind. Darunter waren Mörder. Warum sollten sie ausgerechnet zu mir kommen?«

Sie saßen eine Weile schweigend, aßen.

»Wie war die Entwicklung der vergangenen Tage?«, fragte Shannon schließlich. »Du musst ja einen guten Überblick haben.«

»Kommt die Journalistin wieder durch?«

Shannon zuckte mit den Schultern. »Auf Sendung kann ich zurzeit ohnehin nicht gehen. Und selbst wenn, wer würde es sehen?«

»Wir haben kein umfassendes Situationsbild«, erzählte Angström. »Die meisten Kommunikationsmittel sind ausgefallen. Kein Telefon, kaum Behördenfunk, ein wenig Militär- und Amateurfunk, ein paar Satellitenverbindungen. Im Wesentlichen bestehen die Verbindungen zwischen den nationalen Krisenzentralen, aber die Staaten wissen nur bruchstückhaft, was bei ihnen überhaupt los ist. Nur punktuell dringen Informationen bis in die Zentralen, und das sind ausnahmslos schlechte. Schwarzmärkte florieren, öffentliche Strukturen und Behörden werden abgelöst von privaten Initiativen oder Parallelstrukturen, Polizei und Militär können die öffentliche Sicherheit nicht mehr aufrechterhalten. Es kommt zu Selbstjustiz.«

»So einer Bürgerwehr sind wir begegnet.«

»Ich habe in Brüssel auch schon welche gesehen. Nach Spanien haben auch in Portugal und Griechenland die Militärs geputscht. In Frankreich gab es allem Anschein nach einen GAU in einem Kernkraftwerk, ebenso in Tschechien, ein Dutzend weiterer Anlagen europaweit sind in kritischer Verfassung. In vielen Ländern gab es Unfälle in Industrieanlagen, vor allem in Chemiefabriken, die teilweise Dutzende, in einem Fall wahrscheinlich sogar Hunderte Todesopfer forderten und schwere Umweltzerstörungen verursachten. Aber auch hier fehlen uns genaue Angaben. Vermutlich wissen wir gar nicht von allen. Über die meisten Staaten verstreut existieren kleine, mit Strom versorgte Gebiete, in denen die Lage aber nicht viel besser ist, weil sie mit Flüchtlingen heillos überlaufen sind.«

»Und in den Vereinigten Staaten?«

»Hast du Familie drüben?«

Shannon nickte.

»Sieht es nicht besser aus. In mindestens zwei Atomkraftwerken kam es bereits zu GAUs, bei drei weiteren bekommen wir keine ordentlichen Informationen von den Verantwortlichen, was nichts Gutes bedeutet, wie man weiß. Auch sonst dasselbe Drama, nur um die paar Tage verschoben, die der Ausfall später begann. Zusammenbruch der Versorgung mit Lebensmitteln, Wasser, medizinischer Behandlung. Unfälle in Fabriken, der ganze Mist. Scheinbar kommt es aber bereits jetzt zu schweren Ausschreitungen, vor allem in Gebieten, wo viele sozial Benachteiligte leben.«

Von der Tür klang ein Klopfen.

Shannons Herz sprang bis zum Hals. »Wer ist das?«, flüsterte sie.

»Keine Ahnung«, flüsterte Angström zurück. »Vielleicht meine Nachbarin.«

»Die Polizei?«

»Würde die klopfen?«

Paris

»Schlafen kannst du, wenn du tot bist.«

Blanchard fand diesen Spruch bescheuert, seit er ihn zum ersten Mal gehört hatte. Das eine hatte er seit Tagen kaum getan, am anderen war er nahe dran.

»Die Computer in der Netzleitstelle haben wir fast alle neu aufgesetzt«, erklärte er Tollé, dem Sekretär des französischen Präsidenten, der auf unfassbare Art noch immer wie ein Model aus einem Herrenmodemagazin auftreten konnte und als Einziger im Raum keine unangenehmen Körpergerüche verbreitete.

Auf vielen Monitoren des Centre National d'Exploitation Système leuchteten statt der blauen Bildschirme wieder Zahlen und Diagrammanzeigen. Die riesige schwarze Tafel an der Wand zeigte unverändert etwa achtzig Prozent des Versorgungsgebiets in Rot an, ein paar gelbe Flecken, den Rest grün.

»Das heißt«, fragte Tollé, »dass Sie den Stromfluss in den Netzen wieder überwachen können?«

»Im Prinzip ja«, antwortete Proctet. »Auch den Großteil der Server, die den Netzbetrieb steuern, konnten wir wieder funktionsfähig machen. Ab morgen früh werden wir damit beginnen, erste kleine Netze wieder aufzubauen. Wenn wir damit erfolgreich sind, werden wir das im Lauf des Tages fortsetzen.«

»Was heißt, ›wenn Sie damit erfolgreich sind‹? Warum sollten Sie es nicht sein?«

»Die Systeme, die Vorgänge sind komplex. Und sie hängen von verschiedenen Umständen ab.«

»Wo liegen die Probleme? Können wir etwas tun? Sie müssen es nur sagen.«

»Ich fürchte«, antwortete Blanchard, »Sie können weder die notwendigen Blindleistungen zur Verfügung stellen, noch den Netzaufbau schnell und ohne Schwierigkeiten vorantreiben, was notwendig ist, da die Kraftwerke in dieser Phase in einem für sie ungünstigen Betriebszustand fahren müssen, den sie nur wenige Stunden durchhalten. Zudem ist es ausgesprochen schwierig festzustellen, wie viele Abnehmer man in so einer Situation wirklich zuschalten darf, um das Netz stabil zu halten. Es kann auch zu automatischen Schutzauslösungen kommen, wodurch Lasten abgeworfen, Generatoren ausgeschaltet werden und so weiter. Heikel ist zum Beispiel das Zuschalten leerlaufender Transformatoren, Stichwort Rush-Effekt, der Ferranti-Effekt kann zu Überspannungsauslösungen führen, wollen Sie noch mehr wissen? Kurz: Es ist alles nicht so einfach, und Sie können uns dabei leider nicht helfen.«

Tollé nickte, als habe er alles verstanden, wusste aber nichts zu sagen.

Blanchard genoss den Moment, hätte am liebsten mit noch mehr Fachbegriffen um sich geworfen, doch er riss sich zusammen. »Je nach Fortgang könnten wir bereits in ein bis zwei Tagen weite Teile des Landes wieder mit Energie versorgen. Von den meisten anderen europäischen Netzbetreibern wissen wir, dass sie in ein ähnliches Stadium getreten sind. Allerdings kämpfen sie dort immer noch mit den Problemen bei den Kraftwerken.«

»Als Erstes müssen ...«

»... die Regionen, in denen sich die AKWs Saint-Laurent, Tricastin, Fessenheim und Cattenom befinden, aktiviert werden. Die werden wir womöglich schon heute Abend angehen.«

»Ich kann dem Präsidenten also mitteilen, dass die Stromversorgung zurückkehrt?«

»Seien Sie nicht zu schnell. Vor allem sollte er nicht an die Öffentlichkeit damit gehen, bevor wir erste Erfolge vorweisen können.«

»Sie können sich vorstellen, wie dringend er der Öffentlichkeit diese Nachricht überbringen möchte.«

»Nicht nur er«, sagte Blanchard.

Den Haag

Als an einer Ecke des Binnenhofs die ersten Rauchwolken aufstiegen, schrie die Menge frenetisch. Aus Fenstern im ersten Stock schlugen Flammen, die den Abschnitt des Gebäudes bald in Rauch hüllten. In die Menschenmassen kam Bewegung, unruhige zuerst, bald hektische.

Marie Bollard stand eingeklemmt am hinteren Ende des Platzes, in dessen Mitte sich die Statue Wilhelms I. erhob. Der Lärm hatte eine neue Tonart angenommen. Statt der rhythmi-

schen, stampfenden Parolen herrschte aufgeregtes Durcheinander-
rufen, durchsetzt von spitzen, angstvollen Schreien. Von hinten
spürte Bollard nun immer stärkeren Druck, doch die Straßen um
den Platz waren zu schmal und verstopft, um viele Menschen auf
einmal schnell flüchten zu lassen. Unwillkürlich schossen ihr Bilder von Massenpaniken durch den Kopf, bei denen Menschen
zu Tode getrampelt, zerdrückt, erstickt worden waren, und fühlte
selbst sofort Panik in sich hochsteigen. Sie konnte sich nur mit
dem Strom schieben lassen, während in ihren Adern das Adrena-
lin raste. Wie hatte sie sich nur hinreißen lassen können? Die Kinder brauchten sie doch!

Brüssel

»Ich muss an diese Seite ran«, erklärte Manzano.

Er sah inzwischen besser aus als noch vor einer halben Stunde.
Aus blutunterlaufenen Augen in einem schwarzen Gesicht hatte er
sie angestiert, nachdem Angström die Tür geöffnet hatte.

»Jedes Mal, wenn ich dich sehe, siehst du noch schlimmer aus
als beim letzten Mal!«, war es Angström entfahren. Die Freude,
ihn lebendig zu sehen, überwog den Ärger, dass sie seinetwegen
die bislang schlimmste Nacht ihres Lebens verbracht hatte.

Er war mit einem Fahrrad zu ihrer Wohnung gekommen. Mithilfe einiger Hygienetücher und einer kostbaren halben Flasche
Wasser plus Seife hatten sie ihn immerhin so weit sauber bekommen, dass man sich nicht mehr vor ihm fürchten musste. Sah
man mal von den roten Augen, der wieder aufgeplatzten Narbe
am Kopf und ein paar blauen Flecken im Gesicht ab, die er sich
im Gefängnis zugezogen hatte, wie Angström vermutete. Er hatte
nicht erzählt, woher sie stammten.

Sie hatten von ihrem Aufenthalt berichtet, den beengten Verhältnissen, den katastrophalen hygienischen Zuständen, aber immerhin waren ihre Zellengenossinnen einigermaßen zivilisierte Personen gewesen. Alle drei konnten nur rätseln, was das Aufsichtspersonal zur Öffnung der Zellen bewogen haben mochte. Wahrscheinlich doch die Furcht, ansonsten den Feuertod Hunderter Gefangener verantworten zu müssen.

»Ich habe hier kein Internet, wie du dir vorstellen kannst«, sagte Angström.

»Ich muss«, beharrte Manzano.

Fast wirkte er manisch, geradezu besessen auf sie. Vielleicht die Aufregungen der vergangenen Nacht, dachte sie, der fehlende Schlaf. Die flackernden Kerzen auf dem Esstisch verstärkten den Eindruck.

»Wie spät ist es jetzt?« Er sah auf die Küchenuhr über der Tür. Fast sechs Uhr abends.

»Weißt du, ob es in der Nähe Strominseln gibt, die wir irgendwie erreichen könnten?«

»Nein. Keine in der Nähe, die nächste ist gut hundertfünfzig Kilometer entfernt in Deutschland – und das ist der Stand von vorgestern. Kann gut sein, dass sie inzwischen wieder zusammengebrochen ist. Wie willst du dort hinkommen?«

Manzano starrte sie an, seine Kiefer arbeiteten.

»Dann muss ich noch einmal an deinen Arbeitsplatz.«

Angström glaubte, sich verhört zu haben.

Als sie nicht antwortete, fuhr er fort: »Das ist die einzige Möglichkeit, diese Seite genauer zu untersuchen. Verstehst du, vielleicht haben wir hier eine Kommunikationsplattform der Angreifer entdeckt! Ich muss das untersuchen!«

In seinem Eifer schien er ihre Irritation nicht zu bemerken.

»Vor nicht einmal vierundzwanzig Stunden wurden wir dort verhaftet. Und du willst noch einmal hin?«

»Versuchen muss ich es. Ich verstehe, wenn ihr nichts damit zu tun haben wollt. Aber ich muss hinein. Wie gelingt mir das?«

Angström schüttelte den Kopf. »Du spinnst. Gar nicht, ohne Ausweis.«

»Keine Chance?«

Kommandozentrale

Die Bilder erschienen zuerst auf der Webseite eines japanischen Senders. Dessen Korrespondent in Den Haag hatte sie per Satellit geschickt. Das niederländische Parlamentsgebäude stand in Flammen. Es wird, bemerkte einer seiner Mitstreiter, Lekue Birabi, zufrieden. Er erinnerte sich, wie er den Nigerianer während seines Studienaufenthalts in der britischen Hauptstadt kennengelernt hatte. Der Sohn eines Stammeshäuptlings aus dem Nigerdelta hatte dort seine Doktorarbeit an der renommierten London School of Economics and Political Science geschrieben. Sie waren sich von Beginn an sympathisch gewesen. Seit seiner Jugend engagierte sich Birabi im Widerstand gegen die Ausbeutung des Nigerdeltas durch die Zentralregierung und internationale Ölkonzerne. Nach dem Scheinprozess und der Hinrichtung des Aktivisten Ken Saro-Wiwa durch das nigerianische Regime Mitte der Neunziger, die für weltweite Empörung sorgten, wanderte er für kurze Zeit sogar ins Gefängnis, wo er gefoltert wurde. Seine Eltern starben bei einem Angriff einer rivalisierenden Volksgruppe, die von einem der Ölkonzerne finanziert wurde. Er konnte fliehen und dank eines Stipendiums studieren.

Damals begann er mit Birabi und ein paar anderen jene Idee zu konkretisieren, die sie in durchdiskutierten Nächten geboren hatten. So wie die anderen, die in den folgenden Jahren dazugestoßen waren. Personen unterschiedlichster Herkunft, Nationalität, sozialer Schicht, Bildung, beiderlei Geschlechts, geeint durch die gleiche Vision, dasselbe Ziel. Jetzt hatten sie den ersten Schritt dorthin erreicht. Die Menschen in Europa und den USA begnügten sich nicht mehr mit Diskussionen, Petitionen und Demonstrationen. Nach ein paar Tagen Schockstarre und der Illusion, die alte Ordnung friedlich und gemeinsam aufrechterhalten zu wollen, gingen sie nun umso heftiger an die Substanz. Aus Rom, Sofia, London, Berlin und zahlreichen anderen europäischen Städten berichteten Korrespondenten von Angriffen gegen öffentliche Einrichtungen wie in Den Haag, sogar aus den USA kamen erste ähnliche Meldungen. Er nickte Birabi zu, der seine Genugtuung nicht verbarg. Was vor ein paar Jahren Gedankengebäude gewesen waren, wurde nun Wirklichkeit. Der Aufstand hatte begonnen.

Den Haag

»Die Zusammenarbeit mit den internationalen Behörden hat weitere Erkenntnisse über mögliche Komplizen Jorge Pucaos gebracht«, informierte Bollard das Gremium. »Mit sechs von ihnen stand er nachweislich in Kontakt. Außerdem ergab die Flugdatenauswertung gleichzeitige Aufenthalte an denselben Orten in den vergangenen Jahren.«

Er rief das Bild eines Schwarzafrikaners auf.

»Da wäre etwa Doktor Lekue Birabi aus Nigeria. Seine detaillierte Biografie finden Sie in der Datenbank. Es gibt viele Parallelen zu Jorge Pucao. Mitglied der Mittel- bis Oberschicht aus einem Schwellen- oder Entwicklungsland, politisch engagiert, vom herrschenden System bekämpft, familiäres Drama, hochintelligent, ausgebildet an einer der besten Hochschulen der Welt. Von ihm existieren zahlreiche Publikationen, er führte Blogs im Internet. Die kompletten Texte finden sich unter ›Birabi_lit‹ in der Datenbank. Diese sind zwar noch nicht zur Gänze durchgearbeitet, aber schon jetzt kann man sagen, dass er ziemlich radikal ist. Bereits 2005 schreibt er, dass ›das jetzige wirtschaftlich-politische System in der heutigen Form bestehende Machtverhältnisse zementiert. Da in den vergangenen Jahrzehnten sämtliche friedlichen Reformversuche von innen gescheitert sind, muss man auch die gewaltsame Zerstörung des Systems als Möglichkeit der Erneuerung in Betracht ziehen.‹ Auch in dieser Radikalisierung haben wir eine Parallele zu Pucao. Ebenso wie seine Teilnahme an verschiedenen Anti-G-8-Protesten, zum ersten Mal wie Pucao 2001 in Genua.«

Bollard zeigte eine Weltkarte, auf der zahlreiche Ort durch rote Linien verbunden waren. Bei jeder Linie, jedem Ort standen Zahlenkombinationen.

»Das sind die dokumentierten Reisen von Jorge Pucao ab 2007.«

Mit einem Klick der Fernsteuerung fügte er blaue Linien zu den roten. Einige der blauen Spitzen trafen sich mit den roten.

»Das sind Lekue Birabis Reisen in derselben Zeit. Wie wir sehen, hatten sie häufig gleichzeitig dasselbe Ziel. Zuletzt lebte Birabi in den Vereinigten Staaten. Im Herbst 2011 verschwindet er. Seither fehlt von ihm jede Spur. Die amerikanischen Behörden untersuchen zurzeit seinen Computer, den er zurückgelassen hat. Sein Vermieter hatte ihn in einem Abstellraum gelagert. Er wurde zwar sorgfältig gelöscht, doch ein paar Daten konnten rekonstruiert werden. Unter anderem Teile seines E-Mail-Verkehrs. Daraus geht hervor, dass er ab 2007 in regem Austausch mit einem gewissen ›Donkun‹ stand, der sich laut IP-Adressen meist dort befand, wo sich zur selben Zeit Pucao aufhielt. Außerdem fanden die Ermittler weltweit weitere Kontakte, die in diese Milieus passen und in Verbindung zu einem der beiden standen. Einige sind ebenfalls verschwunden. Diesen gilt natürlich besondere Aufmerksamkeit. Da wäre zum Beispiel Siti Jusuf aus Indonesien, ähnliches Alter und ähnlicher Lebenslauf wie die beiden anderen. In der Asienkrise der späten Neunziger verliert seine Familie ihr Vermögen, leidet unter den Unruhen in Folge der Währungs- und Wirtschaftskrise. Dann wären da noch zwei Landsleute Pucaos, Elvira Gomez und Pedro Munoz, ebenfalls politische Aktivisten, zwei Spanier, Hernandes Sidon und Maria de Carvalles-Tendido, zwei Italiener, zwei Russen, ein Mann aus Uruguay, ein Tscheche, eine Griechin, zwei Griechen, ein Franzose, ein Ire ...«

»Ziemlich internationale Truppe«, bemerkte jemand.

»... zwei US-Amerikaner, ein Japaner, eine Finnin und zwei Deutsche. Einige davon sind ausgewiesene IT-Experten wie Pucao. Insgesamt existieren momentan rund fünfzig verdächtige Personen, die im Kontakt mit einer oder mehreren der anderen standen.«

»Und das alles auf Basis eines einzigen Fotos und eines Phantombildes?«, fragte jemand.

»Die waren der Ausgangspunkt«, antwortete Bollard. »Sobald wir wussten, wo wir suchen müssen, konnten die nationalen und internationalen Nachrichtendienste weiterarbeiten. Aktuell verfolgen Hunderte Mitarbeiter weltweit unzählige Spuren. Da kommen selbst unter diesen Umständen schnell viele Informationen zusammen. Diese Daten geben zumindest Anhaltspunkte, dass es hier eine Gruppe von Menschen gibt, die den ideologischen Hintergrund, die persönlichen Schicksale und das notwendige Knowhow für einen solchen Terroranschlag besitzen. Wir kennen diese Profile aus revolutionären Bewegungen weltweit. Die Akteure kommen in den seltensten Fällen aus den armen und unter den Verhältnissen am heftigsten leidenden Unterschichten, sondern rekrutieren sich aus der gebildeten Mittel- und Oberschicht der jeweiligen Gesellschaften. Hier könnten wir es erstmals mit einem derartigen Phänomen auf globaler Basis zu tun haben.«

»Glauben wir ernsthaft«, warf jemand ein, »dass ein paar Berufsjugendliche die westliche Zivilisation in ihre schlimmste Krise und die Welt in eine der gefährlichsten Konfliktsituationen seit dem Zweiten Weltkrieg bringen können?«

»Warum nicht?«, fragte Bollard. »Im Deutschland der Siebzigerjahre genügten einige Handvoll Terroristen der Roten-Armee-Fraktion, um das Leben von sechzig Millionen Einwohnern der Republik zu ändern. Die gesellschaftlichen Folgen, von Sicherheitsmaßnahmen bis zu Berufsverboten, waren jahrzehntelang spürbar. Die Gründungsgruppe der italienischen Brigate Rosse umfasste fünfzehn Mitglieder, und die Anschläge am 11. September 2001 führten nicht einmal zwei Dutzend Männer durch. Nein, es hilft nichts: Wir können durchaus davon ausgehen, dass wenige Dutzend Personen mit ausreichend Know-how und finanziellen Mitteln zu solchen Anschlägen in der Lage sind.«

»Wichtiges Stichwort«, wandte Christopoulos ein. »Finanzierung. Selbst wenn die Typen das entsprechende Know-how besitzen, für so ein Unternehmen braucht man mehr als ein paar Spenden.«

»Womit wir zu Balduin von Ansen, Jeanette Bordieux und George Vanminster kommen. Was sie von den anderen Verschwundenen unterscheidet, ist, dass sie jeweils Erben ansehnlicher Vermögen sind. Von Ansen, Sohn einer britischen Adeligen und eines deutschen Bankiers, Vanminster, US-Bürger, Erbe des Industriekonglomerats Vanminster Industries, und Bordieux, Tochter eines französischen Medienzaren, sind gemeinsam über eine Milliarde Euro schwer. Alle drei finanzieren großzügig soziale und politische Projekte. Alle drei standen seit Jahren in engem Kontakt mit Pucao und anderen der Verdächtigen.«

»Warum sollten solche Leute…?«

»Warum nicht? Beispiele gibt es genug. Dem italienischen Verleger Giangiacomo Feltrinelli, Sohn aus einem der reichsten Häuser Italiens, verdanken wir die Veröffentlichung literarischer Welterfolge wie *Doktor Schiwago* und *Il Gattopardo*, aber auch des berühmten Bildes Che Guevaras, das noch heute millionenfach T-Shirts und Jugendzimmer ziert. Aber er hatte Kontakt zu italienischen Extremistengruppen, gründete seine eigene, ging in den Untergrund, besorgte deutschen Terroristen Mordwaffen und starb bei dem Versuch, einen Strommast zu sprengen. Einen anderen Millionär und Terrorpaten, Osama bin Laden, muss man wohl nicht näher vorstellen. Auch unter Reichen gibt es Extremisten, in alle politischen und gesellschaftlichen Richtungen.«

Orléans

Ihren Platz zwischen den Hunderten Betten des Notlagers fand Annette Doreuil mittlerweile. An die Gerüche und den Lärm hatte sie sich gewöhnt, aber die Gesichter bedrückten sie. Ihre Plätze lagen in einem der hintersten Karrees. Der Vorteil war, dass weniger Menschen daran vorbeikamen. Dafür war der Weg zu den Waschräumen und Toiletten weiter. Die Frau vom Roten Kreuz hatte ihnen und den Bollards vier Betten nebeneinander zugewiesen.

Mehrfach hatte Doreuil eine Untersuchung auf radioaktive Verstrahlung gefordert, doch immer die gleiche Antwort erhalten: Es waren weder ausreichend Personal noch Ausrüstung dafür vorhanden. Und überhaupt müsse sie sich keine Sorgen machen.

Vom Eingang her hörte sie aufgeregte Stimmen. Ein paar Personen eilten in den Bettenbereich, verteilten sich dort, riefen jenen, an denen sie vorbeikamen, etwas zu. Manche der Angesprochenen blieben, wo sie waren, riefen den Weiterlaufenden etwas nach. Andere sprangen auf, redeten auf den Nachbarn oder ihre Familien ein, wie auch die, von denen die Nervosität ausgegangen war und die nun ihre Ziele im Bettenmeer erreicht hatten. Hastig rafften sie ein paar Habseligkeiten zusammen, packten Kinder an Armen oder riefen laut Namen durch die Halle, in der das leise Dauersummen sich langsam zu einem Tosen verstärkte.

Doreuil hatte einen Moment innegehalten, bevor sie zu den anderen weitergegangen war. Dabei versuchte sie aufzuschnappen, was die Leute so erregte. Schon von der Hallenmitte konnte sie erkennen, dass auch ihrem Mann und den Bollards die Hektik aufgefallen war und sie sich bei ihren Nachbarn erkundigten. Immer mehr Menschen strömten zum Ausgang, mit Säcken, Taschen, Koffern beladen. Die Menschen flüchteten! Vor den Ausgängen bildeten sich dichte Trauben.

»Das Kraftwerk ist noch einmal explodiert!«, stieß Bollard hervor, als sie ihn erreichte. »Der Wind weht eine radioaktive Wolke direkt auf Orléans zu!«

Er begann, die wenigen Habseligkeiten, die auf ihren Betten lagen, in die Koffer zu stopfen.

»Wer sagt das?«, fragte Doreuil.

»Alle«, erwiderte Bollard, ohne seine Tätigkeit zu unterbrechen.

»Wir müssen weg hier!«, rief nun auch ihr Mann.

Annette Doreuil zögerte. Würden die Verantwortlichen im Notquartier eine neuerliche Evakuierung nicht durch Lautsprecher oder Megafone ankündigen? Würden sie nicht zu Ruhe, Besonnenheit und geordnetem Auszug aufrufen? War es nicht klüger, in einem geschlossenen Gebäude zu bleiben?

Ihr Mann und die Bollards plagten sich offensichtlich nicht mit derlei Überlegungen. Sie hatten Koffer und Taschen gepackt.

»Komm«, forderte Bertrand sie auf, drückte ihr die leichtere Tasche in die Hand, während er den Koffer nahm. Er griff sich an die Brust, verzog das Gesicht.

Sie nahm die Tasche und folgte den anderen drei, die im Laufschritt zwischen den Betten hindurchhasteten. Inzwischen drängten fast alle zu den Ausgängen, die viel zu schmal waren, um sie schnell durchzulassen. Vor Annette Doreuil rief ihr Mann, den Kopf über die Schulter gewandt, ihr etwas zu, das sie im allgemeinen Lärm nicht verstand. Er strauchelte, ließ die Tasche fallen, stützte sich am nächsten Bett ab, sah zu ihr hoch. In seinen Augen erkannte sie sofort den Schmerz und die Panik.

»Bertrand!«, brüllte sie, packte ihren Mann an der Schulter, wollte hinter den Bollards her, um sie aufzuhalten, rief noch einmal deren Namen in einer Lautstärke, von der sie nicht für möglich gehalten hätte, dass sie dazu fähig war. Die Eltern ihres Schwiegersohnes drehten sich um, zögerten, warfen ihre Koffer hin und drängten gegen den Flüchtlingsstrom zu ihnen zurück.

Bertrand war unter Annette Doreuils Hand weggekippt und lag seitlich auf dem Bett. Sein Gesicht kreideweiß, schweißüberzogen, die Lippen, bläulich, zitterten. Seine Finger verkrampften sich an seiner Brust. Annette Doreuil ergriff seine Hand, strich mit der anderen beruhigend über sein Gesicht. Er starrte sie aus Augen an, durch sie hindurch, wie sie es noch nie bei ihm gesehen hatte.

»Sein Herz!«, schrie Annette Doreuil den Bollards zu, die jetzt direkt vor ihr standen. »Ein Arzt! Er braucht einen Arzt!«

Celeste Bollard erfasste die Situation als Erste. Sie drehte sich um, lief wieder Richtung Ausgang. Ihr Mann folgte ihr.

»Wir holen dir einen Arzt«, redete Annette Doreuil auf ihren Mann ein. »Alles wird gut. Gleich kommt ein Arzt.«

Sein Gesicht fühlte sich eiskalt und feucht an. Seine Lider flatterten. Seine Lippen öffneten und schlossen sich wie bei einem Fisch. Er wollte etwas sagen, brachte jedoch nichts heraus.

»Einen Arzt!«, schrie sie abermals, so laut sie konnte. »Wir brauchen einen Arzt!«

Niemand schien sie zu hören, alle drängten zu den Türen. Sie merkte, wie Tränen in ihre Augen stiegen.

»Gibt es hier denn keinen Arzt?«, flüsterte sie.

Bertrand hatte aufgehört, nach Luft zu schnappen.

Brüssel

»Ich kann nicht glauben, dass ich das tue«, flüsterte Angström, als sie die Fahrräder vor dem Gebäude der Europäischen Kommission abstellten.

»Ich auch nicht«, erwiderte Shannon.

»In welches Gefängnis sollten sie uns denn noch bringen?«, fragte Manzano.

»Nicht der richtige Moment für schlechte Scherze«, maulte Angström.

So gelassen wie möglich schlenderten sie zum Eingang des Gebäudes. Ungehindert gelangten sie in die Lobby. Sie hielt ihren Ausweis vor das elektronische Schloss der Tür. Sie blieb geschlossen.

»Verdammt!«, zischte sie. »Schon deaktiviert.«

Ein Securityguide hatte sie bemerkt, kam auf sie zu. Angströms Blick suchte nach dem besten Fluchtweg an dem großen Kerl vorbei, aber da warteten noch andere, auch wenn das Gebäude um diese Zeit nicht mehr besonders frequentiert wurde.

»Zeigen Sie mir Ihren Ausweis«, forderte der Mann Angström auf.

Angström reichte ihm die Plastikkarte, er betrachtete sie, dann Angström. Er gab ihr die Karte zurück, blickte Manzano und Shannon fragend an.

»Die gehören zu mir«, sagte Angström.

»Der elektronische Zugang ist aus Energiespargründen seit heute deaktiviert«, erklärte er. Er sperrte die Tür mit einem Schlüssel auf und sah auf die Uhr über dem Empfangstresen. Sie zeigte Viertel nach acht. »Arbeiten Sie nicht zu lange.«

Angström gelang ein Lächeln.

»Werden wir nicht, danke.«

Aus Gründen der Energieersparnis leuchtete wohl auch nur noch jede vierte Deckenlampe in den Fluren, dachte Shannon.

»Ihr wartet hier«, flüsterte Angström. Vorsichtig schlich sie weiter, warf in jedes Büro links und rechts einen Blick. Endlich gab sie ein Zeichen, ihr zu folgen. Leise eilten Manzano und Shannon zu ihr. Sie schob sie in ein Zimmer und schloss die Tür. Es war der Raum, aus dem sie am Vorabend abgeführt worden waren.

»Da liegt ja noch mein Seesack!«, staunte Shannon.

»Aber mein Laptop ist weg«, bemerkte Manzano.

Den Haag

»Ich frage mich, ob wir nicht wegsollten«, sagte Marie Bollard zu ihrem Mann. In Decken gewickelt saßen sie am Kaminfeuer. Die Kinder schliefen schon. Sie hatte ihm von den Ereignissen am Binnenhof erzählt. Er hatte bereits davon gehört.

»Dann wollten einige weiter zu anderen Einrichtungen«, erzählte sie. »Zum neuen Rathaus, einige sogar zum Paleis Noordeinde. Wenn die Niederländer auf ihre Königin losgehen, muss es wirklich schlimm sein.«

»Woanders ist es nicht besser«, sagte er. Er sah so müde aus. »Komme gleich wieder.« Er stand auf. Sie hörte ihn in den Keller gehen. Zwei Minuten später kehrte er zurück, in der Hand ein kleines Paket. Er wickelte es aus. Im Flackern der Flammen kam eine Pistole zum Vorschein.

»Woher hast du die?«, fragte sie erschrocken. »Du darfst doch hier nicht...«

»Man weiß nie«, antwortete er. »Ich hatte sie sicherheitshalber mitgenommen. Sie lag immer gut weggesperrt im Keller.«

Sie stiegen hinauf ins Schlafzimmer. Die Waffe legte er auf seinen Nachttisch.

Brüssel

»Hier habe ich einen anderen Laptop«, flüsterte Angström. Sie schloss die Tür hinter sich und stellte das Gerät auf den Tisch.

Manzano warf ihn an.

Angström stand an der Tür und lauschte.

Zum Glück hatte sich Manzano die IP-Adresse gemerkt. Er loggte sich in das Gäste-WLAN ein, wählte sie an, gelangte auf die RESET-Seite und gab Nutzernamen und Passwort ein, die er schon beim ersten Mal verwendet hatte.

Vor ihm erschien das Verzeichnis der Unterhaltungen. Er scrollte herunter, entdeckte Unterregister.

»Das sind ganz schön viele«, stellte Shannon fest.

»Allerdings.«

Manzano klickte wahllos eine an.

»Ach du liebe Güte, schon wieder Kindskopfschrift«, konnte sich Shannon nicht verkneifen, als sie die Leet-Unterhaltung sah. »Übersetz mal«, forderte sie Manzano auf.

»Das heißt:

date: tue, -736, 14:35 GMT.

Proud: hast du die codes von deelta23 bekommen?

Baku: yep. Hat ein nettes Hintertürchen eingerichtet. Siehe Anhang.

Proud: ok. Bau sie ein.«

»Hintertürchen?«

Manzano antwortete nicht. Er klickte eine Datei an, die der Nachricht beigefügt war. Auf dem Bildschirm öffnete sich ein Dokument voll mit unverständlichen Zeilen aus Buchstaben und Ziffern.

»Was ist das?«

Manzano schwieg, las konzentriert. »Das ist ein Codefragment«, erklärte er schließlich. »Für die Hintertür zu einem Computersystem, einfach gesagt. Programmierer schreiben so etwas in ein Programm, um darauf zur Not auch später Zugriff zu haben, wenn das für sie eigentlich nicht mehr vorgesehen ist. Und natürlich kann so etwas auch nachträglich eingebaut werden, wenn man geschickt genug ist.«

»Heißt das, die unterhalten sich hier womöglich darüber, wie sie die Netze manipulieren?«

»Sie unterhalten sich nicht nur«, bestätigte Manzano. »Sie organisieren es … Ich müsste …«

»Was müsstest du?«

»Noch nicht …«

Manzanos Unaufmerksamkeit nervte Shannon ein wenig. Jeden Moment konnte wieder jemand hereinschneien, und er träumte vor sich hin!

»Minus siebenhundertsechsunddreißig beim Datum – heißt das, die Unterhaltung ist fast zwei Jahre alt?«

»Wenn unsere Countdown-These stimmt.«

»So lange bereiten die sich schon vor …«

»Sogar schon länger, schätze ich. Sieh her.«

Er scrollte weiter, öffnete eine andere Unterhaltung.

date: thu, -1.203, 14:35 GMT

»Kensaro: B.tuck hat Stanbul unterschrieben«, las Manzano vor. »Transaktion sollte bis Monatsende erledigt sein. Simon: ok. Schicke per Costa Ltd. und Esmeralda halbe halbe.«

»Was soll das heißen?«

»Keine Ahnung. Transaktion. Vielleicht eine Geldsendung.«

»Was ist Stanbul?«

»Nicht den blassesten Schimmer ... Istanbul?«

»Wieso Istanbul?«

»Klingt so ähnlich.«

»Hm. Minus eintausendzweihundertdrei – nach unserer These ist das älter als drei Jahre«, stellte Shannon fest.

Manzano scrollte weiter über die Seite.

»Das sind so viele«, wisperte Shannon. »Tausende.«

»Abertausende«, sagte Manzano nicht viel lauter.

»Was flüstert ihr da?«, fragte Angström von der Tür. Sie kam zu ihnen. »Was habt ihr da?«

»Den heiligen Gral«, erwiderte Manzano leise. »Vielleicht.«

»Was soll der Quatsch?«

»Möglicherweise haben die Herrschaften einen kapitalen Fehler begangen, als sie mir die E-Mails in den Rechner pflanzten. Sie haben es ohne Umwege direkt von ihrer zentralen Kommunikationsplattform getan. Denn so sieht das hier aus. Und wenn sie das wirklich ist, dann ...«

»Dann?«

»Haben wir ein Problem«, sagte Manzano. »Wir finden da drinnen womöglich alle Informationen, die wir brauchen, um die Katastrophe da draußen zu beenden – und vielleicht sogar, um die Mistkerle zu schnappen.«

»Da drinnen?«, fragte Shannon. »Und selbst wenn. Das ist ein Riesenpuzzle! Da ein bisschen Info, dort ein wenig. Allein um das durchzulesen, brauchen wir Jahre!«

»Ich sage ja, wir haben ein Problem.« Er drehte sich zu den beiden Frauen um. »Das können wir nicht allein. Da müssen Profis dran. Alles analysieren, das Puzzle zusammensetzen. Schnell. Hunderte, Tausende.«

»Wer soll das sein?«

»Keine Ahnung! Die NSA, CIA, jeder verdammte Nachrichtendienst und jede Terrorermittlungsbehörde der Welt!«

»Die Polizei war dir ja seit Beginn der Geschichte immer wohlgesinnt«, stichelte Shannon.

»Ich weiß«, seufzte Manzano. Er schloss die Augen, presste die Finger gegen die Nasenwurzel. »Haben wir eine Wahl?«

Tag 11 – Dienstag

Den Haag

Bollard wurde von lautem Klopfen geweckt. Wer machte um diese Zeit einen solchen Lärm? Hoffentlich waren keine Vandalen unterwegs. »Was ist das?«, fragte Marie neben ihm schlaftrunken.

»Ich gehe nachsehen.«

Zum ersten Mal griff er nicht nur nach der Taschenlampe auf seinem Nachttisch, sondern nahm auch die Pistole mit hinunter.

Abermals trommelte jemand gegen seine Tür.

»Wer ist da?«

»Janis.«

Bollard versteckte die Waffe hinter seinem Rücken und öffnete die Tür.

»Hast du den Verstand verloren? Wie spät ist es?«

»Drei Uhr morgens.«

Von weit her hörte er Sirenen.

»Dann hast du jetzt besser eine sehr gute Nachricht für mich.«

Christopoulos wiegte den Kopf. »Ich weiß nicht. Der Italiener hat angerufen.«

»Welcher Italiener?«

»Dieser Manzano. Er sagt, es geht um Leben und Tod. Dass er vielleicht einen Weg zu den Angreifern hat. Aber er will nur mit dir sprechen.«

Bollard musste erst richtig wach werden. Was bewog den Italiener, trotz Verhaftung und Flucht, sich wieder bei ihm zu melden?

Wollte er ihn verhöhnen? Oder war es wirklich wichtig? So oder so musste er ihn zu fassen bekommen.

»Woher hat er angerufen?«

»Wollte er nicht verraten.«

»Warte hier. Ich muss mir etwas anziehen.«

Er lief hinauf zu seiner Frau. »Ich muss weg«, sagte er. Er drückte ihr die Pistole in die Hand. »Du weißt, wie man damit umgeht, falls es notwendig werden sollte.«

»Aber ich …«

Er zog sich an, gab ihr einen Kuss, dann war er draußen.

Als er neben Christopoulos auf dem Beifahrersitz saß, fragte er: »Und er hat nichts gesagt?«

»Nein. Er will nur mit dir reden.«

Durch die Lüftung drang der Geruch erkalteter Brände.

»Wie sieht es in der Stadt aus?«, erkundigte er sich.

»Der Binnenhof ist völlig abgebrannt. Die Massen sind weitergezogen zum Paleis Noordeinde und zum neuen Rathaus. Gerüchteweise wurden alle verfügbaren Polizeieinheiten zum Sitz der Königin geschickt.«

»Fahr hin.«

Die Strecke war kein großer Umweg. Schon von Weitem sahen sie den Nachthimmel orangefarben erhellt. Nach ein paar Minuten hatten sie die Gegend um den Palast erreicht. Immer mehr Menschen trieben sich trotz der Kälte auf den Straßen herum. An einer Straßensperre stoppte sie ein Kordon von Polizisten. Bollard wies sich aus.

»Hier ist die Lage ruhig«, erklärte ihm ein Offizier. »Beim Rathaus nicht.«

Sie fuhren weiter, der Himmel wurde immer feuriger. Bald kamen sie zwischen den Menschen nicht mehr weiter.

»Warte hier«, sagte Bollard. »Gib auf den Wagen acht. Ich bin gleich zurück.«

Er stieg aus, drängte zu Fuß weiter, bis er auf den Platz vor dem imposanten Neubau gelangte, auf dem insektengleich Menschen wimmelten. Aus zahlreichen Fenstern des einst weißen Gebäudes schlugen Flammen, verrußten die Fassade, aus anderen fielen Möbelstücke, schlugen krachend auf. Nahe dem Gebäude entdeckte Bollard Uniformierte mit Visierhelmen, hoffnungslos in der Unterzahl gegen den tobenden Mob. Pflastersteine prasselten auf sie nieder, wurden von ihnen zurück in die Menge geworfen. Schüsse fielen. Bollard verfolgte die Schlacht ein paar Sekunden lang, dann lief er zurück zum Auto.

Von Weitem hörte Marie Bollard Schüsse. Sie lag auf der Seite, starrte zum Fenster hinaus in die Dunkelheit mit ihrem seltsamen Rotstich, als flackerten irgendwo Nordlichter. Vor ihr auf der Matratze, neben François' Kopfkissen, wusste sie die Pistole. Als hinter ihr der Holzboden knarrte und die Tür aufging, tastete sie panisch nach der Waffe. Umklammerte das kalte Eisen, wirbelte herum, erkannte in der Dunkelheit nichts.

»*Maman*, was ist da draußen für ein Lärm?«, greinte Bernadette verschlafen von der Tür. Mit rasendem Herzen schob Marie Bollard die Waffe unter ihr Kissen.

»Es ist nichts, Schatz«, sagte sie.

»Können wir bei euch schlafen?«, fragte Georges.

»Papa ist schon wieder zur Arbeit«, sagte Bollard. »Kommt her.«

Die Kinderfüße trampelten über das Parkett, ihre kleinen Körper sprangen aufs Bett, kuschelten sich an sie. Bollard rückte in die Mitte, umarmte sie, spürte die harte Waffe unter ihrem Kopf und betete, dass die Kinder sie dort nicht entdeckten.

»Wow«, war alles, was Bollard hervorbrachte.

Gebannt hockte er vor dem Computer und klickte sich durch die RESET-Seite, in die Manzano ihn vor wenigen Minuten eingeführt hatte. Über seine Schultern starrten neben Christopoulos noch zwei seiner Mitarbeiter.

»Sie müssen diese Daten so schnell wie möglich sichern«, forderte Manzanos Stimme am Telefon. »Bevor unser Eindringen entdeckt wird.«

Bollard nickte, in seinem Kopf rotierten die Gedanken. Christopoulos flüsterte er zu: »Informier die IT! Sie sollen sofort damit beginnen.«

Der Grieche klemmte sich hinter das Telefon am Nebenplatz.

»Woher soll ich wissen, dass die echt sind?«, fragte Bollard. Was, wenn der Italiener diese Seite fabriziert hatte, um sie auf eine falsche Spur zu locken? Währenddessen klickte er wahllos durch einige Gespräche. Zum Glück kannte er diese Hackersprache und war einigermaßen in der Lage, die Unterhaltungen zu entziffern.

»Hören Sie auf! Sie sehen doch selbst, welche Mengen das sind. So etwas fingiert man nicht.«

»Wie sind Sie darauf gekommen?«, fragte Bollard.

»Mit etwas Glück. Und Sie werden es kaum glauben, wegen schwerer Nachlässigkeit dieser Typen in puncto Sicherheit. Erkläre ich Ihnen bei Gelegenheit.«

Bollard hörte auf, sich nebenbei durch die Datenbank zu klicken. Er hatte genug gesehen. Wenn das keine Fälschung war, hatte dieser vermaledeite Italiener den Jackpot geknackt.

Bollard war noch immer nicht ganz überzeugt, aber er musste sich eingestehen, dass ihn der Eifer und die Hartnäckigkeit des Mannes beeindruckten. »Ich hörte, Sie wurden angeschossen. Wie geht es Ihnen?«

Kurze Stille am anderen Ende. Dann: »Danke. Es ging mir schon besser.«

Bollard kämpfte mit sich, bevor er herausbrachte: »Wenn diese Plattform hält, was sie verspricht…«

»Ich bin mir ziemlich sicher. Sie brauchen allerdings verdammte Ressourcen, um sie schnell genug zu analysieren. Wen können Sie aktivieren?«

»Alle.«

»Wer ist alle?«

»Von der NSA über die Police nationale bis zum BKA. Alle.« Bollard musste sich noch einmal überwinden, um zu fragen: »Und was ist mit Ihnen?«

Brüssel

»Was soll mit mir sein?«, fragte Manzano.

»Sie sollten dabei sein«, sagte Bollards Stimme aus der Freisprechanlage. Manzano hatte sie aktiviert, damit Angström und Shannon mithören konnten. Sie legten keinen Wert mehr darauf, unauffällig zu bleiben. »Immerhin haben Sie RESET gefunden. Ich schicke Ihnen einen Wagen. In ein paar Stunden sind Sie in Den Haag.«

Manzano glaubte nicht, was er da hörte.

»Ich wurde von der Polizei festgenommen, angeschossen, gejagt, wieder festgenommen, bin daraufhin heute Nacht im Gefängnis – wenn man diesen Ort so nennen kann – fast umgebracht worden und verbrannt. Wer sagt mir, dass Sie mich nicht direttamente den CIA-Schergen ausliefern? Verlangen Sie wirklich, dass ich Ihrem Verein noch traue?«

Stille.

»Versuchen Sie es«, bat Bollard.

»Woher haben Sie das?«, fragte Richard Price noch einmal ungläubig.

Elmer Shrentz war mit den Unterlagen direkt zum stellvertretenden Direktor des National Counterterrorism Centre gegangen. Seit dem Beginn der Stromausfälle in den USA hatten sie im Liberty Crossing, einem Komplex in McLean, nicht weit entfernt vom ungleich bekannteren Headquarter der CIA in Langley, kein Auge zugetan. Nach den Anschlägen vom 11. September 2001 im Jahr 2003 gegründet bündelte das NCTC Informationen verschiedenster Behörden, von der CIA über das Transportministerium bis zur Nuclear Regulatory Commission, um Terrorangriffe besser verhindern zu können.

Trotzdem hatte es sie wieder erwischt. Und sie hatten nicht die leiseste Ahnung gehabt.

»State Department, Defense Department, Weißes Haus.«

»Alle drei?«

»Die Europäer haben die verschiedensten Kanäle verwendet. Abhörgesichert. Sie wollten sichergehen, dass wir die Informationen erhalten. So schnell wie möglich.«

»Haben wir schon analysiert?«

»So weit, dass wir an die Authentizität glauben.«

»Und da steht alles drin?«

»Scheint so. Wir müssen es nur finden und zusammensetzen. Alle gemeinsam.«

Ratingen

»Deshalb hat Europol einen Plan vorgeschlagen, wer was analysieren soll«, erklärte der Leiter des Berliner Terrorismusabwehrzentrums Hartlandt über das Satellitentelefon persönlich. »Dazu brauchen wir jeden verfügbaren Mann. Und jede Frau. Legen Sie die SCADA-Sache bei Talaefer auf Eis. Wir schicken Ihnen ein Bündel Daten, das Sie sich sofort vornehmen müssen.«

»Woher hat Europol die Daten?«

»Dieser Italiener hat sie entdeckt, den Sie … na, ich will nicht in offenen Wunden bohren.«

Hartlandt stieß einen stummen Fluch aus. Er wusste nicht, worüber er sich mehr ärgerte. Dass dieser Manzano die Infos gefunden oder dass er selbst ihn vertrieben hatte, statt mit ihm zusammenzuarbeiten.

»Wir brauchen die Ergebnisse in zwei Stunden.«

Brüssel

So hat er mich noch nie umarmt, dachte Shannon, als sie beobachtete, wie Manzano sich von Angström verabschiedete. Sie spürte einen kleinen Stich Eifersucht, obwohl sie nicht sicher war, was sie von Manzano erwartete. Gemeinsam hatten sie so viel durchgemacht.

Manzano löste sich von der Schwedin. Ein Beamter erwartete ihn bei dem SUV, der direkt vor dem Kommissionsgebäude parkte.

»Ich brauche keinen Fahrer«, versuchte Manzano, die Kontrolle über die Fahrt zu übernehmen. Noch traute er Bollard nicht wirklich, wusste Shannon.

Der Mann war Mitte dreißig, gut trainiert. Er zeigte auf Manzanos Bein.

»Sie sind verletzt, heißt es. Ich soll auf Sie aufpassen…«

Warum sollte er auf ihn aufpassen? Damit er nicht wieder floh? Oder drohte ihm Gefahr?

»Von einem, der nicht verkehrstüchtig ist, lasse ich mich nicht fahren«, erklärte der Mann.

Shannon kletterte auf die Rückbank, Manzano setzte sich zu ihr. Sein Begleiter nahm auf dem Fahrersitz Platz. Aus einer Tasche zog er vier Sandwiches und zwei große Wasserflaschen und reichte ihnen die Pakete nach hinten.

»Mit besten Grüßen von Monsieur Bollard«, sagte er und forderte: »Anschnallen, bitte. Auch wenn auf den Straßen wenig los ist.«

Ein Beamter, der seine Pflicht tat, dachte Shannon. Egal, worin diese bestand. Soll mir recht sein. Sie riss die Verpackung der Sandwiches auf.

»In dieser Tasche hier vorn ist auch frische Kleidung für Sie«, sagte der Mann. Nach einer kurzen Pause fügte er hinzu: »Sie können Sie gebrauchen.«

Manzano fragte sich, was frische Kleidung ohne Dusche nützen sollte. Sollte der Typ doch die Lüftung einschalten, wenn ihm die Luft nicht passte. Aufmerksam verfolgte er jede Bewegung des Fahrers, während der sie durch die Straßen der belgischen Hauptstadt kutschierte. Nach wie vor hockte tiefes Misstrauen in seinen Eingeweiden. Die Kindersicherung des Wagens war nicht aktiviert, wenn er an einer Kreuzung langsamer wurde, hätte er hinausspringen können, auch wenn er nicht weit gekommen wäre.

Sie passierten eine Straße, die von den Metallgerippen ausgebrannter Autos gesäumt war. Aus den verbliebenen Müllresten, die über die ganze Fahrbahn verstreut lagen, stiegen immer wieder schwarze Rauchwolken. Auch ein paar Häuser in der Straße waren den Flammen zum Opfer gefallen.

»Was ist hier passiert?«

»Es wird unruhiger«, erwiderte ihr Chauffeur lakonisch. Er versuchte, einen Radiosender einzufangen, erntete jedoch nur statisches Rauschen. Neben Polizeipatrouillen entdeckte Manzano auch welche, die wie Militär aussahen, zweimal kam ihnen ein Panzerwagen entgegen. Sehr unruhig, dachte Manzano. Er sah keine Straßenschilder, die den Weg nach Den Haag wiesen. Vielleicht nahm der Fahrer eine unübliche Route. Oder die Stadt war schlecht ausgeschildert. In seine Glieder kroch die Müdigkeit. Er legte den Kopf zurück, um sich kurz auszuruhen.

Den Haag

Marie Bollard schreckte hoch, als sie die Schüsse ganz nah hörte. Sie sah die fragenden Blicke der Kinder. Georges wollte zum Fenster.

»Bleib hier!«, rief sie, hörte die Panik in ihrer Stimme. »Geht da nach hinten, an die Wand!«, befahl sie. Von draußen klangen Rufe, Schreie, Trampeln. Sie hastete in den ersten Stock. In der hintersten Ecke ihres Kleiderschranks hatte sie die Pistole vergraben. Vorsichtig näherte sie sich dem Fenster, wagte einen Blick hinaus. Vor dem Haus war niemand zu sehen außer einem Hund, der mit seiner Schnauze im Müll stöberte.

»*Maman?*«, hörte sie Bernadette von unten rufen.

»Bleibt, wo ihr seid!«

Sie schaute die Straße hinunter, links, rechts. Dort liefen ein paar Polizisten hinter einem Rudel anderer Personen her, verschwanden hinter der nächsten Ecke.

Bollards Puls beruhigte sich nur langsam. Sie ließ die Waffe, wo sie war, und kehrte ins Wohnzimmer zurück. Ich darf mich nicht verrückt machen, dachte sie dabei ein ums andere Mal, ich darf mich jetzt nicht verrückt machen.

In einigen Straßen Den Haags bot sich Manzano dasselbe Bild wie bei der Abfahrt aus Brüssel. Verbrannte Autos und Häuser, rauchender Müll.

»Wohin fahren wir?«, fragte er ihren Chauffeur.

»Das Hotel wurde inzwischen besetzt«, antwortete der. »Sie werden in einem provisorischen Quartier bei Europol untergebracht.«

Auf den Straßen um das Gelände patrouillierten Panzerwagen.

»Sind das Schüsse?«, fragte Shannon, als es in der Ferne knallte.

»Gut möglich«, entgegnete der Fahrer.

Um zum Gebäude vorzudringen, mussten sie eine Sperre passieren, die von schwer bewaffneten Militärs bewacht wurde.

»Das sieht hier ja aus wie im Krieg«, bemerkte Shannon.

»So ähnlich ist es ja auch«, betonte der Fahrer.

Am Gebäudeeingang wurden sie von Polizisten mit schusssicheren Westen und Visierhelmen kontrolliert. Der Chauffeur führte sie auf die dritte Etage in ein verwaistes Büro. Acht Klappbetten wiesen es als das angekündigte provisorische Quartier aus. Auf sechs davon waren die Decken und Schlafsäcke notdürftig gerichtet. Zwei wirkten unberührt. Darauf lagen auf einem Stapel sorgfältig zusammengelegt je zwei Hosen, zwei Hemden, zwei Pullover und eine Daunenjacke.

»Für Sie.«

Shannon strich mit der Hand über die Decke, legte sich dann eine Hose an, um zu sehen, ob sie passte.

»Duschen können Sie in den Waschräumen am Ende des Flurs«, erklärte der Fahrer. »Herr Bollard erwartet Sie dann im

Einsatzzentrum. Wo das ist, wissen Sie ja noch«, sagte er zu Manzano. »Bis später.«

Kommandozentrale

Die Algorithmen selektierten die überwachte Kommunikation zwar bereits nach Stichwörtern, doch obwohl der Umfang in den vergangenen Tagen zurückgegangen war, konnten sie nur einen Bruchteil davon wirklich genauer prüfen. Deshalb hatten sie die E-Mail erst jetzt entdeckt. Sie war schon vier Tage alt. Verschickt hatte sie das Gemeinsame Terrorismusabwehrzentrum in Berlin bereits am vergangenen Samstag zumindest an Europol und Interpol. Es forderte die Behörden auf, die Identität eines Mannes herauszufinden, der möglicherweise in Verbindung mit Hermann Dragenau gestanden hatte. Im Anhang fand sich ein Gruppenfoto von der Konferenz 2005 in Schanghai. Sein Gesicht am Rand des Bilds war mit einem Stift markiert worden.

Wenn ihnen die Identifikation gelang, hätten sie einen ersten Anhaltspunkt, nach wem sie suchen mussten. Er konnte sich vorstellen, wie überall auf der Welt die Maschinerien der Nachrichtendienste auf Hochtouren zu arbeiten begonnen hatten.

Fieberhaft hatten sie die überwachte Korrespondenz der Folgetage mit den passenden Stichwörtern durchsucht. Nach ein paar bangen Stunden des Wartens gab Birabi Entwarnung. Sie hatten überhaupt nur eine Handvoll weitere Mails zu dem Thema gefunden, wovon die meisten lediglich den Empfang der Anfrage bestätigten, nicht jedoch ein Ergebnis. Trotzdem würden sie ab jetzt aufmerksamer sein müssen. Sie waren noch lange nicht am Ziel.

»Was macht sie hier?«, fragte der Europol-Mann und zeigte auf Shannon.

Statt einer Antwort ging Manzano zum Fenster und sah über die Stadt. An mehreren Stellen stiegen dicke Rauchsäulen hoch. Aus der Ferne hörte er die Sirenen von Einsatzfahrzeugen, das Knattern der Hubschrauber, die das Bild kreuzten.

»Ohne sie hätten wir meinen Laptop nicht bekommen und RESET nie gefunden«, antwortete er endlich.

Bollard kniff die Augen zusammen, mahlte mit den Kiefern.

»Aber keine Berichte«, forderte er.

»Ehrenwort«, schwor Shannon. »Nicht bevor Sie es gestatten.«

Sie flüsterte Manzano zu: »Aber ich bräuchte dringend eine Ausrüstung. Kameras, einen Laptop.«

»Wir brauchen Laptops«, forderte Manzano von Bollard. »Und sie bekommt eine Kamera.«

Er merkte, dass Bollard knapp davor war zu explodieren, aber er fand, dass sie solche Ansprüche stellen durften.

Bollard warf ihnen einen verärgerten Blick zu, dann fauchte er: »In Ordnung, ich lasse Ihnen die Geräte zukommen. Aber es bleibt dabei, keine Berichte.«

Shannon nickte eifrig, bestätigte: »Erst wenn Sie Ihre großartige Arbeit in der Öffentlichkeit dokumentiert sehen wollen.«

»Verarschen Sie wen anderen«, entgegnete Bollard.

»Wie weit sind Sie mit RESET?«, wechselte Manzano das Thema.

»Die Daten sind mittlerweile bei Interpol, der NATO, dem Secret Service, der NCTC und einigen anderen«, erklärte Bollard. »Wir haben die Analyse aufgeteilt.«

In dem Besprechungsraum saßen zwei Dutzend Männer vor

Computern. Hinter einen stellten sich Bollard, Manzano und Shannon.

»Nach welchen Parametern?«, fragte Manzano.

»Verschiedene. Zum Beispiel Suchbegriffe. Wir fanden Chats, in denen es offensichtlich um Zero-Days ging.«

»Was ist denn das schon wieder?«, fragte Shannon.

»Das sind Verwundbarkeiten in Systemen und Programmen, von denen der Hersteller selbst nichts weiß und gegen die deshalb auch kein Schutz existiert«, erläuterte Manzano.

»Außerdem suchen wir nach den verschiedenen Benutzern«, fuhr Bollard fort. »Deren Gespräche filtern wir wiederum nach bestimmten Begriffen. Und so weiter.«

»Begriffe«, sagte Manzano. »Haben Sie nach mir auch schon gesucht?«

»Klar«, sagte Bollard, »als einer der Ersten. Und haben Sie etwas gefunden?«

Der Mann an der Tastatur klapperte darauf herum, und auf dem Bildschirm erschien ein Text.

6, 11:24 GMT

tancr: Sieht aus, als wäre der Italiener den Deutschen entwischt.

b.tuck: Aber er steht noch unter Verdacht?

tancr: weiß nicht, denke ja.

b.tuck: hat uns genug geärgert.

tancr: na ja. Irgendwann musste ja jemand dahinterkommen. In I, in D.

»Der Italiener«, sagte Manzano, »das bin ich. Und die Deutschen, das ist dieser Hartlandt.«

»Es gibt noch mehr«, sagte Bollard.

4, 9:47 GMT

b.tuck: Wer ist der Typ?

tancr: keine ahnung. ich recherchier mal.

»Und, was hat er herausgefunden? Das würde mich jetzt doch interessieren«, meinte Manzano.

Bollard nickte, und sein Mitarbeiter rief ein anderes Gespräch auf.

5, 10:11 GMT

b.tuck: Habe jetzt mehr über den Italiener.

Piero Manzano, seit Ewigkeiten Hacker. Nach dem Record könnt es ›towind‹ sein.

Manzano wurde mulmig. Die Typen waren gut informiert über die Szene. Mit seiner Vermutung hatte dieser B.tuck recht. »Towind« war eines von Manzanos Pseudonymen gewesen, das er allerdings seit einigen Jahren nicht mehr verwendete.

Teilgenommen an Mani-pulite-Demos in den 90ern. War 2001 auch in Genua. Hey, der könnte einer von uns sein.

Kennt ihn wer?

tancr: Nein

Der könnte einer von uns sein? Manzano spürte, wie er rot anlief. Am Ende dachte Bollard doch noch, er gehörte zu diesen Verrückten.

»Da ist noch eines«, sagte Bollards Mann.

5, 13:32

tancr: der Italiener nervt. Tippt auf Talaefer. Würde ihm gern ein Ei legen.

b.tuck: welches?

tancr: fake mail

b.tuck: ok

»Danke!«, rief Manzano erleichtert und blickte Bollard triumphierend an. »Ich hoffe, das überzeugt Sie endgültig von meiner Unschuld.«

»Wenn Sie dazugehören«, erwiderte Bollard, ohne das Gesicht zu verziehen, »können Sie das von Ihren Kumpanen inszeniert haben lassen.«

Manzano stöhnte auf. »Glauben Sie denn noch irgendjemandem?«

»Nein.«

Paris

»Macht schon«, rief Blanchard verärgert. Auf der Übersichtstafel im Centre National d'Exploitation Système bildeten zwar mehr grüne Linien Inseln im roten Netz Frankreichs, aber nicht so viele, wie er gehofft hatte.

»Wir haben schon fast vierzig Prozent des Versorgungsgebiets wieder am Netz«, berichtete er Tollé. »Bei ersten kleineren Inseln sind uns bereits Synchronisationen geglückt. Wenn das so weitergeht, haben wir bis morgen fast das ganze Land unter Strom.«

»Haben Sie das nicht schon gestern für heute angekündigt? Was ist mit Cattenom und Tricastin?«, fragte der Sekretär des Präsidenten.

»Hm, na ja ...«

»Soll das heißen ...?«

»Die beiden Anlagen stehen für eines der größten Probleme«, sprang ihm Proctet bei. »In insgesamt zwölf der achtundfünfzig französischen Reaktoren kam es zu leichteren oder schwereren Zwischenfällen. Noch nicht mitgezählt dabei ist Saint-Laurent Block 1.«

Für einen Moment herrschte Stille.

»Das heißt, wir müssen in den kommenden Tagen zum Teil noch mit instabilen Netzsituationen rechnen. Vielleicht kommt es in manchen Regionen zeitweise erneut zu Ausfällen. Die sollten dann aber höchstens ein paar Stunden andauern.«

»In Cattenom und Tricastin droht der GAU, und Sie reden hier nur dumm herum!«, explodierte Tollé. »Dort bleiben vielleicht noch vierundzwanzig Stunden bis zur endgültigen Katastrophe!«

Den Haag

»Was mich interessieren würde«, sagte Manzano, »ist, wie die Typen überhaupt auf die Idee kamen, die E-Mails auf meinem Laptop zu platzieren, und woher sie wussten, dass ich zu Talaefer unterwegs war.«

Bollard musterte ihn. »Nachdem Sie bei Hartlandt darauf bestanden, dass die Informationen aus unserem Haus kommen mussten, überprüften unsere IT-Leute sicherheitshalber unser System.«

»Ihre IT-Leute haben etwas in den Europol-Systemen gefunden?«

Bollard war es sichtlich peinlich zuzugeben: »Sie fanden Programme, die auf den meisten unserer Computer den E-Mail-Verkehr mitlesen, aber auch Kameras und Mikrofone aktivieren konnten.«

»Na, Ihr Sicherheitsbeauftragter möchte ich nicht sein ...«

»Ich auch nicht. Und auch nicht jener der deutschen, französischen, britischen und anderer Regierungen beziehungsweise Krisenstäbe. Wie es scheint, sind die Typen überall eingedrungen und lasen, sahen und hörten alles mit.«

»Sahen, hörten, lasen – tun sie jetzt nicht mehr?«

Sie schraken hoch, als sie von draußen Schüsse hörten. Liefen zum Fenster.

»Kommen die jetzt auch hierher?«, murmelte Shannon. Auf der Straße war niemand zu sehen.

»Die Verantwortlichen in den Staats- und Organisationsspitzen beschlossen, vorerst nichts gegen die Infiltration zu unternehmen«, fuhr Bollard fort. »Allerdings wird nun doppelt kommuniziert. Wichtiges und Geheimes läuft ausschließlich über spezielle Kanäle und wird nicht mehr in der Nähe angezapfter Computer besprochen.«

»Na, ob das durchgehalten werden kann...«

»Über die abgehörten Medien dagegen können wir Falschmeldungen verbreiten, die die Angreifer in die Irre führen könnten.«

»Social Engineering auf breiter Basis. Hm...«

»Sozusagen.«

»Zu aufwendig. Wenn die Typen clever sind, bemerken sie irgendwann die Änderungen in den Kommunikationsmustern. Hängt von der Analysesoftware ab, die sie wahrscheinlich dahintergehängt haben. Wenn die so viele Systeme angezapft haben, wie Sie sagen, können sie die verschiedenen Kommunikationen, die noch dazu teilweise in verschiedenen Sprachen laufen, nicht mehr von Menschen verfolgen lassen. Dazu bräuchten sie viel zu viel Personal.«

»Das nehmen wir auch an«, sagte Bollard. »Vermutlich scannen Softwareprogramme die Gespräche im Hintergrund auf vordefinierte Stichwörter und Formulierungen. Wenn sie welche davon aufspüren, spucken sie selbstständig Warnungen aus.«

»Das ist nicht einmal so aufwendig«, meinte Manzano. »Die NSA und andere machen das seit Jahren weltweit. Der einzige Vorteil ist, dass solche Algorithmen eher dafür geschrieben sind, etwas Bestimmtes zu suchen als etwas zu vermissen.«

Paris

Die Direction centrale du renseignement intérieur, der französische Inlandsgeheimdienst, hatte ihr Hauptquartier in der Pariser Vorstadt Levallois-Perret. Direktor Jacques Servé persönlich hatte die Koordination der Datenanalyse übernommen. Er hatte François Bollard bei ein paar formellen Anlässen getroffen, ohne ihn näher kennengelernt zu haben. Als Mitarbeiter von Europol in Den Haag hatte er sich für eine weitere Karriere in Paris eigentlich ins Abseits geschossen, auch wenn er das Gegenteil dachte. Mit dieser Aktion allerdings hatte er seinen Namen womöglich ganz oben auf die Liste zurückkatapultiert. Zum Glück hatte sich Servés Behörde in den vergangenen Jahren umfangreiches Wissen zu Cyberwar, Cyberkriminalität und -terrorismus angeeignet. Als die Daten aus Den Haag aufgetaucht waren, konnten sie sofort mit einer umfassenden Analyse beginnen.

Louis Peterevsky präsentierte gerade erste Erkenntnisse, warf Screenshots von Chat-Dialogen aus RESET an die Wand.

»Diese Unterhaltung etwa ist gut drei Jahre alt«, erklärte Peterevsky. »Einer der drei Teilnehmer taucht sehr häufig auf. Die beiden anderen Namen seltener. Wir vermuten, dass sie nicht direkt zum inneren Kreis der Angreifer gehören, sondern externe Zulieferer sind. Es geht dabei um Teile einer Software, die vermutlich die Zentralen einiger Netzbetreiber manipuliert. In der Folge haben wir RESET nach diesen neuen Nicknames gescannt und zahlreiche weitere Unterhaltungen gefunden. Sie bestärken die Annahme, dass es sich bei den beiden um kriminelle Hacker handeln dürfte, die man für derlei Aufträge anheuern kann.«

»Kommen wir an die dran?«, fragte Servé.

»Wahrscheinlich nicht, zumindest nicht so schnell. Aber allein der Inhalt der Gespräche ist äußerst aufschlussreich. Vor allem führt er uns zu weiteren« – Peterevsky spielte neue Screenshots ein –, »und gemeinsam beginnen sie ein Bild zu formen. Was wann wo in die verschiedenen Systeme eingeschleust wurde. Hier zum Beispiel diskutieren sie die verschiedensten Methoden dafür, etwa die, in der eine E-Mail an Angestellte eines Netzbetreibers geschickt wird, die so aussieht, als sei sie versehentlich an den Adressaten gelangt. Absender ist die gekaperte E-Mail-Adresse einer Mitarbeiterin aus der Personalabteilung. Bei einigen Mails fand sich im Anhang etwa ein Dokument mit der Bezeichnung ›personell_cut‹. Oh, denkt sich der ahnungslose Empfänger, ist das womöglich die Liste mit den nächsten Kündigungen? Natürlich will er sehen, ob er draufsteht. Er öffnet das Dokument, und – schwups – installiert sich die im Hintergrund eingebaute Schadsoftware auf seinem Desktop.«

»Wieso hat das Virenschutzsystem nicht Alarm geschlagen?«

»Der Virenschutz entdeckt nur, was er bereits kennt. Wahrscheinlich haben die Angreifer Zero-Day-Verwundbarkeiten genutzt. Davor waren wir nicht geschützt.«

»Die längst bekannten und doch immer noch wirkungsvollen Methoden«, stellte Servé fest.

»Ja. Im Detail müssen wir uns das noch ansehen, aber praktisch alle Angriffsschritte wurden über diese Plattform diskutiert und geplant. Sicherheitstechnisch eine schwache Leistung, muss man sagen. Diese Leute müssen sich unangreifbar fühlen.«

»Oder es ist ihnen gleichgültig«, warf ein Kollege ein.

»Kann auch Größenwahn sein«, vermutete Peterevsky. »Kennst doch unsere Kollegen von der dunklen Seite, die haben eine Tendenz dazu.«

»Nicht nur die«, antwortete der Angesprochene.

Den Haag

Manzano sah keinen Sinn darin, noch selbst in die Analyse von RESET einzusteigen. Tausende hochqualifizierte Spezialisten auf der halben Welt kümmerten sich darum. Irritiert hatte ihn Bollards Bemerkung, dass Talaefer in seinen SCADA-Systemen nichts gefunden haben wollte. Deshalb hatte er sich in einen ruhigeren Raum zurückgezogen und studierte die Fehlerberichte der Kraftwerke, die bei Talaefer mittlerweile eingetroffen waren.

Trotz seiner lückenhaften Kenntnisse und ohne sich in die Fachanhänge vertieft zu haben, hatte Manzano nach einer Stunde grundsätzlich verstanden, was geschehen war. In praktisch allen betroffenen Kraftwerken war es zu zahlreichen Fehlermeldungen gekommen. Und noch eine Parallele fiel ihm auf: In vielen Fällen wollte jemand im Generatorraum etwas anderes beobachtet haben als die Personen in der Leitstelle.

Das konnte immer noch viele Gründe haben.

»Wirst du nie müde?«, fragte Shannon.

Den ganzen Tag hatte er sie beobachtet, wie sie den Männern über die Schultern schaute, die Übersichtswand studierte, filmte und fotografierte. Bollard hatte seinen Segen erteilt, nachdem Manzano ihm noch einmal eindringlich Shannons Rolle bei der Entdeckung von RESET verdeutlicht hatte. »Vielleicht sogar eine ganz gute Idee«, hatte der Franzose gemeint, »wenn jemand dokumentiert, wie wir arbeiten.«

Manzano streckte sich, spürte, wie seine Gelenke knackten. Sie hatte recht, er brauchte eine Pause.

»Kaffee?«, fragte Shannon.

Gemeinsam gingen sie in die kleine Küche ein paar Türen weiter. An den Tischen saßen zwei Europol-Männer mit müden Gesichtern, vor sich dampfende Tassen.

Manzano holte sich eine Kaffeekapsel und steckte sie in das Gerät. Er pries das Notstromsystem, das Europol diesen Luxus auch weiterhin erlaubte. Er mochte zwar diese neumodischen Maschinen nicht, in die man den Kaffee schon in handlich verpackte Kapseln steckte, aber besser als nichts waren sie allemal. Und praktisch auch, das konnte er nicht leugnen. Kapsel rein, Knopf drücken, fertiger Kaffee kam raus. Eigentlich ein Computer, der Kaffee kochen kann, dachte er und steckte eine Kapsel für Shannon ins Gerät.

»Klein, aber stark«, bat sie.

Er drückte erneut, wartete, reichte ihr die Tasse. Ein rotes Licht zeigte, dass der Behälter für gebrauchte Kapseln voll war und geleert werden musste. Manzano zog das Fach heraus und stellte fest, dass nur ihre zwei Kapseln darin lagen. Trotzdem nahm er sie heraus, schob den Behälter zurück, nahm seinen Kaffee, und sie setzten sich an den Tisch zu den beiden Männern.

Manzano saß kaum, da stand er wieder auf und nahm die Kaffeemaschine noch einmal in Augenschein. Das rote Lämpchen leuchtete weiterhin, obwohl er den Behälter doch geleert hatte. Manzano zog ihn erneut heraus und schob ihn noch einmal hinein. Das rote Lämpchen blinkte nach wie vor. »Die Anzeigen«, flüsterte er. »Womöglich sind es die Anzeigen.«

»Was murmelst du da?«, fragte Shannon.

Manzano kippte seinen Kaffee mit einem Schluck hinunter: »An den Fehlermeldungen sind vielleicht nur die Anzeigen schuld!«

»Welche Anzeigen?«

»In der SCADA-Software.«

»Und das hat dir die Kaffeemaschine gesagt?«

»Genau.«

Madrid

blond
tancr
sanskrit
zap
erzwo
cuhao
proud
baku
tzsche
b.tuck
sarowi
simon

»Diese zwölf Nicknames führen mit Abstand die meisten Unterhaltungen miteinander«, erklärte Hernandez Durán, stellvertretender Leiter der Abteilung für Cyberkriminalität und -terrorismus in der Brigada de Investigación Tecnológica in Madrid, den Anwesenden. »Einige sind eindeutig wie Blond oder Erzwo. Der ist wohl ein Star-Wars-Fan. Interessant finden wir Proud, Zap, Baku, Tzsche, B.tuck und Sarowi.« Er machte eine bedeutungsvolle Pause, bevor er fortfuhr. »Der Kollege Belguer hat eine interessante These dazu, die vor allem über das Motiv Auskunft geben könnte. Proud, Zap, Baku, Tzsche, B.tuck könnten – mit Betonung auf dem Konjunktiv – Abkürzungen von Namen sein. Und zwar Proudhon, Zapata, Bakunin, Nietzsche und Benjamin Tucker.«

Die Machtübernahme durch das Militär hatte ihre Arbeit bislang zum Glück nicht behindert. Auch wenn jeder im Raum Angst vor den Konsequenzen hatte. Immerhin bestand zum ersten Mal eine leise Hoffnung, dass sie den Urhebern der Katastrophe auf die Spur kamen.

»Zapata und Nietzsche sagen mir etwas«, warf einer der Zuhörer ein. »Von den anderen habe ich zwar schon gehört, aber ...«

Zu Beginn hatten nur IT-Forensiker die Daten analysiert. Sehr bald hatten sie andere Fachleute hinzugezogen. Bis der Soziologe Belguer mit seiner These gekommen war.

»Pierre-Joseph Proudhon«, erklärte Durán, »war ein Franzose aus dem neunzehnten Jahrhundert und gilt als der erste Anarchist. Zum geflügelten Wort wurde sein Satz ›*La propriété c'est le vol*‹ – ›Eigentum ist Diebstahl‹. Michail Bakunin, ein russischer Adliger, war ebenfalls ein einflussreicher Anarchist im neunzehnten Jahrhundert. Benjamin Tucker gehörte schon zur nächsten Generation. Der Amerikaner übersetzte und verlegte die Schriften Proudhons und Bakunins. Ende des neunzehnten, Anfang des zwanzigsten Jahrhunderts war er eine der wichtigsten Persönlichkeiten der anarchistischen Szene in den USA.«

»Revolutionäre, Anarchisten«, stellte ein anderer fest. »Wenn die These stimmt. Was mir nicht ganz abwegig erscheint, wenn ich mir ansehe, was sie angerichtet haben.«

Berlin

»Endlich gute Nachrichten.«

Michelsen fragte sich, ob sie ebenfalls in den vergangenen zehn Tagen um zehn Jahre gealtert war wie ihr Gegenüber.

»Nur teilweise«, korrigierte die Ministerin für Umwelt, Naturschutz und Reaktorsicherheit und zeigte auf den Monitor mit den grünen und roten Linien. »Erste Netzbetreiber haben zwar ihre Leitzentralen und Server wieder im Griff. Leider nicht jene, in deren Gebiet die Kernkraftwerke Philippsburg, Brokdorf, Gundremmingen und Grohnde stehen. Der Zustand in Philippsburg ist unbekannt, vermutlich ist eine größere Anzahl von Brennelementen im Abkühlbecken geschmolzen. Die Evakuierung im Umkreis von fünf Kilometern wurde eingeleitet, auch wenn noch keine gesundheitsschädlich hohen Strahlungswerte gemessen wurden. Der Betreiber von Brokdorf gibt an, dass sich die Lage verbessert hat, nachdem die notwendigen Ersatzteile für die Notdieselaggregate eingeflogen wurden. In Gundremmingen konnte bislang mittels improvisierter Notkühlsysteme eine Kernschmelze wahrscheinlich verhindert werden.«

»Aber Sie wissen es nicht«, bemerkte Rhess.

Die Ministerin schüttelte den Kopf.

»Außer bei Brokdorf wurde keine erhöhte Radioaktivität in der Umgebung gemessen.«

»Und Grohnde?«

»Macht uns am meisten Sorgen. Das einzige noch halbwegs funktionstüchtige Notstromsystem fällt immer wieder aus. Welche Folgen das für den Reaktor hatte, weiß man nicht. Anzunehmen ist, dass er sich in einer kritischen Situation befindet. Wenn das letzte Notstromsystem endgültig ausfällt …«

»Wie lange können sie die Reaktoren noch kontrollieren?«, fragte Michelsen.

»Die Betreiber behaupten, die Lage im Griff zu haben«, sagte die Ministerin. »Einige Experten bei uns im Haus glauben dagegen, dass es vielleicht nur noch ein, zwei Tage gut gehen kann. Bei Grohnde im schlimmsten Fall sogar nur noch ein paar Stunden.«

»Was wissen wir von den Vorfällen in den Justizvollzugsanstalten?«, fragte der Bundeskanzler.

»Die rheinland-pfälzische Regierung hat seit gestern keinen Kontakt zur JVA in Trier«, gestand der Justizminister. »Sie wissen nicht, ob der Massenausbruch gestoppt werden konnte. Definitiv den Ausbruch so gut wie aller Häftlinge melden die JVAs Waldheim, Schwerte, Fuhlsbüttel, Neuburg-Herrenwörth und Rottweil.«

»Wie viele Kriminelle sind das?«

»Kann ich nicht genau sagen«, musste der Minister zugeben.

»Aus Dresden kommt die Nachricht, dass aufgebrachte Bürger das sächsische Landtagsgebäude gestürmt und versucht haben, den Krisenstab abzusetzen. Es kam wohl zu Auseinandersetzungen mit der Polizei, der mehrere Menschen zum Opfer fielen. Die Anzahl der Toten ist noch nicht bekannt.«

Sein Blick erstarrte. Dann, ohne ihn von dem zu nehmen, was er gesehen hatte, stand er auf, ging zum Fenster, das direkt über der Spree lag. Neugierig folgten ihm die anderen.

Michelsen traute ihren Augen nicht. Am gegenüberliegenden Holsteiner Ufer wanderte hinter den blattlosen Bäumen eine Giraffe mit zwei Jungtieren. Der Anblick der würdevoll schreitenden Tiere versetzte sie alle in einen überraschenden Moment der Besinnung. Schweigend verfolgten sie den Weg des eigenartigen Trios, bis es verschwand.

»Was war das jetzt?«, fragte der Innenminister.

»Die Tiere aus dem Zoo«, entgegnete Staatssekretär Rhess. »Der ist ja nur zweieinhalb Kilometer entfernt. Und kaum einer passt noch auf sie auf.«

»Alle Tiere?«, fragte jemand. »Löwen, Tiger?«

»Ich fürchte«, murmelte Rhess.

»Da«, sagte Dienhof. »Keine Ahnung, wie die Typen von Europol darauf gekommen sind, aber sie haben recht. Nach einer Widget-Datei in Standardbibliotheken sollten wir suchen, haben sie gemeint...«

Wickley wusste nicht, ob er dieses Gefühl schon einmal erlebt hatte. Er kam sich vor, als würde er in einen Abgrund starren, hinter ihm ein Rudel Kampfhunde im Blutrausch.

»Wir haben den Code vor einer halben Stunde entdeckt. Der Einfachheit halber haben wir ihn in Pseudocode übersetzt. Damit jeder versteht, was gemeint ist.«

»Sehr zuvorkommend«, bemerkte Wickley in einem Ton, der Dienhof zu verstehen gab, dass er auch den Originalcode verstanden hätte. Was nicht der Fall war. Aber den Kompetenzanschein musste er als Vorstandsvorsitzender wahren.

Er musste sich ein wenig nach vorne beugen, um die besagten Zeilen lesen zu können.

nach dem Stichtag und in allen Zeitzonen
wenn Uhrzeit = 19:23 + (Zufallszahl zwischen 1 und 40)
für 2 % aller Objekte,
ändere Objektstatus auf anderen Wert,
zeige die entsprechende andere Farbe an,
kommuniziere die Statusänderung an das aufrufende
Programm zurück.

»Das heißt«, erklärte Dienhof, »dass...«

»...mittels Zufallsprinzip immer wieder Anzeigen in der Leitstelle einen Fehler melden, der gar nicht vorhanden ist«, vollendete Wickley die Erklärung. »Das«, flüsterte er weiter, »ist perfide.«

In seinem Kopf rasten die Überlegungen, wie er weiter vorgehen sollte. Wenn das stimmte, was Dienhof ihm zu erklären versuchte, war Talaefer einer der Hauptverantwortlichen für die Katastrophe da draußen.

»Das ist es tatsächlich«, bestätigte Dienhof. »Die falschen Anzeigen stören die Maschinen nämlich an sich nicht. Denn die funktionieren ja korrekt weiter. Die Kraftwerke könnten also problemlos in Betrieb gehalten werden. Wer das implementiert hat, spekuliert auf die kritischste Schwachstelle des Systems ...«

»...den Menschen.«

Insgeheim zollte Wickley dem Urheber dieser winzigen Änderung seinen Respekt. Hier hatte jemand verstanden, worum es ging. Ein richtig kluger Kopf. Diabolisch klug.

»Das heißt, das Kraftwerk läuft einwandfrei, aber ...«

»...das Personal in der Leitstelle bekommt eine Fehlermeldung«, sagte Dienhof.

»Zum Beispiel, dass die Drehzahl der Generatoren zu niedrig ist. Obwohl sie es nicht ist. Daraufhin ergreifen sie Maßnahmen, um die Drehzahl zu erhöhen.«

Dienhof nickte.

»Nun laufen die Generatoren schneller, als sie sollten«, fuhr Wickley fort, »im schlimmsten Fall zerstören sie sich selbst, es kommt zu Spannungsschwankungen bis hin zum Stromausfall.«

Dienhof ergänzte: »Aber es genügt natürlich bereits, die Anzeige von ein paar Ventilen zu manipulieren, um das Personal in Verwirrung zu stürzen und sie das Falsche machen zu lassen.«

Je länger Wickley darüber nachdachte, desto beeindruckter war er. Wer immer diesen Schadcode eingebracht hatte, erzielte mit minimalem Aufwand maximale Wirkung. Und konnte sich dabei sogar noch einreden, dass er eigentlich gar nichts wirklich Schlimmes machte. Nur ein paar Lämpchen verkehrt aufleuchten ließ. Den tatsächlichen Schaden richteten erst die Kraftwerksfahrer an, die aufgrund der fehlerhaften Anzeige das Gegenteil von dem unternahmen, was richtig war.

»Wissen die Leute vom BKA schon darüber Bescheid?«

»Ich sollte zuerst Sie informieren.«

»Das war richtig. Ist dieser Programmteil bei allen Kraftwerken, von denen wir Meldungen bekommen haben, die Ursache der Probleme?«

»Bis jetzt haben wir die modifizierte Unterroutine in fünf unserer SCADA-Systeme gecheckt. Wir haben sie in jedem gefunden. Würde mich nicht wundern, wenn wir den Bug in den anderen auch entdecken.«

»Aber wie kommt der da überhaupt hin? Und durch wen?«

»Das sollten die Logs unserer Quellcode-Verwaltung beantworten können. Falls es nicht schon zu lange her ist.«

»Und wie konnte er sich durch die Sicherheitschecks schummeln? Und warum wurde er erst jetzt aktiv?«

»Viele Fragen«, seufzte Dienhof. »Auf die meisten haben wir noch keine Antwort.«

»Auf welche schon?«

»Der Zeitpunkt der Aktivierung. Wahrscheinlich war der Code als Zeitbombe eingebaut. Die kann man vor Tests der Qualitätssicherung gut verstecken. Scharf gemacht werden kann so eine Bombe auf verschiedene Weise. Das kann das Eingeben eines simplen Befehls sein, ein bestimmtes Datum, das Setzen einer globalen Konstante irgendwo an ganz anderer Stelle oder anderes. Das werden wir erst in ein paar Tagen wissen.«

»Was noch? Wie ist es möglich, dass so viele Kraftwerke betroffen sind? Die SCADA-Systeme sind doch maßgeschneidert.«

»Schon. Aber für gewisse Standardfunktionen, die jedes Kraftwerk braucht, verwenden wir seit der zweiten SCADA-Generation in allen Steuerungssystemen die gleichen Standardbibliotheken.«

»Die Zeitbombe schlummerte also in so einer Standardbibliothek?«

»In einer Widget-Library für die Darstellung häufig verwendeter grafischer Darstellungen.«

»Die ist für alle Kraftwerkssteuerungen gleich?«

»Zu kontrollierendes Element funktioniert: Licht grün. Funktioniert nicht: Licht rot. Ist bei einigen Bestandteilen aller Kraftwerke, die wir ausgerüstet haben, immer so. Es wäre ja Irrsinn, solche Basisbestandteile einer Steuerung, die in jedem Kraftwerk die gleiche Aufgabe haben, jedes Mal komplett neu zu schreiben. Kostet mehr, ist komplizierter in der Wartung und beim Aktualisieren der Software.«

»Kam Dragenau an so eine Standardbibliothek ran?«

»Ja. Aber die zwei anderen auch.«

Letztlich kümmerte Wickley in diesem Moment nicht, wer die Software wann unterminiert hatte. Wichtig war jetzt, den Schaden für Talaefer so gering wie möglich zu halten.

»Wie lösen wir das Problem?«

»Wir schreiben eine neue Version der Bibliothek ohne Schadcode und spielen sie bei den Kraftwerken ein. Mit funktionierenden Internetverbindungen auf beiden Seiten ist das eine Sache von wenigen Stunden.«

Wickley musterte ihn scharf. »Die haben noch nicht wieder alle.«

»Wir können Boten mit den aktualisierten Daten schicken.«

»Die Kraftwerke sind über ganz Europa verteilt.«

»Ich schätze, unter den gegebenen Umständen wird das BKA dafür sorgen, ausreichend Leute und Transportmittel zur Verfügung zu stellen.«

»Können wir das BKA nicht aus der Sache heraushalten?«

»Wenn wir selbst Boten stellen …«, antwortete Dienhof.

»Aber es wird sich trotzdem herumsprechen, dass Talaefer Leute geschickt hat und die Probleme danach verschwunden waren. Man wird nachfragen. Wir müssen einen weniger verdächtigen Weg finden. Gibt es keine routinemäßigen Updates, in deren Zuge wir die Daten korrigieren können?«

»Natürlich. Aber nicht bei allen Kraftwerken gleichzeitig. Außerdem würde auch dann früher oder später auffallen, dass mit den Updates die Probleme verschwanden, davor also Talaefers Systeme schuld an den Schwierigkeiten waren.«

Wickley unterdrückte einen Fluch. »Kümmern Sie sich um die fehlerfreie Software«, wies er Dienhof an.

»Ist schon in Arbeit.«

»Wie wir sie bei den Kraftwerken implementiert bekommen, überlegen wir währenddessen.«

Er bemerkte Dienhofs irritierten Blick.

»Bis dahin bleibt die Sache intern«, fügte Wickley hinzu. »Dem BKA, Europol und den übrigen Behörden, wollen Sie doch keine Probleme präsentieren, sondern fertige Lösungen.«

London

»*Struck the motherlode*«, sang Phil McCaff tief in den Eingeweiden der Zentrale des Secret Intelligence Service, in der Öffentlichkeit gern MI6 genannt. Seit einer Woche hatte er das Gebäude in Vauxhall Cross nicht verlassen. Seine Nachbarn an den Computern sahen auf.

»Seht her!«, rief er. Per Beamer projizierte er seinen Bildschirm auf die große Wand. Zwei Zeilen eines Gesprächs hatte er markiert.

erzwo: ok, got it.

tzsche: almost midnight. time to go to bed.

Enjoy your breakfast.

»Der Satz stammt aus einer Unterhaltung, die ein paar Wochen alt ist«, erklärte er. »Tzsche und Erzwo kennen wir, sie gehören zum inneren Kern. Bei Tzsche ist es fast Mitternacht, dagegen soll Erzwo sein Frühstück genießen. Was sagt uns das?«

»Dass die beiden an sehr unterschiedlichen Enden der Welt sitzen«, stellte Emily Aldridge fest.

»Exakt. Hier habe ich eine andere, ältere.«

Fry, -97, 6.36 GMT

baku: Raining cats and dogs. Thought this was a sunny country.

zap: full moon here. No clouds.

»Haben die nichts Besseres zu tun, als über das Wetter zu tratschen?«, fragte Donald Kean.

»Diese Zeilen sind genial«, meinte Aldridge nachdenklich. »Gibt es mehr von dieser Art?«

»Eine ganze Menge«, erwiderte McCaff. »Habe unter anderem nach Wetter- und Tageszeitbegriffen gesucht.«

Er blendete eine Weltkarte ein.

»Auf diese Karte kann ich mir den Sonnenstand, die Mondphasen, Wetterberichte und anderes aus verschiedenen Datenbanken laden. Habe ich also getan. Zusammen mit dem Datum und der Uhrzeit, als die Unterhaltung stattfand, kann ich den Standort von Zap relativ genau auf die Zeitzonen plus sieben bis plus neun Stunden zu Greenwich Mean Time herstellen.«

»Irgendwo in Amerika«, stellte Aldridge fest.

»Und beim anderen regnet es gerade, weshalb er die Sonne vermisst.«

»Dort ist es demnach noch Tag«, schloss Kean. »Oder schon wieder.«

»Nach der Auswertung weiterer derartiger Bemerkungen komme ich zu dem Schluss, dass es mindestens zwei Gruppen gibt.«

Er blickte in die Runde, ließ die Neuigkeit sickern.

»Ihr solltet das jetzt noch einmal gegenchecken, aber ich bin mir ziemlich sicher, dass die eine Gruppe in Zentralamerika sitzt, die andere am östlichen Mittelmeer.«

Den Haag

»Das hilft uns weiter!«, rief Bollard. Er riss das Papier aus dem Drucker, überflog es. »*Bien*«, murmelte er. »*Très bien.*«

Die Ausdrucke, Bilder, Notizen mit den wichtigsten Erkenntnissen bedeckten mittlerweile drei Wände der Ermittlungszentrale. Eine der letzten Erweiterungen, die eine ganze Schmalseite einnahm, war den Verdächtigen vorbehalten. Noch immer wussten sie nicht sicher, ob jener Jorge Pucao und seine in der Folge aufgetauchten Kontakte tatsächlich etwas mit den Stromausfällen zu tun hatten. Doch der Verdacht, dass sie in irgendetwas verwickelt waren, hatte sich gerade wieder erhärtet.

Mehr als drei Dutzend Porträts hingen über die Wand verteilt. Besonders um ein Foto hatten sich während der vergangenen vierundzwanzig Stunden die Notizen gehäuft. Es zeigte das Gesicht eines schlanken Mittdreißigers. Er trug einen Dreitagebart und eine modische, eckige Brille, die halblangen Haare mit sorgfältig gezogenem Linksscheitel. Oberhalb hatte jemand mit Blockbuchstaben »Balduin von Ansen« geschrieben, so wie auf allen anderen Porträts ebenfalls Namen notiert waren. Darunter hingen sechs DIN-A4-Blätter über- und nebeneinander, darauf eine umständliche Grafik. Dutzende Linien verbanden ebenso viele Kästchen, in denen Namen, Buchstaben- und Zahlenkombinationen notiert waren.

»Wir hatten bereits die Bestätigung«, erklärte Bollard den Umstehenden, »dass die zwei Millionen vom Konto der Karyon Ltd.

auf Guernsey mittels sieben Tranchen innerhalb von sechs Monaten auf ein Konto der Utopia Enterprises auf den Caymans sowie der Hundsrock Company in der Schweiz flossen. Von dort gingen sie weiter auf ein Konto der Bugfix in Liechtenstein und ein Nummernkonto in der Schweiz. Teilhaber der Bugfix, laut Handelsregister eine Software-Beratungsfirma mit Sitz in Tallahassee, USA, ist Siti Jusuf. Ein weiterer ist John Bannock, einer der beiden US-Amerikaner, die Kontakt mit Jorge Pucao hatten und der seit Herbst 2011 verschwunden ist.«

Auf der Grafik mit den zahlreichen Kästchen und Linien fügte er die entsprechenden Einträge hinzu.

»Von diesen Konten ging das Geld aber unmittelbar weiter auf andere, in die wir Einsicht beantragt haben. Mit den Informationen dazu dürfen wir in den nächsten Stunden rechnen. Die Geldinstitute sind alle sehr kooperativ. Auch für weitere vierzehn Millionen von Ansens kommen wir gut voran. So schnell geht das, wenn es den Herrschaften ans Eingemachte geht«, bemerkte er. »Sogar trotz Stromausfall in einigen Ländern. Oder deshalb.«

Die Unterlagen hatte er sich über eine gesicherte Leitung senden lassen. Die Angreifer mussten nicht wissen, dass Europol und einige andere ihnen auf der Spur waren.

»Und soeben erhalte ich von den Londoner Analysten die Information, dass die Angreifer ihrer Meinung nach in zwei Quartieren arbeiten, eines davon in Mexiko, das andere am östlichen Mittelmeer oder im Nahen Osten. Das heißt, wir werden bevorzugt Geldtransfers in diese Gegenden analysieren.«

Follow the money. Bei den Söldnern waren sie damit nicht weit gekommen. Bei diesem deutschen Erben sah es deutlich besser aus. Offensichtlich hatte er von seinem Vater, dem Bankier, nicht zu viel gelernt, wenn es darum ging, Geldflüsse diskret zu halten.

»Das war doch ...«, hörte er Manzano murmeln. Der Italiener stützte sich neben einem der Analysten auf den Tisch.

»Suchen Sie nach ... nein, es war nicht ... Stanbul! Geben Sie Stanbul ein. Und ... welche Namen waren es? Ich glaube b.tuck. Versuchen Sie es einmal!«

Der Mann tippte, mehrere Dutzend Unterhaltungen erschienen.

»Sie war alt«, dachte Manzano laut. »Das war uns aufgefallen ... mindestens drei Jahre. Geben Sie noch 1.20 als Suchbegriff ein.«

Auf dem Bildschirm erschien eine einzelne Meldung.

date: thu, -1.203, 14:35 GMT

»Kensaro: B.tuck hat Stanbul unterschrieben«, las Manzano die Unterhaltung vor, die er bereits in Brüssel gesehen hatte. »Transaktion sollte bis Monatsende erledigt sein. Simon: ok. Schicke per Costa Ltd. und Esmeralda halbe halbe.«

»Stanbul«, sagte Manzano. »Kann das Istanbul sein? Östliches Mittelmeer. Würde passen.«

»Costa Ltd. und Esmeralda«, sagte Bollard, der sich dazugestellt hatte. »Das sind Firmennamen.« Er überflog die Ausdrucke an der Wand.

»Da«, sagte er schließlich. »Esmeralda haben wir schon. Liechtenstein. Transaktionen sind angefordert. Dann werden wir da doch gleich noch einmal Druck machen.«

»Okay, und wir hier prüfen alle Unterhaltungen, die mit Stanbul, Istanbul und der Türkei zu tun haben.«

Durch die düsteren Flure wanderten Shannon und Manzano zu dem Zimmer mit ihren Betten.

»Glaubst du, dass sie die Kerle kriegen?«, fragte Shannon.

»Früher oder später«, antwortete er müde. Sie erreichten das Zimmer. Außer ihnen war niemand da. Sie traten ans Fenster. Über der Stadt lag ein rötlicher Schein, an manchen Stellen stärker, an anderen schwächer. »Hauptsache, sie stoppen das da draußen.«

Sie schwiegen. Hingen ihren Gedanken nach, den Ereignissen der letzten Tage. Shannon hatte neue Grenzen bei sich selbst kennengelernt, von denen sie nie geahnt hätte, sie überwinden zu können. Für Manzano war es noch schlimmer gewesen. Seit er angeschossen worden war, hatte er sich verändert. Stiller war er geworden. Er hatte nicht erzählt, was in der Nacht im Krankenhaus geschehen war, als Hartlandt Shannon gefunden hatte, aber nicht Manzano. Wie er den Hunden entkommen war. »Glück gehabt«, war alles gewesen, was er dazu gesagt hatte. Sie musste an die letzte Nacht denken. Den Morgen, an dem sie in Manzanos Armen aufgewacht war. Kein schlechtes Gefühl.

»Danke«, sagte er unvermittelt in die Stille.

»Wofür?«

»Dass du mich durchgeschleppt hast.«

Sie merkte, dass ihr die Situation peinlich war. »Hatte ich eine Wahl?«, fragte sie. »Wer außer dir hätte RESET gefunden?«

Er setzte sich auf sein Bett, zog die Schuhe aus und legte sich hin.

Shannon fühlte sich zwar etwas unwohl bei dem Gedanken, dass Fremde in dem Raum ein- und ausgehen konnten. Andererseits hatte sie während des Tages viele aus dem Team wenigstens flüchtig kennengelernt. Außerdem hatte sie in den vergangenen Nächten an ganz anderen Orten übernachtet. Wenn ich mich in einer internationalen Polizeistation nicht sicher fühle, wo soll ich es dann?, fragte sie sich und ließ sich ebenfalls auf ihrem Bett nieder.

Sie hörte Manzanos tiefen, regelmäßigen Atem. Er musste binnen Sekunden eingeschlafen sein. Sie breitete eine Decke über ihn, dann schaltete sie das Licht aus und schlüpfte ebenfalls unter ihre kratzige Wolldecke. Ihr Körper fühlte sich unendlich schwer an. Sie lag im Dunkeln, lauschte auf Manzanos Atem, die Geräusche von draußen, manche klangen wieder wie Schüsse. Feldlager, dachte sie. Als wäre sie beim Militär. Sie sollte schlafen, vielleicht waren die Träume besser als die Wirklichkeit.

Tag 12 – Mittwoch

Den Haag

Bollard heftete das Foto eines Gebäudes neben die ganzen Blätter um Balduin von Ansen. Die Architektur des Hauses erschloss sich Manzano nicht sofort.

»Diesen Komplex im asiatischen Teil Istanbuls kaufte vor eineinhalb Jahren eine Firma namens Süper Kompüter, die laut unseren Informationen aus der Türkei das Gebäude an sechs verschiedene Unternehmen aus verschiedenen Branchen vermietet. Das Haus liegt in einem belebten Stadtteil mit vielen internationalen Unternehmen. Ausländer fallen hier nicht auf. Die türkischen Ermittler sind tiefer in die Beteiligungsverhältnisse der Firmen eingestiegen und haben sich deren Geschäfte genauer angesehen, indem sie Bankverbindungen und Finanzamtsdaten der vergangenen Jahre untersuchten. Gleich den ersten Treffer gab es bei den Besitzern. Geschäftsführer einer Firma ist John Bannock, den wir ja bereits kennen. Teilhaber einer zweiten ist kein anderer als Doktor Lekue Birabi, Pucaos Kontakt aus Nigeria.« Er hängte einen Ausdruck daneben. »Bezahlt wurde nach Überweisung von insgesamt rund zwei Millionen Euro von der Costa Ltd., der Esmeralda und zwei weiteren Firmen an die Süper Kompüter.« Er tippte mit seinem Finger auf die Aufnahme des gesichtslosen Gebäudes. »Hier sitzt wahrscheinlich ein Teil der Terroristen. Die türkischen Kollegen haben mit der Überwachung begonnen.«

Ratingen

»Sind Sie der Anregung nachgegangen?«, fragte Hartlandt.

»Die Instrumentenanzeigen, ja«, antwortete Wickley. »Wir haben nichts gefunden.«

»Zeigen Sie die Programmteile meinen Leuten«, forderte Hartlandt ihn auf. »Die sollen noch einmal drüberschauen.«

Wickley und Dienhof tauschten einen kurzen Blick, der Hartlandt nicht entging.

»Was?«, fragte er scharf.

»Natürlich«, erwiderte der Vorstand. »Bekommen Sie. Dienhof, Sie kümmern sich darum.«

Hartlandt schien, dass der Angesprochene seinen Chef verunsichert musterte, und hatte das Gefühl, dass die beiden ihm etwas verheimlichten. Wickley würde er nicht knacken. Bei Dienhof hatte er eine Chance.

»Funktionierende Kraftwerke sind essenziell für den Wiederaufbau der Netze«, erklärte Hartlandt geduldig, was die beiden ohnehin wussten. Doch er musste Dienhof die Tragweite verdeutlichen. »Die Netzbetreiber sind nahe dran, die Kontrolle zurückzugewinnen. Aber sie benötigen ausreichend Stromproduzenten, die liefern können. In zwei Kernkraftwerken herrschen äußerst kritische Situationen. Ich weiß, Sie entwerfen keine Software für AKWs. Aber die beiden Werke brauchen dringend Strom aus dem regulären Netz. Haben Sie von der Katastrophe in Frankreich gehört?«

Sorgfältig beobachtete er die Reaktion der beiden auf seinen Vortrag.

»Grauenvoll«, sagte Wickley.

Dienhof nickte.

»Wir dürfen nicht zulassen, dass so etwas bei uns passiert.«

Hartlandt wartete.

»Ich möchte Ihnen, ähm ...«, Dienhof räusperte sich, »etwas zeigen.«

Wickley schloss für einen Moment die Augen, und als er sie wieder öffnete, erkannte Hartlandt in ihrem Ausdruck, dass er gewonnen hatte.

Berlin

»Ein sechzigköpfiges Team der GSG 9 und eines der britischen Special Forces sind unterwegs, um die türkischen Kollegen gegebenenfalls zu unterstützen«, erstattete der Außenminister Bericht.

»Wieso gegebenenfalls?«, fragte der Bundeskanzler.

»Noch fehlt uns die Bestätigung, dass sich die Verdächtigen tatsächlich dort befinden.«

»Außerdem wird uns eine Verhaftung oder Ausschaltung wahrscheinlich nicht helfen, die Netze schneller wieder aufzubauen«, wandte der Innenminister ein.

»Aus Philippsburg und Grohnde kommen beunruhigende Nachrichten«, fügte die Ministerin für Umwelt, Naturschutz und Reaktorsicherheit hinzu. »Der Dieselnachschub ist längst eingetroffen, trotzdem bekommen sie die Notstromsysteme nicht in den Griff.«

»Evakuierung im Umkreis von fünf Kilometern ist angeordnet«, erklärte Michelsen auf den fragenden Blick des Kanzlers. Sie fühlte sich unendlich müde. »Der Krisenstab in Baden-Württemberg hat Schwierigkeiten, mit den örtlichen Verantwortlichen die Kommunikation aufrechtzuerhalten. Sondereinheiten der Bundeswehr sind unterwegs. Die Niedersachsen haben mehr Glück. Östlich von Grohnde, rund um Hildesheim, bestand eine Strominsel, die in den letzten Stunden sukzessive ausgeweitet werden konnte. Von dort aus fällt die Koordination der Evakuierung leichter. Solange die Strominsel nicht evakuiert werden muss.«

»Hieß es nicht, dass mindestens zwei Zentralen der Terroristen existieren?«, fragte der Bundeskanzler.

»Die zweite wird in Mexiko vermutet«, bestätigte der Außenminister. »Wahrscheinlich steuert sie den Angriff auf die USA.«

»Ist das heutzutage nicht egal?«, fragte der Kanzler. »Wenn die uns über das Internet angreifen, können sie das ja von jedem Ort der Welt. Was nützt es uns da, wenn wir welche in Istanbul ausheben? Springen die in Mexiko ein. So ist das wahrscheinlich gedacht.«

McLean

»Mexico City ist ein Moloch«, sagte Shrentz. »Schon mal dort gewesen?«

»Washington ist mir Moloch genug«, erwiderte Price.

»Neun Millionen Einwohner«, erklärte Shrentz. »Ein wunderbarer Platz, um sich zu verstecken.«

»Kommen Sie zur Sache.«

Shrentz legte Ausdrucke von Listen und Fotos vor Price aus. Ein paar zeigten Porträts und weniger scharfe Ganzkörperaufnahmen eines Mannes, andere ein Gebäude.

»Geldflüsse der Verdächtigen, denen Europol schon seit ein paar Tagen auf der Spur war, führten zu diesem Gebäude in Mexico City. Wurde vor zwei Jahren von einem gewissen Norbert Butler gekauft. US-Bürger, seit Jahren in engem Kontakt mit den anderen Hauptverdächtigen, fanatischer Staatsgegner, in den Gründungsmonaten bei der Tea Party 2009 aktiv, seit vier Monaten abgetaucht.«

»Der arbeitet mit Linksanarchisten wie diesem Pucao oder gar einem Schwarzafrikaner wie Lekue Birabi zusammen?«

»Links oder rechts, Hauptsache gegen den Staat, wie es scheint. Vereint durch den Hass auf das herrschende System und den Versuch, es auszulöschen.«

»Aber der würde doch nie amerikanische Staatsbürger töten.«

»Weshalb nicht? Der schlimmste Terrorangriff eines US-Bürgers gegen eigene Landsleute auf US-Boden kam aus genau dieser Ecke des politischen Spektrums: konservative Staatshasser. Timothy McVeigh hatte nicht einmal Skrupel, bei seinem Anschlag in Oklahoma City 1995 einen Kindergarten mit in die Luft zu sprengen.«

»Viele US-Bürger kaufen Immobilien in Mexiko.«

»Aber nur Butler stand seit Jahren in Verbindung mit den Verdächtigen. Nachfragen bei den mexikanischen Behörden haben ein ähnliches Bild wie in Istanbul ergeben. Verschachtelte Firmenkonstruktionen, gewaltige Internetanbindungen für die Firmen im Haus. Die mexikanische Polizei hat mit der Überwachung begonnen.«

»Ich informiere den Präsidenten.«

Den Haag

»Du willst jetzt weg?«

Bollard hörte die Panik in der Stimme seiner Frau.

»Von wollen kann keine Rede sein. Ich muss. Wir sind nahe dran, diese Katastrophe zu beenden und die Verursacher zu schnappen.«

Sie standen vor dem Kamin, dem einzigen warmen Platz im Haus. Die Kinder drängten sich an ihre Mutter und blickten ihn aus ängstlichen Augen an. Er wies auf die Pakete, die er neben der Tür abgestellt hatte.

»Da drin sind Lebensmittel und Wasser für drei Tage. Vielleicht habt ihr morgen schon wieder Strom. Und übermorgen bin ich wahrscheinlich auch schon wieder da.«

»Ist das gefährlich, was du da machst?«, fragte Bernadette besorgt.

»Nein, mein Schatz.«

Er bemerkte den Blick seiner Frau.

»Wirklich«, versicherte er ihr. »Für die kritischen Einsätze sind Spezialkräfte zuständig.«

Seine Frau schob die Kinder ein wenig zur Seite. »Geht spielen.«

Die beiden gehorchten widerwillig, blieben aber in der Nähe.

»Da draußen herrscht Anarchie«, zischte sie.

»Du hast die Pistole.« Ihr entsetzter Blick zeigte ihm, dass sie die Waffe mehr als Bedrohung denn als Schutz sah. »Übermorgen, wenn der Strom wieder da ist …«

»Kannst du das garantieren?«

»Ja«, log er, so gut er konnte.

Seine Frau betrachtete ihn lange, bevor sie fragte: »Hast du etwas von den Eltern gehört?«

»Noch nicht. Es geht ihnen sicher gut.«

Orléans

»Du solltest dir das nicht ansehen«, sagte Celeste Bollard und legte ihre Hand auf Annette Doreuils Schulter.

Annette Doreuil versuchte nicht, die Hand abzuschütteln, stemmte sich aber gegen den Versuch, sie von der Szene vor ihnen wegzudrehen.

In etwa fünfzig Meter Entfernung luden Männer mit Handschuhen und Gesichtsmasken leblose Körper von der Ladefläche eines Lastwagens. Sie packten sie an Händen und Füßen und warfen sie in eine Grube, die etwa zwanzig Meter lang und fünf Meter breit war. Die Tiefe konnte sie nur schätzen.

Am Rand des Grabens stand ein Priester und versprengte Weihwasser. Mit versteinerter Miene und gefalteten Händen verfolgte sie das Schauspiel. Einige Schritte neben ihr stand eine ältere Frau allein, noch etwas weiter ein junges Paar, schluchzend, insgesamt wohnten gut zwei Dutzend Menschen der Notbestattung bei.

Dann erkannte Doreuil die schlanke Gestalt ihres Mannes in den Händen der Bestatter. Sie holten Schwung, und er war in dem Loch verschwunden. Annette Doreuil flüsterte »*Adieu*« und biss sich auf die Lippen. Sie dachte an ihre Tochter, an die Enkel, auf deren Besuch er sich so gefreut und die er nicht mehr gesehen hatte.

Nachdem die Männer die letzten Leichen in dem Massengrab versenkt hatten, schaufelten sie aus Säcken einen weißen Staub darauf. Anschließend schob ein Bagger eine Schicht Erde in das Loch.

Neben sich hörte Doreuil jemanden weinen. Sie spürte, wie ihre Unterlippe zitterte, presste sie heftig gegen die Zähne. So stand sie ein paar Minuten da, hörte nichts, fühlte nichts, außer einer tiefen Leere. Endlich gab sie Celeste Bollards sanftem Druck nach. Sie hatten noch den langen Rückweg zu Fuß ins Notquartier vor sich. Sie bekreuzigte sich, flüsterte ein letztes »Adieu« und wandte sich zum Gehen.

Kommandozentrale

Siti Jusuf war damit aufgetaucht. Er hatte die überwachte Kommunikation seit Beginn des Ausfalls analysiert. Dabei war ihm etwas aufgefallen. Er hatte die Häufigkeit bestimmter Stichwörter überprüft und war auf einen interessanten Umstand gestoßen. Interessant, so nannte er es. Seit Sonntag war nicht nur der Umfang der Kommunikation laufend weniger geworden, auch die Zusammensetzung der am häufigsten erwähnten Stichwörter hatte sich verschoben. In der ersten Woche nach Beginn der Attacke hatten sich die Krisenzentren und Behörden nicht nur über das Management der Hilfe ausgetauscht, sondern auch über die Suche nach den Verursachern. Begriffe wie »Ermittlungen«, »Terroristen« lagen in den Ranglisten weit vorn. Doch parallel zur Abnahme der Kommunikation verringerten sich genau diese Begriffe. Drastisch. Ja, sie verschwanden fast.

Am Sonntag waren sie auf die E-Mails aufmerksam geworden, in der die Mitarbeiter der Behörden angewiesen wurden, ihre Computer nur noch anzuschalten, wenn es wirklich notwendig war. Das hatte die verringerte Kommunikation erklärt.

Und was, fragte Jusuf, wenn diese Meldung gar nicht für die angesprochenen Mitarbeiter bestimmt war? Sondern für uns?

Wenn irgendwer die Überwachung entdeckt hatte und die Meldung verschickt worden war, damit die Überwacher sie lasen? Als Erklärung für die folgende Änderung der Kommunikationsmuster?

Eine heftige Diskussion entbrannte. Einige wurden nervös. Erinnerten an die E-Mail, die sie erst am Vortag entdeckt hatten, mit dem markierten Bild. Eine E-Mail, die einen Tag vor der »Energiespar«-Mail versandt worden war.

Hatten sie deshalb keine Kommunikation mehr dazu gefunden? Weil diese außerhalb der überwachten Kanäle geführt wurde? Waren ihnen Polizei und Nachrichtendienste der halben Welt womöglich längst auf den Fersen?

Selbst wenn sie Namen herausbekommen hatten, wandten andere ein, hatten sie kaum eine Chance, uns zu finden. Sie hatten ihre Spuren gut verwischt, falsche gelegt. Taten es noch. Niemand brauchte sich zu ängstigen. Auch für danach hatten sie alles vorbereitet. Neue Namen, neue Ausweise, neue Leben. Sie versicherten sich gegenseitig, ab sofort genauer aufzupassen. Auch wenn sie vor die Tür gingen. Doch selbst für den unwahrscheinlichen Fall, dass jemand sie daran hinderte, ihre Mission selbst zu Ende zu führen, hatten sie vorgesorgt. Sie konnten vielleicht gestoppt werden. Ihre Sache würde niemand aufhalten.

Transall

»Jackpot«, flüsterte Bollard über den Laptop gekrümmt. Niemand hörte ihn im Lärm der Propellermaschine.

Kurz nach der Entdeckung der möglichen Terrorzentrale in Istanbul war Bollard per Hubschrauber zum deutschen Fliegerhorst Wahn am Flughafen Köln/Bonn geflogen worden. Dort war er in eine Transall-Maschine der deutschen Bundeswehr umgestiegen, in der gleichzeitig GSG-9-Teams aus dem nahen Sankt Augustin eintrafen.

Die Satellitenverbindung im Flugzeug funktionierte. Während des Flugs hatte Bollard sich über die neuen Erkenntnisse der RESET-Analyse und der übrigen Ermittlungen auf dem Laufenden gehalten.

Selbstverständlich würde er an einem möglichen Einsatz nicht direkt teilnehmen, dazu war er weder befugt noch ausgebildet.

Direktor Ruiz wollte jedoch einen Europol-Vertreter mitschicken, der mit den Ermittlungen vertraut war. So saß er nun in der lauten Maschine zwischen sechzig durchtrainierten Männern, denen man die Erschöpfung der vergangenen Tage nicht ansah. Bollard verstand nicht, worüber sie sich unterhielten. Dem gelegentlichen Lachen nach schienen sogar Scherze dabei zu sein. Er selbst saß an einem Tischchen, um das sich vier Sitze gruppierten. Zwei davon besetzten die Kommandanten der Teams. Jetzt drehte er den Computer so, dass auch sie den Bildschirm sehen konnten.

Er wies sie auf die neuesten Bilder des Istanbuler Hauses hin. Unscharfe, körnige Aufnahmen zeigten zwei Männer beim Verlassen und Betreten des Gebäudes, einen dritten und eine Frau in Fenstern desselben.

»Pedro Munoz«, erklärte Bollard triumphierend und deutete auf die erste Überwachungsaufnahme. Dazu blendete er ein Porträtfoto des Genannten ein.

»John Bannock. Maria Carvalles-Tendido. Hernandes Sidon.«

Auch von ihnen lud er Bilder auf den Schirm, damit die Umsitzenden die Gesichter mit jenen der Überwachungsfotos vergleichen konnten.

»Ich schätze, Ihre Männer können sich auf einen Einsatz einstellen.«

Brauweiler

Gespannt saß Jochen Pewalski, Leiter der Systemführung Netze der Amprion GmbH, vor den Bildschirmen und beobachtete den Versuch des zuständigen Netzbetreibers im südlichen Ostdeutschland, das Netz wiederaufzubauen. Er und seine Familie waren bisher ganz gut über die Runden gekommen. Die Notstromanlage im Keller hatte sie mit Elektrizität, die eigens für solche Fälle errichtete Zisterne mit Wasser versorgt. Zunehmend schwieriger war der Umgang mit bedürftigen Nachbarn und Verwandten aus der näheren Umgebung geworden. Pewalski hatte sie strikt abgewiesen, seine Frau war nicht immer so konsequent gewesen. Zumindest stundenweise hatte sie die Frierenden eingelassen, Hungernde und Durstende verköstigt. Was auf Kosten ihrer eigenen Reserven ging. Pewalski hatte für drei Wochen eingelagert. Noch musste er sich keine Sorgen machen.

Seit vorgestern hatte der Andrang nachgelassen, nachdem der letzte Tropfen des Notdiesels verbraucht war.

Er selbst hatte ohnehin nicht viel davon gehabt, außer der Gewissheit, dass es seiner Familie einigermaßen gut ging. Seine Zeit hatte er in erster Linie in der Zentrale verbracht. Seit Tagen arbeitete er mit einer Rumpfmannschaft, und inzwischen konnte er nicht einmal mehr alle Arbeitsplätze in einer der wichtigsten europäischen Netzleitzentralen besetzen. Oft musste er selbst an einen der Tische mit den vielen Bildschirmen. So wie jetzt. Sein Nachbar war ein wenig aufgerückt. Er behielt seinen Schirm zwar im Auge, wollte aber mitverfolgen, ob es den Kollegen im Osten gelingen würde, einen weiteren Teil des Netzes aufzubauen, nachdem die Terminals und Server ihrer Leitstelle wieder funktionstüchtig waren.

»Markersbach und Goldisthal laufen ja schon einmal«, stellte Pewalski fest. Die beiden Pumpspeicherkraftwerke waren schwarzstartfähig. Sie hatten es einfach, mussten nur das Wasser aus den höher gelegenen Speicherreservoirs durch die Turbinen strömen lassen, und Strom wurde erzeugt. Das hieß, sie konnten ohne Hilfe von außen den Betrieb aufnehmen. Er betete, dass die Verantwortlichen rechtzeitig begriffen hatten, wie wichtig volle Becken für den Wiederaufbau der Netze sein würden, und dass sie nicht in der Not oder unter dem Druck regionaler Politiker für ein paar Stunden leuchtender Lampen geleert hatten.

Sobald dies gelungen war, würden die Operatoren versuchen, von Markersbach aus über die Leitung durch Röhrsdorf nach Bärwald das dortige Braunkohlekraftwerk Boxberg anzuwerfen. Thermische Kraftwerke wie Boxberg kamen von allein nicht mehr so leicht hoch, wenn sie einmal abgeschaltet und die Generatoren ausgekühlt waren. Für den Neustart benötigten sie hohe Energiedosen von auswärts. Pewalski hoffte, dass die Kommunikation mit Markersbach gut organisiert war, da diese immerhin zwei Turbinensätze im Phasenschieberbetrieb laufen lassen mussten. Das Braunkohlekraftwerk Lippendorf würde durch die Leitung über Remptendorf aus Goldisthal versorgt.

Sollte dieser kleine Netzaufbau gelingen, würde von dort aus die östlichste Regelzone der Bundesrepublik nach und nach aufgebaut und wie auch die mittlere Regelzone mit Spannung versorgt werden.

»Komm!«, flüsterte Pewalskis Nachbar, »komm!«

Berlin

Alle waren sie wieder auf den Bildschirmen versammelt, inklusive der neuen Köpfe aus Portugal, Spanien und Griechenland. Für die NATO-Spitze musste diesmal ein Bildschirm genügen, zugeschaltet war auch das Weiße Haus.

Auf den sechs Bildschirmen in der untersten Reihe sah Michelsen verschiedene Ansichten der Gebäude in Istanbul und Mexico City aus der Perspektive von Überwachungs- und Helmkameras. Die Bilder aus Istanbul, wo schon Nacht herrschte, waren grün und schemenhaft, in Mexico City schien die Sonne.

Michelsen hatte die vorangegangenen Diskussionen nicht mitbekommen. Doch seit der Entdeckung der mutmaßlichen Terrorzentralen war nie echter Zweifel aufgekommen, sie so schnell wie möglich zu deaktivieren. Sämtliche Kommunikation dafür war über absolut abhörsichere Systeme geführt worden, die Angreifer durften keine Ahnung von ihrer Entdeckung haben. Einheiten der türkischen Spezialtruppe Bordo Bereliler würden gemeinsam mit den Männern der GSG 9 und des Secret Service in Istanbul angreifen. In Mexico City waren vor Kurzem zweihundert Navy Seals eingetroffen, die zusammen mit mexikanischen Truppen den Einsatz durchführen würden.

Auf ein gemeinsames Kommando hin würden an zwei verschiedenen Enden der Welt Einsatzteams synchron losschlagen. Zuerst würden den Gebäuden auf einen Schlag sämtliche Internet- und Stromverbindungen gekappt. Dann waren die Spezialeinheiten dran.

»Die Hinweise sind erdrückend«, erklärte der Bundeskanzler. »Wir geben ein ›Go‹. Hat irgendjemand Einwände?«

Nicht einmal die NATO-Generäle, deren China-These unter die Räder gekommen war, meldeten sich zu Wort.

Die Polizisten und Soldaten hatten den ausdrücklichen Befehl bekommen, die Zielpersonen unter allen Umständen lebend zu ergreifen. Auch wenn die Netzwiederherstellung in Europa erfreuliche Fortschritte machte, wollte niemand das Risiko eingehen, dass womöglich wichtiges Wissen mit dem Tod der Attentäter verloren ging. Zumal diese in den USA anders vorgegangen waren als in Europa, die Techniker also nicht von europäischen Lösungen auf amerikanische schließen konnten.

»Dann geben wir unseren Leuten den Befehl zum Einsatz«, schloss der US-Präsident.

Istanbul

Er brauchte frische Luft. Jeder von ihnen saß achtzehn Stunden oder mehr pro Tag vor den Bildschirmen, da musste man auch einmal raus. Er nahm den Weg durch den Keller. Diesen Durchbruch hatten sie extra geschaffen. Auch wenn er wusste, dass sich einige der anderen nicht an die Sicherheitsmaßnahme hielten, er blieb dabei. So trat er erst zweihundert Meter von ihrem Quartier entfernt durch den Ausgang des Nachbargebäudes an die Nachtluft. Draußen herrschten nicht mehr als fünf Grad über Null. Trotzdem belebte um diese Abendzeit reges Treiben die Straße, der Verkehr staute sich. Kaum vorstellbar, dass dieses Leben nur wenige hundert Kilometer weiter praktisch zum Erliegen gekommen war. In ein paar Wochen oder Monaten würden die Folgen auch hier spürbar werden und früher oder später dieselbe heilende Wirkung entfalten wie in Europa und den USA. Er schloss die Jacke und atmete tief durch. Entspannt schlenderte er an den Schaufenstern entlang. Lauter überflüssiges Zeug. Bald würden sich die Menschen auf Wichtigeres besinnen. Müssten. Die Autos, würden sie auch hier brennen, wie es die Korrespondenten der asiatischen und lateinamerikanischen Sender aus den Städten Europas und der USA berichteten?

In der Türkei rechnete er vorerst mit einer Machtübernahme des Militärs, bevor die eigentliche Wandlung beginnen würde. Was langfristig nichts änderte. Das Hupen aus dem Stau wurde lauter, nichts ging mehr, nicht ungewöhnlich. Als er hinter sich den dumpfen Knall hörte, wandte er sich um. Einen Block weiter blitzte es aus den Fenstern eines Gebäudes, lärmend senkte sich ein Hubschrauber darüber, tauchte es in gleißendes Licht.

Passanten wandten sich der Szenerie zu, blieben stehen, schauten gebannt zu. Nun strahlten auch helle Spots von allen Seiten auf die Fassade. Ihr Haus. Durchsagen erklangen, die er nicht verstand. Ihre Bedeutung war ihm sofort klar. Er spürte, wie sich die Fäuste in seinen Taschen ballten. Vorsichtig sah er sich um, beobachtete die Menschen, die Autos. Er musste sich jetzt so unauffällig wie möglich verhalten. Die meisten Fußgänger gafften noch immer, andere setzten ihren Weg schon wieder fort. Ein Stück weiter vorn entdeckte er einen Lieferwagen mit dunklen Scheiben. Die hintere Flügeltür war geöffnet, darin sah er mehrere Polizisten. Einen erkannte er sofort. Es war der Franzose von Europol. Hatte er sie tatsächlich gefunden! So schnell! In dem Trubel auf der Straße könnte er ihm nahe genug kommen, um wenigstens ihn und ein paar der anderen auszuschalten. Der Lärm war ohrenbetäubend.

Den Haag

Himmel, das ist doch keine Fußballübertragung, dachte Manzano. Er hatte sich geschworen, die Aktion nicht mitzuverfolgen. Doch die verwackelten Bilder auf den Monitoren von jeweils vier verschiedenen Kameras in Istanbul und Mexico City hielten ihn in Bann. Manzano fragte sich, wer die Perspektiven auswählte. Saß irgendwo in Langley oder Berlin – oder vielleicht in Hollywood? – ein Regisseur, der seiner Crew am Schaltpult zurief »Screen 1 Schnitt zu Helmkamera 3!«?

In Istanbul stürmten die Spezialeinheiten gerade durch einen finsteren Flur in einen Raum voller Arbeitsplätze und Computer. Dort sprangen mehrere Personen auf. Manche rissen die Arme hoch, andere warfen sich unter die Tische, hinter Stühle. Die Helmkameras zeigten Bilder panischer, verängstigter, zorniger Gesichter. Die Mikrofone übertrugen Geschrei, Kommandorufe, Trampeln, Schüsse.

Dann wurden die Bilder ruhiger. Mehrere Gefangene lagen auf dem Bauch, die Arme hinter dem Rücken gefesselt. An den verwaisten Arbeitsplätzen leuchteten die Bildschirme, auf denen Manzano nichts erkennen konnte. Zwei Polizisten arbeiteten sich vorsichtig in einen Nebenraum vor, in dem sich niemand befand, sich aber bis unter die Decke Server-Racks stapelten.

Shannon filmte quer durch den Raum, vor allem aber die angespannten Gesichter der Anwesenden, ihre verkrampften Hände an den Stuhllehnen, die verknoteten Füße. Das Haus in Istanbul schien mittlerweile unter der Kontrolle der Einsatzkräfte. Von Bollard hatten sie noch nichts gehört. Er hatte in einem der Einsatzwagen in einer Nebenstraße gewartet und sollte erst in das Gebäude, sobald es gesichert war. In Mexico City knieten zwei Seals neben einem Verletzten, legten Druckverbände an. Der Mann beschimpfte sie, grinste dann aber und zischte eine Bemerkung, die bösartig klang. Andere Seals suchten weitere Räume ab.

Zehn Minuten später kam aus Istanbul die Meldung: »Mission erfüllt, Zielobjekt übernommen, elf Zielpersonen angetroffen. Drei leicht verwundet, drei Tote.«

Nur zwei Minuten später berichtete Mexico City. Dreizehn Zielpersonen, ein Schwerverletzter, zwei Tote.

»Gratuliere!«, hörten sie die Stimme des amerikanischen Präsidenten aus den Lautsprechern. Die anderen zugeschalteten Politiker schlossen sich in ihren zahlreichen Landessprachen an.

»Beim nächsten Mal live auf Ihrem Lieblingskanal«, flüsterte Shannon hinter ihrer Kamera.

Istanbul

Mehr konnte er in Istanbul nicht mehr ausrichten. Mit den öffentlichen Verkehrsmitteln fuhr er zum Flughafen Atatürk. Den Schlüssel für sein Schließfach trug er immer bei sich, wenn er das Haus verließ. Dort fand er die falschen Papiere und das Geld. Der Flughafenbetrieb lief normal, nur die europäischen und US-amerikanischen Destinationen fehlten auf den Anzeigetafeln.

Wenn die Polizei ihre Zentrale gefunden hatte, kannten sie vermutlich auch schon die Ursache der Ausfälle und konnten diese beheben. Es war nur eine Frage der Zeit, bis erste Flüge wieder in die wichtigsten europäischen Städte abhoben. Blieb die Frage, wie genau sie über ihre Truppe Bescheid wussten. Sie verdächtigten ihn zumindest, dabei zu sein. Je mehr sie von den anderen kannten, desto mehr würden sie bei der Erstürmung des Gebäudes vermissen, saß doch die Hälfte von ihnen in Mexico. Die fehlenden würden sie womöglich auf der Flucht wähnen und den Flughafen überwachen. Aber da traute er seinen neuen Papieren, dem veränderten Haarschnitt und dem Schnurrbart. Ob sie Mexico City auch enttarnt hatten? Er suchte sich einen bequemen Platz mit Blick auf einen der Fernseher, die Nachrichten brachten. Auch wenn er sie nicht hören konnte, die Bilder würden ihm genug erzählen. Er konnte warten. Ihre Vorkehrungen würden ihre Arbeit fortführen. Sollten die ruhig glauben, dass alles vorbei war. Er wusste es besser.

Den Haag

»Es ist vorbei«, erklärte Bollard am Bildschirm. Die Übertragung pixelte sein Gesicht immer wieder, ließ seine Bewegungen wie die eines Roboters wirken. »Wir haben fast alle von unserer Liste, bis auf Pucao und Jusuf.«

In der Europol-Zentrale war trotzdem niemandem zum Feiern zumute. Zu schwer lasteten die vergangenen Tage auf den Anwesenden. Ihnen allen war bewusst, dass die Katastrophe noch längst nicht vorbei war.

»Gibt es Anhaltspunkte für ihren Verbleib?«, fragte Direktor Ruiz.

»Noch nicht. Wir wissen nicht einmal, ob sie hier waren. Ist der Strom schon wieder da bei euch?«

»Leider noch nicht«, entgegnete Christopoulos.

»Ich habe eine Bitte, Janis: Fahr zu meiner Frau und richte ihr aus, dass es mir gut geht. Kannst du das für mich tun?«

»Mache ich«, sagte der Grieche.

»Gib dich gut zu erkennen«, mahnte Bollard. »Sie ist sehr vorsichtig dieser Tage. Ich melde mich wieder.« Sein Gesicht verschwand vom Bildschirm.

»Und ich gehe jetzt schlafen«, sagte Manzano in Shannons Kamera, die noch immer alles filmte.

Ybbs-Persenbeug

Herwig Oberstätter blickte über die drei roten Riesen in der Generatorenhalle des Südkraftwerks. In seiner rechten Hand knackte der Lautsprecher des Funkgeräts.

Mit einem Spezialboten des Militärs war das Update von Talaefer vor drei Stunden eingetroffen.

»Das ist alles?«, wunderten sich die IT-Techniker. Die Anzeigen. Jemand hatte einen Programmteil manipuliert, der die Anzeigen verrücktspielen ließ.

Das verantwortliche Unternehmen ist ruiniert, dachte Oberstätter. Aufträge bekommen die nie wieder, Schadenersatzklagen würden ihm den Rest geben.

Nachdem die Techniker das korrigierte Widget eingespielt hatten, begannen im Leitstand nun Oberstätter und seine Kollegen mit den Tests und den Vorbereitungen für die Betriebsaufnahme. Keine Probleme. Trotzdem behielt Oberstätter einen Rest Skepsis, als er in die Generatorenhalle ging. Er wusste, dass seine Kollegen im Leitstand jetzt über die Geräte gebeugt standen, die Anzeigen kontrollierten und auf die nächste Fehlermeldung warteten.

Zuerst hörte er nichts. Nur an dem Vibrieren der Luft erkannte er, dass der Leitstand die Donauströmung über die Turbinen auf die Generatoren übertragen hatte, was in den Spulen zum ersten Mal seit Tagen Spannung induzierte. Aus dem Zittern der Luft wuchs ein leises, tiefes Brummen, steigerte sich, klang satter, stabilisierte sich in einem milden Dröhnen, das Oberstätter innerlich begrüßte wie den ersten Schrei eines Neugeborenen.

Tag 13 – Donnerstag

Rom

Auch in der vergangenen Nacht hatte Valentina Condotto kein Auge zugetan. Nun saß sie im Kontrollzentrum, nachdem die IT-Forensiker die Arbeitsplätze für einsatzbereit erklärt hatten. Noch war es draußen dunkel, doch aus den meisten Kraftwerken, die deaktiviert worden waren, kam die Meldung der Fehlerbehebung. Sie waren startbereit. Zudem stellten benachbarte Übertragungsnetzbetreiber in Österreich und der Schweiz an den internationalen Kuppelknoten schon Spannung bereit. Sie mussten ihre Netze nicht einmal schwarzstarten. Auf der großen Tafel färbten sich die ersten Linien an den nördlichen Grenzen grün. Von Knoten zu Knoten wurden die Leitungen zugeschaltet, ersetzte eine grüne Linie nach der anderen eine rote. Gleichzeitig breiteten sich die grünen Strahlen von einzelnen Kraftwerken aus und überzogen das ganze Land wie schnell wachsende Wurzeln.

Den Haag

»Die sind hier gut ausgerüstet«, erklärte Bollards Stimme, während seine Helmkamera die Bilder aus der Istanbuler Kommandozentrale übertrug. »Tatsächlich haben wir alle Verhafteten und die Toten auf unserer Liste. Einige von den Kontakten fehlen allerdings.«

Bollard las die Namen vor. Manzano und Shannon hörten ihm zu, wenn auch nicht ganz so aufmerksam wie Christopoulos und die übrigen Mitarbeiter in der Europol-Zentrale.

»Sagen sie denn etwas?«, fragte Christopoulos, betroffen darüber, dass sich zwei Landsleute unter der international besetzten Terroristengruppe befanden.

»Manche reden nur zu gern«, erwiderte Bollard. »Wenn auch wirres Zeug. Manches fanden wir ja schon in den diversen Veröffentlichungen. Es läuft darauf hinaus, dass sie eine neue Weltordnung aufstellen wollen, menschlicher, gerechter, fairer. Sie sind aber der Ansicht, dass diese nicht aus den bestehenden Verhältnissen geschaffen werden kann, sondern nur durch einen großen Knall. Anders würden die trägen, eingelullten, bequemen Menschen vor allem im Westen nicht zu aktivieren sein. Wir werden wohl noch eine ganze Weile brauchen, bis wir...«

»Seht hinaus!«, rief einer der Männer.

Marie Bollard starrte gedankenverloren in den winterlichen Garten, als der Kühlschrank plötzlich ein müdes Brummen von sich gab. Das Geräusch hielt an. Verwundert drehte sie sich um, dann näherte sie sich ungläubig dem Gerät, öffnete es. Drinnen leuchtete es. Hektisch drückte sie den Lichtschalter an der Wand daneben. Die Deckenlampe sprang an.

»Maman!«, hörte sie ihre Kinder aus dem Wohnzimmer rufen. »Maman!«

Sie lief hinüber. Die Stehlampen neben den Sofas strahlten. Georges betätigte die Fernbedienung des TV-Geräts. Auf dem Bildschirm erschien graues Rieseln, aus den Lautsprechern klang Rauschen. Bernadette spielte mit dem Lichtschalter für den Kronleuchter herum, knipste ihn ein und aus, ein und aus.

»Papa hat recht gehabt!«, rief Georges. »Der Strom ist wieder da!«

Hoffentlich bleibt das auch so, dachte Bollard. Im Haus gegenüber sah sie gleichfalls Lichter an- und ausgehen. Sie eilte zum Fenster, die Kinder folgten ihr, pressten ihre Gesichter gegen die Scheibe. So weit sie sehen konnten, flackerte es in den Häusern.

Bollard spürte, wie in ihrem Inneren ein großer, dunkler Stein zerbarst, sich in seine Bestandteile auflöste und verschwand, bis auf wenige Krümel des Zweifels, ob es wirklich vorbei war.

Aus den Häusern traten Menschen, sahen sich um, als sei eine Bedrohung, ein Feind verschwunden, obwohl doch im Gegenteil etwas zurückgekehrt war. Bollard erkannte Nachbarn, die sich um den Hals fielen. Mit jedem Arm umfasste sie eines ihrer Kinder, drückte sie fest an sich, spürte, wie die beiden sie an den Hüften umarmten.

»Kommt Papa jetzt auch nach Hause?«, fragte Bernadette, sah zu ihr hoch. Bollard drückte sie noch fester.

»Ja, das tut er. Sicher ruft er bald an.«

»Dann können wir endlich zu Oma und Opa nach Paris fahren«, sagte Georges.

»Ja, auch das werden wir tun.«

Manzano war mit den anderen zu den Fenstern gestürzt. Am Himmel hingen schwere Wolken und verdunkelten den Tag. Doch einige Fenster nahe liegender Häuser leuchteten auf. Niemand hörte mehr Bollard auf dem Bildschirm zu, nur Christopoulos rief ins Computermikro: »Der Strom ist zurück! Bei uns ist der Strom zurück!«

Immer mehr Fenster erstrahlten, in manchen ging das Licht wieder aus, blieb jedoch in anderen Fenstern desselben Hauses an, als ob die Menschen jeden Lichtschalter ausprobieren müssten, weil sie nicht glauben konnten, dass die Energie tatsächlich wieder floss. Für Minuten verwandelten sich die Straßen in willkürlich blinkende und flackernde Zeilen, die zunehmend heller wurden, doch Manzano konnte verstehen, dass die Menschen sich ihrer wiedergekehrten Welt erst versichern mussten.

Shannon war ebenfalls zum Fenster gestürzt und filmte das Ganze.

Reglos stand das Europol-Team da und verfolgte das Spektakel, bis Christopoulos Manzano umarmte und mit ihm singend durch den Raum zu tanzen begann. Auch andere Mitarbeiter drückten sich, schlugen sich auf die Schultern, jemand jubelte. Manzano beendete den Tanz lachend mit einem Hinweis auf sein verletztes Bein, in einem bunten Durcheinander umarmten sich alle. Niemand schien mehr die Müdigkeit zu spüren, sie benahmen sich wie Irre.

Nach vielleicht zehn Minuten endete das Lichterflackern draußen, stattdessen strömten die ersten Menschen aus den Häusern auf die Straße, fanden sich in Gruppen zusammen, unterhielten sich, gestikulierten aufgeregt.

»Großartig«, stammelte Shannon wiederholt, die Kamera beständig auf die Szenen gerichtet. »Ich muss raus«, sagte sie schließlich. »Das brauche ich aus der Nähe!«

Brüssel

Angström stand mit den anderen am Fenster und schaute auf die Stadt. In den Bürotürmen leuchteten vereinzelt Lichter auf, ebenso in den kleineren Wohnhäusern, die nicht evakuiert worden waren oder deren Bewohner sich geweigert hatten, sie zu verlassen. Leuchtreklamen sprangen an, die Schmuckleuchten an den Fassaden der Bürogebäude strahlten wieder. Ihre Kollegen lachten, redeten wild durcheinander. Telefone läuteten, doch für ein paar Minuten hob niemand ab. Angström musste an ihre Nacht im

Gefängnis denken, an die amerikanische Journalistin und Piero Manzano. Seit ihrer Abreise nach Den Haag hatte sie nicht mehr mit ihnen gesprochen. Sie hatten nur eine Nachricht hinterlassen, dass sie gut angekommen waren, aber da hatte Angström zu Hause geschlafen. Heute Morgen hatte sie im Internet einen kurzen Exklusiv-Bericht von Shannon über die Ereignisse in Istanbul gesehen. Auch Manzano war kurz am Bildrand aufgetaucht. Abwesend klopfte Angström noch einer Kollegin, die sie umarmte, auf die Schulter, dann setzte sie sich an den nächstbesten Schreibtisch und wählte die Nummer ihrer Eltern in Göteborg. Die Leitung war besetzt. Sie versuchte ihre Schwester. Landete auf einem Anrufbeantworter, hinterließ eine kurze Nachricht.

Mehr und mehr Kollegen kehrten an ihre Arbeitsplätze zurück, begannen ebenfalls zu telefonieren. Wie Angström den Gesprächen entnahm, meistens mit Verwandten oder Freunden. Jeder wollte nun die erreichen, die ihm am wichtigsten waren. Auch sie wollte noch von einigen erfahren, ob bei ihnen alles in Ordnung war. Sie ging wieder in ihr eigenes Büro. Dort klingelte gleichfalls das Telefon. Sie hob ab.

»Hey«, hörte sie Piero Manzanos Stimme. »Wie geht es dir?«

Berlin

»Das große Aufräumen beginnt«, stellte Staatssekretär Rhess fest. Die Aufmerksamkeit der Runde hatte er. »Vorrangig ist dabei der Aufbau der Versorgung mit Wasser, Lebensmitteln und Medizin. Bei allen wird es nicht von heute auf morgen gehen, aber mehr dazu erklärt Ihnen die Kollegin Michelsen.«

Und ich darf wieder die schlechten Nachrichten überbringen, dachte diese.

»Mit einer einigermaßen stabilen Energieversorgung sind die Grundvoraussetzungen gegeben«, begann sie.

»Wieso nur einigermaßen?«, rief der Verteidigungsminister dazwischen. Er hatte seine Niederlage im Kampf um die Deutungshoheit noch nicht verwunden und behinderte die Arbeit, wo er konnte.

Michelsen ließ sich dadurch nicht aus der Ruhe bringen. Es war nur eine Frage der Zeit, bis der Bundeskanzler den Querulanten aus dem Kabinett beförderte.

»Weil durch den Stromausfall einige Anlagen schwer beschädigt wurden. Dadurch fehlen Kapazitäten. Andererseits ist die Nachfrage noch längst nicht so hoch wie vor dem Stromausfall, da viele Industriebetriebe ihre Produktion erst im Lauf der kommenden Tage und Wochen wieder werden aufnehmen können.«

Sie rief das Bild eines einfachen Wasserhahns, wie er in Millionen Haushalten zu finden war, auf die Monitorwand.

»In etwa siebzig Prozent des Bundesgebiets brach die Wasserversorgung völlig zusammen.«

Sie hatte das Bild einer Waschmittelwerbung gefunden, die den Schmutz in Toiletten als gruslige Comicfiguren darstellte, und blendete es nun ein.

»Wasser konnte nicht mehr verteilt und zu den Abnehmern gepumpt werden. Dadurch kommt es zu Lufteinschlüssen in den Leitungen, oder diese fallen überhaupt trocken. Das führt in verhältnismäßig kurzer Zeit zu einer Verkeimung der Leitungen. Soll heißen, Wasser, das nun durch diese Leitungen gepumpt würde, wäre gesundheitsgefährdend. Bevor das Wasserversorgungssystem in diesen Gebieten wieder verwendet werden kann, sind umfangreiche Reinigungsmaßnahmen nötig. Diese sind zeit- und personalintensiv, werden voraussichtlich mehrere Wochen in Anspruch nehmen. Währenddessen muss die betroffene Bevölkerung weiterhin über Ausgabestellen versorgt werden.«

Von überquellenden Toiletten waren in den ersten Tagen des Ausfalls genügend Bilder gemacht worden, von denen sie nun eines aufrufen konnte. Einige Anwesende quittierten es mit Äußerungen des Ekels.

»Nicht besser sieht es mit der Entsorgung aus«, fuhr Michelsen ungerührt fort. Nur durch solche Bilder konnten sie den Leuten, die selbst in den vergangenen zwölf Tagen einigermaßen versorgt gewesen waren, deutlich machen, womit die Menschen im Land kämpften.

»Die meisten Toiletten konnten von der ersten Nacht an nicht mehr gespült werden. Zwar konnte man Wasser aus Flaschen, Regenwasser oder geschmolzenem Schnee nachschütten, doch spätestens in der Kanalisation reichte die Wassermenge nicht zum Weitertransport aus. Dadurch kam es sowohl zu Verstopfungen im häuslichen Bereich wie in der Kanalisation, die mittlerweile ebenfalls eingetrocknet sind. Hier wird es ordentliche Spül- und Reinigungsmaßnahmen erfordern, um die Systeme wieder problemlos einsetzen zu können. Die Verantwortlichen rechnen dafür – je nach Gebiet – mit wenigen Stunden bis zu ein paar Tagen, in seltenen Fällen vielleicht sogar Wochen.«

Bild einer Kläranlage.

»In der Abwasserwiederaufbereitung ist man auf kürzere Stromausfälle eingestellt. Die Hauptarbeit in den Kläranlagen leisten Bakterienkulturen. Sie sind starke Schwankungen gewohnt, nach einer so langen Periode sind ihre Bestände aber stark dezimiert und müssen neu in die Becken eingebracht werden. Angesichts der notwendigen Menge wird das ebenfalls ein paar Tage bis Wochen dauern.«

Aufnahmen verwüsteter, leer geräumter Supermärkte.

»Auch die Lebensmittelversorgung kann nicht so schnell wieder problemlos hergestellt werden. Die Bestände an Tiefkühlwaren sind verdorben, praktisch alle Frischware wurde während des Ausfalls ausgegeben oder geplündert. Konserven und länger haltende Nahrungsmittel sind nur beschränkt vorhanden. Viele Supermarktfilialen werden in den nächsten Tagen wieder öffnen, allerdings nach den notwendigen Aufräum- und Instandsetzungsarbeiten vorerst nur ein sehr beschränktes Sortiment anbieten. Auch in diesem Bereich werden die öffentlichen Stellen mit Unterstützung der Hilfsdienste noch für mehrere Wochen die Versorgung vieler Gebiete sicherstellen müssen.«

Bilder einer Geflügelfarm.

»Mindestens ebenso wichtig ist es aber nun, sich über die mittel- und langfristigen Folgen Gedanken zu machen und schnell Lösungen zu finden. Viele produzierende Unternehmen haben alles verloren, beispielsweise Viehzüchter. Abgesehen von den hygienischen Problemen, die bei der Entsorgung von Abermillionen Kadavern noch auf uns zukommen, werden wir in puncto Fleisch mehrere Jahre lang auf Importe angewiesen sein. Gleichzeitig müssen aber die heimischen Unternehmen unterstützt werden, um eine eigene Produktion wieder aufnehmen zu können. Dasselbe gilt zum Teil für die Glashauszucht von Obst und Gemüse. Deutschland ist hier nicht ganz so schlimm betroffen wie andere Staaten, etwa die Niederlande oder Spanien, nichtsdestotrotz gibt es auch bei uns zahlreiche Geschädigte. Sie sehen, wir stehen weiterhin vor gewaltigen Aufgaben. In vielen Fällen wäre es von Vorteil, wenn die Menschen so lange in den Notquartieren blieben, bis die reguläre Versorgung in ihren Wohngebieten angelaufen ist. Ganz wichtig wird in diesem Zusammenhang die Kommunikation mit der Bevölkerung sein. Denn sie wird eine normale Versorgung wie vor dem Stromausfall wesentlich schneller erwarten. Die Psychologie dürfen wir nicht unterschätzen: Der Strom ist zurück, also muss unser altes Leben doch auch wieder funktionieren. Wir bereiten umfangreiche Kommunikationsmaßnahmen vor, um die Bevölkerung über die wahre Lage aufzuklären und sie zu beraten, wie sie sich verhalten soll, bis der Normalzustand tatsächlich wiederhergestellt ist.«

Michelsen fragte sich, wer das alles finanzieren sollte. Seit der Finanz- und Wirtschaftskrise waren praktisch alle europäischen Staaten hoch verschuldet bis bankrott. Für staatliche Unterstützungs- und Förderprogramme existierte eigentlich kein Geld. Die Folgen für die Finanzwirtschaft waren noch nicht abzusehen. Doch die würde später noch der Kollege vom Finanzministerium erläutern.

Den Haag

»Die Terroristen sind gefasst«, verkündete Shannon auf dem Bildschirm. »Noch kann niemand die Folgen des Angriffs abschätzen. Aber schon jetzt steht fest, dass es sich um den schwersten Terroranschlag der Geschichte handelt. Die Opferzahl in Europa und den USA geht in die Hunderttausende, vielleicht Millionen. Die wirtschaftlichen Schäden betragen Billionen, an ihnen werden die betroffenen Volkswirtschaften noch lange zu tragen haben.«

Shannon hatte sie auf Kosten des Senders in einem der besten Hotels Den Haags einquartiert. Jeder von ihnen in einem eigenen Zimmer. Manzano genoss die frische Bettwäsche, das Bad, Momente der Ruhe. Nun lag er auf dem Bett, frisch geduscht, in den weichen Bademantel gehüllt, den das Hotel überraschend schnell zur Verfügung gestellt hatte, und freute sich für Shannon. Das war ihr Moment. Als erste Journalistin der Welt konnte sie von der Verhaftung berichten und dazu exklusives Hintergrundmaterial liefern. Er war fasziniert von ihrer Erscheinung. Obwohl sie seit Nächten kaum geschlafen und die vergangene durchgearbeitet hatte, sah sie aus wie nach einem Wellnessurlaub. Oder hatte ihr eine Stylistin geholfen?

»Wer sind die Verbrecher, auf deren Konto so viel Leid und Elend geht? Was sind ihre Motive?«

Hinter ihr wurden nacheinander die Porträts der Verhafteten und Toten gezeigt, die während der Ermittlungen in Bollards Kommandozentrale gehangen hatten, nur jetzt mit schwarzen Balken vor den Augen.

»Noch nennen die Behörden keine Namen« – und Shannon tat es auch nicht, obwohl sie könnte, dachte Manzano –, »doch erste Spuren deuten auf einen eigenartigen Mix radikaler Anarchisten, die im Kapitalismus, in der modernen Technik und unfähigen, korrupten Politikern die Totengräber von Menschlichkeit, Gerechtigkeit und Umwelt sehen. Geeint wurden sie wohl von einem fanatischen Hass auf unser Gesellschaftssystem, wobei es scheinbar gleichgültig war, woher dieser stammte, und dem Drang, es zu vernichten. Ich bin jetzt mit dem leitenden Ermittler von Europol verbunden, der an der Verhaftung der Täter teilgenommen hat.«

In einem Fenster wurde Bollard aus Istanbul zugeschaltet.

»Herr Bollard, was sind das für Menschen, die so etwas tun?«

»Das werden unsere Untersuchungen in den nächsten Tagen ergeben. Unter den Verhafteten finden sich Personen, die man gemeinhin sowohl dem linksradikalen Spektrum zurechnen würde, als auch solche, die ganz weit rechts eingeordnet werden könnten. Die Mehrzahl kommt aus Elternhäusern, die man in der Mitte der Gesellschaft ansiedeln würde, alle besitzen einen hohen Bildungsgrad.«

»Zeigen diese Profile vielleicht, dass so ein Schubladendenken längst überkommen ist und gesellschaftliche Wirklichkeiten nicht mehr abbildet?«

»Vielleicht. Unter Terroristen aller Lager findet man einen Typ besonders häufig, unabhängig von weltanschaulichen Präferenzen: Wir nennen ihn den Typ des ›Gerechten‹. Er oder sie – zu den Attentätern zählen auch Frauen – ist der festen Überzeugung, im Besitz der allein selig machenden Wahrheit zu sein. Was eigentlich nicht so schlimm wäre, jeder von uns kennt jemanden, der so denkt. Explosiv wird diese Eigenschaft, wenn solche Menschen zudem überzeugt sind, ihre Wahrheit mit jedem nur denkbaren Mittel durchsetzen zu dürfen. Zur Erreichung ihres vermeintlich höheren Ziels nehmen sie auch unschuldige Opfer in Kauf.«

»Wurden alle Täter verhaftet, wie viele sind es, und wo und wann werden sie vor Gericht gestellt?«

»Dazu kann ich Ihnen jetzt noch keine Antworten geben. Ich vermute, jedes betroffene Land wird sie anklagen. Wo tatsächlich Prozesse stattfinden werden, ist heute noch nicht absehbar.«

»Vielleicht ja sogar hier in der nächsten Nachbarschaft von Europol, beim Internationalen Gerichtshof in Den Haag.«

»Wer weiß.«

Istanbul

Die Fernseher am Flughafen hatten ihm alles verraten. Nur wenige Stunden nach dem Sturm auf das Gebäude brachten die ersten Sender Bilder. Zu seiner Enttäuschung auch aus Mexico City. Damit nicht genug, war in weiten Teilen Europas und der USA der Strom zurück. Nun, sie würden sich noch wundern.

Jetzt saß er, nur ein paar Stunden nach Ende des Ausfalls, in einem Flugzeug von Istanbul nach Den Haag. Die Fluggesellschaften hatten ihre Linienflüge nach Europa, wenn auch nicht alle, so schnell wie möglich wieder aufgenommen.

Sie hatten es anders geplant. So, wie es begonnen hatte. Kein Strom mehr, nirgends. Mindestens drei bis vier Tage hatte er gerechnet, bis in dem Chaos jemand die Ursache der Ausfälle herausfinden würde. Mindestens zwei Wochen, bis die Leitstellen der Netze nach den Blue Screens wieder einsatzbereit wären. Für die

Entdeckung der SCADA-Manipulationen hatte er mehrere Wochen veranschlagt. Wenigstens einen Monat lang sollte Europa nach der ersten Welle ohne Strom sein. Wäre dieser Italiener nicht gewesen. Kurz war sein Gesicht über den Bildschirm vor ihm geflimmert. Um diesen Italiener hätten sie sich früher kümmern müssen. Gleich nachdem er Europol auf die Idee mit den Smart Metern gebracht hatte. Und konsequenter. Wer konnte ahnen, dass der Kerl so hartnäckig bleiben würde. Brachte sie womöglich nun um die Früchte ihrer jahrelangen Arbeit und die Welt um ihre Chance auf einen Neuanfang. Dafür sollte er bezahlen. Er musste sich eingestehen, dass er diese Angelegenheit persönlicher nahm, als es professionell gewesen wäre.

Er wusste nicht, wer die vorgesehene zweite Welle zuletzt blockiert hatte. Er selbst hatte den Befehl gestern gesendet, irgendwann gegen Mittag. Blieb also noch etwas Zeit. Gerade genug, um den Italiener zu finden. Er wusste ja, wo er ihn suchen musste.

Den Haag

Zusammengekrümmt saß Marie Bollard vor dem Computer und durchstreifte das Internet nach Neuigkeiten aus Saint-Laurent. Seit den ersten TV-Bildern, die einige Sender vor ein paar Stunden auf die Mattscheibe brachten, suchte sie mal auf den Fernsehkanälen, mal auf dem Computer, hing ihr Blick an irgendeinem Bildschirm in der verzweifelten Hoffnung, etwas über das Schicksal ihrer Eltern herauszufinden, zunehmend aber auch gebannt von der Fülle an Katastrophenmeldungen, die sie nach und nach entdeckte, auch aus den USA. Zum ersten Mal wurden ihr die verheerenden Ausmaße wirklich bewusst.

Die Nachlese der Diskussionen über einen möglichen Weltkrieg ließ sie schaudern. Tagealte Bilder von den Explosionen in Saint-Laurent, Berichte und Newsticker ließen sie verzweifeln, Meldungen über die Evakuierungen wieder hoffen, ihre und François' Eltern wären rechtzeitig in Sicherheit gebracht worden. Aus Dutzenden Städten kamen austauschbare Bilder der Verwüstung, die aufgebrachte Bewohner und Randalierer zurückgelassen hatten. Improvisierte Massengräber, brennende Berge verendeten Viehs, kilometerhohe Rauchsäulen über Industrieanlagen, schießende Panzer. Und wozu das Ganze? Über die Motive der Terroristen gab es bislang nur wilde Spekulationen. Immer wieder versuchte sie die Telefone von Verwandten, Freunden, Bekannten in Frankreich und anderen Ländern, doch die Leitungen waren überlastet oder blieben noch tot. Auch über das Internettelefon erreichte sie niemanden.

Dazwischen fand sie immer wieder aktuelle Aufrufe und Informationen der Behörden. Die Rückkehr zur Normalität stand zwar bevor, würde aber nicht so schnell voranschreiten, wie die Menschen es erhofften. Warum dauerte denn das alles so lange? Der Strom war doch wieder da! Sie vertiefte sich erneut in die Berichte aus Frankreich.

Ratingen

»Wir konnten die Herkunft des Schadcodes in dem SCADA-Widget inzwischen rückverfolgen«, erklärte Dienhof. »Dragenau hat ihn bereits im letzten Jahrtausend eingebaut.«

»So lange hat er den Coup vorbereitet?«, fragte Hartlandt.

»Das werden wir nie erfahren. Vielleicht war es nur eine Fingerübung. Oder er wollte damals schon etwas in der Hinterhand haben, um sich vielleicht einmal für die Übernahme seiner Firma zu rächen.«

735

»Warum ist die Manipulation nie aufgefallen?«

»Dragenau suchte sich einen günstigen Zeitpunkt aus. Erinnern Sie sich an die Y2K-Hysterie kurz vor der Jahrtausendwende? Alle Computer würden wegen des Datumswechsels abstürzen. Wir hatten kräftig zu tun, weil unsere Entwickler in früheren Jahren natürlich auch an vielen Stellen ein zweistelliges Jahr programmiert hatten. Es wurden fast alle unserer Programme in der einen oder anderen Form modifiziert. Die Prüfer und die Tester konzentrierten sich auf den Jahrtausendwechsel. Letztendlich trat die vorhergesagte Katastrophe nicht ein. Aber die IT-Berater haben sich eine goldene Nase verdient. In diesem Durcheinander wurden die paar Zeilen übersehen. Und auch danach nie gefunden.«

»Er ließ ihn elf Jahre lang ruhen.«

»Wie die Terroristen genau auf Dragenau kamen, werden wohl die Ermittler herausfinden. Wahrscheinlich haben sie verschiedene Insider bei mehreren Firmen angesprochen. Ein riskantes Unterfangen, wenn Sie mich fragen, aber offensichtlich hat es geklappt.«

»Womöglich war Dragenau gar nicht über die Tragweite der Pläne informiert«, wandte Hartlandt ein. »Vielleicht sah er nur seine Zeit gekommen, seine Rache auszuüben. Und jemand bot ihm genug Geld an.«

»Auf jeden Fall bereitete er die Aktivierung des Codes wenige Tage, bevor er nach Bali abreiste, über Hintertüren vor, die er ebenfalls vor Jahren darin versteckt hatte. Zur Stichzeit begannen sie, die Instrumente verrücktspielen zu lassen.«

»Viel hat er von seinem Verrat nicht gehabt«, bemerkte Hartlandt.

Dienhof schüttelte zustimmend den Kopf.

»Danke, Herr Dienhof«, sagte Hartlandt. »Auch dafür, dass Sie so schnell bereinigte Versionen zur Verfügung gestellt haben.«

Er wandte sich an Wickley, der Dienhofs Ausführung mit versteinerter Miene gefolgt war.

»Und was Sie betrifft: Für einen Haftbefehl hat es nicht gereicht. Aber für den Versuch, die Entdeckung des Schadcodes zu verheimlichen, sehen wir uns sicher vor Gericht wieder.«

Hartlandt reichte Dienhof zum Abschied die Hand. Wickley schenkte er nicht einmal ein Nicken. Jetzt hatte er noch ein Gespräch zu führen, auf das er nicht scharf, das ihm aber ein Bedürfnis war.

Den Haag

»Manzano«, meldete er sich am Telefon in seinem Hotelzimmer.

Der Concierge erklärte: »Ein Herr Hartlandt für Sie.«

Manzano zögerte einen Moment, dann sagte er: »Stellen Sie durch.«

Der Deutsche begrüßte ihn auf Englisch, erkundigte sich nach seinem Befinden.

»Jetzt besser«, antwortete Manzano misstrauisch. Was wollte der Mann von ihm, dessen Mitarbeiter ihn angeschossen und der ihm mit Vernehmungen durch die CIA gedroht hatte?

»Sie haben verdammt gute Arbeit geleistet«, sagte Hartlandt. »Ohne Sie hätten wir so manches nicht geschafft. Oder zumindest nicht so schnell.«

Manzano schwieg überrascht.

»Ich möchte Ihnen für Ihre Hilfe danken. Und Sie um Entschuldigung bitten dafür, wie wir Sie behandelt haben. Aber zu diesem Zeitpunkt ...«

»Entschuldigung angenommen«, erwiderte Manzano. Er hatte nicht erwartet, in seinem Leben noch einmal von Hartlandt zu hören. »Es war eine außergewöhnliche Situation. Wir haben uns alle nicht immer ganz vernünftig verhalten, schätze ich.«

War er jetzt zu versöhnlich gewesen? Sollte er den anderen so einfach davonkommen lassen?

»Ich wünsche Ihnen viel Glück«, sagte Hartlandt.

»Danke. Wir werden es alle brauchen. Sagen Sie Ihrem Kollegen, er soll das nächste Mal nachdenken, bevor er auf einen Menschen schießt.«

»Ich denke, wir haben unsere Lektion gelernt.«

»Ich wünsche auch Ihnen alles Gute.«

Berlin

»Noch liegen uns keine verlässlichen Zahlen über Opfer vor«, erklärte Torhüsen vom Gesundheitsministerium. »Erste Schätzungen gehen für die Bundesrepublik jedoch von einer hohen fünfstelligen bis niedrigen sechsstelligen Zahl unmittelbarer Toter aufgrund des Ausfalls aus.«

Michelsen spürte, wie für einen Augenblick alle im Raum den Atem anhielten.

»Wie gesagt, das sind vorläufige Zahlen. Wir können nicht ausschließen, dass sie noch beträchtlich steigen. Für ganz Europa müssen wir womöglich mit mehr als einer Million rechnen. Noch nicht erfasst sind dabei mögliche Opfer von Langzeitschäden, etwa durch unbehandelt gebliebene chronische Erkrankungen – Herz, Diabetes, Dialysepatienten – oder durch radioaktive Verstrahlung. Im Umkreis von zehn Kilometern rund um das Kernkraftwerk Philippsburg mit seinem havarierten Abklingbecken wurde eine gesundheitsschädlich hohe Strahlenbelastung gemessen. Ob die Bevölkerung rechtzeitig evakuiert wurde, werden erst die nächsten Jahre und Jahrzehnte zeigen – falls sich jemand die Mühe machen wird, die individuellen Krankheitsgeschichten zu erfassen. Wir reden immerhin von Zehntausenden Menschen, die betroffen sein könnten. Auch wird die Zukunft erst zeigen, ob die evakuierten Gebiete in absehbarer Zeit wieder bewohnbar sein werden. Um die Anlagen Brokdorf und Grohnde wurden erhöhte Werte gemessen, genauere Informationen dazu liegen uns aber noch nicht vor. Nicht auszuschließen auch hier, dass es zu Spätfolgen kommen wird und Absiedelungen notwendig werden.«

Torhüsen wechselte von den Bildern der Atomkraftwerke zu jenen von Friedhöfen mit großen Flächen frisch aufgeschütteter Erde.

»Ein nicht zu vernachlässigender Aspekt ist die Entsorgung der menschlichen Leichen. In der Not wurden in den vergangenen Tagen Verstorbene in anonymen Massengräbern bestattet. Hier wird es noch zu zahlreichen Kontroversen kommen mit Angehörigen Vermisster, vermutlich werden viele Leichen exhumiert und aufwendig identifiziert werden müssen.«

Die Aufnahmen leer gefegter, verwüsteter Krankenhäuser stammten aus Berlin.

»Schneller, wenn auch nicht von heute auf morgen, kann der Betrieb in Krankenhäusern wieder aufgenommen werden. Wichtig wird hier die Wasser-, Lebensmittel- und Medikamentenversorgung sein. Mittelfristig müssen wir uns auf Engpässe bei diversen Medikamenten einstellen, die zwar noch auf Lager sind, aber deren Produktionsketten unterbrochen wurden und erst wieder etabliert werden müssen. Wir gehen momentan davon aus, dass in etwa einer Woche ein Großteil der Bevölkerung wieder medizinisch versorgt werden kann. Auch Arztpraxen können ihren Betrieb weitestgehend wieder aufnehmen, wenn auch mit Einschränkungen und verkürzten Sprechzeiten. Die Apotheken können ebenfalls binnen der nächsten Tage geöffnet und beliefert werden.«

Den Haag

Lachend zielte Shannon mit der Kamera auf Manzano. Sie schaute kurz bei ihm vorbei. Viel Zeit hatte sie nicht.

»Du bist ein Held!«, rief sie. »Jetzt wirst du berühmt!«

Manzano hob die Hand vor das Gesicht. »Lieber nicht.«

»Aber ein Interview bekomme ich doch, oder?«

»Warum drehen wir den Spieß nicht um? Ich befrage dich. Immerhin hast du den Computer gerettet, über den wir RESET gefunden haben.«

Schon wieder klingelte Shannons Mobiltelefon. Sie wechselte ein paar Worte mit dem Anrufer, steckte das Gerät weg.

»Ich werde ohnehin die ganze Zeit genervt«, maulte sie kokett.

»Du bist die Berühmtheit«, sagte er.

»Ich bin nur die Überbringerin der Botschaft.«

Sie bremste ihre Ausgelassenheit ein wenig, ließ sich auf das Sofa fallen und musterte ihn nachdenklich. »Was ist?«, fragte sie.

»Was soll sein?«

Mit einem Mal verlor ihre Stimme die Überdrehtheit, wurde sanft, aber bestimmt.

»Sorry, wir haben so viel gemeinsam durchgemacht, da kann ich nicht übersehen, dass dich etwas beschäftigt.«

»Vielleicht das, was wir durchgemacht haben?«

Wenn ihr Kopf so rot war, wie er sich heiß anfühlte, sah das nicht gut aus, dachte sie peinlich berührt. Immer noch war sie sich über ihre Gefühle für Manzano nicht im Klaren. Sie waren sich sehr nahegekommen während ihrer Odyssee, in vielerlei Hinsicht. Doch wenn sie ganz tief in sich hineinhorchte, musste sie sich eingestehen, dass sie für ihn eher empfand wie für jenen großen Bruder, den sie nie gehabt hatte.

Er musste ihre Verlegenheit bemerkt haben.

»Ich meinte, was wir gesehen und erlebt haben. Die Folgen dieses irren Angriffs, was die Menschen durchmachten.«

Fast ein wenig gekränkt und doch erleichtert erwiderte sie: »Das werden wir alle so schnell nicht vergessen.«

Er nickte, blickte zum Fenster hinaus. »Eines verstehe ich nicht«, sagte er. »Diese Frauen und Männer betrieben einen ungeheuren Aufwand, um die Attacke durchzuführen. Der Gedanke beschäftigt mich schon die ganze Zeit.«

Kann der nie abschalten?, dachte Shannon.

»Ich frage mich, wann sie ihr Ziel als erreicht betrachtet hätten. Oder ob sie überhaupt schon so weit waren. Die Pamphlete und Manifeste, die sie veröffentlicht haben, reden von einer gerechteren, solidarischeren Ordnung, die aber nur durch einen völligen Neustart zu erreichen sei. RESET. Das System auf null zurücksetzen. Wenn sie uns die Grundlagen unserer Zivilisation nehmen, so die Idee, müssten wir alles neu organisieren. Wir kennen zwar die langfristigen Auswirkungen noch nicht, aber um unsere Ordnung völlig umzukippen, dauerte der Zustand nicht lange genug an. In den meisten betroffenen Staaten sind nach wie vor die gewählten Regierungen an der Macht, richten sich die herkömmlichen Strukturen wieder ein. Zwölf Tage waren nicht genug. Konnten sie das ahnen? Hatten sie vor, die Ausfälle länger anhalten zu lassen? Ich überlege die ganze Zeit, wie ich anstelle dieser Wahnsinnigen vorgegangen wäre …«

Theatralisch zitierte Shannon: »Könnte einer von uns sein …«, den Dialog von B.tuck und Tancr auf RESET. Manzanos schmale Lippen und den finsteren Blick hatte sie erwartet. Bevor er antworten konnte, fügte sie hinzu: »Bist du aber nicht. Deshalb weiß ich nicht, ob du …«

»Wenn ich so weit gegangen wäre wie diese Typen«, setzte Manzano seine Überlegungen fort, »hätte ich Vorkehrungen getroffen für den Fall, dass ich vorzeitig erwischt werde. Ich hätte dafür gesorgt, dass meine Ziele trotzdem erreicht werden. Sieh dir die Aufnahmen von den Verhaftungen und danach an. Im Gegenteil, auf mich wirken sie fast zufrieden, wenn nicht sogar triumphierend?«

»Wahrscheinlich wollten sie einfach nur berühmt werden wie alle anderen Massenmörder auch. Das ist ihnen gelungen, und das wissen sie auch.«

Er schüttelte den Kopf, betrachtete den Boden, als stünde dort die Antwort seiner Fragen.

»Ich habe ein schlechtes Gefühl«, widersprach er. »Als ob da noch was ganz anderes kommt.«

»Weißt du was?«, sagte Shannon. »Ich soll nach Brüssel fahren, habe dort ein paar Termine mit Spitzenpolitikern …«

»Du bist jetzt eine gefragte Frau.«

»Vielleicht bekomme ich ja auch Sonja vor die Kamera. Immerhin konnten wir dank ihr RESET entdecken. Hast du Lust mitzufahren? Da kommst du auf andere Gedanken.«

Istanbul

»Was hätten Sie anstelle der Angreifer gemacht?«, fragte Bollard. Sein Raum hatte sogar ein Fenster, vor dem sich die Sonne rot glühend über die Dächer der Stadt senkte.

»Ich kenne den jüngsten Stand der RESET-Analysen nicht«, erwiderte Manzano auf Bollards Computerbildschirm. »Wurden die Elemente der Schadprogramme schon rekonstruiert?«

»Erst Teile davon.«

»Betreffen sie die Angriffe der vergangenen Wochen?«

»Wissen wir noch nicht. Es handelt sich um Tausende Abstimmungsgespräche mit Softwareentwicklern und Millionen von Codezeilen. Worauf wollen Sie hinaus?«

»Die bisherigen Angriffe scheinen alle am ersten Tag ausgelöst worden zu sein. Oder haben wir inzwischen Hinweise darauf, dass die Terroristen laufend die Systeme manipulierten?«

»Nein.«

»Sie haben mich gefragt, was ich anstelle der Angreifer gemacht hätte: Nun, ich hätte dafür gesorgt, dass die Angriffe weitergehen können, auch wenn ich sie nicht mehr durchführen kann. Ich hätte Zeitbomben in den Stromsystemen versteckt, die hochgehen, sobald die Netze wieder laufen und ich sie nicht selbst erneut abschalten kann.«

Bollard starrte ein paar Sekunden auf den Monitor. Die Terroristen hatten in ihrer Konversation so unrecht nicht gehabt: Manzano dachte wie sie. Oder er war bloß paranoid, nach allem, was er durchgemacht hatte?

»Bei meinem ersten Besuch auf RESET stieß ich auf eine Unterhaltung, in der von einer Hintertür die Rede war«, fuhr Manzano fort. »Wozu eine Hintertür, wenn man schon drin ist?«

»Um hineinzukommen, wenn alle glauben, dass die Systeme wieder sicher sind...«, vervollständigte Bollard Manzanos Gedankengang.

Manzano zuckte nur mit den Schultern.

»Ich bin doch sicher nicht der Erste, der sich so etwas denkt«, sagte Manzano. »Gibt es schon Spuren von Pucao, Jusuf und von Ansen?«

Bollard antwortete mit einer Gegenfrage: »Sie glauben, dass es noch nicht vorbei ist?«

»Ich weiß es nicht«, antwortete der Italiener. »Ich fahre jetzt nach Brüssel. Von dort melde ich mich wieder.«

Der Bildschirm wurde schwarz.

Dann wählte Bollard zum wiederholten Mal seinen Kontakt beim französischen Roten Kreuz.

»François«, begrüßte ihn das faltige Gesicht unter den grauen

Haaren. »Tut mir leid, wir haben deine Eltern und Schwiegereltern noch nicht gefunden.«

Orléans

Die meisten Einquartierten drängten sich im Eingangsbereich der Halle. Manche strebten bereits den Ausgängen zu, ihre Habseligkeiten in Koffern und auf den Schultern, die Kinder an den Händen. Die anderen versuchten, einen der Militärs, Beamten und Helfer am Empfang zu erreichen. Annette Doreuil und Vincent Bollard mussten ihre gesammelten Kräfte einsetzen, um vorwärtszukommen.

»Nein!«, rief ein Soldat einigen Personen weiter vorne zu, laut genug, dass auch Doreuil und Bollard es verstanden. »Vorläufig darf niemand in die Sperrzone zurück!«

Die Nachricht von der Rückkehr der Elektrizität hatte sich schnell herumgesprochen. Nachdem die Ersten von draußen zurückgekehrt waren und von den beleuchteten Fenstern der umliegenden Häuser berichtet hatten, strömten alle hinaus, um sich selbst zu überzeugen, dann setzte der große Aufbruch ein. Vergeblich mühten sich die Verantwortlichen damit ab, die Menschen aufzuhalten. Aufgeregt schnatternd flüchteten viele geradezu. Nicht alle Bewohner des Notquartiers stammten aus der Evakuierungszone, wie sie während der vergangenen Tage erfahren hatten. Viele wohnten in irgendwelchen Hochhäusern von Orléans, die aus hygienischen Gründen geräumt worden waren. Ob dort schon wieder Wasser floss? Auch Doreuil sehnte sich nach einer Dusche in ihrem eigenen Bad.

»Aber wo sollen wir denn sonst hin?«, riefen einige.

»Hierbleiben!«, erklärte der Soldat.

»Hier bleibe ich keine Sekunde länger«, rief Doreuil ihrem Begleiter zu, um den Lärm zu übertönen.

Vincent Bollard antwortete nicht. In seinen Augen konnte sie die Angst lesen, nie wieder nach Hause zurückkehren zu dürfen.

»Nach Paris sind es nur hundertdreißig Kilometer! Da müssen wir doch irgendwie hinkommen. Wenn der Strom wieder da ist, kann man wieder tanken, ein Taxi nehmen oder einen Wagen mieten. Ich zahle jeden Preis. Oder es fahren wieder Züge.«

Bollard wiegte zweifelnd den Kopf.

»In unserer Wohnung ist es auf jeden Fall angenehmer als hier!«, schrie sie. Wie selbstverständlich hatte sie »unsere« gesagt, merkte sie. Noch hatte sie sich nicht daran gewöhnt, dass Bertrand nicht mehr lebte. Sie ertrug den Gedanken nicht, allein zu sein.

»Celeste und du, ihr kommt selbstverständlich mit!«, rief sie Bollard zu. Sie zog ihn am Arm aus dem Getümmel, in die Schlafhalle, wo es vergleichsweise ruhig zuging.

Celeste Bollard saß auf ihrem Bett und bewachte die verbliebenen Habseligkeiten des Trios.

Doreuil schilderte ihren Beschluss: »Ihr wohnt bei uns – bei mir –, bis ihr wieder in euer Haus dürft.« Dann packte sie hastig ihre Sachen.

Schweigend sahen ihr die Bollards zu. Schließlich legte Celeste Bollard ihren Koffer auf das Feldbett und verstaute ihre Kleidung darin.

Berlin

»Wir haben den Zorn der Bürger selbst miterlebt«, erinnerte Rolf Viehinger aus dem Innenministerium. »Die Zahl der Plünderungen, Einbrüche, Diebstähle und noch schwererer Verbrechen ist nicht einmal ansatzweise erfasst und wird es wahrscheinlich nie. In mindestens zwanzig Gemeinden und Landkreisen wurden – wenn auch erst in den letzten drei Tagen – die gewählten Vertreter beziehungsweise die öffentlichen Behörden von Teilen der Bevölkerung aus ihren Funktionen gezwungen. Wie zu erwarten war, waren die Täter jedoch noch weniger in der Lage, für Ordnung oder Sicherheit zu sorgen, in manchen Fällen wird das auch gar nicht ihr Ziel gewesen sein. Uns liegen sogar Berichte von Selbstjustiz bis hin zu Lynchmorden vor. Verifizieren konnten wir diese allerdings noch nicht. Die offiziellen Sicherheitskräfte versuchen zurzeit in diesen Gebieten wieder ihre Funktionen einzunehmen. Im Allgemeinen scheint das relativ gut zu laufen. Manche der neuen Herren setzen sich aber auch noch zur Wehr. Kein Wunder, sie haben mit entsprechenden rechtlichen Konsequenzen zu rechnen. Diesbezüglich steht die Justiz mittel- und langfristig vor einem Riesenproblem, für das wir eine Lösung finden müssen. Die Verfolgung aller Straftaten, die während des Ausfalls begangen wurden, würde unseren Justizapparat auf Jahre hinaus blockieren. Wir müssen hier also entweder massiv und sehr schnell Personal aufstocken, was ich allerdings für unrealistisch halte, oder einen anderen Weg finden, damit umzugehen.«

»Eine Generalamnestie für mindere Delikte, zum Beispiel«, warf der Justizminister ein. »Die müsste bald erlassen werden, damit die Bürger so schnell wie möglich wieder Rechtssicherheit besitzen. Denn«, fügte er mit erhobenem Zeigefinger hinzu, »das Gefühl der Sicherheit in allen Belangen wiederherzustellen ist das Gebot der Stunde. Entschuldigen Sie«, sagte er zu Viehinger und bedeutete ihm, seinen Vortrag fortzusetzen.

»Noch eine Weile beschäftigen wird uns das Einfangen der entflohenen Strafgefangenen«, fuhr Viehinger fort. »Erste Schätzungen reden von knapp zweitausend Delinquenten. Rund ein Viertel davon gilt als hochgefährlich. Dabei werden wir auf die Hilfe der

Bevölkerung angewiesen sein. Die Kommunikation dazu erfordert allerdings höchste Sensibilität. Schließlich dürfen sich die Menschen nicht von Schwerverbrechern umzingelt wähnen, sollten aber auch nicht versuchen, auf eigene Faust vorzugehen.«

Er machte eine Pause, trank einen Schluck Wasser.

»Wird das so einfach?«, fragte der Außenminister. »Die Menschen haben sich daran gewöhnt, Eigeninitiative zu ergreifen. Werden sie sich Vorgaben öffentlicher Stellen beugen, wenn diese ihre Aufgabe nicht hundertfünfzigprozentig erfüllen können?«

»So viel Eigeninitiative war da nicht«, relativierte Viehinger. »Etwa ein Drittel der Bevölkerung saß zuletzt in Notquartieren, die ihnen zur Verfügung gestellt wurden, achtzig Prozent gingen zu den Wasser- und Lebensmittelverteilstellen, verließen sich also auf die Organisation durch den Staat. Die meisten Menschen werden in den kommenden Wochen, Monaten, ja sogar Jahren, ausreichend damit beschäftigt sein, die Folgen der Katastrophe zu bewältigen. Denn dass die langfristigen Folgen mindestens ebenso verheerend sein können, steht außer Zweifel.«

Brüssel

Lachend umarmte Manzano den alten Mann.

»Ich war noch nie in Brüssel«, erklärte Bondoni grinsend. »Da dachte ich, das ist doch die Gelegenheit.« Er klopfte Manzano auf die Schulter. »Schlecht siehst du aus, Junge! Stimmt es, was man von dir hört? Du hast die Terroristen quasi im Alleingang besiegt?«

»Ich bin nicht einmal in ihre Nähe gekommen«, erwiderte Manzano. Er drückte auch Bondonis Tochter, die mit ihrem Vater die Luxussuite im Hotel teilte, bis das Wasser in ihrer Wohnung wieder lief.

»Deine Freundinnen sind auch gesund zurückgekommen?«

»Tadellos.«

»Darf ich dir Antonio Salvi vorstellen?«, sagte Bondoni und schob einen dünnen Mann mit noch dünneren Haaren vor, der sich bis jetzt im Hintergrund gehalten hatte. »Sein Sender zahlt das hier alles« – er deutete in den Raum –, »auch den Flug im Privatjet von Innsbruck. Er möchte eine Reportage über mich machen. Irgendwie hat er erfahren, dass mein alter Fiat dich nach Ischgl gebracht hat, von wo du ...«

Manzano schüttelte die Hand des Journalisten. Seit gestern hatten dessen Kollegen aus der ganzen Welt ununterbrochen im Den Haager Hotel angerufen und nach ihm verlangt. Er hatte gebeten, die Gespräche nicht mehr auf das Zimmer durchzustellen. Wusste der Teufel, woher sie sein Quartier kannten. Zum Glück lag sein Mobiltelefon noch in Deutschland, wo dieser Hartlandt Manzanos Wagen und Gepäck konfisziert hatte. Bollard hatte bereits angekündigt, dass er für eine Rückführung sorgen wollte. In Brüssel hatte ihn noch kein Reporter aufgespürt.

»Vielleicht darf ich ja auch Ihnen ein paar Fragen ...«, setzte Salvi an, mit einem Seitenblick auf Shannon, die bisher kaum etwas gesagt hatte.

Jetzt legte sie einen Arm um Manzanos Schulter, zog ihn zu sich. »Nicht bevor ich ihn vor der Kamera hatte ...«

»Und wie war es in den Bergen?«, lenkte Manzano ab.

»Wie erwartet«, antwortete Bondoni, »besser als an den meisten anderen Plätzen. Wasser, Essen, Holzfeuer, charmante junge Frauen, alles da. Ich habe den ganzen modernen Kram nicht vermisst.«

»Deshalb bist du sofort per Privatjet in dieses Luxushotel hier umgezogen«, antwortete Manzano lachend. Es geht doch nichts über ein bisschen moderne Annehmlichkeiten, nicht?«

Bondoni wackelte unwillig mit dem Kopf. »Wo ist denn die reizende Schwedin, die du uns entführt hast?«

Orléans

Annette Doreuil und die Bollards schleppten ihre schweren Taschen und Koffer durch die eisigen Straßen der Stadt. Verstreuter Müll bedeckte Bürgersteige und Fahrbahnen und verpestete die Luft. Die öffentlichen Verkehrsmittel fuhren noch nicht, nur Polizeiautos und Panzerwagen des Militärs. Sie passierten Tankstellen, an denen sich bereits lange Warteschlangen bildeten, obwohl in vielen Stationen kein Licht leuchtete. Lokale, Cafés oder Imbisse hatten noch geschlossen. Sie hatten noch kein einziges Taxi ausfindig gemacht. Zu einem Autoverleih hatten sie sich durchgefragt, doch dort war niemand. Was hatten sie erwartet?

Am Hauptbahnhof bevölkerten Tausende Menschen die Halle unter dem doppelt geschwungenen Glasdach. Die Läden waren geschlossen, auch hinter den Schaltern entdeckte sie niemanden.

Erschöpft stellten sie ihr Gepäck ab. Celeste Bollard würde es bewachen, während Vincent und sie herausfinden wollten, ob die Bahn Verbindungen nach Paris anbot.

Nach einigem Fragen erfuhr Doreuil, dass anfangs zwar Züge in unregelmäßigen Abständen gefahren waren, seit einer Woche jedoch kein einziger mehr. Allerdings behaupteten Gerüchte, dass noch heute einer nach Paris gehen sollte. Doch wusste niemand, wann, ob man Tickets benötigte und woher man die bekommen sollte, und überhaupt blieben es Gerüchte, deren Wahrheitsgehalt niemand bestätigen konnte. Anderes Gerede behauptete, dass auch Paris zur Sperrzone erklärt worden sei, wegen einer radioaktiven Wolke, und dass deshalb sicher keine Züge in die Hauptstadt gelassen würden.

»Nichts Konkretes herauszufinden«, stellte Vincent Bollard

enttäuscht fest, als sie sich wieder trafen. »Der Strom ist zwar wieder da, aber noch nicht das Bahnpersonal.«

»Alles abzuschalten ging schnell«, sagte seine Frau. »Jetzt wieder alles in Schwung zu bringen dauert wohl etwas länger. Da haben wir uns zu früh gefreut.«

Berlin

Staatssekretär Rhess hatte in den zwölf vergangenen Tagen sicher sechs Kilogramm abgenommen, dachte Michelsen, als er aufstand.

»Zuerst einmal eine gute Nachricht. Die Kommunikationssysteme funktionieren wieder in weiten Teilen der Republik. Wir alle durften bereits mit Angehörigen und Freunden telefonieren, konnten Nachrichten im Internet lesen oder im TV sehen. Das erleichtert in der gegenwärtigen Situation vieles. Wobei auch auf diesem Gebiet gerade in den nächsten Tagen einiges auf uns zukommen wird. In den ersten Stunden dürfen wir mit aufgeregter Berichterstattung über das Ende des Stromausfalls rechnen. Wir müssen außerdem möglichst viele Informationen zur Selbsthilfe bekannt geben beziehungsweise zur Wasser- und Lebensmittelversorgung. Doch sobald die Medien über das volle Ausmaß der Katastrophe berichten, werden Beschwerden und Kritik zunehmen. Für die Regierung wie für alle staatlichen Institutionen liegt darin eine ebenso große Gefahr wie Chance. Viele Fragen werden auftauchen. Warum waren unsere Systeme so angreifbar? Welche Verantwortung tragen die Energieunternehmen, und mit welchen Konsequenzen müssen sie rechnen? Warum waren die Notfallsysteme so unzureichend? Warum ging dem Behördenfunk der Saft schon nach wenigen Stunden aus? Wie konnten die Angreifer ihre Tat so lange so unbeachtet planen? Warum brechen die Telefonnetze nach kürzester Zeit zusammen – trotz gegenteiligem Gesetzesauftrag? Wie konnte es zu den Katastrophen in den Kernkraftwerken kommen, die doch alle die Stresstests bestanden hatten? Wie intelligent sind die intelligenten Stromzähler und das zukünftige intelligente Stromnetz wirklich – und vor allem: Wie sicher sind sie? Warum muss bereits heute jeder deutsche Haushalt bei Neubau oder Renovierung Smart Meter einbauen, ohne dass die Stromversorger deren absolute Sicherheit garantieren müssen? Kann man den Umbau der Energienetze auf einer solchen Basis verantworten?«

»Darüber wird sicher zu diskutieren sein«, warf die Umweltministerin ein. »Allerdings dürfen wir das Kind nicht mit dem Bade ausschütten. Ausgeschaltet wurde das bestehende System. Es bietet demnach nicht mehr Sicherheit als mögliche zukünftige. Eigentlich kann es nur besser werden, oder nicht?«

»Ich bin nicht hier, um Position zu beziehen«, erwiderte Rhess ruhig, »sondern auf die erwartbaren Diskussionen vorzubereiten. Diese wird eine sein.«

Brüssel

Angström merkte, dass sie zu laut und zu viel lachte, aber nach dem fünften Glas Wein war ihr das egal. Fleur van Kaalden, Chloé Terbanten, Lara Bondoni und Lauren Shannon würde es nicht auffallen, sie hatten teils noch mehr getrunken. Immer wieder amüsierten sie sich über die Geschichte, wie der italienische Journalist über Bondoni an Manzano und Shannon herankommen wollte und dafür von seinem Sender sogar einen Privatjet hatte chartern lassen, der sie nach Brüssel gebracht hatte.

Das Hotel hatte den Betrieb schnell wieder aufnehmen können. Vor allem die Alkoholreserven waren während des Ausfalls nicht verbraucht worden, also lehnten sie an der Bar, kippten übermütig den Inhalt ihrer Gläser hinunter. Laras Vater war nach dem – noch bescheidenen – Essen zu Bett gegangen. Der italienische Journalist hatte bei jeder von ihnen sein Glück versucht, gerade bearbeitete er van Kaalden. Angström war das nur recht. Wie schon an dem Abend in der Skihütte hatte sich ihre Freundin während des gesamten Essens an Manzano förmlich herangeschmissen. Dabei sah er wirklich schrecklich aus. Die Narbe an der Stirn, in der immer noch Nähte steckten, die scharfen, fast ausgemergelten Gesichtszüge. Solange er nicht ging, bemerkte niemand seine Beinverletzung, der nicht davon wusste. Immerhin hatte er sich rasiert. Wenn sie daran dachte, in welchem Zustand er vor zwei Tagen bei ihr aufgetaucht war.

Van Kaalden und der italienische Reporter lehnten an der Bar, die anderen tanzten. Angström wunderte sich nicht, dass die Menschen sich so fröhlich benahmen, als wäre nichts geschehen. Heute wollten sie die Angst, die Qual, die Verzweiflung der vergangenen Wochen wegfeiern.

Manzano sah ihnen zu. »Würde ich jetzt auch gern«, sagte er und leerte sein Glas. »Aber ich bin müde. Wie Laras Vater. Ich bin ein alter Mann.«

»Ich werde mich ebenfalls auf den Weg machen«, entgegnete Angström und merkte, als sie sich von dem Barhocker löste, wie schwindelig ihr war. Sie tupfte van Kaalden kurz an die Schulter, winkte ihr und dem Journalisten zu. Von den anderen Tänzerinnen verabschiedete sie sich nicht.

Auf dem Weg hinaus in die Hotellobby sagte Manzano: »Ich muss dich noch einmal um Entschuldigung dafür bitten, in was ich dich hineingezogen habe. Ich … wusste nicht, wohin ich sonst hätte gehen können.«

»Ich hätte euch nicht mit ins Büro nehmen müssen«, erwiderte sie. »Ein Glück, dass ich es getan habe.«

»Bekommst du ein Taxi?«, fragte er.

»Bestimmt. Die Tankstellen pumpen wieder. Bloß unsere Wasserleitung im Haus noch nicht.« Sie lachte. »Aber das bin ich inzwischen ja gewohnt.«

»Du kannst bei mir duschen«, bot Manzano grinsend an. »Wäre nicht das erste Mal.«

»Du willst mich bloß auf dein Zimmer locken.«

»Selbstverständlich.«

Sie hatten den Hotelausgang erreicht, vor dem tatsächlich ein paar Taxis warteten. Zum Abschied umarmten sie sich. Küssten einander. Noch einmal. Angström spürte seine Hände auf ihrem Rücken, ihren Schultern, fand ihre eigenen an seinen Hüften, seinem Hals. Ohne voneinander zu lassen, hasteten sie zum Fahrstuhl, achteten nicht auf die anderen Gäste, drängten in der zweiten Etage über den Flur, wo Manzano die Schließkarte aus der Hose nestelte und die Zimmertür öffnete. Er schob sie, sie zog ihn hinein, ihre Hände unter seinem Pullover, seine in ihrer Bluse, an ihrem Po, sie stolperten in der Dunkelheit, fielen fast hin. Angström fing sich, fand die Karte noch in seiner Hand, schob sie in den dafür vorgesehenen Schlitz neben der Tür, der den Stromkreislauf im Zimmer aktivierte.

Mit einem leisen Klicken sprang dezentes, warmes Licht an.

»Wenn wir es schon haben«, flüsterte sie, während er ihren Hals küsste. »Ich möchte dich sehen.«

Seine Hand tastete nach dem Schalter, dimmte das Licht fast bis zum Verschwinden. »Aber wir sollten sparsam damit umgehen. So ein schöner Anblick bin ich gerade ohnehin nicht.«

Sie küsste neben die Narbe auf seiner Stirn.

»Das wird wieder.«

Berlin

Michelsen und einige Kollegen hatten ein Auto mit Fahrer der Bereitschaft ergattert, der sie zum ersten Mal seit über einer Woche nach Hause brachte. Sie war die Letzte auf seiner Route.

Die Fahrt durch die Stadt fand sie gespenstisch. An den meisten Fassaden leuchteten wieder die Reklamen, Geschäftsnamen, Firmenlogos. Auf den Bürgersteigen türmten sich die Müllsäcke streckenweise mannshoch. Viele waren aufgerissen, ihr Inhalt quoll auf die Straße. Tüten häuften sich auch auf der Fahrbahn und tauchten unvermittelt im Scheinwerferlicht des Wagens auf. Dazwischen streunten Hunde und Ratten herum.

In vielen Häusern schien Licht aus den Fenstern. Die Menschen hatten es nicht erwarten können, die Notquartiere zu verlassen und in ihr Zuhause zurückzukehren. Schon ab morgen, dachte Michelsen, würden ihr Ärger und ihre Enttäuschung wachsen, wenn sie feststellen müssten, dass kein Wasser lief und die Supermärkte geschlossen blieben. Zwar hatten sie über Rundfunk dazu aufgerufen, vorläufig noch in den Lagern zu bleiben. Aber wer konnte es den Menschen verübeln? Sie selbst war gerade unterwegs zu ihrer Wohnung. Allerdings wusste sie, dass sie am nächsten Tag im Ministerium von einer funktionierenden Toilette und Dusche bis zu Nahrung alles vorfinden würde.

Vor ihnen ragten am Straßenrand eigenartig gebogene Streben zwischen zwei Autowracks meterweit hoch. Rippen, erkannte Michelsen im Vorbeifahren, gigantische Rippen eines Tierkadavers!

»Was war das?«, rief sie dem Fahrer zu. Für ein Rind war es viel zu groß gewesen.

»Die Überreste eines Elefanten aus dem Tiergarten, soviel ich gehört habe«, erwiderte er ungerührt. »Viele der Tiere sind in den vergangenen Tagen aus dem Zoo geflüchtet.«

Sie musste an die Giraffe mit ihren Jungen denken.

»Die meisten wurden von Hungernden geschlachtet«, fuhr der Fahrer fort. Konnte man Elefantenfleisch essen?, fragte sich Michelsen erschüttert.

Im Radio liefen Nachrichten. Die meisten europäischen Staaten hatten in weiten Teilen eine Grundversorgung wiederhergestellt, und langsam sprachen sich die großen Katastrophen bis zu den Sendern durch. Über die Tragödie von Saint-Laurent und das Desaster in Philippsburg hatten die ersten bereits gegen Mittag berichtet. Nun, dachte Michelsen, sie werden in den nächsten Tagen keinen Mangel an schrecklichen Neuigkeiten haben. Von den Chemieunfällen in Spanien, Großbritannien, Deutschland, Polen, Rumänien und Bulgarien über die zahllosen und vielfältigen menschlichen Katastrophen bis zu den langfristigen Folgen. Aus den USA kamen ähnliche Meldungen.

Der Fahrer hielt, sie vereinbarte eine Uhrzeit zum Abholen für den nächsten Morgen. Als sie ausstieg, trafen sie ein paar kalte Regentropfen im Gesicht. Sie fand eine Lücke zwischen den stinkenden Müllhaufen und war mit ein paar schnellen Schritten im Haus.

Die Luft in ihrer Wohnung war kalt und klamm, roch abgestanden. Das Licht funktionierte. Eigentlich war es nicht viel anders, als würde sie von einem längeren Urlaub heimkehren, fand Michelsen. Sie war froh, nach dem Dauerstress im Krisenzentrum wieder einmal allein zu sein. Aus dem Büro hatte sie ein paar Wasserflaschen mitgenommen. Mit zweien davon spülte sie die Toilette.

Sie spürte, dass sie noch nicht schlafen konnte. Sie öffnete eine Flasche Rotwein, schenkte sich ein Glas ein, stellte sich in der dunklen Küche ans Fenster. Sie nahm einen tiefen Schluck, blickte hinaus in die Nacht, auf die Lichter der Stadt, die vor ihren Augen zu verschwimmen begannen. Ein Zittern ging durch sie, das sie nicht mehr beherrschen konnte, bevor sie hemmungslos zu weinen begann und nicht mehr damit aufhören konnte.

Den Haag

Umgezogen, erklärte der Portier. In ein anderes Hotel, was er denn von dem Italiener wolle. Er erzählte, er sei Reporter. Ob der Portier nicht wüsste, dass dieser Manzano eine Rolle bei der Aufklärung gespielt habe. Nicht so wichtig, wie diese amerikanische Journalistin es darstellte, aber immerhin. Ah ja, mit der ist er weg. Ob er ihm das Hotel nennen könne, er würde den Mann gern interviewen. Das würden viele gern, antwortete der Portier. Irgendwann verbat er mir, die Anrufe durchzustellen. Und dann zog er aus. Warum? War ihm Ihr Haus nicht gut genug? Kann schon sein, sagte der Portier. Jetzt, da alle wieder Strom haben. Ja, so sind sie, die Stars, nicht wahr? Der Portier zuckte mit den Schultern. Zur Schmeichelei musste er ihm noch einen Hundert-Euro-Schein auf den Tresen legen, damit der Mann Manzanos neues Quartier verriet. Er nahm ein Taxi.

Dem Desk Manager des Nobelladens erzählte er, er sei ein Kollege von Lauren Shannon. Sie habe ihn hierherbestellt. Der Mann gab sich irritiert. Hat sie Ihnen denn nichts gesagt?, fragte der Manager. Sie fuhr heute nach Brüssel. Nein, das Zimmer in unserem Haus hat sie behalten. Was mache ich denn jetzt, sie muss vergessen haben, mich zu informieren. Sie würden mir sehr helfen mit der Anschrift des Hotels in Brüssel.

Der Manager schrieb eine Adresse auf.

Tag 14 – Freitag

Orléans

»Kurz nach zehn«, erklärte Annette Doreuil atemlos. »Wir sollten schon einmal zu den Bahnsteigen gehen. Wer weiß, wie viele in diesen Zug wollen.«

Wie sie selbst hatten die Bollards die Nacht an ihre Koffer gelehnt verbracht. Die Furchen in ihren Gesichtern waren noch tiefer als sonst. Überall lagerten die Menschen so dicht aneinander, dass man zwischen ihnen kaum die Halle durchqueren konnte.

Doreuil warf einen sehnsüchtigen Blick zu der Filiale einer Bahnhofsbäckerei, die mit Rollläden verschlossen war. Sie half Celeste Bollard auf die Beine, dann deren Mann. Vincent Bollard nahm seine Mütze ab und richtete sich die Haare. Reflexartig strich auch Annette Doreuil über ihre Frisur. Verstohlen suchte sie in der Hand nach Haaren. Sie entdeckte keine. Sie packte ihre Tasche und machte sich auf den Weg zu den Gleisen. Auf den Bahnsteigen herrschte ein solches Gedränge, dass immer wieder Menschen auf die Gleise gestoßen wurden. Egal, in diesem Zug mussten sie Plätze bekommen.

Den Haag

Da hatte sie wohl zu viel erwartet. Trotz der Behördeninformationen stand Marie Bollard enttäuscht vor dem verbarrikadierten Supermarkt. Sofort nach dem kargen Frühstück war sie mit den Kindern losgezogen. Die verschmutzten, teilweise verwüsteten Straßen waren wieder belebter, nach wie vor patrouillierte das Militär und donnerten Hubschrauber über die Dächer. In der Luft lag der Geruch von Verwesung und kalter Asche. Nach dem ersten Fehlschlag wollte sie noch zwei in der näheren Umgebung probieren. Unterwegs hielt sie Ausschau nach offenen Restaurants oder Cafés. Doch die blieben ebenso noch geschlossen. Weder Schild noch Personal kündigten eine baldige Öffnung an.

Sie war nicht die einzige Ernüchterte. Kunden schimpften vor den herabgelassenen Rollläden, fragten, diskutierten.

»*Maman*, mir ist kalt«, klagte Bernadette.

»Gehen wir wieder nach Hause.«

Sie nahm einen kleinen Umweg, an der Bank vorbei. Die war immerhin offen. Ein Lichtblick! Um den Schalter drängte sich eine Menschentraube, die fast bis zum Eingang reichte.

Dahinter ragten zwei Arme hoch, winkten, deuteten beschwichtigend. Eine Stimme rief etwas auf Niederländisch, wiederholte sich. Gewisse Bankgeschäfte seien heute wieder möglich. Nur Bargeld könne noch nicht abgehoben werden. Das stünde erst morgen wieder zur Verfügung. Und das nur beschränkt.

Dann würde sie morgen wiederkommen. Sie beeilten sich durch die Kälte nach Hause. Noch ehe sie den Mantel abgelegt hatte, wählte sie am Telefon im Flur die Nummer ihrer Eltern in Paris, wie sie es gestern und heute schon mehrmals getan hatte. Zehnmal ließ sie das Freizeichen läuten, dann legte sie auf, versuchte den Anschluss der Bollards. Auch dort hob niemand ab.

Brüssel

»Guten Morgen«, sagte Manzano, als Angström die Augen aufschlug. Schlaftrunken blinzelte sie ihn an, blickte sich um.

»Mein Hotelzimmer«, erklärte er. »Du bist wegen der Dusche geblieben.«

»Ich erinnere mich.« Sie streckte sich, verschwand im Bad.

Manzano ging zu den Fenstern, schob die Gardinen zur Seite, starrte hinaus in den Tag. Aus dem Bad hörte er das Wasser rauschen. Der Portier hatte ihm das erklärt: Das Hotel hatte eine bevorzugte Versorgung, unter anderem mit Wasser, weil es häufig von Diplomaten und Politikern besucht wurde. Deshalb floss hier schon wieder, was in den meisten Brüsseler Haushalten noch fehlte.

Sie zogen sich an und gingen hinunter in den Frühstückssalon. Auf dem langen Büfett fanden sie je eine Sorte Brot, Schnittkäse und Wurst. Abgepackte Schokolade. Wasserkaraffen, Tee und Kaffee. Ein handgeschriebenes Schild bat um Entschuldigung für die bescheidene Auswahl. Man sei bemüht, so schnell wie möglich den üblichen Standard wiederherzustellen.

»Guten Morgen!«, begrüßte Shannon sie mit einem breiten Grinsen.

Sie saß allein an einem der Tische, vor sich einen Laptop und eine Tasse Kaffee. Sie musterte Manzano und Angström von oben bis unten.

»Schön gefeiert gestern?«

»Und du?«

»Keine Ahnung, wie lange wir getanzt haben.«

»Wo ist Bondoni?«

»Schläft wohl noch.«

»Und dein italienischer Kollege?«

»Zum Glück auch noch nicht aufgetaucht. Wundert mich nicht, bei den Mengen, die der getrunken hat.«

Mit schnellen Fingern tippte sie etwas in den Computer.

»Entschuldigt, eine E-Mail. Ich muss dann auch gleich los. Habt Ihr schon was Neues von Bollard gehört?«

Noch einmal sah sie die beiden eindringlich an. »Na ja, ihr hattet wohl Besseres zu tun.«

Manzano nervten ihre Anzüglichkeiten. »Ich brauche etwas zum Essen und einen Kaffee.«

Shannon klappte ihren Computer zu und sprang auf. »Ich habe jetzt meinen eigenen Kameramann«, erklärte sie. »Ihr haltet mich auf dem Laufenden, wenn es Neues von Bollard gibt, ja?«

Und weg war sie.

Manzano atmete durch. »Kaum zu glauben, die Energie«, bemerkte er.

Angström fasste ihn um die Hüfte.

»Tanken wir auch welche«, schlug sie vor und zog ihn zu den Kaffeekannen.

Istanbul

Durch die Spiegelwand beobachtete Bollard die Befragung eines Japaners. Der Mann wirkte ruhig, gefasst. Wie die anderen hatte er von Beginn an zu erkennen gegeben, dass er ausgezeichnet Englisch verstand und sprach.

Als er vor Tagen in der Gruppe der Verdächtigen aufgetaucht war, hatten sich manche gewundert. Japanische Terroristen? Bollard hatte ihnen einige ins Gedächtnis gerufen, wie etwa den Giftgasanschlag der Aum-Sekte in der Tokioter U-Bahn 1995 oder das Massaker auf dem Tel Aviver Flughafen 1972.

Seit seiner Verhaftung hatte der Japaner nur zwei Stunden schlafen dürfen. In sechs Kabinen nebeneinander verhörten sie die sieben Männer und eine Frau. Drei von ihnen hatten Schusswunden davongetragen, sie wurden kürzer befragt und dabei medizinisch überwacht. Am Morgen nach dem Einsatz waren Mitarbeiter mehrerer europäischer Nachrichtendienste und der CIA eingetroffen. Abwechselnd oder gemeinsam mit den türkischen Beamten führten sie die Verhöre. Zur Vorgangsweise hatten sich die Attentäter bislang nicht geäußert. Den Angriff bestritten sie nicht, ganz im Gegenteil. Sie erklärten, dass er notwendig gewesen sei, um der Welt ein neues Zeitalter zu bringen. Interessant fand Bollard, dass sich noch keiner abfällig über Minderheiten geäußert hatte. Das galt als typisch für Terroristen, je nach Antipathie wurden sie dann dem linken oder rechten Spektrum zugeordnet.

»Wie viel bekommen Sie bezahlt dafür, dass Sie uns hier festhalten und foltern?«, fragte der Japaner sein Gegenüber.

»Sie werden nicht gefoltert.«

»Schlafentzug ist Folter.«

»Wir haben viele dringende Fragen. Sobald Sie die beantwortet haben, dürfen Sie schlafen.«

»Können Sie sich von Ihrem Gehalt einen Rolls-Royce leisten?«

Der Japaner führte das Gespräch wie ein Personalchef, fand Bollard.

Der türkische Beamte blieb ungerührt. »Um mein Gehalt geht es hier nicht.«

»Doch, genau darum geht es«, erwiderte der Japaner ruhig. »Ihre Chefs können das nämlich. Und die Männer, die Ihre Chefs bezahlen, können sich einen ganzen Fuhrpark von Luxuskarossen leisten. Während Sie hier die Drecksarbeit machen, sitzen die in ihren Villen und lassen sich schon im Diesseits von zweiundsiebzig Jungfrauen verwöhnen.«

»Ich muss Sie enttäuschen, an solche Dinge glaube ich nicht.«

»Finden Sie das gerecht? Dass Sie hier die Nacht mit einem wie mir durchmachen müssen, während die mit hübschen Frauen im Ferrari spazieren fahren?«

»Es geht hier nicht um Gerechtigkeit.«

»Worum geht es Ihnen dann?«

Bollards Laptop sprang aus der Ruhestellung an. Im Videochat-Fenster leuchtete Christopoulos' Gesicht.

»Sieh her«, sagte der Grieche und blendete in einem Extrafenster Codezeilen ein. »Schon in Pseudocode.«

wenn kein Blockierungscode in den letzten 48 Stunden
          Phase2 aktivieren.

»Was aktivieren?«, fragte Bollard.

»Das wissen wir noch nicht«, antwortete Christopoulos. »Wir wissen bloß, dass es nicht zur Aktivierung von Dragenaus SCADA-Code diente und nicht für die italienischen oder schwedischen Smart Meter. Der Punkt ist: Die bisherigen Analysen der Angriffsstrategie erfordert keinen solchen Befehl in der Software.«

Brüssel

»Genau so einen Befehl habe ich gemeint!«, rief Manzano.

Bollards Gesicht wirkte grün, aber das lag wohl am Licht. Manzano fragte sich, wann Laptops endlich mit Kameras gebaut würden, die ihre Benutzer nicht zu Zombies entstellten.

»Irgendwo in den Systemen versteckt schlummern noch immer Zeitbomben«, sagte Manzano. »Vielleicht nicht in allen, aber in einigen. Diese werden nicht aktiviert, sondern aktiv blockiert. Mindestens alle achtundvierzig Stunden. Geschieht das nicht – Wumm! Und alles beginnt von vorn.«

Shannon und Angström lugten über Manzanos Schulter, hielten sich aber wie Bondoni aus dem Blickfeld der Laptopkamera.

»Wie lange ist der Zugriff her?«, flüsterte Angström.

Manzano rechnete nach. »Rund dreißig Stunden«, flüsterte er zurück.

»Aber der block-Befehl muss nicht unbedingt erst kurz vor dem Zugriff gegeben worden sein«, wisperte Shannon. »Vielleicht wurde er schon am Vortag geschickt.«

»Dann hättest du schon über die Folgen berichtet«, erwiderte Manzano ebenso leise.

»Was flüstern Sie da?«, fragte Bollard.

»Verschaffen Sie mir Zugang zur RESET-Datenbank!«, forderte Manzano ihn auf. »Und wir brauchen die Logs aller Geräte in Istanbul und Mexico City!«

Berlin

»Schwer abschätzbar sind derzeit die Folgen auf weite Teile der Wirtschaft«, begann Helge Domscheidt aus dem Wirtschaftsministerium.

Michelsen fand, dass die meisten in der Runde heute besser aussahen. Schwächere Ringe unter den Augen, aufrechtere Haltung, allgemein eine bessere Stimmung. Sie wirkten nicht mehr nur gehetzt, sondern auch wieder konzentriert. Auch sie selbst war in der Nacht schließlich doch noch eingeschlafen.

»Die meisten Unternehmen der produzierenden Industrie mussten den Betrieb einstellen«, erklärte Domscheidt. »Viele Firmen werden noch für Tage oder Wochen stillstehen, weil Rohstoffe und Material fehlen. Viele Produktionsanlagen wurden auch beschädigt oder gänzlich zerstört, zum Beispiel Hochöfen in der Metallindustrie. Zahlreiche Güter, die sich gerade in Herstellung befanden, wurden ruiniert. Um nur ein Beispiel aus dem aktuellen Themenkreis Energie zu nehmen: Bestandteile von Windrädern müssen bei hoher Temperatur stundenlang sozusagen gebacken werden. Wenn der Strom und damit die Backöfen ausfallen, sind diese Produkte natürlich nicht mehr zu gebrauchen. Über die Probleme der Lebensmittelproduktion wurden wir bereits informiert. In der Energieversorgung gibt es Engpässe. Etwa zehn Prozent der bestehenden Kraftwerke haben schwere Schäden davongetragen, für deren Reparatur teilweise mehrere Monate benötigt werden. Das bedeutet vor allem für energiekritische Industriezweige wie die Papier-, Zement- oder Aluminiumproduktion noch eine Wartezeit. Wir sollten erwägen – wenn möglich –, Atomkraftwerke, die vor nicht allzu langer Zeit abgeschaltet wurden, vorübergehend wieder in Betrieb zu nehmen.«

»Kommt überhaupt nicht infrage!«, unterbrach ihn die Ministerin für Natur, Umweltschutz und Reaktorsicherheit empört. »Nach den Unfällen in Philippsburg und Brokdorf ist das niemandem vermittelbar.«

»Aus der Industrie werden die Forderungen mit Sicherheit auftauchen. Stellen wir uns darauf ein. Vom Ausfall betroffen waren natürlich auch Klein- und Mittelbetriebe, das Rückgrat der deutschen Wirtschaft. Sie stehen vor noch größeren Problemen, da ihnen per se weniger Aufmerksamkeit geschenkt wird als den großen Konzernen und sie schwerer Finanzierungen von den Banken erhalten. Um den Kollaps der deutschen Wirtschaft in den nächsten Monaten und Jahren zu verhindern, müssen wir ein gigantisches Förderprogramm auf die Beine stellen. Selbst dann«, sagte er düster, »bleibt fraglich, ob die deutsche Wirtschaft ihre Stellung in der Welt jemals wieder erreichen wird. Denn auf einen Marshallplan aus den USA dürfen wir dieses Mal nicht hoffen. Die sind fast so schlimm betroffen wie wir. Zudem brauchen nicht nur wir Unterstützung, sondern alle europäischen Staaten. Das heißt auch, viele unserer wichtigsten Handelspartner fallen aus und werden sich – wenn überhaupt – nur langsam erholen. Das ist aber erst der Anfang. Mittelfristig fehlen den Emerging Markets die europäischen und US-amerikanischen Märkte als Abnehmer, zumindest im bisherigen Umfang. Das heißt, auch China, Indien, Brasilien und andere werden bald mit hoher Arbeitslosigkeit und in der Folge mit sozialen Konflikten sowie politischer Instabilität kämpfen. Damit fallen die großen Wachstumsmärkte der vergangenen Jahre aus – ein Teufelskreis. Auch bei uns wird die Arbeitslosigkeit ohne Unterstützungsprogramme rasant steigen. Die sozialen Folgen sind noch nicht abzusehen. Einige Wirtschaftsforscher sagen uns lateinamerikanische Verhältnisse voraus, mit einer kleinen reichen Oberschicht, einer verschwindenden Mittelschicht und dem Großteil der Bevölkerung in ärmlichen, ungesicherten Lebensverhältnissen.«

»Mit entsprechenden politischen Maßnahmen könnte man dem natürlich gegensteuern«, warf der Bundeskanzler ein.

»Wenn sich Mehrheiten dafür finden … Ich fürchte, vielen Menschen, inklusive einigen hier im Raum, ist noch nicht bewusst, welche langfristigen Auswirkungen dieses Ereignis haben kann, welche Folgen vergleichbare soziale und wirtschaftliche Zustände in der Vergangenheit hatten. Aber nicht haben müssen, das möchte ich an dieser Stelle hinzufügen.«

»Und woher soll das Geld für Konjunkturprogramme kommen?«, fragte der Außenminister. »Die meisten betroffenen Staaten waren schon vorher hoch verschuldet oder bankrott.«

Domscheidt erwiderte den Blick des Außenministers mit einer nichtssagenden Miene. »Das kann Ihnen hoffentlich der Finanzminister erklären.«

»Was ist das für ein Blockierungscode, und was geschieht, wenn er ausbleibt?«, fragte Bollard. Weit über den Tisch gebeugt, stützte er sich mit einem Arm ab, tippte mit dem Zeigefinger der freien Hand auf den Ausdruck.

»Ich habe doch schon gesagt, dass ich es nicht weiß«, antwortete sein Gegenüber, einer der verhafteten Franzosen. Mit seinem Landsmann konnte sich Bollard in seiner Muttersprache unterhalten. Er war wütend, dass der verdächtige Franzose zu den Angreifern gehörte. Seine Landsleute hatten immer schon gern lautstark Veränderungen gefordert und dabei Gewalt angewendet.

»Hören Sie«, zischte Bollard so leise, dass die mitfilmenden Kameras ihn nicht verstehen würden, und packte ihn am Kragen, »wenn irgendwo in Europa oder den USA wieder der Strom ausfällt und noch mehr Menschen sterben, weil Sie mir nicht sagen, wofür dieser Blockierungscode dient, dann kann ich auch anders. Ganz anders. Dann fehlt Ihnen nicht mehr bloß Schlaf.«

Für solche Drohungen konnte man vor Gericht gestellt werden, das wusste Bollard. Er stieß sich von dem Mann ab, verärgert über sich selbst.

»Das dürfen Sie nicht«, rief sein Gegenüber. »Mir mit Folter zu drohen.«

»Wer bedroht Sie denn?«

»Sie! Das verstößt gegen die Menschenrechte!«

Bollard beugte sich wieder zu ihm, seine Stirn berührte fast die des anderen.

»Sie kommen mir mit den Menschenrechten? Die Millionen Verhungerten, Verdurstenden, Erfrorenen und an unbehandelten Krankheiten Verreckten, hatten diese Menschen keine Rechte? Wofür dient dieser Blockierungscode?«

»Ich weiß es wirklich nicht«, beharrte der andere. Sein Gesicht war bleich, Schweiß stand auf der Stirn. Der Mann war nicht für harte Verhöre trainiert worden. Irgendwann würde er zusammenbrechen. Bollard fragte sich, wie weit er dafür würde gehen müssen.

Aber was, wenn der Kerl wirklich nichts wusste?

Berlin

»Die gute Nachricht ist«, hob Volker Bruhns, Staatssekretär im Finanzministerium, an, »die meisten Bankfilialen haben wieder geöffnet. Die Versorgung der Bevölkerung mit Geld ist vorerst gesichert. Und dann gibt es natürlich einige weniger gute. Um noch schlimmere Bank-Runs zu verhindern, wird die Ausgabemenge vorläufig auf hundertfünfzig Euro pro Person und Tag beschränkt. Die europäischen Börsen bleiben bis Mitte nächster Woche geschlossen, ebenso die US-Handelsplätze. Die Technik wäre zwar jederzeit einsatzbereit, allerdings sollen die Märkte erst Luft holen und die Neuigkeiten verdauen können, bevor sie wieder öffnen. Bis zum letzten Handelstag vergangenen Freitag verloren die wichtigsten europäischen und amerikanischen Indizes rund siebzig Prozent an Wert. Manche deutschen Unternehmen, die vor zwei Wochen noch Dutzend Milliarden wert waren, könnte sich momentan so mancher Superreiche aus der Portokasse leisten. Der Euro kam unter die Räder, obwohl die Europäische Zentralbank die Märkte flutete. Das ist natürlich eine Katastrophe in Hinsicht auf notwendige Öl- und Gasimporte, die sich dadurch extrem verteuern und die Energieversorgung diesmal von einer anderen Seite zusammenbrechen lassen könnten, weil wir uns die Importe nicht leisten können. Zum Glück – wenn man so zynisch sein will – folgte diese Woche der Dollar, nachdem auch die USA angegriffen worden waren. Das verbilligt die Importe wieder etwas, da Öl und Gas ja in Dollar abgerechnet werden. Wobei man hinzufügen muss, dass unsere strategischen Öl- und Treibstoffreserven noch für mehrere Monate reichen und auch die Preissteigerungen erst in mehreren Monaten wirksam werden, da die Preise in den meisten Fällen auf langfristigen Verträgen basieren.«

Er holte kurz Luft, fuhr dann aber nahtlos fort: »Die Entwicklung der Wertpapier- und Rohstoffmärkte ist nicht einschätzbar. Vielleicht kommt es nach dem Ende des Stromausfalls zu positiven Gegenbewegungen. Andererseits konnten die Märkte auf die Verschlechterung der Situation während der letzten Woche nicht reagieren. Die Militärputsche in Portugal, Spanien und Griechenland zum Beispiel werden nicht ohne Folgen bleiben. Die Renditen selbst für deutsche Staatsanleihen sind weit über das Niveau von griechischen, irischen, italienischen oder spanischen aus den schlimmsten Zeiten der Finanzkrise geschossen. De facto können wir uns zurzeit über den Kapitalmarkt nicht finanzieren. Das heißt, Deutschland kann in wenigen Monaten seine Kredite nicht mehr bedienen, seine Beamten und Renten nicht mehr bezahlen. Viele europäische Staaten werden schon wesentlich früher mit diesem Problem konfrontiert. Damit stehen die internationalen Finanzmärkte vor einem Zusammenbruch, gegen den alle Wellen der Finanzkrise harmlos waren. Nun ist die Politik gefragt, um wenigstens das Schlimmste zu verhindern. Mögliche Szenarien sollen in« – er sah auf seine Armbanduhr – »vier Stunden bei einer Videokonferenz mit den Regierungschefs der G-20-Staaten, Vertretern der Europäischen Zentralbank, der Federal Reserve, des Internationalen Währungsfonds und der Weltbank vorgestellt und diskutiert werden.«

Paris

Die Zugfahrt von Orléans nach Paris dauerte ewig. Zu Annette Doreuils Entsetzen hielten sie in jeder größeren Ortschaft entlang der Strecke, aber wenigstens war sie auf dem Weg nach Hause. Und sie hatten Sitzplätze errungen. Die Bollards waren fast umgehend auf ihren Plätzen eingeschlafen. Doreuil starrte die meiste Zeit aus dem Fenster. Wie viele Tote lagen da draußen auf den Feldern noch, hastig verscharrt? Schließlich ließ sie sich vom Lärm im Zug ablenken, vor allem von den Kindern. Hoffentlich geht es Bernadette und Georges gut, dachte sie.

Weit nach Mittag erreichten sie Paris. Zusammen mit einigen Dutzend anderen Reisenden warteten die Bollards am Taxistand, während Doreuil wieder in die Halle lief, um dort jemanden zu fragen, der ihnen vielleicht weiterhelfen konnte. Der Informationsschalter war sogar besetzt. Doch um ihn drängten so viele Leute, dass Doreuil zum Taxistand zurückkehrte. Als tatsächlich ein Wagen auftauchte, brach unter den Wartenden rücksichtsloses Geschiebe aus. Zwei weitere Autos erschienen. Sie trugen zwar kein Taxischild, hielten aber trotzdem, eines direkt vor Vincent Bollard. Der Fahrer ließ die Scheibe des Beifahrerfensters herunter und fragte: »Wohin?«

Annette Doreuil nannte die Adresse.

»Hundertfünfzig Euro«, forderte der Mann.

»Das ist…«, hob Doreuil an, beherrschte sich jedoch. Der übliche Tarif für die Strecke betrug etwa dreißig Euro.

»Einverstanden«, sagte sie mit versteinerter Miene.

»Steigen Sie ein.«

Der Fahrer öffnete die Zentralverriegelung. Andere Wartende drängten hinzu, boten dem unverschämten Kerl noch mehr Geld an, doch die Bollards saßen bereits.

»Die Hälfte vorab«, erklärte der Mann und streckte seine Hand nach hinten.

Doreuil zahlte.

»Woher kommen Sie?«, fragte der Mann neugierig, während er losraste.

»Orléans«, antwortete Doreuil einsilbig. Sie hatte keine Lust, sich mit dem Wucherer zu unterhalten.

»Ach, du liebe …!«, rief er. »Ich dachte, das ist Sperrgebiet. Haben sie in den Nachrichten gesagt.«

Doreuil musste an die Haare zwischen ihren Fingern denken.

»Orléans nicht«, erwiderte sie. »Wir waren dort in einem Notquartier.«

»Doch, doch«, beharrte der Mann. Die Straßen waren noch verdreckter als in Orléans, sogar aufgeblähte Tierkadaver entdeckte sie. Auch hier waren hauptsächlich Einsatzwagen und Panzerfahrzeuge unterwegs, trotzdem zeigte der Tachometer achtzig Stundenkilometer. Er lachte. »Na, uns in Paris geht es auch nicht viel besser!«

Doreuil hasste ihn für seine Andeutungen, aber jetzt musste sie fragen: »Wieso?«

»Dürfte wohl eine Wolke von dem explodierten Kraftwerk da unten zu uns getragen haben. Ist aber nicht so schlimm, sagen die Offiziellen.« Er zuckte mit den Schultern. »Der nächste Regen hatte es wieder weggewaschen, keine Gefahr mehr, behaupten die zumindest.« Er machte eine wegwerfende Geste. »Na ja, ich glaub das lieber mal. Sonst kann ich ja nicht in Ruhe weiterleben.«

Doreuil entgegnete nichts. Wie beiläufig fuhr sie durch ihr Haar, untersuchte verstohlen ihre Hand.

»Brauchen Sie sonst etwas?«, fragte der Mann unbeschwert. »Lebensmittel? Getränke? Ich kann Ihnen was besorgen. Ist nicht leicht dieser Tage, was zu bekommen.«

»Danke, nein«, antwortete Doreuil steif.

Vor ihrem Haus zahlte sie ihm seine überteuerte Gebühr und merkte sich das Kennzeichen. Hoffentlich stank es in der Wohnung nicht ebenso wie hier draußen. Sie und die Bollards mussten über Berge von Müll klettern, um zum Eingang zu gelangen.

Als sie die Wohnungstür aufgesperrt hatte, seufzte sie: »Endlich!«

Hier war die Luft nur etwas abgestanden, die übelsten Gerüche waren bislang draußen geblieben. Sie stellte den Koffer ab und ging zum Telefon. Die Leitung war tot. Sie lief zu dem Computer in Bertrands Arbeitszimmer. Die Bollards folgten ihr. Seit die Kinder mit den Enkeln nach Den Haag gezogen waren, hatte auch sie sich mit den modernen Kommunikationskanälen vertraut gemacht. Sie warf das Gerät an, startete Skype und wählte den Namen ihrer Tochter. Nach wenigen Sekunden erschien auf dem Bildschirm tatsächlich das leicht gepixelte Bild von Marie. Doreuil stiegen die Tränen in die Augen. Durch das Mikrofon hörte sie Marie rufen: »Kinder! Kommt! Oma und Opa rufen an!« Ihre Tochter wandte sich wieder dem Bildschirm zu. »Mein Gott, *Maman*, bin ich froh, dich zu sehen! Geht es euch gut?«

Brüssel

»Das sind ja Millionen«, rief Shannon. »Die zu durchsuchen braucht ihr doch Jahre.«

Manzano tippte fieberhaft.

»Das müsstest du eigentlich inzwischen wissen. Ich schreibe ein kleines Skript. Du erinnerst dich, wie ich es schon für die Logs meiner Firewall gemacht habe, in der wir dann die IP-Adresse von RESET gefunden haben. Ist fast fertig.«

»Was sucht das Script?«

»Dasselbe oder Ähnliches wie bei meiner Firewall. Datenübertragungen an immer dieselbe IP-Adresse in einem Abstand von achtundvierzig Stunden oder darunter. Und los.«

Er hieb auf die Return-Taste, das Programm begann, die Log-Datenbank zu durchsuchen.

Manzano wechselte zum Videochat und wählte Bollard an. Er wartete, doch Bollard nahm das Gespräch nicht an.

Istanbul

»François? François! Bist du noch da?«

Wie durch Watte hörte Bollard Maries Stimme aus dem Computer. Er starrte durch den Monitor hindurch, das schlanke, bleiche Gesicht seiner Frau verschwamm. Bollard schluckte die Tränen weg.

»Er … », ihre Stimme brach, »er muss noch einmal … ausgegraben werden. Damit er in Paris begraben werden kann.«

Zum zweiten Mal wiederholte sie es schon. Die Tatsache erschütterte sie fast so sehr wie die Nachricht vom Tod ihres Vaters.

»Ich … es tut mir so leid«, antwortete Bollard mit belegter Stimme. »Ich muss jetzt Schluss machen. Passt auf euch auf. Wir sehen uns bald. Ich liebe euch.«

Für ein paar Sekunden saß Bollard regungslos da. Er dachte an seine Kinder, an Marie. Er musste nach Hause. Er hatte ihre Eltern dort hingeschickt. Wo er sie sicher geglaubt hatte. In den idyllischen Hügeln entlang der Loire. Für einen Augenblick sah er sich als kleinen Jungen über eine Wiese vor dem Schloss Chambord einem Schmetterling hinterherjagen. Nie wieder konnte er an den Ort seiner Kindheit zurückkehren. Auch Bernadette und Georges durften dort nie mehr herumtollen.

Er sprang auf, lief zu den Verhörkabinen, stürzte in die erstbeste. Zwei amerikanische Beamte hatten einen der Griechen in der Mangel. Unter seinen Achseln und Kragen zeichneten sich dunkle Schweißflecken auf dem Hemd ab, seine Lippen zitterten.

Ohne auf die Amerikaner zu achten, riss Bollard den Mann am Hemdkragen vom Stuhl.

Mit heiserem Flüstern erklärte er ihm: »Mein Schwiegervater ist vor ein paar Tagen in der Nähe von Saint-Laurent gestorben. Herzinfarkt. Niemand konnte die Rettung rufen. Saint-Laurent. Sie wissen, was dort geschah?«

Der Grieche starrte ihn aus geweiteten Augen an, wagte keine Bewegung. Natürlich wusste er es.

»Meine Eltern«, fuhr Bollard keuchend fort, »mussten das Haus verlassen, in dem meine Familie seit Generationen lebte. Ich selbst bin dort aufgewachsen. Meine Kinder haben diesen Ort geliebt. Jetzt werden wir alle nie wieder dorthinkönnen.«

Er drückte die Knöchel seiner Fäuste gegen den Kehlkopf des Mannes, roch dessen Angst. »Kennst du das Gefühl«, fuhr Bollard fort, »wie das ist, wenn man weiß, dass man sterben muss, qualvoll, und niemand wird einem helfen?«

Er spürte, wie der Grieche ihm wegzusacken drohte, festigte seinen Griff. Die Augen des Mannes begannen zu glänzen, füllten sich mit Tränen. An seinem Blick erkannte er, dass der Grieche begriffen hatte, wie ernst er es meinte.

»Dieser Blockierungscode«, fragte Bollard noch leiser, noch heiserer, »der alle achtundvierzig Stunden gesendet werden muss. Wofür ist er da? Was kann man damit verhindern? Wie viel Zeit bleibt uns noch? Rede, du selbstverliebter Mistkerl!«

Der Mann zitterte am ganzen Körper, die Tränen flossen über seine rundlichen Backen.

»Ich ... weiß es nicht«, winselte er. »Ich weiß es wirklich nicht!«

Brüssel

Er hastete auf die Empfangsdame zu, so eilig, dass er sich der jungen Frau gar nicht zuwandte, sondern nur eine Hand symbolisch am Tresen ablegte, während sein Körper schon weiterstrebte. In welchem Zimmer finde ich Piero Manzano noch mal?, fragte er sie. Sie trug eine Art blauer Uniform mit Halstuch, fast wie eine Stewardess. Um seine Eile zu unterstreichen, warf er einen kurzen Blick auf seine Armbanduhr. Beflissen sah sie im Computer nach. Es war so einfach, wenn man selbstbewusst auftrat.

Zimmer 512.

Danke.

»Da sind ja immer noch welche«, stellte Manzano fest.

»Was?«, fragte Shannon, die permanent mitfilmte.

»Einigermaßen regelmäßige Logs an gleichbleibende IPs.«

Manzano zeigte auf einige der Netzwerk-Adressen. Shannon und Angström beugten sich über seine Schultern, Bondoni rückte seinen Stuhl näher, um besser zu sehen.

»Die, die und die kennen wir. Sie gehören zur Zentrale in Mexico City.«

Über das Videochat-Programm rief er Christopoulos in Den Haag an. Nach ein paar Sekunden meldete sich Bollards Mitarbeiter.

»Ich habe da eine Liste von IP-Adressen«, erklärte Manzano. »Ich brauche so schnell wie möglich einen Abgleich, von welchen wir bereits wissen, was dahintersteckt.«

Gleichzeitig hatte er die Liste per Mail auf den Weg zu Europol gebracht.

»Es ist wirklich dringend.«

»Wegen Ihres Verdachts?«

»Ja.«

»Ich sehe zu, was ich machen kann.«

Ein Segen, dachte Manzano, dass die Internetverbindungen wieder reibungslos funktionierten. Solange der Strom floss.

»Wir sehen inzwischen auch weiter«, sagte Manzano und beendete die Verbindung.

»Ich würde ja den block-Befehl nicht immer erst im letzten Moment senden«, dachte er laut. »Damit ich es nicht womöglich vergesse.«

»Außerdem«, wandte Shannon ein, »müssen ihn mehrere Personen schicken können. Falls eine ausfällt.«

»Wenn wir in dieser Zentrale gesessen hätten«, überlegte Angström laut, »und dafür verantwortlich gewesen wären, den Auslöser zu blockieren, was hätten wir gemacht?«

»Ich hätte einmal irgendwann am Tag den Befehl gesendet«, äußerte sich Shannon dazu. »Dann wäre ich auf der sicheren Seite gewesen.«

»Wenn das mehrere machen, kann man davon ausgehen, dass die Blockade bestehen bleibt, solange die Zentrale besetzt ist.«

»Ich hätte außerdem einen Alarm eingebaut«, warf Manzano ein. »Falls vor Ablauf der Frist noch niemand blockiert hat.«

»Warum überhaupt die Blockade?«, fragte Bondoni. »Wenn ohne sie doch nur ein weiterer Stromausfall ausgelöst wird, was die Kerle ohnehin wollten.«

»Um nicht unnötig Pulver zu verschießen«, sagte Manzano. »Die Blockade verhindert, dass Zeitbomben in den Stromsystemen hochgehen, die zu einem Stromausfall führen. Aber solange der Strom ohnehin weg war, brauchte man diese ja nicht zu zünden. Sie sind für genau diese Situation gedacht, in der wir uns jetzt befinden: Die Netze funktionieren wieder, die Angreifer sind ausgeschaltet. Wenn jetzt die Zeitbomben neue Schadprogramme aktivieren, fängt alles von vorn an.«

»Können wir nach solchen Mustern suchen?«, erkundigte sich Shannon.

»Natürlich«, antwortete Manzano. »Bleibt die Frage, ob wir mit unserer These richtigliegen. Zuerst aber überprüfen wir den einfacheren Fall.«

Während ihrer Diskussion hatte er die Suchparameter seines Scripts geändert.

»Zuerst überprüfe ich bei den verbliebenen IPs, ob eine in regelmäßigen Abständen kontaktiert wurde.«

Er gab den Befehl. Nach wenigen Sekunden verkündete der Monitor das Ergebnis.

»Nichts. Dann die andere Variante. Mehrere Personen schicken in unregelmäßigen Abständen an dieselbe IP.«

Sein Videochat-Fenster meldete einen Anrufer. Christopoulos. Manzano nahm an.

»Ja?«

»Ich habe Ihnen die IP-Liste geschickt. Adressen mit bekanntem Hintergrund sind markiert.«

»Danke.«

Manzano lud die Aufstellung hoch. Mehr als die Hälfte der Zeilen waren gelb unterlegt.

»Gut. Das schränkt unsere Auswahl weiter ein. Vergleichen wir die mit dem Ergebnis unserer neuesten Suche...«

Er aktualisierte die Listen in seiner Datenbank.

»Immer noch zu viele.«

Abermals rief er Christopoulos an.

»Ich schicke Ihnen eine Log-Liste«, erklärte er ihm. »Lassen Sie so schnell wie möglich überprüfen, was für Daten an die jeweiligen IPs gingen. Wir suchen einen block-Befehl.«

»Unsere Kapazitäten sind gerade alle ausgelastet«, erklärte Christopoulos. »Ich schicke Ihnen den Zugang zu den Daten. Dann können Sie selbst suchen.«

»Aber das dauert womöglich zu lange!«

»Tut mir leid! Wir haben wirklich zu tun!«

»Schicken Sie schon her«, brummte Manzano. Gleich darauf traf eine Mail auf seinem Computer ein. Er loggte sich in die Datenbank, auf der die Ermittler sämtliche Daten von den Servern und Computern aus den beiden Terrorzentralen für die Analyse gesichert hatten.

Er kontrollierte die Dateien, die zu den Zeitpunkten der IP-Liste an die erste Adresse verschickt worden waren. Er würde sich vorerst pro IP nur eine Datei ansehen. Die Wahrscheinlichkeit war hoch, dass die IP ausschließlich für den Zeitbombenaktivierungsmechanismus eingerichtet war. Er zumindest hätte es so gemacht.

An der Tür klopfte jemand.

»Ich gehe«, bot Angström an.

Mühselig, dachte Manzano. So musste er jedes Mal zuerst auf der IP-Liste nach einer Zeit und einem Computer sehen, um dann auf dessen Sicherungsdateien die entsprechenden Daten zu suchen. Und gefährlich. Wenn er recht hatte, zählte jede Minute. Von draußen hörte Manzano jemanden »Zimmerservice« sagen.

Beim siebten Versuch wurde er fündig.

»Das könnte er sein«, stellte Manzano fest. Er sah auf die Uhrzeit, wann der letzte Befehl gesendet worden war.

Vor siebenundvierzig Stunden und fünfundzwanzig Minuten.

»Zahlen und Buchstaben«, maulte Bondoni. »Wer darin was lesen kann …«

»Das kann er«, sagte eine Stimme in ihrem Rücken auf Englisch.

Manzano fuhr herum. Angström stand in der Tür, an ihrem Hals blitzte ein Messer. Hinter ihrem Kopf sah der dunkel gelockte Haarschopf eines Mannes hervor. Trotz des Schnurrbarts erkannte Manzano das Gesicht sofort. Er hatte es während der letzten Tage in Bollards Einsatzzentrale oft genug gesehen.

Jorge Pucao schob Angström vor sich her, auf Manzano zu. In ihren Augen konnte er die Panik lesen. Er spürte, wie sich sein ganzer Körper verkrampfte.

»Lauren Shannon, holen Sie die Vorhangkordeln her, fesseln Sie Ihre Freunde damit.«

Shannon folgte dem Befehl mit zitternden Fingern. Sie riss die Kordeln ab und band zuerst Bondoni die Hände hinter den Rücken.

»Sie könnten immer noch mit uns zusammenarbeiten«, sagte Pucao zu Manzano.

»Euch gibt es nicht mehr«, erwiderte Manzano.

Pucao lachte mitleidig. »Natürlich gibt es uns noch. Milliardenfach. Menschen, die genug haben von der Art, wie die westliche Zivilisation und der Raubtierkapitalismus sie knechten und ausbeuten. Die es satthaben, beherrscht, belogen und ausgeraubt zu werden von einer kleinen Gruppe von Verbrechern, die sich Politiker, Banker und Manager betiteln. Die die feige Trägheit in den Reihenhaussiedlungen und Wohnsilos und Bürofabriken nicht mehr ertragen. Und du, Piero, du gehörst zu diesen Menschen, denen es bis hier steht.« Er hielt das Messer unter Manzanos Nase. Seine Stimme verlor das predigthafte, wechselte in einen geradezu freundschaftlichen Ton. »Du bist einer von uns. Und das weißt du auch. Oder hast du vergessen, wie du gegen die korrupte Politikerkaste Italiens auf die Straße gegangen bist? Wie du in Genua gegen die Ungerechtigkeiten der Globalisierung gekämpft hast? Vielleicht bist du älter geworden. Vielleicht bist du desillusioniert. Aber erzähl mir nicht, dass du deine Träume verloren hast.«

»In meinen Träumen starben nie Hunderttausende Menschen an Hunger, Durst, fehlender medizinischer Versorgung...«

»In deinen Träumen nicht, aber in der Realität tun sie es! Seit Jahrzehnten, jeden Tag, auf der ganzen Welt. Dagegen hast du dich in Genua empört! Darüber regst du dich noch heute auf!

Aber nur noch mit alten Kampfgefährten bei einem gepflegten Glas Wein.«

Er betrachtete Manzano, setzte nach: »Ist es nicht so?«

Manzano musste sich eingestehen, dass Pucao einen empfindlichen Punkt getroffen hatte. Doch damit konnte er sich jetzt nicht beschäftigen. Sie mussten den block-Befehl senden.

»Selbst wenn meine Träume dieselben wie Ihre wären«, sagte er. »Meine Methoden, sie zu verwirklichen, sind es sicher nicht.«

»Deshalb hat sich bis jetzt auch nichts geändert«, antwortete Pucao nachsichtig. »Das war schon bei den Achtundsechzigern so. Demonstrierten, zogen in eine Kommune, warfen Steine — und heute? Sind sie Bankdirektoren, Ärzte, Rechtsanwälte oder Lobbyisten der Industrie, um ihre Villa abzubezahlen. Was haben sie erreicht? Die Reichen wurden reicher, die Armen ärmer. Die heutige Jugend ist so konservativ, apolitisch und duckmäuserisch wie ihre Urgroßeltern. Wir zerstören unsere Umwelt mehr denn je. Soll ich weiter aufzählen?«

Er prüfte die Kordel um Manzanos Handgelenke, die Shannon während des Vortrags festgezurrt hatte. Dann fuhr er fort: »Wann und wodurch fanden die wirklichen Veränderungen statt? Wann wurden tatsächlich Gesellschaften umgewälzt, neue Systeme eingeführt? Wann lösten in Europa Demokratien Adelsherrschaft und später Faschismus, in den USA die Kolonialherrschaft ab? Nur nach großen Katastrophen. Die breite Masse braucht die Erfahrung der existenziellen Bedrohung. Erst, wenn sie nichts mehr zu verlieren hat als das nackte Leben, ist sie bereit, für ein neues zu kämpfen.«

»Das ist doch Quatsch, was Sie hier faseln!«, rief Shannon dazwischen. »Was ist mit Gandhi und Martin Luther King? Was ist mit dem Zusammenbruch des Kommunismus in Osteuropa? Dem Wechsel von Militärregimen zu Demokratien in vielen Ländern Lateinamerikas? Oder dem arabischen Frühling? Dazu brauchte es vorher auch keine Weltkriege!«

»Mund halten und weitermachen«, befahl Pucao und fuchtelte mit dem Messer in ihre Richtung. »Dem Zusammenbruch des Kommunismus ging ein jahrzehntelanger Krieg in aller Welt voraus. Der Kalte Krieg, schon vergessen? Ah, da waren Sie noch ein kleines Mädchen.«

»Aber Sie waren schon der alte Weise, oder was?«, erwiderte Shannon. Manzano versuchte, sie mit einem Blick zu bremsen.

Doch Pucao schien die Diskussion zu gefallen, vielleicht genoss er die Zuhörerschaft. »Sie haben keine Ahnung, was ein Krieg ist«, belehrte Pucao Shannon. »In Lateinamerika führten die USA und Europa mittels ihrer Marionettenterrorregime brutale Feldzüge mit Hunderttausenden Opfern. Später waren es der Internationale Währungsfonds und die Weltbank, Instrumente der etablierten Staaten, um die Konkurrenz der sogenannten Schwellenländer klein zu halten. Ähnliches geschah in den arabischen Staaten. Deshalb erhoben sich die Menschen irgendwann. Nur in Europa und Nordamerika war das Leiden nicht groß genug für den Aufstand, für die Wende zum Besseren. Nun ist es das. Wir dürfen jetzt nur nicht zu früh aufhören. Da müssen wir durch, dann wird sich alles ändern.«

Pucao kontrollierte den Sitz von Angströms Fesseln.

»Hören Sie sich eigentlich selbst zu?«, fragte die Schwedin. »Sie klingen genauso wie jene, die Sie vorgeben anzugreifen. Schwachsinnige Parolen vom Opfer, das notwendig ist, um ins Paradies zu gelangen, von Reinigung durch Feuer, von schmerzhaften Maßnahmen, bevor alles besser wird ...«

Sie mussten sich auf das Sofa setzen.

»Für sich selbst bringen Sie mir auch eine Kordel«, forderte Pucao von Shannon.

»Damit können Sie mich nicht provozieren«, sagte er zu Angström, während er Shannon fesselte. »Ich rede von dem Wissen, das schon die Alten besaßen. Schlagen Sie nach bei Seneca. ›Non *est ad astra mollis e terris via‹ – ›Der Weg zu den Sternen ist nicht bequem‹. Schon in den alten Mythen muss man das Ungeheuer bezwingen, um zum Schatz zu gelangen.«

»Da draußen sterben Menschen!«

»Das ist entsetzlich, schrecklich, aber unvermeidbar. Es ist wie mit einem entführten Flugzeug, das Sie abschießen müssen, damit nichts Schlimmeres geschieht. Einige müssen sterben, damit viele gerettet werden können.«

»Sie Mistkerl!«, brüllte Shannon. »Sie sind doch nicht der, der über den Abschuss entscheiden muss, sondern der Entführer!«

»Der spinnt«, flüsterte Angström Manzano zu.

Pucao zog die Schnüre fest um Shannons Gelenke und stieß sie zu den anderen. »Ich muss Sie hoffentlich nicht knebeln. Noch so ein Geschrei, und Sie alle sterben sofort.«

Seien Sie doch vernünftig, wollte Manzano sagen, doch er wusste, wie sinnlos es war, an die Vernunft eines solchen Menschen zu appellieren.

»Keine Sorge«, gab Shannon patzig zurück, »mit Ihnen habe ich genug geredet.«

Pucao ignorierte die Bemerkung, setzte sich vor den Computer, studierte die Dateien. Fieberhaft überlegte Manzano, was er unternehmen konnte.

»Bastard«, flüsterte Pucao, drehte sich abrupt zu ihnen um. »Du hast nichts begriffen, oder? Gar nichts. Selbst nachdem du von der Polizei angeschossen wurdest.«

Manzano spürte den Zorn hochsteigen, wusste, dass es der falsche Moment war, die Beherrschung zu verlieren.

»Sie sind gut informiert«, sagte er stattdessen bemüht ruhig.

»Waren wir die ganze Zeit. Die längste Zeit …«, korrigierte er sich. Für einen Moment verlor sich sein Blick ins Leere. »Wie hast du uns gefunden?«, fragte er schließlich.

Manzano erwog kurz, ob er ihm die Wahrheit sagen sollte. Der

Mann vor ihm war wie alle Größenwahnsinnigen ein gnadenloser Narziss. Die geringste Kritik konnte ihn unberechenbar machen.

»Haben Sie die E-Mails auf meinen Computer platziert?«

»Bist du so …?«

Manzano antwortete nicht. Wenn es tatsächlich Pucao gewesen war, so hatte der gerade seinen kapitalen Fehler begriffen.

Während Manzano mit ihm redete, versuchte er, hinter seinem Rücken die Fesseln zu lösen. Doch Shannon hatte sie fest verknotet.

»Ich habe sie geschrieben«, sagte Pucao. »Raufgeladen hat sie jemand anderes.«

»Gut geschrieben«, entgegnete Manzano. »Die Polizei ist darauf hereingefallen. Aber den Typ, der sie mir direkt von Ihrem zentralen Kommunikationsserver auf den Computer gespielt hat, den sollten Sie feuern.«

Pucao zischte etwas auf Spanisch, das Manzano nicht verstand. Es klang wie ein Fluch.

»Und bei der Gelegenheit auch alle, die für die Serversicherheit zuständig waren«, fuhr Manzano fort. »Verdammt schwer, gute Leute zu bekommen, nicht wahr?«

»Hör auf«, Pucao machte eine wegwerfende Geste. »Glaubst du, ich merke nicht, was du hier versuchst? Mir Honig ums Maul zu schmieren?«

»Wir können Sie auch gern beschimpfen«, warf Shannon kühl ein. »Tue ich sogar wesentlich lieber. Verdammter Irrer!«

Pucao lächelte.

»Ah, Sie sind der *bad cop*. Ich sagte doch schon, dass ich mich nicht provozieren lasse.«

Er erhob sich.

»Diese Unterhaltung langweilt mich. Verabschieden Sie sich voneinander. Es tut mir leid, dass Sie alle da waren, eigentlich bin ich nur wegen Piero gekommen. Du warst eine echte Nervensäge, weißt du das?«

»Ähnliches habe ich in letzter Zeit öfters gehört.«

»Tja, meine Damen und Herren, dass ich mit Kollateralschäden keine Probleme habe, dürfte inzwischen jeder hier begriffen haben.«

»Da befinden Sie sich in bester Gesellschaft mit anderen Herren«, maulte Bondoni.

Pucao trat von hinten an das Sofa, das Messer in der Hand, griff nach Angströms Haaren.

Manzano sprang auf. Nach einer Schrecksekunde, in der sich auch der überraschte Pucao nicht bewegt hatte, folgten ihm die anderen. Statt in Angströms Haare griff Pucao ins Leere. Manzano trat einige Schritte zurück, auch die anderen gewannen Abstand.

Pucao hatte seine Fassung wiedergewonnen, schloss die Tür zum Nebenraum, umrundete langsam das Sofa.

»Glaubst du, dass du mir entkommst?«

Manzano wich weiter zurück, neben den Tisch, auf dem der Computer stand. Shannon und Angström bewegten sich in die andere Richtung, verteilten sich im Zimmer.

Pucao ging auf Bondoni zu. »Der alte Mann ist am langsamsten«, sagte er.

Bondoni eilte auf die andere Seite des Sofas, das sie wieder voneinander trennte.

Pucao sprang auf die Sitzpolster.

»Gemeinsam!«, brüllte Manzano, stürzte los und rammte seinen Kopf mit voller Wucht in die Nieren des Mannes. Pucao stolperte, fiel hinter der Lehne zu Boden, fing sich. Statt wegzulaufen, trat Bondoni ihm mit voller Kraft gegen das Knie. Pucao knickte ein. Manzano hatte sich aus dem Sofa aufgerappelt, was mit gefesselten Händen nicht so einfach war, kletterte über die Lehne und traf Pucao mit dem Rumpf gegen die Schulter. Gemeinsam stießen sie dahinter gegen die Wand, Manzano spürte einen glühenden Schmerz in der Brust. Pucao traf ein gewaltiger Tritt Shannons von hinten zwischen den Beinen. Er knickte zusammen, in seiner Hand sah Manzano das Messer, die Klinge blutig bis zum Griff, Shannon trat noch einmal zu. Manzano bekam keine Luft, setzte trotzdem nach und warf sich mit seinem ganzen Gewicht auf Pucao, sodass sie zusammen auf den Boden fielen. Neben seinem Kopf sah Manzano Angströms Fuß Pucaos Gesicht treffen, Blut spritzte aus der gesprungenen Lippe. Manzano kämpfte sich hoch, kam auf die Knie. Pucaos Hemd war blutgetränkt. Während Angström auf Pucao eintrat, ließ sich Manzano mit beiden Knien auf ihn fallen.

»Das Messer!«, keuchte Manzano. »Wo ist das Messer?« Ihn schwindelte. In Pucaos Händen, die dieser schützend um den Kopf hielt, konnte er es nicht entdecken.

»Hier«, sagte Bondoni, der es in den gebundenen Händen hielt und damit gerade Shannons Fesseln durchschnitt.

Manzano kniete schwer auf Pucao, der sich nicht mehr bewegte, die bereits befreite Shannon hatte einen Fuß auf seinen Kopf gestellt und legte ihr ganzes Körpergewicht darauf. Sie schnitt Bondonis und Angströms Fesseln auf, dann Manzanos. Mit den Resten der Schnüre banden sie Pucaos Handgelenke und Knöchel zusammen. Der blutete aus einer Wunde an den Lippen und einem Schnitt über den Augen. Seine Lider flatterten, er atmete schwer, seine Augen öffneten sich.

»Zu viele Fehler«, stöhnte Manzano und presste seine Hand auf die linke Brust, mit der er gegen Pucao gestürmt war. Er musste sich eine Rippe gebrochen haben. »Erst recht für einen Unfehlbaren wie Sie.«

Er lief zum Computer. Ihm wurde schwarz vor Augen, er stolperte, fing sich.

Zehn Minuten noch. Wo war der Befehl? Hier. Senden an. Hoffentlich war das der richtige Code gewesen. Wo kam das viele Blut auf der Tastatur her? Hoffentlich hatte er alles richtig gemacht. Der Bildschirm verschwamm vor seinen Augen. Videochat-Fenster. Christopoulos.

»Ja?«

Atemlos sagte er: »Ich habe Ihnen eine IP-Adresse und einen block-Code geschickt. Ich glaube, das war, was ich gesucht habe.« Weshalb bekam er keine Luft?

»Was ist denn mit Ihnen passiert?«, rief Christopoulos.

Statt einer Antwort sagte Manzano: »Überprüfen Sie es trotzdem. Bitte. Schnell. Sofort.« Sein Kopf kippte fast auf die Tischplatte. Er fuhr hoch, murmelte heiser: »Wir haben noch neun Minuten.«

»Was?«

»Machen Sie einfach!«

»Piero!«, schrie Angström. Sie stürzte auf ihn zu, Shannon direkt dahinter. Angström fasste an seine Brust, wo aus einem Schlitz unter dem zerschnittenen Hemd Blut quoll. Sie presste ihre Hand darauf.

Manzano versank im Schmerz, fühlte, wie er kraftlos vom Stuhl glitt, in Shannons Hände. Ihm wurde kalt. Über ihn gebeugt Angström, weshalb diese Panik in ihren Augen? Wie von weit her hörte er sie seinen Namen rufen, immer wieder, immer leiser, nur noch schlafen wollte er, nur noch schlafen. Er ließ die Lider sinken.

Ob Christopoulos es geschafft hat?, dachte er. Kalt. Schlafen.

Tag 19 – Mittwoch

Paris

Blitzlichtgewitter begrüßte Bollard, als er die Empfangshalle betrat. Er blieb stehen, musste die Hand vor die Augen legen und fragte sich, welcher Prominente erwartet wurde. Dann hörte er seinen Namen rufen. Die Journalisten streckten ihm Mikrofone entgegen, bombardierten ihn mit Fragen. Schützend breitete Bollard seine Arme vor den Kindern aus. Bernadette hopste an ihm vorbei, lachte in die Kameras und zeigte ihnen schließlich – zu Bollards Entsetzen – die Zunge. Die Journalisten blitzten mit noch mehr Begeisterung, doch viele lachten auch, und das löste in Bollard die Anspannung. Woher wussten die Reporter von seiner Ankunft und warum interessierte sie das überhaupt?

Unter den Wartenden entdeckte er seine Eltern und Maries Mutter. Bernadette und Georges stürmten auf die drei zu und wurden von ihnen in die Arme geschlossen. Das perfekte Motiv. Für ein paar Sekunden wandten sich alle Kameras der wiedervereinten Gruppe zu. Bollard und seine Frau nützten die Gelegenheit, um sich an den Reportern vorbeizudrängen.

»Stimmt es, dass Ihnen das Großkreuz der Ehrenlegion verliehen wird!«, hörte er aus dem Getümmel.

»Wurden inzwischen alle Attentäter gefasst?«

»Wie hat Ihre Familie die Wochen in Den Haag überstanden?«

»James Turner, CNN! Stimmt es, dass Sie Europol verlassen wollen?«

»Wann wird Sie der Präsident empfangen?«

»Was sagen Sie dazu, dass Sie als kommender Innenminister gehandelt werden?«

Bollard antwortete niemandem. Mit Marie am Arm gelangte er zum Rest der Familie. Die Kinder redeten aufgeregt auf ihre Großeltern ein. Für sie war der Tod des Großvaters in diesem Moment weit weg. Bollard drückte Marie den Arm, als Zeichen der Unterstützung, bevor sie ihre Mutter umarmte.

Endlich kamen ihm ein paar Sicherheitsleute zu Hilfe, um seine Familie vor der Medienmeute abzuschirmen. Von ihnen eskortiert gelangten sie zu den Taxis. Seine Familie war bereits in einen Kleinbus eingestiegen, da wandte sich Bollard schließlich doch an die Horde.

»Ich danke Ihnen für den aufregenden Empfang. Aber ich war nur einer von vielen, die den Angreifern das Handwerk gelegt haben. Bedanken Sie sich bei ihnen. Mehr habe ich nicht zu sagen.«

Er stieg ein, der Wagen fuhr los, und die fragenden Rufe verstummten alsbald.

Tag 23 – Sonntag

Mailand

Auf dem Dach des Doms wehte ein frischer Wind. Unter ihnen funkelten die Lichter der Stadt. Auf dem Platz vor der Kirche demonstrierten seit Tagen Tausende Menschen für eine bessere Versorgung und gegen die Regierung. Manchmal übertönten sie sogar das Tosen des Verkehrs, das nur gedämpft zu ihnen hinaufdrang.

»Kannst du dir vorstellen, dass ich noch nie hier war?«, fragte Manzano.

»Ist das nicht immer so?«, sagte Angström. »Wenn man wo lebt, denkt man sich, man kann das jederzeit tun. Aber man macht es nicht. Erst wenn jemand zu Besuch kommt.«

Das Messer hatte eine Fleischwunde in Manzanos Brust gerissen und die Lunge angeritzt, ihn aber nicht lebensgefährlich verletzt. Ein paar Tage musste er in einem Krankenhaus verbringen, das notdürftig den Betrieb wiederaufgenommen hatte. Danach waren sie noch in Brüssel geblieben. Angström hatte sich Urlaub genommen, sie hatten sich im Hotel erholt, mit Freunden und Verwandten telefoniert, E-Mails gewechselt, herauszufinden versucht, wie sie die zwei Terrorwochen überstanden hatten.

Internet und Fernsehen funktionierten reibungslos, die Medien kannten nur ein Thema. Jorge Pucao wurde weiterhin befragt, wie seine Komplizen in Mexico City und Istanbul. Den flüchtigen Balduin von Ansen hatte die Flughafenpolizei in Ankara festgenommen. Siti Jusuf würde eines Tages auch gefasst werden. Die

Aufarbeitung der Fälle würde Jahre in Anspruch nehmen. Die Bewältigung der Folgen noch länger.

Trotz einer Grundversorgung mit Elektrizität war die allgemeine Versorgungslage in vielen Regionen noch immer schlecht, die Unfälle in den Kernkraftwerken und Chemiefabriken hatten ganze Landstriche unbewohnbar gemacht und Millionen aus ihrer Heimat vertrieben. Die Wirtschaft war auf Jahre ruiniert, eine gewaltige Depression wurde erwartet. Noch immer gab es keine endgültigen Todeszahlen, die Rede war von Millionen, wenn man Europa und die USA zusammenzählte, Langzeitopfer nicht eingerechnet. Dabei hätte alles noch schlimmer kommen können. In den Tagen nach Jorge Pucaos Festnahme hatten die IT-Forensiker jene Schadprogramme gefunden, durch die viele Netze in Europa und den USA erneut stillgelegt worden wären. Als die Menschen von den Motiven der Täter erfuhren, hatten sie sich empört, Lynchgedanken wurden laut. Doch schon nach wenigen Tagen wuchs der Zorn auf die öffentlichen Stellen, die im Voraus die Katastrophe nicht verhindert hatten und nun die gewohnten Verhältnisse längst nicht so schnell wiederherstellten, wie die Bevölkerung es erwartete. Die Unruhen nahmen zu, keine der jungen Militärregierungen in Portugal, Spanien und Griechenland gab die Macht an die gewählten Organe zurück.

Manzano fragte sich, ob Pucao und seine Kumpanen am Ende zumindest mit ihrem Zerstörungswerk doch erfolgreich gewesen waren. Im Moment wollte er nicht daran denken. Er legte seine Arme um Angström, spürte die Naht an der Brust, genoss trotzdem den Blick über die Dächer, die glitzernden Lichter unter dem aufziehenden Nachthimmel. Von unten drangen leise die Parolen der Menge. So standen sie ein paar Minuten schweigend da.

In seiner Hosentasche hörte Manzano das leise Bing, mit dem sein neues Mobiltelefon ihm den Eingang einer Nachricht mitteilte.

Manzano holte das Telefon hervor, las die SMS.

»Lauren ist gut in den USA angekommen«, flüsterte er Angström ins Ohr.

»Ich glaube nicht, dass dieser Pucao recht hat«, sagte sie und betrachtete die Demonstranten, klein wie Ameisen, auf dem Domplatz.

»Ich auch nicht. Wir können es anders, besser.«

Er ließ seinen Blick über das Panorama gleiten, legte seinen Arm um ihre Taille.

»Deshalb gehen wir jetzt wieder da hinunter auf die Straße zu den anderen.«

Aktualisiertes Nachwort und Dank

Blackout ist Fiktion. Doch während meiner Arbeit an dem Manuskript wurde meine Fantasie mehrmals von der Realität eingeholt. So sah mein erster Entwurf 2009 eine Manipulation der SCADA-Systeme von Kraftwerken vor. Zu diesem Zeitpunkt hielten selbst Fachkreise diese Möglichkeit für kaum umsetzbar oder gänzlich abwegig – bis 2010 Stuxnet entdeckt wurde. Ähnlich war es mit der Gefahr, die von den Notkühlsystemen der Kernkraftwerke ausgeht – bis zur Katastrophe in Fukushima.

Ich hoffe, dass sich die Realität beim Einholen meiner Fiktion mit diesen zwei Ereignissen zufriedengibt.

Bei den Recherchen für dieses Buch bediente ich mich vielerlei Quellen. Ich sprach mit Experten, etwa aus der Energie- und der IT-Branche sowie aus dem Katastrophenschutz. Sie gaben zwar alle bereitwillig Auskunft, namentlich genannt werden wollte niemand. Kein Wunder, bei den Informationen, die sie mir teils anvertrauten.

Bestätigt wurden meine Recherchen kurz vor Fertigstellung des Manuskripts im Mai 2011 durch den Bericht des Ausschusses für Bildung, Forschung und Technikfolgenabschätzung: »Gefährdung und Verletzbarkeit moderner Gesellschaften – am Beispiel eines großräumigen und lang andauernden Ausfalls der Stromversorgung«. Einige Ergebnisse dieser Studie habe ich noch in das Buch aufgenommen.

Anregungen für die Krankenhausszenen gab der pulitzerpreisgekrönte *New-York-Times*-Artikel von Sheri Finks vom 25. August 2009 über die dramatischen Tage im Memorial Medical Center von New Orleans nach dem Wirbelsturm Kathrina 2005. Auf weitere Quellen gehe ich im Nachwort der Hardcoverausgabe ein.

Da ich keine Anleitung zu einem Terroranschlag geben möchte, habe ich heikle technische Details weggelassen oder geändert. Manche Gegebenheiten habe ich zugunsten der Dramaturgie und Lesbarkeit vereinfacht dargestellt, zum Beispiel Leitstellen von Netzen in die Unternehmenszentralen verlegt, Telefon- und Internetverbindungen länger aufrecht erhalten, als es wahrscheinlich ist, oder diverse technische Details. Mögliche Unstimmigkeiten oder Ungenauigkeiten gehen entweder darauf zurück – oder darauf, dass mir doch Fehler unterlaufen sind, für die ich um Verzeihung bitte. Bei all den genannten und ungenannten Quellen möchte ich mich herzlich bedanken.

Mein besonderer Dank gilt außerdem meinem Agenten Michael Gaeb und seinem Team, meiner Lektorin Eléonore Delair und meiner Verlegerin Nicola Bartels, sowie der Redakteurin Kerstin von Dobschütz und dem gesamten Verlagsteam von Blanvalet. Speziell danken muss ich einem meiner anonymen Helfer, der mich unermüdlich mit Informationen versorgte und sogar das Manuskript noch einmal prüfte. Sowieso danken darf ich meinen Eltern, wofür man Eltern alles danken kann. Zuletzt, und gleichzeitig allen voran, danke ich meiner Frau für ihre unendliche Geduld, ihre strenge Kritik, ihre zahlreichen Anregungen und ihre andauernde Ermutigung.

Und dann bedanke ich mich natürlich bei Ihnen, liebe Leserin, lieber Leser, für Ihr Interesse und Ihre wertvolle Zeit.

Marc Elsberg, März 2012